CYFRES HANES CYMDEITHASOL YR IAITH GYMRAEG

Golygydd Cyffredinol: Geraint H. Jenkins

Y Gymraeg yn ei Disgleirdeb

Yr Iaith Gymraeg cyn y Chwyldro Diwydiannol

Golygydd

GERAINT H. JENKINS

CAERDYDD
GWASG PRIFYSGOL CYMRU
1997

Y mae cofnod catalogio'r gyfrol hon ar gael gan y Llyfrgell Brydeinig.

ISBN 0–7083–1411–2

Diolchir i Fwrdd Gwybodau Celtaidd Prifysgol Cymru am gymorth ariannol tuag at gostau cyhoeddi'r gyfrol hon.

Dyluniwyd y clawr gan Elgan Davies, Cyngor Llyfrau Cymraeg.
Cysodwyd yng Nghaerdydd gan Wasg Prifysgol Cymru.
Argraffwyd yn Lloegr gan Bookcraft, Midsomer Norton, Avon.

Ni sylwem arni. Hi oedd y goleuni, heb liw.
Ni sylwem arni, yr awyr a ddaliai'r arogl
I'n ffroenau. Dwfr ein genau, goleuni blas.

Waldo

Cynnwys

Mapiau

Cyfranwyr

Dr William P. Griffith, Darlithydd, Ysgol Hanes a Hanes Cymru, Prifysgol Cymru Bangor

Yr Athro Emeritws R. Geraint Gruffydd, Cymrawd Hŷn Mygedol, Canolfan Uwchefrydiau Cymreig a Cheltaidd Prifysgol Cymru

Yr Athro Geraint H. Jenkins, Cyfarwyddwr, Canolfan Uwchefrydiau Cymreig a Cheltaidd Prifysgol Cymru

Dr J. Gwynfor Jones, Darllenydd, Ysgol Hanes ac Archaeoleg, Prifysgol Cymru Caerdydd

Dr Brynley F. Roberts, Cyn-Lyfrgellydd, Llyfrgell Genedlaethol Cymru

Dr Peter R. Roberts, Darlithydd, Ysgol Hanes, Prifysgol Caint yng Nghaer-gaint a Chymrawd er Anrhydedd, Canolfan Uwchefrydiau Cymreig a Cheltaidd Prifysgol Cymru

Dr Llinos Beverley Smith, Uwch-ddarlithydd, Adran Hanes a Hanes Cymru, Prifysgol Cymru Aberystwyth

Mr Richard Suggett, Ymchwiliwr, Comisiwn Brenhinol Henebion Cymru

Dr Eryn M. White, Darlithydd, Adran Hanes a Hanes Cymru, Prifysgol Cymru Aberystwyth

Syr Glanmor Williams, Athro Emeritws, Adran Hanes, Prifysgol Cymru Abertawe

Rhagair

'Y mae'n hen bryd cael hanes cymdeithasol iaith, hanes cymdeithasol llefaru, hanes cymdeithasol cyfathrebu', meddai'r hanesydd Peter Burke ym 1987. Hyfrydwch o'r mwyaf yw ymateb i'r apêl honno trwy olygu a chyflwyno'r gyfrol hon, y gyntaf mewn cyfres o astudiaethau cyd-ddisgyblaethol ar 'Hanes Cymdeithasol yr Iaith Gymraeg', sef ail brosiect ymchwil Canolfan Uwchefrydiau Cymreig a Cheltaidd Prifysgol Cymru. Y mae cynnwys y gyfrol arbennig hon yn ganlyniad i gydweithrediad hapus rhwng cymrodyr ymchwil y Ganolfan ac ysgolheigion yn perthyn i sefydliadau cyfansoddol Prifysgol Cymru a sefydliadau eraill yng Nghymru a thu hwnt, gan gynnwys dau o gymrodyr er anrhydedd y Ganolfan, sef yr Athro Emeritws R. Geraint Gruffydd, Cymrawd Hŷn Mygedol, a Dr Peter R. Roberts, Cymrawd er Anrhydedd. Diolchaf yn gynnes iddynt hwy am eu cynhorthwy, yn ogystal ag i bob cyfrannwr am dderbyn y gwahoddiad ac am ei gydweithrediad llwyr. Dylid esbonio bod Dr Eryn M. White wedi treulio dwy flynedd broffidiol fel cymrodor ymchwil yn y Ganolfan yn ymchwilio i hanes y Gymraeg yn y cyfnod modern cynnar cyn iddi gael ei phenodi'n ddarlithydd yn Adran Hanes a Hanes Cymru, Prifysgol Cymru Aberystwyth. Penodwyd y mwyafrif llethol o'r tîm ymchwil presennol, sef Dr David Llewelyn Jones, Mrs Dot Jones, Dr Marion Löffler, Dr Gwenfair Parry, Mr Dylan Phillips, Dr Robert Smith a Ms Mari Williams, i weithio ar hanes yr iaith Gymraeg yn y bedwaredd ganrif ar bymtheg a'r ugeinfed ganrif, ond er hynny buont o gymorth mawr yn y trafodaethau brwd a deallus a gafwyd wrth baratoi'r gyfrol hon ar gyfer y wasg.

Yr wyf yn dra diolchgar hefyd i aelodau o'r Pwyllgor Ymgynghorol sy'n gysylltiedig â'r prosiect hwn, sef yr Athro Emeritws Harold Carter, yr Athro Emeritws Ieuan Gwynedd Jones, Dr Brynley F. Roberts, yr Athro J. Beverley Smith a'r Athro Emeritws J. E. Caerwyn Williams, am eu harweiniad diogel. Anodd gorbwysleisio cyfraniad golygyddol Mrs Glenys Howells a diolchaf o waelod calon iddi am ei llafur medrus a chydwybodol. Diolchir hefyd i Mrs Aeres Bowen Davies a Ms Siân Lynn Evans am waith prosesu cwbl anhepgor ac am gyfraniadau gweinyddol tra niferus. Mawr yw fy niolch i Mr Hywel Befan Owen am wirio llawer o'r troednodiadau ac i Mr William H. Howells am baratoi'r mynegai. Y mae'n dda gennyf gydnabod fy nyled i'r sawl a baratôdd ac a ganiataodd i ni ddefnyddio'r mapiau a gynhwysir yn y gyfrol hon, sef yr Athro John Aitchison a'r Athro Emeritws Harold Carter; Comisiwn Brenhinol Henebion Cymru; Mr Ian Gulley, Swyddfa Ddylunio, Sefydliad Astudiaethau Daear, Prifysgol Cymru Aberystwyth; Mr John Hunt, Swyddog Prosiect (Cartograffeg), Cyfadran y Gwyddorau Cymdeithasol, Y Brifysgol Agored; a Dr W. T. R. Pryce, Y Brifysgol Agored yng Nghymru. Dyletswydd bleserus yw diolch i swyddogion Llyfrgell Genedlaethol Cymru am bob cymorth a roddir i'r prosiect hwn, a hefyd i staff Geiriadur Prifysgol Cymru, sy'n gweithio yn yr un adeilad â staff y Ganolfan, am lawer awgrym a chyfeiriad gwerthfawr. Diolchir i Fwrdd Gwybodau Celtaidd Prifysgol Cymru ac i Ymddiriedolaeth Catherine a'r Fonesig Grace James am gymorth ariannol tuag at gostau paratoi a chyhoeddi'r gyfrol hon. Bu swyddogion Gwasg Prifysgol Cymru, yn enwedig Susan Jenkins, Ruth Dennis-Jones a Richard Houdmont, yn hael eu cymwynas a braint yw cael cyhoeddi'r gyfrol hon ar adeg pan fo'r wasg dra nodedig hon yn dathlu ei phen blwydd yn 75 oed.

Gan fod hanes cymdeithasol yr iaith Gymraeg yn faes mor syfrdanol o eang, rhyfyg ar fy rhan fyddai honni mai'r gyfres hon fydd y gair terfynol ar y pwnc. Ond mawr obeithiaf y bydd prynu a darllen helaeth ar y cyfrolau arfaethedig ac y byddant nid yn unig yn gymorth i ddarllenwyr i ymgyfarwyddo â hynt a helynt iaith a fu'n gymaint rhan o fywyd beunyddiol ein pobl ac o'u hymwybod â'u cenedligrwydd dros y canrifoedd, ond hefyd yn symbyliad iddynt i'w thrysori.

Hydref 1996   *Geraint H. Jenkins*

Byrfoddau

AC	*Archaeologia Cambrensis*
ALM	Hugh Owen (gol.), *Additional Letters of the Morrises of Anglesey (1735–1786)* (Rhannau 1–2, Llundain, 1947–9)
BBCS	*Bulletin of the Board of Celtic Studies*
BIHR	*Bulletin of the Institute of Historical Research*
BLJ	*British Library Journal*
Bywg.	*Y Bywgraffiadur Cymreig hyd 1940* (Llundain, 1953)
CA	*The Carmarthen[shire] Antiquary*
CAR	*Cambrian Register*
CCHChSF	*Cylchgrawn Cymdeithas Hanes a Chofnodion Sir Feirionnydd*
CCHMC	*Cylchgrawn Cymdeithas Hanes y Methodistiaid Calfinaidd*
CHC	*Cylchgrawn Hanes Cymru*
CLR	*Cambrian Law Review*
CLlGC	*Cylchgrawn Llyfrgell Genedlaethol Cymru*
CMCS	*Cambridge Medieval Celtic Studies*
Cydymaith	Meic Stephens (gol.), *Cydymaith i Lenyddiaeth Cymru* (Caerdydd, 1986)
DWB	*The Dictionary of Welsh Biography down to 1940* (London, 1959)
EA	*Efrydiau Athronyddol*
EFC	*Efrydiau Catholig*
EHR	*English Historical Review*
FHSJ	*Flintshire Historical Society Journal*
FHSP	*Flintshire Historical Society Publications*
GH	*Glamorgan Historian*
GPC	*Geiriadur Prifysgol Cymru*
HR	*Historical Research*
HRO	Archifdy Swydd Henffordd
HT	*History Today*
JAH	*Journal of American History*
JEH	*Journal of Ecclesiastical History*
JHG	*Journal of Historical Geography*
JHSCW	*Journal of the Historical Society of the Church in Wales*
JMEH	*Journal of Medieval History*

JWBS	*Journal of the Welsh Bibliographical Society*
Libri Walliae	Eiluned Rees, *Libri Walliae: A Catalogue of Welsh Books and Books Printed in Wales, 1546–1820* (Aberystwyth, 1987)
LlC	*Llên Cymru*
LlGC	Llawysgrif yng nghasgliad Llyfrgell Genedlaethol Cymru, Aberystwyth
LlLlG	Thomas Parry a Merfyn Morgan (goln.), *Llyfryddiaeth Llenyddiaeth Gymraeg* (Caerdydd, 1976)
LlLlG²	Gareth O. Watts (gol.), *Llyfryddiaeth Llenyddiaeth Gymraeg. Cyfrol 2 1976–1986* (Caerdydd ac Aberystwyth, 1993)
LlPCB	Llyfrgell Prifysgol Cymru Bangor
MA	*Monmouthshire Antiquary*
MC	*Montgomeryshire Collections*
ML	John H. Davies (gol.), *The Letters of Lewis, Richard, William and John Morris, of Anglesey, (Morrisiaid Môn) 1728–1765* (2 gyf., Aberystwyth, 1907–9)
MLR	*Modern Language Review*
MP	*Modern Philology*
NMS	*Nottingham Medieval Studies*
OED	*The Oxford English Dictionary*
Owen, *Description*	George Owen, *The Description of Penbrokshire*, gol. Henry Owen (4 cyf., London, 1892–1936)
PBA	*Proceedings of the British Academy*
PCC	Prerogative Court of Canterbury
PH	*Pembrokeshire Historian*
PP	*Past and Present*
PRO	Archifdy Gwladol, Llundain
SC	*Studia Celtica*
SRO	Archifdy Swydd Amwythig
SS	*Scottish Studies*
TCBS	*Transactions of the Cambridge Bibliographical Society*
TCHBC	*Trafodion Cymdeithas Hanes Bedyddwyr Cymru*
TCHNM	*Trafodion Cymdeithas Hynafiaethwyr a Naturiaethwyr Môn*
TCHSDd	*Trafodion Cymdeithas Hanes Sir Ddinbych*
TCHSG	*Trafodion Cymdeithas Hanes Sir Gaernarfon*
THSC	*Transactions of the Honourable Society of Cymmrodorion*
TLWNS	*Transactions of the Liverpool Welsh National Society*
TRHS	*Transactions of the Royal Historical Society*

Rhagymadrodd

GERAINT H. JENKINS

PAN LUNIODD Thomas Jones yr almanaciwr ei eiriadur Cymraeg-Saesneg ym 1688 rhoes iddo'r teitl ysblennydd, *Y Gymraeg yn ei Disgleirdeb*. Credai mai rhodd gysegredig oddi wrth Dduw oedd ei famiaith a'i ddymuniad oedd gweld y Gymraeg yn 'ail ddesgleirio yn enwog' yn ei oes ef ei hun. Ar lawer ystyr, y mae teitl y geiriadur hwnnw a nod ei awdur yn ddameg o'r hyn a ddigwyddodd yng Nghymru yn ystod y cyfnod modern cynnar, sef yr ymgais a wnaed i ddyrchafu statws a bri yr iaith Gymraeg – ar lafar ac mewn print – mewn amryfal feysydd er mwyn dileu'r gwarthnod a roddwyd arni gan y 'cymal iaith' ym 1536 ac er mwyn ei chyfoethogi a'i diogelu at y dyfodol. Er na ellir cytuno â'r farn ysgubol a fynegwyd yn y rhagymadrodd hanesyddol i'r Adroddiad enwog *Y Gymraeg mewn Addysg a Bywyd* (1927) mai 'hanes yr iaith Gymraeg ydyw hanes Cymru', dylid pwysleisio lle canolog y Gymraeg yn ymwybod y Cymry â'u harwahanrwydd a'u cenedligrwydd yn y cyfnod modern cynnar. Yr oedd cyfran helaeth iawn o drigolion y wlad yn Gymry uniaith ac yr oedd y famiaith yn annatod glwm wrth wead y gymdeithas. I'r graddau hynny, y mae'r penodau sy'n dilyn yn ein tywys i fyd sy'n llai cyfarwydd nag y byddem yn ei ddisgwyl. Ac wrth fentro'n ôl i'r oes gyn-ddiwydiannol, fe ddâl i ni gofio'r siars hon o eiddo'r nofelydd L. P. Hartley: 'Gwlad estron yw'r gorffennol; gwnânt bethau'n wahanol yno.'

Er bod y gyfrol hon yn ymdrin yn bennaf â'r cyfnod rhwng y Deddfau Uno a'r Chwyldro Diwydiannol, neilltuir y bennod gyntaf i drafodaeth gan Llinos Beverley Smith ar hanes y Gymraeg yn yr Oesoedd Canol o'r cyfnod pan gofnodwyd memoranda yn Gymraeg ar ymyl y ddalen yn Llyfr Sant Chad hyd at y 'cymal iaith' enwog a gynhwyswyd yn Neddf Uno 1536. Cymraeg oedd iaith y mwyafrif llethol o'r boblogaeth ac nid ofnai neb fod ei thranc gerllaw. Yr oedd yr iaith yn frith o acenion a thafodieithoedd lleol ac yr oedd ymwneud y bobl â'i gilydd yn dibynnu'n drwm ar y tafod a'r glust. Afraid dweud bod y Gymraeg yn iaith dysg a diwylliant. Llwyddai'r beirdd, yn rhinwedd eu swydd fel ceidwaid cof y genedl, i gadw ac i feithrin hen draddodiadau ar lafar ac i ddyfnhau balchder y Cymry ynddynt. Yr oedd y Gogynfeirdd – beirdd llys Cymru rhwng *c.*1100 a *c.*1300 – yn moli ac yn marwnadu'r tywysogion ar ffurf awdlau, ac wedi darfod eu hoes aur hwy daeth y cywydd yn brif fesur beirdd Cymru o ganol y bedwaredd ganrif ar ddeg ymlaen. Gan fod y gyfundrefn farddol mor rymus a nodedig, yr oedd uchelwyr yn fwy na balch i'w chynnal ac, at ei gilydd, yr oeddynt hwythau hefyd yn gyfarwydd iawn â chelfyddyd a golud iaith awdlau a chywyddau. Yn yr un cyfnod hefyd cynhyrchwyd corff o destunau cyfreithiol tra ysblennydd a oedd yn dangos heb unrhyw amheuaeth fod y Gymraeg yn ddigon caboledig ac ystwyth i drafod llu o bynciau a thermau technegol a chymhleth.

Yr oedd cwmpas daearyddol y Gymraeg yn rhyfeddol o eang a llwyddodd i estyn ei chortynnau'n dra sylweddol hyd yn oed yn yr ardaloedd a feddiannwyd gan Sacsoniaid a Normaniaid. Peth cyffredin iawn oedd clywed seiniau'r Gymraeg yn siroedd Amwythig, Caer a Henffordd ac y mae'n gwbl amlwg nad oedd unrhyw arwyddocâd ieithyddol yn perthyn i hen ffin Clawdd Offa. Yn yr un modd, llwyddwyd i Gymreigio rhannau helaeth o Fro Morgannwg a rhai o'r trefi mwyaf cyndyn eu Seisnigrwydd erbyn diwedd y bymthegfed ganrif. Serch hynny, bu raid i'r Gymraeg gystadlu am ei lle, yn enwedig ym maes gwleidyddiaeth a chyfraith, yn erbyn ieithoedd a diwylliannau eraill, gan gynnwys Lladin, Ffrangeg a Saesneg, o'r ddeuddegfed ganrif ymlaen. Ymhlith y teuluoedd bonheddig a oedd yn arddel cysylltiadau â Saeson ac yn gynefin â'u hiaith, a hefyd ymhlith swyddogion a oedd yn awyddus i ennill bri drwy gipio swyddi o bwys dan y Goron, rhoddid statws uwch i'r Saesneg nag i'r Gymraeg. Erbyn y bymthegfed ganrif yr oedd tuedd gynyddol i lunio dogfennau megis ewyllysiau, cyflafareddiadau, gweithredoedd tir, cytundebau priodas, deisebau a llythyrau yn yr iaith Saesneg. Nid ystyrid y Gymraeg yn iaith dogfen, statud a llywodraeth, ac ni wnaeth y 'cymal iaith' a ddaeth i rym ym 1536 ddim mwy na chydnabod yn ffurfiol dueddiadau cymdeithasol ac economaidd a fu ar y gweill ers sawl cenhedlaeth.

Rhannwyd yn dair adran y bennod ar 'Yr Iaith Gymraeg yn y Cyfnod Modern Cynnar' a luniwyd ar y cyd gan Geraint H. Jenkins, Richard Suggett ac Eryn M. White. Dengys yr arolwg o ddosbarthiad daearyddol y Gymraeg fod gan Gymru erbyn 1800 fwy o siaradwyr Cymraeg (oddeutu hanner miliwn o bobl) nag a fu ganddi erioed o'r blaen. Yr oedd saith o bob deg o'r Cymry yn parhau'n uniaith ar drothwy'r Chwyldro Diwydiannol ac yr oedd mynyddoedd cribog a ffyrdd anhygyrch y wlad yn wahanfur a amddiffynnai drigolion uniaith y gogledd a'r gorllewin rhag dylanwadau Seisnig. Ac eithrio'r Saesonaethau traddodiadol lle'r oedd y Saesneg yn teyrnasu, yn siroedd y Gororau y cafwyd yr arwyddion pennaf o erydiad ieithyddol. Collwyd cymunedau Cymraeg eu hiaith i Loegr yn sgil yr ailstrwythuro a ddigwyddodd wedi'r Deddfau Uno, ac er mai proses araf fu'r ymddigymreigio yn y parthau hynny nid hawdd oedd gwrthsefyll grym a dylanwad yr iaith Saesneg. Erbyn y ddeunawfed ganrif yr oedd yr iaith fain yn treiddio'n sioncach nag erioed drwy siroedd y Gororau, ac yr oedd yn anorfod fod y sawl a chanddo gysylltiadau masnachol â Lloegr yn benthyg ac yn mabwysiadu geiriau ac ymadroddion Saesneg. Eto i gyd, ni ellir gorbwysleisio'r ffaith ddiymwad mai Cymraeg, a Chymraeg yn unig, oedd iaith trwch y boblogaeth.

Yn yr ail adran ymdrinnir â safle'r Gymraeg ar yr aelwyd ac yn y gweithle, a cheisir dangos hefyd sut y llwyddodd i ennill troedle mewn meysydd megis gwleidyddiaeth, gweinyddiaeth a chyfraith lle na chyfrifid hi yn iaith swyddogol. Er bod Deddf Uno 1536 wedi esgymuno pob Cymro a fyddai wedi hoffi ymdrin â chyfraith a chofnod drwy gyfrwng y Gymraeg, nid oes lle i gredu bod y rheini a oedd mewn grym wedi rhoi eu bryd yn llwyr ar ddifa'r Gymraeg. Ac eithrio ym maes crefydd, fodd bynnag, ni wnaethpwyd dim i ddyrchafu ei bri a'i hurddas yn swyddogol. Yn wir, yr oedd y 'cymal iaith' yn cymell y Sais i ddibrisio a dirmygu'r Gymraeg ac yn peri i'r Cymro uniaith deimlo'n annigonol yn ei wlad ei hun. Ond buan y canfuwyd na ellid sicrhau gweinyddiaeth effeithlon heb ganiatáu defnydd anffurfiol helaeth o'r Gymraeg mewn ymgyrchoedd etholiadol, achosion llys a thrafodaethau gwleidyddol. Ymhlith grwpiau anghonfensiynol a radical defnyddid y Gymraeg i fynegi casineb at ormes tirfeddianwyr a oedd hefyd yn ymseisnigo fel yr âi'r cyfnod yn ei flaen. Elwodd y boneddigion yn sylweddol ar fanteision y ddeddfwriaeth Uno ac un o sgil-effeithiau hynny oedd ymbellhau fwyfwy oddi wrth y werin-bobl ac ymwrthod â'u dyletswydd draddodiadol i noddi beirdd a cherddorion. At hynny, gan mai Saesneg oedd iaith masnach a busnes, ni allai cyfran gynyddol o'r boblogaeth symudol lai na dysgu geiriau ac ymadroddion Saesneg wrth ymgyfathrachu â'r rheini a oedd yn byw yn nhrefi Seisnig y Gororau a thu hwnt i Glawdd Offa. Ar y llaw arall, gwrthweithiwyd llawer o'r dylanwadau hyn gan lwyddiant yr ymgyrch i orseddu'r Gymraeg ym mywyd crefyddol y bobl. Y cyfieithiad Cymraeg o'r Beibl, ynghyd â dylanwad cynyddol yr argraffwasg, a alluogodd y Cymry i ymserchu yn y Dadeni Dysg a'r Diwygiad Protestannaidd ac, ymhen amser, i gynhesu fwy fyth at y grefydd efengylaidd a roes fodd iddynt seiadu a dysgu darllen yn eu mamiaith. Diolch i weithgarwch diflino haenau canol diwylliedig yn ystod y ddeunawfed ganrif, llwyddwyd i adfer urddas y Gymraeg ym myd dysg, a dyfeisiwyd hefyd sefydliadau a chyfryngau a fu'n gymorth i lenorion elitaidd a'r werin-bobl ffraeth i amddiffyn y Gymraeg rhag dirmyg a gelyniaeth y Saeson.

Ceir yn y drydedd adran ymgais i glywed lleisiau'r werin-bobl. At ei gilydd – ac y mae hyn yn achos rhyfeddod – ychydig iawn o sylw a roes haneswyr i'r modd y llefarai'r bobl yr oeddynt yn ysgrifennu amdanynt. Er nad yw'r dystiolaeth mor gyfoethog ag y dymunai'r hanesydd iaith, y mae'n helaethach o lawer na'r hyn a geir ar gyfer yr Oesoedd Canol. Y mae cyfran deg o ffrwyth y wasg Gymraeg ar gof a chadw; felly hefyd archif amhrisiadwy Llys y Sesiwn Fawr a chofysgrifau'r llysoedd eglwysig. Yn ogystal, diogelwyd gan hynafiaethwyr eiriau, dywediadau, priodddulliau a diarhebion a fyddai fel arall wedi mynd yn angof. Teflir, felly, belydrau o oleuni newydd yn yr adran hon ar y Gymraeg fel iaith lafar, gan gynnwys dulliau pobl o fendithio a chyfarch ei gilydd, o sarhau, difrïo, athrodi, llysenwi a melltithio. Er gwaethaf dylanwad y Beibl Cymraeg o 1588 ymlaen, ymddengys fod tafodieithoedd a phatrymau llefaru ansafonol (ond hynod o gyfoethog) wedi parhau i ffynnu, a bod y Gymraeg, yn enwedig o 1660 ymlaen, wedi gorfod ymaddasu yn wyneb y benthyg cynyddol ar eiriau ac ymadroddion Saesneg. Ond er bod llygru'n digwydd, yr argraff gyffredinol a geir yw fod iaith y werin gyffredin ffraeth yn parhau yn eithriadol o rywiog a grymus a lliwgar.

Gan fod amodau'r Deddfau Uno (1536–43), ynghyd â'u canlyniadau, wedi dylanwadu'n drwm ar dynged y Gymraeg, neilltuwyd tair pennod ar gyfer astudiaeth o ddeddfwriaeth y Tuduriaid, swyddogaeth Llys y Sesiwn Fawr, a gweithgarwch ustusiaid heddwch yn y Llys Chwarter. Ymdrinnir ym mhennod Peter R. Roberts â'r ystyriaethau gwleidyddol a chymdeithasol a oedd yn gefndir i'r 'cymal iaith' yn Neddf 1536, cymal a ddaeth dan lach cynifer o genedlaetholwyr modern. Y pryd hwnnw tybid yn gyffredinol mai cyfraith gwlad Lloegr oedd yr allwedd i 'gytgord ac undeb cyfeillgar', a nod y brenin Harri VIII oedd sefydlu unffurfiaeth weinyddol ledled y deyrnas. Daethai'n amlwg erbyn hynny fod teuluoedd bonheddig yn awyddus i sicrhau'r un breintiau gwleidyddol a chyfreithiol â'r Sais ac i ymuniaethu â'r Tuduriaid drwy ddal swyddi gweinyddol lle'r oedd y Saesneg yn gymhwyster hanfodol. Nid bwriad y brenin a'i brif weinidog, Thomas Cromwell, oedd gwahardd y Gymraeg yn llwyr yng Nghymru yn gymaint â sicrhau gweinyddiaeth unffurf, hwylus ac effeithlon. Y mae'r ffaith na fu protestio chwyrn ar y pryd yn erbyn y 'cymal iaith' yn awgrymu'n gryf fod y boneddigion yn bleidiol i'r deddfau a bod gweddill y boblogaeth, yn enwedig y rhai uniaith, heb lwyr werthfawrogi eu sgileffeithiau tebygol ym mywyd gweinyddol a chyfreithiol Cymru. Ni chredai'r dyneiddiwr pybyr William Salesbury fod y ddeddfwriaeth yn fygythiad i ddyfodol yr iaith lafar ac ar y cychwyn yr oedd o blaid annog y Cymry i ddysgu Saesneg. Ond erbyn oes Edward VI yr oedd Salesbury ac eraill yn gofidio'n ddirfawr ynglŷn â'r tebygrwydd cryf y byddai 'celfyddyd printio' yn sicrhau y deuai'r Saesneg yn gyfrwng swyddogol addoli cyhoeddus yn holl eglwysi Cymru. Gwyddai Salesbury o'r gorau mai dim ond cyfran fechan o'r Cymry a fyddai'n dysgu Saesneg a bod dyletswydd ar Brotestaniaid blaenllaw i sicrhau bod Cymry uniaith yn cael yr Ysgrythur Lân yn eu hiaith eu hunain. Fe dâl inni gofio bod cryn ragfarn yn bodoli yn erbyn y Gymraeg ymhlith y sawl a gredai fod unffurfiaeth mewn iaith, yn ogystal â chrefydd a gweinyddiaeth, yn gwbl anhepgor i ffyniant y deyrnas, a phe na bai sefyllfa wleidyddol y Frenhines Elisabeth wedi bod mor fregus ar gychwyn ei theyrnasiad y mae'n gwbl bosibl y byddai hi a'i chynghorwyr wedi troi'n glustfyddar i apêl daer y Cymry am ddeddfwriaeth a fyddai'n caniatáu iddynt gael y Llyfr Gweddi a'r Beibl yn Gymraeg. Hyn sy'n peri bod y ddeddf seneddol (1563) a oedd yn gorchymyn cyfieithu'r Ysgrythur i'r Gymraeg mor eithriadol o bwysig yn hanes parhad yr iaith Gymraeg. O safbwynt statws y Gymraeg, gellid dadlau bod effeithiau llesol Deddf 1563 wedi gwrthweithio (ond heb negyddu ychwaith) ddylanwad andwyol y 'cymal iaith' yn Neddf Uno 1536.

Un peth yw cyflwyno deddfwriaeth; peth tra gwahanol a llawer iawn anos yw ei gweithredu'n effeithiol ac yn unol ag ewyllys y deddfroddwyr. Yn ei bennod ar 'Yr Iaith Gymraeg a Llys y Sesiwn Fawr', dyry Richard Suggett inni ddarlun o'r modd y defnyddid y Gymraeg ym mhrif lys brenhinol Cymru er gwaetha'r ffaith fod y 'cymal iaith' wedi deddfu mai'r Saesneg fyddai unig iaith y llys hwnnw. Er mai darlun dychanol ydyw, ceir gan Ellis Wynne beth o flas y mwstwr a'r berw a ddigwyddai pan gynhelid Llys y Sesiwn Fawr: ' . . . gyrr o wŷr y Sesiwn, a diawliaid yn cario cynffonnau chwech o ustusiaid, a myrdd o'u sil, yn gyfarthwyr, twrneiod, clercod, recordwyr, beilïaid, ceisbyliaid, a Checryn y Cyrtiau'. Yn Gymraeg y byddai'r mwyafrif yn trafod, yn ymgecru ac yn dannod i'w gilydd y tu allan i'r llys, ond wedi mentro i ffau'r llewod buan y sylweddolai'r Cymry Cymraeg eu bod dan gryn anfantais. Bron yn ddieithriad, barnwyr na allent siarad na deall Cymraeg a fyddai'n ceisio gweinyddu cyfiawnder ac yr oedd disgwyl i'r sawl a wasanaethai ar reithgor, yn enwedig uchel reithgor, fedru deall Saesneg. Yn Saesneg y disgwylid i ddiffynnydd bledio ac os ydoedd yn ddi-Saesneg caniateid iddo ailadrodd y geiriau Saesneg ar ôl clerc y llys. Defnyddid cyfieithwyr – digon cymysg eu gallu – i drosi tystiolaeth diffynyddion a thystion uniaith Gymraeg, a byddai'r barnwr yn cyfarwyddo'r rheithgor yn Saesneg ac yn disgwyl clywed y rheithfarn hefyd yn Saesneg. Rhaid bod Cymry uniaith wedi teimlo'n ddifreintiedig, onid yn israddol, dan y fath drefn, a hawdd deall paham yr oedd yn well gan lawer ohonynt fanteisio ar ddulliau llai ffurfiol y tu allan i'r llys, megis cyflafareddiad, cyfaddawd ac iawndal, gan fod modd iddynt wneud hynny yn eu mamiaith. Eto i gyd, nid oedd modd diarddel y Gymraeg yn llwyr o'r llys, ac un o brif nodweddion y bennod hon yw'r enghreifftiau a gyflwynir o iaith athrod y Cymry Cymraeg, ynghyd â'r modd y byddai pobl radical neu wrthnysig yn melltithio'r drefn wleidyddol drwy lefaru geiriau cableddus, gwrthryfelgar a bradwrus.

Er na chrybwyllwyd yn Neddf 27 Harri VIII, p.5, sef Deddf cyflwyno swydd yr Ustusiaid Heddwch yng Nghymru, ym mha iaith y disgwylid i ustusiaid gynnal achosion yn y Llysoedd Chwarter (a grëwyd dan amodau'r ail Ddeddf Uno ym 1543), rhaid bod y swyddogion newydd yn gwybod yn dda mai Saesneg fyddai'r *lingua franca* o hynny ymlaen, a chadarnhawyd hynny pan basiwyd y Ddeddf Uno gyntaf ym mis Ebrill 1536. Ond er mai Saesneg fyddai iaith cyfraith a chofnod mwyach, dengys pennod J. Gwynfor Jones nad oedd modd yn y byd i'r llysoedd hyn ychwaith weithredu'n gyfiawn ac yn effeithlon heb ganiatáu i'r sawl a oedd yn uniaith arfer yr iaith honno yn gyhoeddus. Brithir cofnodion y Llysoedd Chwarter ag enghreifftiau o Gymraeg llafar gwerinol a oedd mor sawrus a rhywiog fel y câi'r sawl a gyfieithai ac a gofnodai'r dystiolaeth yn ffurfiol gryn anhawster i fynegi'r hyn a ddywedid yn gywir. Yn ffodus, yr oedd mwyafrif ustusiaid heddwch Cymru (o leiaf hyd at 1660) yn medru'r Gymraeg ac yn ymwybodol fod disgwyl iddynt sefydlu perthynas dda â'r werin-bobl, yn enwedig eu tenantiaid, er mwyn cynnal cyfraith a threfn. Hawdd credu y gallai 'ustus cofus cyfiawn' ennill parch ac ymddiriedaeth y bobl drwy ddefnyddio ei famiaith wrth gyflafareddu a chymodi o fewn ffiniau ei filltir sgwâr. A hwythau wedi gwarchod cywirdeb y Gymraeg cyhyd, yr oedd y beirdd bob amser yn prisio'r sawl a fawrygai ei famiaith a'i llenyddiaeth, yn enwedig mewn cyfnod pan oedd y gyfundrefn farddol yn darfod amdani. Dro ar ôl tro byddent yn atgoffa boneddigion o ddyletswydd 'penadur' y sir i wasanaethu ei gymuned trwy weithredu cyfraith gwlad Lloegr yn gytbwys a theg trwy gyfrwng y Gymraeg. Ond fel y cerddai'r ddeunawfed ganrif rhagddi, cryfhaodd y duedd ymhlith teuluoedd mwyaf cyfoethog Cymru i ymbellhau oddi wrth iaith a diwylliant cynhenid y genedl, gan adael i'r mân foneddigion swcro'r hen etifeddiaeth frodorol. Erbyn diwedd y cyfnod dan sylw nid oedd pob tirfeddiannwr yn cydnabod bod y Gymraeg yn hanfod llywodraeth dda a chymdogaeth dda.

Ymdrin â'r berthynas gymhleth, ac weithiau ddadleuol, rhwng crefydd ac iaith a wna'r ddwy bennod nesaf. Pan ddiwygiwyd trefn y gwasanaethau eglwysig yn oes Edward VI, credai'r proffwydi gwae mai Saesneg fyddai piau'r dyfodol ac na ellid achub y Gymraeg 'rhag difancoll tragyfythawl'. Rhoddwyd Llyfr Gweddi Saesneg ym mhob eglwys yng Nghymru ym 1549 ac o hynny ymlaen sain yr iaith fain yn unig a glywid ynddynt. Ar adeg dyngedfennol yn hanes y genedl, fodd bynnag, daeth carfan fechan o ddyneiddwyr Protestannaidd, a oedd yn gwbl argyhoeddedig o deilyngdod eu mamiaith, i'r adwy i ddwyn perswâd ar yr awdurdodau mai trwy'r Gymraeg yn unig y gellid ennill eneidiau eu cyd-

Gymry a bod undod o ran crefydd yn anhraethol bwysicach nag undod o ran iaith. Gwyddai'r sawl a oedd yn gyfarwydd â datblygiad y Grefydd Ddiwygiedig yn Ewrop nad oedd unrhyw obaith i Brotestaniaeth lewyrchu yng Nghymru oni châi ei hathrawiaethau eu lledaenu yn Gymraeg. Deil Glanmor Williams mai trwy sefydlu'r egwyddor fod gan y Cymry Cymraeg hawl i glywed a darllen y Beibl Cymraeg drostynt eu hunain y sicrhawyd y byddai Protestaniaeth yn ennill ei phlwyf ac na fyddai'r Gymraeg yn dirywio'n glytwaith o fân dafodieithoedd diurddas ac esgymun. Ni ddylid dibrisio ychwaith arwyddocâd cyfraniad y Pabyddion Cymraeg a oedd yn alltud ar y Cyfandir yn ystod oes Elisabeth. Er mai gwingo yn erbyn y symbylau a wnâi'r rheini a geisiai adfer yr Hen Ffydd yng Nghymru, nid dibwys mo'u cynnyrch llenyddol na'u balchder yn eu treftadaeth ysbrydol. Eto i gyd, gan fod holl rym y wladwriaeth o'i phlaid, Protestaniaeth a orfu ac ymhen amser byddai'r Cymry'n cyfeirio ag anwyldeb at yr *Ecclesia Anglicana* fel 'y Fam Eglwys'.

O 1563 ymlaen, Cymraeg oedd iaith addoliad cyhoeddus yng Nghymru, ac yn sgil cyhoeddi'r Testament Newydd a'r Llyfr Gweddi (1567) a'r Beibl (1588) yr oedd modd i'r Cymry Cymraeg a fynychai'r eglwys (a chofier bod rheidrwydd arnynt i wneud hynny) wrando ar yr Efengyl yn Gymraeg bob Sul. Hawdd dychmygu'r wefr a brofasant wrth glywed Gair Duw yn cael ei draddodi yn iaith eu mam. Heb Feibl Cymraeg rhagorol William Morgan ac addasiad Richard Parry a John Davies ohono ym 1620, y mae'n ddigon tebyg y byddai'r Gymraeg ymhen amser wedi diflannu o'r tir. Ond er bod y diwygwyr Protestannaidd cynnar yn benderfynol o weld arddel ac arfer y Gymraeg yn rheolaidd yn yr eglwysi, erbyn y ddeunawfed ganrif yr oedd pleidwyr y Gymraeg yn argyhoeddedig fod cynllwyn ar droed i ddigymreigio'r gyfundrefn eglwysig. Mewn pennod wedi ei seilio ar dystiolaeth cofysgrifau'r Eglwys yng Nghymru, dengys Eryn M. White sut y codwyd gwrychyn y Cymry gan ymddygiad yr 'Esgyb Eingl' anghyfiaith a fyddai'n penodi estroniaid di-Gymraeg i fywiolaethau cyfoethog a'u cymell i gynnal gwasanaethau yn Saesneg ac i fwrw sen ar yr iaith Gymraeg a'i diwylliant. O bryd i'w gilydd, fel yn achos enwog 'Y Sais Brych', cyffroid plwyfolion Cymraeg eu hiaith i ddicter cyfiawn. Bu cwyno mynych am offeiriaid a fyddai'n ymarfer eu Saesneg mindlws yn y pulpud er mwyn rhyngu bodd dyrnaid o wŷr bonheddig neu ambell farnwr. Wfftient at bedwaredd erthygl ar hugain Eglwys Loegr, sef y gorchymyn na ddylid gwasanaethu 'mewn tafodiaith na bo'r bobl yn ei deall'. Ond er gwaethaf yr ofnau a fynegwyd ar y pryd, ni ddaeth yr 'Esgyb Eingl' yn agos at wireddu eu nod o ddigymreigio'r eglwys. Yr oedd mwyafrif llethol yr offeiriaid plwyf yn Gymry Cymraeg, yn llenorion ac yn feirdd, ac yn gyfathrebwyr da ac effeithlon â'u plwyfolion.

Fel y dengys Llyfrau Ymweliadau a Holiadau ac Atebion Clerigwyr – gwythïen dra chyfoethog ei thystiolaeth – Cymraeg oedd yn teyrnasu fel iaith addoliad drwy ran helaeth o'r wlad yn y ddeunawfed ganrif. Yn y siroedd dwyreiniol y gwelwyd arwyddion o drai, yn bennaf oherwydd y cysylltiadau masnachol a diwydiannol cryfach â Lloegr ond hefyd oherwydd bod esgobion yn fwy tueddol i benodi i blwyfi yno offeiriaid a oedd yn awyddus i ddyrchafu bri yr iaith Saesneg. Yn y gogledd-ddwyrain a'r canolbarth amlhâi nifer y gwasanaethau a gynhelid am yn ail yn Gymraeg a Saesneg ar y Sul, ac yn siroedd Maesyfed, dwyrain Brycheiniog a dwyrain Mynwy yr oedd cynnal gwasanaethau dwyieithog neu uniaith Saesneg ar gynnydd fel y treiglai'r ddeunawfed ganrif yn ei blaen. Saesneg oedd iaith yr eglwysi yn y Saesonaethau, ond ym Mro Morgannwg bu'r ddwy iaith yn brwydro mor daer am oruchafiaeth nes creu patrymau ieithyddol tra amrywiol a chymhleth. Hawdd cydymdeimlo ag offeiriaid a oedd yn gorfod darparu moddion gras mewn cymdeithasau dwyieithog. Oni lwyddent i ddarparu'n foddhaol ar gyfer anghenion ysbrydol ac ieithyddol eu plwyfolion, ymgiliai'r rheini i gapeli'r 'Sentars' neu i seiadau'r 'Poethyddion' lle y rhoddid croeso gwresocach i fuddiannau'r Gymraeg yn ogystal â sylw teilwng i gyflwr ysbrydol yr unigolyn. Yn y pen draw, bu hynny'n fodd i gryfhau'r hen berthynas rhwng y famiaith a chrefydd ac i nerthu ewyllys o blaid estyn einioes yr iaith Gymraeg.

Os llwyddwyd, chwedl Gwenallt, i ddyrchafu'r Gymraeg 'yn un o dafodieithoedd Datguddiad Duw', ni chafwyd ymdrech orchestol gyffelyb ym maes addysg yn oes y Tuduriaid a'r Stiwartiaid. Gan na ellid ennill swydd o bwys dan y Goron neu ym myd masnach heb addysg drylwyr a gwybodaeth o'r Saesneg, byddai meibion o dras fonheddig ac o blith yr haen ganol yn mynychu ysgolion gramadeg, y prifysgolion a cholegau'r gyfraith yn Llundain. Ni roddai cymaint ag un o'r sefydliadau addysgol hyn gydnabyddiaeth ffurfiol i'r iaith Gymraeg. Yn wir, gwaherddid siarad Cymraeg yn ysgolion gramadeg Cymru a rhoddid y pwyslais pennaf ar ddysgu Lladin a Groeg a hyrwyddo'r iaith Saesneg. Yr oedd mwy na digon o fyfyrwyr ffroenuchel a gwrth-Gymreig yn y prifysgolion a oedd yn mwynhau sarhau'r Gymraeg, gan beri i efrydwyr Cymraeg eu hiaith ymgywilyddio oherwydd na allent ynganu'r Saesneg cystal â'u cymheiriaid o Loegr. Fel y dengys pennod William P. Griffith, yr oedd disgwyl i'r Cymry fabwysiadu geirfa, ieithwedd ac acenion y Sais dysgedig ac nid oes amheuaeth na lesteiriai hynny unrhyw ymdeimlad o hunaniaeth neilltuol ymhlith y Cymry Cymraeg. A thrwy ddysgu mwy am foesgarwch y Sais a golud ei ddysg, ni welent gymaint o rinwedd yn eu mamiaith. Ar y llaw arall, yr oedd y ffaith fod y rhai disgleiriaf yn eu plith yn astudio'r clasuron ac yn syrthio dan gyfaredd y Dadeni Dysg a'r Diwygiad Protestannaidd yn cyfoethogi eu gwybodaeth am Ewrop ac yn eu cymell i ystyried buddiannau diwylliannol Cymru mewn cyd-destun lletach. Buddiol cofio mai graddedigion o'r prifysgolion oedd prif ryddieithwyr Cymru yn y cyfnod cyn 1660 a'u bod yn ymhyfrydu yn helaethrwydd ac ardderchowgrwydd y Gymraeg fel iaith 'uchelddysg'. Ni fuasai cystal llewyrch ar gyfieithiad William Morgan o'r Beibl oni bai am y ddysg glasurol ac ysgrythurol a dderbyniasai yng Ngholeg Sant Ioan yng Nghaer-grawnt.

Troir yn y bennod nesaf gan Eryn M. White at yr ymgyrch i ddysgu pobl gyffredin i ddarllen. Go brin fod gwerin gwlad wedi cael cyfle i ddarllen na deall syniadau a thrafodaethau dysgedig y dyneiddwyr, a phan beidiodd dylanwad y Dadeni Dysg yng Nghymru cydiodd y diwygwyr Piwritanaidd yn eu cyfle i blannu'r ffydd Brotestannaidd yn ddyfnach nag erioed o'r blaen yn naear Cymru. Gan fod Cymru'n parhau i ymddangos (hyd yn oed yng nghanol yr ail ganrif ar bymtheg) yn un o gonglau tywyllaf y deyrnas, tybiai dyngarwyr Seisnig mai cymwynas â'i thrigolion truenus ac anllythrennog fyddai sefydlu rhwydwaith o ysgolion, wedi eu hariannu'n bennaf gan wŷr elusengar, er diogelu eneidiau'r tlawd a diwygio eu moes a'u buchedd. Unwaith yn rhagor rhoddwyd gwynt dan adenydd yr hen ddadl fod diogelu undod gwleidyddol a chrefyddol yn bwysicach na diogelu iaith, ac o ganlyniad gorseddwyd yr iaith Saesneg yn yr ysgolion elusennol a sefydlwyd rhwng 1650 a 1740. Anfoddhaol iawn oedd y drefn hon ac nid yw'n rhyfedd yn y byd mai nychu a dirywio a wnâi'r ysgolion hyn. Cythruddwyd diwygwyr crefyddol gan agwedd ddilornus y cymdeithasau dyngarol at y Gymraeg a chan agwedd lugoer yr athrawon at anghenion Cymry uniaith, ac nid gormod yw dweud petai'r polisi unllygeidiog hwn wedi parhau trwy gydol y ddeunawfed ganrif y byddai'r Gymraeg wedi darfod amdani. Ond sylweddolodd Griffith Jones a Thomas Charles fod ymagweddau gwrth-Gymreig y mudiadau elusennol yn fygythiad i barhad y grefydd Brotestannaidd yn ogystal â ffyniant yr iaith Gymraeg. Llosgai ynddynt awydd angerddol i achub pob 'enaid clwyfus trist' rhag damnedigaeth dragwyddol, a thrwy sefydlu cannoedd o ysgolion cylchynol ac ysgolion Sul Cymraeg eu cyfrwng trwy Gymru benbaladr llwyddwyd i weddnewid rhagolygon a statws y Gymraeg. Un o nodweddion rhyfeddaf y ddeunawfed ganrif oedd y modd yr ymdrechodd gwerinwyr distadl a phrin eu breintiau i ddysgu darllen yr Ysgrythur a meistroli'r catecism drwy fanteisio ar bob munud o seibiant neu drwy losgi'r gannwyll nos. Erbyn i'r ganrif dynnu ei thraed ati, diau fod dros hanner poblogaeth Cymru â rhyw grap ar ddarllen. O safbwynt diogelu'r Gymraeg, yr oedd y gamp hon yn dra arwyddocaol.

Cwbl hanfodol i ffyniant y Gymraeg oedd cyflwr ei llên a'i hanes, a chawn ein harwain i'r maes hwn gan R. Geraint Gruffydd. Pan luniodd y digymar Dr John Davies, Mallwyd, ei ramadeg i'r iaith Gymraeg ym

1621, honnodd mai yn nhraddodiad barddol yr Oesoedd Canol y gellid canfod y math o safon a chysondeb a chywirdeb ieithyddol a oedd yn werth eu dwyn i sylw'r byd. Eithr yn y blynyddoedd ar ôl marwolaeth Tudur Aled ym 1526, yr oedd golwg bur llesg a thlodaidd ar y traddodiad barddol. Ac fel y treiglai'r blynyddoedd yn eu blaen, yr oedd gan y sawl a bryderai ynghylch dyfodol dysg Gymraeg fwy o reswm nag erioed o'r blaen dros ymdeimlo ag argyfwng y beirdd. Yr oedd y teuluoedd bonheddig a oedd yn graddol ymseisnigo yn gyndyn iawn bellach i gynnal beirdd proffesiynol ac i estyn iddynt wahoddiad croesawus i'w moli (hyd at weniaith syrffedus) a'u diddanu yn eu plasau moethus. Nid oedd y beirdd hwythau yn ddi-fai. Parhau i ganu celwydd a gweniaith a wnâi'r rhai mwyaf di-hid a gwargaled, gan ymwrthod â'r cyfle i gofleidio delfrydau'r ddysg ddyneiddiol. O ganlyniad, dirywiodd safon y canu ac erbyn oddeutu 1660 yr oedd oes y penceirddiaid wedi dirwyn i ben. Er lluosoced yr amaturiaid galluog a brwd a geisiodd lenwi'r bwlch drwy gynhyrchu toreth o gerddi yn y mesurau caeth, nid oedd safon eu gwaith yn ddigon coeth a chymeradwy i wneud iawn am golli celfyddyd y beirdd clasurol. Ac er bod y canu rhydd newydd, ynghyd â hen rigymau llafar, yn dra phoblogaidd ymhlith gwerin-bobl, brithid mynegiant y beirdd hyn â ffurfiau tafodieithol sathredig ac ymadroddion Seisnig.

Bu ymateb y rhyddieithwyr i'r cyfoeth o ddiwylliant a ymledai o Ewrop yn fwy calonogol, ac yr oeddynt oll yn gytûn mai trwy gyfrwng yr argraffwasg y gellid amddiffyn a chryfhau sylfeini dysg Gymraeg yn llwyddiannus. Gan fod y llenorion Pabyddol a oedd yn alltud ar y Cyfandir dan anfantais yn hyn o beth, rhyddieithwyr Protestannaidd a fu'n bennaf cyfrifol am ddefnyddio dyfais Gutenberg i ddiogelu'r Gymraeg a'i diwylliant. I ryw raddau, felly (ac yr oedd pob cyfiawnhad dros hynny ar y pryd), aberthwyd delfrydau pur y ddyneiddiaeth lydanwedd newydd ar allor y genadwri Brotestannaidd. Gan fod y Protestaniaid dyneiddiol yn ymdeimlo i'r byw ag anghenion ysbrydol eu cyd-wladwyr, rhoddwyd y flaenoriaeth i'r dasg o gyfieithu gweithiau crefyddol. Er bod llawer o'r cynnyrch, gyda'r Beibl Cymraeg yn goron orchestol ar y cyfan, yn drysorau llenyddol, y pris a dalwyd am hynny oedd anwybyddu pynciau amlweddog a chyffrous eraill a oedd yn rhan ganolog o ethos y Dadeni Dysg. Eto i gyd, rhaid cydnabod bod y dyneiddwyr wedi dwyn sylw at dras hynafol a dysgedig y Gymraeg (yn enwedig ei pherthynas honedig â'r tair iaith y cydnabyddid gan bawb eu bod yn ddysgedig, sef Lladin, Groeg a Hebraeg), wedi datblygu a choethi ei hadnoddau geirfaol, wedi ennyn diddordeb o'r newydd yn hanes y genedl o gyfnod yr Hen Frythoniaid ymlaen, ac wedi cryfhau ffydd eu cyd-wladwyr yn adnoddau cynhenid y Gymraeg fel iaith dysg. O safbwynt cyfieithu a dehongli'r Ysgrythurau, bu'r briodas rhwng y Dadeni Dysg a'r Diwygiad Protestannaidd yn eithriadol o effeithiol, a daeth iaith lenyddol safonol Beibl Cymraeg 1588 a 1620 yn llusern i oleuo'r ffordd i ysgrifenwyr rhyddiaith y canrifoedd dilynol. Er y gellid dweud bod uchelgais y dyneiddwyr, yn enwedig eu hawydd i greu corff amrywiol o ryddiaith ddysgedig, wedi profi'n uwch o lawer na'r hyn a gyflawnwyd ganddynt, pan ystyriwn holl amgylchiadau cymdeithasol yr oes nid yw'n rhyfedd fod ffrwyth y cynhaeaf wedi profi'n llai na'r disgwyl.

Er bod yr olwg lwydaidd ar iaith a llên frodorol y Cymry yn peri pryder ingol i garedigion y Gymraeg yn ystod ail hanner yr ail ganrif ar bymtheg, dengys pennod Geraint H. Jenkins fod yr ymdeimlad o argyfwng diwylliannol wedi ysgogi carfan luosog o feirdd, rhyddieithwyr, hynafiaethwyr, geiriadurwyr, almanacwyr, ieithegwyr, anterliwtwyr a rhamantwyr i ddefnyddio cyfryngau hen a newydd i aildanio diddordeb yn nhraddodiadau llenyddol y genedl ac i ddwyn y Gymraeg – ar lafar ac mewn print – i ganol bywyd ysbrydol, diwylliannol ac adloniadol y werin-bobl. Un o brif nodweddion yr oes oedd y crebachu a ddigwyddodd yn hanes ieithoedd llai eu defnydd yn Ewrop. Er i'r werin-bobl lynu wrth Occitan yn Languedoc, mabwysiadu'r Ffrangeg a wnâi'r bendefigaeth a'r dosbarth canol. Yn Bohemia peidiodd Tsiec â bod yn iaith y sawl a dybiai mai Almaeneg oedd iaith dod ymlaen yn y byd, ac yn Norwy siarad Daneg yn hytrach na'u mamiaith a wnâi teuluoedd bonheddig. Felly oedd y patrwm yng Nghymru hefyd. Yn sgil ymseisnigo'r boneddigion a'u hagwedd ddibris at y Gymraeg, ofnai'r beirdd mai gwlad heb neb wrth y llyw oedd Cymru. Yr oedd yn naturiol, felly, ddisgwyl arweiniad o blith ysgolheigion ym Mhrifysgol Rhydychen neu wŷr busnes llengar a fynychai'r cymdeithasau Cymraeg yn Llundain. Er nad yn gwbl ofer yr apeliwyd am gymorth, dylid pwysleisio mai yng Nghymru ei hun y cynhyrchwyd y math o ynni a bywiogrwydd a wnaeth y ddeunawfed ganrif yn gyfnod mor fyrlymus a chyfoethog.

Drwy sefydlu gweisg brodorol, daeth cyfle i gyhoeddi a dosbarthu toreth o lyfrau a oedd nid yn unig yn addysgu a dwyn gwybodaeth achubol i afael ffermwyr a chrefftwyr llythrennog ond hefyd yn peri iddynt barchu eu mamiaith fel iaith dysg, crefydd a difyrrwch. Bu ymadnewyddu mewn cylchoedd barddol: dyfeisiwyd math newydd o ganu caeth, rhoddwyd lle teilwng i gywydd ac awdl yn yr almanaciau poblogaidd yn ogystal ag yng ngweithgarwch Cylch y Morrisiaid, ac yr oedd galw cynyddol am faledi, dyrïau, penillion telyn a rhigymau. Cyhoeddwyd ffrwd ryfeddol o lyfrau crefyddol – rhai ohonynt gan brif feistri rhyddiaith y Gymraeg – ac uniaethwyd y Gymraeg fwyfwy â thwf y grefydd efengylaidd ac anghydffurfiol. Ysbrydolwyd ysgolheigion gan lafur cwbl ryfeddol Edward Lhuyd i ymddiddori yn eu hetifeddiaeth Geltaidd a llwyddodd chwilotwyr a hynafiaethwyr i achub, copïo a dwyn

i olau dydd lawer iawn o drysorau cudd ar ffurf croniclau a llawysgrifau.
Er eu beiau niferus, bu'r rhamantwyr yn rym creadigol gan eu bod mor
chwannog i frolio rhagoriaethau'r Gymraeg ac i ddyfeisio cyfryngau
poblogaidd – megis yr eisteddfod a Gorsedd Beirdd Ynys Prydain – a
fyddai'n hyrwyddo defnydd o'r famiaith ac yn rhoi mynegiant grymus i
hunaniaeth y werin-bobl ddarllengar a diwylliedig.

I gloi'r gyfrol, dadansoddir hynt a helynt ieithoedd Celtaidd eraill
Prydain gan Brynley F. Roberts, a gwelir ar unwaith mai nod y rhai a
oedd mewn grym oedd erlid, crebachu a difodi'r ieithoedd 'atgas' ac
'anwar' hyn a dyrchafu bri yr iaith Saesneg. Oherwydd difaterwch y
brodorion, ynghyd â'u hanallu i atal dylanwad diwrthdro yr iaith Saesneg,
bu farw'r Gernyweg, wedi hir nychdod, ar ddiwedd y ddeunawfed ganrif.
Digon eiddil oedd gobeithion y Fanaweg, hithau, am y dyfodol, ac
edwino'n gyflym a wnâi ei hiaith lafar. 'Gwareiddio' a 'Seisnigeiddio'
oedd y polisi a fabwysiadwyd yn yr Alban, ac aethpwyd ati i hybu polisïau
addysgol a chrefyddol gwrth-Aeleg mor egnïol fel na allai'r werin-bobl lai
na chredu bod nod yr anllythrennog ar eu mamiaith ac mai'r domen oedd
ei phriod le. Traha a thrachwant oedd y stori yn Iwerddon hefyd: o 1534
ymlaen esgymunwyd yr Wyddeleg o bob cylch dylanwadol a chanolwyd
grym yn nwylo tirfeddianwyr a dosbarth canol Saesneg eu hiaith a Seisnig
eu hymagweddau. Bu erlid chwyrn ar Babyddion ac i ddwylo
mewnfudwyr Protestannaidd Prydeinig yr aeth cyfran helaeth o dir
Iwerddon. O ganlyniad, iaith y difreintiedig a'r difeddiannol oedd yr
Wyddeleg. Ceir ym marddoniaeth Ó Bruadair ac Ó Rathaille fynegiant
dirdynnol o'r modd y difreiniwyd y Gwyddyl a'r effaith a gafodd hynny ar
ymwybod y bobl â'u hunaniaeth a'u gallu i ymhyfrydu yn hynafiaeth ac
urddas eu mamiaith. Yr oedd y bwgan Pabyddol (a Jacobitaidd wedi
hynny) yn codi'r fath arswyd ar y sawl a gredai mai Protestaniaeth oedd yr
unig wir ffydd ac mai'r Cyfansoddiad Prydeinig oedd y drefn berffeithiaf a
welsai'r byd erioed fel na ellid rhoi unrhyw statws i'r Aeleg a'r Wyddeleg.
Yn nhyb y llywodraeth, yr oedd ieithoedd a diwylliant y Celtiaid yn
gyfystyr â therfysg, gwrthryfel a brad.

Dim ond yng Nghymru y cafwyd deddf (sef y ddeddf ym 1563 a
ordeiniodd gyfieithu'r Beibl a'r Llyfr Gweddi i'r Gymraeg) a roes unrhyw
fath o statws i iaith frodorol arall yn y deyrnas. Prin y gellir, felly,
orbwysleisio pwysigrwydd cael y Beibl a'r Llyfr Gweddi yn Gymraeg,
ynghyd â'r llif o lyfrau print a ddaeth yn eu sgil. Heb y prawf fod gan y
genedl iaith ddysgedig a chenadwri ddwyfol, byddai'r dasg o ddiogelu'r
Gymraeg mewn gwlad a oedd yn amddifad o lyfrgelloedd, prifysgolion ac
amgueddfeydd wedi dibynnu'n llwyr ar allu'r werin-bobl i rymuso eu
tafodieithoedd lleol a gwrthsefyll dylanwad cynyddol yr iaith fain. Dengys
profiad y gwledydd Celtaidd eraill na fyddai modd iddynt wneud hynny

ac mai tynged y Gymraeg fyddai (fel yr ofnai William Salesbury) dihoeni a dadfeilio 'fel ydd aeth Britanneg Kernyw yn yr ynys hon, a Brytannaeg Brytaniet Llydaw yn y tir hwnt tra mor, yn llawn llediaeth ac ar ddivancoll hayachen'. Y mae'r ffaith na chaniatawyd i'r fath drychineb ddigwydd yn tystio'n ddiymwad i amharodrwydd y Cymry i golli pennaf nodwedd eu hunaniaeth, sef eu hiaith.

1

Yr Iaith Gymraeg Cyn 1536

LLINOS BEVERLEY SMITH

COFNOD ar ymyl y ddalen mewn llyfr efengylau o'r wythfed ganrif yw'r enghraifft gynharaf sydd gennym o Gymraeg cystrawennol ysgrifenedig, er ei bod yn bosibl fod testunau yn perthyn i gyfnod Hen Gymraeg neu i'w chynseiliau wedi eu rhoi ar glawr cyn hynny. Ymddengys y testun, a adwaenir fel y *Surexit* ar sail ei ferf Ladin agoriadol, yn Llyfr Sant Chad, cyfrol a symudwyd i gadeirlan Caerlwytgoed ar ôl cael ei chadw am gyfnod yn eglwys Sant Teilo. Yn y memorandwm, sy'n dyddio'n ôl i hanner cyntaf y nawfed ganrif, cofnodir y modd y cyflafareddwyd mewn anghydfod rhwng dau dirfeddiannwr, Tudfwlch ap Llywyd ac Elgu ap Gelli, dros ddarn o dir a elwid Tir Telych. Gellir lleoli'r tir yn weddol sicr bellach yn y fro i'r gorllewin o afon Cothi, ardal a fu, er cyfnod y Rhufeiniaid, a chyn hynny, yn nodedig am ei chyfoeth aur. Er mai byr a chryno yw'r cofnod, y mae o'r pwys pennaf nid yn unig o safbwynt datblygiad y Gymraeg yn iaith ar wahân ond hefyd o ran ei hanes cymdeithasol yng nghanrifoedd yr Oesoedd Canol. Gwelir yma iaith a oedd eisoes ar ffurf ysgrifenedig, ac a oedd yn gwbl deilwng i'w harysgrifennu ar lyfr cysegredig ymhlith y sancteiddiolaf o'r creiriau. At hynny, y mae'r ffaith iddi gael ei defnyddio mewn cofnod seciwlar ac iddo arwyddocâd dwys a difrifol yn profi ei bod eisoes yn gyfrwng a gyfrifid yn un priodol i'w arfer i gofnodi a datgan gweithred gyfreithiol dechnegol.[1]

---

[1] Dafydd Jenkins a Morfydd E. Owen, 'The Welsh Marginalia in the Lichfield Gospels', *CMCS*, 5 (1983), 37–66 ac ibid., 7 (1984), 91–120; Glanville R. J. Jones, 'Tir Telych, the Gwestfau of Cynwyl Gaeo and Cwmwd Caeo', *SC*, XXVIII (1994), 81–95. Ceir astudiaethau pwysig sy'n awgrymu traddodiad llawysgrifol cynnar gan John T. Koch, 'When Was Welsh Literature First Written Down?', *SC*, XX–XXI (1985–6), 43–66; David N. Dumville, 'Palaeographical Considerations in the Dating of Early Welsh Verse', *BBCS*, XXVII, rhan 2 (1977), 246–51 ac idem, 'Early Welsh poetry: problems of historicity' yn Brynley F. Roberts (gol.), *Early Welsh Poetry. Studies in the Book of Aneirin* (Aberystwyth, 1988), tt. 1–16; Patrick Sims-Williams, 'The Emergence of Old Welsh, Cornish and Breton Orthography, 600–800: The Evidence of Archaic Old Welsh', *BBCS*, XXXVIII (1991), 20–86. Am hanes datblygiad y Gymraeg yn iaith ar wahân, deil Kenneth H. Jackson, *Language and History in Early Britain* (Edinburgh, 1953) yn waith safonol. Am arolwg awdurdodol mwy diweddar, gw. D. Ellis Evans, 'Insular Celtic and

Ond yr oedd Cymru yn yr Oesoedd Canol, megis nifer o ranbarthau eraill ar ororau neu ymylon Ewrop, hefyd yn wlad a chanddi amrywiaeth gyfoethog a chreadigol o ieithoedd.[2] Hyd yn oed o ystyried bod peth amheuaeth bellach ynghylch yr honiadau fod Llychlynwyr wedi ymsefydlu yng Nghymru cyn oes y Normaniaid, ni ellir amau presenoldeb a dylanwad nifer o ddiwylliannau ac ieithoedd gwahanol.[3] Yn y nawfed a'r ddegfed ganrif gwelwyd dysg Ladin y traddodiad mynachaidd hynafol yn cael ei gynnal, mewn rhai *scriptoria* o leiaf, gan fynaich o Gymru ac Iwerddon, a gellir honni yn weddol hyderus mai Lladin oedd yr iaith gyswllt rhyngddynt. Parhâi Iwerddon, gwlad y deilliodd ohoni liaws o ymsefydlwyr a dylanwadau diwylliannol cyfoethog yn y canrifoedd cynnar, i nerthu trefi a phentrefi Cymru yn yr Oesoedd Canol Diweddar ac wedyn.[4] Yn ôl George Owen, sylwedydd craff ar gymdeithas sir Benfro yn yr unfed ganrif ar bymtheg, yr oedd cynifer o Wyddelod ymhlith trigolion Y Rhws a Chastellmartin nes bod pob trydydd, pedwerydd neu bumed penteulu yn Wyddel. Er mai ffenomen ddiweddar oedd y mewnlifiad cynyddol o Iwerddon, yn ôl Owen, a'r iaith a siaradent yn ffurf amrwd ar y Saesneg, ni fu gwŷr *de Hibernia* neu wŷr yn dwyn y llysenw *Gwyddel* neu ynteu gyfenwau a ddynodai enwau lleoedd yn Iwerddon ei hun yn ddieithr yn nhrefi a chefn gwlad Cymru cyn hynny.[5] Yr oedd y Sacsoniaid, hwythau, wedi ymestyn ymhell y tu hwnt i Glawdd Offa hyd at afon Clwyd yn y gogledd, ardaloedd Trefyclo, Maesyfed a Chnwclas ar y Gororau, ac efallai cyn belled ag iseldiroedd Gwent a Morgannwg yn y de.[6] Yn sgil goresgyniad y Normaniaid llifodd

the Emergence of the Welsh Language' yn Alfred Bammesberger ac Alfred Wollmann (goln.), *Britain 400–600: Language and History* (Heidelberg, 1990), tt. 149–77 a sylwadau Patrick Sims-Williams, 'Dating the Transition to Neo-Brittonic: Phonology and History, 400–600', ibid., tt. 217–61.

2 Robert Bartlett, *The Making of Europe. Conquest, Colonization and Cultural Change 950–1350* (London, 1993), tt. 197–221.

3 K. L. Maund, *Ireland, Wales and England in the Eleventh Century* (Woodbridge, 1991), tt. 156–82 a'r ffynonellau a restrir yno; B. G. Charles, *Old Norse Relations with Wales* (Cardiff, 1934); G. O. Pierce, 'The Evidence of Place-names' yn Hubert N. Savory (gol.), *Glamorgan County History, Vol. II, Early Glamorgan* (Cardiff, 1984), tt. 456–92.

4 Gw., yn gyffredinol, D. Simon Evans, 'The Welsh and the Irish before the Normans – contact or impact', *PBA*, LXXV (1989), 143–61 a'r ffynonellau a restrir yno; A. Harvey, 'The Cambridge Juvencus Glosses: Evidence of Hiberno-Welsh literary interaction?' yn P. Sture Ureland a George Broderick (goln.), *Language Contact in the British Isles. Proceedings of the Eighth International Symposium on Language Contact in Europe, Douglas, Isle of Man, 1988* (Tübingen, 1991), tt. 181–98.

5 Owen, *Description*, I, tt. 40–1. Am gyfeiriadau at Wyddelod a ymsefydlodd yng Nghymru yn yr Oesoedd Canol Diweddar, er bod y dystiolaeth yn ymwneud yn bennaf ag unigolion a theuluoedd yn hytrach na mewnfudo ar raddfa eang, gw., e.e., A. D. Carr, *Medieval Anglesey* (Llangefni, 1982), tt. 164–5, Ralph A. Griffiths, 'Aberystwyth', yn idem (gol.), *Boroughs of Medieval Wales* (Cardiff, 1978), tt. 38–9.

6 R. R. Davies, *Conquest, Coexistence, and Change. Wales 1063–1415* (Oxford, 1987),

gwladychwyr o Loegr, Ffrainc a Fflandrys i drefi a phentrefi Cymru a mabwysiadwyd Lladin a Ffrangeg yn ieithoedd gweinyddiaeth a llywodraeth. Er mai â daearyddiaeth ieithyddol y Gymraeg, ei safon ar lafar ac yn ysgrifenedig, a'r defnydd a wnaed ohoni, y bydd y bennod hon yn ymdrin yn bennaf, bydd gofyn hefyd bwyso a mesur statws y Gymraeg ochr yn ochr â'r Lladin a'r ieithoedd a oedd ar dafodleferydd cyn i Gymru gael ei hymgorffori yn rhan o wladwriaeth Lloegr ac i'r 'cymal iaith' a gynhwyswyd yn Neddf Uno 1536 gael ei weithredu. Ystyrir hefyd rai o'r ffactorau a ddylanwadodd ar agweddau pobl at iaith yn y canrifoedd cynnar hyn pan oedd amryw o ieithoedd mewn bri ar lafar ac yn ysgrifenedig.

O safbwynt daearyddol, yr oedd terfynau'r Gymraeg lawer iawn yn helaethach yn ystod yr Oesoedd Canol nag yr oeddynt mewn cyfnodau diweddarach. Yn wir, y mae rheswm da dros gredu bod yr iaith wedi goroesi, neu hyd yn oed ymgyfnerthu, yn yr ardaloedd a feddiannwyd gan y Sacsoniaid a'r goresgynwyr Normanaidd. Ym 1263 ymestynnwyd awdurdod Llywelyn ap Gruffudd i Ddyffryn Tefeidiad, pryd y meddiannwyd ganddo, dros dro y mae'n wir, rannau gorllewinol arglwyddiaeth Colunwy, ardal a wladychwyd ac a lywodraethwyd ers tro gan estroniaid ond a welodd y Cymry yn ei hailgyfaneddu.[7] Yn yr ardal i'r gogledd, rhwng Colunwy a Threfaldwyn, honnwyd ym 1307 nad oedd trigolion Aston, Chestrock a Mutton, tair treflan a fu'n destun anghydfod rhwng esgobion Henffordd a Llanelwy, yn medru siarad iaith heblaw y Gymraeg, ac o ganlyniad bu'n rhaid i Thomas Cantilupe, pan oedd yn esgob Henffordd, gyflwyno ei bregethau yn yr ardal drwy gyfrwng cyfieithydd.[8] Bu plwyfolion Llanwrfwy yn Ergyng, yn yr un esgobaeth, yn cwyno wrth yr esgob yn ystod ei ymweliad ym 1397 na allai'r offeiriad yno ofalu yn ddigonol am eu hanghenion gan na fedrai'r Gymraeg a chan na wyddai nifer o'r trigolion ddim Saesneg.[9] Ar hyd y Gororau felly, ac, yn wir, mewn rhai ardaloedd yn swydd Henffordd ei hun, yr oedd cymdeithas Gymraeg sefydlog yn ffynnu. Ond, yn ogystal â hyn, erbyn diwedd yr Oesoedd Canol, os nad cyn hynny, yr oedd llawer o fynd a dod yn

---

tt. 4–11. Ond gw. hefyd Paul Courtney, 'The Norman invasion of Gwent: a reassessment', *JMEH*, 12, rhifyn 4 (1986), 297–313.

[7] Am oroesiad traddodiadau ac ieithwedd Gymreig yno, gw. R. R. Davies, 'The Survival of the Bloodfeud in Medieval Wales', *History*, 54 (1969), 338–57, ac am y defnydd o dermau megis 'estyn cadw' a 'nawdd' yn y bymthegfed ganrif, gw. SRO 552/1/45 m. 1v. Gw. hefyd John Rhŷs, 'The Welsh Inscriptions of Llanfair Waterdine', *Y Cymmrodor*, XXVI (1916), 88–114.

[8] Michael Richter, *Sprache und Gesellschaft im Mittelalter* (Stuttgart, 1979), t. 196. Gw. hefyd R. G. Griffiths ac W. W. Capes (goln.), *The Register of Thomas de Cantilupe Bishop of Hereford (A.D., 1275–1282)* (Hereford, 1906), yn enwedig tt. 103–4.

[9] A. T. Bannister, 'Visitation Returns of the Diocese of Hereford in 1397', *EHR*, XLIV (1929), 289.

digwydd yn yr ardaloedd hyn wrth i newydd-ddyfodiaid gael eu denu o
bentrefi ac ardaloedd cefn gwlad Cymru. Datgelir yng nghofnodion
llysoedd eglwysig esgobaeth Henffordd, sydd ar gael o *c.*1440 ymlaen, fod
nifer o wŷr a gwragedd o Gymru yn cael eu denu dros y ffin i blwyfi yn
neoniaethau Llanllieni, Llwydlo, Weblai a Cholunwy, yn ogystal ag i
ardaloedd cwbl Seisnig yn yr esgobaeth, o bosibl i gynaeafu cnydau y
gwastadeddau ffrwythlon. Trigai gwŷr a gwragedd o Gaerfyrddin,
Cedewain, Arwystli a hyd yn oed o Edeirnion mewn plwyfi o fewn yr
esgobaeth ac yr oedd o leiaf ddau fardd Cymraeg, y mae eu gwaith ar gael,
yn byw yno ar ddiwedd y bymthegfed ganrif. Pa mor fyrhoedlog bynnag
oedd eu harhosiad, byddai'r nifer sylweddol hwn o Gymry Cymraeg wedi
creu galw am weinidogaeth ysbrydol Gymraeg ei hiaith, a byddai'r
brodorion sefydlog yn eu tro wedi ymgyfarwyddo ag iaith a diwylliant eu
cymdogion Cymraeg.[10] Prin y ceir tystiolaeth fwy dadlennol o sefyllfa
ieithyddol y fro na'r hyn a gyflwynwyd i ymchwiliad a wnaed pan
drafodwyd canoneiddio Thomas Cantilupe, esgob Henffordd, ar
ddechrau'r bedwaredd ganrif ar ddeg. Honnwyd gan un o ganoniaid y
gadeirlan fod gŵr ifanc a aned yn ddileferydd nid yn unig wedi llefaru yn
Saesneg ac yn Gymraeg drwy eiriolaeth yr esgob ond hefyd wedi yngan y
geiriau 'Argluth deu e seint Thomas', geiriau a gyfieithwyd i'r Lladin,
domine Deus et Sancte Thomas, gan y tyst.[11]

Ymhellach i'r gogledd, dengys tystiolaeth ein ffynonellau fod y
Gymraeg yn iaith fyw a grymus mewn sawl haen o'r gymdeithas. Yn
arglwyddiaeth Croesoswallt, er enghraifft, tanseiliwyd goruchafiaeth
gynnar yr Eingl-Sacsoniaid yn ystod y ddeuddegfed ganrif ac ailgyfanedd-
wyd yr ardal gan Gymry.[12] Erbyn y bymthegfed ganrif yr oedd nifer o

---

[10] Y llawysgrifau yr ymgynghorwyd â hwy yw HRO O/1–38 a I/1–6. O blith yr
enghreifftiau niferus o wŷr a gwragedd a hanai, yn ôl tystiolaeth yr enwau lleoliadol, o
gymunedau Cymraeg, gw., e.e., O/3, t. 31; O/4, t. 4; O/18, t. 187. Ceir disgrifiad byr
o lysoedd eglwysig yr esgobaeth a thrafodaeth ar ymddangosiad y beirdd Ieuan Dyfi a
Bedo Brwynllys gerbron tribiwnlysoedd yr esgob yn Llinos Beverley Smith, 'Olrhain
Anni Goch' yn J. E. Caerwyn Williams (gol.), *Ysgrifau Beirniadol XIX* (Dinbych, 1993),
tt. 107–26.

[11] Trafodir y dystiolaeth a roddwyd yn ystod cyfarfodydd canoneiddio Thomas Cantilupe,
yn seiliedig ar Lsgr. Vat. Cod. Lat. 4015, yn Richter, *Sprache und Gesellschaft,* tt. 173–217.
Am drafodaeth ar y gweithrediadau a chyfeiriadau pellach at ffynonellau llawysgrifol a
phrintiedig, gw. Patrick H. Daly, 'The Process of Canonization in the Thirteenth and
Early Fourteenth Centuries' yn Meryl Jancey (gol.), *St Thomas Cantilupe Bishop of
Hereford. Essays in His Honour* (Hereford, 1982), tt. 125–35 ac R. C. Finucane,
'Cantilupe as Thaumaturge: Pilgrims and their "Miracles"', ibid., tt. 137–44.

[12] Gw., yn gyffredinol, L. O. W. Smith, 'The Lordships of Chirk and Oswestry,
1282–1415' (traethawd PhD anghyhoeddedig Prifysgol Llundain, 1970), tt. 16–25,
262–9, a'r astudiaeth werthfawr gan B. G. Charles, 'The Welsh, their Language and
Place-names in Archenfield and Oswestry' yn Henry Lewis (gol.), *Angles and Britons*
(Cardiff, 1963), tt. 85–110; Melville Richards, 'The Population of the Welsh Border',
THSC (1970), 77–100.

feirdd Cymraeg eu hiaith yn cyfarch tref Oswestry, a anrhydeddwyd bellach â'r enw Cymraeg Croesoswallt neu Y Fynachlog Wen (Ll. *Album Monasterium*). Fe'i gelwid yn 'Llundain gwlad Owain' a throswyd enwau ei strydoedd i'r Gymraeg. Defnyddiai Tudur Aled (*fl.*1480–1526) 'Y Porth Du' am y 'Black Gate', er enghraifft, ac ymhyfrydai'r bardd yn y croeso a roddwyd iddo gan wŷr Stryd y Betris (Beatrice Street*)* ac yn urddas tawel Stryd y Llan (Chirton).[13] Yn yr un modd, tystia gweithredoedd tir i'r defnydd a wneid o enwau Cymraeg neu elfennau Cymraeg megis Tir Ithel Dda, Crofftydd y Castell, Maes y Clawdd Ucha, wrth bennu terfynau a chaeau o fewn libart y dref.[14] Yn fwy cyffredinol, yn swyddi Amwythig a Chaer, awgryma enwau caeau lle'r oedd dylanwadau'r Gymraeg ar eu cryfaf. Er bod enwau lleoedd ac enwau caeau Saesneg yn cael eu harfer ar lafar gwlad ym manor Aston, tiroedd a rannwyd rhwng abaty Haughmond a daliadaeth iarll Arundel fel rhan gyfansoddol o arglwyddiaeth Croesoswallt, cyfeirid yn aml at leiniau o dir yn Gymraeg mewn gweithredoedd a luniwyd yn y drydedd ganrif ar ddeg ac wedi hynny. Pan na throsid enwau lleoedd Saesneg yn rhannol neu yn gyfan gwbl i'r Gymraeg, gellid eu gweddnewid yn ddeheuig i ymddangos fel pe baent yn tarddu o enwau Cymraeg drwy roi seiniau Cymraeg yn lle'r rhai Saesneg. Yn arglwyddiaeth y Dref-wen (Whittington) trawsffurfiwyd yr enw Hen Saesneg Porkington yn Brogyntyn, ffurf Gymraeg i bob golwg, a'r enw Hen Saesneg Sulatun yn Selatyn.[15] Er y gellid honni, ar sail tystiolaeth enwau lleoedd, fod terfyn ieithyddol sefydlog yn bodoli mewn rhai ardaloedd yng Nghymru ac ar hyd y Gororau, y mae hefyd dystiolaeth rymus mewn ardaloedd eraill fod terfynau'r gwladychiad Cymraeg a, thrwy hynny, yr iaith ei hun wedi ymestyn erbyn diwedd yr Oesoedd Canol.[16]

---

[13] T. Gwynn Jones (gol.), *Gwaith Tudur Aled* (2 gyf., Caerdydd, 1926), I, tt. 261–4; am gywydd gan Guto'r Glyn, gw. John Llywelyn Williams ac Ifor Williams (goln.), *Gwaith Guto'r Glyn* (Caerdydd, 1939), tt. 183–5 a D. J. Bowen, 'Croesoswallt y Beirdd', *Y Traethodydd*, 135 (1980), 137–43. Am hanes y dref yn yr Oesoedd Canol, gw. Llinos Beverley Smith, 'Oswestry' yn Griffiths (gol.), *Boroughs of Medieval Wales*, tt. 219–42. Am dystiolaeth enwau lleoedd, gw. J. McN. Dodgson, *The Place-names of Cheshire* (5 cyf., London, 1970–81) a H. D. G. Foxall, *Shropshire Field-names* (Shropshire Archaeological Society, 1980).

[14] Gw., e.e., LlGC Aston Hall, 2520, 1779, 2192 a Charles, 'Archenfield and Oswestry', tt. 96–110. Y mae'r un papur yn cynnwys tystiolaeth werthfawr ar wedd Gymreig Ergyng yn swydd Henffordd.

[15] Ibid., t. 107. Gw. hefyd Melville Richards, 'Welsh Influence on some English place-names in North-east Wales' yn F. Sondgren (gol.), *Otium et Negotium: Studies in Onomatology and Library Science Presented to Olaf von Feilitzen* (Stockholm, 1973), tt. 216–20.

[16] Dwy enghraifft y gellid eu hawgrymu yw sir Benfro, gw. B. G. Charles, 'The English Element in Pembrokeshire Welsh', *SC*, VI (1971), 103–37 a Brian S. John, 'The Linguistic Significance of the Pembrokeshire Landsker', *PH*, 4 (1972), 7–29, a ffin sir Faesyfed.

Arwydd pellach o natur Gymreig nifer o gymdogaethau ar hyd y Gororau yw'r ffaith fod sawl bardd a ganai yn y bedwaredd ganrif ar ddeg a'r bymthegfed ganrif wedi ymweld yn rheolaidd â rhai o gartrefi bonheddig y fro. Er i Owain ap Llywelyn ab y Moel gyfeirio yn ei gywyddau at Glawdd Offa, sef y ffin gydnabyddedig rhwng Cymru a Lloegr gynt, prin fod yr hen ffin draddodiadol hon yn golygu dim iddo gan fod ganddo ei noddwyr ar y naill ochr a'r llall iddi. Nythai llys Gruffudd ap Hywel ap Dafydd yn Yr Ystog 'dan Gaer Offa', yn ôl y bardd; yn Llanffynhonwen yr oedd llys Dafydd Llwyd Fychan, 'a lawenhâi lu o'n hiaith', yn ôl yr un bardd, ac er gwaethaf ei enw Normanaidd yr oedd yng nghastell Cawres erbyn y bymthegfed ganrif lys lle'r oedd yr iaith yn cael ei meithrin o dan ofal hynaws y meistr, Wiliam ap Dafydd ap Gruffudd. Yn yr un modd, gwyddai Lewys Glyn Cothi y câi ei groesawu a'i anrhydeddu wrth deithio'r gororau rhwng Cymru a Lloegr. Fe'i derbynnid ym Mrulhai, plwyf ar ffin Elfael a Huntington, gan Phelpod ap Rhys – 'Gorau Cymro'n ei gaeroedd / ei Gymraeg o Gymru oedd' – yn ôl Lewys, a chyfrifid Sion ap Hywel ap Thomas o Ewias Lacy – 'Clo'r Dre-hir' – hefyd ymhlith ei noddwyr.[17]

Yn wir, yn gam neu'n gymwys, yr argraff a gyfleir gan y dystiolaeth yw adfywiad amlwg yr iaith Gymraeg mewn nifer o gymunedau yn y bymthegfed ganrif. Pa un a oedd yr atgyfnerthiad yn dilyn cynnydd absoliwt yn nifer siaradwyr yr iaith neu, yn hytrach, yn ffrwyth ailddosbarthiad y siaradwyr Cymraeg brodorol mewn ardaloedd a chylchoedd cymdeithasol lle'r oedd yr iaith cyn hynny yn ddieithr, sy'n gwestiwn pwysig ond yn un nad oes modd ei ateb. Yr hyn y gellir ei ddweud yn weddol hyderus, serch hynny, yw fod y Gymraeg, erbyn trothwy'r Uno, yn adennill ei thir fel cyfrwng cyfathrebu mewn ardaloedd fel Bro Morgannwg, a fu'n Saesneg neu'n Eingl-Normaneg eu hiaith am ganrifoedd cyn hynny.[18] Er na ellir datgan i sicrwydd eu bod yn medru

---

[17] Eurys Rolant (gol.), *Gwaith Owain ap Llywelyn ab y Moel* (Caerdydd, 1984), tt. 2, 5, 14; Dafydd Johnston (gol.), *Gwaith Lewys Glyn Cothi* (Caerdydd, 1995), tt. 274–5. Am gymeriad Cymreig Yr Ystog, gw. gweithredoedd eiddo yn dyddio o'r bymthegfed ganrif a'r unfed ganrif ar bymtheg yn y Llyfrgell Brydeinig, Siarter Ychwanegol 41194–41295. Ond gw. y sylwadau ar oblygiadau teithiau clera'r beirdd yn A. Cynfael Lake, 'Goblygiadau Clera a Golwg ar Ganu Guto'r Glyn' yn J. E. Caerwyn Williams (gol.), *Ysgrifau Beirniadol XX* (Dinbych, 1995), tt. 125–48, yn enwedig tt. 135–6.

[18] Brian Ll. James, 'The Welsh Language in the Vale of Glamorgan', *Morgannwg*, XVI (1972), 16–36; Ceri W. Lewis, 'The Literary Tradition of Morgannwg down to the Middle of the Sixteenth Century' yn T. B. Pugh (gol.), *Glamorgan County History, Vol. III, The Middle Ages* (Cardiff, 1971), tt. 449–554 ac idem, 'Syr Edward Stradling (1529–1609), Y "Marchog Disgleirlathr" o Sain Dunwyd' yn J. E. Caerwyn Williams (gol.), *Ysgrifau Beirniadol XIX* (Dinbych, 1993), tt. 139–207; Matthew Griffiths, 'The Vale of Glamorgan in the 1543 Lay Subsidy Returns', *BBCS*, XXIX, rhan 4 (1982), 746–7.

siarad yr iaith, yr oedd amryw deuluoedd bonheddig, megis y Twrbiliaid, y Bassetiaid, y Gameisiaid a'r Stradlingiaid, erbyn hynny yn dangos diddordeb yn a pharch at y diwylliant cynhenid. Dichon fod mewnlifiad o denantiaid Cymraeg i fanorau iseldiroedd arglwyddiaeth Ogwr yn arwydd o gynnydd diweddar yr iaith a geill fod arwyddocâd i'r ffaith fod y bardd Thomas ab Ieuan, ar ddechrau'r unfed ganrif ar bymtheg, wrth nodi mai'r Saesneg a oedd ar dafod trigolion pentref Y Wig, hefyd yn cynnwys manorau Trelales, Llangewydd ac Ogwr yn ei gwrs clera.[19] Fel yr oedd teuluoedd bonheddig Morgannwg yn mabwysiadu elfennau pwysig o'r gwaddol diwylliannol Cymraeg, felly hefyd y gwnâi eu cymheiriaid yng ngogledd-ddwyrain Cymru. Gwelwyd teuluoedd dŵad, wrth iddynt ymbriodi â theuluoedd o dras Gymreig ac ymdrwytho yn eu diwylliant, yn agor eu drysau a'u coffrau i gynnal y beirdd. Rhoes aelodau o deulu Salisbury, er enghraifft, nawdd hael i nifer o feirdd y bymthegfed ganrif ac erbyn diwedd y ganrif y mae'n bosibl fod o leiaf un aelod o'r teulu yn defnyddio'r iaith Gymraeg at bwrpas cadw ei gyfrifon busnes personol.[20] Ymhlith trigolion y trefi, hefyd, y mae'n dra thebyg fod y Gymraeg yn cael ei defnyddio'n fwy rheolaidd ac yn fwy ymwybodol erbyn diwedd ein cyfnod. 'Brig y dref foneddigaidd' oedd cyfarchiad Lewys Glyn Cothi i Hywel Prains o'r Bont-faen ym Mro Morgannwg, ac er i Ddafydd ap Gwilym (*fl.*1320–70) gyfeirio at 'lediaith lud' Elen, y Saesnes a oedd yn briod â Robin Nordd o dref Aberystwyth, Cymry Cymraeg oedd mwyafrif trigolion y dref ganrif yn ddiweddarach.[21] Er mai anghyflawn yw ein dealltwriaeth o'r rhesymau am ledaeniad yr iaith Gymraeg yn y bymthegfed ganrif, ni ellir gwadu iddi brofi adfywiad.[22]

Beth y gellir ei ddweud am safonau'r iaith ysgrifenedig a'r iaith lafar a'r meysydd lle y câi ei defnyddio? O safbwynt yr iaith lafar, tystia amryw sylwedyddion cynnar fod tafodieithoedd lleol rhywiog yn bodoli. Yn un o'r darnau mwyaf trawiadol a dadlennol yn ei *Descriptio Kambriae*, gwnaeth Gerallt Gymro y sylw canlynol: 'Y mae'n werth sylwi . . . yr haerir bod yr iaith Gymraeg yn fwy dillyn, yn goethach, ac yn fwy canmoladwy yng Ngogledd Cymru i'r un graddau ag y mae'r wlad hon â llai o estroniaid yn gymysg â hi. Er hynny, tystia llawer iawn mai ardal Ceredigion yn y

---

[19] Dafydd H. Evans, 'Thomas ab Ieuan a'i "Ysgowld o Wraig"' yn J. E. Caerwyn Williams (gol.), *Ysgrifau Beirniadol XIX* (Dinbych, 1993), tt. 86–106.

[20] Gw. isod, tt. 25–6.

[21] *Gwaith Lewys Glyn Cothi*, tt. 239–42 (trafodir tarddiad yr enw yn fyr ar d. 575); Thomas Parry (gol.), *Gwaith Dafydd ap Gwilym* (Caerdydd, 1952), t. 266; Griffiths, 'Aberystwyth' yn idem (gol.), *Boroughs of Medieval Wales*, t. 39.

[22] Am sylwadau ar ddiflaniad nifer o deuluoedd estron o arglwyddiaeth Gŵyr erbyn dechrau'r unfed ganrif ar bymtheg, gw. W. R. B. Robinson, 'The Landowners of the Englishry of Gower in the Early Sixteenth Century', *BBCS*, XXIX, rhan 2 (1981), 301–19.

Deheubarth, a'i safle megis yng nghanol a pherfedd Cymru, a ddef-
nyddia'r iaith arbenicaf, a mwyaf canmoladwy.'[23] Nid yw arbenigrwydd
honedig iaith Ceredigion wedi ei ategu gan sylwadau unrhyw sylwedydd
arall, ond ceir gan Ddafydd Benfras (*fl.*1230–60) sylw ar ei dafodiaith ef ei
hun, sef y Wyndodeg, yn yr un modd ag y cyfeiriodd Casnodyn
(*fl.*1320–40) yntau at ei dafodiaith, sef y Wenhwyseg.[24] Er y byddai beirdd
y ddeuddegfed ganrif a'r drydedd ganrif ar ddeg, yn ogystal â beirdd
cyfnodau diweddarach, yn sylwi ag edmygedd ar iaith a leferid ag urddas a
choethder, yr hyn sy'n llai amlwg o astudio tystiolaeth yr Oesoedd Canol
yw acenion, neu wahaniaethu cynnil o ran geirfa a mynegiant, a ddynodai
fod y siaradwyr yn perthyn i haen gymdeithasol arbennig. Ond er
gwaethaf amrywiaeth tybiedig yr iaith lafar, yr hyn sy'n drawiadol yw'r
unffurfiaeth a feddai'r iaith ysgrifenedig, o ran orgraff a morffoleg. Efallai'n
wir fod 'safon ysgrifenedig y gogledd' eisoes yn dylanwadu ar safonau
ysgrifenedig ardaloedd eraill yn yr Oesoedd Canol. Fodd bynnag, bu'r
dasg o nodi cysylltiadau rhanbarthol testunau Cymraeg canoloesol ar sail
eu hamrywiaethau tafodieithol yn un anodd a dyrys, er bod dulliau
methodolegol a dadansoddol newydd bellach yn fodd i ni ddarganfod
cyweiriau tafodieithol diddorol.[25] Yn gyffredinol, fodd bynnag, ac yn sicr
ddigon o'i chymharu â datblygiad yr iaith Saesneg yn y drydedd a'r
bedwaredd ganrif ar ddeg, nid amrywiadau tafodieithol yr iaith
ysgrifenedig sy'n galw am bwyslais ond yn hytrach y ffaith fod y Gymraeg
wedi ei safoni i'r fath raddau, serch bod testunau rhyddiaith y bymthegfed
ganrif, efallai, yn dangos peth dirywiad o'u cymharu â thestunau
blaenorol.[26]

Os enillodd yr iaith ysgrifenedig gryn fesur o unffurfiaeth yng
nghanrifoedd yr Oesoedd Canol, yr oedd y defnydd a wnaed o'r Gymraeg

[23] James F. Dimock (gol.), *Giraldi Cambrensis Opera* (8 cyf., London, 1861–91), V, t. 177.
Cymh. sylwadau David Burnley, 'Lexis and Semantics' yn Norman Blake (gol.), *The
Cambridge History of the English Language, Vol. II, 1066–1476* (Cambridge, 1992),
tt. 414–15 ar syniadau canoloesol ynglŷn â phurdeb iaith a benthyg ieithyddol.

[24] Gerald Morgan, 'Nodiadau ar Destun Barddoniaeth y Tywysogion yn Llsgr. NLW
4973', *BBCS*, XXI, rhan 2 (1965), 149–50; y mae gwaith Dafydd Benfras bellach wedi
ei olygu yn derfynol gan y Chwaer Bosco ac al., *Gwaith Dafydd Benfras ac Eraill o Feirdd
Hanner Cyntaf y Drydedd Ganrif ar Ddeg* (Caerdydd, 1995). Ceir yr awdl ar d. 445. Am
honiad Casnodyn, gw. *Glamorgan County History, Vol. III*, t. 483.

[25] Gw. yr astudiaeth bwysig a'r fethodoleg gywrain a awgrymir gan Peter Wynn Thomas,
'Middle Welsh Dialects: Problems and Perspectives', *BBCS*, XL (1993), 17–50. Am
sylwadau ar oblygiadau safoni, gw. R. A. Lodge, 'Language Attitudes and Linguistic
Norms in France and England in the Thirteenth Century' yn P. R. Coss ac S. D. Lloyd
(goln.), *Thirteenth Century England IV: Proceedings of the Newcastle Upon Tyne Conference
1991* (Woodbridge, 1992), tt. 73–83.

[26] Trafodir y tafodieithoedd a'r amrywiaethau sylweddol wrth ysgrifennu Saesneg Canol a
rhestrir ffynonellau gan James Milroy, 'Middle English Dialectology' yn Blake (gol.),
Cambridge History of the English Language, II, tt. 156–206.

yn eang ac amrywiol. Yn ogystal â'r cynnydd amlwg yn nifer y gweithiau creadigol cynhenid, yn farddoniaeth a rhyddiaith, a roid ar glawr, y mae'n amlwg fod cnwd toreithiog o ryddiaith ymarferol wedi ei gynhyrchu, yn gyfieithiadau ac yn gyfansoddiadau gwreiddiol. Er gwaethaf yr honiadau a wneid ynglŷn â'r anhawster o drosi testunau i'r iaith gynhenid (*topos* digon cyffredin o eiddo'r cyfieithydd yn yr Oesoedd Canol), arferir ynddynt iaith ystwyth a feddai ar yr hyblygrwydd i fynegi syniadau gwyddonol ac athronyddol pur ddyrys. Fel y dywedwyd am y Gymraeg: '[it] was not purely [a language] of Celtic romance and magic, of archaic legalism, heroic praise poetry and love lyrics, but a complex mixture of philosophy, religion, science, music and grammar which underlay and enriched the native literary *genres* traditionally associated with the period.'[27] Dengys *Brut y Tywysogyon*, cyfieithiad Cymraeg o destun Lladin gwreiddiol sydd bellach ar goll ac enghraifft odidog o destun hanes yn y Gymraeg, nid yn unig sut y cynhelid ymwybyddiaeth genedlaethol ddofn yn y cyfnod wedi goresgyniad Edward I ond hefyd y modd y daeth y Gymraeg, mewn *scriptorium* mynachaidd, yn gyfrwng mor deilwng â'r Lladin i gofnodi hanes y genedl ar gyfer y cenedlaethau i ddod. Dangoswyd i sicrwydd sut y cynhyrchwyd corff pwysig ac amhrisiadwy o farddoniaeth llys yn perthyn i'r ddeuddegfed ganrif a'r drydedd ganrif ar ddeg yn *scriptorium* abaty Sistersaidd Ystrad-fflur ac y mae'r ffaith hon hefyd yn cyfleu safle dyrchafedig y Gymraeg yng nghynteddau urdd fynachaidd Ladin.[28] Yn sgil y pwyslais a roddwyd gan awdurdodau eglwysig ar ddefnyddio'r iaith frodorol ac mewn ymateb i alw o du gwŷr a gwragedd llythrennog am lenyddiaeth grefyddol yn eu hiaith eu hunain, cynhyrchwyd, yn ogystal, nifer o destunau defosiynol a didactig, yn weithiau gwreiddiol ac yn gyfieithiadau. Yn yr un modd, adlewyrchid chwaeth cynulleidfa lengar yn y testunau rhyddiaith greadigol, yn chwedlau a rhamantau brodorol ac yn drosiadau, sydd i'w canfod mewn llawysgrifau o'r bedwaredd ganrif ar ddeg a'r bymthegfed ganrif. Nid yn *scriptorium* y fynachlog yn unig y cynhelid gweithgarwch llenyddol yn y Gymraeg ychwaith, fel y dengys Llyfr Coch Hergest, casgliad rhyfeddol o ryddiaith a barddoniaeth

---

[27] Am gyflwyniad ardderchog, yn Saesneg, i destunau rhyddiaith swyddogaethol, gw. Morfydd E. Owen, 'Functional Prose: Religion, Science, Grammar, Law' yn A. O. H. Jarman a G. R. Hughes (goln.), *A Guide to Welsh Literature Volume I* (Cardiff, 1992), tt. 248–76, a'r llyfryddiaeth helaeth a geir yno.

[28] Thomas Jones (gol.), *Brut y Tywysogyon or the Chronicle of the Princes: Red Book of Hergest Version* (Cardiff, 1955); idem, 'Historical Writing in Medieval Welsh', *SS*, 12 (1968), 15–27; Brynley F. Roberts, 'Testunau Hanes Cymraeg Canol' yn Geraint Bowen (gol.), *Y Traddodiad Rhyddiaith yn yr Oesau Canol* (Llandysul, 1974), tt. 274–302. Archwilir cysylltiadau Llawysgrif Hendregadredd ag Ystrad-fflur yn astudiaeth bwysig Daniel Huws, 'Llawysgrif Hendregadredd', *CLlGC*, XXII, rhifyn 1 (1981), 1–23.

Gymraeg, a luniwyd i bob golwg ar anogaeth gŵr lleyg, mewn *scriptorium* lleyg, ar ddiwedd y bedwaredd ganrif ar ddeg.[29]

Ym maes testunau'r gyfraith gynhwynol, yr oedd defnyddio'r Gymraeg wedi hen ennill ei blwyf, ac y mae'r corff o destunau sydd wedi goroesi, sy'n dyddio o ganol y drydedd ganrif ar ddeg ymlaen, yn un o'r enghreifftiau mwyaf trawiadol o'r defnydd a wnaed o'r iaith frodorol gan un o genhedloedd Ewrop yn ystod yr Oesoedd Canol. Er bod nifer o destunau Lladin o'r drydedd ganrif ar ddeg mewn bodolaeth, dengys testunau megis Llyfr Cyfnerth a Llyfr Iorwerth fod ysgrifenwyr a golygyddion lleyg a chlerigol wedi bod wrthi ers cryn amser yn cynhyrchu testunau Cymraeg. Datgelir cyfoeth o dermau technegol a gallu'r iaith i fynegi cysyniadau cyfreithiol manwl. Gellid pledio achos yn Gymraeg (fel y dengys un ymdriniaeth ar bledio yn dyddio o'r drydedd ganrif ar ddeg), ac erbyn yr unfed ganrif ar bymtheg yr oedd geirfa dechnegol gywrain y testunau cyfreithiol wedi ymestyn ymhell y tu hwnt i lys barn.[30] Dangoswyd, er enghraifft, fod yr eirfa helaeth a'r nodiadau ymyl y ddalen yng nghyfieithiad William Salesbury o'r Testament Newydd ym 1567 yn cynnwys nifer sylweddol o dermau yn deillio o lyfrau'r gyfraith frodorol, yn eu plith Peniarth 30 (Llyfr Colan), llawysgrif a frithwyd gan nodiadau yn llaw Salesbury ei hun.[31] Adlewyrchir rhychwant ymarferol yr iaith hefyd mewn testunau ysgrifenedig amrywiol eu cynnwys (ffaith sy'n awgrymu bod y defnydd o'r Gymraeg efallai yn ehangach hyd yn oed nag y mae'r testunau sydd gennym yn ei ddatgelu), megis *Llyfr Hwsmonaeth*, cyfieithiad o'r *Book of Husbandry* gan Walter o Henley, neu draethawd byr ar falu, y naill a'r llall yn mynegi amryfal ddiddordebau y tirfeddiannwr a'r amaethwr. Mewn traethawd ar hela – gwaith sydd, mae'n debyg, yn dyddio o ganol yr unfed ganrif ar bymtheg ond sy'n cynnwys deunydd hŷn o lawer yn Gymraeg ac yn Saesneg – a thraethawd ar herodraeth, defnyddir iaith dechnegol i gyfleu difyrrwch y gŵr bonheddig a'i

---

[29] Am yr ysgogiadau a oedd wrth wraidd y testunau crefyddol, gw. Glanmor Williams, *The Welsh Church from Conquest to Reformation* (Cardiff, 1962), tt. 81–114, ac am y testunau, Jarman a Hughes, *A Guide to Welsh Literature* a'r llyfryddiaeth a geir yno. Am Lyfr Coch Hergest, gw. Gifford Charles-Edwards, 'The Scribes of the Red Book of Hergest', *CLlGC*, XXI, rhifyn 3 (1980), 246–56.

[30] Am gyflwyniad da i'r testunau, gw. T. M. Charles-Edwards, *The Welsh Laws* (Cardiff, 1989), ac am astudiaethau mwy arbenigol, gw. Morfydd E. Owen, 'Y Cyfreithiau' yn Bowen, *Y Traddodiad Rhyddiaith*, tt. 196–244. Astudir cynghawsedd gan T. M. Charles-Edwards, 'Cynghawsedd: Counting and Pleading in Medieval Welsh Law', *BBCS*, XXXIII (1986), 188–98; Aled Rhys Wiliam, 'Llyfr Cynghawsedd', ibid., XXXV (1988), 73–85. Archwilir y defnydd o'r Ffrangeg yn llysoedd Lloegr yn y cyfnod gan George E. Woodbine, 'The Language of English Law', *Speculum*, XVIII (1943), 395–436 ac am y sefyllfa yng Nghymru yn yr Oesoedd Canol Diweddar gw. isod, n. 83.

[31] Christine James, 'Bann wedy i dynny: Medieval Welsh Law and Early Protestant Propaganda', *CMCS*, 27 (1994), 61–86; Dafydd Ifans, *William Salesbury and the Welsh Laws* (Aberystwyth, 1980).

ddiddordeb mewn llinach ac achau. Yn iaith a arddelid gan dywysog a chrefftwr, gwrêng a bonedd, y mae modd canfod rhychwant cymdeithasol eang yr iaith yng nghynnwys y testunau a luniwyd yn y Gymraeg.[32]

Mewn cofnodion personol, hefyd, ceir peth tystiolaeth sy'n awgrymu'r defnydd a wnâi'r Cymro o'i famiaith, hyd yn oed os na ellir dangos i sicrwydd fod yr iaith yn gyfrwng dogfennau ffurfiol-swyddogol. Yn y cyswllt hwn, y mae un llawysgrif sy'n dyddio o ddiwedd y bymthegfed ganrif ac a ddiystyriwyd braidd hyd yn hyn, yn haeddu sylw arbennig.[33] Cyfrol ydyw sy'n cofnodi pwrcasiadau a rhenti gŵr o'r enw Rhys ab Einion Fychan yn nhreflannau arglwyddiaeth Dinbych rhwng 1490 a 1495. Yn ôl tystiolaeth Syr John Wynn o Wedir, aeth rhan helaeth o etifeddiaeth Rhys (a oedd, yn ôl amcangyfrif Wynn, yn werth mil o farciau y flwyddyn) i ddwylo Robert Salesbury ar ôl iddo briodi Gwenhwyfar, merch Rhys ab Einion, ac ar sail y cyfeiriadau mynych at Robert a Rhys yn y gyfrol, rhesymol yw tybio i'r cyfrifon a'r memoranda gael eu rhoi ar bapur ganddynt hwy eu hunain neu ar eu gorchymyn.[34] Yr hyn sy'n berthnasol i ni, fodd bynnag, yw fod y gyfrol wedi ei hysgrifennu yn gyfan gwbl yn Gymraeg. Ceir ynddi restr fanwl o denantiaid a'u dyledion, ynghyd â nifer sylweddol o weithredoedd tir, y rheini hefyd wedi eu cofnodi yn Gymraeg. Ceir cyfeiriadau ynddi at 'arian porfa y sulgwyn o faethebyrwt', at dalu'r 'degwm yleni', ac at dalu 'ebediw' ar ran un o'r deiliaid. O ddiddordeb neilltuol yw'r gweithredoedd tir niferus a ysgrifennwyd yn Gymraeg, yn arbennig felly o gofio na chafwyd hyd yma unrhyw enghreifftiau cyffelyb ymhlith y casgliadau helaeth o weithredoedd ystad sydd wedi goroesi o'r bedwaredd ganrif ar ddeg a'r bymthegfed ganrif. Yn ogystal â hynny, y maent hefyd, bron yn ddieithriad, yn cydymffurfio â'r confensiynau diplomyddol arferol a gysylltir â'r gweithredoedd tir cyfoes a luniwyd yn Lladin. 'Bid hysbys achydnabyddus i bawb', meddir mewn un weithred yn ymwneud â phrid neu forgais, 'bod Res ap Jollyn yn dwyn xxs. gan Res ap Eignion Vyghan yn brid ar i dir ovewn tre varroc o vewn kymwd uwchaled hyd ymhenn y pedair blynedd ac velly ovewn y pedair blynedd bygilydd oni gollynger a

---

[32] Ifor Williams a Gwilym Peredur Jones, 'Hen Draethawd ar Hwsmonaeth', *BBCS*, II, rhannau 1 a 2 (1923–4), 8–16, 132–4; Iorwerth C. Peate, 'Traethawd ar Felinyddiaeth', ibid., VIII, rhan 4 (1937), 295–301; William Linnard, 'The Nine Huntings: A Re-examination of *Y Naw Helwriaeth*', ibid., XXXI (1984), 119–32. Am sylwadau ar arwyddocâd testunau brodorol sy'n adlewyrchu diddordebau bonheddig ar hanes cymdeithasol yr iaith Saesneg, gw. Burnley, *Cambridge History of the English Language, II*, t. 457.

[33] Caerdydd Llsgr. 51. Y mae'r gyfrol yn teilyngu mwy o sylw nag y mae'n bosibl ei roi iddi yn yr astudiaeth hon. Am ddisgrifiad byr, gw. J. Gwenogvryn Evans, *Report on Manuscripts in the Welsh Language* (2 gyf., London, 1898–1902), II, tt. 253–4.

[34] John Wynn, *The History of the Gwydir Family and Memoirs*, gol. J. Gwynfor Jones (Llandysul, 1990), tt. 18, 30–2, 34.

dechre Nosswyl Bawl a Dwynwenn yny vlwyddyn oed ir iesse mil a
cccclxxxxi [1491]. Yn wybyddiaid ar hynn Meredith ap Llewelin, Ieuan
ap Gruffith ap Hoell, Ieuan ap Wilkoc adigon am benn hynny.'[35] Tua'r un
adeg lluniwyd cyfrol bwysig o gofnodion a memoranda gan John
Edwards, tirfeddiannwr a gweinyddwr nodedig a drigai yn arglwyddiaeth
gyfagos Y Waun.[36] Yn y gyfrol hon, hefyd, ceir nifer o destunau yn yr
iaith gynhenid, yn eu plith fersiynau Cymraeg o'r siarteri Lladin a
Ffrangeg a gyflwynwyd gan Richard, iarll Arundel, i'w denantiaid yn
arglwyddiaeth Y Waun yn y bedwaredd ganrif ar ddeg, yn ogystal â
chopïau Cymraeg o gydfodau neu gytundebau a wnaed rhwng trigolion
dwy arglwyddiaeth am y ffin â'i gilydd ynglŷn â materion a oedd yn
gyffredin rhyngddynt. Un ddogfen hynod ddiddorol yw'r memorandwm
cyfreithiol sy'n cofnodi'r arferion a'r *dicta* a berthyn i lysoedd yr ardal;
ynddi ymddengys geiriau benthyg megis 'ysgutor' neu 'yndeintur' neu
'gweithred ffi–tail' ochr yn ochr â thermau'r gyfraith gynhenid megis
'tremyg' a 'cynhysgaeth', a gwelir ffurfiau ar dermau cyfraith gyffredin
Lloegr – hyd yn oed rhai megis *novel disseisin*, na fu ganddynt erioed
ffurfiau cyfatebol yn Saesneg – yn cael eu trosi yn briodol i'r Gymraeg. Er
bod gororau'r gogledd-ddwyrain wedi gwneud cyfraniad nodedig o ran
diogelu llawysgrifau llenyddol a dogfennol yr Oesoedd Canol, y mae'n
amlwg fod trigolion ardaloedd eraill wedi bod yr un mor barod i gofnodi
manylion am eu hystadau yn Gymraeg. Yn ne-orllewin Cymru, er
enghraifft, cofnododd perchenogion ystad Rhydodyn wybodaeth am eu
tiroedd mewn dogfen a ysgrifennwyd yn gyfan gwbl yn Gymraeg. 'Llyma
bridie Willym ap Rees ap Eynon' yw'r pennawd ar un o'r cofnodion ym
mhapurau'r teulu ac eir ymlaen i ddisgrifio'n fanwl 'iawn etiveddiaeth Res
ap William oblegid y dad'. Yng ngogledd-orllewin Cymru, cofnodwyd
mewn dogfen Gymraeg ei hiaith y modd y rhannwyd tiroedd Hywel ap
Gruffudd Fychan o Aber-erch yn Llŷn, ac adlewyrcha dogfennau a
luniwyd yn sgil cyflafareddu yn arglwyddiaeth Dinbych ac yn sir
Gaerfyrddin y defnydd a wneid o'r Gymraeg wrth ddatrys anghydfod.[37]

---

[35] Caerdydd Llsgr. 51, ff. 9, 32, 151. Y mae'r ffaith fod llinell drwy amryw o'r
gweithredoedd prid yn awgrymu bod y tir, o bosibl, wedi ei brynu yn ôl gan y pridwr.
Y mae'r gyfatebiaeth agos rhwng y fformwlâu Cymraeg a gweithredoedd Lladin cyfoes
(e.e. y mae'r geiriau 'Bid hysbys a chydnabyddus i bawb' a 'a digon am ben hynny' yn
cyfateb i'r Lladin 'pateat universis per presentes' a 'multis aliis') yn awgrymu bod yr
enghreifftiau Cymraeg yn y gyfrol, o bosibl, yn gyfieithiadau o destun Lladin gwreiddiol.

[36] Llyfrgell Brydeinig Llsgr. Ychwanegol 46846. Gw. hefyd Llinos Beverley Smith, 'The
Grammar and Commonplace Books of John Edwards of Chirk', *BBCS*, XXXIV (1987),
174–84. Am deulu Edwards, gw. D. J. Bowen, 'I Wiliam ap Siôn Edwart, Cwnstabl y
Waun' yn J. E. Caerwyn Williams (gol.), *Ysgrifau Beirniadol XVIII* (Dinbych, 1992),
tt. 137–59.

[37] LlGC Edwinsford 3366; hefyd 3228, 3367; LlPCB, Llsgr. Mostyn 786; LlGC Trovarth a
Choedcoch 573. Cyhoeddwyd a thrafodwyd y cyflafareddiad ynghylch tir yn Llwyn-

Ym mhob un o'r dogfennau hyn – enghreifftiau a gadwyd ar hap ac sydd, o bosibl, yn cynrychioli corff o dystiolaeth a fu ar un adeg yn sylweddol – ymddengys y Gymraeg, nid yn gyfrwng hynafol, clogyrnaidd ond, yn hytrach, yn iaith hydwyth a chanddi'r gallu i fynegi cysyniadau technegol cyfoes ac i fod o ddefnydd cwbl ymarferol.

Serch y lle blaenllaw a feddai'r Gymraeg ymhlith ei thrigolion, yr oedd Cymru'r Oesoedd Canol yn wlad lle y defnyddid amryw ieithoedd. Y mae gofyn, felly, inni ddarganfod ym mha gylchoedd cymdeithasol ac ym mha froydd daearyddol y ffynnai'r ieithoedd a oedd, ynghyd â'r Gymraeg, yn cyfrif am natur amlieithog y cyfnod o *c.*1100 ymlaen. Yn y drafodaeth ganlynol ymdrinnir yn bennaf â'r defnydd a wneid o'r Saesneg a'r Ffrangeg. Er bod Gerallt Gymro yn tystio iddo glywed yr iaith Ffflemineg ar lafar ymhlith Ffleminiaid deheudir sir Benfro, ac er bod peth tystiolaeth yn awgrymu bod yr iaith yn hyfyw yn yr unfed ganrif ar bymtheg, honnwyd gan John Trevisa, croniclydd a ysgrifennai ar ddiwedd y bedwaredd ganrif ar ddeg, fod iaith estron y gwladychwyr o Fflandrys wedi ei disodli gan Saesneg ('the Flemmynges that woneth in the weste side of Wales haueth i-left her straunge speche and speketh Saxonliche i-now').[38] Ar y llaw arall, y mae tystiolaeth gadarn ynglŷn â phresenoldeb cynnar a chyson y Ffrangeg. Er na allwn fod yn gwbl sicr pa iaith a siaredid gan bobl a ddisgrifir yn y siarteri fel *Franci*, y mae nifer o ffynonellau cyfoes yn nodi presenoldeb gwŷr a gwragedd a siaradai Ffrangeg.[39] Datgelir hoffter yr haen fonheddig o arfer y Ffrangeg yn y dystiolaeth ieithyddol werthfawr sydd ar gael yn nhrafodion canoneiddio Thomas Cantilupe ym 1307. Cyflwynodd yr arglwyddes, Mary de Braose, y gyntaf yn y garfan a ddaeth o Abertawe i dystio i adferiad gwyrthiol William ap Rhys, ei thystiolaeth yn Ffrangeg (*deposuit in Gallico vulgariter*). Rhoes ei mab, William, a ddisgrifiwyd fel barwn a marchog (*baro et miles),* yntau dystiolaeth *in vulgari Gallico.* Ond yr oedd aelodau mwy distadl hefyd yn medru'r Ffrangeg. Rhoes dau offeiriad, er enghraifft, eu tystiolaeth *in Gallico,* er i un ohonynt gydnabod nad oedd yn enedigol o Gymru, ac iddo adael y dref yn fuan wedi'r wyrth honedig a derbyn bywoliaeth eglwysig yn esgobaeth Chichester. Honnai'r llall, Thomas Marescalh, fodd bynnag, iddo gael ei fagu yn Abertawe (*de qua fuerat oriundus*) a'i fod yn berffaith gyfarwydd â'r amgylchiadau a gysylltid â William ap Rhys er dyddiau ei febyd (*a puericia ipsius testis in villa predicta*) ond, serch hynny, dewisodd yntau gyflwyno ei

---

gwyn, sir Gaerfyrddin, gan T. Jones Pierce, 'The Law of Wales – The Last Phase', *THSC* (1963), 7–32. Gw. hefyd isod, t. 44.

[38] Lauran Toorians, 'Wizo Flandrensis and the Flemish Settlement in Pembrokeshire', *CMCS*, 20 (1990), 99–118; C. Babington (gol.), *Polychronicon Ranulphi Higden Monachi Cestrensis* (9 cyf., London, 1865–86), II, t. 159.

[39] Ar y defnydd o'r term *Franci,* gw. Bartlett, *Making of Europe,* tt. 102–3.

dystiolaeth yn Ffrangeg. Cyflwynodd un gŵr arall, gŵr lleyg y dywedwyd ei fod yn stiward (*senescallus hospicii*) yng nghartref William de Braose, ei dystiolaeth yn Ffrangeg, yr unig dyst lleyg (ac eithrio'r Braosiaid) i wneud hynny. Fel y mae'n digwydd, y mae'r un dogfennau hefyd yn taflu goleuni ar yr ieithoedd a siaredid yng Nghonwy ar ddechrau'r bedwaredd ganrif ar ddeg. Yno hefyd yr oedd aelodau o'r ddirprwyaeth fechan yn siarad Ffrangeg, gan gynnwys y prif dyst, Gervase — cogydd William de Sigons, cwnstabl y castell (yntau yn farchog o Fwrgwyn) — a fynnai fod eiriolaeth Cantilupe dros ei fab dwy flwydd oed wedi dwyn y bychan yn ôl o farw'n fyw. Er ei fod, yn ôl ei dystiolaeth ef ei hun, yn enedigol o Gymru (*est oriundus de Wallia*), ymddengys fod Gervase yn ddigon rhugl ei Ffrangeg i fedru rhoi ei dystiolaeth yn yr iaith honno. Yn yr un modd, o'r pedwar bwrdais arall a roes eu tystiolaeth yn Ffrangeg, y mae'n bosibl fod dau ohonynt naill ai yn Gymry brodorol neu wedi byw am gyfnod yng Nghymru. Yn achos y ddau dyst clerigol o Gonwy, rhoes y naill ei dystiolaeth yn Ffrangeg a'r llall yn Lladin. Ar sail eu tystiolaeth, gellir awgrymu yn weddol hyderus fod y Ffrangeg yn cael ei defnyddio yn y fwrdeistref newydd a dyfodd o amgylch caer y concwerwr fel math ar *lingua franca* ar ddiwedd y drydedd ganrif ar ddeg a dichon fod gwybodaeth ohoni yn gaffaeliad os nad yn anhepgor i ennill dyrchafiad mewn proffesiwn neu alwedigaeth.[40] Wrth reswm, er bod y sampl bychan hwn o Abertawe a Chonwy yn werthfawr, peth peryglus fyddai cyffredinoli ar ei sail ynglŷn â chydbwysedd ieithyddol trigolion trefi Cymru yn y blynyddoedd wedi goresgyniad 1282. At hynny, yn niffyg unrhyw sylw ar ran y tystion ynglŷn â'r defnydd a wnaed o'r Gymraeg, y mae'n anodd mesur i ba raddau yr oedd y famiaith yn ffynnu neu ynteu yn edwino yn yr ardaloedd trefol yn y cyfnod dan sylw.

Fel yr oedd anghenion proffesiynol yn gyfrwng i bennu agwedd trigolion y trefi at iaith, felly hefyd y creodd gweinyddiaethau brenin ac arglwydd alw parod am wybodaeth o'r Ffrangeg. Erbyn y bedwaredd ganrif ar ddeg yr oedd dogfennau a ysgrifennwyd yn Ffrangeg, yn rhai cyhoeddus a phreifat fel ei gilydd, yn bur gyffredin yng Nghymru. Ysgrifennwyd y siarter a gyflwynwyd gan iarll Arundel i'w denantiaid yn arglwyddiaeth Y Waun ym 1334 yn Ffrangeg; rhoes Llywelyn ap Llywelyn, yntau o'r Waun, hawliau gwaddol i'w briod yn unol ag arfer Lloegr (*a la coustumez d'Angleter*) mewn dogfen a luniwyd yn Ffrangeg, a chyfeiriodd Syr John Wynn at siarter a fu ym meddiant John Owen, Ystumcegid, fel un a ysgrifennwyd yn Ffrangeg ac a oedd yn dwyn arfau a sêl John o Gaunt. Yn yr un cyfnod, byddai'r arfer o gyflwyno deisebau i frenhinoedd ac arglwyddi yn Ffrangeg yn gyfrwng pwysig a hybai'r galw

[40] Richter, *Sprache und Gesellschaft*, tt. 197–201.

am weinyddwyr Ffrangeg eu hiaith.[41] Dichon mai gŵr felly a oedd gan
fardd o'r bedwaredd ganrif ar ddeg mewn golwg wrth iddo gyfleu, mewn
awdl fawl, fod ei noddwr yn meddu ar 'ffrangec da loewdec diletyeith'.[42]
Yn yr un modd, yr oedd y bardd Ieuan ap Rhydderch, yntau, a chymryd
ei fod yn fab i Rydderch ab Ieuan Llwyd, yn hanu o'r union gylch
dysgedig lle y câi gwybodaeth o'r Ffrangeg ei harddel a'i hannog. Yn un
o'i gywyddau, ymffrostiodd Ieuan iddo ddysgu 'eang Ffrangeg' a'i
chymeradwyo fel cyfrwng i feithrin addysg ac fel 'da iaith deg'.[43] Yn wir,
dichon ei bod yn rhaid wrth wybodaeth o'r Ffrangeg i gynnal trafodaethau
diplomyddol, ac eisoes yn y drydedd ganrif ar ddeg anfonid aelodau o
osgordd y tywysogion ar negesau i lys brenin Lloegr, a chyfarfyddent â
chynrychiolwyr y brenin, a oedd yn aml yn Gymry o'r Gororau, mewn
cyfarfodydd a gynhelid yn Rhyd Chwima ar afon Hafren, ger
Trefaldwyn.[44] Erbyn y bedwaredd ganrif ar ddeg, yn sgil cael eu hanfon i
Ffrainc ar wasanaeth milwrol, daethai Cymry o bob haen gymdeithasol yn
agored i ddylanwadau ieithyddol newydd er, wrth reswm, na ellir dweud
yn bendant i ba raddau y bu hyn yn fodd iddynt feithrin medrusrwydd
ymarferol yn yr iaith.[45] Daeth geiriau benthyg o'r Ffrangeg yn rhan o'r
iaith Gymraeg, er mai trwy'r Saesneg, efallai, y trosglwyddwyd rhai

---

[41] Llinos Beverley Smith, 'The Arundel Charters to the Lordship of Chirk in the
Fourteenth Century', *BBCS*, XXIII, rhan 2 (1969), 153–66; Llyfrgell Brydeinig, Siarter
Ychwanegol 74382; Wynn, *History of the Gwydir Family*, t. 21; William Rees, *Calendar of
Ancient Petitions Relating to Wales* (Cardiff, 1984), passim. Am arolwg o'r dogfennau a
ysgrifennwyd yn Ffrangeg sy'n deillio o Gymru, gw. D. Trotter, 'L'Anglo-Français au
Pays de Galles: Une Enquête Préliminaire', *Revue de Linguistique Romane*, 58 (1994),
461–87, ac am sylwadau ar ansawdd Anglo-Normaneg yn y rhannau mwyaf anghysbell
o'r deyrnas, gw. W. Rothwell, 'Language and Government in Medieval England',
Zeitschrift für französische Sprache und Literatur, 93 (1983), 258–70. Cymh. profiadau
Orderic Vitalis a honnai na ddeallai'r Ffrangeg a siaredid yng nghloestrau ei fynachlog
Normanaidd. M. Chibnall (gol.), *The Ecclesiastical History of Orderic Vitalis* (6 chyf.,
Oxford, 1969–78), VI, t. 554.

[42] J. Gwenogvryn Evans (gol.), *The Poetry in The Red Book of Hergest* (Llanbedrog, 1891),
t. 63.

[43] Henry Lewis, Thomas Roberts ac Ifor Williams (goln.), *Cywyddau Iolo Goch ac Eraill*
(Caerdydd, 1937), t. 228. Am Rydderch ab Ieuan Llwyd , gw. isod, t. 35.

[44] Yr oedd llysgenhadon y brenin weithiau yn wŷr eglwysig, megis Esgob Richard o
Fangor neu Feistr Madog ap Philip. Ymhlith y lleygwyr a gyflogid yn aml yr oedd
Ednyfed Fychan ac Einion Fychan, a weithredai ar ran Llywelyn ap Iorwerth, ac Einion
ap Caradog a Dafydd ab Einion, a drafododd amodau cytundeb Trefaldwyn ar ran
Llywelyn ap Gruffudd. Gw. David Stephenson, *The Governance of Gwynedd* (Cardiff,
1984), tt. 205–28 a J. Beverley Smith, *Llywelyn ap Gruffudd* (Caerdydd, 1986), tt. 54, 70,
155–7, 226–7. Ar drafodaethau y cymrodeddwyr (*dictatores*) ger y rhyd yn Nhrefaldwyn
a mannau eraill, gw. ibid., tt. 114–15.

[45] A. D. Carr, 'Welshmen and the Hundred Years' War', *CHC*, 4, rhifyn 1 (1968), 21–46
ac idem, *Owen of Wales* (Cardiff, 1991). Ymhlith y cyfeiriadau niferus at filwyr yn
dychwelyd o'r rhyfeloedd yng Ngwasgwyn a rhannau o Ffrainc, gw., e.e., PRO SC
2/217/12, m. 2; SC 2/217/14, m. 22v. (cyfeirir at roliau llys arglwyddiaeth Dyffryn
Clwyd).

ohonynt i'r iaith.[46] Ymddiddorai'r Cymry mewn testunau llenyddol
Ffrangeg, boed y rheini'n rhai gwreiddiol neu ynteu'n drosiadau, ac yr
oedd bri ar weithiau megis y *Roman de la Rose*, y *Chanson de Roland*, y
Bestiaire d'Amour neu'r *Queste del Saint Graal*. Yn wir, hyd yn oed cyn
goresgyniad 1282 lleolwyd un greadigaeth wreiddiol Eingl-Normanaidd,
sef chwedl *Fouke le Fitz Waryn*, yn arglwyddiaeth fechan y Dre-wen, a'r
seigneur ei hun oedd yr arwr.[47]

Eto i gyd, er cydnabod pwysigrwydd yr iaith Ffrangeg yng Nghymru, y
mae'n amheus a fu'r Ffrangeg erioed yn famiaith i nifer sylweddol o
drigolion y wlad. I'r gwrthwyneb, go brin fod ei datblygiad yng Nghymru
yn sylfaenol wahanol i'w hynt yn Lloegr lle, yn ôl barn rhai o ysgolheigion
pennaf y maes, yr oedd y gallu i siarad Ffrangeg erbyn y drydedd ganrif ar
ddeg yn gymhwyster cymdeithasol a phroffesiynol yr oedd gofyn ei
feithrin drwy ymdrech a dyfalbarhad, a hyd yn oed ar adegau, drwy
ymyrraeth ddwyfol. Erbyn hynny, cynhyrchid gwerslyfrau ar gyfer plant
ac oedolion gyda'r bwriad o'u trwytho mewn Ffrangeg elfennol neu,
ynteu, i arfogi gwŷr busnes a masnach â'r ymadroddion y byddai'n rhaid
wrthynt i drafod eu busnes.[48] Yr oedd yr iaith Saesneg, ar y llaw arall,
eisoes yn famiaith naturiol yng Nghymru. Yn wir, er mai perthyn i oes
Elisabeth y mae tystiolaeth George Owen o Henllys, yr oedd ef yn
bendant o'r farn mai Sacsoniaid ac Eingl oedd y mwyafrif o'r gwŷr a
ddaeth i barthau sir Benfro ar adeg y goresgyniad Normanaidd: 'manye of

[46] O blith yr astudiaethau ar eiriau benthyg Ffrangeg, gw. Morgan Watkin, 'The French
Linguistic Influence in Mediaeval Wales', *THSC* (1918–19), 146–222; Marie E.
Surridge, 'Words of Romance origin in the works of the Gogynfeirdd', *BBCS*, XXIX,
rhan 3 (1981), 528–30 ac eadem, 'The Number and Status of Romance Words Attested
in *Ystorya Bown de Hamtwn*', ibid., XXXII (1985), 68–78.

[47] Ceridwen Lloyd-Morgan, 'French Texts, Welsh Translators' yn Roger Ellis (gol.), *The
Medieval Translator II* (London, 1991), tt. 45–63 ac eadem, 'Rhai Agweddau ar Gyfieithu
yng Nghymru yn yr Oesoedd Canol' yn J. E. Caerwyn Williams (gol.), *Ysgrifau
Beirniadol XIII* (Dinbych, 1985), tt. 134–45; Annalee C. Rejhon, *Cân Rolant: The
Medieval Welsh Version of the Song of Roland* (Berkeley, 1984); G. C. G. Thomas, *A Welsh
Bestiary of Love being a Translation into Welsh of Richard de Fornival's 'Bestiaire d'Amour'*
(Dublin, 1988); E. J. Hathaway, P. T. Ricketts, C. A. Robson ac A. D. Wiltshire (goln.),
Fouke le Fitz Waryn (Oxford, 1975). Am gerdd grefyddol mewn Ffrangeg Eingl-
Normanaidd a gyfansoddwyd gan ganon ym mhriordy Caerfyrddin yn y drydedd ganrif
ar ddeg, gw. F. G. Cowley, *The Monastic Order in South Wales 1066–1349* (Cardiff,
1977), tt. 152–3.

[48] O'r holl lenyddiaeth sydd bellach ar gael, gw., e.e., R. M. Wilson, 'English and French
in England 1100–1300', *History*, 28 (1943), 37–60; Helen Suggett, 'The Use of French
in England in the Later Middle Ages', *TRHS*, XXVIII (1946), 61–83; W. Rothwell,
'The Teaching of French in Medieval England', *MLR*, 63 (1968), 37–46; idem, 'The
Role of French in Thirteenth-Century England', *Bulletin of the John Rylands Library*, 58
(1975), 445–66; I. Short, 'On Bilingualism in Anglo-Norman England', *Romance
Philology*, 33, rhifyn 4 (1980), 467–79; Glanville Price, *The Languages of Britain* (London,
1984). Gw. hefyd sylwadau Burnley, *Cambridge History of the English Language*, II,
tt. 423–32, 456–7.

them yf not *maior pars.* were Saxons, for otherwise the Englishe tongue had not ben theire comon and mother speache as it was'.[49] Yn ogystal â hynny, dengys peth tystiolaeth fod sawl ton newydd o wladychwyr wedi herio peryglon Môr Hafren yn ystod y drydedd ganrif ar ddeg er mwyn bwrw gwreiddiau yn ne Penfro a Phenrhyn Gŵyr. Yn sgil goresgyniad Edward I, denwyd rhagor o newydd-ddyfodiaid drachefn i fwrdeistrefi castellog Cymru ac, mewn rhai achosion, i dreflannau gwledig rhai o arglwyddiaethau'r gogledd-ddwyrain, gan ymestyn dylanwadau Seisnig eu naws i'r ardaloedd a gyfanheddwyd ganddynt.[50] Ymddengys geiriau Saesneg fel *yarnwindle, barmcloit, alestake,* a *pursekeruer* mewn tystiolaeth ddogfennol, ac er bod cyfrifon manorau wedi eu hysgrifennu yn Lladin, defnyddid geiriau fel *lathnail, bordnail, waturwalk* a *fflodyetes* hefyd yn bur reolaidd wrth gofnodi gwariant.[51] Erbyn y bymthegfed ganrif, yn wir, yr oedd dylanwadau Seisnig wedi gwreiddio mor ddwfn yn nhref Caernarfon fel yr anfonwyd un o hynafiaid Syr John Wynn i'r ysgol yno lle, yn ogystal ag ennill ychydig o Ladin, y dysgodd 'the English tongue'.[52] Ychydig y gellir ei gasglu, fodd bynnag, ynglŷn â natur y Saesneg a ddysgwyd gan Maredudd ab Ieuan ap Robert. Er i ymsefydlwyr y bwrdeistrefi castellog hanu o ranbarthau ac iddynt dafodieithoedd rhywiog, pur wahanol i'w gilydd (yn nhref Rhuthun, er enghraifft, cydgymysgai gwŷr o Swydd Efrog, megis Hugh de Smethynton a gadwai gysylltiad â'i dylwyth yn Rothwell, ag *advenae* o swyddi Amwythig, Henffordd, Northampton a Bedford), ni wnaed hyd yma ymchwil fanwl ar effeithiau ieithyddol y fath gymysgfa ar Saesneg llafar ac ysgrifenedig Cymru'r Oesoedd Canol.[53]

---

[49]　Owen, *Description,* I, tt. 36–7. Am y cyfeiriad a wnaed gan Gerallt Gymro at y Saesneg a siaredid gan farchog o ardal Caerdydd yn y ddeuddegfed ganrif, gw. A. B. Scott ac F. X. Martin (goln.), *Expugnatio Hibernica. The Conquest of Ireland by Giraldus Cambrensis* (Dublin, 1978), t. 110. Gw. hefyd *Giraldi Cambrensis Opera,* VI, t. 64.

[50]　R. R. Davies, 'Colonial Wales', *PP,* 65 (1974), 3–23; D. Huw Owen, 'The Englishry of Denbigh: An English Colony in Medieval Wales', *THSC* (1975), 57–76; R. I. Jack, 'Welsh and English in the Medieval Lordship of Ruthin', *TCHSDd,* 18 (1969), 23–49.

[51]　O blith yr enghreifftiau niferus, detholwyd y canlynol: LlGC Chirk Castle, D.9, D.40; PRO SC 2/220/9, m. 61; SC 2/216/6, m. 20; SC 2/216/11, m. 3v. Am eu hystyron, gw. *OED,* s.v.

[52]　Am dystiolaeth ynglŷn ag enwau lleoedd Saesneg mewn trefi, gw., e.e., LlGC, Cofysgrifau Arglwyddiaeth Rhuthun 103, 1139, 110 (Rhuthun); LlGC, Llanfair a Brynodol D.932, 924, 920 (Caernarfon); Wynn, *History of the Gwydir Family,* t. 49.

[53]　Am drafodaeth fuddiol ar faterion yn ymwneud â'r iaith Saesneg yn Iwerddon, gw. A. Bliss, 'Language and Literature' yn James Lydon (gol.), *The English in Medieval Ireland* (Dublin, 1984), tt. 27–45 a Jeffrey L. Kallen, 'English in Ireland' yn Robert Burchfield (gol.), *The Cambridge History of the English Language, Vol. V* (Cambridge, 1994), tt. 148–96. Am arolwg cyffredinol o sefyllfa'r iaith Saesneg yng Nghymru, gw. Alan R. Thomas, 'English in Wales', *ibid.,* tt. 94–147, yn enwedig tt. 107–10. Am Hugh de Smethynton, gw. PRO SC 2/218/7, m. 5v.

Ni wybum erioed medru Saesneg,
Ni wn ymadrawdd o ffrawdd Ffrangeg.

Felly yr honnodd y bardd Dafydd Benfras (*fl.*1220–57) yn ei awdl i Ddafydd ap Llywelyn, ac yn sicr ddigon, yr oedd Cymry uniaith tebyg iddo drwy gydol y cyfnod dan sylw. Yn un peth, yr oedd gofyn i awdurdodau byd ac eglwys fel ei gilydd ddefnyddio lladmeryddion wrth ymdrafod â'r boblogaeth gynhwynol mewn sawl ardal yng Nghymru. Ar ororau Cymru, er enghraifft, ceir tystiolaeth y rhoddid i rai gwŷr yr hawl i ddal tir yn gyfnewid am eu gwasanaeth fel cyfieithwyr rhwng y Cymry a'r Saeson; cyfeiria Gerallt Gymro, ar sawl achlysur, at yr angen i ddefnyddio lladmerydd wrth bregethu'r groesgad yn y cymdogaethau Cymraeg, ac ar ddechrau'r bedwaredd ganrif ar ddeg bu'n rhaid anfon cyfieithwyr i dderbyn gwrogaeth gwŷr arglwyddiaeth Brycheiniog oherwydd na wyddai'r trigolion sut i wneud eu gwrogaeth yn Saesneg. 'Ni ŵyr iaith ond iaith ei dad', oedd sylw'r bardd Guto'r Glyn am Ddafydd Llwyd, arglwydd Abertanad yn y bymthegfed ganrif, gan ychwanegu y byddai pendefigion o Saeson a siaradai 'ogleddiaith' yn ei barchu er na fedrai eu hiaith.[54]

Cadarnheir bod poblogaeth uniaith yng Nghymru yn y dystiolaeth a gyflwynwyd yn Abertawe ar adeg yr ymchwiliad i fuchedd a gwyrthiau Thomas de Cantilupe, achlysur y cyfeiriwyd ato eisoes. O Lanrhidian yng Ngŵyr, pentref ar y ffin rhwng dwy ardal ac iddynt iaith a diwylliant gwahanol, yr hanai William ap Rhys, y gŵr y bu ei adfywiad gwyrthiol ar eiriolaeth yr esgob yn destun ymchwiliad. Ac yntau'n un a ddisgrifiwyd yn benodol fel gŵr na fedrai Ladin (*nesciebat loqui litteraliter*), na Ffrangeg na Saesneg, rhoes ei dystiolaeth yn Gymraeg drwy gymorth cyfieithwyr a chyffesodd ei bechodau i offeiriad Cymraeg, gan na fedrai siarad Saesneg (*quia . . . nesciebat loqui Anglicum*). At hynny (er nad yw'r dystiolaeth hon lawn mor bendant), y mae'n bosibl mai Saesneg oedd unig iaith rhai o'r tystion yn Abertawe, gan i dri ohonynt roi eu tystiolaeth yn Saesneg am na wyddent Ladin na Ffrangeg.[55] Rai canrifoedd yn ddiweddarach, disgrifiwyd sgil-effeithiau'r rhaniad rhwng y Cymry Cymraeg yng ngogledd sir Benfro a'r Saeson yn y de yn fyw iawn gan George Owen yn y darn grymus a nodedig canlynol:

---

[54] Morgan, 'Nodiadau ar Destun Barddoniaeth y Tywysogion', 150; H. Hall (gol.), *Red Book of the Exchequer II* (R.S., 1896), t. 454 (per serjanteriam ut sit latimerus inter Anglos et Walenses); *Giraldi Cambrensis Opera*, VI, tt. 14, 55, 126. Ar y cyferbyniad rhwng y ddelwedd o Gymru a gyflwynir gan Gerallt yn ei *Descriptio* a'i *Itinerarium*, gw. M. Richter, *Giraldus Cambrensis. The Growth of the Welsh Nation* (Aberystwyth, 1972) a'r erthygl awgrymog gan Huw Pryce, 'In Search of a Medieval Society: Deheubarth in the Writings of Gerald of Wales', *CHC*, 13, rhifyn 3 (1987), 265–81; *Calendar of Inquisitions Miscellaneous*, I, t. 508; *Gwaith Guto'r Glyn*, tt. 197–9. Y mae'n arwyddocaol fod y bardd Siôn Cent yn cyfeirio at gymeriad trwyadl Gymreig arglwyddiaeth Brycheiniog, *Iolo Goch ac Eraill*, t. 269.

[55] Richter, *Sprache und Gesellschaft*, tt. 197–201. Ni chyfeirir at gymhwyster yn y Gymraeg yn y deponiadau.

And nowe this diversitie of speeches breedeth some inconveniences, soe that often tymes it is founde at the Assises, that in a Iurye of xii men there wilbe the one half that cannot vnderstand the others wordes; and yett must they agree upon the truth of the matter, before they departe; and I have seene two tryers sworne for tryall of the rest of the pannell, the on meere Englishe, the other not vnderstandinge anye worde of Englishe, have lasted out three daies vpon the matter: the on not able to speake to the other.[56]

Mewn darn arall sydd yr un mor ddadlennol, honnodd George Owen na fyddai'r 'meaner sorte' fel arfer yn uno â'i gilydd mewn glân briodas nac ychwaith yn masnachu â'i gilydd. Hyd yn oed pan ddigwyddai priodasau cymysg a chytundebau masnachol rhwng Cymry a Saeson, gellir awgrymu mai eu canlyniad oedd atgyfnerthu bodolaeth cymunedau ieithyddol homogenaidd eu natur, megis y rhai a geid mewn rhannau o Hwngari ar ddiwedd yr Oesoedd Canol lle'r oedd dwyieithrwydd ymhlith aelodau'r haen hon o gymdeithas yn beth eithriadol, gan fod tuedd bendant ymhlith grwpiau ieithyddol gwahanol i gymathu siaradwyr ieithoedd eraill.[57] Manteisiodd beirdd yr Oesoedd Canol Diweddar yng Nghymru ar y cyfle i droi cyfarfyddiadau rhwng Cymry uniaith a boneddigesau Saesneg na ddeallent yr un gair o Gymraeg yn destun direidi a hwyl. 'Gad i'r llaw dan godi'r llen / Dy glywed, ddyn deg lawen', meddai llanc yn llawn nwyf ac angerdd yng nghywydd enwog Tudur Penllyn; 'I am not Wels, thow Welsmon, / Ffor byde the, lete me alone', yw'r ateb swta a roddwyd i'w awgrymiadau amheus. Disgrifiodd Thomas ab Ieuan, yntau, ymdrechion ofer ei wraig gecrus i'w baratoi ar gyfer ei gylch clera drwy ddysgu iddo rai ymadroddion Saesneg, ac yntau'n methu yn lân â chael ei dafod o gwmpas y geiriau dieithr, estron.[58]

Eto i gyd, nid oedd y bwlch rhwng y ddwy iaith, er mor arwyddocaol ydoedd ar brydiau, yn un na ellid mo'i bontio. Yn yr unfed ganrif ar bymtheg tystiodd George Owen i fodolaeth elfen gref o ddwyieithrwydd ymhlith poblogaeth sir Benfro. Wrth ysgrifennu am y rhaniad a oedd bron â bod yn gyfartal rhwng y Cymry uniaith a'r siaradwyr Saesneg o fewn y sir, dangosodd hefyd fod trigolion oddeutu chwe phlwyf ar y ffin rhwng yr ardaloedd Cymraeg a'r ardaloedd Saesneg yn siarad y ddwy iaith.[59] Er

---

[56] Owen, *Description*, I, t. 40.

[57] Ibid., t. 39; Janos M. Bak, '"Linguistic Pluralism" in Medieval Hungary' yn M. A. Meyer (gol.), *The Culture of Christendom* (Hambledon, 1993), t. 278. Ym 1558 honnodd diffynnydd o sir Benfro yn Llys y Sesiwn Fawr ei fod wedi byw yng Nghymru o'i blentyndod ac na wyddai ddim Saesneg. Richard Suggett, 'Slander in Early-Modern Wales', *BBCS*, XXXIX (1992), 124.

[58] Er i'r cywydd gael ei briodoli i wahanol feirdd, fe'i cynhwysir yng nghanon gweithiau Tudur Penllyn, Thomas Roberts (gol.), *Gwaith Tudur Penllyn ac Ieuan ap Tudur Penllyn* (Caerdydd, 1958), tt. 53–4; Evans, 'Thomas ab Ieuan a'i "Ysgowld o Wraig"', *Ysgrifau Beirniadol XIX*, t. 96.

[59] Owen, *Description*, I, t. 48.

bod a wnelo'r dystiolaeth sy'n ategu bodolaeth dwyieithrwydd yn yr Oesoedd Canol yn bennaf ag unigolion yn hytrach nag â chymunedau cyfan, y mae, serch hynny, yn bur awgrymog. Ar wahân i gampau ieithyddol lladmeryddion a chyfieithwyr yr oedd eu medrusrwydd yn destun balchder ac yn rheidrwydd proffesiynol, y mae'n debygol iawn fod cynnydd yn yr awydd i feistroli'r Ffrangeg ac o bosibl y Saesneg wedi digwydd eisoes o dan deyrnasiad y tywysogion. Y mae'r ffaith fod tywysogesau a boneddigesau o linachau brenhinol a barwnol Lloegr a'r Gororau yn bresennol yn llysoedd tywysogion y drydedd ganrif ar ddeg yn awgrymu'n gryf fod y Ffrangeg yn cael ei defnyddio ar rai achlysuron, a gwyddys bod amryw o weision y tywysog Llywelyn ap Gruffudd – Tudur ab Ednyfed ac Einion Fychan yn eu plith – wedi bod yn garcharorion neu'n weision i frenin Lloegr am gyfnodau maith. Anfonid aelodau niferus – ac ifainc yn aml – o deuluoedd uchel eu tras yn wystlon i Loegr ac efallai iddynt achub y cyfle i ddysgu iaith eu gorchfygwyr.[60] Yr oedd meithrin cysylltiadau masnachol ymhlith porthmyn a'r gweithwyr mudol hefyd yn fodd i ddatblygu sgiliau ieithyddol. Erbyn diwedd y bymthegfed ganrif a dechrau'r unfed ganrif ar bymtheg, ceid ym marddoniaeth Tudur Penllyn (porthmon yn ôl ei alwedigaeth, yn ôl pob tebyg) neu yng ngherddi rhydd Thomas ab Ieuan awgrym eu bod yn gyfarwydd â'r Saesneg a bod hynny'n wir hefyd, efallai, am eu cynulleidfa. Yn yr un modd dadleuwyd bod Iolo Goch, bardd o'r bedwaredd ganrif ar ddeg, wedi dysgu Saesneg drwy ei gysylltiadau ag ymsefydlwyr o Loegr. Ceir yn ei waith nifer helaeth o eiriau benthyg o'r Saesneg, amryw ohonynt i'w canfod yn ei waith ef yn unig, ac, ar sail tystiolaeth ei fod yn gwybod o leiaf un gerdd Saesneg, y mae'n amlwg ei fod i ryw raddau yn gyfarwydd â chwaeth lenyddol gyfoes yn Lloegr.[61] Y mae medrusrwydd ieithyddol y bardd Ieuan ap Hywel Swrdwal – enw sydd ynddo'i hun yn sawru o'r syncretiaeth egnïol a chreadigol y gellid ei sicrhau – yn fwy eglur byth. Dengys ei gywydd i'r Fendigaid Forwyn, cywydd a gydymffurfiai â holl

---

[60] Am y defnydd o ladmeryddion, gw. uchod, t. 32; Richter, *Sprache und Gesellschaft*, tt. 177–9; C. Bullock-Davies, *Professional Interpreters and the Matter of Britain* (Cardiff, 1966). Am garchariad Cymry amlwg yn Llundain ac, yn achos Tudur, ei wasanaeth wedi hynny i'r brenin, gw. Stephenson, *Governance of Gwynedd*, tt. 106–7, 211, 218–19 a Smith, *Llywelyn ap Gruffudd*, tt. 54, 114, 227. Er bod cyfeiriadau at y defnydd o ladmeryddion yn ystod trafodaethau diplomyddol i'w cael mewn dogfennau o'r ddeuddegfed ganrif, prin yw'r cyfeiriadau at ladmeryddion yng nghofrestrau mwy swmpus y drydedd ganrif ar ddeg, ffaith sydd, o bosibl, yn awgrymu bod gan y Cymry amlwg well gafael ar yr iaith erbyn hynny. Parheid i ddefnyddio lladmeryddion gan weinyddiaethau arglwyddiaethol yn eu hymwneud â chymunedau Cymraeg yn yr Oesoedd Canol Diweddar.

[61] David Johnston, 'Iolo Goch and the English: Welsh Poetry and Politics in the Fourteenth Century', *CMCS*, 12 (1986), 73–98.

reolau caeth y gynghanedd, feistrolaeth lwyr ar yr iaith Saesneg.[62] At hynny, yn ôl tystiolaeth barddoniaeth y cyfnod, trigai ar hyd y gororau rhwng Cymru a Lloegr deuluoedd a oedd yn rhugl yn y Gymraeg a'r Saesneg. Canmolodd y bardd Bedo Brwynllys ei noddwr, Thomas ap Rosier o Hergest, disgynnydd o linach neilltuol a diwylliedig eithriadol, am feithrin dwy iaith dan ei gronglwyd, a chyfeiriodd Lewys Glyn Cothi at ddwyieithrwydd y teulu yn ei gywydd yntau i'r llinach. Fel 'doeth ieithydd teg' y cyfarchwyd John Edwards o'r Waun gan Dudur Aled ac y mae'n sicr fod y Saesneg yn un o'r ieithoedd a fawrygid gan y bardd. Yng Ngheredigion, mewn cyfnod cynharach, ceir awgrym fod Rhydderch ab Ieuan Llwyd, gŵr cyfraith a noddwr dysgedig, yn medru Saesneg a Ffrangeg ac yn gyfarwydd â'r blodeugerddi poblogaidd newydd o lenyddiaeth yr ieithoedd hynny. Ac yn yr un modd, mewn cerdd a luniwyd ar gyfer un o ddisgynyddion Rhydderch, cyfeiria'r bardd Dafydd Nanmor (fl.c.1410–80) at ei feistrolaeth ar dair iaith, dawn nad oedd, efallai, yn anghyffredin ymhlith ysgwieriaid blaenllaw ei ddydd.[63]

Fel y mae'n digwydd, y mae gennym dystiolaeth bendant ynglŷn â doniau ieithyddol a chyfrwng addysg un teulu o Gymry tua diwedd y bymthegfed ganrif. Mewn cyfrol ddestlus a hardd, sydd, fe dybir, yn llaw John Edwards o'r Waun, gŵr y cyfeiriwyd ato eisoes, ymddengys nifer o destunau gramadeg a ddefnyddid i'r pwrpas o ddysgu'r iaith Ladin.[64] Ynghyd â thestunau llenyddol praff, megis Eclog Theodolus neu Distychs Cato, a'r gerdd boblogaidd ar *etiquette* yn dwyn y teitl *Stans puer ad mensam,* ceir yn y gyfrol lawer o ddeunydd o ddiddordeb ieithyddol. Ceir ynddi ymdriniaeth ar orgraff a mydryddiaeth mewn testun sy'n deillio o *Doctrinale* Alexander de Villa Dei, amryw *vocabula* neu *vulgaria* – rhestrau o eiriau Lladin yn dwyn ynghyd y gwahanol eiriau am rannau o'r corff, bwydydd, adeiladau a gwisgoedd – yn ogystal â thraethawd byr ar enwau heretoclit, a thraethawd o eiddo John Leyland, gramadegwr enwog a ddysgai yn ysgolion Rhydychen ar ddiwedd y bedwaredd ganrif ar ddeg, a gwaith a fwriedid i drwytho'r disgybl ifanc yn egwyddorion elfennol gramadeg Lladin. O safbwynt yr astudiaeth bresennol, fodd bynnag, pennaf ddiddordeb y gyfrol yw'r defnydd helaeth a wneir ynddi o'r Saesneg fel cyfrwng addysg, fel y dengys y modd y mae'r geirfâu Lladin

[62] E. J. Dobson, 'The Hymn to the Virgin', *THSC* (1954), 70–124 a Williams, *Welsh Church,* t. 424.

[63] F. G. Payne, *Crwydro Sir Faesyfed* (Llandybïe, 1966), t. 33; *Gwaith Lewys Glyn Cothi,* t. 285; *Gwaith Tudur Aled,* II, t. 254; Daniel Huws, 'Llyfr Gwyn Rhydderch', *CMCS,* 21 (1991), 17; Thomas Roberts ac Ifor Williams (goln.), *The Poetical Works of Dafydd Nanmor* (Cardiff, 1923), t. 71. Cymh. y 'bedeyrieith' yn yr awdl y cyfeiriwyd ati uchod yn n. 43. Am weithiau Saesneg gan ddisgynnydd enwog un o deuluoedd y Gororau, gw. V. J. Scattergood, *The Works of Sir John Clanvowe* (Cambridge, 1975).

[64] LlGC Llsgr. 423D. Yr wyf wedi trafod y gyfrol yn *BBCS,* XXXIV (1987), 179–82.

wedi eu britho â chyfystyron yn Saesneg ac fel y mae'r traethawd ar
enwau heretoclit, er ei fod yn amlinellu'r rheolau yn Lladin, yn cynnwys
eglurebau yn Saesneg. Yn yr un modd arysgrifennwyd yn Saesneg ar
destun gramadeg John Leyland a throswyd ymadroddion Lladin allweddol
hefyd i'r Saesneg. Cyfrol gyffelyb ei natur yw'r un a ddefnyddiwyd yn
helaeth at ddiben addysgu, fe ymddengys, gan Thomas Pennant, abad
Dinas Basing ac, o ystyried y ddau 'lyfr gramadeg' gyda'i gilydd, gellir
tybio bod bechgyn ieuainc a hanai o'r un cefndir â John Edwards o'r
Waun yn dysgu elfennau gramadeg Lladin drwy gyfrwng y Saesneg.[65] O
fewn y cylch cymdeithasol soffistigedig, llythrennog a diwylliedig hwn, yr
oedd gwybodaeth o'r Saesneg yn gwbl hanfodol i'w hyfforddiant ffurfiol
a'u datblygiad proffesiynol.

Os oedd gofynion eu haddysg a'u gyrfa, eu cysylltiadau priodas a'r
cylchoedd cymdeithasol y byddent yn symud ynddynt yn hyrwyddo'r
defnydd o'r Saesneg ymhlith y Cymry bonheddig, pa faint o gyswllt
ieithyddol y gellir ei ganfod ymhlith haenau is y gymdeithas? Rhaid
cydnabod ar unwaith mai prin iawn yw'r wybodaeth uniongyrchol sydd
ar gael am batrymau iaith a lleferydd y bobl gyffredin yng nghanrifoedd yr
Oesoedd Canol. Er bod achosion o athrod, pan yw'r ddogfen yn cofnodi'r
geiriau difenwol yn y fernaciwlar, yn gyfrwng cyfoethog i bennu yn fanwl
yr iaith a arferid gan werinwyr mewn cyfnodau diweddarach, siomedig o
brin yw'r dystiolaeth yn y cyfnod dan sylw gan mai yn Lladin yn unig, fel
arfer, y cofnodid yr ymadroddion sarhaus.[66] Ceir arwyddion eraill, fodd
bynnag, fod newidiadau ieithyddol eisoes ar droed mewn rhai cymunedau
Cymreig. Yn un peth, gellir dangos y symudoledd, tuedd gyffredin ym
mhrofiad sawl cymdogaeth fynyddig, a ddug nifer sylweddol o Gymry i
lafurio yn ardaloedd y ffin ac yn Lloegr. Mynych iawn yw'r cyfeiriadau at
adael bro a chynefin a mynd *in Angliam* i chwilio am waith, ac er y bu rhai
colledion parhaol, deuai eraill yn ôl ar ddiwedd cynhaeaf neu, weithiau, ar
ôl cyfnod sylweddol yn alltud, a dichon iddynt ennill peth meistrolaeth o'r
Saesneg ar eu hynt. Ar y llaw arall, hwyrach fod Saeson a drigai yng
Nghymru wedi meistroli peth o'r Gymraeg.[67] Dyna oedd cred un

---

[65] LlGC Llsgr. Peniarth 356B. Disgrifir y gyfrol yn D. Thomson, *A Descriptive Catalogue of Middle English Grammatical Texts* (New York, 1979), tt. 114–32.

[66] Suggett, 'Slander in Early-Modern Wales', 119–53; deuid ag achosion o athrod gerbron y tribiwnlysoedd seciwlar a'r rhai eglwysig. Ychydig iawn o'r geiriau difenwol a ddaeth gerbron y llysoedd seciwlar a gofnodwyd mewn unrhyw iaith frodorol; fe'u cofnodwyd yn Saesneg, ond ddim erioed, hyd y gwyddys, yn Gymraeg yn llysoedd esgobaeth Henffordd. Am enghreifftiau, gw. HRO O/21, t. 237; O/27, t. 222; O/32, t. 102. Am enghreifftiau (eto yn Saesneg) o ddatganiadau hereticaidd honedig, gw. ibid. O/22, t. 222; O/24, t. 249. Am enghraifft o betisiwn yn Saesneg gan blwyfolion Hyssington, gw. O/29, t. 109b.

[67] Gw., e.e., PRO SC 2/221/9, m. 20 ac SC 2/221/10, m. 13.

sylwedydd o leiaf, sef un o'r gwŷr a fu'n dwyn tystiolaeth am wyrthiau honedig Thomas Cantilupe, a fentrodd ei farn y gellid esbonio'r sgiliau dwyieithog a ddatgelwyd mor wyrthiol gan y llanc a iachawyd gan y ffaith iddo fyw ar hyd ei oes mewn cymdogaeth Gymraeg ei hiaith.[68] Yn yr un modd, awgryma'r confensiynau a ddilynwyd wrth roi enwau priod neu alwedigaethol, hyd yn oed os nad ydynt yn profi'n ddiamheuol pa iaith a leferid, fod peth cyfnewid rhwng y carfanau ieithyddol. Y mae'r defnydd a wneid o'r ddwy iaith gyda'i gilydd, ffenomen a ategir yn y dystiolaeth ddogfennol, yn awgrymu rhwyddineb y symud rhwng y gwahanol grwpiau ieithyddol, fel y dengys y modd y mabwysiadai'r Cymry enwau Saesneg ac, i'r gwrthwyneb, y modd y mabwysiadai'r Saeson hwythau enwau Cymraeg. Defnyddid enwau galwedigaethol megis saer neu *cooper*, eurych neu *goldsmith*, cigydd neu *fleshewer*, cribwraig neu *kempster* drwyddi draw, ac os yw hyn yn adlewyrchu arferion llafar yn ogystal â chonfensiynau'r cofnodwr, dichon fod elfen o ddwyieithrwydd yn bodoli ymhlith crefftwyr a thrigolion y trefi.[69]

Pa beth a olygai eu mamiaith, felly, i Gymry'r Oesoedd Canol a pha ystyriaethau a benderfynai agwedd pobl at iaith? Yn achos y Cymry, fel yn wir yn achos nifer helaeth o bobloedd neu grwpiau ethnig eraill y cyfnod, yr oedd i elfennau heblaw iaith eu pwysigrwydd yn y proses o saernïo cenedl gyfun. 'Diadnabydus herwyd kenedlaeth a moesau' oedd y geiriau a ddefnyddiwyd gan un croniclydd o Gymro i ddidoli nodweddion unigryw y Ffleminiaid ymwthiol, gan bwysleisio eu cyff a'u defodau fel maen prawf i'w harwahanrwydd fel cenedl. Yn ôl y croniclydd Ranulph Higden, a ysgrifennai yng Nghaer, nodweddid y Cymry, hwythau, gan eu gwisg, eu hymarweddiad, eu hymborth a'u diogi, ac ym marn George Owen, y cyfenwau, yr adeiladau, y bwydydd a'r dulliau amaethu a wahanai'r Cymry oddi wrth y Saeson, er iddo hefyd gyfeirio yn fynych at y Gymraeg a leferid yn ei sir enedigol.[70] O'r pwys pennaf oedd cyfraith frodorol, lluman praff i'w ddyrchafu yn symbol gwleidyddol o hunaniaeth cenedl ond hefyd yn un a weithredai fel cyfrwng didoli mewn broydd neu wledydd lle'r oedd grwpiau ethnig yn cydgymysgu â'i gilydd.[71] Yn ôl y croniclydd Matthew Paris, a luniodd ei gronicl ym mynachlog St Alban's,

---

[68] Richter, *Sprache und Gesellschaft*, t. 196.

[69] Gw. yr enghreifftiau eglurhaol canlynol o roliau llys arglwyddiaeth Dyffryn Clwyd: PRO SC 2/220/9, m. lv; SC 2/217/12, mm. 26v, 27; SC 2/218/3, mm. 14v, 15.

[70] Jones, *Brut y Tywysogyon*, t. 52; Owen, *Description*, I, tt. 38–41.

[71] Am ymdriniaeth sensitif ar bwysigrwydd y gyfraith (*lex*), gw. R. Bartlett, 'The Conversion of a Pagan Society in the Middle Ages', *History*, 70 (1985), 185–201, yn enwedig 190–2; idem, *Making of Europe*, tt. 197–220. Am Gymru, gw. R. R. Davies, 'Law and National Identity in Thirteenth-Century Wales' yn R. R. Davies et al. (goln.), *Welsh Society and Nationhood. Historical Essays Presented to Glanmor Williams* (Cardiff, 1984), tt. 51–69.

bwriad y tywysog Llywelyn ap Gruffudd wrth ddangos ei rym oedd gwarchod arferion a chyfraith ei bobl. Yng nghymdeithasau cymysg rhai arglwyddiaethau yng ngoror Cymru yn y bedwaredd ganrif ar ddeg yr oedd cyfraith wahanol, ac weithiau hyd yn oed fforwm cyfreithiol gwahanol, yn un o'r dulliau hwylusaf o wahaniaethu rhwng y Cymry a'r Saeson. Yn yr un modd, gallai ymdeimlad nerthol o fod yn genedl ffynnu yn absenoldeb iaith gyffredin, fel y dangosir yn achos yr Alban. O safbwynt y rhai a goleddai iaith a thraddodiad yr Aeleg, nid oedd trigolion yr Iseldir fymryn llai '*Albannaich*' er gwaethaf y gwahaniaeth o ran iaith, ac nid amheuwyd erioed gyfanrwydd a dyfnder hunaniaeth y deyrnas ogleddol yn ystod yr Oesoedd Canol Diweddar. Yn Llydaw, nid yr iaith gynhwynol yn gymaint â'r teyrngarwch gwleidyddol i lys y dug oedd sylfaen yr hunaniaeth ranbarthol a fynegwyd mor groyw yn y bedwaredd ganrif ar ddeg.[72]

Ar yr un pryd, er bod gan genedligrwydd yn yr Oesoedd Canol briodoleddau amrywiol, yr oedd i iaith le cwbl ganolog yn eu plith. Yn Gymraeg yr oedd i'r gair 'iaith' yr un arlliw cysyniadol ag ydoedd i'r gair Lladin *lingua* neu'r gair Slafaidd *jazyk*, geiriau a gwmpasai'r iaith a'r bobl fel ei gilydd.[73] Ac fel y dynodai'r gair 'cyfiaith' gyd-wladwr, defnyddid 'anghyfiaith' i gyfleu yr estron y gellid, ar brydiau, ddilorni ei iaith am ei seiniau aflafar, croch.[74] Er gwaethaf y rhychwant eang o feini prawf a ddefnyddid i gyfleu'r ymdeimlad a berthynai i hunaniaeth eu pobl, rhoes llywodraethwyr brodorol Cymru lawer o bwys ar y gwahaniaeth ieithyddol. Ystyrid lleoli esgobion ac offeiriad estron ac anghyfiaith mewn plwyfi Cymraeg eu hiaith yn ddim llai na herio arwahanrwydd y bobl. Mynegodd y tywysog Llywelyn ap Iorwerth ei bryder fod eglwys Cymru (*ecclesia Walensica*) yn cael ei gwasanaethu gan ddynion na wyddent ddim oll am arferion nac iaith y Cymry ac na allent bregethu na gwrando

---

[72] Glanmor Williams, *Religion, Language and Nationality in Wales* (Cardiff, 1979), tt. 1–34, 127–48; V. H. Galbraith, 'Nationality and Language in Medieval England', *TRHS*, XXIII (1941), 113–28; J. MacInnes, 'The Gaelic Perception of the Lowlands' yn William Gillies (gol.), *Gaelic and Scotland* (Edinburgh, 1989), tt. 92, 96; Michael Jones, '"Mon Pais et ma Nation": Breton Identity in the Fourteenth Century' yn C. T. Allmand (gol.), *War, Literature, and Politics in the Late Middle Ages* (Liverpool, 1976), tt. 144–68. Am yr iaith Lydaweg, gw. L. Fleuriot, 'Breton et Cornique à la fin du Moyen Age', *Annales de Bretagne*, 76 (1969), 701–21.

[73] *Gwaith Guto'r Glyn*, t. 142. Am gysyniadau cyffelyb yn ieithoedd dwyrain Ewrop, gw. Bartlett, *Making of Europe*, tt. 201–2.

[74] Am y defnydd o 'cyfiaith' am bobl neu genedl, gw., e.e., K. A. Bramley et al. (goln.), *Gwaith Llywelyn Fardd ac Eraill* (Caerdydd, 1994), t. 378. O blith enghreifftiau lawer o'r gair 'anghyfiaith', gw. Nerys Ann Jones ac Ann Parry Owen (goln.), *Gwaith Cynddelw Brydydd Mawr I* (Caerdydd, 1992), t. 158 lle y cyfieithir *agkyfycith* gan y gair 'estron', a Rhian M. Andrews et al. (goln.), *Gwaith Bleddyn Fardd a Beirdd Ail Hanner y Drydedd Ganrif ar Ddeg* (Caerdydd, 1996), tt. 243 n. 118, 290. Gw. hefyd *GPC* s.v.

ar gyffes ond drwy ladmerydd, a chan gystwyo cynddaredd y Saeson 'barbaraidd', pwysodd Owain Glyndŵr am benodi offeiriaid 'a fedrai ein hiaith' (*scientibus lingua nostra*) mewn plwyfi Cymraeg.[75] Ambell dro, hefyd, byddai protestiadau o'r fath yn ysgogi ymateb cadarnhaol. Ym 1284, er enghraifft, mynnwyd y dylai un o'r tri chaplan a oedd i wasanaethu'r eglwys yng Nghonwy fod yn Gymro onest, oherwydd yr iaith wahanol, ac ym 1366 gorchmynnwyd gwneud ymchwiliad gofalus i sgiliau ieithyddol Alexander Dalby, deon Caer ac ymgeisydd ar gyfer esgobaeth Bangor, er mwyn canfod a fedrai bregethu yn Gymraeg. 'The land of Wales lies in a corner and differs in language and manners (*mores*) from the other people in the realm', meddai'r brenin Rhisiart III, gan ychwanegu eu bod, o'r herwydd, yn haeddu cael eu harglwydd arbennig o dan awdurdod y brenin.[76]

Yn wyneb y cyfryw sylwadau gan frenin Lloegr a oedd fel petai'n cydnabod ar goedd hawl cymuned ieithyddol i fesur o annibyniaeth wleidyddol, peth peryglus fyddai maentumio bod y Gymraeg o reidrwydd dan ormes yn sgil y goresgyniad. Rhaid cydnabod, wrth gwrs, mai yn ystod yr Oesoedd Canol Diweddar y brigodd mythau am ymdrechion grym estron i ddifa iaith gynhwynol y trigolion mewn sawl gwlad yn Ewrop. Ar ddiwedd y drydedd ganrif ar ddeg, er enghraifft, cofnodwyd gan groniclydd o Wlad Pwyl mai bwriad y marchogion Tiwtonaidd oedd dileu'r Bwyleg o'r tir (*conantes exterminare ydyoma Polonicum*). Yn Lloegr, hefyd, mynegodd Croniclydd Croyland y gred y bu'r Saesneg ar un adeg o dan fygythiad o du'r Normaniaid. Yr oeddynt, meddai, yn ei chasáu i'r fath raddau (*ipsum . . . idioma tantum abhorrebant*) fel y bu iddynt orchymyn defnyddio'r Ffrangeg ar gyfer pob dogfen, siarter a llyfr ac mewn achosion cyfreithiol. Yn wir, yn y bedwaredd ganrif ar ddeg, gresynai Osbert Bokenham, yn ei drosiad i'r Saesneg o gronicl Lladin Ranulph Higden o Gaer, sut y bu i feibion gwŷr bonheddig a gwyrda yn Lloegr ymroi i ddysgu a siarad y Ffrangeg, gyda'r canlyniad i'r haenau is hefyd ymlafnio i'w siarad, gan droi heibio eu mamiaith.[77] Ac nid oedd y pryderon yn gwbl ddi-sail. Er mwyn ceisio atal lledaeniad cynyddol dylanwad yr

---

[75] J. Conway Davies (gol.), *Episcopal Acts and Cognate Documents Relating to Welsh Dioceses 1066–1272* (2 gyf., Cardiff, 1946–8), I, t. 324; T. Matthews, *Welsh Records in Paris* (Carmarthen, 1910), tt. 53–4.

[76] *Calendar of Chancery Rolls, Various, 1277–1326*, t. 287; *Calendar of Papal Registers 1362–1404*, t. 25. Dyfynnir siarter Rhisiart III a wnaeth ei fab yn Dywysog Cymru ym 1483 yn Peter R. Roberts, 'The Union with England and the Identity of "Anglican" Wales', *TRHS*, 22 (1972), 59 o'r PRO, Rhôl Siarter rhif 198, m. 3.

[77] P. Knoll, 'Economic and Political Institutions on the Polish-German Frontier in the Middle Ages: Action, Reaction, Interaction' yn Robert Bartlett ac Angus MacKay (goln.), *Medieval Frontier Societies* (Oxford, 1989), t. 169; Burnley, *Cambridge History of the English Language II*, tt. 423–4.

Wyddeleg ar deuluoedd o Loegr a ymsefydlasai yn Iwerddon, gorchmynnwyd nad oedd neb o dras Seisnig i siarad Gwyddeleg â Saeson eraill, mesur a oedd yn rhan o ymgais fwriadol i rwystro'r *advenae* rhag mabwysiadu arferion a defodau'r Gwyddyl ac i ddiogelu'r Saesneg yn eu plith. Gellid carcharu dynion na feddent unrhyw wybodaeth o'r Saesneg a chaent eu rhyddhau ar yr amod y byddent yn dysgu'r iaith, yn yr un modd ag y byddid yn gwarafun i brentisiaid yr hawl i fwynhau breintiau dinesig oni amlygent 'Inglish aray, habite and speche'. Yng Ngwlad Pwyl, hithau, ar ddiwedd y bymthegfed ganrif, cafodd trigolion pentref bychan o dan awdurdod esgob Almaenig eu gorchymyn i ddysgu Almaeneg ar boen cael eu diarddel.[78] Prin, er hynny, y gwelwyd yng Nghymru fesurau mor llym a difrifol, beth bynnag fuasai eu canlyniad yn ymarferol. Er bod priodi Cymraes neu roi plentyn ar faeth i deuluoedd Cymraeg wedi eu gwahardd i'r Saeson ar brydiau, amheus iawn yw'r rhagdybiaeth fod polisi penodol i wahardd yr iaith yn cael ei weithredu.[79] Gellir dangos, mae'n wir, fel y deddfwyd yn siarter tref Y Trallwng ym 1406, mai yn Saesneg neu Ffrangeg yn unig y caniateid pledio yn llysoedd y dref, a datgelodd Adda o Frynbuga yn ei gronicl sut y bradychwyd achos Owain Glyndŵr gan werin-bobl Ceredigion a fu gynt yn ei gefnogi, gan ddychwelyd i'w cartrefi 'â'r hawl i ddefnyddio'r iaith Gymraeg, er bod y Saeson wedi penderfynu ar ei difodiant' (*lingua Walicana uti permissi, licet ejus destruccio per Anglos decreta fuisset*). Y mae amheuaeth, fodd bynnag, ynglŷn ag awdurdod yr honiad hwn ac, yn wir, yn ôl cyfaddefiad y croniclydd ei hun, dirymwyd yr ordeiniad honedig gan ymyrraeth ddwyfol a chan weddi a chri'r gorthrymedig.[80]

O safbwynt tynged yr iaith yn yr Oesoedd Canol Diweddar, pwysicach nag unrhyw waharddiad bwriadol oedd y dylanwadau tawel a oedd ar waith yn y gymdeithas. Yn union fel yr adlewyrchid yn Lloegr yr amlygrwydd cynyddol a roddid i'r Saesneg fel cyfrwng llunio dogfennau, felly hefyd y gwelid yr un tueddiadau ar waith yng Nghymru'r bymthegfed ganrif, a hynny er bod y Gymraeg yr un mor alluog i fynegi'r manylder a'r cywirdeb technegol yr oedd yn rhaid wrthynt wrth

---

[78] Am y sefyllfa yn Iwerddon, gw. Lydon, 'The Middle Nation' yn idem (gol.), *The English in Medieval Ireland*, tt. 1–26 a Bartlett, *Making of Europe*, tt. 203–4 a'r ffynonellau a restrir ar gyfer Gwlad Pwyl, ibid.

[79] Am y gwaharddiad i gydbriodi a maethu, gw. H. Ellis (gol.), *Registrum Vulgariter Nuncupatum 'The Record of Caernarvon'* (Rec. Comm., 1838), t. 240.

[80] Ceir siarter Y Trallwng (1406), sy'n nodi na ddylai Cymry na Saeson bledio yn llys y dref 'nisi in gallicis verbis vel in anglicis', yn M. C. Jones, 'The Feudal Barony of Powys', *Powysland Club*, I (1868), 307. Am ddatganiad Adda o Frynbuga, gw. E. M. Thompson (gol.), *Chronicon Adae de Usk A.D. 1377–1404* (London, 1876), tt. 68–9. Llai sicr yw'r cyfeiriad yn Llyfrgell Brydeinig, Siarter Ychwanegol 51498 sy'n caniatáu i denant o Sais yn arglwyddiaeth Ystrad Alun gael ei roi ar brawf 'per Anglicos et linguam Anglicanam et non Wallensem'.

ysgrifennu mewn cywair ffurfiol. Er i'r iaith Ladin ddal ei thir fel cyfrwng dogfennau swyddogol, y mae'n amlwg y daethpwyd i ddefnyddio'r Saesneg ac nid y Gymraeg yn gyfochrog â'r Lladin. Pan nad ysgrifennid hwy yn Lladin, yn Saesneg, fel arfer, y llunnid y cytundebau priodas, y cyflafareddiadau a'r ewyllysiau sy'n hanu o Gymru.[81] Yn ogystal â hynny, os gellir rhoi coel ar dystiolaeth George Owen, yr oedd yr arfer andwyol ei effaith, a chyfarwydd ddigon ymhlith Cymry llythrennog cyfnodau diweddarach, sef ysgrifennu eu llythyrau personol yn Saesneg, eisoes wedi ennill ei blwyf. Gan nodi'r modd y dirmygid y Saesneg yn sgil goresgyniad Lloegr gan y Normaniaid a hoffter Saeson y cyfnod o ysgrifennu yn Ffrangeg, honnodd Owen fod yr un duedd i'w chanfod ymhlith y Cymry, 'whiche allthoughe they vsuallye speacke the welshe tongue, yett will they writte eche to other in Englishe, and not in the speache they vsuallye talke'. Yn wyneb y prinder affwysol o lythyrau sydd wedi goroesi o'r cyfnod, prin y gellir profi na gwrthbrofi honiad Owen, ond dylid nodi, fodd bynnag, fod yr enghreifftiau sy'n bodoli wedi eu hysgrifennu yn Saesneg ac yn cydymffurfio i'r blewyn ag arddull epistolaidd y Saesneg. Yn yr un modd, dengys ffurflyfrau dogfennau a gweithredoedd tir, cyffelyb i'r gyfrol fechan a gysylltir ag enw Edward ap Rhys, biwrocrat amlwg o'r gogledd-ddwyrain, fel y cynhwysid ynddynt fodelau a ysgrifennwyd yn Saesneg ochr yn ochr ag enghreifftiau yn Lladin.[82]

Ar ben hynny, er bod haen gymdeithasol helaeth yn siarad Cymraeg, ac er ei bod yn gyfrwng llenyddol soniarus, yn gyfrwng addoliad cyhoeddus a phreifat ac, efallai, yn gyfrwng at bwrpas pledio mewn llys barn, nid oedd, i bob golwg, yn iaith a ystyrid yn addas ar gyfer llunio dogfennau

---

[81] Gw., e.e., LlGC Llsgr. Brogyntyn 3450 (cytundeb priodas rhwng John Owen ap John ap Maredudd a Lowri ferch Madog ap Ieuan ap Gruffudd); LlPCB, Llsgr. Baron Hill 476 (gweithred prid yn Saesneg) ac am ddyfarniadau cyflafareddu wedi eu hysgrifennu yn Saesneg, gw. Llinos Beverley Smith, 'Disputes and Settlements in Medieval Wales: The Role of Arbitration', *EHR*, CVI (1991), 835–60. Câi bondiau amodol, a oedd yn dod yn fwyfwy poblogaidd yn y bymthegfed ganrif, eu harnodi yn Saesneg gan amlaf. Am ewyllysiau a ysgrifennwyd yn Saesneg, gw. Helen Chandler, 'The Will in Medieval Wales to 1540' (traethawd MPhil anghyhoeddedig Prifysgol Cymru, 1991), tt. 233–63. Ceir deisebau niferus yn Saesneg yn rholiau llys arglwyddiaeth Dyffryn Clwyd yn y bymthegfed ganrif.

[82] Owen, *Description*, I, t. 36; LlGC Llsgr. Peniarth 354. Ceir disgrifiad byr o'r gyfrol yn *BBCS*, XXXIV (1987), 182–3. Ceir copi o lythyr a ysgrifennwyd yn Saesneg yn gynnar yn y bymthegfed ganrif gan herwr o'r enw Gruffudd ap Dafydd ap Gruffudd at Reginald de Grey, arglwydd Rhuthun, yn J. Beverley Smith, 'The Last Phase of the Glyndŵr Rebellion', *BBCS*, XXII, rhan 3 (1967), 257. Ceir ateb Grey yn ibid., 258–9 ac yn Douglas Gray (gol.), *The Oxford Book of Late Medieval Verse and Prose* (Oxford, 1985), tt. 34–5. Am yr arddull epistolaidd, gw. J. Taylor, 'Letters and Letter Collections in England, 1300–1420', *NMS*, 24 (1980), 57–70.

ffurfiol.[83] Nid ysgrifennwyd yr un o'r gweithredoedd tir niferus a berthyn i'r bedwaredd ganrif ar ddeg a'r bymthegfed ganrif yn Gymraeg, ac er, fel y nodwyd eisoes, y byddai rhai tirfeddianwyr yn troi at yr iaith frodorol wrth gofnodi manylion am eu hystadau, ymddengys mai dogfennau a fwriadwyd at ddefnydd personol oeddynt gan amlaf yn hytrach na rhai a gyflwynid fel cofnod cyhoeddus o hawl y deiliad.[84] Yn yr un modd, er bod bron hanner y tri chant a hanner neu ragor o ewyllysiau sydd wedi eu darganfod hyd yn hyn wedi eu llunio yn rhannol neu'n gyfan gwbl yn Saesneg, ychydig frawddegau yn unig sydd wedi goroesi yn yr iaith frodorol a'r rheini wedi eu cynnwys yma a thraw mewn un ewyllys a ysgrifennwyd yn Lladin.[85] Y mae'n berffaith amlwg fod y defnydd a wneid o'r Saesneg ar gynnydd yng Nghymru ddegawdau lawer cyn i'r 'cymal iaith' yn Neddf Uno 1536 hyrwyddo ei goruchafiaeth a'i bri ym myd gweinyddiaeth a chyfraith y brenin.

Prin y dylai pwysigrwydd cynyddol y Saesneg yn y bymthegfed ganrif yng Nghymru beri unrhyw syndod. Nid oes, fe ddywedir, unrhyw berthynas anorfod rhwng iaith llythrennedd ac iaith trwch y boblogaeth.[86] Gydag arlliw awdurdod a statws cymdeithasol eisoes yn perthyn iddi, y Saesneg oedd iaith arglwyddiaeth a grym, iaith dyhead cymdeithasol a datblygiad economaidd. Yn sgil yr addurno a'r caboli a fu arni at ddibenion gweinyddiad y brenin ac awdurdodau dinesig, daethai fwyfwy yn iaith unffurf, safonol, a hynny cyn dyfodiad y gweisg argraffu a'r diwylliant printiedig.[87] At hynny, yng Nghymru daeth dosbarth o

[83] Ychydig o dystiolaeth uniongyrchol a geir ynghylch confensiynau ieithyddol y llysoedd am y cyfnod cyn y Deddfau Uno a chafwyd llawer o ddamcaniaethu ynglŷn â pha iaith a ddefnyddid. Rhestrir uchod dystiolaeth ynglŷn â'r ffaith y mynnid i bobl bledio yn Saesneg a Ffrangeg, t. 40 a n. 80. Am dystiolaeth fod sesiynau yn cael eu cyhoeddi yn Saesneg a Chymraeg, gw. Peter R. Roberts, 'The Welsh Language, English Law and Tudor Legislation', THSC (1989), 33. Gw. hefyd J. Goronwy Edwards, 'The Language of the Law Courts in Wales: Some Historical Queries', CLR, 6 (1975), 5–9. Am y sefyllfa mewn rhannau eraill o Ewrop, gw. Bartlett, Making of Europe, tt. 212–14.

[84] Gw. uchod, tt. 25–6.

[85] Y mae'r amcangyfrifon yn seiliedig ar y rhestr yn Chandler, 'The Will in Medieval Wales', tt. 233–63. Un enghraifft yn unig a ysgrifennwyd yn Ffrangeg sydd wedi ei darganfod hyd yn hyn. Y mae ewyllys Rhys ap Hywel ap Rhys o Lanidan (a brofwyd ar 24 Ionawr 1539), sy'n cynnwys peth Cymraeg, wedi ei thrawsgrifio o PCC 17 Crumwell ar dd. 231–2.

[86] M. T. Clanchy, From Memory to Written Record (London, 1979), tt. 173–4. Yr oedd y sefyllfa yng Nghymru eisoes yn dod yn agos at un o diglossia, h.y., lle bo dwy iaith yn cyflawni dwy swyddogaeth wahanol yn y gymdeithas, gw. Lodge, 'Language Attitudes', tt. 73–5 a'r sylwadau awgrymog gan Price, The Languages of Britain, tt. 120–1.

[87] Y mae'r geiriau 'enlarged and adorned' yn ymddangos yn y Brewers' Abstract Book a berthynai i ddechrau'r bymthegfed ganrif ac a ddyfynnir yn John H. Fisher, 'Chancery and the Emergence of Standard Written English in the Fifteenth Century', Speculum, LII, rhifyn 4 (1977), 898. Am y dylanwadau a ysgogodd ddatblygu Saesneg ysgrifenedig safonol, gw. hefyd M. Richardson, 'Henry V, the English Chancery, and Chancery English', ibid., LV, rhifyn 4 (1980), 726–50 a Burnley, Cambridge History of the English Language, II, tt. 409–96.

ysgrifenwyr proffesiynol i fri, gwŷr a oedd wedi eu trwytho yng nghonfensiynau ac arferion cofnodi dogfennau Lladin a Saesneg. Un ohonynt oedd Richard Foxwist o dref Caernarfon y cadwyd cof amdano ar ei gofeb yn eglwys Llanbeblig fel un yr oedd gogoniant ei ysgrifennu yn tra rhagori ar lawer (*in quo pre multis scribendi gloria fulsit*). Brysiai tirfeddianwyr o dras gynhwynol i elwa ar ei sgiliau technegol, fel y dengys ystod ddaearyddol y gweithredoedd tir a luniwyd gan Foxwist ei hun a chan aelodau ei linach. Da fyddai gwybod mwy am y *scriptores* diymhongar ond cwbl hanfodol yr oedd teulu Foxwist yn eu cynrychioli, ond y mae'n eglur ddigon fod eu swyddogaeth yn lledaenu a hybu'r defnydd o Saesneg dogfennol yn gwbl hanfodol.[88]

Yn yr un modd, nid yw'n anodd rhoi cyfrif am y diffyg statws a roddid i'r Gymraeg o ran y diwylliant dogfennol. Yn un peth, y mae'n amheus a fu'r arfer o gofrestru gweithredoedd tir mewn modd ffurfiol, ysgrifenedig, erioed yn rhan o'r traddodiad cyfreithiol cynhenid. Unwaith eto, ceir sylw arwyddocaol yng ngwaith George Owen o Henllys, sylwedydd craff a deallus ar arferion ei oes ei hun a cheidwad defodau y canrifoedd blaenorol. Gan nodi prinder y gweithredoedd tir a ddeilliai o Geredigion a sir Gaerfyrddin cyn cyfnod yr Uno, honnodd mai'r arfer cyn 1536 oedd trosglwyddo tir drwy ei ildio yn gyntaf yn llys yr arglwydd yn ôl cyfraith Hywel Dda ('by surrender in the Lords Courte accordinge to the lawes of *Howell dha*'), arfer a gadarnhawyd gan dystion diweddarach. Nododd hefyd sut y byddai tiroedd caeth a rhydd fel ei gilydd yn cael eu cyfnewid yn llys yr arglwydd drwy'r wialen ('allwayes in the lords courte by ye Rodde') ac y cedwid cofnod ohono gan yr arglwydd.[89] Ar ben hynny, heb yr ysgogiad y gallai arglwyddi neu dywysogion brodorol fod wedi ei roi i gynnal gweinyddiaeth drwy gyfrwng yr iaith gynhwynol yn y cyfnod wedi'r goresgyniad, yr oedd y cymunedau Cymreig, yn hytrach, yn cael eu dylanwadu fwyfwy gan gyweiriau Ffrangeg a Saesneg. Ni fu'r Cymry ychwaith yn gwasgu am ddefnyddio'r famiaith yn gyfrwng gweinyddol fel y gwnaed yn llwyddiannus yn ystod y bedwaredd ganrif ar ddeg gan frodorion Brabant a Fflandrys a enillodd yr hawl gan ddugiaid Bwrgwyn, teulu yr oedd y Ffrangeg yn brif iaith llywodraeth iddynt, i ddefnyddio'r Fflemineg mewn nifer o feysydd pwysig ac i ennill iddi fesur sylweddol o

[88] Trafodir y *scriptores* gan Llinos Beverley Smith, 'Inkhorn and Spectacles in Late-medieval Wales' yn Huw Pryce (gol.), *Literacy in the Celtic Countries* (Cambridge, i'w gyhoeddi). Am y gofeb bres sy'n coffáu Richard Foxwist, gw. J. M. Lewis, *Welsh Monumental Brasses. A Guide* (Cardiff, 1974), tt. 40–1.

[89] Owen, *Description*, I, tt. 169–70, ac am y sylw y gwnaethid ffeffiadau fel arfer 'in Latine and sometimes in Frenche', gw. ibid.; W. Rees, *A Survey of the Duchy of Lancaster Lordships in Wales, 1609–1613* (Cardiff, 1953), tt. xxiv-v, 251–2. Tystir i'r arfer yn ogystal yn arglwyddiaeth Dyffryn Clwyd yn y bedwaredd ganrif ar ddeg a'r bymthegfed ganrif.

gydraddoldeb ochr yn ochr â'r Ffrangeg a'r Lladin.[90] Dichon fod bwriadau'r brenin a'i gynghorwyr wrth lunio 'cymal iaith' y Ddeddf Uno gyntaf yn ddadleuol a dyrys, ond gellir dweud yn sicr fod y defnydd o'r iaith Saesneg yn y degawdau cyn y ddeddfwriaeth yn duedd a ddylanwadodd yn drwm ar swyddogaeth yr iaith Gymraeg yng Nghymru a'r bri a roddid arni.

Saith canrif wedi cofnodi'r cytundeb rhwng Tudfwlch ap Llywyd ac Elgu ap Gelli ynglŷn â Thir Telych yn Gymraeg yn Llyfr Sant Chad, cododd ymryson dros lain arall o dir yn yr un gymdogaeth. Mewn dogfen Gymraeg a ddyddiwyd yr wythfed dydd o Fehefin 'y ddwyddecvet vlwyddyn ar higeint o dyrnassat y brenhin Harry wythvet' (1540),[91] rhoes dau farnwr eu cyflafareddiad ar dir Llwyn Gwyn yng nghwmwd Caeo yn unol â rheolau cyfraith Cymru mewn iaith fanwl a chroyw y perthyn iddi holl rin y traddodiad cyfreithiol cynhenid. Os oedd y dylanwadau a dueddai i hybu'r defnydd o'r Saesneg yng Nghymru yn eu hamlygu eu hunain fwyfwy erbyn cyfnod yr Uno, daliai'r Gymraeg ei thir fel iaith rywiog y gellid ei harddel yn gyfrwng urddasol ar gyfer amryfal anghenion bywyd.

---

[90] C. A. J. Armstrong, 'The Language Question in the Low Countries: the use of French and Dutch by the Dukes of Burgundy and their administration' yn J. R. Hale, J. R. L. Highfield a B. Smalley (goln.), *Europe in the Late Middle Ages* (London, 1965), tt. 386–409. Cwestiwn pwysig, na ellir mo'i ateb, ydyw a luniwyd y fersiynau Cymraeg o'r dogfennau a enwir uchod oherwydd ystyriaethau ymarferol neu ddiddordebau hynafiaethol.

[91] Gw. uchod, n. 37.

2

Yr Iaith Gymraeg yn y Gymru Fodern Gynnar

GERAINT H. JENKINS, RICHARD SUGGETT
ac
ERYN M. WHITE

AR WYNEBDDALEN ei eiriadur enwog, a gyhoeddwyd ym 1632, tynnodd
Dr John Davies, Mallwyd, sylw at yr amrywiol ddulliau o gyfeirio at y
Gymraeg yn y Gymru fodern gynnar: *Antiquae Linguae Britannicae, Nunc
vulgò dictae Cambro-Britannicae, A suis Cymraecae vel Cambricae, Ab aliis
Wallicae . . . Dictionarium Duplex.*[1] Y mae ei olynwyr modern − staff
Geiriadur Prifysgol Cymru − wedi casglu ynghyd doreth o gyfeiriadau at
'iaith', 'heniaith', 'mamiaith', 'Brutaniaith', a 'Cymraeg' sydd ar gael yn
llawysgrifau a llyfrau printiedig y cyfnod modern cynnar.[2] Adlewyrcha'r
dystiolaeth hon amryw o elfennau hollbwysig: goruchafiaeth diriogaethol
y Gymraeg; y graddau y byddai'r cyfathrebu beunyddiol ar bron pob lefel
yn digwydd yn Gymraeg; a diddordeb beirdd, llenorion ac ysgolheigion
yn lles yr iaith frodorol. Canolbwyntia'r bennod hon ar dair brif thema:
dosbarthiad daearyddol y Gymraeg a'r newidiadau ieithyddol a
ddigwyddodd; statws y Gymraeg a'i defnydd ymarferol ym meysydd
gwleidyddiaeth, cyfraith, bywyd economaidd a chymdeithasol, crefydd,
addysg, a diwylliant; ac yn olaf, cyfathrebu ar lafar o ddydd i ddydd.

Dosbarthiad

Dylid pwysleisio ar y dechrau bod y mwyafrif llethol o drigolion Cymru
trwy gydol y cyfnod dan sylw, yn ôl pob tebyg, yn Gymry uniaith. Y
Gymraeg oedd yr iaith oruchaf, ac yn y rhan fwyaf o gymunedau
amaethyddol hi oedd unig gyfrwng y cyfathrebu geiriol. Mewn gwlad heb
ei sefydliadau ei hun i amlygu ei chenedligrwydd, yr iaith frodorol oedd yr
arwydd mwyaf gwahaniaethol ac amlwg o gyd-hunaniaeth y Cymry, ac
un o'r ychydig ffactorau unol o fewn Cymru ei hun. Iaith oedd yr elfen
ganolog a osodai'r Cymry ar wahân i'r Saeson. Fel iaith ar dafodleferydd,
nid oedd y Gymraeg dan warchae nac mewn perygl yn y cyfnod hwn. Ni

---

[1] John Davies, *Antiquae Linguae Britannicae . . . Dictionarium Duplex* (London, 1632),
   tudalen deitl.
[2] *GPC* 1950− .

chredai neb y gallai beidio â goroesi. A hithau'n gyfrwng cyfathrebu wyneb yn wyneb i naw o bob deg o'r bobl, nid oedd bodolaeth yr iaith dan fygythiad, ac ni fu ymrafael amlwg am oruchafiaeth rhwng y ddwy iaith (ac eithrio mewn rhai cymunedau ar y Gororau yn y ddeunawfed ganrif).[3] Er bod haenau mwyaf grymus y gymdeithas yn tueddu i wawdio a dirmygu'r Gymraeg, nid oedd unrhyw reswm ar y pryd i neb dybio na fyddai'n parhau i ffynnu. Yr oedd yn rhan annatod o wead cymdeithasol 'y byd a gollasom' ac addefai hyd yn oed awdur angharedig y gwaith dychanol *Wallography* (1682) fod yr iaith yn 'near and dear to the Folk that utter it'.[4]

Purion fyddai inni ddechrau â maint y boblogaeth. Gwaetha'r modd, ni chynhaliwyd y cyfrifiad swyddogol cyntaf o'r boblogaeth tan 1801, ac ni chofnodwyd manylion am ddosbarthiad gwirioneddol yr iaith Gymraeg tan gyfrifiad 1891. Rhaid trin pob amcangyfrif demograffig am y cyfnod modern cynnar (gan gynnwys cyfrifiad 1801) yn ofalus eithriadol gan fod ynddynt gryn lwfans gwallau.[5] Er gwaethaf ymdrechion arwrol gan ddemograffwyr i roi trefn ac i ddehongli'r wybodaeth denau a geir mewn rholiau cymorth lleyg, cofrestri plwyf, cyfrifon treth aelwyd a chofnodion ymweliadau eglwysig, y mae'n amlwg fod y manylion yn ddiffygiol ac annibynadwy.[6] Serch hynny, y mae'r duedd hir-dymor yn hollol eglur: rhwng *c.*1545 a 1801 bu i boblogaeth Cymru fwy na dyblu. Cynyddodd o ryw 250,000 ym 1545–63 i 587,245 ym 1801, h.y. cynnydd o 135 y cant.[7] Teg fyddai tybio, felly, fod dwywaith cymaint o siaradwyr Cymraeg erbyn oddeutu 1800 ag yr oedd adeg y Deddfau Uno. Erbyn 1801 yr oedd 279,407 o wrywod (47.6 y cant) a 307,838 o fenywod (52.4 y cant) yn byw yn y tair sir ar ddeg yng Nghymru, ac efallai fod cynifer â 90 y cant ohonynt yn siarad Cymraeg. Pan gyhoeddwyd ffigurau cyfrifiad 1801, achubodd Iolo Morganwg ar y cyfle i atgoffa pobl Gwynedd mai yn ne

---

[3] W. H. Rees, 'The Vicissitudes of the Welsh Language in the Marches of Wales, with special reference to its territorial distribution in modern times' (traethawd PhD anghyhoeddedig Prifysgol Cymru, 1947); W. Ogwen Williams, 'The Survival of the Welsh Language after the Union of England and Wales: the First Phase, 1536–1642', *CHC*, 2, rhifyn 1 (1964), 67–93; W. T. R. Pryce, 'Welsh and English in Wales, 1750–1971', *BBCS,* XXVIII, rhan 1 (1978), 1–36.

[4] William Richards, *Wallography; or the Britton describ'd* (London, 1682), t. 123.

[5] Am drafodaeth ar ddiffygion deunydd cyfrifiad, gw. E. A. Wrigley ac R. S. Schofield, *The Population History of England 1541–1871. A Reconstruction* (London, 1981).

[6] David Williams, 'A Note on the Population of Wales, 1536–1801', *BBCS*, VIII, rhan 4 (1937), 359–63; Leonard Owen, 'The Population of Wales in the Sixteenth and Seventeenth Centuries', *THSC* (1959), 99–113; W. T. R. Pryce, 'Parish Registers and Visitation Returns as Primary Sources for the Population Geography of the Eighteenth Century', *THSC* (1973), 271–93; idem, 'Wales as a Culture Region: Patterns of Change 1750–1971', ibid. (1978), 229–61.

[7] John Williams, *Digest of Welsh Historical Statistics* (2 gyf., Y Swyddfa Gymreig, 1985), I, t. 7; Pryce, 'Welsh and English in Wales', 25–35.

Cymru y trigai'r cyfartaledd uchaf o siaradwyr Cymraeg. Heb falio gormod am gysactrwydd, chwaraeodd yn gyfrwys â'r ffigurau er mwyn mawrygu cyfraniad ei hoff Forgannwg i achos yr iaith Gymraeg.[8] Ond er nad oedd ei rifyddeg yn fanwl gywir, yr oedd, serch hynny, yn wir fod 334,460 o bobl yn byw yn saith sir de Cymru, sef Aberteifi, Brycheiniog, Caerfyrddin, Maesyfed, Morgannwg, Mynwy a Phenfro, mewn cyferbyniad â 252,785 yn chwe sir y gogledd, sef Caernarfon, Dinbych, y Fflint, Meirionnydd, Môn a Threfaldwyn. Hyd yn oed ar ôl tynnu ymaith y niferoedd sylweddol o siaradwyr Saesneg uniaith, a drigai mewn mannau Seisnig megis de sir Benfro a Phenrhyn Gŵyr, yr oedd cydbwysedd y siaradwyr Cymraeg yn dal i ffafrio rhannau deheuol Cymru.

Nid yw'r ffigurau moel hyn, fodd bynnag, yn adrodd yr holl stori. Y mae'r cynnydd canrannol dros y cyfnod cyfan yn datgelu mai yn chwe sir gogledd Cymru y digwyddodd y twf mwyaf trawiadol mewn niferoedd (183 y cant). Dylid cofio hefyd fod poblogaeth chwe sir gogledd Cymru, o leiaf hyd at 1670 (os gellir dibynnu ar dystiolaeth y cyfrifon treth aelwyd), yn fwy na phoblogaeth saith sir de Cymru.[9] Ar ben hynny, er bod dwysedd y boblogaeth ar gyfartaledd wedi cynyddu o ryw 40 y cant yn y cyfnod Tuduraidd i ryw 73 y cant ym 1801, y mae'r ffigurau hyn yn celu gwahaniaethau sylweddol rhwng y nifer cymharol fychan o bobl a drigai ym mhlwyfi anghysbell yr ucheldir a'r crynodiad llawer uwch o bobl yn y dyffrynnoedd bras, gwastadeddau'r arfordir, y trefi marchnad a siroedd y Gororau.

Yn y fan hon y mae'n werth sylwi ar gryfder cymharol y niferoedd a siaradai Gymraeg mewn perthynas â'r ieithoedd Celtaidd eraill erbyn oddeutu 1800.[10] Yr oedd y Gymraeg yn amlwg yn gryfach na'r Gernyweg, y Fanaweg, a Gaeleg yr Alban. Bu farw Dolly Pentreath – y brodor olaf, mae'n debyg, i siarad Cernyweg – ym 1777, ac ni ellid erbyn diwedd y ddeunawfed ganrif ystyried y Gernyweg yn iaith fyw.[11] Nid oedd ond 20,000 o siaradwyr Manaweg yng nghanol y ddeunawfed ganrif a dal i ddirywio yr oedd y niferoedd.[12] Bu cyfuniad o strategaeth wleidyddol a phenboethni crefyddol yn gyfrifol am wanychu Gaeleg yr Alban yn ddifrifol. Cysylltid yr iaith yn anwahanadwy â Phabyddiaeth,

---

[8] LlGC Llsgr. 13128A, ff. 66–7.

[9] Owen, 'The Population of Wales', 102.

[10] Am y cefndir, gw. V. E. Durkacz, *The Decline of the Celtic Languages* (Edinburgh, 1983) a Peter Trudgill, *Language in the British Isles* (Cambridge, 1984).

[11] Glanville Price, *The Languages of Britain* (London, 1984), t. 136; idem, 'Cornish Language and Literature' yn Glanville Price (gol.), *The Celtic Connection* (Gerrards Cross, 1992), tt. 301–14.

[12] Price, *The Languages of Britain*, t. 75; Robert L. Thomson, 'Manx Language and Literature' yn Price, *The Celtic Connection*, tt. 154–70.

Jacobitiaeth ac annheyrngarwch, ac wedi cataclysm Gwacáu'r Ucheldir-
oedd o'r 1780au ymlaen, gwthiwyd yr iaith draw i'r gogledd ac
arfordiroedd y gorllewin ac i'r Hebrides. Erbyn 1806 yr oedd nifer y
siaradwyr Gaeleg wedi gostwng i 297,823, h.y. 18.5 y cant o'r boblogaeth
gyfan o 1,608,420 ym 1801.[13] I'r gwrthwyneb, er bod y Gwyddelod wedi
dechrau ar y proses cymhleth o gefnu ar eu hiaith, yr oedd cynifer â
2,400,000 yn siarad Gwyddeleg ym 1799 a dim ond mewn rhannau o
Ulster ac mewn pocedi bychain ar hyd yr arfordir dwyreiniol yr oedd yr
iaith wedi darfod yn llwyr.[14] O ran niferoedd, ymddangosai'r Llydaweg
hithau ei bod yn ffynnu: ym 1807 yr oedd bron miliwn o bobl yn siarad yr
iaith.[15] Ond yr oedd y ffaith nad oedd hynny'n ddim ond 4 y cant o
boblogaeth Ffrainc yn dangos gwendid cymharol yr iaith. Mewn sawl
modd, sut bynnag, yr oedd y Gymraeg yn fyw ac yn iach. Fe'i siaredid
hi'n gyson gan fwy na hanner miliwn o bobl, a llawer o'r rheini'n fwy na
pharod i warchod ac i hybu 'yr hen-famiaith odidog'.[16]

Dichon fod cynifer â 70 y cant o'r trigolion yn dal i fod yn Gymry
uniaith hyd at 1800.[17] Hyd yn oed mor ddiweddar â 1891, dengys y
cyfrifiad fod mwy na 30 y cant o'r boblogaeth yn uniaith Gymraeg. Yn
hanesyddol, bu unieithrwydd yn nodwedd gref nid yn unig o gefn gwlad
Cymru (lle'r oedd hi'n gymharol hawdd gwrthsefyll dylanwad y Saesneg
ar iaith, arferion ac ymarweddiad) ond hefyd o gyrion pellaf y dwyrain a'r
de a hyd yn oed rannau o swydd Henffordd. Er mai anecdotaidd yw
llawer o'r dystiolaeth ynghylch unieithrwydd, gwelir yng nghofnodion
Llysoedd y Sesiwn Fawr a llysoedd eraill enghreifftiau penodol o
unieithrwydd mewn gwahanol ardaloedd ac amgylchiadau. Ceir tystiol-
aeth o bresenoldeb siaradwyr Cymraeg uniaith yng ngogledd-ddwyrain
Cymru ger y ffin â Chaer mewn deisebau o ganol yr ail ganrif ar bymtheg,
a'r deisebwyr, sef rhydd-ddeiliaid tlawd o ardal Chwitffordd yn sir y Fflint,
yn gofyn am gael eu hesgusodi rhag gwasanaethu ar reithgor am na fedrent
ddeall Saesneg.[18] Dengys tystiolaeth ar lw gan dystion hefyd enghreifftiau
o Gymry uniaith. Yn sir Benfro ym 1656 ni ddeallai David Lewis o

---

[13] Charles W. J. Withers, *Gaelic in Scotland 1698–1981* (Edinburgh, 1984), t. 83.
[14] Reg Hindley, *The Death of the Irish Language* (London, 1990), t. 15. Gw. hefyd Brian Ó
    Cuív, 'The Irish Language in the Early Modern Period' yn T. W. Moody, F. X. Martin
    a F. J. Byrne (goln.), *A New History of Ireland, III, Early Modern Ireland 1534–1691*
    (Oxford, 1976), tt. 509–45.
[15] R. D. Grillo, *Dominant Languages. Language and Hierarchy in Britain and France*
    (Cambridge, 1989), t. 25.
[16] Samuel Williams, *Amser a Diwedd Amser* (Llundain, 1707), sig. A2v–A3v. Am deimladau
    cyffelyb, gw. Garfield H. Hughes (gol.), *Rhagymadroddion 1547–1659* (Caerdydd, 1951),
    tt. 47–8, 63–73, 111–13, 118–19.
[17] Pryce, 'Wales as a Culture Region', t. 230.
[18] LlGC, Llys y Sesiwn Fawr 13/46/3. Gw. hefyd t. 155 isod.

Gasnewydd-bach 'what was spoken in the English tongue', a'r un modd, William Meylor o Dyddewi 'was not able to render himself sufficiently in English'.[19] Gan mai ychydig o gyfle a gâi pobl yr ardaloedd gwledig i ddysgu Saesneg, yr oedd yn rhaid i'r sawl a fynnai fasnachu yng Nghymru ddysgu Cymraeg. Ym 1683 honnodd William Copeland, pedlerwr o'r Alban a werthai ddefnyddiau lliain, ei fod yn deall llawer o eiriau Cymraeg. Pan ladratawyd oddi arno yn Llanfyllin gwnaeth 'great complaint' mewn 'broaken Welsh' a Saesneg, ond un yn unig a ddeallodd ei Saesneg.[20] Ceid trafferthion o hyd pan fyddai angen i Saeson uniaith a Chymry uniaith gyfathrebu â'i gilydd. Ym 1617, pan ddaeth Edward Gruffydd ap Ednyfed, Garthgarmon, sir Ddinbych, ar draws William Rogers, cwningwr Syr John Wynne a gŵr a ddrwgdybid o fod yn lleidr, go gyfyng oedd y dystiolaeth gan na fedrai'r naill ddeall iaith y llall – 'hee can [speak] no English nor the other noe Welsh'.[21] Pan adawyd Jonathan Swift ar ei ben ei hun yn sir Fôn ym 1727, teimlai fel tresmaswr ymhlith y Cymry lleol uniaith;[22] ac ym 1799, gan na fedrai neb o'r deugain teithiwr arall Saesneg, eistedd yn dawel a phwdlyd fu raid i William Hutton wrth groesi ar fferi Tal-y-foel.[23]

O ran pennu ffawd yr iaith Gymraeg, yr elfen hanesyddol fwyaf allweddol a chyson yw topograffi Cymru. Trwy gydol y cyfnod modern cynnar, bu natur ddaearyddol y tir yn ddylanwad grymus ar ddosbarthiad y boblogaeth a siaradai Gymraeg. Y mae'r 8,000 milltir sgwâr o dir Cymru yn rhyw fath o betryal ei ffurf, gydag echel hwy yn ymestyn o'r gogledd i'r de. Y nodwedd ffisegol fwyaf trawiadol yw'r asgwrn cefn o fynyddoedd; y rhain, yn gopaon creigiog a llwyfandiroedd eang, ynghyd â'r glawiad uchel, y priddoedd asidig a'r unigeddau a fu'n gyfrifol am brinder y boblogaeth. Y mynyddoedd, fel gwahanfur cadarn ac anorchfygol i bob golwg, a ataliai'r iaith Saesneg rhag treiddio i'r gorllewin. Yng ngogledd-orllewin a gorllewin Cymru y gwelid yr arwyddion lleiaf o erydiad ieithyddol, sef yr union siroedd hynny a amddiffynnid gan y mynyddoedd ac a oedd, felly, yn fwy abl i gadw'n fyw yr iaith a'r arferion cymdeithasol a diwylliannol cynhenid.

Gan fod y mynyddoedd yn eu cysgodi rhag dylanwadau estron, yr oedd yn haws i'r bobl a oedd yn byw yn siroedd Aberteifi, Caernarfon, Meirionnydd, Môn, ac, i raddau llai, Caerfyrddin, gadw cyfran uchel o siaradwyr uniaith. Pan honnodd yr ysgolhaig Moses Williams ym 1714 fod mwy na 500 o blwyfi yng Nghymru 'in which the generality of the

[19] LlGC, Llys y Sesiwn Fawr 4/792/5/46, 58.
[20] LlGC, Llys y Sesiwn Fawr 4/162/4/43–6.
[21] LlGC, Llys y Sesiwn Fawr 4/16/4/17.
[22] Helen Ramage, *Portraits of an Island: Eighteenth Century Anglesey* (Llangefni, 1987), t. 56.
[23] William Hutton, *Remarks upon North Wales* (Birmingham, 1803), t. 179.

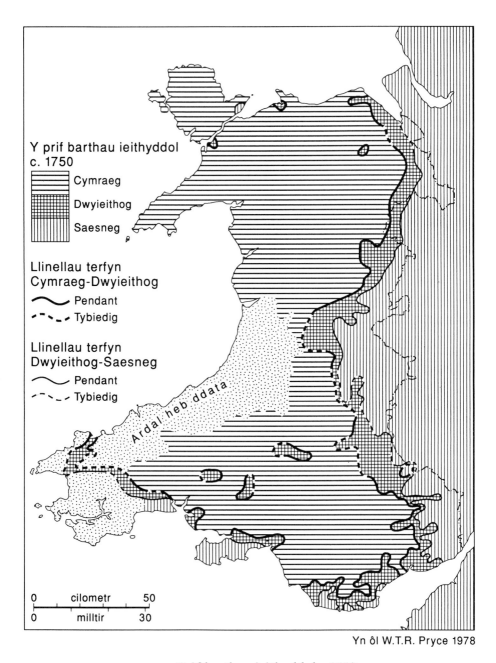

Y prif barthau ieithyddol
c. 1750

Cymraeg

Dwyieithog

Saesneg

Llinellau terfyn
Cymraeg-Dwyieithog

Pendant

Tybiedig

Llinellau terfyn
Dwyieithog-Saesneg

Pendant

Tybiedig

Ardal heb ddata

0   cilometr   50

0   milltir   30

Yn ôl W.T.R. Pryce 1978

Prif barthau ieithyddol *c*.1750

People understand no other Language',[24] cyfeiriai'n bennaf at ogledd a gorllewin Cymru, lle'r oedd natur y mynyddoedd a chyflwr truenus cyfathrebu yn achosi unigedd cymdeithasol ac unieithrwydd ac yn rhwystro unrhyw fygythiad i oruchafiaeth ddaearyddol y Gymraeg. 'We have whole parishes in the mountainous parts of Wales', meddai Lewis Morris ym 1761, 'where there is not a word of English spoke.'[25] Tua'r un adeg, tybiai John Jones, bargyfreithiwr o Lynon ym Môn, nad oedd mwy nag un o bob deugain yng ngogledd Cymru yn deall Saesneg,[26] ac y mae sail i amau bod nifer y rhai uniaith Gymraeg yn fwy na hynny. Ym 1795 mynnodd Walter Davies (Gwallter Mechain) mai'r Gymraeg yn unig a siaradai degau o filoedd o bobl, ac yn y mannau mwyaf anghysbell yng ngogledd Cymru 'the impregnable fortress of the Welsh language . . . dwells as commander in chief'.[27] Hyd yn oed mor ddiweddar â 1931 cofnodwyd bod un o bob pump o drigolion siroedd Caernarfon, Meirionnydd a Môn yn uniaith Gymraeg.[28] Yr un dôn gron a glywir o hyd ym manylion yr ymweliadau swyddogol yn esgobaeth Bangor yn y ddeunawfed ganrif – 'Welsh – the only language understood in my parishes', 'They know no language but the Welsh', 'Welsh – the only language spoke in the Parish'[29] – ac nid rhyfedd i gynifer o Saeson ar daith ystyried y mannau hyn yn elyniaethus ac anhreiddiadwy. Yn y siroedd hyn nid oedd pryder ynghylch dyfodol yr iaith fel cyfrwng llafar gan fod y Gymraeg mor annatod glwm wrth y cartref, yr addoldy a'r gweithle. Nid oedd pobl yn agored yn feunyddiol i ddylanwadau a allai eu Seisnigeiddio ac nid oedd unrhyw bwysau arnynt i fod yn ddwyieithog. Yn wir, nid oedd ganddynt brofiad o ddwyieithrwydd. Yn ôl Thomas Llewelyn, byddai plentyn a aned yng ngogledd-orllewin Cymru yn dysgu iaith ei rieni a'i gymdogion 'as naturally and as innocently, as he sucks his mother's breasts, or breathes the common air'.[30] Ni faliai'r bobl hyn am y 'King's English' mwy nag y gwnâi trigolion Mesopotamia neu Batagonia,[31] ac eithrio efallai pan ddeuai atynt ym mherson rhyw seismon, tirfesurydd, teithiwr busneslyd o Sais, neu segurswyddwr barus. Mentrodd

[24] Moses Williams, *Proposals for reprinting the Holy Bible and Common Prayer Book in the British or Welsh Tongue* (London, 1714).

[25] *ALM*, II, t. 511.

[26] John Jones, *Considerations on the illegality and impropriety of preferring clergymen who are unacquainted with the Welsh Language, to benefices in Wales* (ail arg., London, 1768), t. 14.

[27] Walter Davies, 'A Statistical Account of the Parish of Llanymyneich, in Montgomery-shire', *CAR*, I (1795), 280.

[28] D. Trevor Williams, 'Linguistic Divides in North Wales: a Study in Historical Geography', *AC*, XCI (1936), 207.

[29] LlGC, Cofysgrifau'r Eglwys yng Nghymru, B/QA/5; B/QA/6; SA/RD/26.

[30] Thomas Llewelyn, *An Historical Account of the British or Welsh Versions and Editions of the Bible* (London, 1768), t. 76.

[31] Ibid., t. 71.

Dr John Davies honni ym 1621 fod y Gymraeg yn y fath gadarnleoedd 'yn gwbl iach ei chyflwr, bron yn hollol ddianaf a dilwgr'.[32]

Er bod daearyddiaeth ffisegol Cymru wedi bod o gymorth amlwg i amddiffyn yr iaith, annoeth fyddai peintio llun syml o gymunedau amaethyddol diarffordd. Yr oedd marchnadoedd yn gwasanaethu pob ardal a chryn fudo tymhorol yn digwydd o fewn Cymru a thros y ffin i Loegr. Treuliai medelwyr, porthmyn, milwyr a morwyr gyfnodau helaeth yn Lloegr, ac ym mhob cymuned yr oedd dynion (ond llai o ferched) â phrofiad o deithio a chanddynt wybodaeth o'r Saesneg ac weithiau o ieithoedd eraill. Gwyddom bellach fod y boblogaeth amaethyddol yn fwy symudol o lawer nag a dybid ar un adeg, a rhaid eu bod wedi dysgu geiriau ac idiomau Saesneg wrth ddigwydd clywed clecs mewn plastai a thafarnau ac wrth wrando ar chwedlau a adroddid gan aelodau o'r lluoedd arfog neu gan borthmyn diegwyddor ar eu ffordd adref o ffeiriau a marchnadoedd Llundain. Eto i gyd, er gwaethaf presenoldeb siaradwyr Saesneg, parhaodd cymunedau yn Gymraeg eu hiaith am mai hi a ddefnyddid ar gyfer bywyd bob dydd y bobl.

Er bod topograffi yn sylfaenol i ffawd y Gymraeg, ni ellir bodloni ar gymryd persbectif llinellol syml o enciliad cyson y Gymraeg heb ystyried yr ymdrechion i gynnal yr iaith, ynghyd â dosbarth a galwedigaeth y bobl. Yn wahanol i'r sefyllfa yn y bedwaredd ganrif ar bymtheg a'r ugeinfed ganrif, ni chafodd y cyfnod modern cynnar y profiad o weld yr iaith yn edwino yn anorfod. Yr oedd cymunedau a ffiniau iaith yn llawer mwy parhaol, ac nid gorymdeithio tua'r gorllewin a wnâi'r Saesneg, eithr ymlwybro'n araf, peidio'n gyfan gwbl weithiau, neu hyd yn oed ar brydiau gilio'n ôl. Er bod arwyddion clir o ansefydlogrwydd ieithyddol yn siroedd y Gororau,[33] ni ddylid gorliwio enciliad tiriogaethol y Gymraeg. Proses araf ac anwastad ydoedd, ac ni chyflymodd tan y ddeunawfed ganrif. Nid oedd y newidiadau ieithyddol yn agos mor drawiadol â'r rheini a ddarniodd ac a ddanseiliodd gymunedau Cymraeg yn ail hanner y bedwaredd ganrif ar bymtheg.

Elfen bwysig arall o arwyddocâd hanesyddol a daearyddol oedd presenoldeb Saesonaethau sefydledig a ffyniannus o fewn Cymru; ni welai trigolion y rhain unrhyw werth o gwbl i'r Gymraeg. Er pan orchfygwyd Cymru gan yr Eingl-Normaniaid yn yr unfed ganrif ar ddeg, bu disgynyddion y milwyr a'r ymsefydlwyr cynnar yn amaethu tiroedd isel bras de sir Benfro a Phenrhyn Gŵyr. O ganlyniad, tyfodd gwahaniaethau

---

[32] LlGC Llsgr. 21299D, f. 68.

[33] G. J. Lewis, 'The Geography of Cultural Transition: The Welsh Borderland 1750–1850', *CLlGC*, XXI, rhifyn 2 (1979), 131–44; W. T. R. Pryce, 'Approaches to the Linguistic Geography of Northeast Wales, 1750–1846', *CLlGC*, XVII, rhifyn 4 (1972), 343–63.

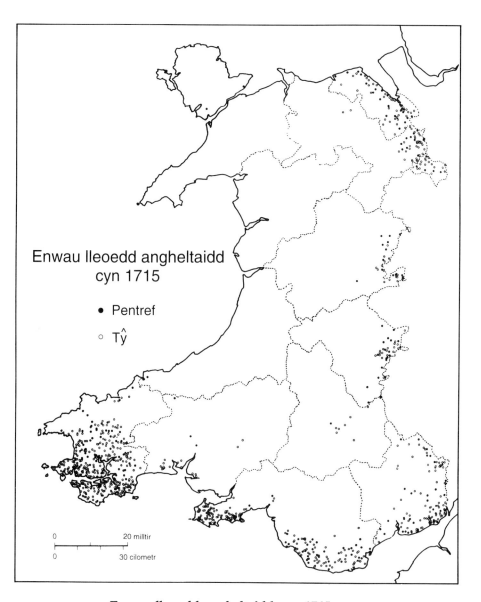

Enwau lleoedd angheltaidd
cyn 1715

● Pentref

○ Tŷ

Enwau lleoedd angheltaidd cyn 1715

parhaol o ran iaith a diwylliant rhwng y Saesonaethau a'r brodoraethau Cymraeg.[34] Gwelir yr hanes mwyaf gafaelgar am gynnal y gwahaniaethau rhwng y naill garfan a'r llall, gan gynnwys yr iaith, yng ngwaith George Owen, Henllys, ar ddiwedd cyfnod Elisabeth. Disgrifiai sut yr oedd y Saeson a'r Cymry yn gwahaniaethu o ran iaith ac arferion, gan gynnwys 'maners, diett, buildinges, and tyllinge of the lande'. Cadwai'r ddwy genedl ar wahân: 'the meaner sorte of people, will not nor doth not vsually joyne together in mariadge . . . no comerce or buye but in open faires'. Yr oedd y rhaniad hwn mor bendant fel y ceid mewn plwyf ar y ffin 'a pathe waye, parteinge the welshe and Englishe, and the on side speake all Englishe, the other all welshe, and differringe in tyllinge and in measuringe of theire lande and diuerse other matters'. Rhennid y sir bron yn hollol gyfartal rhwng y Cymry yn y gogledd a'r Saeson yn y de. Saesneg oedd iaith 74 o blwyfi a Chymraeg oedd iaith 64, ac yr oedd y chwe phlwyf arall yn ddwyieithog 'beinge as it were the marches betweene both those Nations'.[35] Pa bryd bynnag y meiddiai Cymro groesi'r gwahanfur i mewn i 'Little England beyond Wales', gwnâi'r trigolion hwyl am ei ben, gan weiddi 'looke there goeth a Welshman', ond dangoswyd yn ddiweddar fod tystiolaeth George Owen yn hyn o beth yn fwy tebygol o fod yn cyfeirio at ganol cantrefi Saesneg Y Rhws a Chastellmartin yn hytrach na'r plwyfi ar y ffin ieithyddol.[36]

Cymhlethwyd rhagor ar y sefyllfa ieithyddol yn sir Benfro yn niwedd yr unfed ganrif ar bymtheg gan fewnlifiad llu o Wyddelod. Yn ôl George Owen, yr oedd rhwng traean a phumed ran yr holl ddeiliaid tai yn Y Rhws a Chastellmartin yn Wyddelod, a thrigolion ambell blwyf yn Wyddelod i gyd, gan adael 'not one Englishe or Welshe but the parson of the parish'. Mwy na thebyg fod y Gwyddelod wedi bod yn ne-orllewin Cymru erioed a bod yno, o bosibl, gymuned yn siarad Gwyddeleg. Serch hynny, yr oedd Owen yn argyhoeddedig fod y Gwyddelod yn ei sir yn atgyfnerthu'r cymunedau Saesneg oherwydd 'for the moste parte [they] speake and vse here the English tongue'.[37]

Am ganrifoedd bu'r *Landsker* yn wahanfur ieithyddol a diwylliannol rhwng y gogledd Cymraeg a'r de Saesneg. Hyd yn oed ym 1804 gadawyd argraff ddofn ar Benjamin Malkin gan y gwahaniaethau cymdeithasol, economaidd a diwylliannol rhwng y trigolion a drigai o boptu'r ffin, a saith mlynedd yn ddiweddarach sylwodd Richard Fenton fod 'the barrier

---

[34] Brian S. John, 'The Linguistic Significance of the Pembrokeshire Landsker', *PH*, rhifyn 4 (1972), 7–29.

[35] Owen, *Description*, I, tt. 39–40, 47–8.

[36] Ibid., I, t. 47; B. G. Charles, *The Place-names of Pembrokeshire* (2 gyf., Aberystwyth, 1992), I, t. liv.

[37] Owen, *Description*, I, t. 40.

line is to this day strictly preserved, and a brook or a footpath is known to separate the languages'.[38] Prin iawn oedd y gyfathrach gymdeithasol ac economaidd rhwng y ddwy garfan a hyd yn oed mor ddiweddar â 1893 nodwyd bod hen ragfarn yn erbyn priodasau rhwng y Saeson a'r Cymry yn bodoli yn sir Benfro.[39]

Ardal arall lle yr oedd rhaniad ieithyddol a diwylliannol nodedig oedd Penrhyn Gŵyr. Paratowyd disgrifiad manwl o'r Saesonaethau a'r brodoraethau Cymraeg gan y Parchedig Isaac Hamon ar gyfer Edward Lhuyd yn niwedd yr ail ganrif ar bymtheg. Yng ngorllewin Gŵyr, Saesneg oedd iaith y plwyfi. Yn y rhan ddeheuol ynganai'r siaradwyr Saesneg eu geiriau 'something like the West of England', tra yn y gogledd '[they] inclined more to the Welsh pronunciation and mixed some Welsh words amongst their old English'.[40] Y mae'n amlwg fod y ffiniau ieithyddol yn rhai sefydlog, ond cafwyd gan Hamon hefyd dystiolaeth werthfawr ynghylch newidiadau mewn geirfa ac ynganiad yn *Gower Anglicana*. Parhaodd y rhannau Cymraeg a Saesneg o Benrhyn Gŵyr yn dra gwahanol i'w gilydd, ac yn niwedd y ddeunawfed ganrif aeth y Parchedig John Evans cyn belled â honni bod ganddynt 'an utter aversion for each other'.[41] Pa bryd bynnag y byddai teithiwr yn chwilio am rywun yn byw yn rhan Gymraeg Gŵyr, byddai'n debygol o gael yr ateb dirmygus – 'I danna knaw, a lives somewhere in the Welshery' – fel petai pob un na siaradai Saesneg yn esgymun.[42]

Mewn modd digon diddorol yr oedd penderfyniadau gwleidyddol mympwyol hefyd wedi cymhlethu dosbarthiad daearyddol y Gymraeg, yn enwedig yn siroedd y Gororau. Anwybyddu'n greulon fodolaeth cymunedau ieithyddol a wnaeth Deddf Uno 1536 wrth ddynodi ffiniau siroedd newydd Cymru. Effeithiodd hyn yn ddirfawr ar amgylchedd ieithyddol a diwylliannol trigolion y cymunedau a oedd tan hynny wedi siarad Cymraeg wrth iddynt orfod wynebu newidiadau mawr yn sgil y newid ffiniau. Y newidiadau mwyaf mympwyol oedd trosglwyddo rhanbarth Ergyng ac arglwyddiaeth Colunwy, y naill i swydd Henffordd

---

[38] Benjamin H. Malkin, *The Scenery, Antiquities, and Biography, of South Wales* (London, 1804), t. 432; Richard Fenton, *A Historical Tour through Pembrokeshire in 1811* (London, 1811), t. 203.

[39] David W. Howell (gol.), *Pembrokeshire County History, Vol. IV. Modern Pembrokeshire 1815–1974* (Haverfordwest, 1993), t. 455.

[40] D. Trevor Williams, 'Gower: A Study in Linguistic Movements and Historical Geography', *AC*, LXXXIX (1934), 302–27; F. V. Emery, 'Edward Lhuyd and some of his Glamorgan Correspondents: a view of Gower in the 1690s', *THSC* (1965), 59–114.

[41] John Evans, *Letters written during a Tour through South Wales in the Year 1803* (London, 1804), t. 195.

[42] Anad., 'Cursory Remarks on Welsh Tours or Travels', *CAR*, II (1796), 438.

a'r llall i swydd Amwythig.[43] Golygai torri ymaith o Gymru gymunedau helaeth fel y rhain fod y 'Welsh toong', yn ôl yr hanesydd Tuduraidd David Powel, 'is commonlie vsed and spoken Englandward'.[44] Ar drawiad, ffurfiwyd ffiniau artiffisial, gan orfodi nifer sylweddol o siaradwyr Cymraeg i fyw yn swyddi Caerloyw, Henffordd ac Amwythig, lle y deuent o dan ddylanwadau Saesneg dybryd. Er bod yr hanes manwl am oroesiad y Gymraeg yn y cymunedau hyn wedi mynd i ddifancoll, y mae'n amlwg na fu iddynt gefnu ar eu mamiaith dros nos. Y mae'r penderfyniad a wnaed ym 1563 i gynnwys esgob Henffordd ymhlith yr esgobion Cymraeg a fyddai'n gyfrifol am sicrhau cyfieithiad Cymraeg o'r Beibl a'r Llyfr Gweddi Gyffredin yn awgrymu bod cryn nifer yn dal i siarad Cymraeg mewn rhannau o swydd Henffordd ymhen cenhedlaeth wedi'r Ddeddf Uno gyntaf.[45] Mynnai Humphrey Llwyd y siaredid Cymraeg yn eang yn arglwyddiaethau Ewias yng nghyfnod Elisabeth.[46] Dengys tystiolaeth mewn achosion cyfreitha yn y ddeunawfed ganrif fod y Gymraeg wedi goroesi yn yr ardaloedd yng ngorllewin swydd Henffordd a oedd yn ffinio â sir Frycheiniog a sir Fynwy. O'r naw achos o ddifenwad a gafwyd yn ardal Merthyr Clydog (yn cynnwys Craswell, Longtown a Llanfeuno) rhwng 1712 a 1774, yr oedd wyth yn Gymraeg.[47] Cafwyd achosion Cymraeg eraill o ddifenwad yn Nulas ym 1738 ac Ewias ym 1728–9, er mai Saesneg, mwy na thebyg, oedd iaith plwyf cyfagos St Margarets.[48] Nid oedd y clofannau Cymraeg eu hiaith yn swydd Henffordd o anghenraid yn ddwyieithog, fel y disgwylid. Yn ei dystiolaeth i'r Llys Consistori addefodd Lewis Jenkins o Lanfihangel Escley, a oedd yn bedair ar bymtheg oed ym 1757, ei fod 'a strainger to the English tongue [not] able to speak or understand but very few words'.[49]

Y mae bywiogrwydd ymddangosiadol y Gymraeg yng ngorllewin swydd Henffordd yn awgrymu'n gryf nad proses uniongyrchol neu anorfod, o bell ffordd, oedd proses Seisnigeiddio'r goror dwyreiniol. Serch hynny, am resymau daearyddol, yr oedd y siroedd i'r dwyrain o'r ucheldiroedd dan anfantais o'u cymharu â'r siroedd gorllewinol wrth geisio gwrthsefyll ymdaith diriogaethol yr iaith Saesneg.[50] Fel y gwelsom,

[43] B. G. Charles, 'The Welsh, their Language and Place-names in Archenfield and Oswestry' yn Henry Lewis (gol.), *Angles and Britons* (Cardiff, 1963), tt. 85–110.

[44] David Powel, *The historie of Cambria* (London, 1584), t. 5.

[45] Melville Richards, 'The Population of the Welsh Border', *THSC* (1970), 95.

[46] B. G. Charles, 'The Welsh', t. 95.

[47] LlGC, Cofysgrifau'r Consistori, Archddiaconiaeth Aberhonddu, SD/CCB/59, 143, 145, 147, 149, 152, 153, 154; SD/CC/G/693, 714.

[48] LlGC, SD/CCB/59, 148, 235; SD/CC/G/987.

[49] LlGC, SD/CCB/59, 153c.

[50] E. G. Bowen (gol.), *Wales. A Physical, Historical and Regional Geography* (London, 1957); idem, *Daearyddiaeth Cymru fel Cefndir i'w Hanes* (Llundain, 1964); Harold Carter (gol.), *Atlas Cenedlaethol Cymru* (Caerdydd, 1980–9).

yr oedd mynyddoedd geirwon ac eangderau maith o weundiroedd llwm yn rhwystrau hynod effeithiol. Ond oherwydd bodolaeth afonydd yn llifo i gyfeiriad y de-ddwyrain ar hyd llawr gwlad eithaf bras, yr oedd y siroedd ar hyd y ffiniau dwyreiniol yn agored i newidiadau ieithyddol. Cynigient lwybrau ar gyfer mewnfudwyr, masnach draws-ffin, cydbriodi ac ymsefydlu. Yn yr un modd yn y siroedd ac ynddynt wastadeddau arfordirol yn wynebu'r de, hinsawdd dynerach a phridd haws ei drin, ceid mynediad rhwyddach i fasnachwyr, ymsefydlwyr a theithwyr. O ganlyniad, yr oedd pocedi o ddwyieithrwydd ac o barthau Saesneg-yn-unig yn sicr o ddatblygu, yn enwedig wrth i'r cysylltiadau economaidd gryfhau yn y cyfnod wedi'r Uno. Yr oedd dyffrynnoedd afonydd megis Dyfrdwy, Hafren, Gwy ac Wysg, ac i raddau llai Arwy, Llugwy ac Efyrnwy, yn adwyon i'r Saesneg dreiddio i mewn. Erbyn y ddeunawfed ganrif, yr oedd topograffi a masnach yn ail-lunio patrymau ieithyddol. Ym 1770, er enghraifft, yr oedd trigolion ucheldir sir y Fflint yn dal yn Gymry cadarn eu Cymraeg ac yn ddrwgdybus iawn o ymwthwyr Saesneg eu hiaith, tra oedd trigolion y tiroedd isel bras yn ddwyieithog ac mor wybodus ynghylch 'English manner and customs' fel y gellid yn hawdd eu disgrifio fel 'natives of different countries and climates'.[51] Yr oedd parth dwyieithog pendant yn dechrau symud o ogledd-ddwyrain sir y Fflint tua'r de. Yn nwyrain sir Ddinbych a dwyrain sir Drefaldwyn yr oedd her gynyddol i gadernid yr iaith frodorol, ac wrth i'r Saesneg achub ar ei chyfle i dreiddio ar hyd yr hen lwybrau masnach, dechreuodd llawer o gymunedau amlygu cryn gymhlethdod ieithyddol.[52] Erbyn ail hanner y ddeunawfed ganrif, nid hawdd fyddai egluro beth yn union a olygid wrth 'blwyf lle y siaredid Cymraeg' mewn mannau o'r fath.

Yr oedd y Saesneg yn ddiamau yn ennill tir ar draul y Gymraeg yn siroedd y de-ddwyrain, ond yno hefyd yr oedd ffactorau daearyddol yn allweddol. Yn sir Frycheiniog byddai'r ffermwr a'i was ar fferm fynydd fechan yn ymfalchïo yn eu Cymreictod ac yn siarad Cymraeg hyd yn oed ar ddiwedd y ddeunawfed ganrif, ond yr oedd 'vile English jargon'[53] (chwedl Theophilus Jones yn ddiflewyn-ar-dafod) wedi hen ymsefydlu yn y cymunedau agosaf i'r ffin â Lloegr. Tebyg oedd y sefyllfa yn sir lai poblog Maesyfed.[54] Siaradai trigolion yr ucheldir Gymraeg, a'r iaith honno, i glustiau Lewis Morris o leiaf, mor bur a chywir ag a glywid yng

[51] Joseph Cradock, *Letters from Snowdon* (London, 1770), t. 14.
[52] A. H. Dodd, 'Welsh and English in East Denbighshire: A Historical Retrospect', *THSC* (1940), 34–65; W. T. R. Pryce, 'Welsh and English', 10–15; Lynn Davies, 'Linguistic Interference in East Montgomeryshire', *MC*, 62 (1971), 183–94.
[53] Theophilus Jones, *A History of the County of Brecknock* (2 gyf., Brecknock, 1805–9), II, t. 270.
[54] Llywelyn Hooson-Owen, 'The History of the Welsh Language in Radnorshire since 1536' (traethawd MA anghyhoeddedig Prifysgol Lerpwl, 1954).

ngogledd Cymru; ond encilio tua'r gorllewin yn amlwg a wnâi'r iaith wrth i'r ddeunawfed ganrif fynd rhagddi.[55] At hynny, erbyn y 1750au yr oedd y Gymraeg wedi peidio â bod yn iaith addoli yn nhrefi a phentrefi ochr ddwyreiniol y sir. Dichon fod haneswyr wedi gorliwio cyflymder y Seisnigeiddio yn sir Faesyfed, ond heb amheuaeth diflannodd y Gymraeg yn gyflym oddi ar wefusau'r ifainc yn y ddeunawfed ganrif. Gyda pheth gofid, soniodd Jonathan Williams, y cyntaf i ysgrifennu hanes sir Faesyfed, am 'the growing disuse of Welsh' yn y sir.[56] Canfu dau deithiwr sylwgar – William Coxe ym 1801 a Benjamin Malkin ym 1804 – batrwm tebyg yn sir Fynwy. Yn ucheldir y gorllewin glynai'r gwladwyr yn ddygn wrth eu mamiaith, gan gadw draw oddi wrth ymwelwyr a siaradai iaith anghyfarwydd y Saeson.[57] Yn rhan ganol y sir siaredid y ddwy iaith, ond Saesneg yn unig a leferid gan drigolion y gwastadeddau dwyreiniol. Mor gynnar â 1651, cyfaddefodd John Edwards, rheithor Tredynog a chyfieithydd *Madruddyn y difinyddiaeth diweddaraf,* fod ei gyfieithiad yn debyg o fod yn fwy gwallus ac amhriodol am ei fod wedi ei fagu ar lannau Hafren yng Ngwent, 'lle y mae'r saesoniaith yn drech n'ar Brittanniaith'.[58] Ymhen canrif yr oedd y Gymraeg wedi dirywio'n arw yn nwyrain sir Fynwy a gwaethygu fyddai ei hanes yn sgil rhagor o ffyniant economaidd.

Nid proses unffurf o bell ffordd oedd y symudiad ieithyddol yn y cyfnod modern cynnar, fodd bynnag, a buddiol fyddai cyferbynnu'r profiadau gwahanol yn siroedd Maesyfed a Morgannwg. Ym Maesyfed, parhaodd y Gymraeg hyd flynyddoedd cynnar y ddeunawfed ganrif pryd y dechreuodd gilio tua'r gorllewin. Ym Morgannwg, trechodd y Gymraeg y cymunedau Saesneg eu hiaith yn yr ail ganrif ar bymtheg a'r ddeunawfed, a ffynnai diwylliant Cymraeg egnïol yno.

Wrth fapio achosion o athrod rhwng 1550 a 1650 daw'n amlwg y siaredid Cymraeg ledled sir Faesyfed heblaw am glofan hollol Saesneg o wyth plwyf (o gwmpas Llanandras) ar yr ochr ddwyreiniol a oedd yn hanesyddol o fewn esgobaeth Henffordd. Dichon fod y Gymraeg mewn gwirionedd wedi ennill tir ym mlynyddoedd cynnar yr ail ganrif ar bymtheg. Yn Saesneg y mae'r achosion cynharaf o athrod o Lanfair Llythyfnwg, ond yn Gymraeg yr oedd yr achosion ar ddechrau'r ail ganrif ar bymtheg. Erbyn dechrau'r ddeunawfed ganrif, fodd bynnag, yr oedd y Saesneg yn cryfhau yn Llanfair Llythyfnwg a'r plwyfi cyfagos. Sylw person

---

[55] *ML*, II, t. 237; *ALM*, I, tt. 108–14, 117.

[56] Jonathan Williams, *A General History of the County of Radnor* (Brecknock, 1905), t. 168. Am dystiolaeth ddiddorol ynghylch plwyfi Abaty Cwm-hir a Chleirwy, gw. LlGC, Cofysgrifau'r Eglwys yng Nghymru, SD/QA/190.

[57] William Coxe, *An Historical Tour in Monmouthshire* (2 gyf., London, 1801), I, t. 2; Malkin, *The Scenery*, t. 210.

[58] John Edwards, *Madruddyn y difinyddiaeth diweddaraf* (Llundain, 1651), sig. A5r.

y plwyf hwnnw ym 1720 oedd '[the] English tongue does . . . daily get ground here'.[59] Awgryma achosion o ddifenwad fod y defnydd o'r Saesneg yn cynyddu yn nwyrain a gogledd y sir ym mlynyddoedd cynnar y ddeunawfed ganrif, a nodir yn adroddiadau'r ymweliadau eglwysig am 1733 a 1750 y defnydd cynyddol o'r Saesneg o fewn eglwysi plwyf. Serch hynny, yr oedd gwydnwch y Gymraeg yn ne a gorllewin y sir yn y ddeunawfed ganrif yn nodedig, er bod Lewis Morris yn awgrymu bod y werin yn ei hanfod yn ddwyieithog. O'r unfed ganrif ar bymtheg hyd at ganol y ddeunawfed ganrif, Cymraeg yn ddieithriad oedd yr achosion o ddifenwad mewn plwyfi megis Glascwm ac Aberedw, ychydig filltiroedd yn unig o'r ffin â swydd Henffordd.[60] Ni Seisnigeiddiwyd y sir mewn gwirionedd tan ddechrau'r bedwaredd ganrif ar bymtheg, ac ym 1870 y cofnodwyd marwolaeth y brodor olaf o Gleirwy a siaradai Gymraeg.[61]

Mwy cymhleth yw achos Morgannwg, a gwelir yno nad oedd ymdaith y Saesneg yn un ddiwrthdro. Siaredid Cymraeg yn helaeth ymhlith pobl yr ucheldir − y 'mountain folk' fel y'u gelwid − yn ffermydd a phentrefi anghysbell y Blaenau, ond yr oedd clofannau cryf o siaradwyr Saesneg ar hyd gwastadeddau bras yr arfordir o Gaerdydd i Saint-y-brid yn nechrau'r unfed ganrif ar bymtheg.[62] Ceir darlun o'r sefyllfa ieithyddol ar ddechrau'r unfed ganrif ar bymtheg yn y gerdd 'Cân Cymhortha' gan Thomas ap Ieuan ap Rhys. Disgrifia'r bardd ei siwrnai o ucheldir Morgannwg i'r Fro i chwilio am ŷd. Gan na fyddai'r Saeson o Lanilltud i Briordy Ewenni ac o amgylch Y Wig yn deall ei Gymraeg, dysgodd ei wraig iddo sut i ymbil yn Saesneg: 'I prau jow syr, ffor lov maestyr'. I'r ateb 'kom hom syre', yr oedd y bardd i ddweud, 'Il kwm to yow, god redward yow'.[63] Cadarnheir gan yr achosion o ddifenwad yng nghyfnod Elisabeth y siaredid Saesneg ar hyd yr arfordir i'r gorllewin o Gaerdydd yng Nghogan, Saint Andras (Dinas Powys) a Llanilltud Fawr, ac erbyn diwedd yr ail ganrif ar bymtheg yr oedd cysylltiadau masnachol â phorthladdoedd de-orllewin Lloegr yn effeithio'n andwyol ar Gymraeg llafar trigolion rhai o'r pentrefi ar gyrion y Fro. Erbyn y cyfnod Stiwartaidd cynnar, fodd bynnag, yr oedd Ewenni a'r Wig wedi dod yn hollol Gymraeg i bob golwg. Digwyddodd chwe achos Cymraeg o ddifenwad yn Saint-y-brid a'r Wig rhwng 1602 a 1638,

[59] Llyfrgell Bodley, Rhydychen, Llsgr. Willis 37, f. 136.
[60] LlGC, rholiau pleon sir Faesyfed, Llys y Sesiwn Fawr 26/54, m. 7; 26/74, m. 27d.; 26/109, m. 21; 26/109, m. 33; 26/115, m. 30; LlGC, SD/CCB/59/1–5, 250–2.
[61] William Plomer (gol.), Kilvert's Diary 1870–1879 (3 cyf., London, 1973–7), I, t. 347.
[62] Gwynedd O. Pierce, The Place-names of Dinas Powys Hundred (Cardiff, 1968); Brian Ll. James, 'The Welsh Language in the Vale of Glamorgan', Morgannwg, XVI (1972), 16–36.
[63] L. J. Hopkin James a T. C. Evans (goln.), Hen Gwndidau, Carolau, a Chywyddau (Bangor, 1910), tt. 25–7.

a thri yn Ewenni rhwng 1592 a 1641.[64] Dengys yr achosion o ddifenwad fod y clofannau Saesneg ym Mro Morgannwg wedi diflannu erbyn y ddeunawfed ganrif, heblaw am achos eithriadol Llanilltud Fawr a drafodir isod. Fel y datganodd Iolo Morganwg mor hyderus yn niwedd y ddeunawfed ganrif, y Gymraeg oedd y *vernaculum* yn y Fro.[65] Ar adeg pan oedd y Gymraeg yn cilio yn sir Faesyfed, yr oedd hi'n cynyddu mewn ardaloedd Saesneg ym Morgannwg, yn y dref a'r cefn gwlad. Un o nodweddion mwyaf trawiadol y symudiadau ieithyddol yn y ddeunawfed ganrif yng Nghymru yw'r modd y daeth trigolion Bro Morgannwg yn fwy ymwybodol o'r Gymraeg ac yn barotach i'w siarad ar goedd.

Yn olaf, erys y rhai hynny a siaradai Gymraeg ond nad oeddynt, am amryfal resymau, yn byw yng Nghymru. Am y rheswm syml nad oes unrhyw ystadegau ar gael, ni ellir dweud yn union pa faint o bobl a ymsefydlodd yn Lloegr am dymor byr neu'n barhaol. Cafwyd amcangyfrif, fodd bynnag, fod nifer y Cymry a drigai yn Llundain wedi dyblu o 6,000 yn y cyfnod Stiwartaidd cynnar i 12,000 erbyn diwedd y ddeunawfed ganrif.[66] Yn Llundain dan y Stiwartiaid yr oedd y Cymry ar wasgar yma a thraw, ond erbyn y ddeunawfed ganrif ymgrynhoent fwyfwy yn ardal Clerkenwell, lle y sefydlwyd ysgol gan y Society of Antient Britons.[67] Rhan o leiaf o gymhelliad y rhai a fynychai'n gyson gymdeithasau'r Cymry yn Llundain yn y ddeunawfed ganrif oedd yr awydd i siarad Cymraeg â'u cyd-wladwyr, i arddangos eu harwahanrwydd diwylliannol, ac i hybu buddiannau eu mamiaith. Ymsefydlodd niferoedd cynyddol o Gymry hefyd ym Mryste (a weithredai fel prifddinas economaidd de-ddwyrain Cymru). Credai'r dyddiadurwr o'r ddeunawfed ganrif, William Thomas, fel yr âi'r Saeson dramor o borthladdoedd megis Bryste, 'yᵉ Welch men fills England in their stead'.[68] Heblaw am Loegr,

[64] LlGC, rholiau pleon sir Forgannwg, Llys y Sesiwn Fawr 22/90, m. 20d.; 22/110, m. 15d.; 22/125, m. 39d.; 22/132, m. 17d.; 22/135, mm. 21d., 49d.; 22/158, m. 24; 22/160, m. 27d.; 22/181, m. 23; 22/187, m. olaf.

[65] G. J. Williams, *Iolo Morganwg* (Caerdydd, 1956), t. 99; W. T. R. Pryce, 'Language Areas and Changes, c. 1750–1981' yn Prys Morgan (gol.), *Glamorgan County History, Vol. VI, Glamorgan Society 1780–1980* (Cardiff, 1988), tt. 265–313. Gw. hefyd Owen J. Thomas, 'Caerdydd a'r Iaith Gymraeg 1550–1850' (traethawd MA anghyhoeddedig Prifysgol Cymru, 1991), tt. 51, 54.

[66] Emrys Jones, 'The Welsh in London in the Seventeenth and Eighteenth Centuries', *CHC*, 10, rhifyn 4 (1981), 466; R. T. Jenkins a H. M. Ramage, *A History of the Honourable Society of Cymmrodorion* (London, 1951), t. 137.

[67] Peter Clark a David Souden (goln.), *Migration and Society in Early Modern England* (London, 1987), t. 274; Meurig Owen, *Tros y Bont. Hanes Eglwys Falmouth Road Llundain* (Llundain, 1989), tt. 14–15.

[68] Caerdydd, Llsgr. 4.877 (trawsgrifiad o Ddyddiadur William Thomas, Llanfihangel-ar-Elái), f. 29. Gw. hefyd *The Diary of William Thomas of Michaelston-super-Ely, near St Fagans, Glamorgan, 1762–1795*, wedi ei dalfyrru a'i olygu gan R. T. W. Denning (South Wales Record Society, 1995).

ym Mhennsylvania y lleolid y niferoedd mwyaf o siaradwyr Cymraeg a anesid yng Nghymru, ac yn enwedig yn y Rhandir Gymreig a wladychwyd gan ymfudwyr o Grynwyr o'r 1680au ymlaen. Barnai Moses Williams fod 6,000 o siaradwyr Cymraeg ym Mhennsylvania a rhannau eraill o America erbyn 1714.[69] Ofer fu ymdrechion glew y Crynwyr i gynnal eu harwahanrwydd ieithyddol trwy addoli yn Gymraeg a thrwy gyhoeddi llyfrau Cymraeg. Cyflawnodd y Bedyddiwr, Abel Morgan, gryn gamp trwy lunio'r concordans Cymraeg cyntaf, gwaith a gyhoeddwyd (wedi marw'r awdur) yn Philadelphia ym 1730.[70] Anogai'r Gymdeithas Gymraeg, a sefydlwyd yn Philadelphia ym 1729, y Cymry i ymgynnull ar Ddydd Gŵyl Dewi i glywed pregeth 'in the old British language', ond wrth i'r Saesneg ddechrau llyncu'r Gymraeg, aeth y clofannau o ymfudwyr Cymraeg yn fwyfwy rhanedig.[71] Lleihau a wnâi nifer y siaradwyr Cymraeg wrth i'r ganrif fynd rhagddi, a phan ymwelodd John Evans (yr un a gysylltir â chwedl Madog) â'r Rhandir Gymreig ym 1792, darganfu mai uniaith Saesneg oedd plant yr hen bobl a ddaliai i siarad Cymraeg yn rhugl.[72] Pan hwyliodd llu o ymfudwyr newydd ar draws Môr Iwerydd yn y 1790au, yr oedd un o'u harweinyddion, Morgan John Rhys, mor bryderus ynghylch y dirywiad yn nifer y siaradwyr Cymraeg nes iddo holi Americanwr hyddysg yn ieithoedd yr Indiaid er mwyn cael gwybod a oedd llwyth y Madogwys yn bodoli mewn gwirionedd ac a oedd tebygrwydd rhwng geiriau ac idiomau Cymraeg ac iaith disgynyddion Madog.[73] Fel ei hynafiaid, dysgodd Rhys y wers galed mai methiant anochel fyddai pob ymdrech i gynnal y Gymraeg mewn gwlad estron.

Meysydd

Trown yn awr i ystyried y graddau yr ymsefydlodd y Gymraeg yn rhai o'r prif feysydd cymdeithasol yn y cyfnod modern cynnar, a hynny er gwaethaf cryn wrthwynebiad neu ddifaterwch llwyr. Y cyntaf yw maes gwleidyddiaeth yn sgil y drefn weinyddol a chyfreithiol a sefydlwyd gan ddeddfau'r Tuduriaid ym 1536–43. Gan fod undod, unffurfiaeth ac

---

[69] Llyfrgell Brydeinig Llsgr.Ychwanegol 14952, f. 8; C. H. Browning, *Welsh Settlement of Pennsylvania* (Philadelphia, 1912), tt. 18–19.

[70] Abel Morgan, *Cyd-Gordiad Egwyddorawl o'r Scrythurau* (Philadelphia, 1730); W. Williams, 'The First Three Welsh Books Printed in America', *CLlGC*, II, rhifynnau 3 a 4 (1942), 109–19.

[71] E. G. Hartmann, *The Welsh Society of Philadelphia 1729–1979* (Philadelphia, 1980), t. 3; B. S. Schlenther, '"The English is Swallowing up their Language": Welsh Ethnic Ambivalence in Colonial Pennsylvania and the Experience of David Evans', *The Pennsylvania Magazine of History & Biography*, CXIV, rhifyn 2 (1990), 224.

[72] LlGC Llsgr. 21281E, f. 158.

[73] LlGC Llsgr. 13222C, ff. 461–4; G. J. Williams, 'Letters of Morgan John Rhys to William Owen [-Pughe]', *CLlGC*, II, rhifynnau 3 a 4 (1942), 131–41.

effeithlonrwydd gweinyddol o fewn holl rannau'r deyrnas yn ganolog i'r strategaethau a ddyfeisiwyd gan y gweinyddwyr Tuduraidd, yr oedd hi'n anorfod bron mai'r Saesneg fyddai iaith swyddogol llywodraeth, cyfraith a gweinyddiaeth yng Nghymru.[74] Yr oedd y 'cymal iaith' tra phwysig, a gynhwyswyd yn Neddf Uno 1536, yn datgan na allai unrhyw Gymro ddal swydd gyhoeddus heb fedru defnyddio a siarad Saesneg.[75] Ni allai dynion uchelgeisiol ddeisyfu swydd ustus heddwch, siryf, siedwr, *custos rotulorum*, arglwydd raglaw nac aelod seneddol heb fod yn rhugl yn y Saesneg. Beth bynnag oedd y bwriad y tu ôl iddo, cafodd y cymal hwn yn ddiamau effaith andwyol ar yr iaith Gymraeg trwy ei hamddifadu o statws gwleidyddol yn ei gwlad ei hun a thrwy gynnig cymhellion atyniadol i'r boneddigion i feistroli'r Saesneg gynted fyth ag y gallent. Datblygodd y Saesneg yn iaith cyfle a dyrchafiad i bawb a gamai i mewn, neu a ddeisyfai gamu i mewn, i fyd newydd y dinesydd Tuduraidd. Ymhlyg yn neddfwriaeth yr Uno yr oedd yr angen i ledaenu'r iaith Saesneg, a thrwy wahardd Cymry uniaith rhag dal swyddi cyhoeddus ac ennill awdurdod, rhoddwyd y gwerth uchaf posibl ar yr iaith Saesneg. A defnyddio termau cymdeithasol-ieithyddol, yr oedd y Saesneg yn iaith 'Uchel', yn iaith bri a goruchafiaeth.[76] Hi oedd iaith y bywyd cyhoeddus a'r proffesiynau, masnach a datblygiad, ffyniant a chynnydd.

Eto i gyd, ni ddylid tybio bod y wladwriaeth yn ceisio cael gwared â'r Gymraeg yn fwriadol. Yn Iwerddon, yr oedd goruchafiaeth wleidyddol a darostyngiad yr iaith Wyddeleg yn annatod glwm â'i gilydd,[77] ond nid oes tystiolaeth fod llywodraethau'r dydd yng nghyfnodau'r Tuduriaid, y Stiwartiaid a'r Hanoferiaid wedi gwneud ymdrech fwriadol i agor bedd i'r Gymraeg. Nid oedd hil-laddiad diwylliannol ar yr agenda wleidyddol o gwbl yn y Gymru fodern gynnar a gallwn ddiystyru'r farn eithafol a fynegwyd ym 1801 gan Iolo Morganwg, sef er adeg yr Uno 'all that could decently, and with saving-appearances, be done, was attempted, to suppress and annihilate it [h.y. Cymraeg]'.[78] Er bod y *questione della lingua* yn hynod o bwysig i ddyneiddwyr Cymraeg yr unfed ganrif ar bymtheg ac i wladgarwyr diwylliannol y ddeunawfed ganrif, nid oedd mater yr iaith o ryw bwys mawr i'r wladwriaeth, gan yr ystyrid Cymru fwyfwy yn dalaith deyrngar, ac ymostyngar hyd yn oed, o fewn y genedl-wladwriaeth. Yr

[74] Peter R. Roberts, 'The Welsh Language, English Law and Tudor Legislation', *THSC* (1989), 19–75.

[75] Ivor Bowen (gol.), *The Statutes of Wales* (London, 1908), t. 87.

[76] Suzanne Romaine, *Language in Society. An Introduction to Sociolinguistics* (Oxford, 1994), tt. 46–7.

[77] Maureen Wall, 'The Decline of the Irish Language' yn Brian Ó Cuiv (gol.), *A View of the Irish Language* (Dublin, 1969), tt. 81–90.

[78] William Owen Pughe et al (goln.), *The Myvyrian Archaiology of Wales* (3 cyf., London, 1801–7), I, t. x.

egwyddor oedd mai un iaith – 'the King's English' – a ddylai deyrnasu mewn llywodraeth, cyfraith a gweinyddiaeth, ac wfftiwyd at y cynnig a wnaed yn Nhŷ'r Arglwyddi ym 1730 y dylid cyfieithu trafodion y Senedd i'r Gymraeg.[79] Dim ond wrth edrych yn ôl (yn enwedig yn yr ugeinfed ganrif) y daeth cymal iaith 1536 yn fater dadleuol. Yr adeg honno nid achosodd, hyd y gwyddom, ofid ingol nac euogrwydd llethol. Yr oedd cefnogwyr mwyaf brwd Cymreictod yn barod i addef mai 'congruency of opinion' yn hytrach na 'that mistaken tye of unity in language' oedd y grym cydlynol cryfaf o fewn y wladwriaeth.[80]

Serch hynny, erys y ffaith fod y Gymraeg trwy gydol y cyfnod hwn yn byw yng nghysgod iaith wleidyddol oruchafol ac, fel yr atgoffwyd ni gan Peter Burke, y mae hanes cymdeithasol iaith, fel yn achos agweddau eraill ar hanes cymdeithasol, yn annatod glwm wrth rym gwleidyddol.[81] Yr oedd y statws israddol a roddwyd i'r Gymraeg yn sicr o effeithio'n ddybryd ar y Cymry, ac yn enwedig ar y rhai uniaith Gymraeg. 'For it is very obvious', meddai William Gambold ym 1727, 'that the Language of such, must as well give way to the Language of the Conquerors; as the Necks of the Inhabitants must truckle under the yokes of their Subduers.'[82] Bu dylanwad y 'cymal iaith' yn fawr ar hunaniaeth y Cymry, gan fod gwŷr o fagwraeth dda ac addysg yn cynyddol bwyso arnynt i gefnu ar eu mamiaith, cael crap go dda ar yr iaith Saesneg, a dod yn Saeson uniaith. Y canlyniad yn achos nifer o wŷr bonheddig oedd rhyw ymwybod llesteiriol o fod yn annigonol ac israddol, ac nid damwain mo'r ffaith mai yn y cyfnod yn union ar ôl yr Uno yr ymddangosodd ar lwyfan hanes y ffigur-stoc a adwaenid yn ddiweddarach fel Dic Siôn Dafydd.[83] Ffug-fonheddwr od a llipa braidd oedd Dic Siôn Dafydd, a siaradai ag acen Seisnigaidd, gan obeithio y byddai hynny yn peri ei fod yn fwy cymdeithasol dderbyniol y tu hwnt i Glawdd Offa. Cysylltai ei famiaith â thlodi, anllythrennedd a chyntefigrwydd, a byddai bob amser yn anghofio ei famiaith pan ddeuai i olwg afon Hafren neu dyrau main Amwythig a chlywed Sais yn dweud 'Good Morrow'.[84] Fel y gwnâi baledwyr ac almanacwyr, dangosai ysgolheigion y Dadeni ffraethineb coeglyd wrth ddynwared y llediaith annaturiol a'r Cymraeg bratiog bob yn ail â Saesneg a ddeuai o enau'r fath wrthgiliwr.

[79] W. Charles Townsend, *Memoirs of the House of Commons from the Convention Parliament of 1688–9 to 1832* (2 gyf., London, 1844), II, t. 87.
[80] Jenkins a Ramage, *History of Cymmrodorion*, t. 19.
[81] Peter Burke a Roy Porter (goln.), *The Social History of Language* (Cambridge, 1987), t. 13. Cymh. George Steiner, *After Babel. Aspects of Language and Translation* (London, 1975), t. 32.
[82] William Gambold, *A Welsh Grammar* (Carmarthen, 1727), sig. A2r.
[83] Bobi Jones, 'The Roots of Welsh Inferiority', *Planet*, 22 (1974), 53–72.
[84] Hughes, *Rhagymadroddion*, t. 47.

Effeithiodd y ddeddfwriaeth uno hefyd yn ddwfn ar ddirnadaeth y
Saeson o'r Cymry a'u hiaith. Fel yr esboniai'r rhagymadrodd i ddeddf
1536, 'a Speech nothing like, nor consonant to the natural Mother
Tongue used within this Realm' oedd y Gymraeg,[85] a gosododd hyn y
cywair ar gyfer llifeiriant o ddychanu, goganu a pharodïo'r iaith – y cyfan
wedi ei fwriadu, gellid tybio, i ryngu bodd Seisgarwyr. Darlunnid y
Cymry yn y cyfnod modern cynnar fel pobl wladgarol, fyrbwyll, hygoelus
a chelwyddog yn gwisgo brethyn cartref garw, yn sglaffio cennin, caws
pob a llymru, yn llowcio meddyglyn, yn plycio telynau, ac yn cadw defaid
a geifr chweinllyd. Yr oedd y 'Welsh manner' o siarad Saesneg – cymysgu
amserau berfau a defnyddio 'she' a 'her' ar gyfer pob rhagenw[86] – yn
ennyn gwawd, ac yr oedd tueddd Shincyn ap Morgan a Taffy William
Morgan a'u tebyg i adrodd straeon diflas yn destun gwatwar.[87] 'Like the
Welshman', meddai'r Piwritan Samuel Young, 'tell a tale, and begin it
again.'[88] Nid oedd yn syndod i'r Saeson fod pobl a ystyrient hwy yn 'rude
and indigested Lumps' yn siarad iaith annealladwy debyg i 'uncouth
lingua' yr Indiaid Tsierocî.[89] Wrth grynhoi barn Saeson am ei famiaith,
rhestrodd Dr John Davies y canlynol: 'difficilis, impedita, confragosa,
iniucunda, illepida, insulsa' (anodd, tramgwyddus, anwastad, annymunol,
di-chwaeth, diflas).[90] Ni fyddai pob Sais, wrth reswm, yn bwrw gwawd ar
ben y Gymraeg. Cyflogodd William Camden was Cymraeg er mwyn cael
cyfle i feistroli'r iaith, a dysgodd Ben Jonson Gymraeg a llunio *masque* 'For
the Honour of Wales' ym 1619.[91] Ond eithriadau oedd y rhain. Gan eu
bod yn methu'n lân â deall y treigladau ac yn casáu'r cytseiniaid
'anynganadwy' 'ch' ac 'll', tueddai ysgrifenwyr Saesneg i gyferbynnu
'barbareiddiwch' y Gymraeg â 'gwarineb' y Saesneg. Byddai teithwyr o
Saeson yn trin brodorion y corneli tywyll fel rhyw 'specimens' rhyfedd.
Honnai dychanwyr fod y Gymraeg yn swnio fel 'the Gobling of Geese, or
Turkeys', a bod rhaid i'r sawl a gynhyrchai'r fath seiniau gyddfol cras fod

---

[85] Bowen, *Statutes*, t. 75.
[86] Richards, *Wallography*, t. 82; Andrew Borde, *The Fyrst Boke of the Introduction of Knowledge*, gol. F. J. Furnivall (London, 1870), tt. 125–6; W. J. Hughes, *Wales and the Welsh in English Literature* (Wrexham, 1924), pennod 2; Peter Lord, *Words with Pictures* (Planet, 1995), tt. 33–52.
[87] W. M. Lamont, *Richard Baxter and the Millennium* (London, 1979), t. 57.
[88] Gw., e.e., *The Welch-man's Life, Teath and Periall* (London, 1641) a *The Welsh Man's Inventory* (London, 1641).
[89] Richards, *Wallography*, t. 82; LlGC Llsgr. 13121B, f. 486.
[90] John Davies, *Antiquae Linguae Britannicae* (London, 1621), sig. C1r.
[91] Andrew Clark (gol.), '*Brief Lives*', *chiefly of Contemporaries, set down by John Aubrey* (2 gyf., London, 1898), I, tt. 145–6; Roland Mathias, *Anglo-Welsh Literature. An Illustrated History* (Bridgend, 1986), t. 26.

â gratur nytmeg yn eu llwnc.[92] Yn nofel gyntaf Tobias Smollett, *The Adventures of Roderick Random* (1748), dywedir bod Mr Morgan, Cymro ac is-gapten y llong ryfel 'Thunder', yn gwneud 'a thousand contortions of face and violent gestures of body' wrth sgwrsio neu ganu.[93] Dywedodd Joseph Hucks fod y Gymraeg yn ei atgoffa o 'the ravishing sounds of a cat-call, or the musical clack of a flock of geese when highly irritated'.[94] Ailadroddid rhagfarnau o'r fath yn anfeirniadol mewn llu o gyhoeddiadau, gan feithrin agwedd o ddibristod a dirmyg at y Gymraeg ymhlith siaradwyr Saesneg.

Er bod y Saesneg wedi ei gorseddu fel yr iaith swyddogol ym maes gweinyddiaeth gyhoeddus a gwleidyddiaeth, golygai'r angen i ddarparu gwybodaeth wleidyddol yn effeithiol fod y Gymraeg yn anhepgor mewn rhai amgylchiadau. Yn aml, mater o synnwyr cyffredin oedd defnyddio'r famiaith. Yng nghyfnod Elisabeth gorchmynnodd Cyngor y Gororau i ustusiaid yn sir anghysbell a Chymraeg Meirionnydd ddarllen a chyhoeddi 'in the Welsh tonge' gyfarwyddiadau ynghylch atal troseddau yn y sir.[95] Yn Ninbych ym Mawrth 1603, darllenodd William Morgan, esgob Llanelwy, y proclamasiwn yn cyhoeddi esgyniad Iago I i'r orsedd yn Gymraeg i'r trigolion 'whoe well applauded the same'.[96] Mewn ambell fan byddai crïwr-tref yn crwydro'r strydoedd dan weiddi nerth esgyrn ei ben yn y ddwy iaith wrth gyhoeddi cynnwys proclamasiwn, newyddlen a llythyr. Ar ddiwrnod marchnad yn Llanfair-ym-Muallt ym 1746 tynnodd y crïwr lleol ei het, bloeddio 'O Yea' deirgwaith, annerch y dyrfa yn Gymraeg ac yna yn Saesneg, a therfynu ei berfformiad theatrig â'r fonllef, 'God bless the King and the Lord of the Manor'.[97] Byddai almanaciau a baledi Cymraeg, o'u darllen yn uchel neu eu canu ar yr aelwyd, yn fodd i bobl gyffredin ddod i wybod am hanesion pwysig y dydd gartref a thramor.

Byddai ymgyrchwyr gwleidyddol yn ystod etholiadau sirol neu fwrdeistrefol go dyngedfennol yn cael eu gorfodi i esgus cefnogi'r Gymraeg. Trwy gymryd arno ei fod yn bleidiol i'w famiaith, gallai bonheddwr lleol elwa yn sylweddol pe digwyddai i'w wrthwynebydd fod naill ai'n wleidydd-dŵad neu'n dra beirniadol o bopeth Cymraeg. Adeg

---

[92] Ned Ward, *A Trip to North-Wales* (London, 1701), t. 3. Cymh. Richard Blome, *Britannia: Or, A Geographical Description of the Kingdoms of England, Scotland, and Ireland* (London, 1673), t. 59; Henry Wigstead, *Remarks on a Tour to North and South Wales in the Year 1797* (London, 1799), t. 14.

[93] Tobias Smollett, *The Adventures of Roderick Random*, gol. Paul-Gabriel Boucé (Oxford, 1981), tt. 146–7, 176.

[94] Joseph Hucks, *A Pedestrian Tour through North Wales* (London, 1795), t. 135.

[95] Peter R. Roberts, 'Elizabethan "Overseers" in Merioneth', *CCHChSF*, IV, rhan 1 (1961), 7–8.

[96] 'Robert Parry's Diary', *AC*, XV (1915), 127–8.

[97] Anad., *A Journey to Llandrindod Wells* (ail arg., London, 1746), t. 54.

etholiad sirol sir Fynwy ym 1771, pan fu Valentine Morris, Cwrt Pyrs, mor rhyfygus â chyhoeddi ei anerchiad etholiadol nid yn unig yn Saesneg ond hefyd 'in the Language of my forefathers who were originally Natives and People of property in this County for Hundreds of Years', dilynodd John Morgan, Tredegyr, ei esiampl a mynd cyn belled â chomisiynu cân etholiadol yn Gymraeg gan William Williams – *The Antient British Bard's Toast. Ffwrdd Ddieithryn*.[98] Yn y gân cyhuddir yn groch yr 'upstart Creole' am feiddio herio awdurdod y teulu o Dredegyr. Defnyddid apêl Cymreictod yn aml mewn ymgyrchoedd yn erbyn gormes landlordiaid absennol. Ym 1774 cafodd un o gymdogion William Vaughan, Corsygedol, gerydd llym ganddo am fylchu'r rhengoedd trwy addo ei bleidlais i 'estroniaid na wyddoch ddim amdannut ag na waeth gan Rhain mae gyntem yr elom ni (hên bobl) i ddawl [*sic*] gwedi iddunt gael i pwrpas'.[99] Pan ddechreuodd y Chwyldro Ffrengig fwrw ei gysgod dros Brydain, atgoffwyd rhydd-ddeiliaid Morgannwg yn Gymraeg y byddai pleidlais i Thomas Wyndham, yr ymgeisydd lleol, yn hytrach nag i'r absenolyn gwaradwyddus Thomas Windsor, yn gydnaws â neges yr hen ddihareb Gymraeg 'Trech Gwlad nag Arglwydd'.[100]

Byddai carfanau eraill hefyd a oedd fel arfer yn cynrychioli buddiannau lleiafrifol yn llwyddo'n ddeheuig i drechu'r defnydd cyffredinol o'r Saesneg mewn cylchoedd gwleidyddol swyddogol. Profodd y Gymraeg yn fantais bendant i'r reciwsantiaid Pabyddol yr oedd eu gwrthwynebiad dwfn i lywodraeth a chrefydd y dydd yn peri eu bod yn bobl i'w hofni. I offeiriaid, ffoaduriaid, ysbïwyr a'u dilynwyr, yr oedd y Gymraeg yn gyfrwng cyfrinachol. Wedi iddo golli ei famiaith yn ystod ei arhosiad yn Llundain yn oes Elisabeth, penderfynodd y Tad Augustine Baker, offeiriad Pabyddol a aned yn Y Fenni, ailddysgu'r Gymraeg 'and used to writ downe in it such as he would not have every one, that should looke on his papers, understand'.[101] Arferai Hugh Owen, yr ysbïwr reciwsantaidd o'r Plas Du, Llanarmon – gŵr eithriadol o graff a dewr – ysgrifennu at ei gyd-gynllwynwyr Cymraeg yn ei famiaith er mwyn drysu eu gelynion ar y Cyfandir.[102] Yn yr un modd, dewisai Hugh Owen, Gwenynog ym Môn – Pabydd rhonc a fedrai ysgrifennu yn Ffrangeg, Sbaeneg, Iseldireg ac Eidaleg – ysgrifennu yn Gymraeg pryd bynnag y dymunai dynnu sylw ei

---

[98] LlGC Llsgrau. Tredegar Park 66/45, 72/58, 72/84, 53/290, 53/29, 72/54. Am gylchlythyr Cymraeg gan John Myddelton, a gyhoeddwyd yn ystod etholiad sir Ddinbych 1741, gw. LlGC Llsgrau. Chirk Castle 39C a F4724–5.

[99] Martin Davis, 'Hanes Cymdeithasol Sir Feirionnydd 1750–1859' (traethawd MA anghyhoeddedig Prifysgol Cymru, 1988), t. 258.

[100] LlGC Llsgrau. Tredegar Park 72/83, 72/84.

[101] J. McCann a H. Connolly (goln.), *Memorials of Father Augustine Baker* (Catholic Record Society, cyf. XXXIII, London, 1933), t. 58.

[102] J. Henry Jones, 'John Owen, *Cambro-Britannus*', THSC (1940), 139.

gyd-wladwyr at faterion pwysig yn ymwneud ag achos y Gwrthddiwyg-iad.[103]

Yn ystod cyfnodau o chwyldro, defnyddid y Gymraeg fel cyfrwng gwleidyddol gan werinwyr pybyr a phenderfynol a oedd ar ymylon byd gwleidyddiaeth. Daeth rhai o'r Cymry radical hyn yn dra ymwybodol o arwyddocâd symbolaidd eu mamiaith mewn oes o rethreg, gormodiaith a sgeptigiaeth. Ym 1647 dywedir i'r proffwyd hunanhonedig Arise Evans o Langelynnin, Meirionnydd, gŵr a ystyrid yn dipyn o bla yn Llundain, greu penbleth i'w garcharwyr yn Newgate trwy drafod gwleidyddiaeth radical ac athrawiaethau milflwyddol yn Gymraeg (uwchben cwrw Seisnig!) gyda'i gyd-wladwr, Christopher Love o Gaerdydd.[104] Pan gyfarchwyd y Crynwr George Fox yn Hebraeg yng ngharchar Scarborough gan fab i feili, atebodd ef yn Gymraeg a'i siarsio i ofni Duw.[105] Nid y lleiaf ymhlith nodweddion anghyffredin y Crynwyr oedd eu gallu i ddygymod â her ieithyddol trwy honni bod ganddynt eirfa hynod o eang, ac y medrent oresgyn y gwahanfur rhwng ieithoedd naturiol. Wrth herio hen gonfensiynau a gwrthod ymostwng, byddai'r Crynwyr yn ennyn sylw a gelyniaeth. Oherwydd eu hiaith blaen, ac yn enwedig eu defnydd o'r rhagenwau personol 'ti' a 'tithe', cynigient her ieithyddol yn ogystal â her grefyddol-wleidyddol i awdurdod. Ymhyfrydent yn eu gallu i siarad iaith 'bur' a mawrygent arwyddocâd moesol a symbolaidd distawrwydd.[106] Yr oedd defnyddio Cymraeg 'plaen' neu 'bur' yn ddyfais ynysol a alluogai'r Crynwyr i oroesi mewn amgylchedd elyniaethus, ac nid oes gwell enghraifft o'r modd y gallai'r Crynwyr gyfuno apêl at gynsail ac iaith na'r achlysur pan gyfarfu Richard Davies, Cloddiau Cochion, â'r Ysgrifennydd Gwladol, Syr Leoline Jenkins, Cymro o ran genedigaeth, yn ei swyddfeydd yn Whitehall. Ceisiai Jenkins annifyrru'r Crynwr trwy ei herio i roi'r gair Cymraeg am 'Quaker'. Atebodd Davies ar unwaith: '*Crynwr, Crynwyr*; it being the Singular and Plural Number', cyn ychwanegu'n sarhaus, 'I am sorry that one of the Stock of the Ancient Britains, who first received the Christian Faith in England, should be against those who have received the true Christian Faith in this Day.'[107]

Bu'r cynnwrf deallusol a ysbrydolwyd gan y Chwyldroadau yn America a Ffrainc yn niwedd y ddeunawfed ganrif hefyd yn fodd i gynhyrchu

---

[103] Emyr Gwynne Jones, 'Hugh Owen of Gwenynog', *TCHNM* (1938), 42–9.

[104] Arise Evans, *An Eccho to the Voice from Heaven* (London, 1652), t. 65.

[105] John L. Nickalls (gol.), *The Journal of George Fox* (Cambridge, 1952), t. 505.

[106] Richard Bauman, *Let your Words be Few. Symbolism of speaking and silence among seventeenth-century Quakers* (Cambridge, 1983), t. 27; Geraint H. Jenkins, *Protestant Dissenters in Wales 1639–1689* (Cardiff, 1992), t. 35.

[107] Richard Davies, *An Account of the Convincement, Exercises, Services, and Travels of . . . Richard Davies* (London, 1710), tt. 220–2.

lladmeryddion radical a ystyriai'r Gymraeg yn erfyn gwleidyddol. Yn
ystod 'Teyrnasiad Braw' William Pitt yn y 1790au, defnyddiai radicaliaid
Cymraeg blaenllaw, megis Thomas Evans (Tomos Glyn Cothi) ac Iolo
Morganwg, negeseuon mewn cod a'r rheini yn Gymraeg er mwyn eu
hamddiffyn eu hunain rhag llid yr awdurdodau.[108] Byddai Evans a'i
gyfeillion yn aml yn cynnig llwncdestun yn Gymraeg yn enw Iolo, gan
yfed dŵr 'gweriniaethol' pur. Ym mherfedd gwlad sir Drefaldwyn, yr
oedd William Jones, Llangadfan – 'Voltaire Cymru' – yn datgan ei
gefnogaeth i'r *sans-culottes,* y Jacobiniaid a dilynwyr Tom Paine mor groch
nes bod y postfeistri lleol yn derbyn cyfarwyddyd i atal ac agor y llythyrau
a anfonid i'w gartref, Dolhywel, ac oddi yno. Er gwaethaf hyn, daliai
Jones i ohebu â'i gyd-radicaliaid yn Gymraeg a dyfeisiodd ffurf arbennig o
stenograffeg i ddrysu ysbïwyr y llywodraeth. Ymhyfrydai fod ganddo
ddull o ysgrifennu llythyrau na allai'r un bod dynol ei ddehongli heb yr
allwedd.[109]

Ni ddylid anghofio ychwaith fod pobl gyffredin yn gallu gwneud
datganiadau gwleidyddol ynghylch iaith. Yr oedd hi'n amlwg fod rhai
ohonynt yn teimlo atgasedd dwfn at y Saesneg. Cyfeiria'r *Morris Letters* at
'iaith plant Alis y biswail'[110] ac yr oedd gan feirdd megis Huw Jones,
Llangwm 'a natural aversion to Saxons and Normans and to all languages
but his own'.[111] Nid peth anarferol oedd gweld gwerinwyr cefn gwlad yn
ymddwyn yn sarrug, yn filain a hyd yn oed yn ymosodol tuag at deithwyr
busneslyd neu drahaus. 'Dim Saissonick', 'Dim Sassenach', 'Dim Sarsenic',
oedd rhai o'r atebion camsillafedig a swta a gofnodwyd yn nyddiaduron
dieithriaid dig a dryslyd.[112] 'Hang me!' meddai Old Townley, cymeriad
mewn ffars gan Thomas Dibdin, 'if I ask but a simple question, the answer
is "Dim Saesneg".'[113] Byddai rhai gwladwyr yn ddigon cyfrwys i fanteisio
ar eu hunieithrwydd er mwyn achosi penbleth i gasglwyr trethi llawdrwm
neu stiwardiaid gormesol. Dysgai rhai rhieni yr ymadrodd 'Give me a
penny' i'w plant a'u hannog i'w adrodd wrth deithwyr a geisiai ryw
wybodaeth ganddynt.[114] Mewn amrywiol ffyrdd, felly, yr oedd y
Gymraeg nid yn unig yn gyfrwng ynysol, ond hefyd yn fodd i fynegi'r islif
o elyniaeth ymhlith y bobl at ddieithriaid, a hefyd at y syniad mai

[108] LlGC Llsgr. 21281E, ff. 167, 172, 174. Gw. hefyd Olivia Smith, *The Politics of Language 1791–1819* (Oxford, 1986).
[109] LlGC Llsgr. 1806E, ff. 782, 786; Geraint H. Jenkins, ' "A Rank Republican [and] a Leveller": William Jones, Llangadfan', *CHC*, 17, rhifyn 3 (1995), 372–4.
[110] *ML*, II, t. 390; *ALM*, II, t. 643.
[111] *ALM*, II, t. 534.
[112] Richards, *Wallography*, t. 123; Hucks, *A Pedestrian Tour*, t. 108; Arthur Aikin, *Journal of a Tour through North Wales* (London, 1797), t. ix; Tegwyn Jones, 'A Walk through Glamorgan, 1819', *GH*, XI (1975), 116; W. H. Rees, 'Vicissitudes', tt. 313–14.
[113] Hughes, *Wales and the Welsh*, t. 106.
[114] Wigstead, *Remarks on a Tour*, t. 17.

lledaenu'r iaith Saesneg unwaith ac am byth a fyddai'n creu 'amicable Concord and Unity' rhwng siaradwyr y ddwy iaith.[115]

Yr ail faes a dyfodd yn fath o gadarnle ar gyfer siarad Saesneg oedd y drefn gyfreithiol. Daeth Deddf Uno 1536 â Chymru gyfan – y Dywysogaeth a'r Gororau – o dan un gyfraith unffurf a weithredid yn y llysoedd trwy gyfrwng y Saesneg. O 1543 tan 1732 Lladin oedd iaith swyddogol cofnodion y llysoedd, er i'r Saesneg gael ei defnyddio yn ystod cyfnod y Werinlywodraeth 1651–60 a hefyd o 1733 ymlaen.[116] Yn ymarferol, fodd bynnag, ni ellid byth fod wedi gweinyddu'r gyfraith yn effeithiol yng Nghymru heb ddefnyddio'r Gymraeg yn fynych ac anffurfiol yn y llysoedd. Daeth yn amlwg na ellid gwahardd yn llwyr yr iaith frodorol yn y llysoedd isaf nac uchaf.[117] Yn y Gymraeg yn unig y medrai diffynyddion a thystion uniaith roi eu tystiolaeth, a gellid tybio bod rhai ynadon a chyfreithwyr yn troi i'r Gymraeg ar brydiau er mwyn pwysleisio pwyntiau hanfodol wrth annerch rheithgorau Cymraeg. Er gwaethaf y goddefiadau hyn, gosodid cyfreithwyr, tystion a rheithwyr Cymraeg dan anfantais ddybryd. O'r 217 barnwr a benodwyd i wasanaethu yn Llys y Sesiwn Fawr rhwng 1543 a 1830, credir bod llai na deg yn deall neu'n siarad Cymraeg.[118] Sylwodd teithwyr o Loegr ar sut y byddai barnwyr y Brawdlysoedd yn traddodi areithiau gwych i aelodau'r rheithgor a'r rheini, heb ddeall yr un sill, yn swatio at ei gilydd yn ufudd 'to determine a matter of which they were totally ignorant'.[119] Yn union fel yr oedd Lladin a Ffrangeg Normanaidd yn annealladwy i leygwr yn Lloegr ac yn cythruddo'r Gwastatawyr yn yr ail ganrif ar bymtheg,[120] felly hefyd yr oedd y defnydd o'r Saesneg yn llysoedd Cymru yn mwydro ac yn brawychu'r Cymry uniaith. Arfer cyffredin ymhlith beirdd fyddai beirniadu brad a llygredigaeth y twrneiod am iddynt o fwriad ffwndro a chamarwain diffynyddion a thystion uniaith Gymraeg,[121] gan eu drysu'n

[115] Bowen, *Statutes*, t. 76.

[116] J. A. Andrews ac L. G. Henshaw, *The Welsh Language in the Courts* (Aberystwyth, 1984), t. 3; John Rowlands et al (goln.), *Welsh Family History. A Guide to Research* (Association of Family History Societies of Wales, 1993), t. 191.

[117] W. Ogwen Williams (gol.), *Calendar of the Caernarvonshire Quarter Sessions Records, vol. 1, 1541–1558* (Cymdeithas Hanes Sir Gaernarfon, 1956), t. xx.

[118] Dewi Watkin Powell, 'Y Llysoedd, yr Awdurdodau a'r Gymraeg: Y Ddeddf Uno a Deddf yr Iaith Gymraeg' yn T. M. Charles-Edwards, Morfydd E. Owen a D. B. Walters (goln.), *Lawyers and Laymen* (Cardiff, 1986), t. 291; Hywel Moseley, 'Gweinyddiad y Gyfraith yng Nghymru', *THSC* (1972–3), 17. Am gyflwyniad ardderchog i gofysgrifau Llys y Sesiwn Fawr, gw. Glyn Parry, *A Guide to the Records of Great Sessions in Wales* (Aberystwyth, 1995).

[119] Cradock, *Letters from Snowdon*, tt. 121–3.

[120] H. N. Brailsford, *The Levellers and the English Revolution* (London, 1961), tt. 121–3, 650–1.

[121] Am enghreifftiau, gw. Dafydd Huw Evans, 'Cywydd i ddangos mai uffern yw Llundain' yn J. E. Caerwyn Williams (gol.), *Ysgrifau Beirniadol XIV* (Dinbych, 1988), tt. 148–9; Dafydd Manuel, *Dwy o Gerddi Difrifol* [d.d.]; Anad., *Pedwar o Gywyddeu* (Y Bala, 1761), tt. 4–8.

lân â jargon, megis 'a writ of error', 'judgement by Default', 'a non process', 'a bail bond', 'bills of cost', a 'the hallowed touch of a Bum-Bailiff'.[122]

At ei gilydd, go druenus oedd safon y cyfieithu yn y llysoedd, yn ôl pob tebyg. Ni dderbyniai cyfieithwyr unrhyw hyfforddiant proffesiynol ac am fod y tâl mor isel yr oedd perygl o hyd o lwgrwobrwyo a llygru. Tybir mai anfedrus yn hytrach nag anonest oedd y mwyafrif ohonynt, a'r haneswyr mwyaf didrugaredd yn unig a welai fai arnynt am fethu cyfleu union ystyr tystiolaeth lafar a ddeuai o enau tystion nerfus neu dafotrwm. Ond arweiniai anfedrusrwydd yn anochel at gamgymeriadau a chamddeall a byddai hynny wedyn yn achosi camweinyddu cyfiawnder. Ym 1575 sylwodd Syr William Gerard, credwr cryf mewn gweinyddu effeithiol, fod anghyfiawnderau amlwg yn digwydd yn rheolaidd yn Llysoedd y Sesiwn Fawr: 'many times, the Evidence is tolde accordynge to the mind of the interpretor whereby the Evidence is expounded contrarie to that which is said by the Examynate and so the Judge gyveth a wronge charge'.[123] Ar ddiwedd y ddeunawfed ganrif soniodd y radical pigog hwnnw, John Jones (Jac Glan-y-gors), am y modd yr achosodd William Evans, cyfieithydd oedrannus ac anghofus ym Mrawdlys Caernarfon, gryn ddryswch a miri wrth gynnig 'the hilt of a thief' am 'carn lleidr' a chymell Thomas Roberts, Llwyn'rhudol, i ddweud wedi hynny fod yr hyn sy'n perarogli mewn un iaith yn drewi o'i drosi'n llythrennol i iaith arall.[124]

Gan mai prin oedd y cyfle i bobl gyffredin fynegi eu barn am y gyfundrefn gyfreithiol, anodd yw gwybod pa mor anghyfiawn, estron a llwgr yr oedd hi yn eu golwg. Ysgogid rhai diffynyddion dewr i herio ystyr geiriau, yn rhannol er mwyn achub eu croen eu hunain, ond hefyd er mwyn datgelu'r anfedrusrwydd a'r twyll a nodweddai weithgareddau'r llysoedd sifil ac eglwysig. Gellid manteisio ar unieithrwydd i osgoi neu liniaru llymder y gyfraith. Yn y Sesiwn Fawr yn Hwlffordd ym 1558 gwadodd y Cymro uniaith Gruffith Adam yn ffyrnig iddo yngan geiriau Saesneg athrodus am John Jankyn Gwyn, ar y sail mai'r Gymraeg oedd yr unig iaith a feddai o'i enedigaeth.[125] Yn Aberhonddu ym 1727 honnwyd yn ddireidus nad oedd achos i'w ateb, gan fod y cyhuddiad o ddifenwad yn Gymraeg yn troi o gylch y defnydd o'r geiriau 'whôr, whôr, yr whŵr', yn hytrach na'r gair Cymraeg perthnasol 'putain'.[126] Y mae'n arwyddocaol

[122] Thomas Roberts, *Cwyn yn erbyn Gorthrymder* (Llundain, 1798), tt. 17–18; Malkin, *The Scenery*, t. 324.

[123] Powell, 'Y Llysoedd', t. 293.

[124] O. M. Edwards (gol.), *Gwaith Glan y Gors* (Llanuwchllyn, 1905), tt. 79–81; Roberts, *Cwyn yn erbyn Gorthrymder*, t. 20.

[125] LlGC, Llys y Sesiwn Fawr 13/27/1; Richard Suggett, 'Slander in Early-Modern Wales', *BBCS*, XXXIX (1992), 123–4.

[126] LlGC, SD/CCB/58, 80.

fod y Crynwyr Cymraeg a ymfudodd i Bennsylvania yn y 1680au yn llwyr ddisgwyl y penderfynid materion sifil a chyfreithiol yn y Rhandir Gymreig gan swyddogion a rheithwyr Cymraeg eu hiaith.[127] Pan gyhuddwyd Jenkyn Morgan, gweinidog gyda'r Annibynwyr yn Rhosmeirch, Môn, o gadw ysgol heb drwydded, gwrthododd yn bendant ei amddiffyn ei hun yn Saesneg – arwydd symbolaidd yn sawru o'r tactegau a ddefnyddiai'r Gwastatawyr yn yr ail ganrif ar bymtheg yn erbyn defnyddio Ffrangeg Normanaidd yn llysoedd Lloegr.[128]

Mewn materion yn ymwneud â phrofiant hefyd, yr oedd arwyddion calonogol erbyn y ddeunawfed ganrif y defnyddid y Gymraeg yn amlach wrth wneud ewyllysiau. Hyd at ddiwedd yr ail ganrif ar bymtheg, bychan oedd nifer yr ewyllysiau a ysgrifennid yn Gymraeg. Yn ei astudiaeth o gofnodion profiant yn sir Gaernarfon o 1630 hyd at 1690, darganfu Gareth H. Williams mai pedwar yn unig (dwy ewyllys a dwy restr eiddo) o'r mil a mwy o ewyllysiau a rhestrau eiddo a ddarllenodd a gynhwysai ddefnydd Cymraeg.[129] Yn Gymraeg, yn ddieithriad, y geirid ewyllysiau llafar ond yn Saesneg y'u cofnodid, yn unol â gofynion y gyfraith, a hynny gan yr offeiriad lleol fel arfer. Byddai'r cofnodwr yn cyfieithu'r ddogfen Saesneg i'r Gymraeg ger gwely angau'r ewyllysiwr er mwyn sicrhau bod y cynnwys yn gywir. Ym 1614, er enghraifft, cofnododd Ieuan David Lloyd Oliver, curad Gwnnws yn sir Aberteifi, dystiolaeth lafar Rees Thomas 'and the next day he came again to the said testator and did repeate and interprete in the Welshe tounge the will and testament uppon Recorde remayninge'.[130] O ganol y ddeunawfed ganrif ymlaen, fodd bynnag, gwelwyd yn esgobaethau Bangor a Llanelwy gynnydd sylweddol yn nifer yr ewyllysiau a ysgrifennwyd yn Gymraeg gan iwmyn, cryddion, seiri coed, llafurwyr a gweddwon, neu ar eu rhan gan offeiriaid lleol.[131] Bu'r datblygiad hwn, mwy na thebyg oherwydd graddau uwch o lythrennedd ac ymwybod dyfnach â Chymreictod, yn fodd i wroli siaradwyr Cymraeg i herio llythyren y gyfraith.

[127] Browning, *Welsh Settlement*, t. 19.
[128] LlGC, BCC/G/29.
[129] Gareth H. Williams, 'A Study of Caernarfonshire Probate Records 1630–1690' (traethawd MA anghyhoeddedig Prifysgol Cymru, 1972), tt. 445–8.
[130] LlGC, Archddiaconiaeth Aberteifi C.P.1614. Yr ydym yn ddyledus i Mr Gerald Morgan am y cyfeiriad hwn.
[131] *Bangor Probate Index 1750–1858* (LlGC, 1992), Dogfennau Cymraeg, tt. 1–25; *St Asaph Probate Index 1750–1858* (LlGC, 1993), Cofysgrifau Profiant (Cymraeg), tt. 1–5. Gw. hefyd Gerald Morgan, 'Ewyllysiau Cymraeg 1539–1858' yn Geraint H. Jenkins (gol.), *Cof Cenedl XII* (Llandysul, 1997), tt. 33–67. Y mae'n werth nodi hefyd fod cynnydd yn ail hanner y ddeunawfed ganrif yn nifer yr englynion a gâi eu cerfio ar gerrig beddau. Gw. J. Elwyn Hughes, *Englynion Beddau Dyffryn Ogwen* (Llandysul, 1979); G. T. Roberts, *Llais y Meini* (Caernarfon, 1979); Gomer M. Roberts, *Detholiad o Englynion y Beddau* (Abertawe, 1980); Gwilym G. Jones, *Meini sy'n Llefaru* (Y Bala, 1980); M. Euronwy James, *Englynion Beddau Ceredigion* (Llandysul, 1983).

Pan fyddai ysgrifenwyr megis Morgan Llwyd, Ellis Wynne, Twm o'r
Nant a llu o almanacwyr, baledwyr a chrachlenorion yn disgrifio cyfreith-
wyr gorfanwl yn 'gwenu rhyngddynt ddeugeinwaith', câi'r atgasedd at
swyddogion llysoedd barn ei liwio'n rhannol, o leiaf, gan eu dirmyg
amlwg hwy at y Gymraeg.[132] Rhaid bod pobl yn ddiarwybod wedi
cysylltu'r gyfundrefn gyfreithiol â'r iaith Saesneg. Nid oedd modd peidio â
sylwi fel y byddai clerigwyr ymostyngar yn trefnu gwasanaethau Saesneg
ar gyfer barnwyr, cyfreithwyr a 'persons of Distinction' eraill pryd bynnag
y mynychent eglwysi yn ystod cylchdaith y llysoedd.[133] Ym 1745 cyfarfu
Griffith Jones, Llanddowror, â warden eglwys ar ei ffordd i lys
ymweliadau teirblynyddol esgob Llandaf i dystio i enw da ei offeiriad.
Addefodd y warden yn breifat wrth Griffith Jones fod y datganiad yn
gelwyddog a bod cymeriad yr offeiriad ymhell o fod yn ddifrycheulyd.
Ond am fod rhaid i'r warden dyngu llw yn Saesneg (iaith ddieithr iddo) ac
am fod yr offeiriad yn hoff o godi'r bys bach gyda bonheddwyr lleol ac yn
ddialgar wrth natur, penderfynodd mai doethach tewi.[134] Drwodd a thro,
felly, os oedd y fath berson â Sais rhydd-anedig yn y cyfnod modern
cynnar, yr oedd ganddo ragor o iawnderau yng ngolwg y gyfraith na'r
Cymro Cymraeg. Yn ôl Ellis Wynne: 'Ni cheir byth Wir lle bo llawer o
Feirdd, na Thegwch lle bo llawer o Gyfreithwyr.'[135] Erbyn diwedd y
ddeunawfed ganrif yr oedd agweddau pobl at y gyfundrefn gyfreithiol a'i
hymarferwyr wedi caledu'n ddirfawr, a chrynhodd Iolo Morganwg y
teimlad cyffredinol o elyniaeth:

> Oh! spare us a while from the vultures of Law,
> That feed on man's blood with insatiable maw,
> Till to some foreign desart [sic] we safely withdraw
>   Spare us good Lord.[136]

Trown yn awr at iaith busnes, masnach a bywyd economaidd yn
gyffredinol. Golygai'r newidiadau economaidd yn y cyfnod ar ôl yr Uno
fod y Saesneg yn dod yn nes o hyd at y bobl, ac yn fwy deniadol ac
adnabyddus iddynt. Y mae'n arwyddocaol mai yn Saesneg, bron yn
ddieithriad, yr ysgrifennid cofnodion ystadau, yn cynnwys rhenti,

---

[132] LlGC Llsgr. Brogyntyn 131; T. E. Ellis (gol.), *Gweithiau Morgan Llwyd o Wynedd*, I
      (Bangor, 1899), tt. 236–7; Ellis Wynne, *Gweledigaetheu y Bardd Cwsc* (Llundain, 1703),
      tt. 20, 62, 121; Isaac Foulkes (gol.), *Detholion o Weithiau Thomas Edwards (Twm o'r Nant)*
      (Llundain, 1861), tt. 62, 103.
[133] Am enghreifftiau, gw. LlGC, Cofysgrifau'r Eglwys yng Nghymru, SA/QA/6;
      SA/QA/8; SA/RD/26; Ll/QA/10; SA/RD/21; SA/RD/23.
[134] Griffith Jones, *A Letter to a Clergyman* (London, 1745), tt. 51–2.
[135] Wynne, *Gweledigaetheu*, t. 63.
[136] LlGC Llsgr. 21401E, f. 3.

arolygon, prydlesi, ewyllysiau, cytundebau priodas, cyfrifon treth, cofnodion manoraidd, llyfrau cyfrifon, coflyfrau a biliau gwerthiant. Yn yr un modd hefyd, Saesneg oedd iaith cofnodion plwyfi, megis cofrestri plwyf (a gedwid naill ai yn Lladin neu yn Saesneg rhwng 1538 a 1733, ac yn Saesneg o hynny ymlaen),[137] llyfrau cofnodion festri, asesiadau treth, prentisiaethau crefft, cofnodion trethi a bondiau indemniad. Dim ond dyrnaid o lawysgrifau wedi eu geirio yn Gymraeg sydd wedi goroesi, sef un arolwg rhent y Goron, rhai cofnodion manoraidd, crynodebau o renti, ffurflen dreth, cyfrifon am gyflogau a dalwyd i weision ffermydd, taliadau degwm, biliau, ychydig o weithredoedd eiddo, adroddiadau wardeniaid eglwysig, a dogfennau ynghylch talu treth longau. Y mae'n amlwg mai'r Saesneg oedd iaith busnes a masnach ar gyfer pob diben swyddogol.[138] Oherwydd y rhwymau cymdeithasol ac economaidd mwy clòs a pharhaol â Lloegr, ac oherwydd disodli'r gyfraith arferol gan gyfraith Lloegr, cafwyd oblygiadau pwysig i eiriau ac ymadroddion Cymraeg yn ymwneud â daliadaeth ffermydd ac eiddo. Effeithiwyd yn uniongyrchol hefyd ar iaith busnes gan ragor o symudedd. Wrth i gyfleoedd i fasnachu'n fewnol ac ar draws ffiniau ddatblygu i gyfarfod ag anghenion y boblogaeth gynyddol, daeth rhagor o'r haenau canol, yn fasnachwyr, porthmyn a hosanwyr, yn rhugl yn yr iaith Saesneg, yn ogystal â haen y bonedd.

Haedda'r porthmyn sylw arbennig oherwydd eu pwysigrwydd cymdeithasol-ddiwylliannol. Byddai porthmyn cefnog a hirben yn gyfrifol am hebrwng gyrroedd helaeth o wartheg, defaid a moch ar hyd ffyrdd a llwybrau ac ar draws gweundiroedd i borfeydd bras yng nghanolbarth Lloegr ac i brif ffeiriau a marchnadoedd Llundain. Er mwyn trin a thrafod eu busnes yn effeithlon a gallu bargeinio'n rhwydd â'u cymheiriaid strydgall (a diegwyddor ar brydiau) yn Lloegr, byddai gofyn i'r porthmyn

[137] R. W. McDonald, 'Cofrestri Plwyf Cymru', *CLlGC*, XIX, rhifyn 2 (1975), 113–31.

[138] Ymhlith y deunydd llawysgrifol amrywiol sydd ar gael yn Gymraeg y mae'r canlynol. Arolwg rhenti ar ran y Goron, a luniwyd ym 1549, yn ymwneud â grwpiau o welyau yn sir Fôn: LlPCB, Llsgr. Baron Hill 1436. Gw. T. Jones Pierce, 'An Anglesey Crown Rental of the Sixteenth Century', *BBCS*, X, rhan 2 (1940), 156–76. Ceir contract a chyfrifon Cymraeg ymhlith rholiau rhenti LlPCB, Ystad y Penrhyn, rhenti heb eu catalogio, Mai 1595 a 1614. Ceir enghraifft yn deillio o ddechrau'r unfed ganrif ar bymtheg yn LlGC, Edwinsford 3228, ac enghraifft yn perthyn i'r ail ganrif ar bymtheg yn R. J. Thomas, 'Rhòl Rent Meisgyn a Chlwn', *CLlGC*, XVII, rhifyn 3 (1972), 249–68. Ysgrifennwyd rholiau rhenti Plas y Ward am 1575–6 yn Gymraeg gan y bardd Simwnt Fychan. E. D. Jones, 'Simwnt Fychan a Theulu Plas y Ward', *BBCS*, VII, rhan 3 (1934), 141–2. Am lyfrau cyfrifon yn cofnodi taliadau amrywiol a chynnyrch amaethyddol, gw. LlGC Llsgrau. 2770A, 4471A, 4533B, a Hugh Owen, 'The Diary of Bulkeley of Dronwy, Anglesey, 1630–1636', *TCHNM* (1937), 26–172. Am filiau, gw. LlGC, W. Evans George a'i Fab Llsgrau. 3684, 3737. Am weithredoedd, gw. E. D. Jones, 'Pethau nas Cyhoeddwyd', *CLlGC*, III, rhifynnau 1 a 2 (1943), 23–8. Am gofnodion wardeniaid eglwysi, gw. LlPCB Llsgrau. 8861–2 (ar gyfer Llangefni 1771 a 1774) a LlGC Llsgr. 3128B (ar gyfer Llanfair ym 1748).

Cymraeg fedru siarad Saesneg yn bur dda. Cyfansoddodd Edward Morris, Perthillwydion, a fu farw yn Essex ym 1689, benillion yn Saesneg, ac yr oedd Dafydd Jones o Gaeo (m.1777) yn ddigon hyddysg yn Saesneg i gyfieithu emynau Isaac Watts i'r Gymraeg.[139] Dychwelai'r rhan fwyaf o'r porthmyn i Gymru yn cludo nid yn unig sofrenni aur i ffermwyr tlawd ond hefyd amrywiaeth gwych o ganeuon a baledi cofiadwy a glywsent yn nhafarnau Lloegr. Yr oedd tafarnau a gwestyau yn ganolfannau pwysig i weithgareddau porthmyn a masnachwyr o boptu'r ffin, a chan fod y rhai yng Nghymru yn fannau lle y clywid clecs, caneuon a hanesion, byddai geiriau a dywediadau Saesneg, yn naturiol, yn treiddio i mewn i'r sgwrs. Byddai llafurwyr a weithiai adeg cynhaeaf yn siroedd Lloegr, chwynwyr a dreuliai gyfnodau yn Llundain, yn ogystal â phedleriaid, pacmyn a gwerthwyr llyfrau, yn dod â'r Cymry i gysylltiad â geiriau ac idiomau Saesneg ac arferion Lloegr.

Yr oedd trefi Cymru, yn enwedig y rheini a feddai gyfleusterau gweinyddol, ffyrdd da a masnach fywiog, yn ganolbwyntiau prynu a gwerthu. Mewn hen fwrdeistrefi, megis Biwmares, Caernarfon a Phenfro, yr oedd goruchafiaeth drefedigaethol y Saesneg yn bodoli ymhlith pobl o ddylanwad a chwaeth. Byddai trefi ffynhonnau, cyrchfannau twristiaid, porthladdoedd masnachol a chanolfannau gweinyddol yn fwy tebygol na chymunedau eraill o ymffrostio yn eu siaradwyr dwyieithog neu uniaith Saesneg, ac yn naturiol byddai dylanwadau Seisnig yn ymledu fwyfwy i'r ardaloedd gwledig o'u cwmpas.[140] Yng ngeiriau John Penry ym 1587: 'There is never a market towne in Wales where English is not as rife as Welsh' – darlun a orliwiwyd, mae'n siŵr.[141] Yr oedd cyfathrachu cymdeithasol ac economaidd rheolaidd â threfi llewyrchus y Gororau yn peri bod ffermwyr Cymru yn agored i ddylanwadau Seisnig. Tynfa bwysig i fasnachwyr brethyn a ffermwyr canolbarth Cymru oedd Amwythig,[142] a denai ffeiriau a marchnadoedd ffyniannus Croesoswallt a Llwydlo lawer o Gymry i gartrefu yn y cyffiniau. Y mae Wrecsam yn enghraifft drawiadol o dref a gollodd ei Chymreictod wrth i'w gallu masnachol gynyddu.

[139] LlGC Llsgr. 37B, f. 119; Gwenllian Jones, 'Bywyd a Gwaith Edward Morris, Perthi Llwydion' (traethawd MA anghyhoeddedig Prifysgol Cymru, 1941), t. 482; Gomer M. Roberts, *Dafydd Jones o Gaeo* (Aberystwyth, 1948), tt. 39–67; Richard Colyer, *The Welsh Cattle Drovers* (Cardiff, 1976), t. 46.

[140] W. H. Rees, 'Vicissitudes', t. 80. Gw. Harold Carter, *The Towns of Wales* (Cardiff, 1965), pennod 3; Matthew Griffiths, '"Very Wealthy by Merchandise"? Urban Fortunes' yn J. Gwynfor Jones (gol.), *Class, Community and Culture in Tudor Wales* (Cardiff, 1989), tt. 197–235.

[141] John Penry, *A Treatise containing the Aeqvity of an Humble Supplication* (Oxford, 1587), t. 52.

[142] Percy Enderbie, *Cambria Triumphans* (London, 1661), t. 193; Daniel Defoe, *A Tour through the whole island of Great Britain*, gol. G. D. H. Cole a D. C. Browning (2 gyf., London, 1962), I, tt. 76–7.

Dengys arolwg Norden o'r dref ym 1620 mai Cymry oedd trwch y boblogaeth a bod pob enw lle (ac eithrio un cae) yn Gymraeg neu hanner Cymraeg. Wedi helyntion y rhyfeloedd cartref a'r Werinlywodraeth, fodd bynnag, newidiodd pethau'n gyflym. Yn sgil gweithgarwch masnachol prysur, disodlwyd y tadenwau Cymraeg traddodiadol gan gyfenwau Saesneg megis Baker, Dutton, Platt a Weld yng nghofrestri plwyf y dref, a gosodwyd enwau Saesneg (Church, Charles, Chester, Lambpit a Mount) ar y strydoedd.[143] Erbyn diwedd y cyfnod Stiwartaidd, Wrecsam oedd y brif ganolfan drefol yng ngogledd Cymru. Yn nodedig am ei 'Politeness, Taste, and Hospitality', daeth ym 1770, o leiaf yng ngolwg Joseph Cradock, yn dref 'perfectly Englished'.[144] Tua'r dwyrain yr edrychai rhai o'r mannau eraill ar y ffin – trefi megis Trefyclo a Llanandras yn sir Faesyfed – am eu llewyrch. Hyd yn oed yn ne-orllewin Cymru, lle y credid bod siroedd megis Aberteifi a Chaerfyrddin yn 'entirely Welch',[145] yr oedd canolfannau gweinyddol megis Aberteifi, Aberystwyth, Caer-fyrddin a Llandeilo yn glofannau dwyieithog, yn enwedig ymhlith carfanau masnachol lle yr oedd bod yn rhugl yn y Saesneg yn gaffaeliad economaidd o'r pwys mwyaf.

Serch hynny, ymddengys fod llawer o drefi a fuasai gynt yn glofannau Saesneg yn Cymreigio yn y cyfnod modern cynnar. Yn niwedd yr unfed ganrif ar bymtheg ym Morgannwg, honnid bod siaradwyr Saesneg yn byw naill ai yn y trefi neu 'in the lowe Country neere the Sea Side',[146] ond yr oedd Y Bont-faen a Chaerdydd yn datblygu'n drefi dwyieithog, a thafodiaith Saesneg y Fro yn diflannu. Ymhellach i'r dwyrain, yn Y Fenni yn sir Fynwy, y Gymraeg oedd y brif iaith, ffaith a ysgogodd rai o'i dinasyddion blaenllaw i anfon eu meibion i Lundain i wella eu Saesneg.[147] Canfu Hugh Thomas, hanesydd o Aberhonddu yn niwedd yr ail ganrif ar bymtheg, fod y 'wonderful great Scouts and Judgements of God' yn gyfrifol am wanychu Seisnigrwydd y dref. Erbyn oddeutu 1700, meddai, 'the language of this place is Generally Welsh' a 'that as good as most in Wales'. Yr oedd y teuluoedd Seisnig wedi darfod amdanynt a Chymraeg oedd enwau'r rhan fwyaf o brif ddinasyddion y dref.[148]

Cyn y ddeunawfed ganrif, cymharol fychan a dibwys oedd llif yr ymfudwyr o Loegr i Gymru. Câi unigolion neu deuluoedd ymfudol eu

---

[143] A. N. Palmer, *History of the Town of Wrexham* (Wrexham, 1893), t. 6; A. H. Dodd, *A History of Wrexham* (Wrexham, 1957), tt. 45–66.

[144] Palmer, *Wrexham*, t. 274n; Cradock, *Letters*, t. 106.

[145] Mary Clement (gol.), *Correspondence and Minutes of the S.P.C.K. Relating to Wales 1699–1740* (Cardiff, 1952), t. 82.

[146] Rice Merrick, *A Booke of Glamorganshires Antiquities*, gol. J. A. Corbett (London, 1887), t. 42.

[147] G. Dyfnallt Owen, *Elizabethan Wales* (Cardiff, 1964), t. 93.

[148] *Hugh Thomas' Essay Towards the History of Brecknockshire 1698* (Brecon, 1967), tt. 21, 27.

derbyn yn rhwydd, er bod drwgdeimlad lleol yn brigo i'r wyneb pa bryd bynnag y byddai'r mewnlifiad yn bygwth tarfu ar y patrymau traddodiadol o weithio, cymdeithasu a byw yn gytûn. Byddai teuluoedd Saesneg weithiau yn cael ffermydd yng Nghymru, yn enwedig yn y siroedd dwyreiniol, a byddai helyntion yn eu cylch yn achosi hiliaeth agored. Yn sgil ymosodiad angheuol ym 1592 ar Humphrey Curton, Sais a ymsefydlodd yng Nghegidfa, sonnid bod Ieuan ap David wedi clecian ei fawd a dweud: 'What nedes all this adooe, hit ys but on Englyshe man out of the waye and yf he do dye I do not waye hit of a fyllip.'[149] Cyn ymosod ar ymsefydlwr o Sais mewn plwyf cyfagos, honnir i Gymro ddweud: 'It is an ill time . . . when John Jervis an English man master or controls us in Castell [Caereinion].'[150]

Dibynnai llawer ar ba faint o weithwyr ymfudol a gyrhaeddai ac ymh'le y byddent yn cartrefu. Mewn cymunedau Cymraeg traddodiadol nid oedd ganddynt fawr o obaith eu hynysu eu hunain yn llwyr oddi wrth eu cymdogion. Hyd yn oed yng nghanol y ddeunawfed ganrif, derbyniwyd yn gymharol rwydd y mwynwyr o Gernyw a ddaeth i fyw yn Nyffryn Ogwen ac Aberglaslyn, a'r mwynwyr o Iwerddon a'r Alban a ymsefydlodd yn Nrws-y-coed, ac mewn llawer o achosion fe'u Cymreigiwyd.[151] Ond yr oedd yr hanes yn bur wahanol yn siroedd y Gororau. Ymsefydlodd niferoedd sylweddol o lowyr a gweithwyr plwm ar wastadeddau dwyrain sir Ddinbych a dwyrain sir y Fflint yn nechrau'r ddeunawfed ganrif, gan ffurfio yno 'drefedigaethau' Saesneg. Gwelodd Robert Roberts, ficer Y Waun, yn dda i gyhoeddi pamffledi crefyddol dwyieithog ar gyfer pobl a berthynai i ddwy genedl wahanol, y Parthiaid a'r Mediaid,[152] ac wrth i'r Gymraeg gilio tua'r gorllewin, dechreuwyd ymagweddu'n llymach tuag at weithwyr Saesneg a gyflogid ar gytundebau cymharol fyr. Pan fewnforiwyd rheolwyr (ac iddynt enwau dieithr megis Moore, Paynter, Roose a Shelton) a gweithwyr crefftus o Gernyw, swydd Derby a swydd Northumberland i'r diwydiant plwm yn sir Drefaldwyn, cofnododd deon gwlad Pool ym 1710 fod y mwynwyr plwm a ddaethai i fyw ym mhlwyf Llangynog yn 'all English and the parish all Welsh'.[153] Er bod y curad lleol yn awyddus i blesio'r newydd-ddyfodiaid trwy drefnu gwasanaethau Cymraeg a Saesneg bob yn ail, yr oedd hi'n anodd wedyn dychwelyd i'r hen drefn, hyd yn oed wedi i'r mwynwyr ymadael. Daeth

[149] LlGC, Llys y Sesiwn Fawr 4/135/1/15.
[150] LlGC, Llys y Sesiwn Fawr 4/140/2/38. Gw. hefyd Geraint H. Jenkins, *Hanes Cymru yn y Cyfnod Modern Cynnar 1530–1760* (Caerdydd, 1983), tt. 5–6.
[151] T. M. Bassett a B. L. Davies (goln.), *Atlas Sir Gaernarfon* (Cyngor Gwlad Gwynedd, 1977), t. 151.
[152] Robert Roberts, *A Sacrament Catechism. Sacrament Gatechism* (dim argraffnod, 1720); idem, *A Du-Glott-Exposition of the Creed* (Shrewsbury, 1730).
[153] LlGC, SA/RD/5; SA/RD/26; W. J. Lewis, *Lead Mining in Wales* (Cardiff, 1967), t. 262.

tensiynau cymdeithasol-ieithyddol tebyg i'r wyneb yn ardal Castell-nedd ar droad yr ail ganrif ar bymtheg pan gyflogodd Syr Humphrey Mackworth fwynwyr crefftus dethol o Gernyw, swydd Derby a swydd Amwythig a elwid gan y trigolion lleol yn 'the Men of Mera' oherwydd eu hiaith a'u harferion.[154] Ni châi neb wrthwynebu imperialaeth wleidyddol ac ieithyddol y Meistri Haearn ym Morgannwg yn ail hanner y ddeunawfed ganrif.[155] Ym Merthyr Tudful, crud y Chwyldro Diwydiannol a'r dref fwyaf yng Nghymru erbyn 1801, dechreuwyd cyflwyno gweddïau a phregethau Saesneg bob yn ail Sul yn eglwys y plwyf yn sgil codi ffwrneisi haearn a gefeiliau a mewnfudo rheolwyr ac asiantwyr o Saeson.[156] Ym myd masnach yr oedd y Saesneg yn ddi-os wedi dod yn iaith cynnydd a datblygiad.

Rhaid yn awr droi at gysylltiad y teuluoedd bonheddig â'r iaith Gymraeg. Er mai canran fechan o'r boblogaeth gyfan oedd llywodraethwyr traddodiadol y gymdeithas, yr oedd eu dylanwad lleol yn aruthrol. Gan na allai Cymru ymffrostio mewn prifysgol na choleg, llys, amgueddfa, academi, llyfrgell o bwys, prifddinas ddiwylliannol megis Dulyn neu Gaeredin, nac unrhyw symbol gweladwy arall o'i hunaniaeth genedlaethol, byddai awduron Cymraeg yn hoelio eu gobeithion ar nawdd y teuluoedd bonedd traddodiadol. Credai rhai awduron optimistaidd y gellid hyd yn oed sicrhau cefnogaeth y Goron fel amddiffynnydd y Gymraeg. Barnai Robert Holland, a gyfieithodd *Basilikon Doron* (1604) y Brenin Iago I, fod y brenin, a oedd newydd ei orseddu, yn hoffi'r Gymraeg ac y dylai ei fab, Harri, Tywysog Cymru, ddysgu Cymraeg er mwyn iddo allu bod mewn cytgord â'r Cymry.[157] Yn y rhagair i'w eiriadur enwog ym 1632, anogodd Dr John Davies y bachgen dwyflwydd oed, Charles, Tywysog Cymru ac etifedd y Brenin Siarl I, i ddysgu 'the antient Language of this Island',[158] a chanrif yn ddiweddarach credai Griffith Owens o Bwllheli nad oedd y Gymraeg yn ddiffygiol mewn dim 'to make it famous save a King to speak it'.[159] Yr oedd y dyheadau hyn ar y gorau yn or-optimistaidd ac ar y gwaethaf yn hollol anymarferol. Ychydig iawn o'r brenhinoedd Tuduraidd a Stiwartaidd a fentrodd i Gymru am unrhyw hyd o amser ac nid oes gan y

---

[154] R. M. Thomas, 'A Linguistic Geography of Carmarthenshire, Glamorgan and Pembrokeshire from 1750 to the present day' (traethawd MA anghyhoeddedig Prifysgol Cymru, 1967), t. 8.

[155] Chris Evans, '*The Labyrinth of Flames'. Work and Social Conflict in Early Industrial Merthyr Tydfil* (Cardiff, 1993), pennod 9.

[156] LlGC, Ll/QA/4–6. Ym 1804 pwysleisiodd Malkin: 'the workmen of all descriptions at these immense iron works are Welshmen. The language is almost entirely Welsh.' Malkin, *The Scenery*, t. 179.

[157] Robert Holland, *Basilikon Doron* (London, 1604), sig. (a)1v, A2v.

[158] Davies, *Antiquae*, Epistola Dedicatoria.

[159] LlPCB Llsgr. Bangor 421, f. 331.

naill Dywysog a Thywysoges Cymru ar ôl y llall unrhyw hawl gwirioneddol ar sylw'r hanesydd.

Fel y rhai a elwai fwyaf yn lleol yn sgil y ddeddfwriaeth Uno, yr oedd boneddigion Cymru yn y safle gorau i fanteisio'n llawn ar y gwobrwyon materol a ddeuai yn sgil ennill swydd gyhoeddus a statws cymdeithasol uwch. Er ei bod yn ddiamau'n wir fod y mwyafrif o foneddigion Cymru yn siarad Saesneg ymhell cyn i ddeddf 1536 gyrraedd y llyfr statud, fe'u hanogwyd gan y ddeddfwriaeth Uno i fod yn ddylanwadau gweithredol yn y proses Seisnigo. Yn eu golwg hwy, daethai'r Saesneg i fod yn iaith dyrchafiad a chyfoeth. Yr oedd bellach bob math o gyfleoedd i'r sawl a geisiai glod a golud, ac yr oedd atyniadau bywyd y tu hwnt i Glawdd Offa, ac yn enwedig yn Llundain, yn anogaeth i lawer i gael gwared â'u hiaith a'u diwylliant brodorol. Yn Saesneg y gohebent â'i gilydd, yn Saesneg y cadwent eu dyddiaduron, ac anfonent eu meibion i ddysgu 'English manners' yn Bedford, Eton, Westminster a Chaer-wynt, neu i ysgolion gramadeg yng Nghymru lle na ddysgid y Gymraeg o gwbl.[160] Annoeth, fodd bynnag, fyddai credu bod pob tirfeddiannwr yng Nghymru wedi cefnu ar y diwylliant Cymraeg traddodiadol trwy anwybyddu beirdd ac awduron eraill. Nid oedd pob un o bell ffordd yn wrthwynebus i'r Gymraeg. Yr oedd Syr William Herbert, iarll Penfro (m.1570), yn fwy rhugl yn Gymraeg nag yn Saesneg a mynnai siarad yr iaith â'i gyd-wladwyr yn llys y Tuduriaid. Yn ôl Dafydd Benwyn, 'Y by ras oeswr, a bw ar Saysonn', ac yr oedd yn ymgorfforiad o'r rhai a alwai Siôn Dafydd Rhys yn 'Ieithymgeleddwyr'.[161] Yr oedd Syr Edward Stradling o Sain Dunwyd (m.1609) yn 'Farchog Euraid' eithriadol o hael a siaradai Gymraeg â'i wraig Agnes, ac a fyddai'n croesawu beirdd, achyddion a chopïwyr i'w lyfrgell ysblennydd. Talodd gostau argraffu a chyhoeddi Gramadeg Cymraeg Siôn Dafydd Rhys er mwyn hybu achos a bri yr iaith Gymraeg.[162] Yng Nghymru oes Elisabeth arferai gwŷr bonheddig wahodd beirdd i lunio cerddi i glodfori eu teuluoedd a byddent hwy eu hunain hefyd ar brydiau yn cyfansoddi cywyddau ac englynion digon derbyniol.[163] Estynnid croeso i feirdd crwydrol, ysgolheigion a cherddorion, ac ym Meirionnydd, lle y parhaodd y traddodiad nawdd yn hwy nag yn unman arall, yr oedd cynifer ag ugain o dai bonedd yn dal i

[160] R. Brinley Jones, 'Certain Scholars of Wales'. The Welsh Experience in Education (Llanwrda, 1986), t. 51.

[161] Michael P. Siddons, The Development of Welsh Heraldry (3 cyf., Aberystwyth, 1991–3), I, t. 170; Henry Lewis (gol.), Hen Gyflwyniadau (Caerdydd, 1948), t. 3.

[162] Ceri W. Lewis, 'Syr Edward Stradling (1529–1609), Y "Marchog Disgleirlathr" o Sain Dunwyd' yn J. E. Caerwyn Williams (gol.), Ysgrifau Beirniadol XIX (Dinbych, 1993), tt. 139–207; Nesta Lloyd (gol.), Blodeugerdd Barddas o'r Ail Ganrif ar Bymtheg (Cyfrol 1) (Cyhoeddiadau Barddas, 1993), tt. 38–41.

[163] Jones, Class, Community and Culture, t. 69.

groesawu beirdd a cherddorion crwydrol hyd at ddiwedd y ddeunawfed ganrif.[164] Byddai rhaid i dirfeddianwyr ddal gafael ar rywfaint o Gymraeg er mwyn cyfathrebu'n effeithiol â'u tenantiaid a'u gwasanaethyddion. Pan oedd Arglwydd Herbert o Chirbury yn naw mlwydd oed (ym 1591), anfonodd ei rieni ef i Blas-y-ward yn sir Ddinbych i ddysgu Cymraeg fel y gallai 'treat with those of my friends and tenants who understood no other language'.[165] Tua diwedd y cyfnod Stiwartaidd, daliai Syr Robert Owen o Frogyntyn ger Croesoswallt i siarad Cymraeg yn rhugl, a gallai boneddigion Morgannwg, hyd yn oed, gynnal sgwrs yn Gymraeg â'u tenantiaid yn nechrau'r ddeunawfed ganrif.[166]

Yn gyffredinol, fodd bynnag, y mae'n wir dweud bod boneddigion Cymru erbyn y cyfnod Stiwartaidd cynnar yn llawer llai eiddgar i amddiffyn eu mamiaith nag yr oedd eu hynafiaid. Gan fod dull o fyw ac iaith Lloegr yn cynnig cynifer o ffyrdd cyffrous iddynt wella eu byd, dechreuodd eu bywydau newid yn gyflym. Y mae gyrfa, ffordd o fyw a diddordebau teulu Wynniaid Gwedir yn cyfleu i'r dim yr hunaniaeth ddeublyg a nodweddai fywydau'r teuluoedd bonheddig yng Nghymru ar ôl yr Uno. Dyn a garai ei gartref oedd Syr John Wynn (m.1627) ac ymfalchïai yn ei enw da fel 'pen meistr y sir' ac fel noddwr beirdd a cherddorion, ond denwyd ei fab, Syr Richard Wynn (m.1649) i'r fath raddau gan atyniadau gorwych Llundain fel nad oedd gan y beirdd mo'r galon i'w foli. Ni ddangosai ei wraig, Ann Darcy, unrhyw ddiddordeb yn y Gymraeg, a'i dyhead hi a'i gŵr oedd adlewyrchu gwychder Lloegr yn eu bywyd cymdeithasol a diwylliannol.[167] Erbyn trothwy'r rhyfeloedd cartref, yr oedd safon cerddi'r beirdd wedi dirywio'n enbyd, y cwrs clera wedi ei gyfyngu'n arw, a'r boneddigion Seisnigedig wedi troi cefn ar y syniad o fod yn geidwaid breintiedig y diwylliant Cymraeg.[168] Âi'r beirdd yn fwy ansicr a digalon wrth i'r awdl a'r cywydd golli eu hapêl. Wrth alaru oherwydd colli Cymry o blith y bonedd, meddai Gruffudd Phylip (m.1666): 'Mae'n rhoddion mawrion a'n maeth?'[169]

Yr oedd gwaeth i ddilyn. O'r Adferiad ymlaen digwyddodd newidiadau cymdeithasol-economaidd ysgytiol a effeithiodd yn ddirfawr ar y Gymraeg a'i diwylliant. Oes aur y tirfeddianwyr 'gor-nerthol' oedd hon a lledodd yr

---

[164] Davis, 'Hanes Cymdeithasol Sir Feirionnydd', tt. 181–2.

[165] C. H. Herford (gol.), *The Autobiography of Edward Lord Herbert of Cherbury* (Gregynog Press, 1928), t. 13.

[166] LlGC, Llythyrau a Phapurau Brogyntyn 1023; Philip Jenkins, *The Making of a Ruling Class. The Glamorgan Gentry 1640–1790* (Cambridge, 1983), t. 209.

[167] J. Gwynfor Jones, 'Priodoleddau Bonheddig yn Nheulu'r Wyniaid o Wedir: Tystiolaeth y Beirdd', *THSC* (1978), 123.

[168] Idem, *Concepts of Order and Gentility in Wales 1540–1640* (Llandysul, 1992), tt. 248–57.

[169] Glenys Davies, *Noddwyr Beirdd ym Meirion* (Dolgellau, 1974), t. 210. Gw. hefyd Gwyn Thomas, 'Y Portread o Uchelwr ym Marddoniaeth Gaeth yr Ail Ganrif ar Bymtheg' yn J. E. Caerwyn Williams (gol.), *Ysgrifau Beirniadol VIII* (Dinbych, 1974), tt. 110–29.

agendor rhyngddynt a'r mân foneddigion a'r ysweiniaid mor gyflym fel y tanseiliwyd patrymau cymdeithas yn ddifrifol. Erbyn canol y ddeunawfed ganrif yr oedd grym economaidd wedi symud yn bendant i ddwylo carfan fechan o dirfeddianwyr mawr y cyfeirid atynt o bryd i'w gilydd gan gyfoeswyr fel y 'Lefiathanod Mawr'.[170] Achosodd y cynnydd yn nifer y tirfeddianwyr absennol grymus (tebyg ar ryw olwg i'r ymsefydlwyr Seisnig ac Albanaidd yn Iwerddon) broblemau cymdeithasol-economaidd ac iddynt oblygiadau diwylliannol hefyd. Ymhlith y perchenogion 'newydd', yr oedd rhagfarn, drwgdeimlad a gelyniaeth at y Gymraeg yn gyffredin. Yn union fel y tybiai haenau uchaf cymdeithas yn Ewrop fod ieithoedd lleiafrifol megis Basgeg, Llydaweg a *la langue d'oc* yn 'farbaraidd', 'dirmygedig' a 'chyntefig', felly hefyd yr ystyrid y Gymraeg yn amhur, di-raen ac israddol gan 'fehemothiaid' Cymru.[171] Yn eu golwg hwy, y Saesneg oedd iaith pobl wâr, syber a moesgar, tra nad oedd modd yn y byd i'r Gymraeg, a siaredid yn bennaf gan bobl dlawd, anwybodus y mynyddoedd, fod yn gyfrwng addas i drafod gwleidyddiaeth, gweinyddiaeth, diwylliant aruchel neu fywyd cymdeithasol y boneddigion. 'Our Chief Men here', meddai Lewis Morris ym 1754, 'have forgot their Native Tongue, to their Shame and Dishonour be it spoken.'[172] Byddai iaith lafar aelodau'r dosbarth uchaf, yng ngŵydd rhai israddol, yn adlewyrchu eu statws a'u grym. Gan eu bod yn dylanwadu trwy gyfrwng stiwardiaid dideimlad, creulon ar brydiau, a di-Gymraeg gan amlaf, ac yn gweithredu cyfundrefn ddeiliadol a amddifadai'r tenantiaid o sicrwydd hir-dymor, câi'r gymdeithas wledig ei phegynu rhwng y cyfoethogion Saesneg a'r tlodion Cymraeg. Erbyn diwedd y ddeunawfed ganrif, daethai'r ystadau lluosog i fodolaeth ar draul colli parch a theyrngarwch tenantiaid, ac yn rhannol gyfrifol am yr ymbellhau hwn yr oedd anallu'r dosbarth uchaf i siarad Cymraeg a'u penderfyniad i dra-arglwyddiaethu ar y rhai odanynt trwy gyfrwng iaith estron.[173] Yr oedd William Jones, Llangadfan, yn argyhoeddedig fod tirfeddianwyr yn credu mai pethau i'w gweld ac nid i'w clywed oedd y werin-bobl, oherwydd ni allent 'scarcely be distinguished from brutes . . . and our language [is] but an incoherent jargon'.[174]

Bu pwysau amgylchiadau, serch hynny, yn fodd i sicrhau bod y

---

[170] J. P. Jenkins, 'The Demographic Decline of the Landed Gentry in the Eighteenth Century: A South Wales Study', *CHC*, 11, rhifyn 1 (1982), 31–49.

[171] Thomas Jones, *Y Gymraeg yn ei Disgleirdeb* (Llundain, 1688), sig. A2v-A4r; Gambold, *A Welsh Grammar*, 'To the Reader'.

[172] *ALM*, I, t. 254; II, t. 440. Gw. hefyd Thomas Richards, *Antiquae linguae Britannicae thesaurus* (Bristol, 1753), t. xv, a John Evans, *Letters written during a Tour through North Wales* (trydydd arg., London, 1804), tt. 386–7.

[173] Geraint H. Jenkins, *The Foundations of Modern Wales. Wales 1642–1780* (Oxford, 1987), t. 265.

[174] LlGC Llsgr. 13221E, f. 377.

Gymraeg yn ennill goruchafiaeth ym mywyd crefyddol Cymru, a rhaid yn awr ystyried y maes pwysig hwn. O ganol yr unfed ganrif ar bymtheg ymlaen daeth yn bur amlwg i'r garfan fechan ond penderfynol o ddyneiddwyr Protestannaidd Cymraeg na fyddai fawr o obaith i'r Diwygiad ennill cefnogaeth mewn gwlad lle nad oedd ond ychydig o'i phobl yn siarad neu yn deall Saesneg. Yr oedd y Llyfrau Gweddi Saesneg, a ddisodlodd yn swyddogol y Lladin fel iaith addoliad cyhoeddus ac a gyflwynwyd i Gymru ym 1549, 1552 a 1559, yn debygol o fod yn llai dealladwy ac, yn sicr, yn llai cyfarwydd, nag yr oedd y Lladin cyn y Diwygiad. Go brin y gellid dadlau bod defnyddio iaith estron yn debyg o brofi'n ddull ffrwythlon o ennill meddwl a chalon pobl a oedd yn parhau i ymserchu yn nhraddodiadau poblogaidd yr hen ffydd Babyddol. Yr oedd y Protestaniaid Cymraeg selog mewn cyfyng-gyngor enbyd. A oedd cyswllt anorfod ac annatod rhwng y grefydd ddiwygiedig a'r iaith Saesneg, neu a ellid gweithredu er budd undod ac unffurfiaeth trwy gydnabod yn swyddogol fwy nag un iaith? O'i roi mewn ffordd arall, yr oedd y Cymry naill ai i'w gadael yn ysglyfaeth i Babyddiaeth a chanlyniadau anochel hynny neu i dderbyn Gair Duw yn eu hiaith eu hunain. Fel y mae'n digwydd, cyflwynwyd yr achos o blaid y Gymraeg ar y lefel wleidyddol uchaf gan yr Esgob Richard Davies, Humphrey Llwyd a William Salesbury, a thrwy hynny tanseiliwyd y gred y byddai defnyddio Beiblau a Llyfrau Gweddi Saesneg yn gorfodi'r Cymry i ddysgu Saesneg. Buont yn pledio'n huawdl yr achos dros hawl y Cymry i gael y Beibl yn eu hiaith eu hunain. O ganlyniad, darbwyllwyd cynghorwyr pennaf Elisabeth (am resymau gwleidyddol yn bennaf) mai trwy gyfrwng y Gymraeg y gellid hyrwyddo'r 'wir grefydd' Brotestannaidd yn llwyddiannus yng Nghymru.[175]

Cyhoeddodd deddf hanesyddol 1563 fod y Beibl a'r Llyfr Gweddi i'w cyfieithu i'r Gymraeg, ac i'w defnyddio wedyn yn yr addoliad cyhoeddus yn y plwyfi hynny 'where the Welsh tongue is commonly used'.[176] Bu'r ddeddfwriaeth hon yn garreg filltir arwyddocaol yn hanes y Gymraeg oherwydd iddi atal – neu o leiaf arafu – yr ymgyrch ddiwyro, i bob golwg, tuag at unffurfiaeth a ddechreusid gan chwyldro Harri VIII yn y 1530au. Trwy roi cydnabyddiaeth swyddogol i'r Gymraeg mewn materion yn ymwneud â chrefydd, yr oedd y ddeddf yn gwneud iawn i ryw raddau am ddiffyg bri yr iaith ym myd gwleidyddiaeth a gweinyddiaeth, dau faes nad oedd a wnelont ryw lawer â bywyd beunyddiol y werin. Heb fod â chysylltiad â maes uchel ei statws fel hwn, anodd gweld sut y gallai'r

---

[175] Glanmor Williams, *The Welsh and their Religion* (Cardiff, 1991), tt. 37–8; idem, 'Iaith, Llên a Chrefydd yn yr Unfed Ganrif ar Bymtheg', *LlC*, 19 (1996), 29–40.

[176] Gw. A. Owen Evans, *A Memorandum on the Legality of the Welsh Bible and the Welsh Version of the Book of Common Prayer* (Cardiff, 1925).

Gymraeg fod wedi goroesi, a llai fyth ffynnu. O oes Elisabeth hyd at ddiwedd oes Victoria trwy Gymru benbaladr bron, clywai addolwyr yr Ysgrythurau, y Llyfr Gweddi a'r Salmau yn cael eu darllen a'u hadrodd yn rheolaidd gydag urddas a difrifoldeb yng ngwasanaethau'r Sul, a chael eu trwytho ynddynt. Dyna sut y daeth Protestaniaeth yn gysylltiedig â'r famiaith. At hynny, enillodd y Gymraeg ei hun bwysigrwydd newydd a pharhaol yn niwylliant dysgedig Cymru. Ym 1588 achubodd y clasur hwnnw, Beibl Cymraeg William Morgan, yr iaith rhag yr ieithwedd Ladinaidd a'r orgraff hynafol a oedd yn frychau amlwg yng nghyfieithiad William Salesbury o'r Testament Newydd a'r Llyfr Gweddi ym 1567. Er na wrthododd yn llwyr ffurfiau llafar byw, dibynnodd Morgan yn drwm ar iaith urddasol y cywyddwyr clasurol, a fu'n meithrin yr iaith â gofal perffaith yn yr ysgolion barddol traddodiadol. Gosododd ei lafur ef y safon uchaf posibl i'w hefelychu gan ysgolheigion a llenorion y dyfodol, a galluogodd yn ogystal offeiriaid Cymraeg i arwain gwasanaethau mewn modd dealladwy a deniadol.[177]

Yn wahanol i'r gyfraith, yr oedd crefydd ar ryw ystyr yn faes dadleuol o ran iaith. Gan fod mwyafrif y plwyfolion yn Gymry uniaith a heb fedru darllen, yr oedd yn hollbwysig mai'r iaith frodorol fyddai'r cyfrwng ar gyfer dysgu crefydd. Gallai ymdrechion i ddefnyddio'r Saesneg ysgogi protest ac anhrefn. Yn Nhrefeglwys, sir Drefaldwyn ym 1593, tarfwyd ar bregeth Saesneg John Gwyn, pregethwr cyhoeddus trwyddedig, gan amryw o'r plwyfolion a geisiai ei lusgo o'r pulpud. Yn y cyfamser, brasgamai rhyw John Jones, clerc, yn ôl ac ymlaen, gan ddarllen yn Gymraeg o lyfr carpiog, cyn mynd i'r gangell a darllen yno y gwasanaeth yn Gymraeg a hynny mor uchel fel na allai neb glywed y bregeth.[178] Pan na fyddai Beiblau a Llyfrau Gweddi Cymraeg ar gael, câi offeiriaid hi'n anodd iawn tawelu plwyfolion a fynnai wasanaeth dealladwy. Gorfodwyd Richard Pigot o Ddinbych i egluro 'the chapters in Welsh upon the English bible' am nad oedd Beibl Cymraeg ar gael, ac o ganlyniad drwgdybiwyd ef o afreoleidd-dra athrawiaethol ym 1615.[179] Ym 1688 erfyniodd 84 o blwyfolion Llandaf a'r Eglwys Newydd ym Morgannwg am ddiswyddiad eu ficer, Thomas Andrews, 'a mere stranger to the Welsh tongue' gan fod ei 'unreasonable and arbitrary appointment' yn peryglu eu heneidiau.[180] Digwyddai'r math hwn o wrthdaro yn amlach fyth pan benodai esgobion Saesneg offeiriaid di-Gymraeg i fywiolaethau allweddol.

[177] Gw. Isaac Thomas, *William Morgan a'i Feibl. William Morgan and his Bible* (Caerdydd, 1988) a Prys Morgan, *Beibl i Gymru* (Pwyllgor Dathlu Pedwarcanmlwyddiant Cyfieithu'r Beibl, 1988).
[178] LlGC, Llys y Sesiwn Fawr 4/136/2/25–27.
[179] LlGC, Llys y Sesiwn Fawr 4/16/3/6–7.
[180] Llyfrgell Bodley, Llsgr. Tanner 146, ff. 160–3.

Am y rhesymau hyn a llu o rai eraill, yr oedd cynnydd y ffydd Brotestannaidd yn arafach nag a ragdybiasid gan lawer, a gadawyd i Biwritaniaeth Saesneg ddeffro egni ysbrydol newydd yng nghyrrau tlawd a llwm y wlad. Fel Protestaniaeth gynnar, fodd bynnag, ystyrid Piwritaniaeth yn rhywbeth Seisnig, ac nid yw hyn yn syndod gan fod ei gwreiddiau yng Nghymru mewn cymunedau dwyieithog neu Saesneg ar y Gororau, megis Llanfaches, Cnwclas, Olchon a Brampton Bryan.[181] Gwyddai pawb nad oedd gan y Piwritaniaid Saesneg ddim byd da i'w ddweud am y Gymraeg a'u bod yn awyddus i bregethu ac i feithrin gwerthoedd y byd Saesneg 'gwareiddiedig' yn y Gymru wledig farwaidd, geidwadol a phleidiol i'r Goron. Wrth drafod y posibilrwydd dymunol ond annhebygol o droi'r Iddewon yn Gristnogion, honnodd Richard Baxter: 'Halfe their age must be spent in learning to speake: And when they have done, men will laugh at them for their ill accented broken language, as we do at foreigners and Welshmen.'[182] Sylwyd mai mewn cymunedau trefol dwyieithog y ffynnai Piwritaniaeth orau. Yn Wrecsam, er enghraifft, Saesneg a siaradai'r rhan fwyaf o gynulleidfa Morgan Llwyd, sef tirfeddianwyr bychain, masnachwyr, crefftwyr a siopwyr, ac mewn llawer o drefi cyffelyb, maes y bobl ddiwyd ('industrious sorts') oedd Piwritaniaeth.[183] Y mae'n arwyddocaol mai yng Ngŵyr Seisnigedig y dewisodd John Myles, brodor o swydd Henffordd, sefydlu eglwys gyntaf y Bedyddwyr yng Nghymru.[184] Yn Saesneg y pregethai efengylwyr Piwritanaidd megis Richard Blinman, William Erbery ac (yn fynych) Vavasor Powell, ac awgrymwyd bod amryw o radicaliaid Piwritanaidd Cymru yn dioddef cymhleth israddoldeb ynghylch eu gwreiddiau diwylliannol.[185] Er bod y ddau Jones enwog – Cyrnol John a Chyrnol Philip – yn medru siarad Cymraeg, anaml y byddent yn sgwrsio nac yn ysgrifennu yn eu mamiaith. Ni wnaeth effeithiolrwydd gormesol y Saeson a gasglai drethi a degymau yn ystod cyfnod Taeniad yr Efengyl yng Nghymru yn y 1650au cynnar ddim o gwbl i beri i'r Cymry ymserchu yn y ffydd Biwritanaidd. Nid oedd yn syndod ychwaith fod yr Is-gadfridog Charles Fleetwood wedi dod i gredu bod gan y Cymry 'envenomed hearts against the wayes of God'.[186] Parodd yr ysgolion cyfrwng-Saesneg a sefydlwyd gan y Piwritaniaid ac yn ddiweddarach gan yr Ymddiriedolaeth Gymreig fod moeseg biwritanaidd a hunanwellhad yn cael eu cysylltu ym

[181] Jenkins, *Protestant Dissenters*, tt. 10–11.

[182] Lamont, *Richard Baxter*, t. 56.

[183] A. H. Dodd, 'A Remonstrance from Wales, 1655', *BBCS*, XVII, rhan 4 (1958), 284, 286–92.

[184] D. Rhys Phillips, 'Cefndir hanes Eglwys Ilston, 1649–60', *TCHBC* (1928), 1–107; T. M. Bassett, *Bedyddwyr Cymru* (Abertawe, 1977), tt. 18–19.

[185] Stephen Roberts, 'Welsh Puritanism in the Interregnum', *HT*, Mawrth 1991, 38.

[186] Thomas Richards, *Religious Developments in Wales (1654–1662)* (London, 1923), t. 147.

meddwl y cyhoedd â Seisnigeiddio. Yn Saesneg y cedwid yn ofalus gofnodion swyddogol Cymdeithas y Cyfeillion, ac yn Saesneg hefyd, fel arfer, yr ysgrifennid cofrestri Anghydffurfiol capeli'r Bedyddwyr a'r Annibynwyr hyd at ran olaf y bedwaredd ganrif ar bymtheg.[187]

Ffolineb, fodd bynnag, fyddai darlunio Piwritaniaeth fel mudiad hollol elyniaethus i Gymreictod a gwrthwynebus i'r iaith Gymraeg. Er bod mwy na chwe chant o fenthyciadau o'r Saesneg yn *Canwyll y Cymru*, Rees Prichard, gwaith y cafwyd 52 argraffiad ohono rhwng 1658 a 1820, câi'r cerddi eu darllen, eu hadrodd a'u canu yn eang.[188] Bu Piwritaniaid megis Oliver Thomas ac Evan Roberts yn amlinellu'r ddisgyblaeth a'r foesoldeb newydd a berthynai i Galfiniaeth mewn llawlyfrau Cymraeg. Yn anad neb, bu Morgan Llwyd o Gynfal yn dadansoddi mewn rhyddiaith Gymraeg gofiadwy (a thywyll ar brydiau) y berthynas gymhleth a diddorol rhwng iaith Duw ac iaith dyn.[189] Yr oedd Llwyd yn llenor ymwybodol a ymhyfrydai mewn cyfosod iaith alegorïaidd, gyfriniol, ysbrydol a sectyddol mewn modd mor enigmataidd nes weithiau greu dirgelwch hyd yn oed i'w gyd-weithwyr mwyaf dysgedig ac ymroddedig. 'Rwyti yn scrifennu yn rhŷ dywyll, ni fedr nêb mo'th ddeall', meddai amdano'i hun.[190] Bu hyn yn dramgwydd iddo pan geisiai gyfleu gwirioneddau dwyfol i'r dyn cyffredin. Serch hynny, datgelodd ei waith i ba raddau y gallai'r Gymraeg fynegi'r delfrydau a oedd wrth wraidd y traddodiad Piwritanaidd a radicalaidd yn y blynyddoedd pan drowyd y byd â'i ben i waered.

Wedi'r Adferiad ceisiwyd hybu unwaith yn rhagor y gred na ellid sicrhau undod ac unffurfiaeth ledled y deyrnas heb orfodi pawb i ddefnyddio'r Saesneg. Yr oedd perygl gwirioneddol y difwynid Piwritaniaeth ac Anghydffurfiaeth gan eu 'Seisnigrwydd' honedig, a dwysawyd yr ofnau hyn gan benderfyniad sefydlwyr yr Ymddiriedolaeth Gymreig (1674–81) i sicrhau bod athrawon yn yr ysgolion elusennol yn

---

[187] Y mae cofnodion y Crynwyr yng Nghymru yng ngofal Archifdy Morgannwg a Llyfrgell Tŷ'r Cyfeillion yn Llundain. Am gofrestri'r Anghydffurfwyr yng Nghymru, gw. Dafydd Ifans (gol.), *Cofrestri Anghydffurfiol Cymru. Nonconformist Registers of Wales* (Aberystwyth, 1994).

[188] Ivor James, *The Welsh Language in the 16th and 17th Centuries* (Cardiff, 1887), t. 12; D. Simon Evans, 'Yr Hen Ficer a'i Genhadaeth (1579–1644)' yn J. E. Caerwyn Williams (gol.), *Ysgrifau Beirniadol XIX* (Dinbych, 1993), tt. 212–15; Nesta Lloyd (gol.), *Cerddi'r Ficer, Detholiad o Gerddi Rhys Prichard* (Cyhoeddiadau Barddas, 1994), tt. xviii, xxi, 177–214; eadem, 'Sylwadau ar Iaith Rhai o Gerddi Rhys Prichard', *CLlGC*, XXIX, rhifyn 3 (1996), 257–80.

[189] Nigel Smith, *Perfection Proclaimed. Language and Literature in English Radical Religion 1640–1660* (Oxford, 1989), tt. 217–25; M. Wynn Thomas, *Morgan Llwyd: Ei Gyfeillion a'i Gyfnod* (Caerdydd, 1991), tt. 51–69.

[190] *Gweithiau Morgan Llwyd*, I, t. 260; N. H. Keeble a G. F. Nuttall (goln.), *Calendar of the Correspondence of Richard Baxter* (cyf. 1, Oxford, 1991), t. 218.

canolbwyntio ar ddysgu'r tair 'R' trwy gyfrwng y Saesneg. Ysgogodd hyn Stephen Hughes, 'apostol Sir Gaerfyrddin', i annog ei gyd-Anghyd-ffurfwyr i fod yn fwy brwd o blaid Cymreictod. Credai'n gryf fod y gorchymyn i gyflwyno gwybodaeth ysgrythurol i'r werin uniaith yn golygu defnyddio'r Gymraeg. Yn bragmataidd ei natur bob amser, bwriai sen ar imperialwyr diwylliannol: 'yn barnu nad da printio math yn y byd o lyfrau cymraeg i gynnal y iaith i fynu; ond ei fod yn weddus i'r bobl golli ei iaith, a dysgu saesneg. Digon da. Ond cofied y cyfryw, mai Haws dywedyd mynydd na myned trosto.'[191] Trwy drefnu'n drylwyr fod llyfrau didactig a defosiynol yn cael eu dosbarthu, bu Hughes o gymorth i sicrhau bod y bobl gyffredin lythrennog yn dod yn geidwaid yr iaith frodorol.[192] Bu meithrin yr arfer o ddarllen yn fodd i goleddu annibyniaeth barn a golygai hynny hefyd fod perthynas fwy clòs yn tyfu rhwng gweinidogion yr efengyl a'r werin-bobl a bod hynny yn eu galluogi i gefnogi'r iaith Gymraeg a dal gafael ar arferion, traddodiadau, egwyddorion a diarhebion eu hynafiaid.[193]

Erbyn y ddeunawfed ganrif, serch hynny, gwelid arwyddion clir fod esgobion Cymru wedi ymrwymo i hybu defnydd helaethach o'r Saesneg ym mhob dull a modd. Mor gynnar â 1703 honnid bod y genhadaeth Anglicanaidd wedi ei llygru drwy benodi 'perfect strangers to our country, and language'.[194] Yr oedd yr esgobion hyn, a adwaenid fel 'Yr Esgyb Eingl',[195] yn benderfynol o droi'n ffaith y rhagdybiaeth sylfaenol yng nghymal iaith 1536 y dylid prysuro cymathiad Cymru o fewn Lloegr yn llwyr. Datganodd Richard Newcome, esgob Llandaf (1755–61) yn hyglyw: 'there should be no distinction between an Englishman and a Welshman in our days',[196] ac yr oedd rhai o'i gyd-weithwyr mor elyniaethus i'r Gymraeg nes bod offeiriaid cydwybodol yn ymollwng naill ai i byliau o iselder ysbryd neu o ddicter. Yn Llanelwy, clwyfwyd rhai i'r byw gan orchymyn yr Esgob Robert Hay Drummond i roi'r copïau Cymraeg o'r Testament Newydd a'r Llyfr Gweddi dan glo yng nghistiau'r eglwys.[197] Pan gyhoeddodd cyfreithiwr o Sais yn Llys y Bwâu: 'Wales is a

[191] Stephen Hughes (gol.), *Gwaith Mr Rees Prichard* (Rhan IV, Llundain, 1672), sig. A3v.
[192] G. J. Williams, 'Stephen Hughes a'i Gyfnod', *Y Cofiadur*, 4 (1926), 5–44; Geraint H. Jenkins, 'Apostol Sir Gaerfyrddin: Stephen Hughes *c.*1622–1688' yn *Cadw Tŷ mewn Cwmwl Tystion: Ysgrifau Hanesyddol ar Grefydd a Diwylliant* (Llandysul, 1990), tt. 1–28.
[193] Thomas Jones, *Of the Heart and its Right Soveraign* (London, 1678), t. 243.
[194] Llyfrgell Palas Lambeth Llsgr. 930, f. 33.
[195] Gw. sylwadau deifiol Ieuan Fardd (Evan Evans) yn LlGC Llsgr. 2009B.
[196] *ALM*, I, t. 322; C. L. S. Linnell (gol.), *The Diaries of Thomas Wilson, D.D. 1731–37 and 1750* (London, 1964), t. 235.
[197] *ML*, I, tt. 236–7, 288; *ALM*, II, t. 666. Gw. hefyd Robert Hay Drummond, *A Sermon preached before the Incorporated Society for the Propagation of the Gospel in Foreign Parts* (London, 1754), t. 22.

conquered country, it is proper to introduce the English language, and it is the duty of the bishops to promote the English, in order to introduce the language',[198] daeth llawer i gredu bod strategaeth eang ar waith i ddigymreigio'r Eglwys sefydledig.

Cymaint oedd gelyniaeth rhai esgobion at y Gymraeg nes bod y cwlwm cyffredin a oedd wedi bodoli rhwng y person a'i blwyfolion ers cyfnod Elisabeth yn awr mewn perygl enbyd. Er bod trwch yr offeiriadaeth yn parhau yn drwyadl Gymraeg, yr oedd nifer cynyddol o offeiriaid, fel arfer rhai a 'blannwyd' gan esgobion di-Gymraeg mewn bywiolaethau allweddol, yn benderfynol o 'wareiddio' neu 'oleuo' eu preiddiau trwy gyflwyno gwasanaethau Saesneg. Tanseiliai hyn ysbryd deddf 1563 a ddatganai y dylai iaith yr addoliad ym mhob plwyf fod yn unol ag anghenion y trigolion. Credai Thomas Collins o Abertawe fod parhau gyda'r Gymraeg yn cadw'r bobl mewn anwybodaeth ynghylch materion crefyddol a sifil. Ceisiodd John Catlyn, gŵr a aned yn Hull ac a fu'n ficer yng Ngheri yn sir Drefaldwyn, ryngu bodd ei esgob trwy roi 'just and necessary knowledge' o'r Saesneg i'w blwyfolion Cymraeg.[199] Cyfarfu'r bardd Goronwy Owen â churad ieuanc yn sir Drefaldwyn a honnai fod llenyddiaeth Gymraeg islaw dirmyg a bod y Saesneg yn ennill tir mor ddiwrthdro fel y byddai'r Gymraeg yn ddi-os wedi ei hen gladdu ymhen can mlynedd.[200] Byddai offeiriaid o'r fath yn boddio mympwyon y teuluoedd bonheddig Saesneg eu hiaith, yn dandwn barnwyr a chyfreithwyr cysylltiedig â Llysoedd y Sesiwn Fawr, ac yn cyflogi curadiaid Cymraeg am dâl bychan i wasanaethu plwyfolion. Mewn trefi megis Croesoswallt a Chasnewydd, pwysid o hyd ar deuluoedd Saesneg dylanwadol i wneud cais am lai o wasanaethau Cymraeg, a phryd bynnag y cyrhaeddai nifer mawr o ymwelwyr neu deithwyr, gwneid trefniadau *ad hoc* i gael pregeth Saesneg.[201]

Bu diffyg hyder ymhlith llywodraethwyr yr Eglwys sefydledig a'u hanallu i ddiwallu anghenion ysbrydol ac ieithyddol y Cymry Cymraeg yn rhannol gyfrifol am roi cychwyn i'r mudiad Methodistaidd. Er bod bron eu holl egnïon wedi eu cyfyngu i'w profiadau ysbrydol unigol eu hunain ac i dynged eneidiau eraill, yr oedd y pregethwyr a'r cynghorwyr Methodistaidd yn ymwybodol o'r angen i feithrin y Gymraeg. Trwy gyfrwng pregethu grymus a seiadu clòs, buont yn fodd i ennill i'w mamiaith statws newydd ac uwch fel iaith brwdfrydedd efengylaidd,

[198] *The Depositions, Arguments and Judgment in the Cause of the Church-Wardens of Trefdraeth, in the County of Anglesea, against Dr. Bowles* (London, 1773), t. 59.
[199] *Correspondence . . . of the S.P.C.K.*, tt. 34, 48, 53, 77.
[200] J. H. Davies (gol.), *The Letters of Goronwy Owen (1723–1769)* (Cardiff, 1924), t. 67.
[201] LlGC Ll/QA/5 (Casnewydd); SA/QA/6 (Abergele); SA/QA/12 (Croesoswallt).

achubiaeth eneidiau ac ymddiddan ysbrydol a mynwesol.[202] Yn wahanol i'r offeiriaid a addysgwyd yn y prifysgolion, gallai'r pregethwyr Methodistaidd drafod yn ddifyfyr am oriau, a hynny, fel yr honnent, trwy ordeiniad yr Ysbryd Glân. Wrth ymbalfalu am eiriau i fynegi sêl ysbrydol ddofn, llwyddent i amgyffred yn well bwysigrwydd y profiad mewnol. Dinoethent eu heneidiau yn eu llythyrau, eu hemynau a'u llyfrau ac yn adroddiadau'r seiat, a byddent yn fynych yn hynod rethregol a chyfareddol yn eu dull o lefaru wrth ymdrechu i achub pechaduriaid anwybodus rhag colledigaeth dragwyddol. Lladmerydd enwocaf Methodistiaeth Cymru oedd William Williams Pantycelyn, gŵr yr effeithiodd ei weithiau rhyddiaith a'i emynau ar fywydau miloedd o Gymry.[203] Mewn amryw-iaeth eang a chyfoethog o gyhoeddiadau ceisiodd Williams gyfleu rhyfeddodau'r cread, cyflwyno gwybodaeth wyddonol gyfoes, a chynnig dirnadaeth newydd o seicoleg rhyw a phriodas. Trwy hyn oll, taniodd ysbryd newydd o ymholi ymhlith addolwyr a darllenwyr yn ogystal ag ymestyn ffiniau'r iaith Gymraeg. At hynny, dewisodd yn fwriadol ddefnyddio'r iaith lafar – 'Cymraeg y farchnad' – a honno'n frith o ffurfiau benthyg o'r Saesneg, fel y byddai ei emynau yn ddealladwy i'r werin-bobl ac yn eu galluogi i roi llais i amrediad eang o deimladau.[204]

Y farn gonfensiynol, a'r un amlycaf o hyd, yw nad oedd dim byd cynhenid Gymraeg ynghylch Methodistiaeth ac mai unig gymhelliad yr arweinwyr oedd cadwedigaeth eneidiau yn hytrach na diogelu budd-iannau'r iaith frodorol. Credai gwladgarwyr y ddeunawfed ganrif yn ddiamau mai cyfryngau Seisnigo oedd yr arweinwyr efengylaidd. Ond er mai yn Saesneg yn ddieithriad yr ysgrifennai Howel Harris, arweinydd mwyaf egnïol Methodistiaeth yng Nghymru, gwyddai ef nad oedd mwyafrif aelodau'r seiat yn deall Saesneg.[205] Bu'n gefnogwr, felly, i'r Gymraeg fel cyfrwng llafar a datganai hynny ar goedd, yn enwedig yn ystod blynyddoedd olaf ei oes. Ym Mhontfaen, ger Abergwaun, ym Mai 1770, dywedodd wrth ei wrandawyr 'that God is a Welchman can talk Welsh has s[d]. to many in Welch Thy sins are forgiven thee'. Flwyddyn yn ddiweddarach, gresynai at y modd yr oedd balchder a moethusrwydd, a ddaethai i Gymru o Loegr, wedi darbwyllo llawer i ddysgu Saesneg 'to our children before that ancient Language which God has given us in this shew a folly madness that no other Nation in ye World but our selves do

[202] Am y cyflwyniad gorau, gw. Derec Llwyd Morgan, *Y Diwygiad Mawr* (Llandysul, 1981).

[203] Gomer M. Roberts (gol.), *Y Pêr Ganiedydd* (2 gyf., Aberystwyth, 1949, 1958); Gomer M. Roberts a Garfield H. Hughes (goln.), *Gweithiau William Williams Pantycelyn* (2 gyf., Caerdydd, 1964, 1967).

[204] Glyn Tegai Hughes, *Williams Pantycelyn* (Cardiff, 1983), tt. 116–19.

[205] Gomer M. Roberts (gol.), *Selected Trevecka Letters (1742–1747)* (Caernarfon, 1956), t. 177.

shew'.[206] Yr oedd cynghorwyr uniaith Gymraeg, fodd bynnag, yn aml yn teimlo'n rhwystredig oherwydd eu hanallu i ledaenu'r efengyl mor eang â phosibl ymhlith y di-Gymraeg. Mewn rhannau Seisnigedig o Forgannwg, er enghraifft, teimlai John Richard yn annigonol dros ben o ddarganfod 'gwerthfawr ŵyn' yn dyheu am faeth ysbrydol ac yntau'n methu â'u diwallu.[207] Gresynai John Wesley, gŵr na fedrai'r Gymraeg o gwbl, ynghylch 'the Confusion of Tongues' wrth geisio pregethu rhinweddau Methodistiaeth Arminaidd yn yr iaith fain. Apeliai ei fath ef o efengylu yn bennaf at deuluoedd dwyieithog mewn trefi megis Y Fenni, Pen-y-bont ar Ogwr, Llanfair-ym-Muallt a Chaerdydd, ac mewn mannau eraill byddai'n gorfod dibynnu fel arfer ar gyfieithwyr i gyfleu sylwedd ei genadwri.[208] Yn y rhan fwyaf o'r cylchoedd Methodistaidd yng Nghymru, y Gymraeg oedd iaith profiadau crefyddol dwys, ac yr oedd eu llwyddiant i'w briodoli yn rhannol i hynny.

Ym maes addysgu'r werin hefyd, yr oedd achub eneidiau ac atgyfnerthu'r iaith yn mynd law yn llaw yn y ddeunawfed ganrif. Buan y daeth hi'n amlwg fod yr ysgolion a sefydlwyd gan y Gymdeithas er Taenu Gwybodaeth Gristnogol (1699–1737) – ysgolion cyfrwng-Saesneg gan amlaf – wedi methu ennill parch, llai fyth hoffter, y Cymry. Yr oedd y cynnydd mor araf ac anwastad fel na allai unrhyw gyhoeddusrwydd gelu'r ffaith fod disgyblion uniaith Gymraeg, er gwaethaf cyfnodau maith o addysg Saesneg, yn dal i fethu deall darnau cymharol syml o'r Ysgrythur a rhannau o'r catecism. Yr oedd dysgu ar y cof, gwthio ffeithiau i lawr y corn gwddf, a glynu'n gaeth wrth egwyddor y 'tair R' wedi methu diwallu anghenion Cymry gwledig.[209] Mewn cyferbyniad, yr oedd y rhwydwaith llwyddiannus ryfeddol o ysgolion cylchynol a gychwynnwyd gan Griffith Jones, Llanddowror, yn y 1730au yn cynnig cyfundrefn lawer mwy effeithiol a hyblyg yn seiliedig ar feithrin mewn oedolion a phlant, fel ei gilydd, grap da ar lythrennau, sillafu a geiriau Cymraeg.[210] Y mae'n ffaith ddiymwad fod cynnydd mewn llythrennedd yn cyfoethogi ac yn sefydlogi iaith, ac yr oedd yr hyfforddiant a gynigiai'r ysgolion cylchynol – hyfforddiant a oedd yn elfennol ond o fewn cyrraedd pawb – yn codi safon Cymraeg llafar yn ogystal â gwella ac ymestyn y gallu i ddarllen. Yn

206 LlGC, Archifau'r MC, Dyddiadur Howel Harris 262, 24 Mai, 3 Gorffennaf 1770; Dyddiadur 264, 31 Awst 1771.

207 LlGC, Archifau'r MC, Llythyrau Treveca I, rhif 1284. Gw. hefyd Gomer M. Roberts, 'Adroddiadau John Richard i'r Sasiwn', CCHMC, XXVIII, rhifyn 1 (1943), 1–9.

208 A. H. Williams (gol.), *John Wesley in Wales 1739–1790* (Cardiff, 1971), tt. 16–17, 25, 27, 36, 40, 55, 85, 96.

209 LlGC Llsgr. 17B, ff. 12–13; Griffith Jones (gol.), *The Welch Piety* (London, 1740), tt. 29–62.

210 Geraint H. Jenkins, '"An Old and Much Honoured Soldier": Griffith Jones, Llanddowror', CHC, 2, rhifyn 4 (1983), 449–68.

y pen draw, bu hyn o gymorth i greu'r hyn a alwai William Owen Pughe yn 'community of literary rustics'.[211]

Er bod Griffith Jones yn rhannu atgasedd y 'gwellhawyr', fel y'u gelwid, at yr ieithoedd Celtaidd eraill (mwy na thebyg am fod yr Wyddeleg a'r Aeleg yn gysylltiedig â Phabyddiaeth, annheyrngarwch a gwrthryfel), yr oedd ei barch at ei famiaith ei hun yn ddi-ben-draw, yn gymaint felly nes iddo ddangos gwerthfawrogiad llawer mwy blaengar ac argyhoeddiadol o rinweddau cymdeithasol, addysgol a diwylliannol y Gymraeg nag a wnaethai'r un o'i ragflaenwyr Protestannaidd. Yn ei gyhoeddiad blynyddol, *The Welch Piety*, cyflwynodd Griffith Jones thesis a oedd yn gyfuniad cynnil o sentiment a phragmatiaeth. Yn ei dyb ef, yr oedd y Gymraeg yn iaith hynafol ac anrhydeddus, yn helaeth, yn bur, yn gymwys ac yn syber: 'She has not lost her *Charms*, nor *Chasteness*, remains unalterably the same, is now perhaps the same She was *Four thousand Years* ago; still retains the *Beauties* of *her Youth*, grown *old in Years*, but *not decayed.*'[212] Nid ffug-deimladrwydd oedd hyn ganddo nac esgus cefnogi'r syniadau a boblogeiddiwyd gan Paul Pezron a Theophilus Evans, oherwydd yr oedd yn gwir gredu bod rhagluniaeth yn diogelu'r Gymraeg. Yr oedd y famiaith hefyd yn hanfodol bwysig er lles ysbrydol a moesol y Cymry i'r graddau ei bod yn gweithredu fel gwrthglawdd yn erbyn y llanw estron o anffyddiaeth, anlladrwydd, a deistiaeth. Gallai cyfrannu dysg trwy gyfrwng y Saesneg annog gweithwyr a thenantiaid ffermydd i gefnu ar eu galwedigaeth a cheisio bywyd newydd dros y môr, er dirfawr golled i'r economi yng Nghymru. Dadleuai na fyddai neb yn ei iawn bwyll yn sefydlu ysgolion elusennol Ffrangeg yn Lloegr a meiddio gadael i filoedd o eneidiau anwybodus gwympo i affwys dychrynllyd tragwyddoldeb ('the dreadful Abyss of Eternity'). Atgoffai ddarpar noddwyr mai Cymraeg ac nid Saesneg oedd iaith y bobl o hyd, a bod profiad wedi dangos mai addysg drwy'r Gymraeg oedd y dull mwyaf cyflym a chost-effeithiol o droi miloedd o bobl yn llythrennog.[213] At hynny, yr oedd medru darllen y famiaith yn gyntaf yn gam gwerthfawr ymlaen ar gyfer dysgu Saesneg wedyn. Dyna hefyd oedd barn Thomas Charles, sylfaenydd yr ysgolion Sul yng Nghymru. Credai yntau'n bendant fod rhoi gwybodaeth grefyddol yn y famiaith yn miniogi'r awydd i feddu ar syniadau newydd a rhwyddineb yn y Saesneg. 'I can vouch for the truth of it', haerai, 'that there are *twenty* to *one* who can read English

---

[211] William Owen Pughe, *A Dictionary of the Welsh Language* (2 gyf., London, 1803), I, Rhagymadrodd, sig. c1v.
[212] *The Welch Piety* (London, 1740), t. 51.
[213] Ibid., tt. 32, 37–49.

to what could when the Welsh was entirely neglected.'[214] Erbyn ail
hanner y ddeunawfed ganrif yr oedd ymgyrch addysgol lwyddiannus
Griffith Jones wedi creu llu o ddarllenwyr Cymraeg, a thrwy roi cyfle i
niferoedd sylweddol o ffermwyr, llafurwyr, gweision, morynion, a phlant
i ddysgu darllen, dyrchafodd fri'r Gymraeg a dyfnhau hoffter pobl ohoni.

Gan fod llawer o'r newidiadau aruthrol hyn ynghlwm wrth y wasg
argraffu a'r gwerthoedd diwylliannol newydd, rhaid inni yn awr ystyried
diwylliant llenyddol y cyfnod a'i gyfraniad at y proses o gyfnerthu'r
Gymraeg. Ym 1547 rhoes William Salesbury, ysgolhaig Cymraeg mwyaf
dawnus ei oes, rybudd tra llesol i'w gyd-wladwyr: 'a nyd achubwch chwi
a chweirio a pherfeithio r iaith kyn daruod am y to ysydd heddio, y bydd
rhyhwyr y gwaith gwedy'.[215] Cyfeirio yr oedd, wrth reswm, at yr iaith fel
cyfrwng diwylliant aruchel yn hytrach nag fel cyfrwng cyfathrebu bob
dydd. Yn naturiol, pryderai ysgolheigion o'r fath y byddai'r Gymraeg, o
ganlyniad i hoffter y boneddigion o Seisnigrwydd ac i ddadfeiliad urdd y
beirdd, yn dirywio'n fyrdd o dafodieithoedd gwerinol, heb urddas, na
statws, na chywirdeb.[216] Er bod y rhan fwyaf o ysgolheigion y Dadeni yng
Nghymru yn edmygwyr o'r iaith Saesneg ac yn gefnogwyr brwd i'r
ddeddfwriaeth Uno, ymfalchïent yr un pryd yn eu swyddogaeth fel
vetustae linguae custodes (ceidwaid yr heniaith).[217] Yn yr Oesoedd Canol
defnyddid y gair 'iaith' i olygu 'cenedl', ac yr oedd ysgolheigion Cymraeg
yn ymwybodol fod yr iaith frodorol yn arwydd sylfaenol o
hunanymwybod y Cymro, os nad o'i genedligrwydd. Yr oeddynt yn
ymwybodol fod rhai gweinyddwyr a gwŷr dysgedig a aned yng Nghymru
neu o dras Gymreig yn credu mai ymylol yn unig oedd y Gymraeg ym
myd astudiaethau deallusol ac na ellid ceisio a chael gwir ysgolheictod a
dysg heb ymadael â Chymru. Er bod y rhai a ddewisodd ysgrifennu yn
Saesneg yn dirmygu eu delfrydau a'u hamcanion, yr oedd ysgolheigion y
Dadeni, megis William Salesbury, Richard Davies, Siôn Dafydd Rhys a
John Davies yn dal yn argyhoeddedig fod y Gymraeg yn ffynnon
ddihysbydd, ac yn gymaint felly fel na ddylid caniatáu iddi fynd yn iaith y
buarth a'r farchnad yn unig.[218] Yn eu golwg hwy, yr oedd ganddi bob
hawl i'w hystyried yn gyfrwng cymwys i drafodaeth ac astudiaeth

[214] D. E. Jenkins (gol.), *The Life of the Rev. Thomas Charles of Bala* (3 cyf., Denbigh,
1908–10), III, t. 367.
[215] William Salesbury, *Oll Synnwyr pen Kembero ygyd* (London, 1547), sig. Aiiir.
[216] R. Brinley Jones, *The Old British Tongue: the Vernacular in Wales, 1540–1640* (Cardiff,
1970); idem, ' "Yr Iaith sydd yn Kychwyn ar Dramgwydd", Sylwadau ar y Gymraeg
yng nghyfnod y Dadeni Dysg' yn J. E. Caerwyn Williams (gol.), *Ysgrifau Beirniadol VIII*
(Dinbych, 1974), tt. 43–69.
[217] Gw. Ceri Davies (gol.), *Rhagymadroddion a Chyflwyniadau Lladin 1551–1632* (Caerdydd,
1980) ac idem, *Latin Writers of the Renaissance* (Cardiff, 1981).
[218] Glanmor Williams, *Religion, Language, and Nationality in Wales* (Cardiff, 1979), tt. 131–2.

ddiwylliedig. Eu ffydd yn yr iaith a'u hysgogodd i neilltuo cymaint o'u
hamser a'u hegni i gyhoeddi traethodau gwerthfawr ar ramadeg, orgraff a
rhethreg, yn ogystal â geiriaduron, er mwyn ei harddu, ei chyfoethogi a'i
safoni, a rhoi bri arni fel iaith wâr.

O ganlyniad, bu'r gair printiedig yn allweddol gan iddo greu diddordeb
newydd yn y Gymraeg a'i galluogi i ymsefydlogi o'r newydd nes ei bod yn
ymddangos yn fwy parhaol ac, o'r herwydd, yn fwy 'tragwyddol' nag yr
oedd mewn gwirionedd.[219] Er mai proses cymharol araf fu'r symudiad o
sgript i brint ac o'r glust i'r llygad yng Nghymru'r Tuduriaid a'r cyfnod
Stiwartaidd cynnar, yr oedd diwylliant y llyfr printiedig yn ddi-os wedi
ymddangos erbyn adeg yr Adferiad. Yn y ddeunawfed ganrif cyhoeddwyd
dros 2,500 o lyfrau Cymraeg (heb gynnwys effemera), a'r rhan fwyaf
ohonynt yn weithiau crefyddol ar gyfer dysgu athrawiaethau sylfaenol y
ffydd Gristnogol, i annog darllen y Beibl, ac i gynorthwyo'r unigolyn i
geisio sicrwydd ffydd.[220] Ond ceisiai llawer o'r gweithiau hyn hefyd
atgyfnerthu'r 'hen Iaith heuddbarch'.[221] Ni all darllenydd mwyaf brysiog y
fath lyfrau beidio â rhyfeddu at yr anwyldeb a ddangosai geiriadurwyr,
gramadegwyr, eglwyswyr ac Anghydffurfwyr, almanacwyr a baledwyr at
eu mamiaith. Byddai'r nodwedd hon, yn sicr, wedi cael effaith union-
gyrchol neu anuniongyrchol ar agwedd y nifer cynyddol o ddarllenwyr
llyfrau at y Gymraeg. Gwelid arwyddion calonogol hefyd yn yr ymgais i
lenwi bylchau amlwg yn y pynciau yr ysgrifennid amdanynt. Yr oedd
diwygwyr crefyddol bob amser wedi cydnabod mai bendith arbennig gan
Dduw i genedl y Cymry oedd y wasg argraffu. Bu datblygiad y gweisg
brodorol o 1718 ymlaen o gymorth i sefydlogi'r iaith ac i hybu'r arfer o
ddarllen llyfrau.[222] Darperid rhywbeth at ddant pawb. Cân am dybaco
oedd y cyhoeddiad cyntaf i'w argraffu'n gyfreithlon ar dir Cymru, a hynny
yn Nhrerhedyn yn ne sir Aberteifi ym 1718.[223] Yn yr un flwyddyn,
cafwyd amrediad eang o wybodaeth am seryddiaeth, sêr-ddewiniaeth,
daearyddiaeth a gwyddoniaeth yn *Hanes y Byd a'r Amseroedd* gan Simon
Thomas. Cyhoeddodd Thomas Durston o Amwythig ei *Gyfarwyddiad i
Fesurwyr* (1715), y gwaith technegol cyntaf ar rifau a mesuriadau, ar gyfer
seiri coed, seiri maen, llifwyr a thowyr, a chyfieithodd Lewis Morris
draethawd ar japanio a farneisio er budd crefftwyr Cymraeg.[224] Llyfr
arloesol Dafydd Lewys, *Golwg ar y Byd* (1725), oedd y llyfr Cymraeg

[219] Eric Hobsbawm, *Nations and Nationalism since 1780* (ail arg., Cambridge, 1992), t. 61.
[220] *Libri Walliae.*
[221] Thomas Jones, *Almanac am y Flwyddyn 1681* (Llundain, 1681), sig. A2r.
[222] Geraint H. Jenkins, *Literature, Religion and Society in Wales, 1660–1730* (Cardiff, 1978),
tt. 255–304.
[223] Alban Thomas, *Cân o Senn iw hen Feistr Tobacco* (Trerhedyn, 1718).
[224] *Y Gowrain Gelfyddyd o Japannio neu Rodd meistr iw Brentis* (Y Bala, 1761).

cyntaf i ymdrin yn benodol â phynciau gwyddonol, thema yr aeth Williams Pantycelyn ar ei thrywydd yn bur llwyddiannus. Yr oedd *Llyfr Meddyginiaeth a Physygwriaeth* (*c.*1740) yn ymdrech ganmoladwy i adfywio neu i fathu geiriau ym myd planhigion, pêr-lysiau a meddygaeth, a hefyd i gynnig cymorth wrth baratoi a choginio adar, pysgod a chig. Ceid yn ogystal, wrth reswm, dameidiau blasus o wybodaeth mewn almanaciau a baledi Cymraeg. Erbyn diwedd y ddeunawfed ganrif, gallai bron pob tref o bwys yng Nghymru ymfalchïo fod ganddi o leiaf un wasg argraffu, ac wrth i lyfrau ddod yn rhatach ac o fewn cyrraedd ffermwyr, masnachwyr a chrefftwyr llythrennog, yr oedd effeithiau cynyddol hyn oll yn dyngedfennol i'r Gymraeg. Wrth ysgrifennu ar droad y ddeunawfed ganrif, cydnabu William Owen Pughe yn deg yr hyn a gyflawnwyd:

> Respecting the printed books, in the Welsh language, it is not necessary to say much, any further than to announce, that we have about one thousand volumes of them, upon various topics; some of which have gone through several editions. Our catalogue, to be sure is not large; but, arising from the spirit of reading, among the peasants of a small mountainous country, it must acquire some degree of importance in the opinion of strangers, to whom the circumstances may be hitherto unknown altogether, that we should have any books in our language.[225]

Er bod datblygu dulliau argraffu rhad wedi bod yn hanfodol bwysig fel modd i gryfhau'r Gymraeg, ni ddylid anghofio pwysigrwydd eithriadol y traddodiad llafar. Darllenid yn uchel yn yr eglwysi ddarnau o'r Ysgrythur a'r Llyfr Gweddi. Clywed pregethau a wnâi pobl yn gyntaf, ac wedyn eu darllen pan gaent hamdden. Cyflwynid y catecism ar lafar, ar ddull holi ac ateb, ac o fewn yr uned deuluol darllenid llyfrau didactig a defosiynol yn uchel i'r anllythrennog. Gellid, yn amlwg, ledaenu geirfa newydd a mwy crefyddol trwy brint, yn enwedig ymhlith y rhai llythrennog, ond baledi, caneuon ac anterliwtiau poblogaidd a berfformid gan faledwyr, rhigymwyr ac actorion crwydrol a âi â bryd y werin-bobl. Yn y pen draw, fodd bynnag, ni ellir dweud i ba raddau y gadawodd gweithiau crefyddol neu boblogaidd eu hôl ar yr iaith bob dydd nac i ba raddau yr adlewyrchent yr iaith honno, ac efallai na ddylem gymryd yn ganiataol fod y deunydd darllen a oedd ar gael y pryd hwnnw wedi dylanwadu'n drwm ar batrymau'r iaith lafar.

Tynnwyd sylw mewn astudiaethau diweddar at gyfraniad arbennig yr haen ganol o Gymry at fywyd diwylliannol y ddeunawfed ganrif yng Nghymru. Trown yn awr at hyn. Dyma'r cyfnod pryd yr oedd yr haen

---

[225] Pughe, *Dictionary*, I, Rhagymadrodd, sig. C1r.

hon yn ailarchwilio natur Cymreictod a chreu ymwybod newydd o hunaniaeth yn seiliedig ar y Gymraeg.[226] Achosodd y newidiadau yn y dull o rannu tiroedd a'r ymdeimlad cyffredinol o ddirywiad a dadfeiliad yn y strwythur diwylliannol i nifer cynyddol o wladgarwyr benderfynu na ddeuai gwaredigaeth gymdeithasol nac economaidd o du'r landlordiaid absennol a ddihysbyddai'r wlad o'i hadnoddau. Fel yr oedd yr oligarchiaeth dirfeddiannol yn ymbellhau oddi wrth fywyd cymdeithasol a diwylliannol Cymru, âi'r awenau i ddwylo ysgolheigion a gwladgarwyr a oedd wrth eu bodd yn ailddarganfod trysorau'r gorffennol ac yn cefnogi achos y Gymraeg. Cyfnod o newid ieithyddol oedd hwn pan oedd geiriadurwyr dawnus a 'phuryddion' yn ychwanegu nifer rhyfeddol o eiriau newydd at yr iaith. Y mae ieithoedd, wrth reswm, yn newid drwy'r adeg; wrth i hen eiriau ddiflannu, y mae rhai newydd yn cael eu derbyn. Ond y mae'n amlwg fod y duedd hon yn llawer amlycach wrth i'r ddeunawfed ganrif fynd rhagddi. Yr oedd dyhead o hyd am i'r iaith fod yn fwy cydnerth a gwrol,[227] ac, yn niffyg academi genedlaethol â gofal am gadw purdeb ieithyddol a hyrwyddo'r defnydd o eiriau newydd, geiriadurwyr amatur a ysgwyddai'r cyfrifoldeb o sefydlogi a chyfoethogi'r iaith.[228] Gwelir yng *Ngeiriadur Prifysgol Cymru* gynnydd dramatig yn nifer y geiriau newydd a ymddangosodd o *c.*1770 ymlaen, a cheir prawf gwirioneddol o'r modd yr ymestynnwyd yr iaith yn llwyddiannus yn y ffaith fod John Walters wedi gallu cynhyrchu ei eiriadur Saesneg-Cymraeg mewn dwy gyfrol swmpus (mewn rhannau yn dilyn ei gilydd) rhwng 1770 a 1794.[229] Adlewyrchai'r geiriau newydd weithgarwch cymdeithasol ac economaidd egnïol – cyfanwerthu, mânwerthu a mantoli (1770); datblygiadau gwyddonol – dyfeisgar (1771), daearyddiaeth (1793) a disgyrchiant (1795); a'r bersonoliaeth ddynol – dynoliaeth *(1774)*, hunan-adnabyddiaeth (1771) ac arddegau (1794).[230] Dyma'r cyfnod hefyd a welodd gyhoeddi rhai o'r traethodau mwyaf dylanwadol ar yr iaith, yn enwedig *Historical and Critical Remarks on the British Tongue and its Connection with other Languages* (1769) gan Thomas Llewelyn, a *A Dissertation on the Welsh Language* (1771) gan John Walters, dwy gyfrol sy'n fawr eu clod i hynafiaeth, helaethrwydd a pherffeithrwydd gramadegol y Gymraeg.

---

[226] Jenkins, *Making of a Ruling Class*, pennod 9; Jenkins, *The Foundations of Modern Wales*, tt. 386–9. Gw. hefyd Jonathan Barry a Christopher Brooks (goln.), *The Middling Sort of People. Culture, Society and Politics in England, 1550–1800* (Basingstoke, 1994).

[227] Gambold, *A Welsh Grammar*, sig. A2v.

[228] T. J. Morgan, 'Geiriadurwyr y Ddeunawfed Ganrif', *LlC*, 9, rhifyn 1 a 2 (1966), 3–18.

[229] John Walters, *An English-Welsh Dictionary* (London, 1794).

[230] Prys Morgan, 'Dyro Olau ar dy Eiriau', *Taliesin*, 70 (1990), 38–45.

Yr oedd yr obsesiwn ynghylch tarddiad, natur, a'r defnydd o ieithoedd a thafodieithoedd yn amlycach yn Llundain yn anad unman. Dal yn druenus o fach yr oedd trefi Cymru ac ni allai unrhyw gymuned drefol obeithio cystadlu â Llundain o ran cyfoeth, cymdeithasgarwch a'r cyfle i feithrin syniadau. Pan oedd yn llanc ym Meirionnydd wledig, credai William Owen Pughe mai Llundain oedd canolbwynt y byd, 'the primary point in the geography of the world'.[231] Wrth i'r ieuainc a'r uchelgeisiol geisio eu ffortiwn yn un o ddinasoedd mwyaf lliwgar a chosmopolitaidd Ewrop, daeth Llundain i bob pwrpas yn ddirprwy brifddinas Cymru. Ffurfiai'r mwyaf dysgedig yn eu plith gysylltiadau â *bourgeoisie* Llundain ac amharodd yr integreiddio â charfanau elitaidd o'r fath yn fawr ar ansawdd eu Cymraeg llafar ac ysgrifenedig. Mor gynnar â chyfnod y Tuduriaid, er enghraifft, gwelid olion Seisnigo ar eirfa a chystrawennau Elis Gruffydd, y milwr amlieithog a'r croniclydd o sir y Fflint, wedi iddo dreulio peth amser yn Llundain.[232] Serch hynny, bu ffurfio cymdeithasau'r Cymry yn Llundain yng nghanol y ddeunawfed ganrif yn fodd i adfywio Cymreictod yn y ddinas trwy gryfhau ymwybod yr alltudion â'u Cymreictod. Yng nghyfansoddiad Cymdeithas y Cymmrodorion (1751), a luniwyd gan y brodyr diflino hynny, Morrisiaid Môn, datganwyd yn eglur yr angen i feithrin y Gymraeg (gwaherddid aelodau rhag hyd yn oed sibrwd Saesneg yn eu cyfarfodydd) ac yr oedd llythyrau'r tri brawd yn frith o gyfeiriadau at agor cwysi diwylliannol newydd 'er clod ac anrhydedd i'n hiaith'. Pwysleisient mor hanfodol yr oedd hi i ddarbwyllo dynion dylanwadol i garu a choleddu'r iaith.[233] Y mae eu cred ddiysgog yn yr iaith a'u cariad tuag ati yn llewyrchu yn eu llythyrau enwog, ac amlygir ynddynt hefyd eu dawn i ysgrifennu mewn arddulliau amrywiol a'u gwybodaeth ryfeddol am acenion, geirfâu a chystrawennau lleol.

Ond er bod y Morrisiaid (a rhai o'u gohebwyr mwyaf diwylliedig) yn ymgomwyr ac yn ieithyddion penigamp, nid oedd hynny'n wir am drwch aelodau'r Cymmrodorion. Yr oedd 'y gwŷr mawr' yn Llundain a fwynhâi hwyl a miri'r cymdeithasu yn fwy na dim yn gyndyn i dderbyn syniadau a chynlluniau diwylliannol y Morrisiaid, ac o 1770 ymlaen daeth Cymdeithas y Gwyneddigion, a oedd newydd ei sefydlu, yn llawer mwy dylanwadol wrth roi arweiniad ar faterion Cymreig. Ymhyfrydai aelodau afieithus y Gymdeithas hon mewn arddangos eu huodledd a'u dawn parodïo a chellwair yn nhafarnau myglyd y brifddinas. Nid oedd rhai o'u hamcanion yn annhebyg i eiddo aelodau clybiau llenyddol yn America,

---

[231] Pughe, *Dictionary*, I, Rhagymadrodd, sig. b3r.

[232] LlGC Llsgrau 3054D, 5276D; Llsgr. Mostyn 58. Gw. hefyd Patrick K. Ford (gol.), *Ystoria Taliesin* (Cardiff, 1992), tt. vii–viii.

[233] *Gosodedigaethau Anrhydeddus Gymdeithas y Cymmrodorion yn Llundain* (Llundain, 1755); *ML*, II, t. 368.

Ffrainc a Sbaen. 'Hir Oes i'r Iaith Gymraeg' oedd un llwncdestun poblogaidd iawn ganddynt a buont yn flaenllaw yn y gwaith o adfywio a chyfnerthu'r eisteddfod. Ymddengys fod yr aelodau wedi mabwysiadu a glynu wrth y rheol Gymraeg yn eu cyfarfodydd ond, os oes coel ar Iolo Morganwg, yr oedd tafodiaith y 'becockneyed Cambrians' hyn yn 'seal'd all over with the most uncouth anglicisms, and other barbarisms'.[234] Teimlai hyd yn oed ysgolhaig ac offeiriad fel Ieuan Fardd reidrwydd i ddefnyddio iaith a fyddai wedi bod yn 'valuable acquisition to Billingsgate' ymhlith yr haid o ysgolheigion a gwladgarwyr a fyddai'n llymeitian ac ysmygu yn hoff dafarnau'r Gwyneddigion.[235]

Yr oedd Llundain hefyd yn gartref cydnaws i'r sawl a hoffai fyd ffantasi, myth a chwedl. Trwy annog y ddawn greadigol naturiol, llwyddodd rhamantiaeth i ailennyn diddordeb yn un o'r ieithoedd llenyddol hynaf yn Ewrop. Bu ffugiadau llenyddol athrylithgar, ffantasïau a breuddwydion y saer maen dawnus, Iolo Morganwg, o gymorth i gyflwyno i'r Gymraeg ieithwedd gwleidyddiaeth chwyldroadol, *sans-culottisme*, rhydd-feddyliaeth a gweriniaetholdeb fel modd o dynnu sylw at Jacobiniaeth ac o ddeffro ymwybod newydd â chenedligrwydd. (Yr oedd Iolo, yn ôl pob sôn, yn fwy rhugl yn Saesneg nag yn Gymraeg, ond gallai lunio brawddeg yn cynnwys 116 o eiriau Cymraeg heb ferf ar ei chyfyl er mwyn arddangos cynneddf yr iaith 'to express a pretty long sentence'!).[236] Ceisiai gwladgarwyr radical ar ddiwedd y ddeunawfed ganrif wrthsefyll ymdrechion i Brydeineiddio'r Cymry ac yr oeddynt yn unfarn fod yr iaith Gymraeg wrth graidd hawl y Cymry i fod yn genedl ac yn nodwedd gref yng nghymeriad y bobl. Mewn molawd anghyffredin (hyd yn oed yn ôl ei safonau ef) i'r Gymraeg, meddai Iolo Morganwg:

> . . . we have more than a thousand printed books in the Language, probably near two thousand, we have ten presses at least in Wales employed in printing Welsh books, besides many that are printed in London. It has three or four periodical publications, or magazines, and is now equal if not superior to what English literature was in the Reigns of Elizabeth and James, everything considered . . . It has no loose immoral books of any kind, none that inculcate the pernicious doctrines of infidelity . . . It has no places, pensions, profitable trades, no offices, employment, and high Trusts to attain to that might lead it into temptation. . . . There can be no doubt but that the preservation and retention of the Welsh Language will be greastest [*sic*] blessing of all others to Wales.[237]

[234] LlGC Llsgr. 13121B, f. 478; LlGC Llsgr. 21419E, f. 19.
[235] Jenkins a Ramage, *Cymmrodorion*, t. 98.
[236] Richard M. Crowe, 'Diddordebau Ieithyddol Iolo Morganwg' (traethawd PhD anghyhoeddedig Prifysgol Cymru, 1988), t. 36.
[237] LlGC Llsgr. 13121B, ff. 474–5.

Serch hynny, ni lwyddodd y rhamantwyr i gyd, er gwaethaf eu bwriadau da, i adfer urddas a statws i'r iaith. Byddai eu hymlyniad wrth y dychymyg, yr emosiwn a'r anarferol yn fynych yn eu harwain ar gyfeiliorn. Bu gwawdio cyffredinol, er enghraifft, ar lyfr William Owen Pughe, *A Grammar of the Welsh Language* (1803), oherwydd odrwydd chwerthinllyd ei orgraff, a *reductio ad absurdum* yr obsesiwn ynghylch 'dyfeisio' geiriau oedd erchyllterau megis 'anghyflechtwynedigaetholion' a 'gogyflechtywynedigaetholion', geiriau a ddyfeisiwyd gan Iolo Morganwg.[238] Nid oedd yr egni a dywelltid i ramantiaeth Gymraeg bob amser wedi ei gyfeirio'n ddoeth, ac yr oedd Dafydd Ddu Eryri yn llygad ei le wrth gollfarnu 'anfeidrol ynfydrwydd' y selogion mwyaf penboeth.[239] Eto i gyd, daeth y syniadau llachar a deniadol a daenid gan y rhamantwyr yn gyfrwng grymus i ennill bri i'r Gymraeg. Clywid llawer rhagor o leisiau yn cefnogi'r iaith ar ddiwedd y ddeunawfed ganrif nag erioed o'r blaen, ac mewn sawl ffordd, yr oedd hyder yn ei dyfodol yn beth ffasiynol. Rhaid rhoi cyfran ddyladwy o'r clod am hynny i ramantiaeth.

Yn gyffredinol, felly, nid gormodiaith fyddai honni bod pobl yn dra ymwybodol fod y Gymraeg wedi ymehangu a datblygu yn ystod y ddeunawfed ganrif. Yr oedd rhai ardaloedd, yn enwedig trefi, wedi graddol Gymreigio. Yn sgil y nifer helaethach o gyhoeddiadau Cymraeg, twf crefydd efengylaidd a llythrennedd, gwelwyd rhagor o hyder wrth ddefnyddio'r iaith fel cyfrwng ysgrifennu, nid yn unig ar gyfer llythyrau personol, ond hefyd yn lle'r Saesneg fel iaith swyddogol y cofnodi mewn llawer o ewyllysiau, mewn rhai llyfrau festri plwyf a hyd yn oed mewn datganiadau yn y Llysoedd Chwarter. Sefydlwyd a datblygwyd y defnydd o'r Gymraeg ym maes hollbwysig crefydd, a bu'r don enfawr o weithgarwch ysgolheigaidd a rhamantaidd yn gymorth i arddel yr iaith fel rhan o ymwybod cenedlaethol y bobl. Yn anad dim, yr oedd niferoedd y siaradwyr Cymraeg wedi mwy na dyblu yn y cyfnod modern cynnar, a thrown yn awr at eu dulliau arbennig hwy o lefaru.

Yr Iaith Lafar

Yng ngweddill y bennod hon byddwn yn trafod yn fanwl iaith sgwrsio cyffredin – tasg na ellir ymgymryd â hi heb bryder, gan fod y pwnc yn llawn anawsterau oherwydd diffyg tystiolaeth uniongyrchol. Wrth reswm, diflannu heb adael ôl o gwbl fu hanes bron pob cyfnewid geiriol ar lafar yn y cyfnod modern cynnar. Siaradwyr uniaith a aned ym 1835 a 1839 oedd y rhai cynharaf i roi gwybodaeth i'r arloeswr O. H. Fynes-Clinton wrth

---

[238] Crowe, 'Diddordebau Ieithyddol Iolo Morganwg', t. 199.
[239] Glenda Carr, *William Owen Pughe* (Caerdydd, 1983), t. 94.

iddo gasglu manylion am eirfa Cymraeg llafar ardal Bangor.[240] Cedwir hefyd yn archifau sain Amgueddfa Werin Cymru dapiau o iaith lafar naturiol, ac ym 1840 y ganed yr hynaf o'r cyfranwyr hynny. Nid oes dim byd cyffelyb ar gael am y cyfnod cyn 1800. Dal ynghudd felly oddi wrth yr hanesydd y mae'r union batrymau llefaru, ac ni allwn bellach obeithio gwybod nac atgynhyrchu union acenion, goslef, rhythm, traw a mynegiant ein hynafiaid modern cynnar, llai fyth arlliw ystyr, gwahaniaethau cynnil a chysylltiadau'r gair llafar. Er bod llefaru yn llawer pwysicach na'r gair printiedig ym mywyd beunyddiol y bobl, y mae'r hyn a wyddom am yr iaith lafar yn seiliedig, o anghenraid, ar yr hyn a ysgrifennwyd y pryd hwnnw. Er bod yr iaith ysgrifenedig a defnyddiau printiedig eraill yn gallu rhoi inni wybodaeth werthfawr ac annisgwyl ar brydiau am y dulliau llafar o gyfathrebu, dylid cofio bob amser fod trawsgrifio sgwrs, trafodaeth, neu ddeialog i ryw ffurf o gofnod ysgrifenedig yn golygu'n anochel rywfaint o gaboli ar y gwreiddiol.

Seilir yr ymdriniaeth ganlynol ar gyfuniad o dystiolaeth ddogfennol sy'n cyffwrdd â materion ieithyddol. Yn gyntaf, y mae gweithiau ysgolheigion a feddai wybodaeth uniongyrchol a helaeth o dafodieithoedd a geirfâu lleol, a gellir ychwanegu atynt sylwadau teithwyr a sylwedyddion. Y mae rhyw gymaint o lythyrau o'r ddeunawfed ganrif wedi goroesi ac y mae'n amlwg fod llawer o ohebwyr yn ufuddhau i orchymyn Jane Austen: 'write as you would speak'. Dengys llythyrau enwog y Morrisiaid, er enghraifft, amlochredd rhyfeddol eu mynegiant. Y mae'r 'epistolau' yn llawn o bytiau o sgwrs, ebychiadau, 'codi sgwarnogod', mwytheiriau a geiriau mwys. Gellir lloffa cryn dipyn hefyd yn llenyddiaeth ddychmygus y cyfnod, er bod llu o anawsterau yn y maes hwn yn ogystal. Ffolineb fyddai credu, er enghraifft, fod yr iaith a ddefnyddid gan ysgolheigion y Dadeni neu'r diwygwyr Piwritanaidd yn adlewyrchu ymddiddan cyffredin. Gwelir yng ngwaith dychanol Ellis Wynne, *Gweledigaetheu y Bardd Cwsc* (1703) adlewyrchiad o iaith fras y 'Cockney school' a'u tebyg, yn hytrach nag o iaith feunyddiol ym Meirionnydd ar ddiwedd oes y Stiwartiaid. I'r gwrthwyneb, trwy ei ddawn i sylwi, a'i glust am ddeialog, llwyddai anterliwtiau Twm o'r Nant i ddal sylw a chydymdeimlad y werin anllythrennog yn y ddeunawfed ganrif. Yn amlach na pheidio, hefyd, y mae'r deialogau yn swnio'n ddilys yn y toreth o almanaciau, baledi, halsingod, carolau a phamffledi a oedd yn anterth eu poblogrwydd yn y ddeunawfed ganrif, er mai ychydig sy'n wybyddus am eu cynhyrchu a'u cylchrediad. Mwy gwerthfawr eto fyth yw'r dystiolaeth ddiddorol sydd ar gael am achosion o athrod a difenwad yng nghofnodion y llysoedd sifil ac eglwysig.[241] Anecdotaidd yw'r rhan fwyaf o'r dystiolaeth arall sydd

---

[240] O. H. Fynes-Clinton, *The Welsh Vocabulary of the Bangor District* (Oxford, 1913), tt. iii–iv.
[241] Suggett, 'Slander in Early-Modern Wales', 119–53.

gennym am y defnydd o'r Gymraeg, ond y mae'r corff rhyfeddol hwn o
dystiolaeth, sy'n cynnwys rhyw ddwy fil o achosion, yn rhoi cipolwg ar
bwy a siaradai ba iaith, pa bryd ac ymh'le. Yn y cofnodion hyn cadwyd yr
union eiriau (Saesneg neu Gymraeg gyda chyfieithiad Saesneg) a lefarwyd
ac fel y'u cofnodwyd ar y pryd yn y llysoedd yn y cyfnod 1543–1830.
Cred ieithyddion cymdeithasol fod y dystiolaeth ynglŷn â'r iaith lafar yn
naturiol ac anffurfiol yn hytrach na llenyddol a gorgywir.[242] O'u
defnyddio'n sensitif, gall y cofnodion hyn roi inni fanylion am rai
amrywiadau o Gymraeg llafar. Yn y llysoedd y darganfyddwn ac y clywn
leisiau dilys pobl, nad oeddynt yn perthyn i unrhyw *élite,* o bob rhan o
Gymru yn y cyfnod modern cynnar.

Awgrymir weithiau fod y Gymraeg yn iaith ddiddosbarth am mai'r hyn
sy'n dylanwadu fwyaf ar Gymraeg llafar yw amrywiadau rhanbarthol yn
hytrach na phatrymau llefaru seiliedig ar statws. Crybwyllwyd eisoes y
Seisnigo graddol a fu ar y boneddigion, a gallwn fod yn sicr mai yn 'the
genteel and fashionable Tongue', chwedl Henry Rowlands, y byddai
tirfeddianwyr cyfoethog yn cynnal sgwrs foesgar wrth droi yn eu
cylchoedd dethol.[243] Gan mai'r Saesneg oedd iaith chwaeth a dyrchafiad,
cysylltid y Gymraeg ag israddoldeb, tlodi a chyntefigrwydd. Ar y llaw
arall, gan fod ysgolheigion ac offeiriaid yn allweddol yn y proses o greu
rhagor o hyder yn yr iaith frodorol, gellid tybio eu bod yn llefaru mewn
modd cwrtais, boneddigaidd – yn Gymraeg ac yn Saesneg, yn ôl yr
amgylchiadau – fel yr argymhellid yng ngweithiau'r dyneiddwyr, ac, o
ganlyniad, fod eu llefaru yn fwy ffurfiol a chywir na'r ffurfiau llafar mwy
sathredig a glywid ymhlith y werin-bobl.[244] Pwysleisiodd Goronwy
Owen y gwahaniaeth rhwng 'geiriau caled' a 'Chymraeg y farchnad'.[245]
Cwynai'r haen ganol ddiwylliedig yng Nghymru ynghylch safon
Cymraeg llafar y bobl gyffredin yn union fel y gresynai John Aubrey at yr
ymadroddi llac a nodweddai iaith pobl ogledd Wiltshire a gwastadedd
swydd Gaerloyw.[246]

Er hynny, nid oedd neb ar y pryd mewn sefyllfa i ddweud beth yn
union a olygid wrth Gymraeg 'cywir'. Hyd yn oed wedi cyhoeddi'r Beibl
Cymraeg ym 1588, nid oedd safon unffurf at ddefnydd bob dydd, a rhyfyg
fyddai tybio bod iaith ysgrythurol yn treiddio drwy iaith feunyddiol y
werin cyn sefydlu'r ysgolion Sul ar ddiwedd y ddeunawfed ganrif. Golygai

---

[242] G. M. Awbery, Ann E. Jones ac R. F. Suggett, 'Slander and Defamation: A New Source
   for Historical Dialectology', *Papurau Gwaith Ieithyddol Cymraeg Caerdydd/Cardiff Working
   Papers in Welsh Linguistics,* rhifyn 4 (Amgueddfa Werin Cymru, 1985), t. 3.
[243] Henry Rowlands, *Mona Antiqua Restaurata* (Dublin, 1723), t. 38.
[244] Peter Burke, *The Art of Conversation* (Cambridge, 1993), pennod 4.
[245] *Letters of Goronwy Owen,* t. 141.
[246] David Rollison, *The Local Origins of Modern Society. Gloucestershire 1500–1800* (London,
   1992), tt. 258–64.

diffyg canolbwynt naturiol fod patrymau cymdeithasol-economaidd, ieithyddol a diwylliannol yng Nghymru yn allgyrchol yn hytrach na mewngyrchol, a heb iaith lafar 'genedlaethol' yn ffurfio bwa, fel petai, dros bawb, ceid amrywiaeth cyfoethog a lliwgar o dafodieithoedd lleol. Yr oedd teithwyr Cymraeg eu hiaith o fewn Cymru wedi hen arfer â llu o batrymau llefaru rhanbarthol a rhai tafodieithoedd a oedd yn anodd eu deall. Cafwyd sylwadau gwerthfawr a threiddgar gan y teithwyr mwyaf craff. Ym 1573 adleisiodd Humphrey Llwyd farn Gerallt Gymro trwy ddynodi iaith sir Aberteifi 'ye finest, of al the other people of Wales', a disgrifiodd iaith Gwynedd fel y buraf, ac un de Cymru y 'rudest, & coursest'.[247] Bron dwy ganrif yn ddiweddarach, honnodd Lewis Morris mai tafodiaith brodorion siroedd Môn, Caernarfon a Meirionnydd a oedd agosaf at 'the antient pronunciation of ye British tounge' a hynny am eu bod yn ynganu'r llafariaid 'more gaping & open than any other part of Wales'.[248] Barn dra gwahanol i un Lewis Morris a goleddid gan Iolo Morganwg ar ddiwedd y ddeunawfed ganrif. Gallai ef adnabod tair tafodiaith draddodiadol: y Wenhwyseg, a leferid yn siroedd Morgannwg, Mynwy, de a dwyrain Brycheiniog, a'r rhan Gymraeg o swydd Henffordd; y Ddyfedeg, a leferid yn siroedd Aberteifi, Caerfyrddin, Penfro, rhannau o Frycheiniog a rhannau o Benrhyn Gŵyr; a'r Wyndodeg, a leferid yn siroedd gogledd Cymru. Ar sail ei wybodaeth eang o batrymau ieithyddol a diwylliannol yng Nghymru a'r manylion a gasglodd ar deithiau hir a blinedig ledled y wlad, honnai Iolo hefyd fod siaradwyr coethaf y Wenhwyseg yn byw yn Aberdâr, Defynnog, Gelli-gaer, Blaenau Gwent, Basaleg, Llancarfan, Margam ac Ewias, bod y Ddyfedeg ar ei gorau yn Llanbadarn Fawr, Castellnewydd Emlyn, Hendy-gwyn ar Daf a Llandeilo Fawr, ac mai siaradwyr mwyaf rhugl y Wyndodeg oedd brodorion Aberffraw, Llannerch-y-medd, Beddgelert, Corwen, Llanidloes a Machynlleth.[249] Fel yr amrywia barn pobl ynghylch yr hyn sy'n brydferth, felly hefyd ynghylch ansawdd neu burdeb Cymraeg llafar, ac yr oedd yn naturiol i drigolion y gwahanol ardaloedd ymhyfrydu yn eu hynganiad a'u goslef eu hunain. Ym 1716, er enghraifft, honnodd Myles Davies o Chwitffordd yn sir y Fflint fod 'the truest common Cambrian Idiom is best spoken in Denbighshire . . . but the British Atticisms are most frequent in Flintshire'.[250]

---

[247] Humphrey Llwyd, *The Breuiary of Britayne* (London, 1573), f. 75v.

[248] Hugh Owen, *The Life and Works of Lewis Morris (Llewelyn Ddu o Fôn) 1701–65* (Cymdeithas Hynafiaethwyr Môn, 1951), t. 145.

[249] Crowe, 'Diddordebau Ieithyddol Iolo Morganwg', tt. 257–8, 325; idem, 'Iolo Morganwg a'r Tafodieithoedd: Diffinio'r Ffiniau', *ClIGC*, XXVII, rhifyn 2 (1991), 205–16.

[250] Myles Davies, *Athenae Britannicae* (6 chyf., London, 1716–20), II, t. 191. Am ysgrifau gwerthfawr ar batrymau a swyddogaethau iaith lafar, gw. Richard Bauman a Joel Sherzer (goln.), *Explorations in the Ethnography of Speaking* (Cambridge, 1974).

Wrth gloriannu tystiolaeth o'r fath, dylem gadw mewn cof yr ymryson a'r eiddigedd, chwerw ar brydiau, a fodolai rhwng beirdd, ieithyddion ac ysgolheigion gogledd a de Cymru. Arferai Goronwy Owen gyfeirio at 'Iaith Gwynedd ag Iaith yr Hwyntwyr'[251] a chredai llawer y pryd hwnnw fod tafodieithoedd y ddau ranbarth yn annealladwy i'w gilydd. Y mae cyhoeddiadau'r Anghydffurfiwr Stephen Hughes ym mlynyddoedd yr Adferiad yn frith o esboniadau ymyl y ddalen ar gyfer darllenwyr yng ngogledd Cymru. Barnai ei gyfoeswr, Thomas Jones, fod gan y Gymraeg a'r Hebraeg fwy yn gyffredin rhyngddynt nag a oedd gan Gymraeg Gwynedd a Chymraeg de Cymru.[252] Yr oedd Goronwy Owen yn argyhoeddedig mai 'uncouthest Gibberish' oedd Cymraeg llafar Morgannwg, a mynnai Iolo Morganwg yr un mor bendant nad oedd tafodiaith Gwynedd fawr gwell nag eiddo'r 'Hottentot'.[253] (Dylid nodi bod y term 'Hottentot' yn y ddeunawfed ganrif yn awgrymu crebwyll israddol yn ogystal â 'chlecian siarad'.)[254] Yr oedd awduron de Cymru yn llawer mwy ymwybodol o'r hyn a alwai Stephen Hughes yn 'poor anglicized Welsh'[255] na'u cymheiriaid yn y gogledd. Cadarnhaodd arolygon diweddar fod rhyw ymwybyddiaeth ddofn o israddoldeb ynghylch ansawdd eu Cymraeg llafar ac ysgrifenedig yn dal i flino pobl Morgannwg.[256]

Bu'r rheini a chanddynt glust fain at amrywiadau tafodieithol yn nodi rhai o'r prif wahaniaethau ym mhatrymau llefaru pobl y gogledd a'r de. Sylwodd Lewis Morris ar y defnydd o 'taw' gan ddeheuwyr yn hytrach na 'mai', 'dere' yn lle 'tyrd', 'fe' yn lle 'fo', 'yn awr' yn lle 'yrwan', 'i bant' yn lle 'o amgylch', a llu o enghreifftiau eraill sydd i'w clywed hyd heddiw.[257] Ymysg yr hyn a alwai'n 'peculiarities' yn iaith y gogledd, sylwodd Iolo ar eiriau megis 'efo', 'acw', 'yrwan', 'deud' a 'purion', yn ogystal ag ymadroddion megis 'pur lew', 'pur dda', 'abl deg', 'mynd ar led', 'yn dipie man', a 'rheiol ffordd'. Cyferbynnodd y rhain â geiriau'r Wenhwyseg megis 'occo', 'gwedyd', 'ynawr', ac 'i bant', ac ymhyfrydai yn yr arfer lleol

---

[251] *Letters of Goronwy Owen*, t. 105.

[252] Thomas Jones, *Newydd oddiwrth y Seêr* (Llundain, 1684), sig. A2r.

[253] *Letters of Goronwy Owen*, t. 69; Llyfrgell Brydeinig Llsgr. Ychwanegol 15207, f. 79r. Gw. hefyd Peter Wynn Thomas, 'Dimensions of dialect variation: A dialectological and sociological analysis of aspects of spoken Welsh in Glamorgan' (traethawd PhD anghyhoeddedig Prifysgol Cymru, 1990), tt. 174–89.

[254] Geoffrey Hughes, *Swearing. A Social History of Foul Language, Oaths and Profanity in English* (Oxford, 1991), t. 128.

[255] Stephen Hughes (gol.), *Gwaith Mr. Rees Prichard* (Rhan IV, 1672), sig. a6r.

[256] Beth Thomas a Peter Wynn Thomas, *Cymraeg, Cymrâg, Cymrêg . . .* (Caerdydd, 1989), tt. 6–7.

[257] Llyfrgell Brydeinig Llsgr. Ychwanegol 14923, ff. 132v–134r. Mewn llythyr at Edward Richard ym 1762, honnodd Morris fod 'the British of South Wales is notoriously mixed with English, and as the children learn it of their mothers they transmit it to their children. Who can help all this?' *ALM*, II, t. 547.

o galedu cytseiniaid (e.e. 'croci', 'gweithretu', 'rhacor'), arfer, meddai, nas clywid ymhlith yr haenau canol mwyaf dysgedig a chwrtais, yn enwedig yr Anghydffurfwyr, ym Morgannwg.[258] Dengys cofnodion llys yn ymwneud ag achosion o athrod a difenwad fod y defnydd o'r ôl-ddodiad '-ws' (e.e. 'gwelws', 'tynnws', 'dygws') i'w glywed mor gynnar â'r unfed ganrif ar bymtheg yn ne-ddwyrain Cymru a'i fod yn gyffredin hyd yn oed yn siroedd Brycheiniog a Maesyfed erbyn yr ail ganrif ar bymtheg a'r ddeunawfed ganrif.[259]

Mwy na thebyg fod y cyflymdra a'r modd yr ymdreiddiai geiriau ac idiomau Saesneg i batrymau iaith bob dydd siaradwyr Cymraeg yn amrywio'n ddirfawr. Yr oedd cyfuniad cymhleth o elfennau yn effeithio ar batrymau llefaru pobl ac amlygid llawer o barhad yn ogystal â graddau o newid ac ymwybod o newid yn gymysg â pharhad. Gorfodid y Gymraeg i ymateb ac ymaddasu yn rheolaidd i ofynion economaidd a chymdeithasol newydd a gwahanol, yn enwedig o ganol yr ail ganrif ar bymtheg ymlaen. Credai John Aubrey fod cyffro a therfysg y rhyfeloedd cartref wedi prysuro'r newid mewn patrymau iaith, ond yn y ddeunawfed ganrif, yn ôl pob tebyg, y digwyddodd y datblygiadau mwyaf chwim.[260] Honnodd Thomas Llewelyn, gweinidog gwybodus eithriadol gyda'r Bedyddwyr, fod y Saesneg wedi ennill mwy o dir yn hanner cyntaf y ddeunawfed ganrif nag erioed o'r blaen oherwydd y cyfathrachu a'r cydgyfnewid dyddiol ym myd masnach.[261] Yr oedd llenorion yn dra ymwybodol o'r newidiadau mewn Cymraeg llafar a chwynai'r 'puryddion' yn groch am y llygru cynyddol o ran geirfa, cystrawen a phriod-ddull. Yn ei eiriadur poblogaidd ym 1688, dynododd Thomas Jones â chromfachau 'y Geiriau a fenthyciodd y Cymry (mo'r afreidiol) oddiwrth y Saesnaeg':

. . . megis ag y mae'r saeson yn gwyllt serchu y Castiau Cyfnewidiol ar ddillad y ffraingeig-wyr, fellu i mae'r Cymry yn ynfydu am lediaith y Saesnaeg, yn gymmaint hyd oni ddaeth Iaith y Cymry yr awron mo'r llygredig ag ymmadrodd eu Cymmydogion.[262]

Awgryma nifer y geiriau Saesneg a gynhwysir yn *Canwyll y Cymru* fod yr iaith lafar, yn sir enedigol y Ficer Prichard beth bynnag, sef Caerfyrddin, wedi ei llygru'n arw,[263] er bod lle i dybio mai am resymau

[258] LlGC Llsgr. 13103B, f. 87; LlGC Llsgr. 13130A, ff. 405–9; Crowe, 'Diddordebau Ieithyddol Iolo Morganwg', tt. 267–87.

[259] Awbery et al., 'Slander and Defamation', tt. 16–17.

[260] Clark, *'Brief Lives'*, II, t. 329.

[261] Llewelyn, *An Historical Account of the British or Welsh Versions and Editions of the Bible*, t. 86.

[262] Jones, *Y Gymraeg yn ei Disgleirdeb*, sig. a2v.

[263] Lloyd, *Cerddi'r Ficer*, tt. 177–214. Cymh. Brinley Rees, *Dulliau'r Canu Rhydd 1500–1650* (Caerdydd, 1952), tt. 9–39, 64, 122–3.

mnemonig y dewiswyd geiriau megis 'attendio', 'bildio', 'correcto', 'cownto', 'ordro' a 'reparo' yn hytrach nag am eu bod yn adlewyrchu dulliau siarad y werin-bobl. Serch hynny, o ganol yr ail ganrif ar bymtheg ymlaen, defnyddid yn aml wrth gyfieithu llyfrau Saesneg i'r Gymraeg ferfau megis 'declario', 'prefaelio', 'resolfo' a 'trafaelio'.[264] Ategai hyn ofnau Moses Williams y gallai'r wasg argraffu ddatblygu'n gleddyf deufin trwy gyflwyno toreth o eiriau Saesneg newydd i eirfa'r Gymraeg.[265] Ni roes cyfieithydd anhysbys un o lythyrau George Whitefield ym 1740 gynnig ar drosi geiriau Saesneg megis 'balls' a 'motto', 'masquerades' a 'plays', a rhoes Timothy Thomas eiriau Saesneg yn fwriadol yn ei *Traethiad am y Wisg-Wen Ddisglair* (1759) er mwyn darllenwyr a drigai yn siroedd y Gororau.[266] Fel llawer o ramadegwyr, byddai Siôn Rhydderch, yr almanaciwr o'r ddeunawfed ganrif, yn gwrando'n astud ar iaith lafar pobl gyffredin a sylwodd ar gynnydd yn y defnydd o ferfau Saesneg megis 'iwsio', 'mendio' a 'repento'.[267] Adlewyrchid yr un patrwm yn y rhestr o 225 o eiriau Saesneg yn eu hanfod, a baratowyd gan yr ysgolhaig Alban Thomas, a oedd yn ei farn ef wedi dod yn rhan naturiol o iaith feunyddiol pobl gyffredin yn siroedd Aberteifi, Caerfyrddin a Phenfro.[268] Yn ddigon eironig hefyd, yr oedd anterliwtiau poblogaidd Twm o'r Nant yn fodd i gyflwyno neu ledaenu ymadroddion megis 'Do not talk nonsense', ac 'O bless my soul' yn ogystal â geiriau megis 'bonnets', 'lottery', 'jockeys', 'ruffles', a 'suit'.[269]

Y mae achosion difenwad yn cadarnhau bod Cymraeg llafar y cyfnod yn llawn o eiriau benthyg, ond nid oedd y rhain wedi eu gwasgaru'n wastad o fewn yr iaith o bell ffordd. Nid proses o erydiad geirfaol, h.y. bod geiriau Saesneg yn disodli geiriau Cymraeg sydd yma, oherwydd y mae'n amlwg fod y benthyca yn digwydd yn ddetholus mewn meysydd megis y gyfraith, masnach a ffasiwn, lle yr oedd y Saesneg yn teyrnasu. Ceir enghraifft drawiadol o fenthyca detholus mewn cyhuddiad o athrod yn Abergwaun ym 1796. Cyhuddwyd Martha Phillips, gwraig i forwr (a allai, wrth reswm, fod wedi 'mewnforio' geiriau a dywediadau Saesneg i'r ardal) o ddweud am John a Martha David: 'Fe fy Martha gwraig John David yn cysgu gyda modrib a fy; y gododd y lawr o'r gwely ag y agorodd fox

---

[264] Gw., e.e., T. E. ac E. E., *Cyngor i Ddychwelyd at yr Arglwydd* (Rhydychen, 1727–8); Simon Thomas, *Histori yr Heretic Pelagius* (Henffordd, 1735); [John Bunyan], *Y Rhyfel Ysprydawl* (Amwythig, 1744); William Roberts, *Ffrewyll y Methodistiaid* (dim argraffnod, 1747).

[265] Moses Williams, *Pregeth a Barablwyd yn Eglwys Grist yn Llundain* (Llundain, 1718), t. 15.

[266] George Whitefield, *Llythyr oddiwrth y Parchedig Mr. George Whitefield* (Pontypool, 1740); Timothy Thomas, *Traethiad am y Wisg-Wen Ddisglair* (Caerfyrddin, 1759).

[267] Siôn Rhydderch, [*Almanac*] (Amwythig, 1726), sig. C8v.

[268] Llyfrgell Bodley, Llsgr. Ashmole 1820, ff. 145–6.

[269] Isaac Foulkes (gol.), *Gwaith Thomas Edwards (Twm o'r Nant)* (Lerpwl, 1874), tt. 5, 9, 12, 72, 73, 100, 156, 223.

mamgu a ddwgodd shugr candy o honof, a'g ath lawr y'r shop mamgu ag
y ddwgodd ddau geiniog; ag y ddwgodd gorn o gatgut, hancichers o shop
Mortmer, a penniff o shop Martha David.'[270] Sylwer bod y geiriau
benthyg hyn (rhai ohonynt wedi eu treiglo yn ofalus) yn cyfeirio'n bennaf
at eitemau o nwyddau prŷn, a gellir tybio bod y gair benthyg wedi
cyrraedd yr un pryd â'r eitemau. Gwyddom lawer llai am y proses
benthyca mewn cymunedau uniaith Gymraeg, ac ar hyn o bryd nid oes
modd ateb y cwestiynau canlynol. Paham fod geiriau neilltuol wedi cael
eu benthyca, ac nid rhai eraill? A ydoedd Cymry uniaith yn ymwybodol
mai benthyciadau oedd y geiriau hyn? Pwy tybed oedd y trosglwyddwyr
Cymraeg a gâi'r fath ddylanwad ac effaith ar yr iaith?

Yr oedd y modd yr 'heintiwyd' y Gymraeg gan eiriau ac ynganiad
Saesneg yn amlycach mewn cymunedau trefol neu ar ochr ddwyreiniol
eithaf siroedd y Gororau. Ym 1771 daliai Thomas Mills Hoare, ficer
Casnewydd, mai'r Saesneg a leferid amlaf yn y dref a'r plwyf, ond bod
mwyafrif y trigolion yn deall Cymraeg, 'but it is the Welsh commonly
spoken which is very corrupt'.[271] Yn y rhannau mwyaf Seisnigedig o
ddwyrain sir Faesyfed, ynganai rhai trigolion eiriau Cymraeg gyddfol heb
sylweddoli mai Cymraeg oeddynt, a dywedid bod rhai geiriau Saesneg yn
cyfuno 'Welsh peculiarity' ag 'English vulgarity'.[272] Yr oedd cymunedau a
fasnachai'n uniongyrchol â Lloegr yn dra thebygol o dderbyn geiriau
benthyg. Yn y 1690au dywedodd ficer Llangrallo ym Morgannwg fod yr
iaith a siaredid yn y plwyf yn 'p'tly English p'tly Welsh our tradeing being
for yᵉ most parte with Summer [Somerset] & Devon Shires wᶜʰ spoiles our
Welsh'.[273] Ym 1707 cyfeiriodd Edward Lhuyd at Gymraeg llafar siroedd y
Gororau fel un a oedd yn frith o eiriau benthyg: 'those [parts] of Wales,
that border upon England, use a great many English words disguis'd with
their own Terminations; but as such are only us'd by the Borderers'.[274]

Yr oedd effaith y cyswllt agos â'r Saesneg yn ei amlygu ei hun mewn
modd arall yn ogystal. Yn rhai rhannau o Gymru'r ddeunawfed ganrif yr
oedd iaith gymysg neu groesedig yn datblygu. Ym 1789 honnodd William
Jones, Llangadfan, fod y bobl a drigai ar hyd gororau dwyreiniol sir
Drefaldwyn yn 'a sort of Mongrels that cannot speak Welsh or English
correctly, having lost the one before they learnt the other'.[275] Un felly
oedd Welch Franke, gyrrwr gwedd, na allai 'speake neither good Welsh

---

[270] LlGC, Llys y Sesiwn Fawr 28/173–1/hydref 1796.
[271] LlGC, LL/QA/5 (Casnewydd).
[272] Williams, *History of Radnorshire*, tt. 276–7.
[273] Edward Lhuyd, 'Parochialia', *AC*, Atodiadau (1909–11), III, tt. 14–15.
[274] Edward Lhuyd, *Archaeologia Britannica* (Oxford, 1707), t. 32.
[275] LlGC Llsgr. 13221E, f. 375.

nor good English' pan briododd â Martha Dudleston o Myddle.[276] Felly, hefyd, Dorothy George o Landaf, gweddw bump a deugain mlwydd oed ym 1718, a ddisgrifiwyd yn Llys y Bwâu fel 'a person that understands or at least speaks or pronounces neither Welsh nor English intelligibly, who might . . . pout out and utter a parcell of fragments of broken English & Welsh gibberish promiscuously and confusedly mixt'.[277] Anodd gwybod ai enghreifftiau o ieithoedd heb eu dysgu yn iawn oedd y rhain ynteu o dafodieithoedd wedi derbyn llawer iawn o eiriau a dywediadau Saesneg, ynteu math o 'pidgin' Cymraeg-Saesneg cymharol fyrhoedlog.

Darlunnir cymhlethdod y sefyllfa gymdeithasol yn ymwneud â Saesneg bratiog gan achos 'Saesneg Llantwit', y 'barbarous English' a siaredid gan drigolion Llanilltud Fawr ym Morgannwg. Dichon fod y dafodiaith yn tarddu o effeithiau'r ymsefydlwyr Eingl-Normanaidd yn y Fro, ynghyd â chysylltiadau masnachol cryf â de-orllewin Lloegr. Ac eithrio Llanilltud Fawr, yr oedd y Gymraeg yn drech na'r dafodiaith Saesneg yn y Fro yn yr ail ganrif ar bymtheg a'r ddeunawfed ganrif. Ceir y cyfeiriad cyntaf at y dafodiaith hon gan un o gynorthwywyr Edward Lhuyd ym 1697: 'Saesneg Llhan Illtid is a proverb for broken English, for the old Natives were English, but Welsh encroaches very much.'[278] Trwy gydol y ddeunawfed ganrif cafwyd adroddiadau croes i'w gilydd ynghylch yr iaith oruchaf yn Llanilltud Fawr, ond y mae sylwadau Benjamin Malkin yn argyhoeddi: 'A late tourist is mistaken . . . in saying, that there is not a trace of the Celtic tongue among them; for though the inhabitants commonly converse with each other in a barbarous kind of English, yet they can all speak Welsh, and indeed make as much use of it among themselves as of the English.'[279] Yn amlwg felly, yr oedd Llanilltud Fawr yn gymuned ddwyieithog lle y defnyddid y Gymraeg a'r 'barbarous English' mewn amgylchiadau gwahanol, a hynny oedd yn gyfrifol am yr adroddiadau ymddangosiadol groes i'w gilydd am iaith y trigolion.

Yn y rhan fwyaf o Gymru, fodd bynnag, ychydig iawn o Saesneg a ddeallai'r bobl, ac weithiau ddim o gwbl. Fel y gwelsom, yr oedd llawer o Gymry uniaith a llawer o gymunedau lle yr oedd y Gymraeg yn tra-arglwyddiaethu ar bron pob agwedd ar fywyd o'r crud i'r bedd. Byddai gwladwyr uniaith anllythrennog neu is-lythrennog yn ymffrostio yn eu ffurfiau tafodieithol lleol eu hunain, ynghyd ag mewn patrymau llefaru a

---

[276] Richard Gough, *Antiquities & Memoirs of the Parish of Myddle* (Shrewsbury, 1875), t. 63.

[277] Llyfrgell Palas Lambeth, Cofysgrifau Llys y Bwâu, llyfr prosesu D1930, Smith v Thomas (1719).

[278] John Fisher (gol.), *Tours in Wales (1804–1813) by Richard Fenton* (London, 1917), t. 348.

[279] Malkin, *The Scenery*, t. 622; R. F. Suggett, 'Some aspects of village life in eighteenth-century Glamorgan' (traethawd BLitt anghyhoeddedig Prifysgol Rhydychen, 1976), tt. 157–8.

chodau cyfrinachol, a chan mai ychydig o hyn a gofnodwyd erioed mewn print nid oes modd i'r hanesydd allu astudio eu dull o feddwl. Yr oeddynt yn amlwg yn ddrwgdybus o Gymraeg llenyddol – 'Yr Enwau dyrys'[280] – a dichon fod gwirionedd yn sylw'r curad hwnnw o Fôn a fynnai mai 'ye most illiterate Country fellow talks ye best, truest, prettiest Welsh'.[281] Ar y lefel hon, nid cyfrwng cyfathrebu naturiol bob dydd yn unig oedd iaith; yr oedd hefyd yn storfa i rychwant eang o emosiynau, meddyliau ac amgyffrediadau, a gweithredai fel modd i ddatblygu a chynnal perthynas â phobl eraill. Yn Gymraeg y byddai'r Cymry yn bendithio, yn melltithio, yn gweddïo, yn galaru ac yn cydgaru. Sylwodd Benjamin Malkin fod sgwrs feunyddiol gwerinwyr cefn gwlad yn frith o droadau ymadrodd yn ymwneud â byd natur, bywyd, geni a marw, llawenydd a thristwch.[282] Yr oedd trigolion y cymunedau gwledig yn meddu ar eirfa ryfeddol o gyfoethog ar gyfer pob agwedd ar amaethyddiaeth, offer, daliadaeth tir, pwysau, prisiau a mesurau, arferion gwerin a diddanwch, anhwylderau a meddyginiaethau, bwyd, diod a dillad. Sylwer, er enghraifft, ar y dull cymhleth o nodi clustiau defaid a gwartheg[283] ac ar yr anhawster o geisio cyfieithu'r termau i'r Saesneg ar gyfer cofnodion cyfreithiol. Rhan o'r nod ar oen yr amheuid ei fod wedi ei ladrata ym 1586 yn Nhrewyddel, sir Benfro, oedd 'bwlch tri thoriad' – 'the top of the right ear cut and called "Bulch trithorrad" '.[284] Mewn llythyr at Rowland Pugh, Mathafarn, ym 1614, disgrifiodd John Lloyd, Ystumanner ym Meirionnydd, nodau'r gwartheg a ladratawyd yn Gymraeg: 'torry blaen y glust ddehe a hollti/r/ glust chwithig & thynny/r/garre ussa'.[285] Dywedwyd mai lliw yr ychen oedd du a 'gwin gole', term diddorol gan nad oedd y categorïau a ddefnyddid i wahaniaethu rhwng y naill liw a'r llall yn cyfateb yn hollol yn y ddwy iaith.[286] Byddai ffermwyr yn aml yn adnabod anifeiliaid mewn ewyllysiau a rhestrau eiddo wrth eu nodweddion corfforol; yn sir Gaernarfon, er enghraifft, cyfeiriai rhai at 'y fywch fraith', 'bystach tallog', a'r 'fywch gorngam'.[287] Mwy na thebyg hefyd fod y dulliau arbennig o alw ar wahanol anifeiliaid yn amrywio o ardal i ardal.

[280] *Letters of Goronwy Owen*, t. 148.

[281] Emyr Gwynne Jones, 'Letters of the Rev. Thomas Ellis of Holyhead', *TCHNM* (1951), 80.

[282] Malkin, *The Scenery*, t. 65. Cymh. LlGC Llsgr. 10B, f. 78.

[283] Dafydd Roberts, 'Sheep Ear and Body Identification Marks in Wales', *Folk Life*, 20 (1981–2), 91–8; William Linnard, 'Welsh Ear-marks', *BBCS*, XXXIV (1987), 78–86.

[284] LlGC, Llys y Sesiwn Fawr 4/776/3/10.

[285] LlGC, Llys y Sesiwn Fawr 4/144/2i/86.

[286] Ar enwau lliwiau yn Gymraeg a Saesneg, gw. Edwin Ardener, *Social Anthropology and Language* (London, 1971), tt. xxii–xxiii.

[287] G. H. Williams, 'Caernarfonshire Probate Records', t. 401; LlPCB, Llsgr. Gaianydd 1, ff. 4, 5, 23–4, 33; W. Llewelyn Williams, '*Slawer Dydd* (Llanelli, 1918), t. 12. Yr ydym yn ddyledus i Mr Emrys Williams am y cyfeiriad hwn.

Yr oedd iaith 'y werin gyffredin ffraeth' yn gyforiog o hanesion, diarhebion a dywediadau, a deilliai llawer o hyn o'r diwylliant llafar cyfoethog o adrodd chwedlau, barddoni a chanu. Mewn adroddiad a luniwyd yng ngogledd Cymru yn gynnar yn yr ail ganrif ar bymtheg, cyfeirir at gynulliadau ar lethrau bryniau ar y Sul a dyddiau gŵyl, pryd y deuai tyrfaoedd ynghyd i glywed telynorion a chrythorion yn canu am wrhydri eu hynafiaid a thraddodiadau'r saint a'r proffwydi.[288] Dengys y memoranda cryno a gasglwyd yn *Parochialia* Edward Lhuyd fod y tirwedd yn debyg i 'arwyneb cof' a'r enwau lleoedd yn sawru o holl draddodiadau'r ardal.[289] Ychydig iawn o hyn sydd ar glawr; dim ond rhai *genres* llafar a enillodd statws 'llenyddol', er bod diarhebion wedi apelio at y dyneiddwyr. Gwaith llenyddol yn ei hanfod oedd *Oll Synnwyr pen Kembero ygyd* (1547) gan William Salesbury, ond cynhwyswyd llawer o ddiarhebion brodorol yn *Lexicon Tetraglotton* (1660) James Howell. Credai'r diwygwyr Protestannaidd fod y *genre* hwn yn ddyfais ddidactig effeithiol a thynnodd Rees Prydderch yn drwm ar y diarhebion Cymraeg traddodiadol yn *Gemmeu Doethineb* (1714). Prin yw'r *genres* eraill a gofnodwyd mewn llawysgrif neu brint, er bod llawer o arwyddion yn awgrymu pa mor helaeth yr oedd y traddodiadau hyn. Pan geisiodd Edward Lhuyd gasglu hen chwedlau am eu bod yn hanesyddol ddiddorol, cafodd ei anghymeradwyo gan rai gohebwyr a gredai nad oedd traddodiadau llafar yn haeddu sylw.

Yr oedd cof gwerin yn llawn o'r hyn a alwai James Owen yn wawdlyd yn 'hen chwedlau celwyddog',[290] a byddai'r gwrandawyr yn dal ar bob gair o enau'r 'cyfarwyddiaid' medrus. Pan oedd yn alltud ym Milan, bu'r awdur Pabyddol Gruffydd Robert yn dwyn i gof fel yr edmygid 'henafguyr brigluydion'[291] ym mro ei febyd ym Môn am fod yn gofiaduron hanes. Daeth rhai adroddwyr storïau yn boblogaidd ryfeddol yn eu hoes eu hunain. Dyna Elis Gruffydd o'r Gronant, sir y Fflint, y milwr Tuduraidd a'r croniclydd a ysgrifennodd waith swmpus yn disgrifio hanes y byd yn Gymraeg, ac a oedd yn chwedleuwr o fri hefyd: 'Bring him a stool to sit on', meddai'n hunan-ddilornus, 'and a mugful of beer warmed up and a piece of burnt bread to clear his throat, so that he can talk of his exploits at Therouanne and Tournay.'[292] Yn y cyfnod Stiwartaidd diweddar yr oedd arddull rhyddiaith Thomas Jones yr almanaciwr mor naturiol, difyfyr a darllenadwy nes ei bod yn hawdd ei

---

[288] Ifor Williams, 'Hen Chwedlau', *THSC* (1946), 28.

[289] Lhuyd, 'Parochialia', passim.

[290] James Owen, *Trugaredd a Barn* (Llundain, 1715), sig. A4v.

[291] Gruffydd Robert, *Gramadeg Cymraeg*, gol. G. J. Williams (Caerdydd, 1939), t. 2.

[292] Prys Morgan, 'Elis Gruffudd of Gronant – Tudor Chronicler Extraordinary', *FHSP*, 25 (1971–2), 11.

ddychmygu'n difyrru ei weithwyr yn ei argraffty yn Amwythig â hanesion amdano'i hun yn cael y gorau ar almanacwyr a ladratai ei syniadau ac amdano'n cosbi prentisiaid diegwyddor.[293] Yn sir Drefaldwyn yng nghanol y ddeunawfed ganrif byddai William Jones yn diddanu'r ardalwyr yn Nhynydomen (Cann Office) ym mhlwyf Llangadfan â straeon cyffrous am arwyr chwedlonol Cymru, yn ogystal â jôcs amheus a chaneuon anllad.[294] Rhyfeddai'r brodyr Morris o Fôn at allu eu tad oedrannus – cowper wrth ei grefft – i alw i gof yn eu holl fanyldeb gannoedd o ddigwyddiadau o'i fachgendod neu rai y clywsai amdanynt gan ei rieni.[295] Dyna Iolo Morganwg eto, a oedd yn benderfynol o arbed storïau, diarhebion a chwedlau 'from that damnation with which they are threatened by Methodism'. Byddai Iolo yn gwrando ar atgofion rhai megis Thomas Jones, hen Babydd o Lancarfan '[who] stored his memory with abundance of . . . fabulous accounts', ac yn eu cofnodi.[296]

Byddai hefyd groestynnu rhwng dau draddodiad barddol – yr 'uchel' a'r 'isel'. Pa bryd bynnag y deuent ar draws yr hen fesurau caeth – rhyw fregliach annealladwy yn eu tyb hwy – byddai gwladwyr yn dweud: 'A choethi fyth inni ffrythoneg [sic]?'[297] Erbyn oes y Stiwartiaid diweddar nid oedd boneddigion Cymru mor selog â'u cyndadau ynghylch cadw crefft y beirdd caeth yn fyw.[298] Daeth barddoniaeth rydd yn fwy poblogaidd a ffynnai'r traddodiad llafar isel a gysylltid â'r glêr a beirdd didrwydded a chrwydrol. Apeliai canu o'r fath at y rhai a alwai Gruffydd Robert yn 'bobl annhechnennig'.[299] Yr oedd gan bron pob ardal ei beirdd ac er mai ychydig o'u gwaith a gyhoeddid, gwelir ambell dro rai o'u carolau, eu hwiangerddi a'u hepigramau ar dudalennau gweili llyfrau, baledi ac almanaciau. Sicrhaodd y rhigymwyr diymhongar hyn, a gâi hwyl wrth lunio'n ddifyfyr benillion, adroddiadau a chaneuon, boed weddus neu fasweddus, nad âi'r fath ddeunydd difyr a hanesyddol i ebargofiant. Yn ail hanner y ddeunawfed ganrif, er enghraifft, cofnodwyd marwolaeth rhyw ddeg o feirdd gan ddyddiadurwr yn nwyrain Bro Morgannwg, ger Caerdydd. Yn eu plith yr oedd Zephaniah Jones, teiliwr yn Llantrisant (m.1763), 'a man given much to some vain Rhymes, and a greate diverter of vain folks in winter nights by telling y^m old stories'; Evan y Cowper o Sain Nicolas (m.1768), 'a Welch poet . . . and a great banterer'; John Evan o Saint Andras (m.1770), cowper arall a 'Great Rhymmer'; William

---

[293] Geraint H. Jenkins, *Thomas Jones yr Almanaciwr 1648–1713* (Caerdydd, 1980), tt. 78–85.

[294] LlGC, Cofysgrifau Plwyf Llangadfan, rhif 1, ff. 43v, 45r, 49v–50r.

[295] *ML*, II, t. 517.

[296] Ceri W. Lewis, *Iolo Morganwg* (Caernarfon, 1995), tt. 60, 146.

[297] *GPC*, s.v. 'brythoneg'.

[298] Jenkins, *The Foundations of Modern Wales*, tt. 227–8.

[299] Robert, *Gramadeg Cymraeg*, t. 279; T. H. Parry-Williams (gol.), *Canu Rhydd Cynnar* (Caerdydd, 1932), tt. lxxxiv–vi.

Robert ddall o Lancarfan (m.1771), 'a great Rhimister', ac amryw eraill.[300]
Byddai eu penillion – llafar bob tro, a dychanol yn aml – yn dathlu
achlysuron lleol a nodweddion a hanesion rhai o gymeriadau'r ardal.
Amgrymir yn gryf yn yr almanaciau, y baledi, yr anterliwtiau a'r pamffledi
a oedd yn gyforiog o alegorïau, deialogau, a dychan fod sgwrs feunyddiol
y bobl yn llawn hiwmor a blas y pridd.

Y mae'r rhan fwyaf o'r dulliau siarad nodweddiadol o'r oes dan sylw
wedi diflannu am byth. Serch hynny, cadwyd yn ddiogel rai agweddau ar y
diwylliant llafar gan ddeallusion a hynafiaethwyr a gyfareddwyd gan
gyfoeth yr iaith ac a ymddiddorai mewn hynodion ieithyddol ac
ymadroddion hynafol. Mewn rhai ffyrdd, yr oedd y diddordeb mewn iaith
ynghlwm wrth 'ddarganfod y bobl', proses a ddadansoddwyd gan Peter
Burke am fannau eraill yn Ewrop.[301] Yr oedd Edward Lhuyd wedi ei
hudo'n llwyr gan dafodieithoedd, enwau lleoedd a thraddodiadau gwerin,
ac un o'r cwestiynau allweddol a ofynnodd i'w ohebwyr Cymraeg yn ei
holiadur enwog ym 1696 oedd: 'What Words, Phrases, or Variation of
Dialect in the Welsh, seems peculiar to any part of the Country?'[302] Credai
mai pobl gyffredin oedd cofnodwyr mwyaf dibynadwy yr 'observables' a
meddai yntau'r ddawn brin i ddenu gwybodaeth o enau bugeiliaid
anllythrennog mewn lleoedd mynyddig, anghysbell.[303] Byddai pobl
wybodus a chraff yn rhoi i Lhuyd gasgliadau swmpus a gwerthfawr o eiriau
tafodieithol. Ym 1702 anfonodd David Lewis, Llanboidy, restr ato o rai
geiriau Cymraeg a ddefnyddid yn ei ardal ond nad oeddynt ar gael mewn
geiriaduron,[304] a nododd Isaac Hamon, a ysgrifennai o Benrhyn Gŵyr ym
1697, fod ymadroddion ac ynganiadau 'Old English' a fuasai'n hollol
gyfarwydd i'r sawl a aned yng nghyfnod Elisabeth wedi diflannu ac wedi
mynd yn 'strange to the people now that are under 50 years of age'.[305]

Casglai hynafiaethwyr eiriau am eu bod yn taflu goleuni ar y gorffennol.
Un enghraifft dda yw William Baxter, brodor o Lanllugan na wyddai
unrhyw iaith heblaw'r Gymraeg hyd nes iddo gael ei anfon i Harrow yn
ddeunaw mlwydd oed. Credai ef fod enwau planhigion megis 'menig
ellyllon', 'llygad y dydd' a 'gedowrach' yn dweud llawer wrthym am
athroniaeth y derwyddon. Honnai fod 'offeiriaid' wedi ceisio celu enwau
paganaidd ac yr adwaenid rhai planhigion o'r herwydd wrth ddau enw.
Am hynny, gelwid 'ground ivy' weithiau wrth ei 'enw derwyddol' –

---

[300] Caerdydd Llsgr. 4.877, ff. 100, 385, 501, 518.
[301] Peter Burke, *Popular Culture in Early Modern Europe* (London, 1978), pennod 1.
[302] Lhuyd, 'Parochialia', t. xii.
[303] Frank Emery, *Edward Lhuyd F.R.S. 1660–1709* (Cardiff, 1971), t. 27.
[304] Ibid., t. 77.
[305] Idem, 'Edward Lhuyd and Some of his Glamorgan Correspondents', 84. Gw. hefyd
    idem, 'A New Reply to Lhuyd's Parochial Queries (1696): Puncheston, Pembroke-
    shire', *CLlGC*, X, rhifyn 4 (1958), 395–402.

'mantell y corr' – ac weithiau wrth ei enw Cristnogol – 'mantell Mair'.[306] Cynyddai'r diddordeb mewn hynodion ieithyddol hefyd yn y ddeunawfed ganrif. Arddywedwyd y 'weddi Babyddol' ganlynol wrth Dr Humphrey Foulkes (m.1737) gan ryw ŵr bonheddig ger Y Bala, a oedd wedi ei dysgu ar lin ei nain:

> Pan godwy'r boreu yn gynta,
> Yn nawdd Beino yn benna;
> Yn nawdd Kerrig [sic] nawdd Patrig,
> Yn nawdd gwr gwyn Bendigedig;
> Yn nawdd Owain ben lluman llu,
> Ag yn nessa yn Nawdd Iessu.[307]

Y mae rhai pethau rhyfedd yn y *lorica* hon, yn enwedig y cyfeiriad at Owain, ac efallai nad yw'r weddi yn hollol ddilys. Er hynny, y mae'n debygol fod cyfarchion a dywediadau yn yr ail ganrif ar bymtheg a'r ddeunawfed ganrif yn dal i fod yn llawn o gyfeiriadau at Dduw, Crist a'r saint ac o ddeisyfiadau am eu nodded a'u bendith.

Mewn ffynhonnell o'r ddeunawfed ganrif cadwyd geiriau arferol o gyfarchiad a bendith rhwng teithwyr a phobl yn dilyn eu gorchwylion bob dydd:

When a person is driving a herd of Cattle along the Road or oxen or horses in a team or plow, those who meet generally say, Rhad Duw ar y anifeiliaid (The Blessing of God be on the Cattle) [and] the owner of the Cattle answers Groesaw, or Welcome – and when one person passes by another who is employed in any work, the passer by says Rhad Duw ar y Gwaith – God's Blessing on the work, or God prosper the Work [and] the person employed replies in the same manner, Groesaw or Welcome; or if the traveller sees a woman milking cows he says in the same manner Rhad Duw ar y Blith, The Blessing of God on their produce.[308]

Erbyn diwedd y ddeunawfed ganrif yr oedd dywediadau o'r fath wedi hen ddarfod o'r tir. Yn ei amrywiol ysgrifau, cofiai Iolo Morganwg yr adeg pan na chyhoeddid toriad gwawr na chodiad haul na lloer ond yn y dull canlynol: 'Duw fendithio'r wawr – yr haul, y Golau, y Glaw etc.' Gresynai diwygwyr selog at y fath ymadroddion, fodd bynnag, ac o

[306] Llyfrgell Bodley, Llsgr. Ashmole 1814 (1), f. 270.
[307] Llyfrgell Bodley, Llsgr. Ashmole 1815, f. 56; M. T. Burdett-Jones, 'Gweddi Anarferol', *Y Cylchgrawn Catholig*, III (1994), 35–6.
[308] LlGC Llsgr. 6608E, ff. 49–50.

ganlyniad aethant yn llai cyffredin. 'Puritanism began the work', meddai Iolo, 'and Methodism finishd it of exploding these expressions as relics of popery.'[309] Symbylwyd ef gan golledion o'r fath i arbed, casglu a choleddu geiriau, dywediadau a thafodieithoedd traddodiadol, ac yn ei flynyddoedd olaf cyfeiriai'n amlach fyth at bwysigrwydd sefydlu academi yng Nghymru i gasglu a chadw miloedd o eiriau a oedd yn prysur fynd yn angof. Aeth ati i deithio'n eang drwy Gymru benbaladr ac ymffrostiai'n aml y gwyddai fwy nag undyn byw arall am gyflwr y Gymraeg ar y pryd:

> I have rambled deliberately over all Wales with all my ears open to every word and sound of the language of the Hwntwyr, the Deudneudwyr, Gwancwn Gwent, Adar Morganwg, a Brithiaid Brycheiniog – Cwn Edeirnion, Moch Môn, Dyllüanod Ial, a Lladron Mowddwy.[310]

Yr oedd y bendithion a ddisgrifiwyd eisoes yn agwedd hefyd ar gyfarchion. Pwnc pwysig, ond un sydd heb ei ymchwilio yn fanwl, yw'r modd y cyfarchai pobl ei gilydd ar lafar ac mewn llythyr. Mewn rhannau o ogledd Cymru, er enghraifft, dywedid 'Wala hai' neu 'wala' wrth gyfarch cyfeillion a gellid ymhelaethu'n fwy cynhyrfus mewn sgwrs gyda 'Wala, wala', 'Wawch' a 'Wala! wfft a dwbwl wfft'.[311] Dibynnai llawer, wrth reswm, ar y sefyllfa ar y pryd a'r cyd-destun cymdeithasol. O fewn cylch yr aelwyd, ymhlith haen ganol addysgedig y gymdeithas, beth bynnag, yr oedd y rhwymau rhwng rhiant a phlentyn a gŵr a gwraig yn gymharol ffurfiol, ac adlewyrchid hyn yn eu gohebiaeth â'i gilydd. Byddai ysgrifenwyr, yn ddieithriad, yn datgan eu serch, eu ffyddlondeb a'u hufudd-dod i'w gilydd yn eu llythyrau. Pan ysgrifennai at ei fam, defnyddiai'r Piwritan Morgan Llwyd y rhagenw personol 'chi' fel arwydd o barch, a'r un modd John Thomas, yr efengylwr o Fyddfai, yn y ddeunawfed ganrif.[312] Cyfarchai Richard Morris, un o'r brodyr Morris, ei dad fel 'Anrhydeddus Dad', a 'chi' a ysgrifennai pob un o'r brodyr wrth anfon gair ato.[313] Agwedd ddiddorol ar gyhuddiadau o athrod, a fynegid fel arfer â'r rhagenw 'ti', yw'r defnydd o 'chi' weithiau wrth athrodi rhywun o statws uwch. Ym 1655 yn Llandingad, sir Gaerfyrddin, disgrifiodd Rees Rudderch David ŵr bonheddig o'r enw John Lloyd fel hyn: 'Llydir y gwydde ychi',[314] a thair blynedd yn ddiweddarach yn Nhre-

[309] LlGC Llsgr. 21431E, f. 48.
[310] LlGC Llsgr. 13224B, f. 32.
[311] *ML*, I, t. 288; II, tt. 171, 277.
[312] J. H. Davies (gol.), *Gweithiau Morgan Llwyd o Wynedd*, II (Bangor, 1908), tt. 243, 267–9; Ioan Thomas, *Rhad Ras*, gol. J. Dyfnallt Owen (Caerdydd, 1949), tt. 81–8.
[313] *ML*, II, tt. 260–2.
[314] LlGC, Llys y Sesiwn Fawr 13/26/9.

lech dywedodd David Philip Moris wrth John Beynon, gŵr bonheddig: 'Nyd ych chwi syr ond whiwgi.'[315]

Mewn cyfarchion mwy ffurfiol rhwng dieithriaid neu rhwng rhai o statws gwahanol byddai gofyn defnyddio'r rhagenw 'chi', ynghyd â theitl hefyd wrth gyfarch rhywun o statws uwch. Term cyffredin wrth ddangos parch at swydd oedd 'meistr', fel yn 'meistr sheriff', a defnyddid 'syr' ymhell ar ôl dyfod Protestaniaeth wrth gyfarch offeiriad neu fardd. Yr un pryd â'r cyfarchiad, fel arfer, byddai pobl yn dangos parch â rhyw arwydd megis codi het, moesymgrymu neu wneud cyrtsi.[316] Ystyrid peidio â chyflawni'r gweddusterau hyn yn fath o sarhad. Ymhlith cwynion am ddyn o sir Ddinbych ym 1635 yr oedd yr honiad iddo alw ustus heddwch, Robert Wynne 'esquire', yn ddim ond Robert Wynne 'without an addition'.[317] Yn yr un modd eto, ym 1596, sarhawyd gŵr bonheddig yn sir Drefaldwyn gan rywun israddol iddo'n gymdeithasol am i hwnnw beidio â chodi ei gap iddo.[318] Pan benderfynodd y Crynwr Richard Davies, Cloddiau Cochion, herio confensiwn trwy beidio â diosg ei het gerbron uchel siryf ac ustusiaid sir Drefaldwyn, fe'u synnwyd gan ei hyfdra.[319] Trwy wrthod tynnu eu hetiau, moesymgrymu, gwneud cyrtsi a chydnabod teitlau, byddai'r Crynwyr bob amser yn ennyn dicter yr haenau uwch yn y gymdeithas.

Sylwai ymwelwyr Saesneg yn aml ar y dulliau cymhleth o gyfarch. Trawyd Benjamin Malkin gan y moddau anarferol o serchus y byddai pobl yn cyfarch ei gilydd, yn enwedig menywod, 'who are constantly seen saluting each other at market, and on the most ordinary occasions of business'.[320] Gwyddys bod Saeson cwrtais yn ffieiddio ac yn dirmygu'r ystumiau llawn mynegiant a wnâi pobl ardal y Môr Canoldir wrth siarad, ac y mae'n ddigon posibl fod pobl a berthynai i haenau canol ac is y gymdeithas yng Nghymru yn gwneud yr un math o ystumiau diymatal.[321] Un agwedd ar hyn oedd yr holi ynghylch iechyd. Yn ôl Edward Pugh, yr oedd pobl gyffredin yng ngogledd Cymru yn fawr eu gofal yn hyn o beth:

[315] LlGC, Llys y Sesiwn Fawr 13/26/11.
[316] Rees, *Dulliau'r Canu Rhydd*, tt. 12–13.
[317] LlGC, Llys y Sesiwn Fawr 4/21/4/28.
[318] LlGC, Llys y Sesiwn Fawr 4/137/4/6.
[319] Davies, *An Account of the Convincement*, t. 59.
[320] Malkin, *The Scenery*, tt. 66–7.
[321] Jan Bremmer a Herman Roodenburg (goln.), *A Cultural History of Gesture* (Cambridge, 1991), tt. 6, 9. Gw. hefyd Joan Wildeblood a Peter Brinson, *The Polite World* (Oxford, 1965), tt. 197, 199–200. Yr ydym yn ddiolchgar i Dr Michael F. Roberts am y cyfeiriadau hyn.

On meeting their friends, the mode of salutation, 'Pa sut mae galon? or, How is thy heart? Pa sit mae yr wraig ar plant? How are thy wife and children?' is expressive of simplicity and affection.[322]

Gwelir y cyfarchiad 'Pa sut yr wyd ti?' yng Ngeiriadur William Owen Pughe, ynghyd â'r ateb, 'Yr wyv yn wych iawn.'[323] Yn ôl rhyw offeiriad yn sir Frycheiniog, gwahoddai rhai a fuasai'n wael ymholiadau am eu hiechyd trwy glymu hancesi am eu pennau. Ystyrid peidio â holi ynghylch iechyd rhywun yn gryn amarch ond, ar y llaw arall, nid oedd dweud bod golwg wael ar rywun yn cael ei ystyried yn sarhaus o gwbl.[324] Wrth derfynu eu llythyrau, ysgrifennai'r Morrisiaid 'Byddwch wych' neu 'Duw fo gyda chwi', ymadroddion a ddefnyddid ar lafar hefyd, mwy na thebyg, wrth ffarwelio.[325]

Yr oedd defnyddio enwau yn y dull priodol yn agwedd hollbwysig ar gyfarch ac ar gymdeithasu'n gyffredinol. Meddai'r Cymry ar amryw *cognomina*. Dyna'r enwau 'swyddogol', enwau disgrifiadol yn ymwneud â galwedigaeth neu statws, a llysenwau. Byddai teuluoedd gwerinol, yn enwedig yng nghymunedau'r ucheldir, yn dal i lynu wrth drefn y tadenwau Cymraeg, h.y. defnyddio enw cyntaf y tad ar ôl 'ap' neu 'ab' a 'verch' neu 'ferch' yn lle cyfenw. Erbyn canol y ddeunawfed ganrif, fodd bynnag, dechreuodd nifer cynyddol o rydd-ddeiliaid, iwmyn a thenantiaid ffermydd ddilyn esiampl y boneddigion a'r haen ganol trwy ddefnyddio cyfenw sefydlog yn lle tadenw, e.e. trowyd ab Evan yn Bevan, ap Hywel yn Powell, ac ap Rice yn Price.[326] Disodlwyd enwau bedydd traddodiadol megis Angharad, Lleucu, Ednyfed, Dyddgu a Llywelyn yn nheuluoedd y tirfeddianwyr gan enwau megis Anne, David, Catherine a William. Gyda dyfodiad Anghydffurfiaeth a Methodistiaeth cafwyd enwau Beiblaidd, e.e. Daniel, Moses, Samuel, Rachel a Sarah, a daeth y rhain yn boblogaidd ymhlith teuluoedd crefyddol.

O fewn eu cymuned leol adwaenid pobl yn aml wrth eu galwedigaeth neu eu statws. Adwaenid crefftwyr wrth eu crefft (Dic Tincer, Wil y Saer), ffermwyr wrth eu ffermydd (Huw Maesgwyn, Twm Cefnpennar), a gweision wrth enwau eu meistri (Twm gwas Huw Maesgwyn). Nododd yr hanesydd Theophilus Jones fel y byddai'r defnydd o enwau disgrifiadol yn drysu barnwyr ac ustusiaid:

---

[322] Edward Pugh, *Cambria Depicta* (London, 1816), t. 131.

[323] *GPC*, s.v. gwych.

[324] LlGC Llsgr. 787A, f. 168.

[325] *ML*, I, tt. 18, 328; II, tt. 156, 333, 397, 444.

[326] T. J. Morgan a Prys Morgan, *Welsh Surnames* (Cardiff, 1985) a J. B. Davies, 'Welsh Names and Surnames', *South Wales Family History Society*, cyf. 3, rhifyn 1 (1979), 5–9.

When a complaint is made against a neighbour, his worship is entreated to grant a warrant against 'Twm o'r Cwm', i.e. Tom of the vale. 'Thomas of the vale (repeats the justice) what's his surname?' 'I never heard he had any other name', is the common reply.[327]

Byddai enwau niwtral, disgrifiadol yn aml yn troi'n llysenw neu'n arallenw a fynegai farn ddoniol neu ddadleuol am gymeriad rhywun. Dewisid rhai llysenwau am resymau corfforol amlwg – 'Old William Jenkins, trwyn coch' a 'Mary Rogers alias Bys bwtt' – a byddai llu o achosion o 'tew', 'coch', 'bach' a 'moel'.[328] Câi dynion nwydwyllt sylw arbennig: adwaenid John Evans (m.1696), Llanfyllin, fel 'Carwr merch', ond tybir mai oherwydd ei het walciog ('cocked hat') y llysenwyd John Havard (m.1788), Llandeilo Graban, yn 'Shôn y Cock'.[329] Rhaid bod Joseph Thomas (m.1703), *alias* Pobman, o Langatwg yn fath ar Harold Hare y cyfnod Stiwartaidd. Adwaenid Mary Roberts (m.1764), Wrecsam, merch a chanddi nam ar ei meddwl, fel 'Moll Wirion', gelwid Ann John (m.1770), Penarth Isaf – 'a wild swearing bitter-tongued sort of a woman' – yn 'Nany y Gof Gwyllt', a bernid bod Bessy Saesones (m.1785) yn dipyn o newyddbeth hyd yn oed yn ne sir Fynwy.[330]

Nid oedd ffin bendant rhwng llysenwau a difenwad a bwrw sen. Yn aml, cysylltid enwau dangos gwarth ag anifeiliaid, yn enwedig cŵn, a ystyrid y pryd hwnnw yn bethau swnllyd, cwerylgar ac aflan. Gwelir enghreifftiau lawer o 'corgi', 'chwiwgi' a 'wyneb-ci' mewn cofnodion a gohebiaethau yn ymwneud â llysoedd barn. Ceir sawl disgrifiad anghariadus am 'ryw lymgi o Sais', 'llymgi ystrywgar' a 'fflamgi drewllyd' yn y *Morris Letters,* gan fod y brodyr i gyd yn ysgrifennu fel y siaradent.[331] Y mae yn eu llythyrau hefyd gyfeiriadau chwerw at rai o'u cyfoeswyr llai cymeradwy, e.e. 'hurthgen', 'dyn bawaidd, drewllyd, di-ddaioni', a

[327] Jones, *A History of . . . Brecknock,* I, t. 290; D. E. Williams, 'A Short Enquiry into the Surnames in Glamorgan from the thirteenth to the eighteenth centuries', *THSC* (1961), 48, 78–84; G. P. Jones, 'A List of Epithets from Welsh Pedigrees', *BBCS,* III, rhan 1 (1926), 31–48. Gw. hefyd ddull Goronwy Owen o holi ynghylch iechyd a chysur ei berthnasau a'i gydnabod: 'Mae'ch nai Sion Owen fwynwr? Mae Parry o'r Mint? Mae'r Person Humphreys? Ai byw Tom Williams y Druggist o Lôn y Bais? . . . Ai byw Huwcyn Williams, Person Aberffraw?', *Letters of Goronwy Owen,* t. 198.

[328] J. A. Bradney, *A History of Monmouthshire* (4 cyf., London, 1904–33), I, rhan 2, t. 342.

[329] R. W. McDonald, 'The Parish Registers of Wales', *CLlGC,* XIX, rhifyn 4 (1976), 412; LlGC, SD/CCB/59/3456.

[330] McDonald, 'Parish Registers', 412; A. N. Palmer, *History of the Town of Wrexham* (Wrexham, 1893), t. 277; Caerdydd Llsgr. 4.877, f. 472; Bradney, *History of Mon.,* I, t. 342. Cyfeiriodd y dyddiadurwr William Thomas hefyd at 'David the Sheepherd', 'John y Cwrw', 'John y Cymro', 'Ingenious Jack', 'Ann the bloodletter', a 'Jack the Weaver' (Caerdydd Llsgr. 4.877, ff. 847, 852, 917, 955, 1062, 1070).

[331] *ML,* I, tt. 327, 388, 394, 400; II, tt. 41, 211, 587, 595. Gw. hefyd Keith Thomas, *Man and the Natural World* (London, 1983), t. 101.

'lloercan yslafan bendew'.[332] Fodd bynnag, mewn achosion o ddifenwad ac athrod y ceir yr enghreifftiau mwyaf diddorol o eirfa difriö. Er bod defnydd eang ar y gair 'anudonwr', llygriadau o eiriau Saesneg oedd llawer o'r enwau cyhuddgar, megis 'wits', 'rog', 'villen', 'bastard', 'knaf', 'cuckwallt' a 'rhascal'. Wrth gecru'n wyllt, poerid allan enwau lliwgar ac ansoddeiriau llym: 'cornworwm brwnt', 'y bastard bingam', 'y scwlpin benglog brwnt', 'yr hwch feddw', 'scrwb gast' a'r 'hen puttain caglogg'.[333]

Yr oedd ffeirio geiriau ar lafar nid yn unig yn llai ffurfiol na'r hyn a geid mewn testunau ysgrifenedig arferol, ond hefyd yn fwy grymus, lliwgar ac aflednais. Er bod Piwritaniaid a Methodistiaid cysetlyd yn ffafrio 'siarad plaen' a'r Crynwyr yn glynu'n gaeth wrth orchymyn Crist 'na thwng ddim', byddai geirfa diwygwyr crefyddol yn aml yn frith o ddisgrifiadau milain o'r Anghrist fel 'hŵr Babylon' a 'phutain y Diafol', disgrifiadau a ddaeth yn gyffredin wrth ddifriö. Ymhlith pobl barablus haen ganol cymdeithas yng Nghymru'r ddeunawfed ganrif, nid peth anghyffredin oedd iaith fras.[334] Yn fersiwn golygedig y *Morris Letters,* er enghraifft, gwelir yn aml y troednodyn u.f.p. (unfit for publication), ac o ganlyniad amddifadwyd y darllenydd modern o enghreifftiau o regfeydd, melltithion, iaith aflan a chyfeiriadau aflednais a ddefnyddid yn bur gyffredin yn y ddeunawfed ganrif. O fwriad, gadawyd geiriau cwrs 'pedair llythyren' allan o'r geiriaduron Cymraeg cyfoes, ond ar adegau o gyfeddach, pan lifai'r cwrw a'r awen yn cyffroi iaith gref, clywid llwon, rhegfeydd ac anlladrwydd ar bob llaw. Credai Lewis Morris fod beirdd y ddeunawfed ganrif yn 'naturally inclined to buffoonry, dirty language, and indecent expressions',[335] ac yr oedd ymarweddiad aelodau 'Y Gymdeithas Loerig' ym Meirionnydd wledig yn gywilyddus, hyd yn oed yn ôl safonau Grub Street.[336] Yn yr anterliwtiau poblogaidd, arfogai'r Ffŵl ei hun â ffalws ac weithiau fe'i galwai ei hun yn 'Ffowcyn Gnychlyd' neu 'Tinanllad'.[337] Ni waeth pa mor galed yr ymdrechai diwygwyr crefyddol i gael gwared â thyngu a rhegi, methwyd ag atal llif yr iaith fras.

---

[332] *ML*, I, tt. 61, 77, 159, 179, 346, 352. Am ragor o enghreifftiau, gw. J. E. Caerwyn Williams, *Llên a Llafar Môn* (Llangefni, 1963), 137–58.

[333] Gw. y dystiolaeth helaeth yn Richard Suggett, 'An Analysis and Calendar of Early Modern Welsh Defamation Suits' (2 gyf., Project ESRC 1679), Ffacsimili LlGC 271.

[334] Gw. y sylwadau ymyl dalen mewn copi o *Y Gymraeg yn ei Disgleirdeb* (1688) (LlGC W.S. 50); Emyr Gwynne Jones, 'Llythyrau Lewis Morris at William Vaughan, Corsygedol', *LlC*, 10, rhifyn 1 a 2 (1968), 3–58; Rhiannon Thomas, 'William Vaughan: Carwr Llên a Maswedd', *Taliesin*, 70 (1990), 69–76; Dafydd Johnston, 'Sensoriaeth Foesol a Llenyddiaeth Gymraeg', *Taliesin*, 84 (1994), 10–23; Cynfael Lake, 'Puro'r Anterliwt', ibid., 30–9.

[335] *ALM*, II, t. 525.

[336] Jenkins, *The Foundations of Modern Wales*, t. 389.

[337] Lake, 'Puro'r Anterliwt', t. 30.

Derbyniwyd i eirfa'r iaith Gymraeg ar ffurf lygredig a rhodresgar lawer o fân regfeydd Saesneg traddodiadol megis Od Od! Ods Buds, Sbuds, Zownds, Sliffe, Ods Zooks.[338] Defnyddiai rhai o gymeriadau mwyaf lliwgar Twm o'r Nant ymadroddion Saesneg megis 'For God's sake' a 'God damn you blockhead'.[339] Yn sir Fôn darganfu John Wesley siaradwyr Cymraeg yr oedd eu sgwrs bob dydd yn frith o lwon a rhegfeydd Saesneg, a honnai rhyw deithiwr ym 1788 fod y Cymry yn tueddu i ddwrdio yn eu mamiaith ac i felltithio yn Saesneg.[340] Mewn cymunedau uniaith Gymraeg, y llwon a'r cableddau mwyaf cyffredin oedd 'Myn Duw', 'Myn chwys Duw', 'Duw'n farn' a 'Myn Crist'.[341] Casglodd Iolo Morganwg lawer o wirebau bras ac anllad a oedd yn dân ar groen efengylwyr selog y Methodistiaid. Sylwodd yn neilltuol ac â boddhad ar y dywediadau a'r diarhebion cwrs a arferid gan drigolion 'mwngleraidd' Llanilltud Fawr:

> Tis but zo zo, as the Devil zaid of his zupper, when he was eating turd.
> Well done my cock as the Devil zaid to old Harry (Harry 8th).[342]

Y mae achosion llys sy'n ymwneud ag athrod a difenwad hefyd yn ffynonellau tra chyfoethog sy'n ein galluogi i glywed lleisiau'r werin-bobl. Deuid ag achosion o athrod gerbron llys er mwyn cael iawndal am niweidio enw da rhywun a gallai hynny achosi colled ariannol. Gan amlaf, cyhuddiadau o ladrad fyddai'r rhain, wedi eu mynegi â'r frawddeg 'lleidr wyt ti'. Byddai'r cyhuddiadau o ddifenwad gerbron llysoedd eglwysig yn ymwneud â moesau, yn enwedig moesau rhywiol, a'r cyhuddiad nodweddiadol fyddai 'putain wyt ti'.[343] Yr oedd 'putain' yn derm difrïo cyffredin ymhlith menywod – priod a dibriod – ac fe'i defnyddid hefyd gan ddynion am fenywod. Y mae enghreifftiau niferus ar gael, wedi eu

---

[338] James Owen, *Salvation Improved* (London, 1696), t. 23; Simon Jones, *Dr Wells's Letter to a Friend* (Amwythig, 1730), t. 18.

[339] *Gwaith Thomas Edwards*, t. 100.

[340] Williams, *John Wesley in Wales*, t. 47; Peter Oliver, 'Journal of a Voyage to England in 1776. And of a Tour through part of England (and Wales) in 1788' (Llyfrgell Brydeinig Llsgr. Egerton 2672/3, cyf. 2, f. 634). Yr ydym yn ddyledus i Mr Peter Howell Williams am y cyfeiriad hwn.

[341] Henry Evans, *Cynghorion Tad i'w Fab*, gol. Stephen Hughes (Llundain, 1683), t. 58; Iaco ab Dewi, *Llythyr y Dr Well's at Gyfaill* (Amwythig, 1714), t. 14. Ar lwon Cymraeg yng nghofysgrifau'r gyfraith, gw. tt. 173–4 isod.

[342] LlGC Llsgr. 13131A, f. 513. Am ddywediadau ffraeth cyffelyb yn Gymraeg, gw. LlGC Llsgr. 13089E, f. 137; LlGC Llsgr. 37B, f. 119; Thomas Jones (gol.), *Rhyddiaith Gymraeg, Yr Ail Gyfrol. Detholion o Lawysgrifau a Llyfrau Printiedig 1547–1618* (Caerdydd, 1956), tt. 48–52, 182–4. Am estroneiriau trigolion Llanilltud Fawr, gw. Suggett, 'Some aspects of village life in eighteenth-century Glamorgan', tt. 157–8.

[343] Suggett, 'Slander in Early-Modern Wales', 136–8.

mynegi'n aml mewn iaith danbaid. Ym 1781 honnwyd i Rees Ellis, labrwr o Niwbwrch, Môn, ddweud am Jane Abraham, gwraig i forwr: 'O'r hen hwr din-boeth, ni faswn i ddim yn mynd arnati heb cwlltwr poeth i fynd o 'mlaen, y mae dy afl wedi llosci fel cregin cocos.'[344] Defnyddid rhai o'r ymadroddion mwyaf llachar gan fenywod am fenywod. Ym 1655 cyhuddwyd Mary Evans o Fiwmares, gwraig i iwmon, o alw Elizabeth Prichard yn 'Hoore boith . . . pechod na loskyd hi rhyng ffagode, pechod na chertid hi.'[345] Ac ym 1743 honnwyd i Susan Rowland o Langoed, Môn, gwraig i labrwr, ddweud wrth Susan Owen, gwraig i saer: 'God damn ar dy galon di hen scrwd boeth.'[346] Ymddengys fod y cweryla rhwng menywod yn aml yn gorffen yn gweryla cyhoeddus neu ornest dafodi pryd y byddai lleisiau yn codi'n groch er mwyn tynnu cymdogion allan o'u tai i glywed y cyhuddiadau ac i roi tystiolaeth yn ddiweddarach. 'Gwrandewch bawb o nifer y Brafen',[347] gwaeddodd Elizabeth Mathew ym 1727, cyn bwrw llifeiriant o gyhuddiadau yn erbyn Mary Hopkin.

Daw hyn â ni at faes achlust, clecs a gweithredoedd geiriol tebyg – rhai ohonynt yn ymwneud â'r naill neu'r llall o'r rhywiau yn benodol, neu'n gysylltiedig â hwy. Gan nad yw llais menywod yn amlwg yn y dystiolaeth ddogfennol, ychydig iawn a wyddom am eu dulliau neilltuol o lefaru ac i ba raddau y meddent ar eirfa wahanol i ddynion. Yn llawer o'r cofnodion – a ysgrifennwyd gan ddynion – portreedir menywod fel hen glebrennod llym eu tafod yn lledu straeon ac yn creu cynnen. Yng 'Ngweledigaeth Uffern' cyplysodd Ellis Wynne y canlynol â'i gilydd – 'carn-butteiniaid', 'Meistresod y chwedleu', 'Marchogesau', ac 'Yscowliaid'; cwynai Howel Harris ynghylch 'clepwragedd' ('clacking wives'); cymharai Huw Jones, Llangwm, sgwrs menywod â sŵn 'Caccwn neu Swn Cregin Coccos'; difrïai Williams Pantycelyn wragedd a fyddai'n hel clecs o dŷ i dŷ 'fel *Gazet* tros Satan', a chollfarnai'r dyddiadurwr William Thomas, Llanfihangel-ar-Elái, yr hen ferched a'r gwragedd gweddwon 'spiteful', 'scratching' a 'bitter-tongued' yn ei blwyf.[348] Marwolaeth yn unig a roddai daw ar rai gwragedd. 'Eist! Tewch a sôn Sian!!' ysgrifennodd ficer Tregaron yng nghofrestr y plwyf wedi angladd Jane gleberddus, gwraig Edward Jones, yng Ngorffennaf 1749.[349]

---

[344] LlGC, Llys Consistori Bangor, B/CC/G/252.
[345] LlGC, Llys y Sesiwn Fawr 16/7, m. 7.
[346] LlGC, Llys y Sesiwn Fawr P.1347.
[347] LlGC, Llys Consistori Llandaf, Ll/CC/G/478.
[348] Wynne, *Gweledigaetheu*, t. 101; Huw Jones, *Dechrau owdl brith ddigri* (Y Bala, 1758), t. 3; *Gweithiau William Williams*, II, t. 206; Caerdydd Llsgr. 4.877, ff. 293, 299, 401–2, 443. Am iaith rhyw yn llysoedd Lloegr, gw. Jenny Kermode a Garthine Walker (goln.), *Women, Crime and the Courts in Early Modern England* (London, 1994).
[349] D. C. Rees, *Tregaron: Historical and Antiquarian* (Llandyssul, 1936), t. 41.

Hyd at gyfnod y Stiwartiaid cynnar, o leiaf, yr oedd gan wragedd o gefndir cyfoethog a breintiedig eirfa a moesau neilltuol a nodweddiadol. Disgrifiwyd Siân Mostyn, Gloddaith, gan Ruffudd Hiraethog fel 'yr orav o'r Mamav ar sydd yn Traythv Iaith Gamberaec'[350] a châi gweision a morynion lawer o fudd wrth ymddiddan â hi. Mewn cymunedau Cymraeg dibynnai awduron o hyd ar wragedd yr ysweiniaid lleol i'w cymryd dan eu hadain a chynnig sylwadau ar eu hymdrechion llenyddol.[351] Priodolai Goronwy Owen goethder ei ieithwedd i ddylanwad ei fam, a fynnai ddileu o'i iaith bob 'uncouth, inelegant phrase, or vicious pronunciation'.[352] Perchid aelodau benywaidd yr Anghyd-ffurfwyr o ganol yr ail ganrif ar bymtheg ymlaen oherwydd eu duwioldeb a'r doethineb a'r wybodaeth a drosglwyddent i'w plant.[353] Er hynny, gwaherddid gwragedd rhag cymryd rhan mewn rhai agweddau ar ddiwylliant llafar. Menywod grymus a phenderfynol y Crynwyr oedd yr unig rai a fynnai eu hawl i bregethu'r Efengyl. Am ryw reswm neu'i gilydd, dynion a reolai fyd barddoniaeth. Dichon fod dynion yn ystyried yr elfen ddychanol yn y penillion gwerin yn rhywbeth anaddas i fenywod, a dynion hefyd bron yn ddieithriad a gyfansoddai emynau.[354] Un yn unig o emynau godidog Ann Griffiths, Dolwar Fach, ym mhlwyf Llanfihangel-yng-Ngwynfa, sydd wedi goroesi yn ei llawysgrifen ei hun, a phe na bai Ruth Evans, ei morwyn, wedi dysgu ar ei chof emynau Ann a'u hadrodd wrth ei gŵr, y Parchedig John Hughes, Pontrobert, byddai rhai o emynau mwyaf nodedig y ddeunawfed ganrif wedi mynd i ddifancoll.[355]

Enghraifft drawiadol o ddifrïo geiriol cysylltiedig ag un rhyw yn arbennig oedd melltithio. Gweddi erfyniol ar Dduw oedd y melltithio defodol, a hynny gan y sawl a gawsai gam, er mwyn dial ar y drwg-weithredwr. Fel arfer, byddai'r felltithwraig yn penlinio mewn ystum ymbilgar a'i dwylo wedi eu codi tua'r nef wrth alw am ddifa'r drwgweithredwr a'i holl eiddo. Profiad brawychus, yn wir, fyddai i rywun gael ei felltithio. Awgrymodd Keith Thomas fod melltithio defodol yn

---

[350] D. J. Bowen, 'Siân Mostyn, "Yr Orav o'r Mamav ar sydd yn Traythv Iaith Gamberaec'" yn J. E. Caerwyn Williams (gol.), *Ysgrifau Beirniadol XVI* (Dinbych, 1990), t. 112.

[351] Jenkins, *Literature, Religion and Society*, tt. 273–4; Lloyd, *Blodeugerdd Barddas o'r Ail Ganrif ar Bymtheg (Cyfrol 1)*, t. 366.

[352] *Letters of Goronwy Owen*, tt. 61–2.

[353] E. D. Jones, 'Llyfr Eglwys Mynydd-bach', *Y Cofiadur*, 17 (1947), 3–50; idem, 'Llyfr Eglwys Pant-teg', ibid., 23 (1953), 18–70.

[354] Ceridwen Lloyd-Morgan, 'Oral Composition and Written Transmission: Welsh Women's Poetry from the Middle Ages and Beyond', *Trivium*, 26 (1991), 89–102; eadem, 'Ar Glawr neu ar Lafar: Llenyddiaeth a Llyfrau Merched Cymru o'r Bymthegfed Ganrif i'r Ddeunawfed', *LlC*, 19 (1996), 70–8.

[355] A. M. Allchin, *Ann Griffiths* (Cardiff, 1976), t. 13; Dyfnallt Morgan (gol.), *Y Ferch o Ddolwar Fach* (Gwasg Gwynedd, 1977), tt. 95–9.

nodwedd arwyddocaol o fywyd y Cymry ar y ffin â Lloegr a bod hynny'n adlewyrchu'r sefyllfa ieithyddol wyneb yn wyneb ac o ddydd i ddydd ar y Gororau. Ym 1617 cafwyd gwrthdaro go ddadlennol yn Westhide, swydd Henffordd, pan gwynodd warden eglwys fod Joanna Powell wedi ei felltithio 'in the Welsh language, kneeling down upon her bare knees and holding up her hands, but otherwise the words he could not understand'.[356]

Gwelir enghreifftiau o felltithio defodol yn y dogfennau cyfreithiol drwyddynt draw. Ym 1672, yn Llys Eglwysig Aberhonddu, cyhuddwyd Mary, gwraig David Thomas, o felltithio Jane Powell amryw o weithiau, 'sometimes upon her knees', gan ddweud 'she was the cause of making her husband ly from her'.[357] Daethpwyd â Katherine, gwraig Oliver Rees ap Humffrey, gerbron y Cwrt Lît ym Machynlleth ym 1655 am felltithio cymydog 'by prayeinge and wishing with her lifted hands to heaven that he shold not be worth an yearlinge sheepe'.[358] Ym 1681 adroddwyd yn Llys Chwarter sir Ddinbych fod Elizabeth Parry wedi syrthio ar ei gliniau a deisyf y byddai Duw yn anfon tân o'r nef i losgi'n ulw dai ei gelynion.[359] Er mai mewn ffynonellau o'r ail ganrif ar bymtheg y gwelir gan amlaf enghreifftiau o felltithio ffurfiol, y mae'n ddiamau fod melltithio cyffelyb yn dal i ddigwydd hyd yn oed yn y ddeunawfed ganrif. Yn ei gyfrol ddifyr yn olrhain twf Methodistiaeth yng ngogledd Cymru, *Drych yr Amseroedd* (1820), edrydd Robert Jones, Rhos-lan, hanesyn anghyffredin, ac wedi ei flodeuo efallai, am Dorothy Ellis (Dorti Ddu), Llannor, yn erlid i'w fedd John Owen, canghellor esgobaeth Bangor. Ar ôl ffraeo chwerw, bu Dorti Ddu yn dilyn wrth sodlau'r canghellor ac yn torri ar draws ei bregethau â melltithion aflan:

> Gorchmynnai y canghellwr i'w wardeniaid ei lusgo allan: a thrafferth ddirfawr a fyddai ar y rheini yn cael y fath wiber ddychrynllyd o'r llan. Rhwymid hi weithiau wrth bost ym mhorth y fynwent nes darfod yr addoliad; ond yn y man y darfyddai y canghellwr â'i wasanaeth, byddai hithau ym mhorth y fynwent yn ei ddisgwyl allan, gan godi ei dillad a syrthio ar ei gliniau noethion i regi a melltithio â'i holl egni yn ddychrynllyd.[360]

Dal i felltithio'r canghellor a wnaeth Dorti Ddu hyd nes iddo nychu a marw ac, ar ôl ei angladd yn Llanidloes ym 1755, aeth ati i ddifwyno ei

---

[356] Keith Thomas, *Religion and the Decline of Magic* (London, 1971), t. 508.
[357] LlGC, SD/CCB (G)/28.
[358] LlGC, Papurau E. A. Lewis, Trawsgrifiad Cofysgrifau Cwrt Lît Machynlleth, 1655.
[359] LlGC Llsgr. Chirk B38a/12.
[360] Robert Jones, *Drych yr Amseroedd*, gol. G. M. Ashton (Caerdydd, 1958), tt. 48–9; LlGC, B/CC/G/54 (esgymuniad Dorothy Ellis).

fedd mewn gorfoledd. Ymhen rhyw ddeugain mlynedd wedyn yn Abergwaun, dywedir i wraig orffwyll ddifrïo ar goedd a melltithio'r hynafiaethydd Richard Fenton: 'you, Richard Fenton, are a villain, a robber of the fatherless and widow, a thief . . . I curse you; I curse your children; I curse your home. From the day you enter it, misfortune and trouble shall follow you.'[361] Hen wragedd tlawd fyddai'r melltithwyr bron yn ddieithriad a'u hunig amddiffyniad rhag cam a sarhad fyddai eu tafodau. Felly, arf a ddefnyddiai'r gwan yn erbyn y cryf oedd melltithio. Mewn rhai achosion prin y mae union eiriau'r felltith Gymraeg ar gael a chadw. Ym 1684, yn ystod helynt ynghylch ei thŷ, melltithiodd Jane, gwraig Edward Lloyd, Llanynys, ei gwrthwynebwyr, gan ddweud, 'melltith Duw ir neb a ddelo i'm tu/i/om anfodd' a gweddïodd na fyddai ei gwrthwynebwyr byth yn ffynnu: 'Na chaffo byth gam rhwdd, na byth rhwydeb nag iechyd a gymero nhu i.'[362] Er bod lleisiau menywod yn llawer llai hyglyw mewn cofnodion hanesyddol nag a ddymunem, y mae sail dda i gredu nad oeddynt bob amser yn dioddef yn dawel mewn byd a reolid gan ddynion.

Dyma grynhoi cyn terfynu. Trwy gydol y cyfnod modern cynnar yr oedd y Gymraeg yn arglwyddiaethu dros eangderau maith o dir Cymru. Er mai'r Saesneg oedd yr iaith gryfaf mewn meysydd allweddol megis llywodraeth a gweinyddiaeth, cyfraith, masnach, gwyddoniaeth, a byd 'y bobl fawr', y Gymraeg a deyrnasai ar yr aelwyd ac yn y gweithle, yn yr eglwys a'r capel, mewn rhyddiaith a barddoniaeth, ac yn nifyrrwch a diwylliant y werin-bobl. Golygai hyn y gallai pobl, i bob diben bron, fyw eu bywydau yn llwyr yn Gymraeg. Y Gymraeg oedd yr unig gyfrwng cyfathrebu i drwch y boblogaeth, a hi hefyd oedd y 'bathodyn' pwysicaf i ddangos arwahanrwydd a hunaniaeth y genedl. Ar lawer ystyr, yr oedd yr iaith yn gryfach ym 1800 nag ym 1500. Y mae'n wir fod yr *élite* bonheddig wedi ymseisnigo, bod llai o Gymry uniaith, a bod arwyddion pendant o lygru geirfa a phriod-ddulliau sgwrs bob dydd, ond, ar y llaw arall, yr oedd nifer siaradwyr y Gymraeg wedi dyblu a rhan helaeth ohonynt yn medru darllen yn ogystal â siarad eu mamiaith. Y Gymraeg oedd iaith crefydd a daethai'r Beibl Cymraeg yn ffynhonnell cynhaliaeth ysbrydol i addolwyr ac yn batrwm llenyddol urddasol i ryddieithwyr. Ffynnai'r fasnach lyfrau ac yr oedd caredigion yr iaith – y rhan fwyaf ohonynt yn rhugl yn y Saesneg hefyd ac yn hyddysg yn ei llenyddiaeth – yn dra ymwybodol o draddodiad llenyddol maith ac anrhydeddus y Gymraeg a'i pherthynas â'r ieithoedd Celtaidd eraill. Nid gormodiaith yw dweud bod y Gymraeg wedi llwyddo i oresgyn ei hargyfwng hunaniaeth cyntaf.

[361] Richard Fenton, *A Historical Tour through Pembrokeshire* (Brecknock, 1903), t. xxvii.
[362] LlGC, Llys y Sesiwn Fawr 4/32/4/22.

3

Deddfwriaeth y Tuduriaid a Statws Gwleidyddol 'Yr Iaith Frytanaidd'

PETER R. ROBERTS

CREDIR yn gyffredinol fod dwy ddeddf seneddol tra arwyddocaol a basiwyd yn yr unfed ganrif ar bymtheg wedi newid statws yr iaith Gymraeg, mewn cyd-destun cyfreithiol i gychwyn ac yna mewn cyd-destun crefyddol, gan weddnewid datblygiad diwylliannol y genedl yr un pryd. Y farn gyffredin yw i'r Ddeddf Uno, fel y gelwir y ddeddf a unodd Gymru a Lloegr ym 1536, ddatgan mai Saesneg fyddai iaith bywyd cyhoeddus yng Nghymru, a bod yr iaith frodorol i gael ei disodli o'r llysoedd barn. Cofir i'r ddeddf yn galw am gyfieithu'r Beibl a'r Llyfr Gweddi Gyffredin i'r Gymraeg, a basiwyd ym 1563, gydnabod yn ffurfiol fod yr iaith yn gyfrwng priodol ar gyfer addoli mewn rhannau o'r wlad lle nad oedd y trigolion yn gallu siarad na deall Saesneg. Camgymeriad fyddai tybied bod y mesurau hyn yn adlewyrchu polisi cyson a diwyro tuag at Gymru ar ran y Tuduriaid neu gymryd yn ganiataol fod yr effaith ddiwylliannol yr hyn y bwriadwyd iddi fod. Yr oedd agweddau cyhoeddus at statws yr iaith Gymraeg yn cael eu cyflyru gan werthoedd gwleidyddol, crefyddol a deallusol yr oes, ac yn y cyfnod rhwng 1536 a 1563 gellir olrhain newid pendant yn y gwerthoedd hyn a'u dylanwad ar y modd y llunnid polisïau. Os ydym am ddarganfod beth oedd dibenion y deddfau hyn a bwriadau'r diwygwyr a'r deddfroddwyr, bydd yn rhaid ystyried yn fanwl yr amgylchiadau a roes fod iddynt. Ymddengys fod y camau a gymerwyd gan ladmeryddion y gwahanol garfanau yng Nghymru, a chan y dyneiddwyr Cymraeg llai bydol eu cymhelliad, wedi llwyddo i berswadio'r llywodraeth i adolygu ei blaenoriaethau ar adegau tyngedfennol. Wrth gynorthwyo i lunio'r statudau a ymgorfforai 'bolisi'r Tuduriaid' ar ddau achlysur pwysig, cafodd nifer o Gymry dylanwadol lais yn y penderfyniadau a wnaed ynghylch safle'r iaith yn y wladwriaeth a'r Eglwys yn ystod y Diwygiad Protestannaidd.

Yn draddodiadol, y mae ymdriniaethau â chanlyniadau diwylliannol a chymdeithasol y Ddeddf Uno wedi canolbwyntio ar y Seisnigeiddio ymhlith arweinwyr cymdeithas. Y mae dimensiwn arall i'w ystyried, gan i'r cyfnod fod yn dyst i broses dwyffordd o fabwysiadu elfennau Seisnig a Chymreig, a gellir gweld tuedd bendant at Seisnigeiddio a Chymreigeiddio yn y gymdeithas cyn yr uno â Lloegr. Yr oedd rhai o'r teuluoedd a ymsefydlodd yng Nghymru yn ystod yr Oesoedd Canol eisoes wedi eu Cymreigeiddio i ryw raddau, ac ymddengys fod y proses hwn wedi dechrau yn gynharach yn arglwyddiaethau'r Gororau nag yn nhiroedd y Dywysogaeth.[1] Tra oedd rhyng-briodi rhwng teuluoedd o dras Seisnig a Chymreig yn gallu cyfannu, yr oedd y duedd i lynu wrth wahaniaethau o ran cyfraith ac arferion, ynghyd â chystadleuaeth am dir a swyddi, yn dal yn rhwystr iddynt fyw'n gytûn. Ar ddechrau'r unfed ganrif ar bymtheg yr oedd bwrdeisiaid bwrdeistrefi trefedigaethol gogledd Cymru – Caernarfon, Conwy a Biwmares – yn dal eu gafael yn dynn yn y breintiau neilltuedig a roddwyd i'w hynafiaid gan Edward I. Cafodd cymunedau Cymreig y Dywysogaeth ac arglwyddiaethau gogledd Cymru beth cydraddoldeb â'r bwrdeisiaid yn sgil y siarteri breintiau a gaed ar ddiwedd teyrnasiad Harri VII. Heriwyd dilysrwydd y consesiynau hyn gan y trefwyr, ac er i rai o'r siarteri gael eu cadarnhau ar esgyniad Harri VIII, yr oedd peth amheuaeth o hyd am eu cyfreithlondeb. Dengys cwyn bwrdeisiaid Conwy i'r brenin ifanc ym 1509 eu bod yn dal i'w hystyried eu hunain yn drefedigaethwyr Seisnig mewn cymdeithas estron:

> . . . it is no more meete for a welshman to beare any office in Wales, or especiallie in any of the Three englishe Townes then it is for a frinchman to be Officer in Calis, or a skotte in Barwicke.[2]

Tanseiliwyd y detholusrwydd hwn yn ystod y ddau ddegawd dilynol yn sgil y mewnlifiad o Gymry a brynasai eiddo yn y bwrdeistrefi, gan anwybyddu statws cyfreithiol ansicr y siarter a thrwy hynny herio gwaharddiadau deddfau cosb y Lancastriaid yn erbyn y Cymry. Ymddengys fod y cynnydd mewn rhyng-briodi ymhlith teuluoedd trefol a sirol wedi hwyluso 'goresgyniad' y bwrdeistrefi.[3]

Yr oedd y tensiynau mewnol mwyaf difrifol rhwng trigolion gwlad a thref wedi diflannu cyn i'r senedd ym 1536 ddeddfu y dylai cyfraith a llywodraeth yng Nghymru gael eu cymathu â ffurfiau a sefydliadau Seisnig. Tra parhaodd y brodoraethau a'r Saesonaethau yn y Gororau, cafwyd peth cymathiad cymdeithasol yn nhywysogaeth y gogledd er nad oedd gan y Cymry statws cyfreithiol amgenach nag estroniaid yn eu gwlad

---

[1] A. H. Dodd, 'Welsh and English in East Denbighshire: a historical retrospect', *THSC* (1940), 43–8.

[2] Robert Williams, *The History and Antiquities of the Town of Aberconwy and its Neighbourhood* (Denbigh, 1835), t. 49.

[3] E. A. Lewis, *The Mediaeval Boroughs of Snowdonia* (London, 1912).

eu hunain. Pan y'u gwnaed yn gydradd â'r Saeson gerbron cyfraith gwlad gan y Ddeddf Uno, ni chafwyd adwaith amddiffynnol gan drigolion y bwrdeistrefi.[4] Nid oedd yr ymateb i'r newidiadau – a oedd, at ei gilydd, yn gadarnhaol – yn adlewyrchu unrhyw wahaniaethau cenedlaethol o fewn Cymru. Ni ellir dehongli'r gorchymyn yn y Ddeddf Uno mai'r Saesneg fyddai iaith y llysoedd barn yn ymgais fwriadol ar ran y deddfwyr i gynnal y gwahaniaethau mewnol hyn nac i atgyfodi goruchafiaeth y Saeson yng Nghymru.

Ceir yr unig gyfeiriad cyfoes yn y Gymraeg at y Ddeddf Uno yng Nghronicl Elis Gruffydd: 'Ynnol hynn i pashiodd actt arall i orddeinio ac i wneuth[r] holl Gymru yn siroedd.'[5] Dyna'r cyfan a olygai'r mesur iddo o'i swydd yn y garsiwn yng Nghalais. Yr oedd y gyfundrefn sirol a gyflwynwyd i Gymru gyfan yn seiliedig ar y patrwm gweinyddol Seisnig a oedd eisoes mewn grym yn nhair sir tywysogaeth y gogledd. O fewn y fframwaith hwn byddai siryfion yn cael eu penodi yn flynyddol a chyfundrefn newydd o lysoedd yn cael ei sefydlu i weinyddu cyfraith gwlad drwy gyfrwng y Saesneg.[6] Un o ddarpariaethau mwyaf dadleuol y Ddeddf Uno gyntaf oedd pennu cymhwyster ieithyddol ar gyfer dal swyddi cyfreithiol a swyddi cyflogedig. Y mae hyn wedi cael ei gyfrif yn gymaint anfadwaith mewn hanesyddiaeth fodern Gymreig â 'Brad y Llyfrau Gleision'. Ni ellir ail-greu'r proses o lunio'r ddeddf ar sail y dystiolaeth sydd wedi goroesi, ond y mae'r cymal iaith hwn yn haeddu ystyriaeth ofalus yng nghyd-destun ehangach y rhaglen ddeddfwriaethol a gynigiwyd neu a ddeddfwyd ar gyfer Cymru yn y blynyddoedd 1533–6.

I ddeall arwyddocâd 'cymal iaith' y ddeddf yn y cyfnod dan sylw, y mae'n rhaid ystyried agwedd y Cymry at y cyfle i ennill cydraddoldeb â'r Saeson gerbron llysoedd barn y ddwy wlad. Yr oedd y bonedd at ei gilydd yn croesawu'r newid mewn statws, gan y byddent yn elwa yn gyfreithiol ac yn economaidd yn ei sgil. Er gwaethaf gwaharddiadau cyfreithiau cosb y Lancastriaid, yr oedd rhai Cymry pwysig wedi dal swyddi â gofal o dan y Goron yn y Dywysogaeth a'r arglwyddiaethau ers canol y bymthegfed ganrif, ond gwnaent hynny drwy ffafr y brenin yn hytrach na thrwy enedigaeth-fraint.[7] Yr oedd nifer o dirfeddianwyr mewn gwahanol rannau

---

[4] Ar y dechrau yr oedd Richard Bwlclai o Fiwmares a John Salesbury yn bryderus ynglŷn â'u swyddi yn siecr Caernarfon a Dinbych, ond, fel y digwyddodd, gwarchodwyd eu buddiannau.

[5] LlGC Llsgr. Mostyn 158, f. 509v.

[6] Rhoddwyd hawl i'r Arglwydd Ganghellor benodi comisiynau heddwch ar gyfer Cymru yn neddf 27 Harri VIII, p.5. Yr oedd y Llys Chwarter a Llys y Sesiwn Fawr yn weithredol cyn i ddeddf 1543 gael ei phasio. Ivor Bowen (gol.), *The Statutes of Wales* (London, 1908), tt. 67–9; Peter R. Roberts (gol.), ' "A Breviat of the Effectes devised for Wales", c.1540–41', *Camden Miscellany Vol. XXVI* (Camden, 14, 1975), 31–5.

[7] Bu rhai hefyd yn gweithredu fel stiwardiaid i'r ychydig arglwyddi annibynnol a oedd yn weddill yn y Gororau.

o Gymru yn awyddus i atgyfnerthu a diogelu eu hystadau yn unol â rheolau cyntaf-anedigaeth ac entaeliad. Yr oedd y ffaith eu bod wedi mabwysiadu cyfraith Loegr o'u gwirfodd dros genedlaethau lawer yn gymorth iddynt ddeall ei chymhlethdodau, hyd yn oed os nad oeddynt bob amser yn deall y cyfrwng, sef Saesneg, Ffrangeg Normanaidd a Lladin. Y mae amodau'r siarteri rhyddfraint a gafwyd gan Harri VII yn tystio i barodrwydd tirfeddianwyr Cymreig cymunedau'r gogledd i ymwrthod â'r arferion brodorol er mwyn eu rhyddhau eu hunain unwaith ac am byth o'u statws 'estron' a sicrhau cydraddoldeb â bwrdeisiaid y 'trefi caerog'.

Y mae'n bosibl mai ailgychwyn trafodaethau o'r fath â'r Goron a oedd yn rhannol gyfrifol am amseriad diwygiadau 1536–43. Cymerwyd yr awenau gan John Puleston, cwnstabl Castell Caernarfon, a drefnodd ddeiseb yn gynnar ym 1536 'to have the three shires of North Wales in like manner and condition and like laws as be used and accustomed within the realm of England'. Ni chofnodwyd enw cyd-ddeisebwyr Puleston, ond os oeddynt yn cynrychioli teuluoedd bonheddig (yr oedd ei ddwy wraig yn Gymry) byddent yn ymwybodol o oblygiadau'r newidiadau a oedd ar y gweill. Ar y llaw arall, cafodd y ddeiseb a gyflwynwyd gan Puleston ei gwrthwynebu gan chwe thirfeddiannwr o hen siroedd Môn a Chaernarfon a dau fwrdais o Gonwy a Biwmares, ar sail y ffaith nad ymgynghorwyd â hwy yn ei chylch. Cwynent mai malais tuag at y 'poor commons' oedd y ddeiseb yn y bôn, ac ofnent y deuai cyfraith Loegr â threthi Lloegr yn ei sgil, gan arwain at dlodi yn eu plith. Amheuaeth ynglŷn â'r baich ychwanegol a ddeuai i'w rhan yn sgil y newidiadau, felly, yn hytrach nag ymlyniad wrth eu hetifeddiaeth frodorol a oedd wrth wraidd eu hofnau.[8]

Yr oedd y Ddeddf Uno felly, ar un wedd, yn ymateb i gais am newid ar ran y Cymry eu hunain, er nad yw'r dystiolaeth yn awgrymu bod y bonedd yn gyffredinol yn awyddus i fabwysiadu'r gyfundrefn gyfreithiol Seisnig yn ei chyfanrwydd. Ni ddylid ychwaith ystyried y ddeddf yn ddatblygiad anochel neu naturiol o'r siarteri rhyddid. Yr oedd rhestr o fesurau a luniwyd gan Thomas Cromwell ar gyfer y senedd ar ddiwedd 1533 yn cynnwys adfeddiannu yr holl batentau swyddi a ddelid gan Gymry, gan nodi 'that no Welsheman to be any officer ther according to the old lawes of this land'.[9] Ni chafodd y gwaharddiad hwn ei adfer ac fe'i diddymwyd gan Cromwell maes o law, ond nid cyn i'r Esgob Rowland Lee, Llywydd Cyngor y Gororau, weithredu deddfau llym 1534, a

---

[8] Nid yw deiseb Puleston wedi goroesi ond ailadroddir ei gynnwys yn yr wrth-ddeiseb. PRO SC8/115/5707, y gellir ei ddyddio ar sail tystiolaeth fewnol.

[9] Y mae'n rhaid bod y mesurau 'am ustusiaid yng Nghymru' ar y rhestr yn cyfeirio at ustusiaid o Loegr, megis y rhai a oedd eisoes yn gweithredu yng ngogledd a deheudir y Dywysogaeth. Llyfrgell Brydeinig Llsgrau. Cotton B I, ff. 161, 453.

basiwyd yn y senedd mewn ymateb i anhrefn yn yr arglwyddiaethau. Erbyn gwanwyn 1536 llwyddasai'r ymateb grymus hwn i ddarostwng torcyfraith yn y Gororau i raddau helaeth, ym marn Cromwell os nad Lee, a phenderfynwyd y gellid mabwysiadu ymagwedd lywodraethol dra gwahanol fel rhan o'r strategaeth gyffredinol ar gyfer uno'r deyrnas. Ni fyddai wedi bod yn bosibl cyflwyno cyfundrefn sirol Lloegr heb benodi tirfeddianwyr lleol yn swyddogion ac ustusiaid, ac ni ellid gweinyddu cyfraith gwlad ond drwy gyfrwng y Saesneg. Am y rheswm hwn, ac er gwaethaf ei amharodrwydd ar y cychwyn, newidiodd Cromwell ei feddwl ynglŷn â rhoi swyddi dan y Goron i Gymry, gan anwybyddu cyngor Rowland Lee a wrthwynebai'r polisi o ganiatáu 'i un lleidr roi'r llall ar brawf'. Y mae'n amlwg nad oedd y gynnen a fodolai ymhlith y bonedd yn cael ei hystyried bellach yn rhwystr o ran gwneud newidiadau sylfaenol mewn cyfraith a gweinyddiaeth. Dan yr amgylchiadau hyn, y 'cymal iaith' oedd yr unig rwystr bellach i Gymro ddal swydd; hwn oedd y pris yr oedd yn rhaid ei dalu am gonsesiwn yn gymaint â chymhwyster am swydd. Yr oedd strwythur newydd cyfraith a gweinyddiaeth yn rhoi cyfleoedd newydd i'r Goron i wobrwyo ffyddlondeb i'r llywodraeth a goruchafiaeth y brenin ar yr Eglwys. Y mae'n bosibl fod hyn yn ffactor allweddol yn y penderfyniad i lunio polisi newydd ar gyfer Cymru yn ogystal ag yn y cynllun i ddiddymu'r mynachlogydd llai yn ddiweddarach yn y flwyddyn.

Yr oedd clerigwyr a chyfreithwyr sifil o Gymru eisoes yn dal swyddi eglwysig o bwys ar drothwy'r Diwygiad Protestannaidd. Gwyddys i'r rhai mwyaf diwyd o blith y swyddogion a oedd yn gyfrifol am ymweliadau esgobaethol fod yn dreth ar amynedd eu penaethiaid. Ym 1537 cwynai John Capon, esgob di-breswyl Bangor (1534–9), fod ymweliadau mynych y comisiynwyr, yr offeiriad John Vaughan a'r lleygwr Dr Elis Prys, â chlerigwyr Dyffryn Clwyd yn peri trafferth:

Ffor the nature of a Welsheman is ffor to bere office and to be in authoritie. He will not let to runne thorow the fyer of hell and sell and geve all he can make of his owen and his ffrends for the same.

Cytunai Capon â'r Esgob Rowland Lee nad oedd pobl anwadal ac annibynadwy o'r fath yn gymwys i ddal swyddi cyfrifol.[10]

Ond ni allai'r un o'r ddau esgob newid y polisi a fabwysiadwyd ym 1536 nac ychwaith wrthsefyll y galw cynyddol o du'r bonedd a'r clerigwyr Cymreig am swyddi cyfrifol yn yr Eglwys a than y Goron yn eu gwlad eu hunain. Ymwelai Syr John Price â mynachlogydd Lloegr a Dr

---

[10] Llythyr dyddiedig 20 Rhagfyr 1537 o'r abaty yn Hyde, a ddaliai Capon *in commendam*, at ei stiward yn yr esgobaeth; Llyfrgell Brydeinig Llsgr. Harley 283, f. 153; *Letters and Papers, Henry VIII*, X, rhif 330.

Elis Prys yntau â mynachlogydd Cymru; gwasanaethai Cymry eraill ar wahanol gomisiynau brenhinol cyn 1536. Efallai, yn wir, i wasanaeth gwŷr o'r fath fel hyrwyddwyr y Diwygiad Protestannaidd fod yn fodd i berswadio Cromwell fod gwŷr bonheddig o Gymry yn gymwys i dderbyn cyfrifoldebau gweinyddol mwy sylweddol. Y mae'n bosibl iddo gael ei ddylanwadu gan y ffaith fod Syr John Price wedi priodi chwaer ei wraig ym mis Hydref 1534, gan ddod yn frawd-yng-nghyfraith iddo. Cynhaliwyd y briodas yn nhŷ Cromwell yn Islington ar 11 Hydref 1534, a chafodd y mab cyntaf-anedig ei enwi ar ôl Gregory, mab Cromwell, Ymfalchïai Price yn ei gysylltiadau pwysig ar ochr ei wraig, nid yn unig â Chromwell ond hefyd â theulu Seymour. Mewn cofnod yn ei goflyfr Cymraeg esbonia fod ei wraig Joan, merch John Williamson, yn 'chwaer i wraic Thomas Arglwydd Crumwel mam Gregory Crumwel a briodes chwaer brenhines Siaen mam Bryns Edwart'.[11] Y mae'n bosibl fod y berthynas glòs rhwng Cromwell a Price yn ddigon i ddangos anghysondeb penodi Cymry i swyddi uchel yn Lloegr, ond eu hamddifadu o swyddi cyfrifol yn eu cymunedau eu hunain. Nid oes unrhyw gofnod i gysylltu Price â'r Ddeddf Uno, ond yr oedd yn amlwg mewn sefyllfa i Gromwell ymgynghori ag ef ynglŷn â diwygiadau yng Nghymru yn y blynyddoedd hollbwysig rhwng 1534 a 1536. Wedi cwymp a dienyddiad Cromwell, cafodd Price ei benodi yn ysgrifennydd dros fuddiannau'r brenin yn y Gororau ac yna yn ysgrifennydd y Cyngor yno, ac y mae'n sicr y bu ganddo, yn rhinwedd y swydd honno, ran mewn gweithredu'r ddeddf.[12]

Yr oedd gan y deddfwyr reswm da dros gredu y byddai cyfran helaeth o'r tirfeddianwyr Cymreig yn gefnogol i'r diwygiadau ac, yn wahanol i'r hyn a ddigwyddodd yn Iwerddon, na fyddai eu hymlyniad wrth arferion brodorol yn unrhyw rwystr iddynt dderbyn cyfraith Loegr a'i holl oblygiadau. Yr egwyddor wleidyddol wrth wraidd diwygiadau 1536 oedd y cysyniad o wladwriaeth unedol. Sefydlwyd y Saesneg yn iaith gyffredinol holl ddeiliaid y brenin, er na weithredwyd y polisi yn gwbl unffurf. Y mae'r camau llym a gymerwyd i ddarostwng ieithoedd, ac eithrio'r Saesneg, mewn rhannau eraill o ddominiwn y brenin y tu allan i'r deyrnas, megis yng Nghalais ac Iwerddon, yn hollol groes i'r nodyn

---

[11] Yr oedd rhyw ddyn eiddigeddus wedi ceisio dileu'r geiriau hyn, fel yr esbonia'r nodyn mewn llaw Duduraidd ar ymyl y ddalen yn y llyfr amrywiaeth: 'Rhiw ddyn kenfigennus a tynodd y geiriay hyn allan.' Yn ôl Dr E. D. Jones: 'Achos y genfigen, mae'n debyg, oedd y gyfathrach rhwng Siôn Prys a'r Arglwydd Cromwell ac â llys y brenin.' Llyfrgell Bodley, Rhydychen, Llsgr. Balliol College 353 (ffacsimili yw LlGC Llsgr. 9048E); E. D. Jones, 'Llyfr Amrywiaeth Syr Siôn Prys', *Brycheiniog*, VIII (1962), 97–104.

[12] Roberts, *Camden Miscellany Vol. XXVI*, 42. Ac yntau'n ddyneiddiwr yn ogystal â gwas y Goron, y mae'n bosibl fod presenoldeb Price yng nghylch Cromwell yn gyfrifol am y nodyn cymodlon ynghylch y berthynas rhwng y Cymry a'r Saeson a geir yn y rhagymadrodd i'r Ddeddf Uno.

cymodlon a geir yn rhaglith y ddeddf ar gyfer Cymru.[13] Bwriad y ddeddfwriaeth oedd dwyn deiliaid y brenin yn y ddwy wlad i gytundeb cyfeillgar a chytgord ('an amicable Concord and Unity') a olygai gydraddoldeb gerbron cyfraith Loegr, ac 'utterly to extirp all and singular the sinister Usages and Customs differing from the same'. Y mae'r ymadrodd hwn, yn ôl rhai sylwedyddion modern, yn cyfeirio at yr iaith Gymraeg yn ogystal â'r cyfreithiau brodorol. Awgryma eraill mai'r 'Usages and Customs', yn hytrach na'r iaith, a ystyrid yn afreolaidd.[14] Y mae'r geirio yn ddigon amwys – efallai yn fwriadol felly – fel yn wir y mae cymaint o gynnwys y rhaglith. Yr hyn a gaiff ei gollfarnu yw rhesymeg enllibus y 'rude and ignorant people' sy'n gwahaniaethu yn gyfeiliornus rhwng deiliaid y brenin ar y sail annilys fod cyfreithiau, arferion ac iaith y bobl hyn yn wahanol i rai Lloegr.

Y mae'r cymal deddfu cyntaf yn diddymu'r cyfreithiau brodorol a oedd yn weddill, er i'r gwaharddiad hwn hyd yn oed gael ei liniaru mewn cymalau diweddarach. Yn y 'cymal iaith' (rhif 20 yn yr argraffiadau modern o'r statud),[15] pennir y dylai gweithgareddau'r llys gael eu cynnal yn Saesneg, ac nad oedd unrhyw Gymro i ddal swydd gyfreithiol na chyflogedig oni bai ei fod yn hyddysg yn yr iaith. Yr oedd hyn yn annog y rhai a ddeisyfai swyddi o'r fath i ddod yn ddwyieithog, ond y mae'r awgrym i'r iaith Gymraeg gael ei gwahardd yn gamarweiniol.[16] Yr oedd cyfreithiau Hywel Dda, a ysgrifennwyd yn y Gymraeg, wedi hen golli eu grym yn y wlad; felly, proses hanesyddol hir yn gysylltiedig â dirywiad y cyfreithiau a oedd wedi peri i'r iaith golli ei statws. Serch hynny, yr oedd yn amlwg ers tro byd nad oedd parhad y Gymraeg fel iaith fyw yn dibynnu ar y cyfreithiau brodorol ac, yn sicr, ni chafodd ei diddymu yr un pryd â hwy.

Byddai'r dyfarniad mai'r Saesneg fyddai iaith swyddogol cyfraith a gweinyddiaeth yng Nghymru yn cael effaith anochel ar fywyd y bobl a'r iaith Gymraeg, ond prin ac ansicr yw'r dystiolaeth am yr effeithiau tymor byr. Ac eithrio Lee, yr unig rai a ddangosodd unrhyw wrthwynebiad i

---

[13] Peter R. Roberts, 'The Union with England and the Identity of "Anglican" Wales', *TRHS*, 22 (1972), 61–2.

[14] Bowen, *Statutes*, t. 76; *Legal Status of the Welsh Language: Report of the Committee under the Chairmanship of Sir David Hughes Parry* (London, 1965), t. 9.

[15] Bowen, *Statutes*, t. 87. Bu'r ddarpariaeth yn gyfrifol am ddisodli'r deddfau cosb ond nid am eu diddymu, a buont ar y llyfr statud nes y'u dirymwyd ym 1623: 21 Iago I, p.28. Ibid., tt. 167–8.

[16] Nid yw'r cymal bob amser wedi cael ei fynegi'n gywir mewn astudiaethau modern ar effeithiau deddfwriaeth ar y diwylliant Cymraeg. Y mae'r dyfyniad anghyflawn yn Raymond Garlick, *An Introduction to Anglo-Welsh Literature* (Cardiff, 1970), t. 14, yn llurgunio ystyr y cymal trwy ei dalfyrru, gan ailadrodd yr adran sy'n gwahardd pob siaradwr Cymraeg rhag dal unrhyw swydd na thir ond gan adael allan y cymhwyster amodol: '. . . unless he or they use and exercise the English speech or language'.

ddeddf 27 Harri VIII, p.26, naill ai yn y senedd neu yn y wlad, oedd y rhai a oedd eisoes yn dal swyddi.[17] Nid oes cofnod o unrhyw wrthwynebiad i'r 'cymal iaith'. Yn y cyswllt hwn yr oedd y beirdd, a oedd fel rheol yn barod iawn i feirniadu unrhyw duedd i Seisnigeiddio, yn ddistaw iawn, a hynny o bosibl oherwydd nad oeddynt yn sylweddoli bod y diwygiadau yn eu cyfanrwydd yn fygythiad cudd i'r iaith. Yn ôl yr amodau gwasanaeth newydd o dan y Tuduriaid disgwylid i'r bonedd fyw yn y gymuned, fel y byddent mewn gwell sefyllfa i gyflawni eu dyletswydd trwy gynnig lletygarwch, ond y mae'n debyg mai'r hyn sy'n esbonio goddefgarwch y beirdd i'r drefn newydd oedd eu pryder am deyrngarwch pwysicach na'r nawdd a geid mewn tai bonedd. Yn un o'i awdlau i Harri VIII y mae Lewys Morgannwg yn canmol rhinweddau goruchel y brenin fel etifedd Brutus ac ail Siarlymaen, gan ei glodfori am gadw trefn ar y Cymry (cyfeiriad, o bosibl, at ddeddfau 1534 yn erbyn anhrefn yn y Gororau).[18] Ar ôl cwymp Anne Boleyn ym mis Mai 1536, fe'i collfarnwyd gan Lewys fel bradwr, fel Alys Rowena arall a lygrasai deyrnas y Brythoniaid drwy gefnogi'r 'grefydd newydd'. Yn yr un gerdd anogir y brenin i ymatal rhag penodi Saeson distadl i swyddi uchel. Y ffordd orau i sicrhau diogelwch a dedwyddwch y deyrnas, meddai, oedd drwy ddyrchafu Cymry lleol. Gall hyn fod yn gyfeiriad anuniongyrchol at ddau fesur 1536 (27 Harri VIII, pp.5, 26), a aethai drwy'r senedd beth amser ynghynt, a ddarparai ar gyfer penodi siryfion ac ustusiaid heddwch i siroedd Cymru; os felly, ymddengys mai dyma'r unig sylw o blith y beirdd at y ddeddfwriaeth 'uno'.[19]

Awgryma ymateb gwŷr arglwyddiaeth Dinbych ym mis Mai 1537 fod gwrêng a bonedd fel ei gilydd yn ystyried mai rhyddfraint yn hytrach na gorfodaeth oedd y mesurau newydd. Dengys eu datganiad ym marchnad Dinbych, sef bod ganddynt yr un rhyddid â'r Saeson ac nad oedd raid iddynt felly dalu stondiniaeth yn y dref, yr ystyrient fod y Ddeddf Uno yn

---

[17] Ar ei daith drwy'r senedd ychwanegwyd amodau at y mesur yn gwarchod hawliau swyddogion a fodolai eisoes, megis iarll Caerwrangon. Bowen, *Statutes*, tt. 91–3.

[18] y holl afreol Kymru a rolaist [reolaist]
herwyr ymladdwyr yma a luddiaist
wedy i holl drethau da y llywodraethaist
am i kywired mwyn i keraist.
E. J. Saunders, 'Gweithiau Lewys Morgannwg' (traethawd MA anghyhoeddedig Prifysgol Cymru, 4 cyf., 1922), I, tt. 204–12. Copïodd Syr John Price yr awdl foliant yn ei lyfr amrywiaeth: LlGC Llsgr. 9048E [copi ffotostat o Lsgr. Balliol 353], f. 20.

[19] Mewn marwnad i Rys ap Siôn o Lyn-nedd, mynegodd Lewys ei anghymeradwyaeth ynghylch y dylanwadau Seisnig a oedd yn ymledu dros Forgannwg a Gwent. Yr oedd barddoniaeth Iorwerth Fynglwyd, cyfoeswr i Lewys o blith beirdd Morgannwg, yn dangos llai o barch at awdurdod, er ei fod, o bosibl, wrth gollfarnu'r modd yr erlidid y Cymry gan swyddogion Seisnig llwgr, yn ceisio cysuro noddwr a oedd wedi cael ei andwyo gan ymgyfreithiad. E. J. Saunders, op. cit., I, tt. xvii, 63–4, 190–8; *Bywg.*, t. 529; G. J. Williams, *Traddodiad Llenyddol Morgannwg* (Caerdydd, 1948), t. 68.

cadarnhau yn derfynol siarter 1506.[20] Ond byddai'n rhaid i'r mwyafrif uniaith dalu'n ddrud am freintiau o'r fath; pan ddeuent o flaen y llys buan y gwelent nad oeddynt, wedi'r cwbl, yn gydradd â'u cyd-wladwyr a oedd yn hyddysg yn y Saesneg, neu o leiaf â pheth crap arni. Pur anaml y dengys cofnodion y llysoedd na ffynonellau eraill yr anawsterau a wynebai'r achwynwyr neu'r diffynyddion wrth geisio dygymod â'r drefn newydd.[21]

Ni wnaed unrhyw ddarpariaeth ddeddfwriaethol na gweinyddol yn y cyfnod hwn o newid ar gyfer ymdrin â'r problemau ieithyddol a allai godi yn sgil y proses o weddnewid y gyfundrefn gyfreithiol yn ei chyfanrwydd. Dengys dogfen Gymraeg, sy'n dyddio o 8 Mehefin 1540, fod anghydfod mewn perthynas â thir a ddelid drwy ddaliadaeth frodorol yng Nghaeo, sir Gaerfyrddin, wedi cael ei ddatrys yn unol â chyfreithiau Hywel Dda. Y mae'n bosibl mai cytundeb a wnaed y tu allan i'r llys oedd hwn, ond hyd yn oed os oedd yn deillio o achos yn un o'r llysoedd cwmwd neu lys hwndrwd sirol byddai'n dal yn ddilys gan iddo gael ei lunio flwyddyn cyn y daeth y gwaharddiad terfynol ar y cyfreithiau Cymreig i rym. Deddfu yn ôl yr oedd statud 34 a 35 Harri VIII, p.26, wrth nodi y deuai pob daliadaeth frodorol i ben ar 24 Mehefin 1541.[22] O hynny ymlaen byddai unedau dal tir megis y gwely a'r gafael yn ddarostyngedig i dirddaliadaeth Seisnig, er bod un o swyddogion y brenin wedi defnyddio'r Gymraeg i ddisgrifio a gwneud arolwg o dir a oedd yn eiddo i'r Goron ym Môn mewn rhentol dyddiedig 1549.[23] Ond eithriad oedd hwn, ac ymddengys na chafodd ei efelychu mewn rhannau eraill o'r wlad lle y parhaodd daliadaeth Gymreig y tu allan i'r gyfundrefn gyfreithiol.

Daeth 'cymal iaith' y Ddeddf Uno yn asgwrn cynnen ar un achlysur yn ystod y cyfnod trosiannol pan oedd peth dryswch o hyd ynglŷn ag awdurdod y llysoedd ym 'mrodoraethau' arglwyddiaethau'r Gororau. Yn ystod anghydfod dros feddiant tiroedd ym manor Tre'r-llai yn sir newydd Trefaldwyn, cyhuddodd Thomas Kerry, masnachwr o Lundain a honnai mai ef oedd arglwydd y manor, y siryf Humphrey Lloyd o ymosod ar ddau o'r rheithgor yng nghwrt y manor a gynhelid gan stiward Kerry ym 1541, 'bycause they gave their verdite in the Englysshe tonge accordyng

---

[20] Lee at Cromwell, 12 Mai 1537: PRO SP1/120/50.

[21] Am enghreifftiau (un ohonynt yn Gymraeg) o atebion parod a fynegwyd yn Llys y Sesiwn Fawr, fel y'u cofnodwyd mewn ffynonellau nad ydynt yn rhai cyfreithiol, gw. Peter R. Roberts, 'The Welsh Language, English Law and Tudor Legislation', *THSC* (1989), 38–9.

[22] Bowen, *Statutes*, t. 122.

[23] T. Jones Pierce, 'An Anglesey Crown Rental of the Sixteenth Century', *BBCS*, X, rhan 2 (1940), 156–76, yn enwedig 157, lle y tynnir sylw at 'its rare character as an administrative document written in Welsh'. Y mae'r nodyn rhagarweiniol, fodd bynnag, yn Lladin.

to your graces lawes, for that as he pretendyd that the same was ayent the
Welshe lawes'. Os oedd y cyhuddiadau yn erbyn Lloyd yn wir, y maent
yn adlewyrchu'n rhyfedd ar ei ymddygiad fel y siryf cyntaf i gael ei benodi
i'r sir, ac ar ei gymhellion fel cynrychiolydd y drefn newydd yng
Nghymru. Yr oedd ymhlith y gwŷr o Faldwyn a lofnododd y ddeiseb yn
galw am i ddarpariaethau'r Ddeddf Uno gael eu gweithredu'n llawn, ac ef
a gafodd y gwaith o'i chyflwyno yn ffurfiol i'r brenin. Ymddengys fod
Lloyd wedi gwrthwynebu'r 'cymal iaith' er ei les ei hun, ac y mae'n bosibl
iddo lwyddo i osgoi gorfod cymryd cyfrifoldeb dros yr hyn a wnaeth drwy
fanteisio ar yr arafwch i droi'r Gororau yn siroedd a sefydlu'r gyfundrefn
newydd o lysoedd. Methodd Kerry â gwyrdroi dyfarniad y Siawnsri ym
1544, a wrthododd ei hawl i'r eiddo, a chadwodd Lloyd ei stad yn Nhre'r-
llai, gan wasanaethu fel siryf y sir ym 1545 a 1547.[24]

Saesneg oedd iaith swyddogol y gyfraith o dan y drefn newydd, ond a
oedd hi'n fwriad gan y ddeddf i wahardd y defnydd o'r Gymraeg yn y
llysoedd yn gyfan gwbl? Nid oedd gofynion y 'cymal iaith' – sef bod wyth
achos penodol yn cael eu cynnal yn Saesneg – yn cwmpasu holl
weithrediadau llys barn. Gall fod arwyddocâd i'r ffaith na chynhwyswyd
plediadau na chofrestriadau yn y rhestr, gan fod y dystiolaeth sydd wedi
goroesi yn awgrymu mai trwy gyfrwng Ffrangeg Normanaidd y cynhelid
y pledion yn llysoedd Lloegr a'r cofrestriadau trwy gyfrwng y Lladin. Gan
mai prif bwrpas y ddeddf oedd cymathu trefn gyfreithiol y ddwy wlad i
gydymffurfio ag un Lloegr, gellid tybied mai diben y 'cymal iaith' oedd
cymathu arfer ieithyddol y llysoedd yng Nghymru â'r arfer yn llysoedd
Lloegr.[25] Yng nghanol yr unfed ganrif ar bymtheg yr oedd plediadau ym
mrawdlysoedd gorllewin Lloegr yn dal i gael eu cynnal yn Ffrangeg, iaith
nad oedd yr achwynwyr yn ei deall.[26] Os yr un oedd y drefn ar gyfer
plediadau yng Nghymru ar ôl y ddeddf, y mae'n debyg y byddai'r
achwynwyr Seisnig wedi bod yr un mor ddryslyd â'r Cymry, boed y

---

[24] PRO SP 1/144, ff. 83–4; Llys Siambr y Seren 2/23/116, 167. S. T. Bindoff (gol.), *The
History of Parliament: The House of Commons 1509–1558* (3 cyf., London, 1982), II,
tt. 540–1. Yr oedd Lloyd yn stiward arglwyddiaeth Cause, swydd Amwythig, dan
Henry, Arglwydd Stafford, *c.*1554–62. Y mae'r Athro R. Geraint Gruffydd wedi
awgrymu mai Humphrey Lloyd o Dre'r-llai a gyfieithodd (o'r Lladin) y traethodau
meddygol a briodolwyd yn draddodiadol i Humphrey Llwyd, sef *The treasuri of helth*
(*c.*1552) a *The jugement of vrynes* (1553). Y mae'r cyflwyniad i'r Arglwydd Stafford a geir
yn yr ail gyfrol yn awgrymu mai ar ei gais ef y cyfieithwyd y gyfrol gyntaf yn ogystal, ond
nid oes unrhyw dystiolaeth annibynnol yn profi bod ei ddirprwy yn hyddysg mewn
Lladin na meddygaeth, ac ymddengys ei bod yn fwy diogel glynu wrth y priodoliad
gwreiddiol. R. Geraint Gruffydd, 'Humphrey Llwyd of Denbigh: Some Documents and
a Catalogue', *TCHSDd*, 17 (1968), 56.

[25] J. Goronwy Edwards, 'The Language of the Law Courts in Wales: Some Historical
Queries', *CLR*, 6 (1975), 5–9.

[26] F. W. Maitland (gol.), *Year Books of Edward II: Selden Society, I* (London, 1903), t. xxxv.

rheini yn Gymry uniaith neu ddwyieithog. Ond y patrwm arall a nodwyd yn neddf 27 Harri VIII, p.26, ar gyfer trefniadau'r llysoedd uwch yng Nghymru (a fyddai'n cael eu hadnabod fel y Sesiwn Fawr yn nes ymlaen) oedd llys ustus gogledd Cymru, lle y mae'n bosibl fod y drefn yn wahanol i'r hyn a geid ym mrawdlysoedd Lloegr. Yn siroedd hŷn Aberteifi a Chaerfyrddin, sef 'tywysogaeth y de', gwyddys ei bod yn hen arfer i gyhoeddi ymlaen llaw bob blwyddyn 'both in English and Welshe to th'entent that no man shuld be therof iugnorantt . . .' y cynhelid y sesiwn o flaen ustus y brenin.[27] Yn ôl pob tebyg, yr un oedd yr arfer mewn perthynas â'r sesiynau a gynhelid gan ustus tywysogaeth y gogledd. Ond ni wyddom i ba raddau yr oedd yr achwynwyr na'r diffynyddion a ddeuai gerbron y llysoedd o dan yr hen drefn na'r newydd yn deall y drefniadaeth.

Yr oedd y consesiynau a wnaed i'r rhai yr oedd y gwaharddiad iaith yn cael effaith andwyol arnynt yn hwyrfrydig a thameidiog. Y mae'r dystiolaeth gynharaf sydd gennym am arferion ieithyddol haenau uwch y barnweinyddiad Cymreig newydd yn dyddio o'r 1550au. Yn Llys y Cyngor yn Llwydlo ac yn Llys y Sesiwn Fawr gallai tystion a diffynyddion uniaith roi tystiolaeth ar lafar yn Gymraeg, a defnyddid cyfieithwyr i drosi'r dystiolaeth hon (ac yn ôl pob tebyg i esbonio'r hyn a oedd yn digwydd).[28] Wrth weinyddu'r gyfraith yr oedd yn rhaid i'r Cyngor roi statws hanner swyddogol i'r Gymraeg er mwyn sicrhau bod y Cymry yn deall y rheolau ac yn ufuddhau iddynt ym mhob un o'r meysydd yr oedd ganddo awdurdod drostynt. Yn y 1570au yr oedd gorchymyn gan y Cyngor i benodi 'goruchwylwyr' ym Meirionnydd i gynorthwyo'r ustusiaid heddwch i gadw trefn yn y plwyfi i'w ddarllen a'i gyhoeddi yn agored yn y Gymraeg yn y Llys Chwarter.[29]

Ym mis Ionawr 1576 eglurodd Syr William Gerard, Is-lywydd Cyngor y Gororau, gefndir hanesyddol gweinyddiaeth y gyfraith yng Nghymru i Syr Francis Walsingham. Y mae ei nodyn esboniadol ar y 'cymal iaith' yn ei grynodeb o ddeddfwriaeth Harri VIII yn hynod ddadlennol: yn ôl ei eglurhad ef, darpariaeth ydoedd a fyddai'n 'forbiddinge soe muche the use of Walshe speeche, as all pleadinges and proceedinges in sute to be in the English tong' yn y llysoedd. A derbyn bod hyn yn cyfleu union ystyr darpariaeth 1536, awgrymir y cynhelid plediadau yn Saesneg yn y llysoedd

[27] PRO Llys Siambr y Seren 2/18/234.
[28] Roberts, 'The Welsh Language', loc. cit.; Murray Ll. Chapman, 'A Sixteenth-Century Trial for Felony in the Court of Great Sessions for Montgomeryshire' [yn y Trallwng, Chwefror 1572], *MC,* 78 (1990), 167–70.
[29] Peter R. Roberts, 'Elizabethan "Overseers" in Merioneth', *CCHChSF,* IV, rhan 1 (1961), 7–13; W. Ogwen Williams, 'The Survival of the Welsh Language after the Union of England and Wales: the First Phase, 1536–1642', *CHC,* 2, rhifyn 1 (1964), 72.

uwch o'r cychwyn cyntaf. I'r graddau fod hyn yn wahanol i'r arfer yn
Lloegr, y mae'n bosibl ei fod yn dangos parhad y drefn a fodolai yn y
dywysogaeth ganoloesol. Yr oedd Gerard yn ymwybodol iawn y gellid
camweinyddu'r gyfraith, ac argymhellodd y dylai o leiaf un ustus ym
mhob un o gylchdeithiau'r Sesiwn Fawr fod yn deall Cymraeg.
Awgrymodd enw Edward Davies, a oedd yn 'well learned and can speake
the Wealche tonge but no Welcheman', fel ail ustus ar gyfer cylchdaith y
de-orllewin. Yr oedd Davies wedi ei eni a'i fagu yn Amwythig, ac y
mae'n amlwg y câi ei ystyried yn Sais o'r ail genhedlaeth, ond
gwrthwynebwyd ei enwebiad oherwydd ei fod yn dlawd ac am nad oedd
yn hyddysg yn y gyfraith, er ei fod eisoes wedi gwasanaethu yn y senedd
ddwywaith fel bwrdais dros fwrdeistrefi Aberteifi.[30] Pasiwyd deddf yn
darparu ar gyfer penodi ail ustus ar gyfer pob cylchdaith yng Nghymru lai
na deufis wedi i Gerard ysgrifennu ei lythyr. Ond nid oedd deddf 18
Elisabeth, p.8, yn pennu y dylai un ustus ym mhob cylchdaith fod yn deall
Cymraeg. Y mae'n bosibl mai'r maen tramgwydd oedd yr egwyddor o
gael Cymry yn gwasanaethu fel barnwyr yn eu gwlad eu hunain. Yn ôl
statud 33 Harri VIII, p.24, a basiwyd ym 1542, ni châi'r un ustus brawdlys
wasanaethu yn y wlad lle y cafodd ei eni neu lle'r oedd yn byw ('was
borne or doth inhabyte'). Y tebyg yw fod hyn yn wir am benodiadau yng
Nghymru yn ogystal â Lloegr, a phrin oedd yr eithriadau.[31] Ymddengys
mai dau Gymro Cymraeg yn unig a benodwyd yn ystod yr unfed ganrif ar
bymtheg.[32]

Yr oedd y polisi penodi hwn yn dra gwahanol i bolisi'r Eglwys yn oes
Elisabeth, pryd y cafodd nifer o Gymry amlwg eu penodi yn esgobion.
Gwasanaethai ustusiaid y Sesiwn Fawr a'r esgobion ar Gyngor y Gororau
yn rhinwedd eu swydd a cheid hefyd amryw o gyfreithwyr o uchel dras
megis Syr John Wynn o Wedir a Dr Elis Prys o Blasiolyn. Ni fyddai
cynghorwyr ac esgobion o'r fath wedi cael unrhyw anhawster i ddeall
tystiolaeth y Cymry uniaith a ddeuai ger eu bron, ond gellid eu cyhuddo
o beidio â bod yn ddiduedd. Yr oedd gan yr Archesgob John Whitgift, a

---

[30] 'A note of such as desire to be placed Justices in Wales by the new statute, with their
qualities and conditions etc.: 1576.' PRO SP12/110/13. P. W. Hasler (gol.), *The History
of Parliament: The House of Commons 1558–1603* (3 cyf., London, 1981), II, tt. 21–2.

[31] Yn ôl y rhagarweiniad i ddeddf 18 Elisabeth I, p. 8, caniatawyd penodi ail ustusiaid
mewn ymateb i'r ddeiseb gan y Cymry, sydd, o bosibl, yn awgrymu bod yr aelodau
seneddol Cymreig yn fwyfwy gweithredol. *Statutes of the Realm*, III, tt. 864–5; IV,
tt. 618–19; Bowen, *Statutes*, tt. 152–6; PRO SP12/110/14; Penry Williams, *The Council
in the Marches of Wales under Elizabeth I* (Cardiff, 1958), tt. 263–4.

[32] Ym 1578 enwebwyd Edward Davies, a gafodd ei anwybyddu ddwy flynedd ynghynt, yn
un o ddirprwyon John Puckering fel ustus cylchdaith Caerfyrddin; a rhwng 1576 a 1584
bu Simon Thelwall, Plas-y-ward, yn gweithredu fel dirprwy ustus ac is-ustus yng Nghaer
a siroedd gogledd-ddwyrain Cymru. W. R. Williams, *The History of the Great Sessions in
Wales 1542–1830* (Brecon, 1899), tt. 70–1.

fu'n Is-lywydd y Cyngor yn Llwydlo pan oedd yn esgob Caerwrangon, amheuon am allu'r Cymry i farnu'n ddiduedd yn y llys uchel hwnnw. Buasai'n anfodlon ag agwedd oddefgar Syr Henry Sidney, yr Arglwydd Lywydd, at y Cymry. Fel aelod o'r Cyfrin Gyngor er 1585, bu gan Whitgift ran yn y gwaith o lunio drafft o gyfarwyddiadau'r frenhines i Gyngor y Gororau. Ym 1592 croesawodd y cynnig i benodi pedwar cyfreithiwr i wasanaethu'r Cyngor, ond ei argymhelliad oedd: 'they neyther should be Welshmen nor dwelling within the Marches'.[33] Nid yw 'The Dialogue of the Government of Wales', a ysgrifennwyd gan George Owen yn y 1590au, yn cynnwys yn ei ddadansoddiad o wendidau'r drefn weinyddu cyfiawnder unrhyw gyfeiriad at y ffaith nad oedd unrhyw un o'r barnwyr yn siarad Cymraeg. Y syndod yw mai Sais a dynnodd sylw at yr anawsterau a'r anfanteision a wynebai achwynwyr o Gymry, ac na wnaed unrhyw gŵyn (cyn belled ag y gwyddom) gan y Cymry eu hunain.[34]

Y mae'n rhaid bod y deddfwyr a'r llunwyr polisi yn hyderus y byddai digon o wŷr bonheddig a allai siarad Saesneg ar gael i weinyddu'r gyfraith, ond yr oedd y ffaith na wnaed unrhyw ddarpariaeth arbennig ar gyfer y dyfodol yn destun pryder i un Sais o leiaf. Cwynodd William Barlow, esgob Tyddewi, wrth Cromwell ar ddiwedd 1536 fod y clerigwyr yn annysgedig a'r bobl yn anwybodus 'and the Englishe tongue nothinge preferred after the acte of parleamente'. Yr oedd ei wrthwynebydd, Thomas Lloyd, pen-cantor yr eglwys gadeiriol, wedi sicrhau trwydded frenhinol i sefydlu ysgol newydd yng Nghaerfyrddin hyd yn oed cyn i'r ddeddf gael ei phasio, ond bu'n rhaid aros hyd 1543 cyn bod safle adfeilion tŷ'r brodyr ar gael i adeiladu Ysgol y Brenin. Ym 1538 cafodd Cromwell ei sicrhau gan Barlow, pe gwneid darpariaeth ar gyfer dysgu gramadeg, y gwyddorau breiniol a gwybodaeth o'r Ysgrythur, 'the Welsche rudenesse wolde sone be framed to English cyvilitie and their corrupte capacyties easely reformed with godly intelligens'. Ymhen tair blynedd yr oedd wedi cael llythyr patent i sefydlu Coleg Crist, Aberhonddu. Yn y rhaglith i siarter yr ysgol rhoddir y rhesymau dros ei sefydlu: oherwydd tlodi a diffyg darpariaeth addysgol yr oedd lleygwyr a chlerigwyr de Cymru fel ei gilydd yn anwybodus ynghylch eu dyletswydd i Dduw a'u hufudd-dod i'r brenin. Yr oeddynt hyd yn oed yn anghyfarwydd â'r iaith Saesneg, ac ni allent felly ddeall goblygiadau'r gyfraith. I Barlow, os nad Lloyd, yr oedd sefydlu ysgol ramadeg yn ymateb uniongyrchol i ddeddf 27 Harri VIII, p.26. Yr un pryd, darparodd Barlow a'r Esgob Salcot o Fangor ar gyfer

---

[33] Llythyr dyddiedig 16 Hydref 1592 at Syr John Puckering: Llyfrgell Brydeinig Llsgr. Harley 6995, f. 123.
[34] Williams, *Council in the Marches*, tt. 82–3, 145–6.

anghenion ysbrydol eu praidd: pregethid yr efengyl yn y Gymraeg yn yr eglwysi er mwyn tanseilio'r ymlyniad 'ofergoelus' wrth yr hen ffydd.[35]

Er yr holl anhrefn nid oedd y llywodraeth yn ystyried Cymru yng .nghanol y 1530au yn gymdeithas ffiniol, lle'r oedd ymlyniad wrth iaith a diwylliant brodorol yn magu ymwahaniaeth anfodlon a allai wrthsefyll newidiadau'r Diwygiad Protestannaidd. Credid yn hytrach fod y gwahaniaeth ieithyddol yn rhwystr i ledaeniad anghydfod ac anufudd-dod. Dywedodd Lee wrth Cromwell ar ddechrau 1537 fod y Cymry yn bobl ddistaw, 'and to my knowledge litle among them conceived of the matters in Englande, fforasmoche their language doth not agree to the advauncement therof'.[36] Cyfeirio yr oedd Lee at y cynnwrf a welwyd yng ngogledd Lloegr ar ddiwedd 1536 pan daniwyd anfodlonrwydd gan sibrydion gwyllt a arweiniodd at y 'bererindod gras' arfog, ond yr oedd ei sylwadau yr un mor berthnasol i'r diffyg dealltwriaeth a fodolai ar y pryd ynglŷn â'r diwygiadau crefyddol a ddaeth yn sgil helyntion priodasol y brenin.

Bu'n rhaid aros hyd ddiwedd teyrnasiad y brenin i ddau ddyneiddiwr o Gymru fynd ati i chwalu'r anwybodaeth hon drwy argraffu llenyddiaeth grefyddol. Y mae'r awdurdod a roddwyd gan y brenin i Lewys Morgannwg a dau gomisiynydd arall yn 37 Harri VIII (1545–6) i oruchwylio urdd y beirdd yn awgrymu bod yr iaith frodorol yn cael ei chydnabod yn swyddogol mewn bywyd cymdeithasol os nad yn y llysoedd barn.[37] Y mae ymddangosiad y ddau lyfr cyntaf i'w hargraffu yn y Gymraeg ym 1546–7 yn dystiolaeth bellach nad oedd unrhyw fwriad i wahardd yr iaith yn gyffredinol yn neddf 1536. Yn y gyfrol *Yny lhyvyr hwnn*, casgliad crefyddol a llawlyfr cyffredinol ymarferol a luniwyd gan Syr John Price, y mae amddiffynnydd mwyaf blaenllaw Hanes Prydain yn talu gwrogaeth i'r brenin am ei roddion tymhorol i'r genedl Gymreig, a fyddai'n cael eu hatgyfnerthu a'u hategu gan rodd ysbrydol yr efengyl. Yn yr un flwyddyn cynhyrchodd William Salesbury ei Eiriadur Cymraeg-Saesneg. Ac yntau'n ddyneiddiwr, ofnai Salesbury mai dirywio yn fratiaith a wnâi'r Gymraeg pe methai ag ennill statws iaith ddysgedig mewn llenyddiaeth brintiedig. Yr oedd yn ymateb i her y Diwygiad Protestannaidd a'r 'uno', er mai cyfeirio at raglith deddf 1536 yn hytrach na'r 'cymal iaith'. a wna yn ei gyflwyniad i Harri VIII yn y Geiriadur. Yr oedd wedi ei ordeinio:

---

[35] PRO SP1/113, f. 114. Barlow at Cromwell, 16 Awst 1538: Llyfrgell Brydeinig Llsgrau. Cotton, Cleopatra E iv, f. 316. William Dugdale, *Monasticon Anglicanum* (6 chyf., London, 1817–30), VI, rhan 3, t. 1498. Glanmor Williams, ' "Thomas Lloyd his Skole": Carmarthen's first Tudor Grammar School', *CA*, X (1974), 49–62.

[36] Lee at Cromwell, 15 Ionawr [1537], Llyfrgell Brydeinig Llsgrau. Cotton, Cleopatra E v, f. 414.

[37] LlGC Llsgr. Peniarth 194A.

that there shal herafter be no difference in lawes and language bytwyxte youre
subiectes of youre principalytye of Wales and your other subiectes of your
Royalme of Englande . . .[38]

Dengys y drwydded frenhinol, dyddiedig 13 Medi 1545, a roddwyd i
Salesbury a John Waley i argraffu'r Geiriadur fel y gallai 'our welbeloved
subjects in Wales may the soner attayne and learne our mere englyshe
tonge' fod Salesbury yn cefnogi'r syniad o iaith gyffredin oherwydd y
manteision a'r hwylustod a ddeuai yn ei sgil. Eglura yn y rhagair i'r
darllenydd iddo lunio'r Geiriadur ar gyfer Cymry llythrennog nad
oeddynt yn gyfarwydd â'r Saesneg, er na fyddai geirfa Gymraeg-Saesneg,
o bosibl, fawr o werth i ateb y diben hwnnw. Cydnabu fod y Saesneg yn
iaith anrhydeddus ar gyfer trafodaeth ddysgedig a'i bod yn bwysig i'r
Cymry ei dysgu. Cafodd y teimladau hyn eu mynegi ganddo eto mewn
molawd i frenhiniaeth Lloegr yn *A briefe and a playne introduction* . . .
(1550) i'r iaith Gymraeg ar gyfer Saeson ac eraill a oedd yn dymuno ei
dysgu. Ysgrifennwyd y llyfr ar gyfer Saeson, yn enwedig yn siroedd y
Gororau, a oedd yn gorfod cyfathrebu â Chymry uniaith yn rhinwedd eu
crefft neu broffesiwn, yn ogystal ag ysgolheigion ac ieithyddion tramor.
Anelwyd y cyhoeddiad hefyd at ymfudwyr o Gymru a drigai yn Lloegr ac
a ddymunai ailafael yn eu gwreiddiau a chysylltu â'u ceraint, '& moost
chiefely to edifie them, as well in ciuyle institutions, as in godlye
doctryne'.[39] Y mae'n amlwg y disgwylid i ddynion o'r fath gyflawni
gorchwyl seciwlar yn ogystal â chrefyddol, ac awgryma'r ymadrodd
dadlennol hwn fod Salesbury, ar yr wyneb o leiaf, yn bleidiol i'r cysyniad
o foesgarwch Seisnig a hyrwyddid gan Saeson Protestannaidd amlwg. Ond
fe'i mynegodd â mwy o gynildeb na'r Esgob Barlow ac â mwy o
gydymdeimlad at ei gyd-wladwyr.

Yn ogystal â'r ymrwymiad hwn i ddarparu ar gyfer anghenion crefyddol
a bydol ei ddarllenwyr, yr oedd dyhead i adfer safon y Gymraeg fel iaith
lafar. Yr oedd Salesbury yn blentyn ei oes a chanddo genhadaeth i adfer yr
iaith Frytanaidd anrhydeddus a oedd 'by continuall misnomer the recorder
of the aunciente hostilitie . . . called Welshe' yn iaith dysg.[40] Yn yr ysbryd
hwn y lansiodd ei ymgyrch ddiwyro i adfer safle'r iaith yn gyfrwng
anrhydeddus ar gyfer yr Ysgrythurau. Dyna paham y cwynai ym 1550 fod
cyn lleied o ddarnau 'Brytanaidd' wedi goroesi o gyfnod yr Eglwys

---

[38] William Salesbury, *A dictionary in Englyshe and Welshe moche necessary to all suche Welshemen as wil spedly learne the englyshe tongue* (London, 1547), sig. A1v–A2r.

[39] Idem, *A briefe and a playne introduction, teachyng how to pronounce the letters in the British tong (now com'enly called Walsh)* (London, 1550), sig. A3v.

[40] R. Brinley Jones, *William Salesbury* (Cardiff, 1994), tt. 23–6. Cymh. idem, *The Old British Tongue: the Vernacular in Wales, 1540–1640* (Cardiff, 1970).

Geltaidd pan oedd hynafiaid y Cymry yn berchen ar yr efengyl yn eu
hiaith eu hunain, tra oedd testunau o gyfraith Hywel Dda, ar y llaw arall,
wedi goroesi. Y mae'r ffaith fod Salesbury yn gweld eironi yn hyn yn
adlewyrchu ei werthoedd: awgrymir bod yr hen gyfreithiau Cymreig
wedi dirywio ac yn anarferedig bellach. Ond er nad oedd, efallai, yn hidio
am gyflwr y testunau hyn, byddai'n gwneud defnydd ohonynt i berffeithio
ei feistrolaeth ar ieithwedd y Gymraeg wrth baratoi'r cyfieithiadau
ysgrythurol a oedd yn flaenoriaeth ganddo.

    Yr oedd gan Salesbury, ar ryw ystyr, fwy o hyder yn statws y Saesneg fel
iaith deilwng ar gyfer traethu dysgedig nag a oedd gan amryw o'i
gyfoeswyr yn Lloegr. Nid oedd y ddadl dros gael Beibl Saesneg wedi
llwyddo i ennill cefnogaeth dyneiddwyr amlycaf Eglwys Loegr. Credai
Stephen Gardiner, esgob ceidwadol Caer-wynt, nad oedd y Saesneg yn
gyfrwng digon anrhydeddus i gyflwyno'r Ysgrythurau.[41] Yr oedd
Salesbury yntau yn ymwybodol o wendidau ei famiaith yn y cyswllt hwn
a dymunai hybu ei hurddas i'w gwneud yn gyfrwng teilwng ar gyfer Gair
Duw. Aeth i'r afael â'r her hon yn yr ail gyhoeddiad o'i eiddo, sef *Oll
Synnwyr pen Kembero ygyd* (1547), gwaith sy'n dangos ei fod wedi newid ei
feddwl, yn bennaf gan ei fod yn argyhoeddedig bellach na ellid aros nes
bod ei gyd-wladwyr yn hyddysg yn y Saesneg cyn lledaenu'r efengyl.
Rhybuddiodd ei ddarllenwyr y byddai ar ben ar yr iaith pe na bai'r
genhedlaeth hon yn ei chadw, ei chywiro a'i pherffeithio. Ond er iddo
nodi bod yr iaith Gymraeg yn wynebu argyfwng, ni chyplysodd hyn ag
unrhyw newidiadau diweddar yn ei statws cyfreithiol. Os oedd yn credu
bod y ddeddfwriaeth ddiweddar yn fygythiad i safle'r iaith, y mae'n debyg
fod hyn yn fwy o feirniadaeth ar yr hyn a gyflawnwyd yng nghyfnod Harri
ac Edward mewn ymgais i ddiwygio ffurfwasanaeth yr eglwys nag ar
effaith uniongyrchol y 'cymal iaith'. Yr oedd yr ail orchymyn brenhinol i'r
clerigwyr ym 1538 a datganiad brenhinol 1541 wedi darparu ar gyfer rhoi
copïau o'r Beibl Mawr Saesneg ym mhob eglwys blwyf yng Nghymru yn
ogystal â Lloegr. Ar esgyniad Edward i'r orsedd gorchmynnwyd bod yr
Epistolau a'r Efengylau yn cael eu darllen o'r pulpud yn Saesneg yn
hytrach na Lladin.[42] Byddai eu darllen mewn unrhyw iaith arall yn
anufuddhau i awdurdod goruchaf pennaeth yr Eglwys. Byddai Salesbury
wedi bod yn ymwybodol iawn o hyn a byddai hefyd wedi sylweddoli, er
ei fod yn derbyn bod angen i'r Cymry fod yn ddwyieithog, mai ychydig
iawn o ddylanwad a gâi darlleniadau o'r Beibl o'r pulpud ar

[41] J. A. Muller (gol.), *Letters of Stephen Gardiner* (Cambridge, 1933), t. 121.
[42] H. Gee a W. J. Hardy (goln.), *Documents Illustrative of English Church History* (London,
    1896), tt. 275–81; P. L. Hughes a J. F. Larkin (goln.), *Tudor Royal Proclamations, i: the
    Early Tudors, 1485–1553* (New Haven, 1964), tt. 296–8; John Strype, *Memorials of the
    Most Reverend Father in God, Thomas Cranmer* (3 cyf., Oxford, 1848), II, tt. 442–60.

gynulleidfaoedd o Gymry yn y tymor byr. Dyma'n sicr a ysgogodd y gri o'r galon yn *Oll Synnwyr pen*: pe methai'r Gymraeg â chystadlu â'r cynnydd yn y defnydd o'r Saesneg mewn gwasanaethau eglwysig byddai ar ben ar y ffydd a'r iaith yng Nghymru.[43]

Cafwyd bygythiad pellach i statws y Gymraeg fel iaith crefydd ym mis Ionawr 1549 pan orchmynnodd y Ddeddf Unffurfiaeth y dylid defnyddio Llyfr Gweddi Gyffredin Cranmer mewn gwasanaethau eglwysig. Cadarnhaodd y Senedd felly ragorfraint brenhinol 1547 mewn perthynas â'r Litani: Saesneg fyddai iaith addoli cyhoeddus drwy'r deyrnas gyfan, a byddai unrhyw wyro o'r arfer hwn yn torri cyfraith statud.[44] Ni chafodd yr egwyddor o gyflwyno'r Ysgrythurau drwy'r iaith frodorol ei chymhwyso at Gymru mewn unrhyw offeryn swyddogol yn ystod teyrnasiad Edward, sef cyfnod pan gyrhaeddodd y Diwygiad Protestannaidd ei gyflwr mwyaf datblygedig yn Lloegr. Ac eithrio'r fersiynau Ffrangeg o Lyfrau Gweddi Gyffredin 1549 a 1552, a gyfieithwyd o dan drwydded at ddefnydd deiliaid y brenin yng Nghalais ac Ynysoedd y Sianel, nid awdurdodwyd unrhyw eithriadau i'r ddarpariaeth a wnaed ar gyfer deiliaid Saesneg eu hiaith yn y ddwy ddeddf unffurfiaeth a luniwyd yn ystod teyrnasiad Edward.[45] Ym 1551 penderfynodd Salesbury argraffu ei fersiwn Cymraeg ei hun o'r Epistolau a'r Efengylau, wedi eu cyfieithu o'r Hebraeg a'r Groeg gwreiddiol, sef *Kynniver Llith a Ban*.[46] Y mae'n bosibl ei fod yn ystyried hyn yn fesur dros dro hyd nes y ceid fersiwn mwy cyflawn o'r Litani – fersiwn yr oedd ef ei hun, efallai, eisoes yn gweithio arno – i'w osod ochr yn ochr â Llyfr Gweddi Gyffredin Cranmer. Yn ei gyflwyniad Lladin gwahoddai'r offeiriaid i archwilio'r testun a'i gymeradwyo, os oedd yn rhydd o feiau, i'w ddefnyddio at bwrpas addoli cyhoeddus. Os nad oeddynt hwy eu hunain yn hyddysg yn yr iaith, gellid gwneud hyn drwy benodi chwech o'r gwŷr mwyaf dysgedig ym mhob esgobaeth i ddod ynghyd i archwilio'r testun.[47] Y mae'n amlwg fod Salesbury wedi cyhoeddi ei lyfr ym 1551 heb gael caniatâd ymlaen llaw gan yr awdurdodau eglwysig, er iddo addo na fyddai'n ei ddosbarthu nes

---

[43] Y mae Saunders Lewis wedi disgrifio'r rhagair i *Oll Synnwyr pen* fel 'maniffesto'r Dadeni Dysg a'r ddyneiddiaeth Brotestannaidd Gymreig'. Saunders Lewis, 'Damcaniaeth Eglwysig Brotestannaidd' yn R. Geraint Gruffydd (gol.), *Meistri'r Canrifoedd: Ysgrifau ar Hanes Llenyddiaeth Gymraeg* (Caerdydd, 1973), t. 127. Am drafodaeth ar yr honiad hwn mewn perthynas â'r daliadau a gyflwynir gan Saunders Lewis yn *Tynged yr Iaith* (Llundain, 1962), gw. Roberts, 'The Welsh Language', 48–9 a n. 77.

[44] 2 & 3 Edward VI, p. 1: *Statutes of the Realm*, IV, tt. 37–9.

[45] A. Owen Evans, *A Memorandum on the Legality of the Welsh Bible and the Welsh Version of the Book of Common Prayer* (Cardiff, 1925), t. 11.

[46] William Salesbury, *Kynniver Llith a Ban*, gol. John Fisher (Caerdydd, 1931), t. xxv.

[47] Cyfieithwyd yn D. R. Thomas, *The Life and Work of Bishop Davies and William Salesbury* (Oswestry, 1902), tt. 71–2.

iddo gael ei gymeradwyo gan yr esgobion neu'r sawl a enwebwyd ganddynt.[48] Ond anwybyddwyd ei gais, ac ni wnaed unrhyw ddarpariaeth arbennig mewn perthynas â Chymru pan gyhoeddwyd fersiwn diwygiedig o'r Llyfr Gweddi Gyffredin Saesneg y flwyddyn ganlynol. Nid oes tystiolaeth fod *Kynniver Llith a Ban* nac unrhyw fersiwn Cymraeg arall o'r Litani wedi cael eu cymeradwyo i'w defnyddio yn yr eglwysi yn ystod teyrnasiad Edward VI.

Chwalwyd gobeithion Salesbury pan esgynnodd y Frenhines Babyddol Mari i'r orsedd, ac ar y cychwyn nid oedd yn ymddangos bod llywodraeth Elisabeth fymryn mwy sensitif na'i rhagflaenwyr i anghenion ysbrydol y bobloedd Celtaidd. Rywbryd rhwng 1559 a chyfarfod o'r Confocasiwn ym 1563 rhoddwyd cynigion gerbron yr awdurdodau yn pennu cosbau i'r rheini na allent adrodd erthyglau'r ffydd, y catecism, gweddi'r Arglwydd a'r deg gorchymyn. Cynigiwyd y gallai fod yn gyfreithlon i blant o Gymru a Chernyw nad oeddynt yn gallu siarad Saesneg ddysgu hanfodion y ffydd yn eu hiaith eu hunain.[49] Nid oes tystiolaeth y gwnaed unrhyw beth o bwys dros Gymru yr adeg hon, ond cyhoeddwyd yng nghyngor esgobaethol Llanelwy ar 12 Tachwedd 1561 y dylid darllen yr Epistol a'r Efengyl yn Saesneg i ddechrau ac yna yn Gymraeg, ac y mae'n bosibl y defnyddiwyd *Kynniver Llith a Ban* Salesbury i'r diben hwn. Penderfynwyd hefyd y dylai'r catecism gael ei ddarllen yn eglur a phriodol ('aptly and distinctly') bob Sul gan glerigwyr, a hynny yn Gymraeg yn ogystal ag yn Saesneg, ac y dylid canu'r Litani ar ddyddiau eraill. Y mae'n bosibl mai hyn a ysgogodd John Waley, cyn gydymaith Salesbury, i geisio cael trwydded i argraffu'r Litani yn Gymraeg ym 1562–3. Yr unig gyfeiriad sydd gennym at y gwaith hwn yw cofnod moel yng nghyfrifon Urdd y Llyfrwerthwyr a'r Cyhoeddwyr; ni wyddys a gafodd y gwaith ei gyhoeddi, ond nid oes unrhyw amheuaeth nad Salesbury a'i cyfieithodd.[50]

Ychydig o ymateb a gafwyd i ymgyrch ddiwyro Salesbury dros gyfnod o un mlynedd ar bymtheg i gyhoeddi fersiynau awdurdodedig o'r Ysgrythurau yn y Gymraeg. Yna, yn senedd 1563, pasiwyd deddf 5 Elisabeth I, p.28, ar gyfer 'the translating of the Bible and the Divine

---

[48] Ceri Davies (gol.), *Rhagymadroddion a Chyflwyniadau Lladin 1551–1632* (Caerdydd, 1980), tt. 18–21.

[49] Llyfrgell Brydeinig Llsgr. Egerton 2350, f. 54. (Copi diweddarach o eitemau amrywiol ar ddiwygio crefyddol; y mae'r cyd-destun a'i leoliad ymhlith y dogfennau, rhai ohonynt wedi eu dyddio, yn awgrymu dyddiad *c.*1560 ar gyfer yr eitem hon.) D. R. Thomas, op. cit., t. 15.

[50] Ai trwydded newydd ydoedd i gyhoeddi argraffiad arall o *Kynniver Llith a Ban*? Ibid., tt. 72–3. E. Arber (gol.), *A Transcript of the Registers of the Company of Stationers of London* (5 cyf., London, 1875–94), I, t. 209 (a gofnodwyd yn y flwyddyn gyfrifyddu 22 Gorffennaf 1562 i 21 Gorffennaf 1563). Isaac Thomas, *Y Testament Newydd Cymraeg, 1551–1620* (Caerdydd, 1976), t. 138.

Service into the Welsh Tongue'. Bedair blynedd yn ddiweddarach, gyda chyhoeddi'r Testament Newydd a'r Llyfr Gweddi Gyffredin, gallai Salesbury ymfalchïo: 'Behold how the clemencye of God hath now heard my longe desired petition . . .'[51] Yr oedd ei ymgyrch wedi dwyn ffrwyth o'r diwedd yn sgil cyhoeddi gweithiau ysgolheigaidd, a'r rheini o'i waith ef ei hun yn bennaf. Ond y mae lle i amau nad Salesbury oedd yr unig ddeisebwr ac nad ef a gymerodd y cam cyntaf yn achos deddfwriaeth 1563. Erys un llawysgrif ac ynddi ddeiseb o'r fath ar ffurf drafft. Llawysgrif un tudalen ydyw, wedi ei chywiro ond heb ddyddiad, cyfeiriad na llofnod arni. Yn y drafft bras hwn – a gyfeiriwyd at 'your lordship' yn un man ac at 'your lordships' mewn man arall – ceir anogaeth i chwilio am 'the godlyest & best learned men in divinitee or knowledge of the holy scriptures & the Walsh tong withall, whersoever [in the whole realme] their habitacion or abydyng shall hap to be'. Byddai'r ysgolheigion a'r diwinyddion hyn yn ymgynghori â'i gilydd i benderfynu ar y ffordd orau i gael gwared â'r tywyllwch truenus a oedd, oherwydd diffyg goleuni cryf efengyl Crist, yn dal i deyrnasu yng Nghymru. Pe credid ei bod yn angenrheidiol neu'n gyfleus i'r bobl yno gael gofalaeth, addysg neu bregethau yn eu hiaith eu hunain, 'then it may please your good lordships to wyll, requyre & command the learned men to traducte the boke of the Lordes Testamentes into the vulgare Walsh tong' er budd y pregethwyr yn ogystal â'r bobl.

Ni ellir bod yn sicr ynglŷn â llawysgrifen y ddeiseb; y mae'n amlwg iddi gael ei hysgrifennu cyn deddf 1563, ond ni wyddys beth yw'r union berthynas rhyngddynt.[52] Y mae'n bosibl mai'r arglwyddi y cyfeirir atynt yn y ddeiseb yw pum esgob Cymru a'r Gororau, y Cyfrin Gyngor neu Dŷ'r Arglwyddi. Y mae'r pwyslais ar weinidogaeth bregethu a dysgu – a fyddai, trwy gyfrwng y cyfieithiad, yn sicrhau achubiaeth ysbrydol y Cymry – yn hytrach nag ar y defnydd o'r Gymraeg mewn gwasanaethau eglwysig, yn awgrymu bod awdur y ddeiseb yn Brotestant mwy datblygedig hyd yn oed nag yr oedd Salesbury yn y cyfnod hwn. Gan y byddai ef yn ddieithriad yn cyfeirio at y Gymraeg fel y 'British tongue', y mae lle i amau nad ef oedd awdur y ddeiseb hon.[53] Cais ydoedd am 'boke of the Lordes Testamentes' – sef y Beibl heb yr Apocryffa, mae'n debyg – i gwrdd â'r angen dybryd i ddangos i bobl anwybodus 'the shynyng lyght of Christes Gospell'. Hyn, ynghyd â'u dealltwriaeth o beth y gellid ei gyflawni yn yr amser a ganiateid,

---

[51] *Statutes of the Realm*, IV, rhan 1, t. 2457; Bowen, *Statutes*, tt. 149–51.

[52] Dyfynnwyd y ddogfen yn Roberts, 'The Welsh Language', atodiad I, t. 73.

[53] Y mae rhai o'r teimladau yn y ddeiseb yn rhagfynegi syniadau John Penry, dros ugain mlynedd yn ddiweddarach, pan argymhellodd y dylai pregethwyr Cymru feistroli'r Gair yn eu hiaith eu hunain. John Penry, *Three Treatises Concerning Wales*, gol. David Williams (Cardiff, 1960), tt. xvi, 55–6.

a fu'n ysgogiad i'r cyfieithwyr unwaith y cychwynasant ar y gwaith a gomisiynwyd drwy awdurdod y senedd ym 1563.

Yr oedd statud 5 Elisabeth I, p.28, yn darparu ar gyfer cyfieithu'r Beibl *a'r* Llyfr Gweddi Gyffredin i'r Gymraeg. Yr oedd y cyfieithiad i'w baratoi o dan arolygiaeth esgobion Cymru a Henffordd, i'w gwblhau erbyn 1 Mawrth 1567 (dull newydd), a chopïau o'r ddau destun i'w defnyddio mewn gwasanaethau eglwysig ym mhob plwyf lle y siaredid y Gymraeg.[54] Rhoddwyd i'r Gymraeg, felly, statws cyfreithiol fel iaith addoli yng ngwasanaethau'r Eglwys sefydledig. Ceir yn y ddeddf hefyd yr awgrym cyntaf y byddai Dydd Gŵyl Dewi yn cael ei gydnabod yn ffurfiol yn uchel ŵyl yn y calendr Protestannaidd newydd.

Yr oedd angen caniatâd y senedd cyn y gellid cyhoeddi fersiwn newydd o'r Llyfr Gweddi gan y byddai'n newid darpariaeth Deddf Unffurfiaeth 1559. Ni wyddys a oedd gofyn sicrhau awdurdod cyffelyb neu addasu statud blaenorol cyn cyfieithu'r Beibl. Awdurdodwyd y Beibl Saesneg drwy orchymyn a datganiad brenhinol yn ystod teyrnasiad Harri VIII. Y mae'n debyg y gellid bod wedi defnyddio'r un offerynnau yn ystod teyrnasiad Elisabeth pe bai hi a'i Chyngor yn dymuno hynny. Paham, felly, yr awdurdodwyd y Beibl Cymraeg drwy ddeddf seneddol yn hytrach na thrwy orchymyn y frenhines fel prif lywodraethwr yr Eglwys? Yr esboniad a gynigir gan un o'r awdurdodau modern mwyaf blaenllaw ar y cyfieithiadau o'r Ysgrythurau i'r Gymraeg yn oes Elisabeth yw fod gwaharddiad ar ddefnyddio'r Gymraeg mewn gwasanaethau eglwysig yn ymhlyg yng 'nghymal iaith' Deddf 1536, ac mai'r senedd yn unig a allai newid neu addasu'r hyn a ddyfarnwyd drwy statud.[55] Ond byddai hyn yn dehongli gormod ar y ddarpariaeth iaith dan Harri VIII, a oedd yn berthnasol i lysoedd cyfraith gwlad a dal swyddi a ffioedd o dan y Goron yn hytrach nag i fywiolaethau neu wasanaethau'r Eglwys. Ceid elfen o Gymraeg yn addoliad yr Eglwys ddiwygiedig cyn cyhoeddi Llyfr Gweddi Cranmer ym 1549, ac ymddengys fod Syr John Price, yn ystod teyrnasiad Harri VIII, wedi cymryd yn ganiataol fod hynny yn gyfreithlon. Fodd bynnag, yr oedd hawl y Goron i lunio cyfreithiau ar gyfer Cymru yn annibynnol ar y senedd pan oedd angen addasu deddfwriaeth y ddeddf 'uno' wedi cael ei gydnabod am gyfnod o dair blynedd ym 1536 a'i wneud yn hawl barhaol ym 1543. Ni ddefnyddiwyd yr hawl arbennig hon gan unrhyw frenin, ond pe bai angen adolygu'r 'cymal iaith' yr oedd gan y Goron hawl gyfansoddiadol i wneud hynny heb ddwyn y mater gerbron y senedd.[56]

---

[54] Bowen, *Statutes*, tt. 149–51.

[55] Isaac Thomas, *Yr Hen Destament Cymraeg 1551–1620* (Aberystwyth, 1988), t. 175. Awdurdodwyd Llyfr Gweddi Gyffredin Cranmer gan Ddeddf Unffurfiaeth 1549.

[56] Peter R. Roberts, 'The "Henry VIII Clause": Delegated Legislation and the Tudor Principality of Wales' yn T. G. Watkin (gol.), *Legal Record and Historical Reality* (London, 1989), tt. 37–49.

Fel y mae'n digwydd, daeth y galw am ddeddfwriaeth nid o du'r frenhines na'r siambr uchaf ond oddi wrth aelodau Tŷ'r Cyffredin. Yr oedd y rhaglith i ddeddf 1563 yn ymwneud yn benodol â'r Llyfr Gweddi, a oedd, fel y cydnabyddai'r Tŷ, y tu hwnt i gyrraedd y mwyafrif o drigolion Cymru am nad oeddynt yn deall Saesneg. Ni roddwyd sylw i'r Beibl ei hun hyd nes y cafwyd y ddarpariaeth ddeddfwriaethol gyntaf wedi'r ffformwla ddeddfu. Efallai fod hyn yn dangos na chafodd y rhaglith, sy'n ailadrodd sail resymegol wreiddiol y mesur, ei diwygio wrth i'r mesur gael ei ehangu yn ystod ei daith drwy'r senedd. Pan gafodd y mesur y darlleniad cyntaf yn Nhŷ'r Cyffredin ar ddydd Llun, 22 Chwefror 1563, fe'i cofnodwyd yn nyddlyfr y Tŷ fel: 'The Bill that the Book of Service in the Church shall be in the Welsh Tongue in *Wales*'.[57] Ceir y cyfeiriad cyntaf at y Beibl yn y cofnod yn nyddlyfr y Tŷ ar gyfer yr ail ddarlleniad. Ymddengys fod hyn yn cadarnhau tystiolaeth y rhaglith mai'r bwriad gwreiddiol oedd awdurdodi cyfieithu'r Llyfr Gweddi Gyffredin yn unig. Ni chafodd y ddeddf ei hargraffu gyda statudau'r sesiwn ar ddiwedd y senedd, ac y mae'n rhaid felly ei bod wedi cychwyn ei hoes fel mesur preifat ac iddi gael ei chyflwyno wedi i ffioedd sylweddol gael eu talu i swyddogion y ddau dŷ.[58] Aeth deng niwrnod heibio cyn i'r mesur gael ail ddarlleniad yn Nhŷ'r Cyffredin ar 4 Mawrth: y tro hwn fe'i cofnodwyd yn y dyddlyfr fel 'for the Bible & Book of Services'. Fe'i rhoddwyd mewn ffurf gyfreithiol yr un diwrnod, ond ymddengys na chafodd ei draddodi cyn ei anfon i Dŷ'r Arglwyddi, sy'n awgrymu bod y rhai a'i noddai wedi ailddrafftio'r darpariaethau cyn yr ail ddarlleniad yn Nhŷ'r Cyffredin.[59] Y mae'n ddigon posibl fod y ddeiseb yn erfyn am y 'boke of the Lordes Testamentes' yn dyddio o'r cyfnod hwn o seibiant yng nghanol y proses deddfu, sef rhwng 22 Chwefror a 4 Mawrth, neu iddi gael ei llunio i fynd gyda'r mesur i Dŷ'r Arglwyddi er mwyn perswadio 'your lordships' i gytuno â phenderfyniad Tŷ'r Cyffredin i ymestyn cwmpas y mesur i gynnwys y Beibl.

Cafodd y mesur dri darlleniad yn Nhŷ'r Arglwyddi, sef ar 30 a 31 Mawrth a 5 Ebrill; ar yr achlysur olaf ychwanegwyd cymal amod gan yr arglwyddi, a chafodd hwnnw dri darlleniad cyn cael ei ddychwelyd i Dŷ'r Cyffredin. Yr oedd y cymal amod yn gorchymyn bod copïau o'r Beibl Cymraeg a'r Llyfr Gweddi, ar ôl eu cyhoeddi, i'w gosod ochr yn ochr â chopïau o'r fersiynau Saesneg ym mhob eglwys blwyf lle y gallai plwyfolion llythrennog eu cyrchu. Yn y modd hwn gallai Cymry uniaith

---

[57] *Commons Journals*, I, t. 66.

[58] G. R. Elton, 'Wales in Parliament, 1542–1581' yn R. R. Davies et al., *Welsh Society and Nationhood: Historical Essays Presented to Glanmor Williams* (Cardiff, 1984), t. 119.

[59] *Commons Journals*, I, t. 67; *Lords Journals*, I, tt. 610–13; Simonds D'Ewes, *The Journals of all the Parliaments during the reign of Queen Elizabeth* (London, 1682), tt. 72, 88–9.

'by conferring both Tongues together, the sooner attain to the Knowledge of the English Tongue'. Y mae'r neges gyfarwydd hon yn dangos mai consesiwn oedd y brif ddarpariaeth ac y bu'n rhaid cyflawni amodau neilltuol cyn iddi gael ei derbyn gyda chryn amharodrwydd gan yr arglwyddi. Y tebyg yw i'r amodau gael eu cynnwys naill ai er mwyn goresgyn gwrthwynebiad neu i dawelu amheuon a fynegwyd yn hwyr yn y trafodaethau gan rai o'r arglwyddi neu'r esgobion ynglŷn â doethineb rhoi cydnabyddiaeth statudol i'r Gymraeg fel iaith addoliad.[60] Addasiad sylweddol arall a wnaed i'r mesur gwreiddiol yn Nhŷ'r Arglwyddi oedd newid y dyddiad ar gyfer cwblhau'r cyfieithiad o 1 Mawrth 1565 i 1 Mawrth 1566 (hen ddull). O'r pum esgob a oedd i arolygu'r cyfieithu, yr oedd esgobion Llanelwy a Thyddewi yn bresennol yn y ddau ddarlleniad cyntaf, esgob Henffordd yn bresennol yn yr ail ddarlleniad, ond yr Esgob Richard Davies yn unig a oedd yno ar y diwrnod y darllenwyd y cymal amod. Os Davies a awgrymodd estyn y dyddiad cwblhau, am mai ef oedd yn y sefyllfa orau i werthfawrogi mor drwm oedd y gwaith, y mae'n bosibl nad ymgynghorwyd ag ef ar y cychwyn wrth ddrafftio'r mesur gwreiddiol.

Yn ôl Gruffudd Hiraethog, yr hynafiaethydd Humphrey Llwyd, y bwrdais seneddol dros Ddinbych, a fu'n gyfrifol am hyrwyddo'r mesur yn Nhŷ'r Cyffredin:

> Pwy air gystadl pur gwestiwn
> Pert [sic, recte Perl] mewn ty Parlment yw hwn
> Peibl wyneb pob Haelioni
> A wnaeth yn act o'n Iaith ni . . .[61]

Er nad oes tystiolaeth annibynnol wedi ei chofnodi sy'n cadarnhau hyn, nid oes unrhyw reswm dros amau gair y bardd. Yr oedd tri o gyd-aelodau

---

[60] Yr unig ffordd y byddai modd cymharu testun y Beibl Cymraeg â'r un Saesneg at bwrpas dysgu'r iaith fyddai pe bai'r testun wedi ei gyfieithu air am air. Yr oedd y Llyfr Gweddi Saesneg yn seiliedig ar y Beibl Mawr, ac nid ar Feibl Genefa, a'i nodiadau ymyl y ddalen yn llawn dysgeidiaeth Galfinaidd, a chyn bo hir 'Beibl yr Esgobion' fyddai'r fersiwn awdurdodedig. Y mae deddf 1563 yn gorchymyn bod y Beibl Saesneg, ynghyd â'r Llyfr Gweddi Gyffredin, 'as is now used within this Realm in English', i'w gyfieithu 'truly and exactly' i'r Gymraeg. Y mae Dr Isaac Thomas yn darllen hyn i olygu mai'r bwriad gwreiddiol oedd i'r testun Cymraeg gael ei gyfieithu yn uniongyrchol o'r Beibl Mawr. Y mae'n fwy tebygol fod yr ymadrodd 'as is now used within this Realm in English' yn cyfeirio at y Llyfr Gweddi yn unig, a bod yr amwysedd yn adlewyrchu'r amgylchiadau a oedd yn bodoli pan ail-luniwyd y mesur ar gyfer yr ail ddarlleniad yn Nhŷ'r Cyffredin i gynnwys y Beibl yn ogystal. Thomas, Y Testament Newydd Cymraeg, tt. 139–41.

[61] R. Geraint Gruffydd, 'Humphrey Lhuyd a Deddf Cyfieithu'r Beibl i'r Gymraeg', LlC, 4, rhifynnau 2 a 4 (1956–7), 114–15, 233.

Llwyd o Gymru wedi gadael Tŷ'r Cyffredin cyn i'r mesur gael ei ddychwelyd o Dŷ'r Arglwyddi. Rhwng 15 a 24 Mawrth, derbyniodd Dr Elis Prys o Blasiolyn, Simon Thelwall a Morus Wynn, marchogion sir dros Feirionnydd, Dinbych a Chaernarfon, drwydded i fod yn absennol o'r senedd er mwyn cyflawni dyletswyddau angenrheidiol.[62] Dyma'r oll y gellir ei ddarganfod o'r cofnodion seneddol neu unrhyw ffynhonnell arall am daith y ddeddf hon drwy'r senedd, sy'n awgrymu na chafodd sylw llawn aelodau seneddol nac esgobion Cymru.

Ni wnaeth y ddeddf unrhyw ddarpariaeth ar gyfer ariannu'r gwaith cyfieithu. Yr oedd y gost o brynu copi ar gyfer pob plwyf i'w rhannu rhwng y clerigwr a'i blwyfolion.[63] Ymddangosodd y *Lliver gweddi gyffredin* (ffolio) ar 6 Mai 1567 a *Testament Newydd ein Arglwydd Jesu Christ* (pedwarplyg) ar 7 Hydref 1567, ychydig fisoedd yn ddiweddarach nag a bennwyd gan y ddeddf. Nodir ar wynebddalen y Llyfr Gweddi Cymraeg iddo gael ei weld, ei archwilio a'i ganiatáu gan bum esgob, ac y mae'n arwyddocaol fod tri ohonynt yn siarad Cymraeg.[64] Ceir cofnod yng Nghofrestr Urdd y Llyfrwerthwyr a'r Cyhoeddwyr iddo gael ei awdurdodi gan Edmund Grindal, esgob Llundain, a oedd o bosibl yn gweithredu ar ran ei gyd-esgobion yn ystod cyfnod yr argraffu.[65] Un yn unig o'r esgobion a oedd yn ddigon hyddysg yn y Gymraeg i gymryd rhan yn y gwaith cyfieithu, sef Richard Davies, esgob Tyddewi, a oedd eisoes wedi ei gomisiynu yn un o gyfieithwyr 'Beibl yr Esgob'.[66]

Cafwyd caniatâd i gyfieithu'r Ysgrythurau i'r Wyddeleg yn ogystal yn y 1560au, fel rhan o bolisi i annog twf Protestaniaeth. Ceir mwy o dystiolaeth uniongyrchol yn achos Iwerddon nag a gafwyd yn achos Cymru fod y frenhines o blaid yr egwyddor y dylai'r bobl allu deall y Beibl. Ym 1567 cafodd Archesgob Armagh ac Archesgob Meath eu hatgoffa bod Elisabeth wedi rhoi swm sylweddol o £66.13s.4c. 'for the making of Caracter to print the New Testament in Irish', a rhybuddiwyd hwy y byddai'n rhaid ad-dalu'r arian 'unless they do presently put the same into print'. Y mae'n amlwg fod angen mwy o nawdd gan y Goron i gwrdd â'r gost o gastio wyneb teip arbennig ar gyfer argraffu'r Wyddeleg nag yr oedd ei angen ar gyfer y Gymraeg, ond ni pharhawyd â'r nawdd

---

[62] Simonds D'Ewes, op. cit., tt. 88–9.

[63] Yr oedd yr esgobion i osod pris y llyfrau ac i dalu dirwy o £40 yr un pe baent yn esgeuluso'r tasgau hyn, er nad yw'n ymddangos iddynt gael eu cosbi wedi iddynt fethu cyflawni'r dasg mewn pryd. Bowen, *Statutes*, t. 150.

[64] Melville Richards a Glanmor Williams (goln.), *Llyfr Gweddi Gyffredin 1567* (arg. ffacsimili, Caerdydd, 1965).

[65] E. Arber, op. cit., I, tt. 336–7.

[66] Glanmor Williams, *Bywyd ac Amserau'r Esgob Richard Davies* (Caerdydd, 1953); idem, *Welsh Reformation Essays* (Cardiff, 1967), tt. 155–205.

hwn.[67] Nid oedd angen Cymry Cymraeg i argraffu cyfieithiadau 1567 a 1588, ac fe'u llywiwyd drwy'r wasg gan y ddau gyfieithydd, Salesbury a Morgan. Er bod Elisabeth a'i Chyngor yn barod i gymeradwyo'r cyfieithiadau yn y ddwy iaith, nid oeddynt yn barod i'w hariannu.[68]

Yr oedd deddf 1563 wedi nodi dyddiad pendant ar gyfer cwblhau'r gwaith o gyfieithu'r Beibl cyfan. Ni chymerwyd unrhyw gamau ffurfiol wedyn i gael caniatâd i baratoi cyfieithiad Cymraeg o'r Hen Destament er mwyn dwyn y gwaith a gychwynnwyd gan Davies a Salesbury i ben a'i gwneud yn bosibl i gynnal gwasanaethau eglwysig yn gyfan gwbl drwy gyfrwng y Gymraeg. Cred rhai haneswyr modern fod William Morgan wedi ymgymryd â'r gwaith heb ganiatâd swyddogol.[69] Y mae'n wir fod yr amser a ganiatawyd ar gyfer paratoi'r cyfieithiadau wedi dirwyn i ben, ac y dylid bod wedi sicrhau mwy o amser os am gydymffurfio â'r arfer seneddol. Ond cadw'n ormodol at lythyren y ddeddf fuasai hyn o ystyried y pwerau a roddwyd i'r Goron gan y senedd ym 1543, yn ychwanegol at ei rhagorfreintiau cyffredinol, i ddeddfu ar gyfer Cymru. Ymddengys mai o ganlyniad i nawdd John Whitgift, Archesgob Caer-gaint, y bu ei anogaeth yn ddigon i warantu cyfieithiad Morgan, y darparwyd ar gyfer anghenion Cymru, yn hytrach nag unrhyw ragorfraint.

Fel y mae'n digwydd, nid pwynt technegol a oedd wrth wraidd y gwrthwynebiad i gyfieithu'r Ysgrythurau i'r Gymraeg. Yn yr ail argraffiad diwygiedig o *A playne and a familiar Introduction* (1567), ceir gan Salesbury lythyr at Humphrey Toy lle y cyfeiria at y rhai hynny a oedd wedi gwrthwynebu'r fenter dduwiol hon er pan oedd Toy wedi cymryd arno 'the doing of this our Countrey matter'. Yr oedd y beirniaid hyn wedi gwrthwynebu nid yn unig orgraff ryfedd Salesbury ond y cynllun ei hun: 'Some saying wyth *Iudas* the Traitor, what needed thys waste?'[70] Gwrthwynebwyd dadl yr amheuwyr, sef nad oedd digon o Gymry llythrennog (hynny yw, clerigwyr) i gyfiawnhau menter o'r fath, gan

[67] Yn Awst 1587 cynghorwyd yr Arglwydd Ddirprwy a'r Cyngor yn Nulyn gan y Cyfrin Gyngor i benodi argraffydd ar gyfer y Testament Newydd Gwyddeleg. Er sicrhau argraffydd medrus yn yr iaith, daliwyd i gael anhawster i greu llythrennau addas a bu'n rhaid aros hyd 1602 cyn y cafwyd y Testament Newydd mewn Gwyddeleg, a hyd 1608–9 am y Llyfr Gweddi Gyffredin. Bruce Dickens, 'The Irish Broadside of 1571 and Queen Elizabeth's Types', *TCBS*, I (1949–53), 48–60. E. R. McC. Dix, *Printing in Dublin prior to 1601* (Dublin, 1932), tt. 27–8.

[68] Y mae Dr Isaac Thomas wedi dangos mai Archesgob Caer-gaint a ysgwyddodd y draul o ddarparu Beibl yr Esgobion, ac mai'r unig dâl a dderbyniodd cyfieithwyr Beibl y Brenin Iago oedd eu bwyd a'u lletty ar yr achlysuron hynny pan ddeuent ynghyd i ymgynghori. Thomas, *Y Testament Newydd Cymraeg*, t. 140 a n. 54.

[69] Y mae Morgan yn cyfeirio at ddeddf 1563 yn ei gyflwyniad i'r Frenhines. Thomas, *Yr Hen Destament Cymraeg*, tt. 175–6.

[70] Dyfynnwyd gan W. A. Mathias, 'William Salesbury – ei Fywyd a'i Weithiau' yn Geraint Bowen (gol.), *Y Traddodiad Rhyddiaith* (Llandysul, 1970), tt. 47–8.

Brotestaniaid eraill a oedd o blaid cyfieithu'r Ysgrythurau. Yr oedd William Morgan yn ymwybodol fod pobl yng Nghymru, yn ogystal ag yn Lloegr, yn gwrthwynebu cael fersiwn Cymraeg o'r Ysgrythurau. Efallai mai dyna paham yr aeth allan o'i ffordd yn ei lythyr cyflwyno i'r frenhines (fel y gwnaethai Salesbury o'i flaen) i argymell y dylai ei deiliaid i gyd allu siarad un iaith gyffredin, ac yntau yr un pryd yn ceisio sicrhau addysg grefyddol yn yr iaith frodorol yn ei wlad ei hun. Yn *Deffynniad Ffydd Eglwys Loegr* (1595),[71] condemniodd Morris Kyffin y ffaith fod gŵr eglwysig o Gymru wedi gwrthwynebu cyfieithu'r Ysgrythurau i'r Gymraeg mewn 'eisteddfod', sef cynulliad o glerigwyr neu gonfocasiwn.[72] Yn ystod trafodaethau ar gynnig i roi trwydded i argraffydd i argraffu llyfrau yn y Gymraeg ('pan grybwyllwyd am roi cennad i vn celfydd i brintio Cymraeg') yr oedd y clerigwr dienw wedi dadlau y byddai'n well ganddo weld pobl yn dysgu Saesneg ac yn colli eu Cymraeg, ac y byddai Beibl Cymraeg yn gwneud mwy o ddrwg nag o les. Fe'i collfarnwyd yn ddiflewyn-ar-dafod gan Kyffin, a'i gyhuddo o aberthu eneidiau drwy osod maen tramgwydd a'i gwnâi'n amhosibl i bobl ddod i wybod am Air Duw. Efallai mai yng Nghonfocasiwn Caer-gaint ym 1563 y digwyddodd hyn, pan oedd Salesbury a Waley yn ceisio cael patent ar y cyd i argraffu'r Beibl, Y Llyfr Gweddi Gyffredin a gweithiau crefyddol eraill yn Gymraeg.[73]

Ni chafodd yr amheuwyr hyn nemor ddim sylw gan y sefydliad Protestannaidd yn Lloegr oherwydd, o bosibl, y gefnogaeth a roes Syr William Cecil, prif ysgrifennydd y Frenhines, a'r Archesgob Matthew Parker i'r cyfieithwyr cynnar hyn. Yn yr ohebiaeth rhyngddynt ar ddechrau'r 1560au bu Parker, Salesbury a Richard Davies yn trafod hynafiaeth Prydain a chrefydd yr Eglwys Geltaidd gynnar, a'r trafodaethau hynny oedd sail y cyfiawnhad hanesyddol o'r ffydd ddiwygiedig a fynegwyd yn yr 'Epistol at y Cembru', sef y rhagarweiniad i Destament Newydd 1567.[74] Ym 1587 cyfeiriodd William Cecil, neu'r Arglwydd Burghley erbyn hynny, yn ei femoranda at nifer o gyfreithiau da a wnaed yn ystod teyrnasiad y frenhines. Ymhlith y pum statud ('offensive to the papists') a basiwyd er 1558, rhestrodd y ddeddf 'for translating the Bible into the Welsh tongue'. Yr oedd Cecil yn cyfeirio at ymrwymiad

---

[71] W. P. Williams (gol.), *Deffynniad Ffydd Eglwys Loegr* (Bangor, 1908), 'At y Darllenydd', t. xiv.

[72] Bedwyr L. Jones, 'Deddf Cyfieithu'r Beibl i'r Gymraeg, 1563', *Yr Haul a'r Gangell*, XVII (1963), 24.

[73] Roberts, 'The Welsh Language', atodiad II, 74–5.

[74] Robin Flower, 'William Salesbury, Richard Davies, and Archbishop Parker', gydag atodiad gan D. Myrddin Lloyd, 'William Salesbury and "Epistol E.M. at y Cembru"', *CLlGC*, II, rhifyn 1 (1941), 7–16.

Pabyddiaeth Dridentaidd i'r Fwlgat a'r offeren Ladin.[75] Yn sicr, yr oedd fersiynau Pabyddol o'r Ysgrythurau ar gael yn yr iaith frodorol mewn rhai gwledydd, ond ym 1546 cyhoeddodd Cyngor Trent mai'r Fwlgat yn unig a oedd i'w ddefnyddio ar gyfer darlleniadau cyhoeddus, pregethau a dadleuon. Ni chaniateid unrhyw eithriad i'r rheol hon, ac yr oedd yr Indecs Tridentaidd a gyhoeddwyd ar 24 Mawrth 1564 yn cynnwys rheol a waharddai bob Pabydd, yn offeiriad a lleygwr, rhag darllen yr Ysgrythurau brodorol heb ganiatâd esgob neu chwil-lyswr.[76] Y mae asesiad Burghley o arwyddocâd mesur 1563 yn awgrymu bod y Cyfrin Gyngor yn ystyried yr Ysgrythurau brodorol yn arf grymus yn yr ymgyrch i weithredu'r trefniant eglwysig yn oes Elisabeth. Gan fod dyfodol y llywodraeth a'r grefydd ddiwygiedig fel ei gilydd yn y fantol, yr oedd yn rhaid difa'r ymlyniad wrth yr hen ffydd a oedd yn denu deiliaid y frenhines oddi wrth eu gwir deyrngarwch. Yn ystod teyrnasiad Harri VIII, credai sylwedyddion megis William Barlow fod yr hen drefn yng Nghymru yn fygythiad i Brotestaniaeth ac i barch at y gyfraith neu 'foesgarwch Seisnig', ond nid oedd llywodraeth Elisabeth yn ystyried bod parhad yr iaith Gymraeg yn hwb i gynnal y drefn Babyddol. Ar ôl i'r rhai a gefnogai gael yr Ysgrythurau yn yr iaith frodorol ennill y ddadl dros gyfieithiadau Cymraeg, cafodd yr iaith ei chydnabod yn gyfrwng ar gyfer troi pobl oddi wrth 'ofergoeliaeth Rufeinig'. Câi ei dderbyn bellach mai crefydd yn hytrach nag iaith a oedd yn rhannu cymdeithas. Yr oedd Burghley mewn gwell sefyllfa i werthfawrogi hyn ym 1587 nag ym 1563, a'r tebyg yw fod ei sylwadau yn cyfeirio at adwaith y Pabyddion at y ddeddf yn hytrach nag at y bwriad deddfwriaethol gwreiddiol.

Yr oedd rhai Cymry yn amlwg ymhlith y Pabyddion alltud a gefnogai genhadaeth offeiriaid y colegau diwinyddol, sef yn gyntaf, adfywiad yr hen ffydd yn y famwlad ac yna goresgyniad ac aildrôedigaeth. Ni chafodd dyneiddwyr alltud megis Gruffydd Robert a Morys Clynnog eu symbylu i ddilyn esiampl Gregory Martin, cyfieithydd Testament Newydd Rheims i'r Saesneg, drwy gynhyrchu fersiwn Pabyddol Cymraeg o'r Ysgrythurau. Nid oes tystiolaeth uniongyrchol a diamwys ar glawr yn cofnodi ymateb y Pabyddion hyn i gyfieithiadau 1567, er i un ohonynt fynegi ei ofid am yr effaith yr oedd llyfrau Protestannaidd yn y Gymraeg yn ei chael ar fywyd Pabyddion yng Nghymru. Mewn llythyr dyddiedig 22 Awst 1579 at y Cardinal Sirleto, galwodd Dr Owen Lewis, archddiacon Cambrai, am nawdd gan y Babaeth i raglen o lenyddiaeth brintiedig yn y Gymraeg a oedd ganddo ef mewn llaw. Y mae ei agwedd at swyddogaeth yr iaith o ran lledaenu gwirioneddau crefyddol yn ddadlennol:

---

[75] PRO SP12/199, f. 92.
[76] *New Catholic Encyclopaedia*, s.v. Council of Trent, Vulgate, Vernacular Scriptures.

. . . gan fod tair sir ar ddeg yn Lloegr yn siarad yr iaith Gymraeg sy'n
gwahaniaethu mor llwyr oddi wrth yr iaith Saesneg ag y gwahaniaetha'r iaith
Roeg oddi wrth yr Hebraeg, fe ofalodd y Saeson yn ddiweddar am gyfieithu eu
llyfrau hereticaidd hwy o'r dafodiaith Saesneg i'r iaith Gymraeg hon, er mwyn
llygru â gwarth hereticaidd y tair sir ar ddeg hynny, a ymgadwodd hyd yn hyn
yn fwy iach oherwydd na ddeallent heresïau'r Saeson yn ysgrifenedig yn
Saesneg. Yn erbyn y twyll dieflig hwn, yr ydym ni'n paratoi ymwared, er achub
eneidiau ein brodyr yn ôl y cnawd, yn y llyfrau hynny sydd i'w hanfon drosodd
i'r tair sir ar ddeg hyn.[77]

Y mae'n bosibl fod y *Lliver gweddi gyffredin* a'r *Testament Newydd* ymhlith
y cyfieithiadau Protestannaidd y cyfeiriai Lewis atynt. Yn sicr, credai
Pabyddion fod y Llyfr Gweddi Gyffredin yn waith hereticaidd a bod
'Epistol at y Cembru' Richard Davies, a geid ar ddechrau'r Testament
Newydd, yn hollol wrth-Babyddol. I'r Pabyddion ôl-Dridentaidd yr oedd
y Beibl Saesneg, fel y'i cyfieithwyd gan y Protestaniaid, yn llawn heresïau,
fel y tystia sylwadau dilornus Richard Gwyn (m.1584), y gŵr sy'n cael ei
ystyried y merthyr cyntaf yng Nghymru gan yr Eglwys Babyddol
Rufeinig:

> Y Beibl Seisnig sydd chwym chwam,
> Yn llawn o gam ddychmygion . . .[78]

Mewn llythyr cynharach at Sirleto y mae Lewis yn crybwyll tri llyfr
Cymraeg a oedd yn barod i'w hargraffu ym Milan o dan gyfarwyddyd
Gruffydd Robert.[79] Gofynnwyd i'r Cardinal weithredu fel cyfryngwr i
geisio rhodd o gant neu ddau gant o ddarnau aur gan y Pab tuag at y gost
o argraffu'r llyfrau ym Milan a'u dosbarthu ymhlith y Cymry drwy
rwydwaith cudd o offeiriaid. Ni chyhoeddwyd y llyfrau hyn, ond ceir
tystiolaeth i rai o'r llyfrau Pabyddol a ysgrifennwyd yn yr Eidal ar ôl 1567
gyrraedd Cymru. Ym 1571 adroddodd Lewys Evans, asiant iarll Caerlŷr
yn arglwyddiaeth Dinbych, fod llyfr Cymraeg Pabyddol a argraffwyd yn
yr Eidal wedi cael ei atafaelu. Yr oedd wedi ei gyfieithu i'r Saesneg ar gais
esgob Llanelwy 'and soe doe aunswere yt'. Cyfeirio yr oedd at gatecism
Morys Clynnog, *Athravaeth Gristnogavl*, gyda chyflwyniad gan Gruffydd
Robert, a argraffwyd ym Milan ym 1568, a hefyd at *A brief answer to a short
trifling treatise of late set forth in the British tongue written by one Clinnock at*

---

[77] R. Geraint Gruffydd, 'Dau Lythyr gan Owen Lewis', *LlC*, 2, rhifyn 1 (1952), 36–45.
Ceir yn yr atodiadau drawsgrifiadau o'r ddau lythyr Lladin gwreiddiol, a gedwir yn
Llyfrgell y Fatican, ynghyd â chyfieithiad Cymraeg ohonynt, ibid., 43–5.

[78] Dyfynnwyd yn Salesbury, *Kynniver Llith a Ban*, t. xxii, n. 2.

[79] Yr oedd y pamffledi yn ymwneud â goruchafiaeth y Pab, yr Ewcharist a chatecism
Canisius.

Rome, and printed at Millain and lately spread secretly abroad in Wales a gyhoeddwyd yn Llundain ym 1571.[80] Cafodd rhai o'r ychydig weithiau Pabyddol a ysgrifennwyd yng Nghymru gyda'r bwriad o geisio gwrthweithio honiadau a dylanwad yr Eglwys Brotestannaidd cyn diwedd teyrnasiad Elisabeth eu dosbarthu ar ffurf llawysgrif, a chafodd o leiaf un ohonynt – *Y Drych Cristianogawl* (1587) – ei argraffu yng Nghymru ar wasg gudd mewn ogof ym Mhenrhyn Creuddyn.[81]

Mewn cyflwyniad ar ffurf prosopopoeia yn *Dosbarth Byrr ar y rhann gyntaf i ramadeg cymraeg* Gruffydd Robert (Milan, 1567), y mae'r iaith Gymraeg yn cyfarch ei noddwr, Syr William Herbert, iarll Penfro, gŵr a oedd â chymaint o barch ati nes ei fod yn ei siarad â'i gyd-wladwyr yng ngŵydd pobl bwysicaf y deyrnas.[82] Ond nid oedd sail i obeithion Gruffydd Robert a Morys Clynnog y byddai iarll Penfro a Cecil, a oedd yn aelodau o'r Cyfrin Gyngor, am weld y wlad yn dychwelyd at Rufain. Nid oedd yr iarll nac unrhyw arweinydd arall o blith y boneddigion Cymreig wedi ymateb i apêl Salesbury am iddynt ddefnyddio eu dylanwad gyda'r brenin i gael cyfieithiad Cymraeg o'r Beibl. Er gwaethaf yr honiadau am gefnogaeth iarll Penfro i achosion Cymreig yn y llys, nid oes unrhyw dystiolaeth ei fod yn noddi'r iaith, heblaw am gyflwyniad Gruffydd Robert. Y mae rhyw gymaint o eironi yn y ffaith fod gramadeg yn cael ei gyflwyno i gynghorydd nad oedd, yn ôl pob sôn, ond yn lled-lythrennog, ond efallai mai unig arwyddocâd hyn oedd ei fod yn fwy hyddysg yn y Gymraeg na'r Saesneg.[83] Yr oedd iarll Penfro yn Arglwydd Lywydd Cyngor y Gororau rhwng 1550 a 1558, ac y mae'n amheus a allai fod wedi dal swydd mor uchel pe bai 'cymal iaith' deddf 1536 yn cael ei weithredu i'r eithaf.

Ym 1567 yr oedd y Pabyddion yn dal i obeithio y dychwelai'r deyrnas i gorlan Rhufain. Ceir prawf o hyn mewn llythyr Cymraeg cyfrinachol a ysgrifennwyd gan Morys Clynnog at William Cecil ar 24 Mai 1567. Ceir ynddo rybudd y byddai Cecil, oni fyddai'n edifarhau ac yn dwyn perswâd

---

[80] G. Dyfnallt Owen (gol.), *HMC Manuscripts of the Marquess of Bath at Longleat, Vol. V: Talbot, Dudley and Devereux Papers 1533–1659* (London, 1980), t. 182. Y man cyhoeddi yn ôl y golygydd yw 'Avyllen', sy'n ymddangos yn gamdrawsgrifiad o 'Myllen'. Yr oedd Evans hefyd wedi meddiannu proffwydoliaethau ysgrifenedig yn Gymraeg a oedd yn 'marvauylous sediciouse and trayterouse'. Coleg Corpus Christi, Caer-grawnt, Llsgr. Parker, rhif 105, ff. 363–5.

[81] R. Geraint Gruffydd, *Argraffwyr Cyntaf Cymru: Gwasgau Dirgel y Catholigion adeg Elisabeth* (Caerdydd, 1972).

[82] Yn y rhestr o ganghennau dysg y gellid eu cyfleu yn yr iaith berffeithiedig, cynhwysodd Gruffydd Robert dduwioldeb a diwinyddiaeth ond nid yr Ysgrythurau. *Dosbarth Byrr ar y rhann gyntaf i ramadeg cymraeg* (Milan, 1567), sig. B2r-v.

[83] Am yr achos yn erbyn yr honiad fod iarll Penfro yn anllythrennog yn Saesneg, gw. N. P. Sil, *William Lord Herbert of Pembroke, c.1507–1570: Politique and Patriot* (Lewiston, New York, 1987), tt. 27–31.

ar Elisabeth i gofleidio'r ffydd Babyddol, yn cael ei gondemnio i ddamnedigaeth a'r frenhines hithau yn cael ei hesgymuno. Rhybuddiwyd 'ar ddameg' fod y lluoedd Pabyddol ar fin ymgyrchu yn erbyn 'y gam phydd ai gau deddfe'.[84] Gwyddai Cecil ymlaen llaw, felly, am y bwl esgymuno a gyhoeddwyd gan Pius V ym 1570. Y mae'n bosibl fod Clynnog yn ystyried deddf 1563, nad oedd ei ffrwyth cyntaf wedi ei gyhoeddi pan ysgrifennodd ei lythyr, yn un o ddeddfau gau y Protestaniaid. Beth bynnag oedd ymateb Cecil i'r neges, yr oedd yn amlwg erbyn hynny fod Cyngor Trent wedi sicrhau na châi mwyafrif y Pabyddion ym mhob cenedl wybod dim am yr Ysgrythurau a gyhoeddasid yn yr ieithoedd brodorol.[85] Efallai fod ysgrifennydd y frenhines yn ymwybodol o'r dechrau o'r cyfle yr oedd y sefyllfa hon yn ei gynnig o ran atgyfnerthu trefniant crefyddol Elisabeth yng Nghymru yn ogystal â Lloegr.

Byddai llythyr Cymraeg a anfonid o Rufain i Lundain ar draws cyfandir a oedd wedi ymrannu yn garfanau crefyddol gelyniaethus yr un mor sicr o gadw ei gyfrinachau â phe bai wedi ei ysgrifennu mewn seiffr. Gallai Morys Clynnog, felly, ysgrifennu yn Gymraeg, gan wybod y byddai'n bosibl i Cecil alw ar nifer o siaradwyr Cymraeg yn y llys, gan gynnwys ei gaplan, Gabriel Goodman, i'w gyfieithu iddo. Gwnaeth dyneiddwyr Pabyddol o Gymru gyfraniad unigryw drwy gyfrwng llyfrau printiedig tuag at buro'r Gymraeg a'i gwneud yn iaith duwioldeb a dysg, ond o safbwynt ymarferol nid oedd iddi rym amgenach na chod cyfrinachol yn ystod cyfnod eu halltudiaeth ar y Cyfandir. Byddai'r ddau frawd, Robert a Hugh Owen, Plas Du, sir Gaernarfon, yn defnyddio'r Gymraeg yn ogystal â seiffr i drosglwyddo cyfarwyddiadau cyfrinachol ac arwyddeiriau wrth ysgrifennu at ei gilydd ac at eu cyd-grefyddwyr.[86] Ond yr oedd prinder adnoddau yn ei gwneud yn amhosibl i'r Pabyddion Cymreig brwd yn Ewrop goleddu unrhyw obaith realistig o danseilio'r drefn Brotestannaidd yng Nghymru.

Fel y gwelwyd, cafodd yr iaith Gymraeg ei hachub gan y trawsnewid mewn diwylliant crefyddol a ddaeth yn sgil cyfieithu'r Ysgrythurau, a dynnai ar lenyddiaeth farddol a geiriaduraeth yn ogystal ag ysgolheictod dyneiddiol. Ni ddylid dyddio yn rhy gynnar yr hyn a alwyd yn 'hollt

---

[84] W. Llewelyn Williams, 'Welsh Catholics on the Continent', *THSC* (1901–2), 114–19.

[85] Sefydlwyd y comisiwn i adolygu 'mynegai Paul' gan Gyngor Trent yn Chwefror 1563 (dull newydd). Pe gwyddid am y trafodaethau cynnar yn Lloegr, gallai hynny fod wedi dylanwadu ar ategiad llywodraeth Elisabeth o'r mesur preifat ar ei ffurf ddiwygiedig fel y'i cyflwynwyd ar gyfer ailddarlleniad ar 4 Mawrth.

[86] Nid oedd yn ddull cwbl ddibynadwy o gyfathrebu yn y dirgel, gan i rai o'r negeseuon gael eu hatal a'u darganfod. A. H. Dodd, 'Two Welsh Catholic *émigrés* discuss the accession of James I', *BBCS*, VIII, rhan 4 (1937), 355–8.

allweddol'[87] yn hanes diwylliannol Cymru, gan i weithgarwch yr awduron a'r cyfieithwyr hyn ohirio effeithiau'r Seisnigeiddio a lechai yn y ddeddfwriaeth uno. Ni ddaeth yr argyfwng ieithyddol a ofnid gan William Salesbury ac eraill yn yr unfed ganrif ar bymtheg, diolch yn bennaf i'w hymdrechion hwy eu hunain. Fodd bynnag, nid oedd unrhyw sicrwydd y byddai'r waredigaeth hon yn barhaol, gan y byddai tynged 'yr iaith Frytanaidd' yn dibynnu ar barhad y trefniant Protestannaidd.

---

[87] Gwyn A. Williams, *Welsh Wizard and British Empire: Dr John Dee and a Welsh Identity* (Cardiff, 1980), tt. 21–5.

4

Yr Iaith Gymraeg a Llys y Sesiwn Fawr

RICHARD SUGGETT

YN Y BENNOD hon trafodir yn fanwl y defnydd o iaith ym maes y gyfraith, gan roi sylw arbennig i waith Llys y Sesiwn Fawr, y prif lys brenhinol yng Nghymru, a grëwyd gan Ddeddf Uno 1543 ac a ddiddymwyd trwy statud bron tri chan mlynedd yn ddiweddarach ym 1830. Gwyddom erbyn hyn, wrth gwrs, fod y Llys wedi ei sefydlu yn rhan o strategaeth eang y Tuduriaid i adeiladu a chryfhau eu gwladwriaeth. Tua diwedd yr unfed ganrif ar bymtheg, clodforwyd Llys y Sesiwn Fawr yng Nghymru fel rhagflaenydd a haeddai ei efelychu yn Iwerddon. Dyma eiriau Syr William Gerard, a benodwyd yn Ganghellor Iwerddon wedi blynyddoedd lawer o wasanaethu gwladwriaeth Elisabeth yng Nghymru, wrth arglwyddi'r Cyfrin Gyngor: 'Kinge E[dward] the first thought he had conquered all Walles . . . yet Walles contynued their Walshe disorders, untill Kinge H[enry] the viijth established Justices Itinerant to travell throughout all partes of Walles, by which travell onely I saye Walles was brought to knowe civilitie the same as in at this daye.'[1]

Yr oedd gan y llysoedd teithiol newydd yng Nghymru rymoedd eithriadol a oedd yn cyfateb i bwerau cyfun mainc y brenin, llys y pleon cyffredin a'r brawdlysoedd. Y mae'r archif a ddeilliodd ohonynt yn arwyddocaol ar raddfa Ewropeaidd am ei swmp, ei diddordeb a'i pharhad, ac yn dyst i'r ffaith fod y Tuduriaid yn cadw cofnodion mewn modd effeithiol dros ben. Ar yr ochr sifil ceir cyfres fawreddog o roliau pleon, ac y mae'r cofnodion troseddol neu 'ffeiliau carchar' yn fwy cynhwysfawr na'r cofnodion cyfatebol yn Lloegr.[2]

Byddai'n hawdd i anferthedd archif Llys y Sesiwn Fawr lethu'r ymchwilydd, ac o'r herwydd y mae'n bwysig diffinio'n glir y cwestiynau

[1] Charles McNeill (gol.), 'Lord Chancellor Gerrard's Notes of his Report on Ireland', *Analecta Hibernica*, 2 (Dublin, 1931), t. 124; Ciarán Brady, 'Comparable Histories?: Tudor reform in Wales and Ireland' yn Steven G. Ellis a Sarah Barber (goln.), *Conquest and Union. Fashioning a British State, 1485–1725* (London, 1995), tt. 64–86.

[2] Y mae maint yr archif yn amlwg bellach yn sgil gwaith manwl Glyn Parry, *A Guide to the Records of Great Sessions in Wales* (Aberystwyth, 1995).

y ceisiwn atebion iddynt o'r cofnod. Y mae nifer o bynciau allweddol. Yn gyntaf, y drefn weithredu; hynny yw, sut yr oedd Llys y Sesiwn Fawr yn gweithio, yn enwedig mewn perthynas â 'chymal iaith' bondigrybwyll Deddf Uno 1536? Yn ail, y cofnod. Y mae cofnodion Llys y Sesiwn Fawr yn ffynhonnell wybodaeth bwysig am yr iaith, ac ni allwn lai na rhyfeddu faint o Gymraeg sydd i'w gweld yng nghofnodion y llys, cofnodion a ysgrifennwyd yn Lladin a Saesneg yn bennaf. Y mae angen inni wybod pa fath o eiriau a gadwyd a phaham, a beth y maent yn ei ddweud wrthym am y defnydd a wneid o'r iaith. Yn drydydd, diwygiadau. Y mae angen inni ddeall gweithgareddau diwygiol Llys y Sesiwn Fawr a'u perthynas â'r iaith a'r diwylliant Cymraeg. Ac yn fwy cyffredinol, y mae angen ystyried ym mha ffordd y gallwn ddweud i Lys y Sesiwn Fawr ennyn gelyniaeth y Cymry?

Iaith a Phersonél

Ddwywaith y flwyddyn, yn y gwanwyn a'r hydref, am dri chan mlynedd ar ôl yr ail Ddeddf Uno ym 1543, cynhelid Sesiwn Fawr yn neuddeg o siroedd Cymru (ni chynhwyswyd sir Fynwy). Yr oedd y rhain yn gyfnodau o weithgaredd dwys iawn a'r maes yn un lle y ceid defnydd sylweddol iawn o iaith. Byddid wedi disgwyl efallai y byddai'r llysoedd wedi ennyn gelyniaeth helaeth: caent eu cynnal gan amlaf mewn iaith estron; yr oeddynt yn amharu ar drefn bywyd bob dydd; ac er gwaethaf eu haneffeithlonrwydd yr oeddynt, serch hynny, yn frawdlysoedd gwaedlyd. Yn Llys y Sesiwn Fawr, yn hytrach nag yn y Llysoedd Chwarter, y câi'r sawl a gyhuddid o ffeloniaethau dihenydd eu profi, ac yr oedd felly arwyddocâd arbennig i'r Sesiwn Fawr fel llys 'bywyd a marwolaeth'. Amcangyfrifir yn fras iawn fod oddeutu 4,000 o bobl a gollfarnwyd wedi cael eu dienyddio yn ail hanner yr unfed ganrif ar bymtheg yn unig. Am y rhesymau hyn oll, gellid disgwyl y byddai teimlad pur gyffredinol o elyniaeth at y llysoedd hyn. Ond y gwrthwyneb sy'n wir: trwy gydol ail hanner yr unfed ganrif ar bymtheg ac ymhell i'r ganrif nesaf cynyddodd busnes troseddol a sifil Llys y Sesiwn Fawr mewn ffordd sy'n awgrymu i'r llys gael ei dderbyn yn gyffredinol yn hytrach na'i wrthod. Fel llysoedd Ewropeaidd eraill ffyniannus y cyfnod, yr oedd Llys y Sesiwn Fawr yn boblogaidd gan ei fod yn cynrychioli cyfiawnder brenhinol a oedd uwchlaw rhaniadau lleol, ac y gallai'r gwan, mewn egwyddor o leiaf, gyflwyno cwyn ger ei fron yn erbyn y grymus. Dim ond yn ddiweddarach, yn enwedig ar ôl y rhyfeloedd cartref, y dechreuwyd ymddieithrio oddi wrth y llys a theimlo'n ddi-hid neu'n elyniaethus tuag ato, ac o ganlyniad i'r ymddieithrio hwnnw y cafwyd gostyngiad trawiadol ym musnes y llys.

Yn ogystal â chreu Llys y Sesiwn Fawr, bu Ddeddf Uno 1543 yn gyfrifol am ddileu unwaith ac am byth gyfraith ddefod Arglwyddi'r Gororau a'u llysoedd. Y mae'n sicr y cynhelid rhai o'r llysoedd hyn yn Gymraeg ac y mae rhai o'u termau trefniadol wedi goroesi. Er enghraifft, yn arglwyddiaeth Y Clas-ar-Wy, pan gâi carcharor ei ddwyn i gyfrif am ffeloniaeth a chael ei holi sut y mynnai ei brofi, yr ateb oedd 'ar dduu ar wlad' neu 'ar dduu a deylad or wlad' ('gan Dduw a rhydd-ddeiliaid y wlad'). Fel hyn y rhoddid dyfarniad o farwolaeth neu herwriaeth ym Morgannwg: 'gwynt a gwydden a phen blaidd a chrogi hyd farw' ('gwynt a choedwig a phen blaidd a chrogi hyd farw').[3]

Yn ddiamau, golygodd creu Llys y Sesiwn Fawr a'r is-lysoedd (y Sesiynau Chwarter a llysoedd y Siryf) broses o Seisnigo. Ystyrid bod cyfraith Loegr wedi disodli cyfraith Hywel a chyfraith arglwyddiaethau'r Gororau. Yr oedd 'cymal iaith' y Ddeddf Uno (1536), er gwaethaf hynodrwydd y mynegiant mewn mannau, yn eglur iawn ynglŷn â dau beth: bod yn rhaid i'r llysoedd yng Nghymru o hynny ymlaen gael eu cynnal yn Saesneg; a bod yn rhaid i swyddogion y llysoedd ddefnyddio'r Saesneg wrth eu gwaith. Yn amlwg bu cyfnod o addasu, os nad dryswch. Awgryma achos yn Llys Siambr y Seren i siryf sir newydd Trefaldwyn beri cythrwfl mewn llys manorol ym 1541 pan roes y rheithwyr eu rheithfarn yn Saesneg yn lle'r Gymraeg arferol.[4]

Trwy gyfyngu swyddi i'r sawl a ddeallai Saesneg, y gobaith oedd sicrhau unffurfiaeth weinyddol trwy gyfrwng lleiafrif o Gymry a siaradai Saesneg. Anodd gwybod sut y gweithiodd hynny yn ymarferol. Mewn gwirionedd, yr oedd a wnelo dal swydd â statws a dylanwad lleol (yn hytrach na chymhwyster ieithyddol), gan fod swyddi'n ffynhonnell elw i'r rhai a weithredai fel broceriaid rhwng y wladwriaeth a'u hardaloedd.

Yn y 1570au cydnabu Cyngor y Gororau fod nifer mawr o ustusiaid heddwch yn annheilwng o le yn y comisiwn, gan gynnwys rhai y dywedid eu bod yn 'living by that office only'. Ymddengys fod achos yn Llys Siambr y Seren (1594) yn dangos bod gŵr o sir Faesyfed, tirfeddiannwr braidd-lythrennog o'r enw Thomas Vaughan o Lowes, hanner can mlynedd ar ôl y Deddfau Uno, wedi cael dal swydd fel crwner ac yna fel ustus. Fe'i disgrifiwyd gan ei wrthwynebwyr fel un a oedd yn gwbl ddi-ddysg ac na allai ysgrifennu na darllen na phrin siarad yr iaith Saesneg. Ond gan fod ei ddylanwad yn fawr yn lleol, defnyddiai ei swyddi i fynnu

---

[3] LlGC Llsgr. Peniarth 408, f. 333; Rice Merrick, *Morganiae Archaiographia. A Book of the Antiquities of Glamorganshire*, gol. Brian Ll. James (South Wales Record Society, I, 1983), t. 34, gyda fersiwn arall ar d. 37: 'Crogi nes marw gwynt a gwydden a phen blaidd'.

[4] Cymh. 'Gerard's Discourse', *Y Cymmrodor*, XIII (1900), 147; Peter R. Roberts, 'The Welsh Language, English Law and Tudor Legislation', *THSC* (1989), 31–2.

llawer cil-dwrn a llwgrwobr.[5] Gwaharddwyd yr arfer o gymhortha, sef casglu gwobrwyon a llwgrwobrwyon, trwy statud ym 1534, ond creodd amlhad swyddi yn sgil y Deddfau Uno dir ffrwythlon newydd ar gyfer cribddeilio mewn perthynas â'r proses cyfreithiol. Cyflwynwyd cwynion yn erbyn ustusiaid heddwch, siryfion a chrwneriaid llwgr gerbron Cyngor y Gororau a Llys Siambr y Seren.[6] Dirwywyd beilïaid a ystyriai gymhortha yn un o fanteision y swydd yn Llys y Sesiwn Fawr. Tystia datganiad i'r uchel reithgor ym 1588 fod beilïaid sir Frycheiniog yn gyson yn cribddeilio da byw (defaid neu ŵyn), symiau bychain o arian, a grawn yn dâl am ddylanwadu ar y proses cyfreithiol. Y mae'n debyg mai yng nghyd-destun cymhortha y dylem ddehongli cosb tri beili-cantref ym 1558; dirwywyd pob un ohonynt am y drosedd o fod yn anwybodus ynglŷn â chyfraith Lloegr wrth gyflawni eu gwaith.[7]

Yr oedd rhydd-ddeiliaid megis beilïaid a chwnstabliaid ymhlith y swyddogion cymharol ddistadl hynny a orfodid gan y Ddeddf Uno i ddefnyddio Saesneg ('use and exercise the speche or language of Englishe'). Gallai Cymry gael eu hesgusodi rhag dal y swyddi hyn pe llwyddent i argyhoeddi ustusiaid y llysoedd chwarter na fedrent siarad Saesneg.[8] Mwy pellgyrhaeddol fyth oedd ei bod yn ofynnol i reithwyr ddeall Saesneg, gan mai Saesneg oedd iaith trefn y llysoedd. Mewn rhai amgylchiadau allfarnwrol gellid awdurdodi defnyddio'r Gymraeg gerbron rheithgor. Pan oedd Cyngor y Gororau yn awyddus i sicrhau ymchwiliad priodol i achos o ddynladdiad, rhoddwyd cyfarwyddiadau i'r crwner yn sir y Fflint i ddarllen rhai croesholiadau yn Saesneg i reithgor y trengholiad ond 'with suche interpretacion into their vulgar tongue as they may understaund the same'.[9] Yr oedd hyn yn anarferol ac, o bosibl, yn groes i'r statud. Yng nghyd-destun y brawdlysoedd disgwylid i aelodau'r prif reithgorau datgan a phrawf ddeall Saesneg. Awgryma'r dystiolaeth brin sydd ar gael ynglŷn â chymhwyster ieithyddol fod y mwyafrif o uchel reithwyr a rheithwyr 'bywyd a marwolaeth' yn deall peth Saesneg. Ym

---

[5] 'Dr. David Lewis's Discourse', *Y Cymmrodor*, XIII (1900), 131; PRO STAC 5/B60/6.

[6] 28 Harri VIII, p. 6: Ivor Bowen (gol.), *The Statutes of Wales* (London, 1908), t. 57; Penry Williams, *The Council in the Marches of Wales under Elizabeth I* (Cardiff, 1958), tt. 27, 60–1, 307–8; Ifan ab Owen Edwards, *A Catalogue of Star Chamber Proceedings Relating to Wales* (Cardiff, 1929), passim, yn enwedig tt. 40, 120.

[7] LlGC, Llys y Sesiwn Fawr 13/18/4, datganiad heb ei rifo (sir Frycheiniog, 1588); LlGC, Llys y Sesiwn Fawr 19/18, m. 23 (sir Gaerfyrddin, 1558).

[8] Y mae amryw o ddeisebau i'r Llysoedd Chwarter wedi goroesi, gan gynnwys deiseb Robert David o Lanfihangel, a enwebwyd ar gyfer swydd uchel gwnstabl Isaled, ynghyd â thystysgrif gan ei gymdogion yn dweud ei fod yn anllythrennog ac nad oedd yn deall Saesneg, LlGC Llsgr. Chirk B15(b)/32–32/1 (Llys Chwarter Sir Ddinbych, 1659); J. Gwynfor Jones, *Law, Order and Government in Caernarvonshire, 1558–1640* (Cardiff, 1996), tt. 69–71.

[9] LlGC, Llys y Sesiwn Fawr 4/970/3/33 (sir y Fflint, 1580).

1634 cadarnhaodd dirprwy ustus Gogledd Cymru fod naw o blith y deuddeg rheithiwr mewn achos dyrys o lofruddiaeth ym Môn yn medru siarad Saesneg.[10] Gellid cosbi rheithwyr na allent siarad Saesneg – dyna a ddigwyddodd, er enghraifft, yn Aberhonddu ym 1588 pan roddwyd dirwy o ddeugain swllt i Harry Edward o Landyfalle am fethu siarad Saesneg,[11] cosb arbennig o hallt o gofio nad gwirfoddolwyr oedd y rheithwyr ond pobl a oedd wedi derbyn gŵys gan y siryf.

Ailadroddwyd yn eglur yng nghanol yr ail ganrif ar bymtheg yr egwyddor y dylai uchel reithwyr ddeall Saesneg, a hynny trwy gyfrwng gorchymyn ar gylchdaith Caer yn datgan mai dim ond gwŷr bonheddig a rhydd-ddeiliaid a ddeallai Saesneg a oedd i'w dewis i wasanaethu mewn achosion o drengholiad.[12] Mewn gwirionedd, datblygodd trefn a alluogai'r sawl a gâi wŷs i wasanaethu ar yr uchel reithgor ond na allai siarad Saesneg i wneud cais i'r llys ei ryddhau o'i ddyletswyddau. Yr oedd rhaid, wrth reswm, i'r cais fod yn Saesneg. Yn y cais cynharaf a gadwyd i ni (1615), plediodd dau rydd-ddeiliad tlawd o'r Faenol, sir Ddinbych, am gael eu rhyddhau rhag dirwy o ugain swllt am beidio ag ymddangos, gan eu disgrifio eu hunain fel dynion o 'weak capacity' nad oeddynt yn deall gair o Saesneg. Y mae ar glawr hanner dwsin o geisiadau cyffelyb yn ymwneud ag achosion a ddigwyddodd yn siroedd Dinbych a'r Fflint yng nghanol yr ail ganrif ar bymtheg, a phob un ohonynt yn pwysleisio anllythrennedd ac anallu i ddeall Saesneg.[13]

Yn niwedd yr ail ganrif ar bymtheg mynegodd uchel reithgor sir Ddinbych bryder fod rheithwyr o'r 'meanest and most ignorant sort' yn gwasanaethu mewn achosion didrosedd.[14] Ymddengys mai methu deall Saesneg oedd prif ystyr anwybodaeth yn y cyd-destun hwn. Efallai y gellid disgwyl i uchel reithwyr ddeall Saesneg, ond buasai'n anobeithiol disgwyl i bob rheithiwr ddeall Saesneg. Byddai'r angen i sicrhau cymaint o reithgorau ar gyfer achosion llys sifil wedi golygu gorfod diystyru'r gofyniad ieithyddol a rhaid

[10] W. Ogwen Williams, 'The Survival of the Welsh Language after the Union of England and Wales: the First Phase, 1536–1642', CHC, 2, rhifyn 1 (1964), 72.

[11] Ymddangosodd Harry Edward gerbron y llys, ond y mae'n debyg nad oedd yn gallu tyngu'r llw yn Saesneg. Ymddengys fod yr amgylchiadau yn anarferol; yn ôl pob golwg, nid oedd yr uchel reithgor wedi tyngu llw ac yr oedd Harry Edward yn aelod o'r ail reithgor: LlGC, Llys y Sesiwn Fawr 13/18/4, dogfen heb ei rhifo (sir Frycheiniog, 1588). Am yr ail reithgor neu'r rheithgor cantref, gw. Parry, Guide to the Records of Great Sessions, t. lxvii.

[12] LlGC, Llys y Sesiwn Fawr 14/70, f. 124 (Llyfr y Goron sir y Fflint, 1653).

[13] LlGC, Llys y Sesiwn Fawr 4/16/3/3 (sir Ddinbych, 1615). Ymhlith y deisebwyr eraill na fedrent siarad na deall Saesneg yr oedd Thomas Jones, Chwitffordd (sir y Fflint, 1655); Thomas ap Edward Raphe, Treuddyn, a Thomas Jones, Mertyn (sir y Fflint, 1656); Thomas ap Rees, Derwen, 'a meare Welshman' (sir Ddinbych, 1661); Edward Williames, Dolfechlas (sir y Fflint, 1662); Edward Jones, Cyfnant (sir Ddinbych, 1669): LlGC, Llys y Sesiwn Fawr 13/46/1; 13/46/3; P. 659; P. 327; P. 672.

[14] LlGC, Llys y Sesiwn Fawr 4/31/4/42 (sir Ddinbych, 1681).

tybio bod llawer aelod o reithgor na ddeallai ddim neu nemor ddim Saesneg.
Mewn siroedd lle y ceid rhaniad ieithyddol (siroedd Morgannwg a Phenfro
yn arbennig), gallai rheithgorau gynnwys siaradwyr uniaith-Gymraeg a
siaradwyr uniaith-Saesneg. Yn ôl George Owen, mewn rhai rheithgorau yn
sir Benfro 'there wilbe the one half that cannot vnderstand the others wordes;
and yett must they agree upon the truth of the matter, before they departe'.[15]
Y mae'n bosibl y byddid yn ceisio dewis blaenwr llythrennog, dwyieithog a
fyddai'n dehongli'r dystiolaeth a chyfleu cyfarwyddiadau'r barnwr i'w gyd-
reithwyr. Yn sicr, y mae adroddiad ar gyfansoddiad rheithgor yn sir
Gaernarfon yng nghanol y ddeunawfed ganrif a gyhoeddodd ddyfarniad a
oedd yn groes i gyfarwyddiadau'r barnwr yn awgrymu bod gan reithwyr
dwyieithog swyddogaeth allweddol. Yr oedd Thomas Hughes, gwydrwr o
Fangor, wedi gwirfoddoli i egluro natur y dystiolaeth a chyfarwyddiadau'r
barnwr i weddill y rheithgor. Cydnabu Hughes, 'although he was not a
master of the English language, so as to understand it readily and clearly, yet
he thought he understood it better than the rest of the jury (. . . many of them
understanding none of that language)'.[16]

Enillodd rheithgorau Cymru enw anhaeddiannol am lygredd a
phleidgarwch. Nid oedd yn anarferol i reithwyr gael dirwy am gyflwyno
rheithfarn wrthnysig yn yr unfed ganrif ar bymtheg a'r ail ganrif ar bymtheg;
yn y ddeunawfed ganrif a dechrau'r bedwaredd ganrif ar bymtheg, câi
achosion weithiau eu trosglwyddo i'r sir agosaf yn Lloegr oherwydd
pleidgarwch honedig y rheithwyr. Mewn dyfarniad dylanwadol yn y
ddeunawfed ganrif a erydodd annibyniaeth Llys y Sesiwn Fawr ar
awdurdodaeth Mainc y Brenin, dadleuwyd fel a ganlyn: 'it was very difficult
to have justice done in Wales, for they are all related to one another'.[17]

Yr oedd yn gyffredin yn y Sesiwn Fawr, yn enwedig cyn yr Adferiad, i
reithwyr gael eu herio ar sail perthynas deuluol a chystlynedd. Mewn
achosion sifil cyhoeddid datganiadau achyddol i ddangos perthynas rhwng
yr achwynydd a'r siryf neu'r crwner a oedd wedi gwysio'r rheithgor (her
i'r rheithwyr) neu berthynas rhwng y rheithwyr a'r ymgyfreithwyr (her i'r
polau). Y mae *Practica Walliae, vade-mecum* y twrneiod, yn neilltuo
tudalennau lawer i fanylion technegol yr her i'r rheithwyr, ond yr oedd yr
egwyddor yn ddigon syml: oni fyddai'r achwynydd yn datgan ei berthynas
â'r siryf neu'r crwner, yna byddai'r diffynnydd yn ei herio, a byddai
hynny, pe llwyddai, yn arwain at ddiddymu'r rheithgor, ac yn golygu oedi
a chostau i'r achwynydd wrth i'r prawf gael ei ohirio tan y sesiwn nesaf.[18]

---

[15] Owen, *Description*, I, t. 40.
[16] Affidafid David Williams, atwrnai, LlGC, Llys y Sesiwn Fawr P. 1591 (sir Gaernarfon, 1742).
[17] Parry, *Guide to the Records of Great Sessions*, t. xvii.
[18] Rice Vaughan, *Practica Walliae; or the Proceedings in the Great Sessions of Wales* (London,
    1672), tt. 38–44; Parry, *Guide to the Records of Great Sessions*, tt. xcix–c.

Yn ystod can mlynedd cyntaf y llys cafwyd llawer o achosion o herio o'r fath, ond gostyngodd y nifer wedi'r Adferiad. Y mae'n anodd cyfrif yr achosion o herio yng nghofnodion cyfnod Elisabeth ac Iago I, ond y mae'n debygol fod rhai miloedd ohonynt. Cartau achau oedd yr heriau a gâi . eu ffeilio ymysg papurau'r protonoteriaid a'u cofrestru yn ddiweddarach fel achres naratif yn rholiau'r pleon. Y mae'n hynod debygol fod arwyddfeirdd ac achyddion bonheddig yn ymwneud â chasglu'r achau ac yn gweithredu fel tystion arbenigol, er nad enwir mohonynt yn y cofnod.[19] Yr oedd ar ddiffynyddion yn enwedig angen arweiniad arbenigol i ddangos cysylltiadau achyddol yr achwynydd, a gâi eu holrhain yn aml trwy linellau agnodol. Yr oedd yn arferol cyflwyno achau yn dangos perthynas i'r bedwaredd ach, ond câi heriau o hyd at wyth cenhedlaeth eu hawgrymu i'r llys. Ymddengys sylfaenwyr Tuduraidd cynnar y teuluoedd mawrion yn gyson ar ben yr achresi hyn: er enghraifft, Syr David Gam a Thomas Havard Hir ym Mrycheiniog; Pennant Abbas a Richard ap Howel *alias* Mosten yn sir y Fflint; John Ayr Conway a Thomas Hen Salusbury yn sir Ddinbych.[20] Fel arfer, yn Lladin y cyflwynid yr achresi hyn, ac weithiau yn Saesneg, ond Cymraeg oedd y ddysg yn ei hanfod. Yn achlysurol câi her achres Gymraeg heb ei chyfieithu ei ffeilio ymysg papurau'r protonotari: ym mhapurau Brycheiniog cadwyd, yn Gymraeg, sawl enghraifft o achres chwe chenhedlaeth sy'n dangos y berthynas rhwng y 'gofynnwr' a'r siryf a'r crwneriaid.[21]

Wedi galw'r rheithgor, ond cyn iddo gymryd y llw, gallai'r ymgyfreithwyr herio rheithwyr unigol ar sail eu perthynas â'r ochr arall. Ni chofnodid yr heriau hyn yn ffurfiol yng nghofnod y llys, ond dengys adroddiad ar brawf enwog am dresmasu ym Morgannwg sut y gellid defnyddio tystion arbenigol yn rhan o'r proses. Yn yr achos hwn, yr oedd yr achwynydd, a oedd hefyd yn siryf, wedi datgelu ei berthynas â'r

---

[19] Y mae diwedd y traddodiad yn cael ei amlygu gan ddeiseb William Griffiths, Meline, 'sole antiquary' yn perthyn i siroedd Aberteifi, Caerfyrddin a Phenfro, sy'n gofyn am gael ei ryddhau rhag ymddangos gerbron unrhyw lys: LlGC, Llys y Sesiwn Fawr P. 3088 (sir Aberteifi, 1676). Cymh. Francis Jones, 'Griffith of Penybenglog', *THSC* (1938), 143–4.

[20] LlGC, Llys y Sesiwn Fawr 13/19/6–7 (sir Frycheiniog, 1605); LlGC, Llys y Sesiwn Fawr 13/39/8 a 13/41/3 (sir y Fflint, 1612 a 1623); LlGC, Llys y Sesiwn Fawr 13/2/14 a 13/4/5 (sir Ddinbych, 1575 a 1590).

[21] Y mae'r her achresi Cymraeg canlynol wedi goroesi: (i) y berthynas rhwng Edwart ap Lewys, gofynnwr, ac Edwart Awbrac ap Wiliam, siryf: LlGC, Llys y Sesiwn Fawr 13/18/7 (sir Frycheiniog, 1591); (ii) y berthynas rhwng Sion Gwnter ap Tomas, gofynnwr, ac (a) Thomas ap Hywel, crwner, (b) Katrin ferch D[afyd]d Ifan, gwraig Sion Games, crwner, (c) Rosser Fychan ap Rosser Drydydd, siryf: LlGC, Llys y Sesiwn Fawr 13/19/1 (sir Frycheiniog, 1596); (iii) y berthynas rhwng D[afyd]d ap D[afyd]d Morgan, gofynnwr, a'r un crwneriaid a siryf: LlGC, Llys y Sesiwn Fawr 13/19/1. Rhestrwyd yr achau yn Lladin.

crwneriaid yn ei achres. Derbyniai'r diffynnydd y gallai'r crwner
ddychwelyd y rheithgor, ond heriai reithwyr unigol ar sail eu perthynas
â'r achwynydd trwy ddefnyddio tystion arbenigol. Yr oedd gan y
diffynnydd ddau herodr ('herehauts') wrth far y llys 'to trye pettigrees', sef
John Gamage, 'a gentleman of good name', a Mericke David, 'rhymer'.
Yn ôl awdur *The Storie of the Lower Borowes*, gwelwyd 'challenges and
excepcions for sundry respectes of affinitie and kinred, as I never saw nor
heard of the like'. Ond am ymddygiad yr achyddydd bonheddig: 'he
behaved himself so conceiptedly at the barr in derivinge pettegrees, as he
caused all the court to laughe merilie'.[22]

Yr oedd Llysoedd y Sesiwn Fawr yn anhygoel o brysur. Gallai pedwar
neu bum cant o bobl fod yn ymwneud ag un sesiwn, yn swyddogion,
rheithwyr, pobl dan amheuaeth, ymgyfreithwyr, erlynwyr, tystion, a rhai
ar fechnïaeth. Treulid llawer iawn o amser y llys yn darllen rhestri o
enwau'r sawl a ddylai fod yn ymddangos. Unwaith eto, y mae deisebau
gan bobl a ddirwywyd neu a garcharwyd am fethu ymddangos yn dangos
bod hwn yn gyfnod pur anodd. Gallai'r llys fod yn orlawn, y busnes yn
faith, a'r iaith yn anghyfarwydd. Mewn cais i gael ei ryddhau, eglurodd
David Morris, a roddwyd yng ngofal ceidwad y carchar am iddo fethu
ymddangos gerbron y llys ym 1663, nad atebodd pan gafodd ei alw am
nad oedd yn 'perfect in the English tongue'.[23] Ceid diffyg dealltwriaeth
lwyr ar adegau pan elwid ffurfiau llurguniedig ar enwau pobl. Y mae gan
William Salesbury hanes dadlennol am Ednyfed ap Iorwerth a fethodd
ateb pan ddarllenwyd ei enw gan glerc o Sais ('being but a yong beginner')
yn ei ffurf dalfyredig Ladinaidd, 'Eden ap Iorum'. Yn yr achos hwn
darganfuwyd y 'geste' ar y munud olaf a chafwyd difyrrwch mawr yn y
llys yn sgil y dryswch.[24]

Yr oedd enwau yn broblem barhaus i swyddogion y Sesiwn Fawr. Nid
oes gennym dystiolaeth ysgrifenedig i ategu hanes Thomas Pennant am
darddiad y cyfenw Mostyn, ond y mae'n ddigon credadwy: yn ôl y sôn, yr
oedd Llywydd Cyngor y Gororau wedi blino ar yr adrodd maith ar
dadenwau'r rheithwyr wrth iddynt gael eu galw, a gorchmynnodd iddynt
ddefnyddio eu henwau olaf neu enw eu preswylfod yn gyfenwau. Felly y
daeth Thomas ap Richard ap Howell ap Ieuan Fychan, Arglwydd
Mostyn, yn Thomas Mostyn.[25] Yn sicr, yr oedd yn well gan y llysoedd

---

[22] John Stradling, *The Storie of the Lower Borowes of Merthyrmawr*, goln. H. J. Randall a
William Rees (South Wales and Monmouth Record Society, I, [1932]), tt. 70–1.

[23] LlGC, Llys y Sesiwn Fawr P. 662 (sir Ddinbych, 1663).

[24] William Salesbury, *A briefe and a playne introduction, teachyng how to pronounce the letters in
the British tong (now com'enly called Walsh)* (London, 1550), sig. Diiv; Roberts, 'The Welsh
Language', 38.

[25] Thomas Pennant, *A Tour in Wales* (2 gyf., London, 1778–83), I, t. 12; T. J. Morgan a
Prys Morgan, *Welsh Surnames* (Cardiff, 1985), t. 169.

dadenwau (talfyredig) na'r enwau answyddogol a arddelid yn lleol. Ceir enghreifftiau niferus, fodd bynnag, o gyfenwau galwedigaethol, disgrifiadol neu leoliadol, yn ogystal â chyfenwau tadenwol yng nghofnodion y llysoedd. Y mae David ap Llewelyn *alias* Benwyn o Aberteifi, Jenkin William *alias* Glyncorrwg o sir Frycheiniog ac Ieuan Lewis *alias* Ieuan Gwyn Daliwr yn enghreifftiau nodweddiadol. Gallai'r proses enwi arwain at sawl dewis enw: cyhuddwyd Henry ap John *alias* Syr John *alias* Henry Parson o Lanrhidian, teiliwr, ym Morgannwg ym 1569.²⁶ Câi enwau ac *aliases* eu cofnodi yn ofalus, gan y gallai camenwi fod yn dyngedfennol mewn ditiad. Rhyddhawyd gŵr o sir Faesyfed, a gyhuddwyd dan yr enw unigryw Gelle Maen, wedi iddo bledio'n llwyddiannus iddo gael ei alw wrth yr enw David ap Ieuan David Thomas er y dydd y'i bedyddiwyd.²⁷

Yn y Sesiwn Fawr cawn gip ar fyd yr herwr a'r crwydryn ac eraill a drigai ar ymylon cymdeithas lle'r oedd enwau swyddogol yn golygu fawr ddim. Cyhuddwyd Richard ap Hugh, gŵr nad oedd ganddo gartref parhaol ac un yr honnid ei fod yn lleidr ceffylau, wrth ei *alias* sef 'Coch y Cwrw'. Clywn am herwr o sir Drefaldwyn a elwid yn 'Kig Eiddion' a'i gyfaill a adwaenid wrth yr enw eironig 'Ifan Torri Dim', ac am leidr o Feirionnydd o'r enw 'Yr Ebol Gwyn'. Dywedodd merch o sir Drefaldwyn a'i galwai ei hun yn 'Winter and Summer' wrth yr ustusiaid y byddai'n well ganddi gael ei chrogi nag ateb eu cwestiynau.²⁸ Parheid i gyhuddo pobl dan amheuaeth a gâi eu hadnabod wrth wahanol enwau yn y ddeunawfed ganrif.²⁹

---

²⁶ LlGC, Llys y Sesiwn Fawr 4/883/4/6 (sir Aberteifi, 1556); LlGC, Llys y Sesiwn Fawr 4/343/5/89 (sir Frycheiniog, 1630); LlGC, Llys y Sesiwn Fawr 4/14/1/33 (sir Ddinbych, 1605); LlGC, Llys y Sesiwn Fawr 7/4, m. 10Dv (sir Forgannwg, Gorffennaf 1569).

²⁷ LlGC, Llys y Sesiwn Fawr 4/462/2/6 (ditiad, 1557); LlGC, Llys y Sesiwn Fawr 13/21/9/ [heb eu rhifo] (ple, 1560); LlGC, Llys y Sesiwn Fawr 4/463/4/44 (mater a benderfynwyd gan y rheithgor, 1561).

²⁸ LlGC, Llys y Sesiwn Fawr 4/24/4/10, 52 (sir Ddinbych, 1648); LlGC, Llys y Sesiwn Fawr 4/148/1/49, 4/152/1/49 (sir Drefaldwyn, 1630 a 1662); LlGC, Llys y Sesiwn Fawr 4/154/3/21 (sir Drefaldwyn, 1654). Cymh. yn ogystal Hughe ap William *alias* 'yr Aer' a gyhuddwyd o ladrad: LlGC, Llys y Sesiwn Fawr 4/1/6/54 (sir Ddinbych, 1562); Richard Lewis *alias* 'Brenyne Baughe', labrwr o Ddolau, a gyhuddwyd o dorri i mewn i dŷ: LlGC, Llys y Sesiwn Fawr 4/476/2/73 (sir Faesyfed, 1598); Humphrey ap John *alias* 'Capten Towyn' a gyhuddwyd o drais a'i ddedfrydu i'w grogi: LlGC, Llys y Sesiwn Fawr 23/26, Rex m. [heb eu rhifo] (sir Feirionnydd, 1632); Edward ap Edward ap John Griffith *alias* 'Swaggarer': LlGC, Llys y Sesiwn Fawr 4/18/3/14 (sir Ddinbych, 1627).

²⁹ Yn Aberhonddu ym 1726 cofnodwyd biliau ditiad yn erbyn William Evans *alias* Davies *alias* Powell *alias* Maesmyrddin, Llywel, gwehydd, ac yn erbyn Rees Thomas *alias* Jones a adwaenid hefyd fel 'Rees or Mynith, the famous horse stealer': LlGC, Llys y Sesiwn Fawr 4/372/5 a 28/31 (Medi, 1726).

Iaith a Threfn Gweithredu

Y mae'r adran hon yn bwrw golwg ar iaith yng nghyd-destun rhai o
fanylion trefn y llysoedd, ac yn arbennig ar sefyllfa bywyd a marwolaeth y
prawf am ffeloniaeth. Mewn gwirionedd, yr oedd sefyllfa dairieithog yn
bodoli mewn perthynas â'r camau a ganlyn. Yn gyntaf, cychwyniad.
Dyma oedd y cyswllt rhwng y llys a'r gymuned. Gwneid cwyn yn
Gymraeg i ustus heddwch ac fe gâi honno ei chyfieithu i'r Saesneg ar ffurf
croesholiad ysgrifenedig er budd y llys. Yn ail, y drefn weithredu. Saesneg
oedd iaith y llys. Yr oedd yn rhaid i rai camau yn y drefn weithredu fod yn
Saesneg, er bod defnydd o'r Gymraeg yn cael ei ganiatáu ar adegau. Yn
drydydd, y cofnod. Lladin oedd iaith y cofnod swyddogol tan 1732–3, a
Saesneg o hynny ymlaen. Mewn rhai amgylchiadau yr oedd geiriau
Cymraeg a Saesneg yn cael eu cynnwys yn y cofnod Lladin.

Yr oedd y drefn yn achos y prawf am ffeloniaeth yn bwysig gan y gallai
anfon dyn neu (yn llai aml) ddynes i'r crocbren, a cheid trafferthion
ieithyddol yn ei sgil.[30] Cynhelid areiniad a phrawf wedi i fil achwyniad yn
erbyn person a ddrwgdybid gael ei gyflwyno i'r uchel reithgor. Yr oedd
areiniad carcharor yn foment bwysig iawn. Galwai clerc y llys y carcharor
at y bar a gorchymyn iddo, neu iddi, godi ei law. Yna anerchai'r clerc y
carcharor yn Saesneg: 'Thou art here indicted by the name of A.B. for that
thou . . .' (yna câi'r ditiad ei gyfieithu o'r Lladin i'r Saesneg a'i ddarllen).
Diweddai'r clerc â'r geiriau: 'Art thou guilty therof or not guilty?' Pe
plediai'r carcharor yn ddieuog, fel y gwnâi fel rheol, gofynnai'r clerc,
'Culprit, how wilt thou be tried?' Yr ateb (a'r unig ateb a ganiateid) oedd
y geiriau Saesneg 'by God and the country'.

Y mae nifer o bwyntiau i'w pwysleisio yma. Yn gyntaf, ystyrid bod y
carcharor trwy godi ei law yn cydnabod mai ef neu hi oedd y person a
enwid yn y ditiad; yn ail, mai Saesneg oedd iaith y pledio, yn ogystal â'r
rheithfarn a'r dyfarniad yn ddiweddarach. Ystyriwyd eisoes broblem enwau
– yn rhai swyddogol, answyddogol, a rhai a lurguniwyd. Yr oedd yn ddigon
drwg i berson gael ei gyhuddo dan fersiwn llurguniedig o'i enw, ond
gwaeth fyth, gellid tybio, oedd y ffaith fod ei fywyd yn dibynnu ar drefn
weithredu nad oedd ond prin yn ei deall, neu nad oedd yn ei deall o gwbl.

Mynnai Deddf Uno 1536 mai Saesneg fyddai iaith y llys. Golygai hynny
mai yn Saesneg y digwyddai'r camau allweddol yn nhrefn y prawf. Yn ôl
pob tebyg, yr oedd trefn arbennig yn bodoli ar gyfer y sawl na allai bledio

---

[30] Sylfaenwyd yr adroddiad hwn ar ffurflyfr o oes Elisabeth a ddefnyddid ar gylchdaith
Caer, LlGC, Llys y Sesiwn Fawr 35/18. Yr oedd y drefn weithredu ym mrawdlysoedd
Lloegr yn debyg: cymh. J. H. Baker, 'Criminal Courts and Procedure at Common Law
1550–1800' yn J. S. Cockburn (gol.), *Crime in England, 1550–1800* (London, 1977),
tt. 32–45.

yn Saesneg: efallai fod carcharorion yn ailadrodd y geiriau Saesneg ar ôl y clerc. Yn achlysurol, ni wnâi'r Cymry ddefnyddio'r Saesneg. Y mae calendr carchar un o Sesiynau sir Drefaldwyn ym 1635 yn cofnodi bod Thomas Morgan wedi cael ei garcharu am beidio ag ateb y llys yn Saesneg.[31] Yr oedd gwrthod pledio yn Saesneg yn ôl y drefn yn llwybr peryglus iawn i garcharor. Mynnai'r gyfraith atebion penodol, a'r rheini yn Saesneg, i'r cwestiwn, 'How wilt thou be tried?' Nid digon oedd defnyddio'r hen ymadrodd 'ar Dduw a'r wlad' neu eiriau eraill yn lle'r union eiriau Saesneg, 'by God and the country'. Yr oedd gwrthod defnyddio'r geiriau priodol yn gyfystyr â sefyll yn fud neu wrthod pledio, ac yr oedd gwrthod pledio (h.y. gwrthod cydnabod awdurdod y llys) yn dwyn y gosb erchyll ac anwar o gael eich gwasgu i farwolaeth. Fel rheol, y mae'n debyg y byddai carcharor gwrthnysig yn cael ei orfodi i bledio yn y diwedd, ond cofnodwyd sawl achos yng nghyfnod Elisabeth o garcharorion o Gymry yn sefyll yn fud yn ystod eu hareiniad. Ym 1578 cafodd John Treylo o Ackhill ger Llanandras ei wasgu i farwolaeth am wrthod pledio; y flwyddyn flaenorol credir bod y mudan Robert ap Hugh ap Ieuan ap William o Hope, sir Drefaldwyn, wedi dioddef yr un dynged wedi i reithgor benderfynu ei fod yn medru siarad. A ydyw'r rhain yn enghreifftiau cynnar o ferthyron iaith a ddewisodd farw yn hytrach na phledio yn Saesneg? Amhosibl dweud ar sail y cofnod, sy'n nodi'n unig fod y carcharor wedi sefyll yn fud gerbron rheithgor, naill ai trwy falais neu drwy ymweliad gan Dduw, a'i fod, yn unol â hynny, wedi ei ddyfarnu i'w wasgu i farwolaeth.[32]

Wedi i'r carcharor bledio, tynnid ei hualau a dechreuai'r prawf. (Dengys rhestr o eiddo carchar Maesyfed mai'r enw cyffredin ar hual mawr oedd 'Gwenllian Hir'.)[33] Prin yw'r adroddiadau ar brofion sydd wedi goroesi. Y mae'r manylaf ohonynt yn disgrifio prawf y merthyr Pabyddol Richard Gwyn ym 1584, ond digwyddiad eithriadol oedd hwnnw a gofnodwyd mewn ffordd eithriadol.[34]

Oherwydd y gwahanfur ieithyddol a fodolai rhwng y barnwyr a'r tystion, ymddengys fod pwysigrwydd arbennig yn perthyn i dystiolaeth

---

[31] LlGC, Llys y Sesiwn Fawr 4/150/3/128 (sir Drefaldwyn, 1635).

[32] LlGC, Llys y Sesiwn Fawr 4/469/1/62 (sir Faesyfed, 1578); LlGC, Llys y Sesiwn Fawr 4/128/5/52, 54, 85 (sir Drefaldwyn, 1579). Y rhesymau mwyaf tebygol dros aros yn fud oedd arswyd, a'r bwriad i warafun i'r Goron nwyddau a fyddai fel arall yn cael eu fforffedu yn sgil y ddedfryd.

[33] '. . . one greate bolte called gwenllian here & sixe shackelles for the saide bolte': LlGC, Llys y Sesiwn Fawr 26/48, m. 17 (sir Faesyfed, 1573). Yn ôl pob tebyg, yr oedd y ffeloniaid gwryw yn ystyried yr hual yn 'fenywaidd'.

[34] D. Aneurin Thomas (gol.), *The Welsh Elizabethan Catholic Martyrs* (Cardiff, 1971), tt. 84–131. Llwyddodd ffraethebion Richard Gwyn mewn tair iaith yn ystod yr areiniad a'r achos i anesmwytho'r barnwyr ac i gymysgu categorïau ieithyddol a gedwid, fel rheol, ar wahân.

ysgrifenedig, sef y datganiadau cyntaf a wneid gan dystion a'r sawl a
ddrwgdybid, wedi eu cymryd dan lw a'u cyfieithu i'r Saesneg gan yr
ustusiaid heddwch neu glercod yr ustusiaid. Yn ôl ffurflyfr o gylchdaith
Caer o'r unfed ganrif ar bymtheg, câi'r croesholiadau Saesneg hyn, neu
ddyfyniadau ohonynt, eu darllen yn uchel, a châi'r darnau a oedd fwyaf
pleidiol i'r Goron yn erbyn y carcharor eu nodi ac, yn ôl pob tebyg, eu
pwysleisio.[35] Yr oedd rhaid i dystion ac erlynwyr gadarnhau'r croeshol-
iadau ysgrifenedig ar lafar. Dadlennir gan adroddiad ar brawf a gynhaliwyd
yn sir Drefaldwyn ym 1632 i erlynydd gael ei alw at y bar ac iddo fynnu,
yn Gymraeg, fod y tyst yn cadarnhau bod yr hyn a ddarllenwyd yn wir.
Atebodd y tyst yntau yn Gymraeg a chafodd ei ateb ei gyfieithu i'r Prif
Ustus cyn iddo ef fynd ati i ofyn rhagor o gwestiynau. Yn yr un cyfnod ar
gylchdaith Gogledd Cymru, cofnododd y dirprwy ustus fod tystion yn
siarad Cymraeg a bod tystiolaeth a roddid yn Saesneg yn cael ei chyfieithu
i'r Gymraeg pan fyddai angen.[36]

   Nid yw'n eglur pwy yn union a fyddai'n cyfieithu. Ceir y cyfeiriadau
cynharaf at gyfieithwyr proffesiynol, a gâi eu talu am eu gwaith, mewn
papurau llys yn perthyn i ddechrau'r ddeunawfed ganrif, ac ymddengys
mai swyddogion y llys, twrneiod neu ustusiaid heddwch a fedrai'r ddwy
iaith a oedd yn gyfrifol am wneud y gwaith cyn hynny.[37] Dengys
ffynonellau eraill, serch hynny, fod cyfieithwyr, beth bynnag oedd eu
statws, yn tyngu llw arbennig. Ym 1598 cafodd yr arfer yng Nghymru o
ddefnyddio cyfieithwyr dan lw ei hargymell ar gyfer y llysoedd yn
Iwerddon, gyda'r sylw y byddent yn cael eu ceryddu gan bawb ('subject to
every man's censure') pe na baent yn cyfieithu'n gywir. Prin yw'r
cwynion am gamgyfieithu a oroesodd.[38]

   Ar ôl y dystiolaeth, rhoddai'r barnwr gyfarwyddyd yn Saesneg i'r
rheithgor a byddent hwythau'n ymneilltuo i ystyried y rheithfarn, a
gyhoeddid, unwaith eto, yn Saesneg. Cyn dyfarnu ar y carcharorion
hynny a gafwyd yn euog, deuid â'r carcharorion gerbron y bar a gofynnid
iddynt (yn Saesneg, yn ôl pob tebyg): 'Now what can you say for your
selves why you should not have judgment to suffer death and execucion

[35] LlGC, Llys y Sesiwn Fawr, 35/18, f. 7.
[36] Murray Ll. Chapman, 'A Sixteenth-Century Trial for Felony in the Court of Great
     Sessions for Montgomeryshire', MC, 78 (1990), 167–70; Williams, 'The Survival of the
     Welsh Language', 72.
[37] Câi'r taliadau i gyfieithwyr eu nodi ar filiau costau. Cododd y taliadau o 2s. yn y 1720au
     i 10s.6c. yn y 1820au, 2s. ohono yn cael ei dalu i'r gostegwr am weinyddu llw'r
     cyfieithydd: LlGC, Llys y Sesiwn Fawr BC. 1–15. Yn anaml y câi cyfieithwyr eu henwi,
     ac eithrio, o bosibl, mewn achosion arbennig; cymh. 'Interpreting fee paid to Mr.
     Garnons upon tryal' mewn achos o athrod: Humphrey v. Jones, LlGC, Llys y Sesiwn
     Fawr P. 1632 (sir Gaernarfon, 1762).
[38] Williams, Council in the Marches, t. 82.

to be awarded accordinge to lawe.' Yr oedd hawl gan garcharor i ofyn am bardwn; er enghraifft, gallai dyn bledio braint clerigwr, a dynes bledio ei bod yn feichiog. Gallwn dybio mai pledio'n ofer am liniaru dedfryd a wnâi carcharor gan amlaf. Os yn Gymraeg y plediai, go brin y câi'r cais ei gyfieithu – afraid fyddai gwneud hynny gan na allai'r barnwr wyro oddi wrth y ddedfryd o farwolaeth a osodid i lawr trwy ddeddf. Yr oedd y cyfarwyddiadau i'r clerc yn yr unfed ganrif ar bymtheg yn gofiadwy o ddiflewyn-ar-dafod ar y pwynt hwn: 'when they [the prisoners] can say nothinge, bid them stand aside'.[39]

Priodol ystyried yma y modd y câi prawf am ffeloniaeth ei reoli a'i lywio. Er y crogid llawer o bobl am ffeloniaeth, canran fechan (llai na chwarter) oeddynt o'r rhai a gyhuddid. Câi llawer o garcharorion eu rhyddhau ac ni fyddai eraill yn cael eu profi oherwydd i'r uchel reithgor wrthod y llythyr ditiad yn eu herbyn. Er bod Llys y Sesiwn Fawr yn ymddangos yn sefydliad nerthol iawn, câi ei gamddefnyddio'n helaeth (am y can mlynedd cyntaf o leiaf) gan bobl a lywiai brosesau'r llys er mwyn cael eu ffordd eu hunain. Efallai i bobl gymryd rhan yn y proses o erlyn ffeloniaid a ddrwgdybid, ond yr oedd eu syniad hwy o ganlyniad delfrydol yn dra gwahanol i syniad y farnwriaeth. At ei gilydd, dial a chosb rybuddiol trwy ddienyddio cyhoeddus a geisiai'r wladwriaeth; yr hyn a geisiai'r bobl oedd adfer eiddo ac iawn am ladrad a mathau eraill o niwed. Nid oedd erlynwyr na'u tystion o anghenraid am weld lleidr yn cael ei grogi, er bod rhai eithriadau, wrth gwrs. Gwell lleidr byw a iawndal am ladrad na lleidr marw a cholli'r eiddo am byth. Yr oedd compowndio â lleidr mewn gwirionedd yn ffeloniaeth, ond y mae digon o dystiolaeth i awgrymu bod pobl yn bygwth erlyn er mwyn sicrhau iawndal; unwaith y byddai hynny wedi ei drefnu, cefnid ar y bwriad.

Y mae gan George Owen ddisgrifiad cyfoes o'r proses hwn yn ei adroddiad ar y camddefnydd o'r gyfundrefn gyfreithiol. Eglura fel y byddai'r sawl a ddrwgdybid yn ymddwyn wrth i ddyddiad Llys y Sesiwn Fawr agosáu ('[he] falleth to talke for an end to be had with the partye pursuant'), ac fel y byddai'n cytuno â'r erlynydd yn y diwedd er mwyn i hwnnw atal yr achos hyd y gallai. Yr oedd rhaid i'r erlynydd erlyn, ond gwnâi hynny'n llugoer braidd, er mwyn cadw ei ymrwymiad, ond heb gyflwyno unrhyw dystiolaeth gadarn yn erbyn y carcharor, a gâi ei ryddhau ar ddiwedd y Sesiwn.[40]

---

[39] LlGC, Llys y Sesiwn Fawr 35/18, ff. 7v–8.

[40] Owen, *Description*, III, tt. 44–6. Cymh. Nia M. W. Powell, 'Crime and the Community in Denbighshire during the 1590s: the Evidence of the Records of the Court of Great Sessions' yn J. Gwynfor Jones (gol.), *Class, Community and Culture in Tudor Wales* (Cardiff, 1989), tt. 268–9; G. Dyfnallt Owen, *Wales in the Reign of James I* (London, 1988), t. 14.

Ceir awgrymiadau cryf fod cyfundrefn Gymraeg lai gweladwy o gyflafareddu a chyfaddawdu yn bodoli ochr yn ochr â'r llysoedd ffurfiol Saesneg eu hiaith. Ceid iawndal am ladrad neu adferiad eiddo trwy gyfryngwr neu ganolwr ac weithiau trwy gyflafareddu. Yr oedd dulliau Cymraeg o gyflafareddu yn sicr yn bodoli mewn perthynas â dynladdiad ac anafiadau llai i'r person, a hyd yn oed ar ôl y Deddfau Uno câi syniadau megis 'sarhaed', 'galanas' (pris am waed), a 'rhaith' (diheurwyr) eu hymgorffori ac weithiau eu henwi mewn dogfennau cyflafareddu ffurfiol. Cafwyd cyflafareddiad ym Maesyfed ym 1563 er mwyn datrys rhai 'hurtes, soores, or in Welsh surrayed'.[41] Ni ddefnyddir y gair 'galanas', ond ceir sawl enghraifft o'r gair cysylltiedig 'glanastra'. Ceir yn rholiau'r pleon achos yn ymwneud â marwolaeth un o weision Christopher Twrbil o Forgannwg pan oedd pob 'glanastra, bothers, murders, and manslaughters' i'w datrys gan gyflafareddwyr.[42] Ymddengys fod 'glanastra' yn dwyn yr ystyr o farwolaeth a oedd yn gweiddi am ddial. Byddai'r sawl a oedd yn marw o glwyfau a achoswyd gan eraill yn enwi'r troseddwr ac yn gosod y bai arno: math o felltith oedd hyn. Mewn dau achos o sir Ddinbych, cofnodwyd yr union eiriau: ym 1676 tadogodd Edward Hughes ei farwolaeth ar gymdoges trwy ddweud: 'yglanastra i ar Mrs Williams yn fyw ag yn farw'. Ac eto, ym 1689, ac yntau ar drengi, enwodd John Vaughan, gwneuthurwr menig o Ddinbych, ei ymosodwr a datgan: 'Fynglanastra i am plant a fo arno fe.'[43]

Nodwedd ganolog yr achosion cyflafareddu hyn oedd penderfyniad y cyflafareddwyr i orfodi'r un a ddrwgdybid i ddatgan dan lw difrifddwys yng nghwmni nifer arbennig o gefnogwyr llw nad oedd wedi cyflawni'r drosedd, ac yn niffyg hynny y byddai'n talu iawndal i'r person a niweidiwyd neu i'w dylwyth. Ac felly, yn yr achos o sir Faesyfed a grybwyllwyd uchod, gorchmynnwyd i Roger ap Meredith o Fochrwyd, rhydd-ddeiliad, ymddangos yn eglwys y plwyf gydag wyth o bobl ac wedi gwasanaeth eglwysig dyngu llw ar yr efengylau sanctaidd nad oedd Agnes ferch John ar adeg y cynnwrf honedig wedi derbyn na niwed, anaf na sarhad ganddo ef. Os methai Roger ap Meredith ddod â chefnogwyr llw gydag ef, byddai'n rhaid iddo roi 13s.4c. i'r cyflafareddwyr i'w drosglwyddo i Agnes.[44]

Y mae tua hanner dwsin o ddyfarniadau cyffelyb ar glawr; nifer bychan, o bosibl, ond digon i ddangos bod trefn Gymraeg arferedig yn bodoli ar

---

[41] Robert John Thomas v. Roger ap Meredith, LlGC, Llys y Sesiwn Fawr 13/21/18 a 26/32, m. 16 (sir Faesyfed, 1565). Y mae'r gair 'svrrayed' yn y ple gwreiddiol a ffeiliwyd gyda'r protonoter wedi ei lurgunio yn 'storrageg' yn y rhôl bleon.

[42] Llinos Beverley Smith, 'Disputes and Settlements in Medieval Wales: The Role of Arbitration', *EHR*, CVI (1991), 849.

[43] LlGC Llsgr. Chirk B32 (d)/10 (Llys Chwarter Sir Ddinbych, 1676); LlGC, Llys y Sesiwn Fawr 4/34/1/39 (sir Ddinbych, 1689).

[44] LlGC, Llys y Sesiwn Fawr 26/32, m. 16 (sir Faesyfed, 1565).

gyfer iawndal am niwed personol y tu allan i'r Sesiwn Fawr yn ail hanner yr unfed ganrif ar bymtheg. Dengys gwaith Llinos Beverley Smith ar gyflafareddu fod cryn barhad o ddiwedd yr Oesoedd Canol ymlaen.[45] Anodd gwybod union bwysigrwydd y cytundebau hyn, trwy gyfrwng cyflafareddu, ynglŷn â niwed personol, ond y mae graddfa'r cytundebau – a oedd i bob golwg yn golygu bod degau ac weithiau gannoedd o bobl yn fodlon tyngu llw – yn awgrymu bod cryn arwyddocâd iddynt. Y mae rhai wedi amau a ddefnyddiwyd erioed y rheolau ynglŷn â'r niferoedd mawr o gefnogwyr llw (y 'rhaith') y manylir arnynt yng ngwahanol destunau Cyfraith Hywel. Serch hynny, yn y cyfnod modern cynnar, y mae'n amlwg fod cyflafareddwyr yn pennu niferoedd mawr o gefnogwyr llw rhag iddynt fod yn atebol mewn achosion difrifol o niwed personol, ac y mae'n rhaid bod y rhain yn achlysuron dwys a chofiadwy iawn. Ym 1544 yr oedd angen tua hanner cant o gefnogwyr llw mewn achos yn Aberhonddu i dyngu nad oedd Philip John wedi cystwyo na sarhau John Morgan a'i feibion yn faleisus. Ym 1550 yr oedd y rhai a gyhuddwyd yn Sesiwn Fawr Caernarfon o lofruddio Robert ap Griffith ap John i ymddangos yn eu heglwys blwyf, ynghyd â chant o foneddigion, i dyngu nad oeddynt wedi bwriadu ei ladd.[46] Ac yn olaf, ym Morgannwg ym 1558 yr oedd angen y nifer syfrdanol o 360 o gefnogwyr llw ar gyflafareddwyr mewn achos o ddynladdiad.[47]

Y mae'r achosion dadlennol hyn yn dangos yn eglur iawn y gwahanol syniadau neu fodelau o gyfiawnder a goleddid yn fwy cyffredinol mewn gwahanol rannau o'r gyfundrefn gyfreithiol. Yn ei hanfod, tyndra oedd hwn rhwng cyfiawnder dialgar y wladwriaeth (cosbi'r euog) a'r dyhead am iawndal ymhlith pobl a oedd yn dioddef yn sgil lladrad, ymosodiadau ac athrod. Rhaid bod yn ofalus wrth geisio mynegi'r gwahaniaeth rhwng adfer a dial. Yr oedd cyflafareddiad yn cynnig dewis arall – dewis Cymraeg ei iaith, yn ôl pob tebyg – yn hytrach na threfn ffurfiol Llys y Sesiwn Fawr. Serch hynny, nid oedd yn ddewis arall yn yr ystyr ei fod yn wrthwynebus i'r llysoedd. Er bod cyflafareddiad ac iawndal fel rheol y tu allan i fframwaith ffurfiol y llysoedd, mewn gwirionedd yr oeddynt yn dibynnu ar barodrwydd i ddefnyddio prosesau'r llys. Dim ond oherwydd y bygythiad i gyhuddo a gweithredu i'r eithaf broses a allai arwain yn y diwedd i'r crocbren y gellid ennill iawndal. Digwyddai'r cyflafareddu yn unig oherwydd bod y ddwy ochr yn ymrwymo trwy gyfamod i gosb o rhwng £40 a £100 y gellid ei hawlio'n ôl yn Llys y Sesiwn Fawr oni

---

[45] Smith, 'Disputes and Settlements', 835–60.
[46] LlGC, Gweithredoedd a Dogfennau Penpont (Atodol) 94; LlGC, Gweithredoedd a Dogfennau Brogyntyn 3508.
[47] Howell ap Rees et al. v. Lewis Thomas, LlGC, Llys y Sesiwn Fawr 22/30, m. 18 (sir Forgannwg, 1561).

lwyddai'r cyflafareddu. Er gwaethaf yr anawsterau ieithyddol (neu efallai o'u herwydd), gallai pobl ddefnyddio a llywio'r gyfundrefn gyfreithiol i gael eu ffordd eu hunain. Yr oedd defnyddio'r gyfraith yn gymhelliad i ddod i gytundeb ac i gael yr hyn a geisiech, ac yr oedd hynny'r un mor wir am achosion sifil ag am rai troseddol.

Yr Iaith Gymraeg yng Nghofnod y Llys

Y mae'r adran hon yn trafod yn fyr enghreifftiau o Gymraeg a gafwyd yng nghofnod y llys. Mewn cronfa o ddogfennau cymaint ag archif Llys y Sesiwn Fawr, y mae ambell 'grwydryn' ieithyddol yn anorfod. Ymysg y nodiadau a'r difyrion a ysgrifennwyd ar bapurau'r llys gan glercod a oedd yn amlwg wedi hen ddiflasu, ceir englynion yn ogystal â phenillion Saesneg.[48] Y mae deunydd amherthynol a gynhwyswyd yn y cofnod yn cynnwys copi unigryw i bob golwg o faled wladgarol, wedi ei hargraffu yn Gymraeg, a ddefnyddiwyd i wahanu'r papurau a oedd mewn ffeil yn swyddfa'r protonotari yn ystod rhyfeloedd Napoleon.[49] Y mae'r crwydriaid ieithyddol hyn yn ddiddorol, ond pwysicach yw'r defnydd o'r Gymraeg yng nghofnod ffurfiol y llys. Prin iawn yw'r Gymraeg a welir yn y cofnod a gadwyd o brif weithgaredd sifil y llys, achosion ynglŷn â dyledion gan mwyaf, ac eithrio mewn ychydig o achosion yn ymwneud â mesurau arferol a thaliadau.[50] Nid oedd lle i'r Gymraeg yn y ditiadau memrwn ffurfiol o ladrad a ffeloniaethau eraill,[51] ond câi geiriau Cymraeg

---

[48] Englynion yn LlGC, Llys y Sesiwn Fawr 4/7/5/41v (sir Ddinbych, 1588) a 4/125/5/17v (sir Drefaldwyn, 1567), y ddau wedi eu hysgrifennu ar groesholiadau. Am enghreifftiau o farddoniaeth Saesneg, gw. LlGC, Llys y Sesiwn Fawr 4/135/1/24v (sir Drefaldwyn, 1592).

[49] LlGC, Llys y Sesiwn Fawr P. 1717 (sir Gaernarfon, 1805): *Attebion Eglur i Ymofyniadau Eglur mewn Ymddiddan rhwng John Bwl a Bonaparte*, argraffwyd gan T. Roberts, 1803.

[50] Dyma rai enghreifftiau: cyfamod amodol ynghylch talu 'arrian ryngilt', 'arrian melyn' a 'Candlemasse penny' i feili Yr Hob: Edward, Iarll Derby v. Edward Yonge, LlGC, Llys y Sesiwn Fawr 30/52, m. 13 (sir y Fflint, 1550); cytundeb yn Llanfrothen i brynu llwyth o wair 'Wallice vocat gwrid o wair', yn mesur dwy lath o hyd, pedair llath o led, a thair llath o uchder: Nicholas Owen v. Richard Rowland a John ap Robert, LlGC, Llys y Sesiwn Fawr 23/30, m. 3d. (sir Feirionnydd, 1636); achos ynghylch y brydles ar y bedwaredd ran o dir degwm a elwid 'Rhandir tyr y wlade' ym mhlwyf Llanwnnws: Morgan Harbert v. Oliver Lloyd, LlGC, Llys y Sesiwn Fawr 13/27/7 (sir Aberteifi, 1649). Cafwyd ymgyfreitha ynglŷn â chyfamodau amodol ynghylch arwynebedd tir yn ôl mesurau 'lathe Lethins' neu 'lathe Bleddyns' yn sir Forgannwg, e.e. LlGC, Llys y Sesiwn Fawr 22/45, m. 25 a 22/46, m. 11d.

[51] Dau dditiad yn unig ac ynddynt derm Cymraeg am nwyddau a gafodd eu dwyn sydd wedi goroesi: ditiad Margaret ferch Rees am ddwyn hirlath ('ell') a thri chwarter o ddefnydd a elwid 'glannen', a oedd yn werth 12d.: LlGC, Llys y Sesiwn Fawr 21/58, m. 18 (sir Ddinbych, 1578); ditiad Morgan ap David Gogh am ddwyn dwy lath o ddefnydd gwlân 'Wallice vocat les Gvrthban' gwerth 6d.: LlGC, Llys y Sesiwn Fawr 23/15, m. 9 (sir Feirionnydd, 1594; ditiad a gyfeiriwyd o'r Llys Chwarter).

eu cofnodi wrth fynd heibio ac ar hap yn y papurau llai ffurfiol a gynhwysai'r croesholiadau a'r deponiadau mewn achosion troseddol. Mewn achosion o athrod ac erlyniadau am dyngu geiriau bradwrus ac anudon, fodd bynnag, mynnai'r llys fod geiriau Cymraeg yn cael eu cofnodi yn fanwl-gywir.

Crybwyllwyd eisoes bwysigrwydd y croesholiadau ysgrifenedig a gynhelid cyn y prawf. Prin yw'r croesholiadau a oroesodd ymhlith cofnodion y brawdlysoedd Seisnig; gellir priodoli'r ffaith iddynt gael eu cadw yng nghofnod Llys y Sesiwn Fawr, yn rhannol o leiaf, i'w harwyddocâd helaethach yng Nghymru, lle'r oedd y llys yn defnyddio Saesneg, ond lle, at ei gilydd, y siaradai'r tystion a'r cyhuddedig Gymraeg.[52] Yr oedd y croesholiadau wedi cael eu cyfieithu o'r Gymraeg i'r Saesneg gan ustus neu glerc, er mai yn anaml y câi hyn ei egluro yn y ddogfen. Yn achlysurol byddai ustus di-Gymraeg yn nodi problem yr iaith. Cyhuddwyd dau o weision William Fowler, gŵr o swydd Amwythig a ddaeth yn berchen ystad yn sir Faesyfed, o ddwyn gwartheg ym 1564. Holodd rai o'r tystion ond, oherwydd nad oedd yn deall yr iaith a siaradai perchennog y gwartheg, gofynnodd i gymydog o ustus a fedrai'r Gymraeg eu holi er mwyn sicrhau bod y dystiolaeth yn eglur.[53]

Dogfennau Saesneg oedd y croesholiadau, ond byddent weithiau – er manylder ac er mwyn ail-greu digwyddiad yn fanwl-gywir – yn cynnwys geiriau Cymraeg. Câi'r nodau ar wartheg a defaid eu disgrifio weithiau yn y ddwy iaith er mwyn osgoi unrhyw ansicrwydd.[54] Er enghraifft, yr oedd gan ddafad a dducpwyd o Langadfan ym 1590 nod clust cywrain 'called in Welshe kynwyro'. Yn nechrau'r ddeunawfed ganrif, disgrifiwyd ceffyl a gafodd ei ddwyn fel un a chanddo 'lygaid brithion' ('lear-eyed').[55] Weithiau, er mwyn osgoi amwyster, neu wrth gyfeirio at daclau a ddefnyddiwyd mewn troseddau difrifol, gelwid gwrthrychau cyffredin wrth eu henwau Cymraeg. Galwyd teclyn newydd a gafodd ei ddwyn mewn ffair yn sir Ddinbych yn 'pen rhaw ball'; 'gleyhaden' oedd y gair a gafwyd am y baw gwartheg sych ('dryed cowesheard') a ddefnyddiai'r tlodion yn danwydd; ac wrth ddisgrifio'r tactegau a ddefnyddiwyd mewn anghydfod ynglŷn â phori, dywedwyd bod 'cloffrwm' ('peeces of wood') wedi cael eu clymu wrth gynffonnau defaid. Y mae'r gair 'mingammu' yn

---

[52] Trafodir goroesiad croesholiadau gan Parry, *Guide to the Records of Great Sessions*, tt. lxiv–lxv.

[53] LlGC, Llys y Sesiwn Fawr 13/21/17 (sir Faesyfed, 1565).

[54] Gw. uchod, t. 105.

[55] LlGC, Llys y Sesiwn Fawr 4/134/2/58 (sir Drefaldwyn, 1590); 4/372/2 (croesholiadau sir Frycheiniog 1725, gynt yng Nghymru 28/52).

digwydd fel glòs mewn adroddiad am dorri i mewn i dŷ, lle y dywedir i leidr watwar y dioddefwr anffodus.[56] Ffeloniaethau dihenydd oedd mwyafrif y troseddau difrifol a brofwyd gerbron Llys y Sesiwn Fawr, ond câi achosion o lofruddiaethau honedig eu trin yn arbennig o ddifrifol, a châi tystion eu croesholi yn fanwl. Yn achlysurol y mae'r croesholiadau hyn yn cofnodi ffurfiau ysgrifenedig ar Gymraeg llafar. Pan lofruddiwyd Ellis Vaughan o Landdulas, sir Ddinbych, ym 1671, clywodd tyst y dynion a amheuid yn siarad yn gyffrous: 'Dowch yma, dowch yma ar frys.' Atebodd rhywun, 'Deliwch fo, deliwch fo', a daeth yr ymateb, 'Gwn yn enw Duw.' Fel arfer, cedwid drama'r sefyllfa yn y gorchmynion Cymraeg a ddefnyddid yn ystod y digwyddiad. 'Prockiwch!' meddid yn union cyn saethu'r ergyd farwol; 'Attogh, attogh' oedd y rhybudd a roddwyd cyn ymosod ar rywun a'i ladd ym mynwent eglwys Rhuthun; cyfieithwyd yr her 'stande . . . in good sort' – 'mewn gweddeidd dra' – 'as it becometh you' yn rhannol ym 1605; 'Gwiliwch y pacen!' oedd y waedd cyn i ddynes anffodus gael ei gwasgu'n fyw dan gwymp o goed. Yn ôl un tyst, 'yn lled fyw' y ganwyd baban yr amheuid iddo gael ei lofruddio.[57] Weithiau cofnodid geiriau olaf person yn Gymraeg: 'fom llaf i'; 'O Duw, di am lleddest i'. Soniwyd eisoes am felltith dywyll y sawl a oedd yn marw, sef y glanastra.[58]

Ni chafwyd llawer o eiriau Cymraeg mewn croesholiadau Saesneg, ac yr oeddynt yn brinnach fyth ar ôl canol yr ail ganrif ar bymtheg. A'r boneddigion yn Seisnigo fwyfwy, rhaid bod cyfran gynyddol o ustusiaid yn methu siarad Cymraeg. Cynhelid croesholiadau fwyfwy trwy gyfrwng clercod a lladmeryddion eraill; yn anaml y cânt eu crybwyll ac ni chânt fyth eu henwi. Holwyd Robert Jones, a gyhuddwyd o fyw yn anfoesol gyda Lowri ferch John, gan ustus yn Ninbych ym 1651. Nododd yr ustus fod Lowri yn gariad ('lover') i Robert, gan ychwanegu, 'the word out of ye Welch was expounded to me', a honnodd i Robert ddiedifar ei fynegi ei hun yn Gymraeg 'in ye plainest & fowlest manner that could bee', heb wrth gwrs gofnodi ei union eiriau.[59] Eithriadau oedd y geiriau Cymraeg a geid mewn croesholiadau Saesneg.

[56] LlGC, Llys y Sesiwn Fawr 4/23/1/10 (sir Ddinbych, 1639), 4/141/3/51 (sir Drefaldwyn, 1607), 4/16/1/15 (sir Ddinbych, 1595), 4/38/1 [heb eu rhifo] (sir Ddinbych, 1702). Cymh. hefyd 'a sicknesse called y vam Englished the fitts of the mother or spleen', LlGC, Llys y Sesiwn Fawr 4/798/3/16 (sir Benfro, 1686).

[57] LlGC, Llys y Sesiwn Fawr 4/28/4/61 (sir Ddinbych, 1671), 4/28/2/13 (sir Ddinbych, 1670), 4/12/1/13v (sir Ddinbych, 1601), 4/14/1/28 (sir Ddinbych, 1605), 4/14/2/5 (sir Ddinbych, 1606), 4/21/1/51 (sir Ddinbych, 1634).

[58] LlGC, Llys y Sesiwn Fawr 4/13/4/32 (2) (sir Ddinbych, 1604); LlGC, Llys y Sesiwn Fawr 4/33/6/11 (sir Ddinbych, 1687). Cymh. hefyd Hugh ap Ieuan o Lanrhaeadr 'uttering these w[i]th a submissive voyce in haec Wallica verba, viggelyn, vingelyn', LlGC, Llys y Sesiwn Fawr 4/10/1/16 (sir Ddinbych, 1595).

[59] LlGC, Llys y Sesiwn Fawr 4/24/6/18 (sir Ddinbych, 1651).

Y mae mwyafrif yr enghreifftiau o eiriau Cymraeg yn y cofnod cyfreithiol Lladin neu Saesneg yn digwydd mewn achosion o athrod, oddeutu 2,000 ohonynt, yn ymestyn dros gyfnod o bron tri chan mlynedd. Y mae'r achosion hyn at ei gilydd yn cofnodi enghreifftiau o iaith lafar gyffredin ac y mae ynddynt gorff rhyfeddol o wybodaeth i'r rhai sy'n gweithio ar hanes a lledaeniad yr iaith. Dylid pwysleisio bod yr achosion Cymraeg o athrod yn unigryw, y mae'n debyg, ymhlith ffynonellau sy'n cofnodi ieithoedd, ac eithrio'r Saesneg, yn ynysoedd Prydain. Ymddengys nad oes achosion o athrod mewn Cernyweg yn y cofnod cyfreithiol Seisnig, ac na fu unrhyw achosion o athrod mewn Gwyddeleg na Gaeleg.[60]

Deuid ag achosion o athrod gan bobl a gredai iddynt gael eu cyhuddo ar gam o drosedd, mewn ymgais i gael iawndal ariannol. Ystyrid geiriau a leferid yn y llys yn freintiedig, ac felly y mae achosion o athrod yn aml yn cofnodi geiriau'r cyhuddiadau a wnaed cyn y prawf. Daethpwyd â'r achosion cyntaf o athrod yn Gymraeg yn y 1550au. Yr achos cyntaf ar roliau pleon sir Ddinbych yw 'ffals scott brunt', sen hiliol eithriadol iawn a lefarwyd yn Rhuthun ym 1555. Y mae'r ail achos (1557), fodd bynnag, yn nodweddiadol o fil o rai tebyg: 'Yr wyt ti yn garn lledyr', a gyfieithwyd yn 'Thou art an arrant theyf'.[61]

Yr oedd mwyafrif yr achosion athrod yn ymwneud â chyhuddiadau o ddwyn a ffeloniaethau eraill (rhyw 80 y cant), ac yn honiadau o anudon (15 y cant); yr oedd y gweddill yn ymwneud â materion megis anfedrusrwydd proffesiynol a dducpwyd gan dwrneiod ac eraill.[62] Er bod honni anudon yn gyffredin, nid oedd erlyniadau am y drosedd mor niferus yn Llys y Sesiwn Fawr. Ymddengys mai Cyngor y Gororau a brofai fwyafrif yr achosion o anudon, ond yn sgil diddymu'r Cyngor yng nghanol yr ail ganrif ar bymtheg ceir llond dwrn o dditiadau yn y Sesiwn Fawr yn ymwneud â llwon celwyddog mewn amryfal gyd-destunau.

Yr oedd anudon yn dramgwydd sifil ac yr oedd rhaid i'r ditiad ddyfynnu'r union eiriau a oedd wedi eu llefaru yn gelwyddog ar lw. Yn achlysurol cedwid yn y ditiad ddarnau byr o sgwrs â'r ustus a oedd yn cynnal yr achos. Ym 1683 cwynodd Peter Hughes, labrwr o Ruthun, fod rhywun wedi ymosod arno. Gofynnodd yr ustus iddo, 'Pwy ach trawodd chwy?' ac atebodd Peter Hughes, gan gyfeirio at ddyn o'r enw Robert Jones, 'Dymma yr gwr am trawd i a charregg ag a dorodd fyngnoll i.' Mewn achos arall yn ymwneud â llw a weinyddwyd gan ustus, tyngodd

[60] Richard Suggett, 'Slander in Early-Modern Wales', *BBCS*, XXXIX (1992), 119–53.

[61] Atkynson v. Salysbury, LlGC, Llys y Sesiwn Fawr 21/16, memrynau heb eu rhifo (sir Ddinbych, 1555); Mydelton v. Fulc ap Rees ap Kynnrick, LlGC, Llys y Sesiwn Fawr 21/20, m. 7 (sir Ddinbych, 1557); Suggett, 'Slander in Early-Modern Wales', 128, 130–1.

[62] Suggett, 'Slander in Early-Modern Wales', 127.

Katherine John Lewis o Gathedin, sir Frycheiniog, anudon trwy gyhuddo
ei chymdogion o anudon: 'Constance gydda dy dad ay dwy whare
tungeste nidon yn erbin a mam yee.' Yn fwy aml yr hyn a olygid wrth
anudon oedd fod rhywun wedi tyngu llwon celwyddog mewn amrywiol
goflysoedd, gan gynnwys Llys y Sesiwn Fawr. Mewn achos am dresmasu
yn Sesiwn Fawr sir Faesyfed, cyhuddwyd Katherine Parry o Lanbedr
Castell-paen o dyngu'n gelwyddog yn y llys fel a ganlyn: 'Rees Morgan a
spoilodd tree grown o wair wrth croppo onnen . . .'; cyhuddwyd Thomas
Humphreys o Lanfair o dyngu anudon wedi iddo dyngu llw yn
gelwyddog yn Sesiwn Fawr sir Drefaldwyn ynglŷn ag achos o
gyflafareddu: 'Ir oedd reference o flaen Mr Hall rhwng William Owens a
Shone Meredith.'[63] Tebyg fod y rhain yn achosion arbennig o haerllug o
anudon honedig; y maent hefyd yn ein hatgoffa bod tystiolaeth yn cael ei
chyflwyno ar lafar yn Gymraeg mewn llysoedd agored gerbron ustusiaid y
Sesiwn Fawr.

Iaith, Diwylliant a Rheolaeth Gymdeithasol

Trown yn awr at rai o ddiwygiadau'r Sesiwn Fawr ei hun mewn
perthynas â'r iaith a'r diwylliant Cymraeg. Prif ofal y wladwriaeth oedd
diogelu trefn, gwarineb ac unffurfiaeth, ac i sicrhau hynny ymgyrchai
Cyngor y Gororau, trwy gyfrwng y Sesiwn Fawr, yn erbyn lladron,
reciwsantiaid, tai cwrw didrwydded, pwysau a mesurau lleol, a dihirod a
fforddolion.

Yr oedd dihirod a fforddolion yn grŵp amrywiol yn cynnwys
pedleriaid, tinceriaid a dynion di-feistr o amryfal fathau, ond yr oeddynt
hefyd yn cynnwys y glêr a cherddorion crwydr. Yr oedd tuedd gynyddol
i ddiffinio beirdd a cherddorion fel crwydriaid o ganlyniad i ddeiseb
lwyddiannus i Gyngor y Gororau i gael cynnal eisteddfod yng Nghaerwys
ym 1567. Y mae comisiwn yr eisteddfod yn adrodd i'r Arglwydd Lywydd
ac eraill o'r Cyngor ddod i wybod bod 'vagraunt and idle persons, naming
theim selfes mynstrelles, rithmers and barthes, are lately growen into such
an intollerable multitude . . . that . . . gentlemen and other[s] . . . are
oftentymes disquieted in theire habitacions'. Noda ymhellach fod y beirdd
arbenigol yn gwangalonni ac yn cael eu rhwystro rhag ennill bywoliaeth.
Fel y gwyddys, caniataodd comisiwn yr eisteddfod i'r beirdd a'r clerwyr
arbenigol gael eu gwahanu oddi wrth y rhelyw trwy gyfrwng cyfundrefn
o dystysgrifau. Yr oedd modd cyhuddo'r rhai a ystyrid yn annheilwng ac

---

[63] LlGC, Llys y Sesiwn Fawr 4/32/1/50 (sir Ddinbych, 1683), 4/351/2/45 (sir
Frycheiniog, 1654), 4/505/3/22 (sir Faesyfed, 1688), 4/165/3/65 (sir Drefaldwyn,
1694).

nad oedd ganddynt dystysgrifau o fod yn ddihirod a fforddolion a'u trin yn unol â'r statud – sef eu gwarthnodi neu eu chwipio oni ellid dod o hyd i rywun a'u cyflogai.[64] Gwyddys i'r eisteddfod gael ei chynnal a bod tystysgrifau wedi eu dyfarnu; a oes tystiolaeth i feirdd a chlerwyr na chawsant dystysgrif gael eu cyhuddo a'u herlyn fel dihirod a chrwydriaid yn Llys y Sesiwn Fawr?

Awgryma'r dystiolaeth mewn gwirionedd fod ymgyrch yn erbyn y clerwyr wedi dechrau rai blynyddoedd ynghynt. Erlynwyd un ar ddeg o feirdd, cerddorion, a dawnswyr yn sir y Fflint ym 1547. Yr oeddynt yn cynnwys Richard a Hugh Downsior, Robert, John a Foulk Fidler, Thomas Grythor, Rhisiart y Prydydd Brith a Robin Clidro, beirdd. Tadogir sawl cywydd ar Robin Clidro a Rhisiart y Prydydd Brith. Ducpwyd Rhisiart y Prydydd Brith gerbron Sesiwn Fawr sir Ddinbych hefyd ym 1553, ynghyd â phymtheg arall a ddisgrifir fel 'vakabonds cawllyng them selyffs mynstrells'. Yr oedd y grŵp hwn yn cynnwys tri ffidler, dau grythor, un o'r enw Ieuan Brydydd a dducpwyd gerbron am fynd o gwmpas a thelyn ganddo, a Thomas Tyvie *alias* Brythyll Brych (h.y. brithyll), a oedd yn ddawnsiwr yn ôl pob tebyg.[65] Bu erlyniadau eraill hefyd. Yn Ysbyty Ifan ym 1578 cymerwyd Owen ap Thomas o Ddinbych yn garcharor, ar gyhuddiad o fyw yn segur. Pan ofynnwyd iddo paham yr oedd yn eglwys Ysbyty Ifan, eglurodd ei fod yno 'because he can make songs or rymes, and for that is a rymer and wandreth abroad'.[66] Nid yng ngogledd-orllewin Cymru yn unig y bu erlyniadau. Ceir tystiolaeth o ymgyrch yn erbyn clerwyr yn sir Benfro. Yn nechrau'r ail ganrif ar bymtheg, arestiwyd nifer o glerwyr, gan gynnwys pibydd, ffidler a chrythor, am grwydro ar hyd y wlad ar adeg cneifio a hau. Ym 1615 cyhuddwyd Rowland David gan yr uchel reithgor o grwydro'r wlad â'i ffidil a'i grwth ac o gadw dau lanc a'u hyfforddi yn brentisiaid.[67]

Y mae'n bosibl mewn gwirionedd mai ysglyfaeth i bryder y wladwriaeth ynglŷn â sïon, cario clecs a chynllwynio brad oedd y clerwyr hyn. Yr oedd gan y wladwriaeth ddiddordeb cynyddol mewn geiriau yn ogystal â gweithredoedd. Daw hynny i'r amlwg yn un o'r erthyglau sy'n digwydd dro ar ôl tro yn y cyfarwyddiadau a roddid i Gyngor y Gororau:

---

[64] J. Gwenogvryn Evans, *Report on Manuscripts in the Welsh Language* (2 gyf., London, 1898–1902), I, tt. 291–2; Gwyn Thomas, *Eisteddfodau Caerwys: The Caerwys Eisteddfodau* (Caerdydd, 1968); D. J. Bowen, 'Y Cywyddwyr a'r Dirywiad', BBCS, XXIX, rhan 3 (1981), 465–7.

[65] LlGC, Llys y Sesiwn Fawr 4/966/6/174 a 175 (sir y Fflint, 1547), 4/1/2/36 (sir Ddinbych, 1553).

[66] LlGC, Llys y Sesiwn Fawr 4/4/5/247 (sir Ddinbych, 1576).

[67] LlGC, Llys y Sesiwn Fawr 4/780/3/63, 4/781/4/28 (sir Benfro, 1615 a 1620).

. . . divers Lewd and maliciouse persons have heretofore and of Late dayes more
and more devised spread abroade reported or published many false and
seditious tales newes sayeings . . . which amongst the people have wrought and
may worke greate mischieffe and inconveniencies . . .[68]

Y mae'n debygol fod erlyniadau am eiriau sarhaus, gwaradwyddus a
bradwrus ar gynnydd yn gyffredinol yn niwedd yr unfed ganrif ar
bymtheg a dechrau'r ail ganrif ar bymtheg. Yn sicr, erlynwyd nifer mawr
o achosion o athrod yn Llys y Sesiwn Fawr ac y mae llyfr dirwyon Cyngor
y Gororau yn cofnodi achosion o eiriau difenwol, rhigymau athrodus ac
enllib o wahanol fathau yn hanner cyntaf yr ail ganrif ar bymtheg.[69] Yr
oedd y wladwriaeth yn sylwi ar y gair ysgrifenedig yn ogystal â'r llafar, yn
enwedig ar ôl tua 1570. Y mae briff o ganol cyfnod Elisabeth ynglŷn â
diwygio'r cyfarwyddiadau a roddwyd i Gyngor y Gororau yn argymell y
dylid ymestyn y cymal a roddai rym i'r Cyngor i gosbi adroddwyr
chwedlau bradwrus i gynnwys cyhoeddwyr llyfrau, llythyrau ac enllib
bradwrus.[70]

Yr oedd llythrennedd ar gynnydd yng Nghymru yn niwedd y cyfnod
Tuduraidd a dechrau oes y Stiwartiaid a cheir ambell ddigwyddiad
dadlennol sy'n tystio i hynny. Ym 1576 gwrthododd Rinald ap Gruffith
ateb nifer o ymholiadau ac yn hytrach cyflwynodd i'r ustusiaid 'scrowe of
paper and said that all his knowledge and saings . . . was conteyned in the
same'.[71] Câi mwy a mwy o rigymau gwaradwyddus eu dosbarthu ar ffurf
ysgrifenedig. Yr oedd un o achosion Llys Siambr y Seren yn ymwneud â
Richard Edwards o Sychdyn, enllibiwr cyffredin a chyfansoddwr caneuon
a rhigymau Cymraeg a Saesneg, a ysgrifennai ei enllibion gwaradwyddus
mewn 'table-book' a gariai yn ei boced. Yr oedd yr enllibion hyn yn
ymwneud ag Elisabeth I, Iago I, ac amryfal fawrion, gan gynnwys
arglwyddi o'r Alban.[72] Gellid gofyn i'r rhai a ddrwgdybid o gynllwynio
brad a oedd ffynhonnell ysgrifenedig i'w geiriau. Wedi i Ieuan ap David
ap Owen Goch, yn annoeth iawn, ddamcaniaethu ynglŷn â marwolaeth y
frenhines, gofynnodd ei holwyr a allai ddarllen 'prynt or wryting hand' ac

[68] C. A. J. Skeel, 'The St. Asaph Cathedral Library MS. of the Instructions to the Earl of
Bridgewater, 1633', AC, XVII (1917), 202.
[69] Eadem, 'Social and Economic Conditions in Wales and the Marches in the early
Seventeenth Century', THSC (1916–17), 132; A. Fox, 'Ballads, Libels and Popular
Ridicule in Jacobean England', PP, 145 (1994), 47–83; Pauline Croft, 'Libels, Popular
Literacy and Public Opinion in Early Modern England', BIHR, 68, rhifyn 167 (1995),
266–85.
[70] PRO SP/12/75/176.
[71] LlGC, Llys y Sesiwn Fawr 4/969/3/20 (sir y Fflint, 1576).
[72] PRO STAC 18/205/21/17, 27–8; J. Alan B. Somerset (gol.), Records of Early English
Drama: Shropshire (Toronto, 1994), tt. 66–70.

a oedd ganddo 'bookes of prophecyeng' naill ai yn Gymraeg neu yn Saesneg.[73]

Weithiau byddai'n rhaid chwilio am lyfrau bradwrus, yn ôl gorchymyn Llys y Sesiwn Fawr.[74] Poenai'r wladwriaeth yn arbennig ynglŷn â llyfrau a phapurau Pabyddol ac archwilid yn fanwl y rhai a amheuid o fod â llyfrau Cymraeg amheus yn eu meddiant. Darganfuwyd bod llawysgrif Gymraeg, y daethpwyd o hyd iddi yn Llundain, ym meddiant Henry Jones, gynt o sir y Fflint, yn cynnwys 'certain papisticall and erroneous thinges', a holwyd y perchennog gan Archesgob Caer-gaint. Nododd yr Archesgob fod Jones yn honni iddo gopïo 'the same to the ende that [he] thereby might learne to reade Welshe', ond ei fod yn mynnu 'hee neither understood it nor readd anything of it after hee had copied it out'. Cyfaddefodd Jones na fu'n 'forward in religion', ond ei fod bellach yn hyderus ei fod wedi ennill 'better knowledge in true Christian religion' wedi cyfnod yn Ysbyty St Thomas, Southwark, lle y cafodd hyfforddiant gan bregethwr o'r enw Harrison. Trosglwyddwyd yr ymchwiliad ynglŷn â tharddle'r llyfr Cymraeg i ofal prif ustus Caer, ond methiant fu'r ymholiad pellach a gynhaliwyd yng ngogledd-ddwyrain Cymru.[75] Nid oedd yn hawdd dod o hyd i lyfrau a daliadau Pabyddol yng ngogledd Cymru wedi i Richard Gwyn a William Davies gael eu dienyddio, ond yn y de câi rhai eu herlyn yn achlysurol am yngan geiriau cyfeiliornus a bradwrus am grefydd.[76]

Yr oedd sawl agwedd arall ar ddiddordeb y wladwriaeth mewn geiriau a oedd yn ymwneud â chrefydd. Dan Ddeddf Benyd 1623 gellid cosbi rhywun a fyddai'n rhegi neu'n melltithio yn gableddus yn y sesiynau â dirwy o swllt am bob melltith. Felly, gallai erlyniadau am dyngu llwon cableddus arwain at ddirwyon drud, o gyfrif y llwon fesul un. Daethpwyd â John Howell o Gronwern gerbron gan uchel reithgor sir Benfro am dyngu 'x or xii oathes within an hower and a halfe'. Yr oedd y rhain yn llwon 'not fit to be heard among Christians', heb sôn am eu hailadrodd,

[73] LlGC, Llys y Sesiwn Fawr 4/136/4/9–11 (sir Drefaldwyn, 1594).

[74] Gorchymyn am warant i chwilio tŷ Hugh ap Edward, Picton, sir y Fflint, am lyfrau bradwrus: LlGC, Llys y Sesiwn Fawr 14/79, Mawrth 1594.

[75] LlGC, Llys y Sesiwn Fawr 4/972/4/30–31 (sir y Fflint, 1591).

[76] Wele dditiadau o sir Frycheiniog: 'The pope is hedd of the univ[er]sall churche and I will stand thereunto', geiriau a lefarwyd yn Aberhonddu gan John Jones o Landeilo Bertholau, clerigwr, ym 1569; daliadau hereticaidd am y purdan a thraws-sylweddoliad a fynegwyd gan Brian Brittane, clerigwr, yn Aberhonddu ym 1590, yn ogystal â'r farn mai Martin Luther a oedd yn gyfrifol am y grefydd a oedd bellach wedi ymsefydlu o fewn y frenhiniaeth; 'The pope is the head of the Church of England and of all Christendom and I will maintayne it', meddai William Beavan o Alexanderston, gŵr bonheddig, ym 1625: LlGC, Llys y Sesiwn Fawr 4/325/5/38; 4/329/5/20; 4/342/1/15. Ymddengys fod y daliadau hyn i gyd wedi eu mynegi yn Saesneg.

ond câi llwon megis 'Myn gwaed Christ' a 'Myn kig Dyw' eu nodi weithiau yn y cofnod cyfreithiol.[77]

Gellid erlyn am gabledd ac anffyddiaeth hefyd. Yn wir, yn ystod cyfnod y Werinlywodraeth, gwnaed gwadu awdurdod yr Ysgrythur, yr Atgyfodiad a'r Drindod yn dramgwyddau dihenydd gan yr Ordnans Cabledd (1648). Ond er y cafwyd erlyniadau am gabledd yn Llys y Sesiwn Fawr, nid ymddengys i neb gael ei ddienyddio am y drosedd. Cynhwysai'r cabledd osodiadau fel 'Jesus Christ is but a bastard'; gwadwyd bodolaeth Duw a'r Drindod, a gwnaed honiadau megis 'this world was not made by God'. Dywedodd John Stonne o Drefaldwyn y byddai'n profi nad oedd 'neyther heaven nor hell', a defnyddiai lwon 'ye like hath not bin heard amongst Christians' yn gyson, gan ddweud yn aml, 'God damme him & teare him to peeces'.[78] Yr oedd y farn danseiliol, a fynegwyd gan John Meredith Walter o Lansbyddyd ym 1606, sef 'p[er]jurie is no sin before God', yn taro at wraidd y drefn gyfreithiol ac yn rhagflaenydd i wrthwynebiad y Crynwyr i dyngu llwon.[79] Diddorol iawn fyddai gwybod mwy am gyd-destun gosodiadau fel hyn, ac a oedd traddodiad o anffyddiaeth yn bodoli. Ond y cyfan sydd gennym yw erlyniadau ysbeidiol, a barhaodd hyd y ddeunawfed ganrif. Ducpwyd un o'r erlyniadau olaf yn erbyn ffermwr o Fôn ym 1732. Ymddengys iddo gael ei ddwyn o flaen ei well am dyngu nifer o lwon cableddus ac iddo ateb: 'Duw! Pa beth ydiw Duw i mi? Nid ydiw fi yn cowntio yn Nhuw ddim mwy na blewyn o wellt!'[80]

Yr oedd llawer math o eiriau gwrthryfelgar a theyrnfradwrus. Un o'r mwyaf diddorol oedd y ffeloniaeth (1581) o broffwydo neu adrodd yn gelwyddog am farwolaeth y frenhines. Ym 1594 cyhoeddodd Ieuan ap David ap Owen Goch o Lanfair, yn sir Drefaldwyn, yn Gymraeg (er mai cyfieithiad yn unig o'i eiriau sydd ar glawr): 'The Queene will deye within these sixt yeares and then we shall have a newe world.' Yr oedd y broffwydoliaeth dair blynedd yn fyr, ond yr oedd hwn yn glasur o ddatganiad milflynyddol a'i bwyslais ar fyd newydd. Bu achosion eraill. Ym 1603 ditiwyd William Dolben am ddarogan mai am chwe blynedd yn

---

[77] LlGC, Llys y Sesiwn Fawr 4/786/3/43 (sir Benfro, 1636); LlGC Llsgr. Chirk B15 (b)/29 (sir Ddinbych, 1659); cymh. hefyd 'Baw diawl i chwi': LlGC, Llys y Sesiwn Fawr 4/20/2/34 (sir Ddinbych, 1632).

[78] LlGC, Llys y Sesiwn Fawr 4/718/3/29 (sir Gaerfyrddin, 1655), 4/161/3/60 (sir Drefaldwyn, 1680), 4/601/7 (sir Forgannwg, 1700), 4/153/2/7 (sir Drefaldwyn, 1648).

[79] LlGC, Llys y Sesiwn Fawr 4/335/1/32 (sir Frycheiniog, 1606). Aeth rhagddo: '. . . a p[er]juror is in as great favo[u]r w[i]th God as him that tell the truthe. And the first institution of an othe was in respect of some poynts in law and for shortninge of suits.' Efallai fod y siaradwr yn Ailfedyddiwr.

[80] Ditiad Henry Williams o Lanfwrog: LlGC, Llys y Sesiwn Fawr 4/250/4/[heb eu rhifo] (sir Fôn, 1732).

unig y byddai'r Brenin Iago, a oedd newydd ei goroni, fyw, ac y byddai rhyfel am dair blynedd ar ôl ei farwolaeth.[81] Ac ym 1590 ailadroddodd gweddw o'r enw Elizabeth Bedowe o Grugion y si a ganlyn yn Gymraeg: 'a certein nobleman of the realme, whom shee did name, shalbe kinge of this realme of England after the decease of the Quenes Ma[jes]tie'. Gan gredu y gallai'r drosedd fod yn un farwol, carcharodd yr ustus y wraig am adrodd geiriau bradwrus, gan nodi eu bod yn ddyddiau peryglus, bod gwylwyr ar y bannau, a'i bod yn 'intollerable in a com[m]on wealth that base people of her sorte shuld babble of such highe stakes'.[82]

Yr oedd clebran y distadl, pan fyddai'n ymwneud â phroffwydo marwolaeth y brenin neu'r frenhines, yn cael ei ystyried yn fater difrifol gan yr awdurdodau. Fel y crybwyllwyd eisoes, y ffaith mai cyfiawnder brenhinol oedd cyfiawnder a gyfrifai'n rhannol am hynny. Yn enw'r Goron y cyhoeddid prosesau'r llys, a heb deyrn y gred gyffredin oedd na ellid gweinyddu cyfraith. Gallai marwolaeth teyrn roi cychwyn ar gyfnod rhyfedd o gredu bod y gyfraith yn ohiriedig. Er na phrofodd Cymru gyfnod fel yr 'wythnos brysur' ar ororau Lloegr a'r Alban wedi marwolaeth Elisabeth I a chyn coroni Iago I, pan fanteisiodd amryw ar y cyfle i dalu hen bwyth ac ymosod ar draws y ffiniau, yr oedd y cyfnod, serch hynny, yn un peryglus, a charcharwyd yn ddisymwth ŵr o Aberhonddu a gyhoeddodd ym 1603, wedi marwolaeth y frenhines, nad oedd y gyfraith mewn grym.[83]

Cafwyd crynhoad o erlyniadau am eiriau bradwrus yn ystod rhai cyfnodau argyfyngus pan oedd y wladwriaeth dan fygythiad. Bu tri chyfnod o argyfwng, sef diwedd teyrnasiad Elisabeth, adeg y rhyfeloedd cartref a'r Adferiad, a phan fu farw Iago II. Yr oedd diwedd teyrnasiad Elisabeth yn un o'r cyfnodau hynny pan gafwyd proffwydoliaethau a gweledigaethau, yn ogystal â datganiadau bradwrus. Esgorodd y rhyfeloedd cartref hefyd ar sibrydion gwyllt, gweledigaethau a datganiadau gwleidyddol a chrefyddol radical. Yr oedd y rhain yn amseroedd brawychus iawn, yn rhannol oherwydd bod awdurdod y gyfraith yn ansicr a chyfreithlonedd swyddogion yn cael ei herio. Yn ôl un llefarwr ym 1654: 'Hee and noe other had power to execute anie office since the

---

[81] LlGC, Llys y Sesiwn Fawr 4/136/4/9–11 (sir Drefaldwyn, 1594); LlGC, Llys y Sesiwn Fawr 4/13/2/15 (sir Ddinbych, 1603). Cymh. Powell, 'Crime and the Community in Denbighshire', tt. 273–4.

[82] Ceir nodyn ar ymyl y ddalen yn enwi'r pendefig, sef William Strange; chwipiwyd Elizabeth: LlGC, Llys y Sesiwn Fawr 4/134/2/89, 207 (sir Drefaldwyn, 1590).

[83] LlGC, Llys y Sesiwn Fawr 4/334/1/99 (sir Frycheiniog, 1603). Ar yr 'wythnos brysur', gw. Penry Williams, 'The Northern Borderland under the Early Stuarts' yn H. E. Bell ac R. L. Ollard (goln.), *Historical Essays 1600–1750 Presented to David Ogg* (London, 1963), tt. 6–7.

kinge died.' Pan ddaeth yr Adferiad cyhoeddodd labrwr o sir Frycheiniog fod ganddo 'power from the . . . King's Majestie to kill, burne and quarter men', gan godi braw ar bawb.[84]

Camgymeriad fyddai tybio mai dim ond radicaliaid a lefarai eiriau gwrthryfelgar. Cyffyrddodd rhaniadau gwleidyddol y rhyfeloedd cartref â'r mwyafrif o bobl a gallai unrhyw un gael ei orfodi i ddangos ei ochr. Wrth yfed llwncdestun, er enghraifft, gorfodid pobl i ddatgan lle y safent. Mewn tai cwrw codai pobl eu gwydrau i'r Brenin neu'r Senedd er mwyn datgan eu teyrngarwch a rhoi prawf ar eraill. Pan gynigiwyd llwncdestun i'r brenin yn Llanbedr Felffre wedi'r Adferiad, ymatebodd Thomas Lewis yn swta â'r gair 'Crogy!' a chael ei gyhuddo yn ddiweddarach o fradwriaeth, wrth reswm![85]

Y mae modd canfod datganiadau diamwys o elyniaethus am y Goron yn y cofnod cyfreithiol cyn y rhyfeloedd cartref, ond prin iawn ydynt. Ond ar un ystyr yr oedd teimlad yn bodoli bod llesâd y wlad yn dibynnu ar berson y teyrn. Y Goron weithiau a gâi'r bai, mewn ffordd annelwig, am yr anawsterau a gafwyd ar ddiwedd yr unfed ganrif ar bymtheg a dechrau'r ail ganrif ar bymtheg. Meddai cyllellwr o sir Faesyfed mewn sgwrs â gŵr eglwysig: 'Wo to that Com[m]onwealth where children and women do beare rule, and who doth reigne now over us but a woman.' Parodd y newyddion am farw mab hynaf Iago I, Henry, Tywysog Cymru, i Thomas David Moris o St Edrens wneud y sylw canlynol am y brenin: 'Ny cheyson ni ddim byd da gwedy y ddowad ef yn frenin, a melltith ddyw yr awr y dayth ef yn frenin.'[86]

Câi'r brenin y bai weithiau hefyd am gamymddygiad swyddogion a benodwyd yn ei enw. Ymddengys mai dyna a oedd wrth wraidd rhai enghreifftiau rhyfedd o iaith gynhyrfus a gadwyd mewn ditiadau nad oes iddynt fel arall gyd-destun llawn. Ym 1614 arestiwyd Evan David ap Thomas o Saint Harmon, sir Faesyfed, yn Llanidloes ar amheuaeth o deyrnfradwriaeth wedi i rywun ei glywed yn dweud: 'Dyma dre a ddyle fod yn boeth ac fe a loskyd yr brenyn pette fo yma.' Mewn man arall adroddwyd mai'r geiriau oedd: 'This is a towne of badd gov[er]nment.' Mewn digwyddiad cyffelyb ym 1615, cyhuddwyd Humfrey ap Thomas, gwehydd o Fachynlleth, o lefaru geiriau yn erbyn person cysegredig y brenin. Daeth ffrae â rhyngyll-byrllysg y maer i ben â'r geiriau: 'Turde to

---

[84] LlGC, Llys y Sesiwn Fawr 4/789/1/20 (sir Benfro, 1654); LlGC, Llys y Sesiwn Fawr 4/353/5A/36 (sir Frycheiniog, 1663).

[85] LlGC, Llys y Sesiwn Fawr 4/787/3/51 (sir Benfro, 1666). Ar yfed llwncdestun i hawlydd y Goron ('Yechid y Prince o Wales'), cymh. J. H. Matthews (gol.), *Cardiff Records* (6 chyf., Cardiff, 1898–1911), II, t. 187.

[86] LlGC, Llys y Sesiwn Fawr 4/477/1/52 (sir Faesyfed, 1601); LlGC, Llys y Sesiwn Fawr 4/779/6/1 (sir Benfro, 1613).

thee, t[urde] to thy master, and t[urde] to the kinge for appoynting such officers as you to p[atr]owle the towne.' Ar unwaith clywyd y rhingyll a'r bobl a safai gerllaw yn gweiddi, 'God save the king', a'r swyddog yn ychwanegu, 'I will cutt of thy head for usinge suche words.'[87]

Ceid datganiadau o hyder yn y Goron a'r gyfraith ochr yn ochr â phenderfyniad i ddatrys anghydfod trwy fynd i gyfraith. 'D[u]w a savo gida grase y vrenhynes ai kyfraydd', meddai gŵr o sir Drefaldwyn yn ystod anghydfod ynglŷn â phori. Yn wir, unwaith y câi enw'r brenin a'i gyfraith eu crybwyll, yr oedd yn arferiad i ddeiliaid teyrngar dynnu eu hetiau o barch. Ym 1606, pan gyhoeddodd John ap Cadwalladr ei fwriad i fynd i gyfraith mewn anghydfod tir, tynnodd ei het a dweud, 'God save the kinge', gan ychwanegu'r sylw 'that he wold come there in his ma[jes]t[y']s name and by vertue of his lawes'. Ymatebodd ei wrthwynebydd, 'w[i]thout any dutyfull reverence to his ma[jes]ty by puting of or removinge his hatte', na châi unrhyw un ddod ar ei dir ac eithrio ar flaen ei gleddyf: 'Ney ddoy dy neb arall yma, ony ddowch y ar flaen arfe.'[88]

Yn anorfod, byddai ymgyfreitha yn esgor ar eiriau dilornus, ond yr oedd y Werinlywodraeth yn garreg filltir bwysig yn nirnadaeth pobl o'r gyfraith. Ni chymerid syniadau am berson cysegredig y brenin a'r syniad o frenin cyfiawn gymaint o ddifrif. Wedi'r Adferiad yr oedd llai o hyder yn y Goron fel sefydliad uwchlaw cynnen ac yng nghyfiawnder y brenin fel modd i warchod y tlawd rhag y nerthol. Clywid yn aml y farn nad oedd y brenin yn wahanol i unrhyw ddyn arall. Fel y dywedodd Valentine Lewis o Wersyllt ym 1678: 'Rwi yn gystall gwr ar Brenin', gan ychwanegu, 'a beth a wn i ond eiff i enaid ef i yffern.' Yr oedd gan y brenin enaid i'w achub fel dynion eraill ac yr oedd yn bosibl nad oedd ei weithredoedd yn dda yng ngolwg Duw. Mynegodd Meredith Evans o Nantmel, sir Faesyfed, y syniad yn groyw: 'Y mae gras yth frenin wedy troy yn anrhas y wneythir kam y ddynyon sydd honestach yn y ddealinge nag ef.'[89]

Y mae bron yn sicr nad radicaliaid crefyddol na gwleidyddol oedd llefarwyr y geiriau hyn a rhai tebyg iddynt, er i un ohonynt honni yn fyw iawn iddo fod yn filwr ym myddin Cromwell.[90] Serch hynny, er gwaethaf eu niferoedd bychain, yr oedd syniadau radicalaidd Piwritaniaid a

[87] LlGC, Llys y Sesiwn Fawr 4/143/li/68 (sir Drefaldwyn, 1614); LlGC, Llys y Sesiwn Fawr 4/143/3/37 (sir Drefaldwyn, 1616).

[88] LlGC, Llys y Sesiwn Fawr 4/139/1D/[heb eu rhifo] (sir Drefaldwyn, 1601); LlGC, Llys y Sesiwn Fawr 4/141/2/110–12 (sir Drefaldwyn, 1606).

[89] LlGC, Llys y Sesiwn Fawr 4/30/5/80v, 87 (sir Ddinbych, 1678); LlGC, Llys y Sesiwn Fawr 4/496/2/8 (sir Faesyfed, 1661). Cymh. *Cardiff Records*, II, tt. 178–9, 250, am eiriau yn erbyn William III ('ffol o frenin') a Siôr III ('Damno'r Brenhin George y trydidd . . .').

[90] Cymh. 'My fym yn soldyer dan Oliver Cromwell ag mi olchais ym dwylo yng wad Charles y kynta . . .', geiriau a lefarwyd gan Rees ap Evan o Langynidr, labrwr: LlGC, Llys y Sesiwn Fawr 4/353/5A/27 (sir Frycheiniog, 1663).

Chrynwyr a'u gweithredoedd cythryblus yn ddiamau yn cael dylanwad, ac wedi'r Adferiad yr oedd peth cydymdeimlad â'r Anghydffurfwyr. 'They that killed the old king did the people of that fayth good service', meddai Howell Phillipp o Freudeth wedi i Bresbyteriaid gael eu herlyn yn sir Benfro. Os yw gweithredoedd yn llefaru'n uwch na geiriau, byddai'r ffaith fod Crynwyr yn gwrthod diosg eu hetiau yn y llys yn ddiamau yn gwneud argraff annileadwy. Gwrthododd tri Chrynwr ar ddeg ddiosg eu hetiau yn un o Sesiynau sir Benfro wedi'r Adferiad, a rhaid bod y digwyddiad a'r diffyg parch at awdurdod wedi eu serio ar gof y sawl a oedd yn bresennol.[91]

Wedi'r rhyfeloedd cartref pellhâi pobl fwyfwy oddi wrth Lys y Sesiwn Fawr a gellir gweld hynny yn y gostyngiad yn nifer yr achosion a dducpwyd gerbron, yn rhai sifil a throseddol. Mynegwyd y teimlad hwn o bellhau a gwrthwynebiad i'r llys a'i brosesau ar lafar yn yr ymadrodd 'baw i'r brenin'. Yn yr unfed ganrif ar bymtheg prin y clywyd yr ymadrodd hwn o gwbl. Daeth achosion o wawdio a beirniadu trefn y llys yn fwy cyffredin yn hanner cyntaf yr ail ganrif ar bymtheg, yn enwedig fel y nesâi'r rhyfeloedd cartref. Ond yr oedd y geiriau 'baw i'r brenin' yn debygol o ysgogi deiliaid teyrngar i weiddi 'Duw gadwo'r brenin'. Erbyn ail hanner yr ail ganrif ar bymtheg yr oedd yr ymadrodd yn gyffredin tu hwnt. Pan gyflwynwyd gwarant i David William o Fodran, sir Drefaldwyn, ym 1695, gwaeddodd: 'Baw iti ag ith warrant ag ir brenin ag ir Parliament', ac wedi oedi ennyd, meddai ymhellach, 'Baw iti ag ith frenin ag iw Gyfreth.'[92]

Gellid bod wedi disgwyl y byddai yng Nghymru gryn elyniaeth i Lys y Sesiwn Fawr; fe'i cynhelid mewn iaith estron, tarfai ar fywydau pobl, ac yr oedd yn llys llym ei gosb. Yn rhyfedd iawn, y gwrthwyneb sy'n wir: ffynnodd busnes sifil a throseddol y llys trwy gydol ail hanner yr unfed ganrif ar bymtheg ac ymhell i'r ail ganrif ar bymtheg. Er gwaethaf yr anawsterau a grëwyd yn ôl pob tebyg gan 'gymal iaith' Deddf Uno 1536, yr oedd pobl yn deall prosesau a threfn y llys yn bur dda. Y tu ôl i'r cofnod Saesneg a Lladin yr oedd byd cêl o gyflafareddu, cytuno a chyfaddawdu yn y Gymraeg. Wedi'r Adferiad ceir tystiolaeth fod pobl wedi diflasu ar y llysoedd a chan iddynt eu gwrthod bu dirywiad hir yng ngweithgaredd Llys y Sesiwn Fawr. Rheolid y llysoedd fwyfwy gan ustusiaid di-Gymraeg; nodir y newid gan ymddangosiad cyfieithwyr cyflogedig. Y mae'n bosibl fod y profiad o ymddangos yn y llysoedd yn dod yn fwyfwy diraddiol i siaradwyr Cymraeg uniaith. Mynegid gwawd at dwrneiod, beiliaid a mân

---

[91] LlGC, Llys y Sesiwn Fawr 4/798/1/50 (sir Benfro, 1685); LlGC, Llys y Sesiwn Fawr 4/791/5/55 (sir Benfro, 1662).
[92] LlGC, Llys y Sesiwn Fawr 4/167/2/98 (sir Drefaldwyn, 1699).

swyddogion eraill yn aml, a châi hurtrwydd termau Saesneg cyfrin y drefn eu dychanu mewn llenyddiaeth boblogaidd.[93] Serch hynny, yn wahanol i achos crefydd, nid ymddengys fod yr iaith yn ymladd am ei lle yn y maes arbennig hwn ac wedi'r Adferiad ymylol yn unig oedd Llys y Sesiwn Fawr ym mywydau mwyafrif pobl Cymru.

---

[93] Thomas Roberts, *Cwyn yn erbyn Gorthrymder* (Llundain, 1798); O. M. Edwards (gol.), *Gwaith Glan y Gors* (Llanuwchllyn, 1905), tt. 79–81; John Fisher (gol.), *The Cefn Coch MSS.* (Liverpool, 1899), tt. 232–6. (Yr wyf yn ddyledus i Daniel Huws am y cyfeiriad olaf hwn.) Cymh. Parry, *Guide to the Records of Great Sessions*, t. xxxi, n. 14.

5

Yr Iaith Gymraeg a Llywodraeth Leol: Ustusiaid Heddwch a'r Llysoedd Chwarter c.1536–1800

J. GWYNFOR JONES

AR 12 MAWRTH 1536 ysgrifennodd yr Esgob Rowland Lee, Llywydd Cyngor y Gororau yng Nghymru, at Thomas Cromwell yn mynegi ei anfodlonrwydd ynglŷn â bwriad y llywodraeth i benodi ustusiaid heddwch yn nhiroedd y Goron yng Nghymru. 'And allso for justices of the peace and off Gaole Delivery to be in Wales', meddai, 'I think hit not moche expedient . . . For there be very fewe Welshmen in Wales above Brecknock that maye dispende ten pounde lande and, to say truthe, their discretion lesse then their landes.'[1] Adlewyrchai ei farn ddwy agwedd sylfaenol, sef nad oedd ganddo fawr o olwg ar y Cymry fel cenedl nac ychwaith ar y boneddigion. Yn wir, yr oedd llawer o wirionedd yn yr hyn a ddywedai oherwydd, er gwaethaf eu hymhoniadau, nid oedd teuluoedd bonheddig Cymru mor gyfoethog â'u cymheiriaid yn Lloegr, ac wedi dwy flynedd o lywodraethu dros Gymru a'r Gororau daethai rhai o'u nodweddion llai cymeradwy yn hysbys i Lee.[2] Ymddengys fod ei bolisi o lywodraethu drwy orfodaeth wedi dwyn ffrwyth, ond nid oedd ei ragfarn yn erbyn penderfyniad y llywodraeth i benodi ustusiaid wrth fodd ei feistr a oedd yn benderfynol o uno Cymru a Lloegr. Rhan sylfaenol o'r polisi hwnnw oedd penodi swyddog a fyddai'n allweddol i'r proses o weinyddu llywodraeth leol. Nid Lee oedd yr unig un i wrthwynebu penodi ustusiaid oherwydd, yng Ngwynedd er enghraifft, ofnai Syr Richard Bwlclai o Fiwmares y gallai'r swydd gael ei defnyddio gan ei elynion yn arf cyfleus

---

[1] *Calendar of State Papers, Foreign and Domestic* (London, 1862–), X, 1536, rhif 453, t. 182. Am wybodaeth fwy cyffredinol ar yr ynadaeth, gw. W. Ogwen Williams (gol.), *Calendar of the Caernarvonshire Quarter Sessions Records: Vol. I, 1541–1558* (Caernarvon, 1956); Keith Williams-Jones (gol.), *A Calendar of the Merioneth Quarter Sessions Rolls. Vol. I: 1733–65* (Dolgellau, 1965); J. R. S. Phillips (gol.), *The Justices of the Peace in Wales and Monmouthshire 1541 to 1689* (Cardiff, 1975); J. Gwynfor Jones, *Law, Order and Government in Caernarfonshire, 1558–1640: Justices of the Peace and the Gentry* (Cardiff, 1996).

[2] *Calendar of State Papers*, XII (ii), 1537, rhif 1237, t. 434.

yn ei erbyn.[3] Yn ei farn ef, yr oedd penodi swyddog newydd grymus yn ymyrraeth ddianghenraid. Pwysleisiai eraill a wrthwynebai greu'r fath swydd yng ngogledd Cymru israddoldeb boneddigion Cymru, gan ddweud eu bod yn 'bearers of thieves', yn dlawd, yn israddol, yn anwybodus ynghylch cyfraith Lloegr ac yn llygredig mewn materion cyfreithiol.[4]

Cyflwynwyd ustusiaid heddwch yng Nghymru ac yn swydd Gaer drwy ddeddfwriaeth ym mis Chwefror 1536 (27 Harri VIII, p.5), ychydig cyn y Ddeddf Uno gyntaf (27 Harri VIII, p.26).[5] Hwn oedd y mesur cyntaf i greu unffurfiaeth yn nhiroedd y Goron yng Nghymru, a dynodwyd ynddo fod y swyddogion newydd i gyflawni eu dyletswyddau yn yr un modd â'r ustusiaid yn siroedd Lloegr. Yr oedd y swydd, a ymddiriedwyd yn bennaf i aelodau o'r teuluoedd bonheddig, yn ddolen allweddol mewn llywodraeth leol ac yn hanfodol i'r ymgais i gynnal cyfraith a threfn.[6] Yr oedd ei chyflwyno yn y Dywysogaeth, yn sir y Fflint ac yn arglwyddiaethau Penfro a Morgannwg yn estyniad pellach ar ehangu rheolaeth frenhinol ar draws ei thiriogaethau. Ni phennwyd manylion na dyletswyddau'r swydd yn y ddeddf. Ni ddynodwyd ychwaith ym mha iaith y dylid cynnal yr achosion yn y llysoedd. O gofio am bolisi'r llywodraeth, fodd bynnag, yr oedd yn ddisgwyliedig y byddai'r pwyslais yn rhagair y ddeddf ar yr angen i greu unffurfiaeth.[7]

Y ddeddf hon oedd yr arwydd cyntaf o bolisi newydd y llywodraeth. Byddai'r hyn a ddeuai yn ei sgil yn cael ei gyflwyno yn unol â'r amcan o greu unffurfiaeth. Mynnai Deddf Uno 1536 ei bod hi'n ofynnol i swyddogion 'gyhoeddi a chadw' sesiynau yn Saesneg, gan awgrymu y byddai'n rhaid i rai materion gael eu cofnodi yn ffurfiol.[8] Parheid i ddefnyddio Lladin ar gyfer ditiadau, ymrwymiadau a rholiau ymrwymiadau, gwritiau, *nomina ministrorum*, datganiadau, gwarantau a phaneli rheithgor, a Saesneg ar gyfer llwon swyddogion a rheithgorau, cwestau ac affidafidau, dedfrydau a gwystlon cyfraith, yn ogystal â hysbysiaethau, deisebau, gohebiaeth ac amrywiol bethau eraill. Er na waharddwyd y Gymraeg o'r llysoedd, ni ellid ei defnyddio i gofnodi unrhyw fater cyfreithiol na gweinyddol. Yn wir, gan fod y mwyafrif helaeth o'r rheini a ddeuai gerbron y llysoedd yn Gymry uniaith, ni ellid llai na defnyddio'r Gymraeg. Yr oedd y rhan fwyaf o'r swyddogion, gan

---

[3] Ibid., XI, 1536, rhif 525, t. 213.
[4] Ibid., X, 1536, rhif 245, tt. 88–9.
[5] Ivor Bowen (gol.), *The Statutes of Wales* (London, 1908), tt. 67–9, 75–93.
[6] Gw. J. R. Lander, *English Justices of the Peace 1461–1509* (Gloucester, 1989); Bertram Osborne, *Justices of the Peace, 1381–1848* (Sedgehill, 1960).
[7] Bowen, *Statutes*, t. 67.
[8] Ibid., t. 87.

gynnwys yr ustusiaid, yn ddiau yn rhugl yn y Gymraeg ac yn gyfarwydd
â'i thermau cyfreithiol. Anodd dweud i ba raddau yr oeddynt yn
gyfarwydd â'r Saesneg. Mewn llythyr at ei dad yng nghyfraith, Syr John
Wynn, dywedodd Syr Roger Mostyn y dylai ei etifedd ddychwelyd adref
o'r Cyfandir i ymgymryd â materion yr ystad. Ychwanegodd: 'he hath
seene ynough and more than ever any of his ancestors in the later ages
hath, yet they lived in some esteeme in their countrey without any other
language than their owne'.[9] Er bod rhai boneddigion yn Gymry uniaith,
yr oedd y rhan fwyaf o'r penteuluoedd a oedd mewn grym yn y 1530au
yn gyfarwydd â Lladin a Saesneg. Cesglir o'r cofnodion hynny o Lysoedd
Chwarter sir Gaernarfon sydd wedi goroesi o'r cyfnod rhwng 1541 a 1558
fod y rhan fwyaf o'r rheini a oedd yn gysylltiedig â'r llysoedd yn Gymry
Cymraeg, a llawer o'r rhai a dducpwyd ger eu bron, yn ddi-os, yn uniaith
Gymraeg.[10] Nid yw'n syndod nad yw'r Gymraeg i'w gweld yn y
cofnodion hyn oherwydd byddai'r clerc, ac yntau'n gweithio dan bwysau,
yn troi'n naturiol at y Lladin neu'r Saesneg i gofnodi gwaith y llys. At
hynny, yr oedd yn rhaid iddo ymgyfarwyddo â fformwlâu a dulliau
gweithredu cyfreithiol yn Saesneg. Dengys y ffaith nad oes unrhyw
gyfeiriad at gyfieithwyr yn y ffynonellau mai yn Saesneg y cofnodid
materion cyfreithiol a gweinyddol. Er hynny, câi'r Gymraeg ei defnyddio
ar lafar yn y llysoedd.[11]

Ymddengys fod rhai swyddogion yn ei chael yn anodd i ddefnyddio'r
iaith Saesneg. Yn sir Faesyfed ym 1594, er enghraifft, cyhuddwyd Thomas
Vaughan, ustus a chrwner, yn Siambr y Seren o ddal swydd er na fedrai
siarad, darllen nac ysgrifennu Saesneg, a hefyd o ddefnyddio ei safle i
hyrwyddo ei fuddiannau ef ei hun.[12] Yr oedd rhai ardaloedd, wrth reswm,
lle y siaredid Saesneg yn bennaf, yn enwedig yn y trefi, yn ardaloedd
Seisnigedig sir Benfro ac yn iseldiroedd y Gororau. Mewn mannau eraill,
gan gynnwys Bro Morgannwg a rhannau helaeth o sir Fynwy, y Gymraeg
a ddefnyddid yn gyfrwng cyfathrebu beunyddiol. Ond hyd yn oed yn
ardaloedd mwyaf ceidwadol y gogledd a'r gorllewin gwelwyd llif graddol
o fewnfudwyr Saesneg, a hynny i'r bwrdeistrefi yn bennaf, yn sgil
Goresgyniad Edward a chreu'r Dywysogaeth. Gwelwyd hefyd aelodau
rhai o'r teuluoedd hyn yn ymbriodi â theuluoedd a oedd yn Gymry

[9] Arglwydd Mostyn a T. A. Glenn, *History of the Family of Mostyn of Mostyn* (London,
   1925), t. 126.
[10] W. Ogwen Williams, 'The Survival of the Welsh Language after the Union of England
   and Wales: the First Phase, 1536–1642', *CHC*, 2, rhifyn 1 (1964), 71–3. Gw. John
   Wynn, *The History of the Gwydir Family and Memoirs*, gol. J. Gwynfor Jones (Llandysul,
   1990), t. 26; LlGC Llsgr. Cwrtmawr 21, f. 174; LlPCB, Llsgr. Mostyn 4, f. 117r.
[11] Williams, *Calendar of the Caernarvonshire Quarter Sessions Records*, tt. xxiii–xxv.
[12] Ifan ab Owen Edwards, *A Catalogue of Star Chamber Proceedings Relating to Wales* (Cardiff,
   1929), t. 136 (B 60/6 (36)).

Cymraeg, ac yn dysgu rhywfaint o'r iaith frodorol, ond y mae'n anodd
barnu i ba raddau y llwyddasant i'w meistroli yn ddigonol i'w defnyddio
yn y llys.

Estynnwyd swyddi'r ustus a'r *custos rotulorum* i gynnwys deuddeg sir
Cymru (ac eithrio Mynwy) yn yr ail Ddeddf Uno ym 1543 (34–35 Harri
VIII, p.26).[13] Wrth ddychanu'r Drenewydd a'i ffair ar adeg cynnal Llys y
Sesiwn Fawr yno, tynnodd y bardd Siôn Mawddwy sylw at y newid
agwedd at yr iaith Gymraeg. Yno, meddai, gwelodd Gymry a droesai eu
cefn ar y Gymraeg yn eu dymuniad i efelychu'r Saeson.[14] Diau fod
problemau wedi codi yn Saesonaethau yr hen arglwyddiaethau lle'r oedd
y boblogaeth, at ei gilydd, yn siarad Saesneg a'r gyfraith a weinyddid yn
gymysgedd o Gyfraith Hywel ac arferion y Gororau. Yn y brodoraethau a
rhannau o'r siroedd cyfagos dros y ffin, serch hynny, yr oedd y Gymraeg
i'w chlywed ar lafar gwlad o hyd. Ym mis Ionawr 1537 tystiodd Rowland
Lee fod Cymru a'r Gororau 'in as good towardness to do the King's
service as any subjects living' ac nad oedd y rhan fwyaf o'r trigolion yn
ymwybodol o'r newidiadau llywodraethol yn Lloegr 'for their language
does not agree to the advancement thereof'.[15] Yn y 1570au cyflogodd
Christopher Saxton, y gwneuthurwr mapiau enwog, wŷr meirch
Cymraeg eu hiaith yn ogystal â rhai o Loegr i'w gyrchu drwy siroedd
Cymru fel y gallai wneud arolwg o'r wlad.[16] Defnyddid y Beibl Cymraeg
yng ngorllewin esgobaeth Henffordd[17] ac, ym 1606, dywedwyd: 'in many
of them [sef y Gororau] the Welsh tongue, even to this day, is as frequent
and usuall as in other shires in Wales'.[18] Ar y llaw arall, dywedodd John
Penry yn y 1580au fod yr iaith Saesneg yn gyffredin mewn llawer ardal.[19]
Ym 1598 ysgrifennodd y Capten Richard Gwynn o Gaernarfon at Robert
Devereux, ail Iarll Essex, yn cynnig ei wasanaeth yn Iwerddon, gan dybio
y byddai'r iarll yn penodi Cymry Cymraeg i arwain y lluoedd Cymreig.[20]
Yn ôl George Owen, Henllys, yr oedd ymwelydd o'r enw Barthol yn
falch o glywed Saesneg yn sir Benfro yn y 1590au, ac yntau wedi treulio
tair wythnos yn teithio drwy Gymru lle, ac eithrio mewn 'good Townes,
or of some gent'men in the Countrey', na chlywsai ddim ond Cymraeg.[21]
O gofio diddordeb Owen mewn materion cyfreithiol, y mae'n syndod na

---

[13] Bowen, *Statutes*, tt. 113–14.
[14] LlGC Llsgr. Llanstephan 35, f. 251.
[15] *Calendar of State Papers*, XII (I), 1537, rhif 93, t. 49.
[16] J. R. Dasent (gol.), *Acts of the Privy Council* (London, 1890–), 1575–7, t. 259.
[17] Bowen, *Statutes*, t. 150.
[18] G. Dyfnallt Owen, *Wales in the Reign of James I* (London, 1988), t. 49.
[19] John Penry, *Three Treatises Concerning Wales*, gol. David Williams (Cardiff, 1960), t. 37.
[20] HMC, *Calendar of the Manuscripts of the Marquis of Salisbury (Hatfield House)*, VIII
      (London, 1899), t. 525.
[21] Owen, *Description*, III, tt. 16, 18.

chyfeiriodd yn y 'Dialogue of the Government of Wales' (1594) at yr unffurfiaeth ieithyddol a osodwyd ar y llysoedd.

Mewn unrhyw astudiaeth ar iaith a gweinyddiaeth y gyfraith yn lleol yng Nghymru rhaid edrych ar safon llythrennedd yn y Saesneg ac yn y Gymraeg. Pa gyfran o'r Cymry a allai ddarllen, ac ym mha iaith? Ar sail bras amcangyfrifon awgrymir bod gan rhwng deg a phymtheg y cant o boblogaeth Cymru erbyn canol yr ail ganrif ar bymtheg ryw grap ar ysgrifennu a darllen Saesneg neu Gymraeg neu'r ddwy iaith.[22] Nid yw'r sefyllfa, fodd bynnag, yn eglur iawn. Yn ei ragair i'w gyfieithiad o *Basilikon Doron* (1604) gan Iago I, awgryma Robert Holland fod cymaint o wahaniaeth rhwng iaith y llywodraethwyr a'r rhai a gâi eu llywodraethu fel na wyddai'r naill am gŵynion y lleill.[23] Gwnaeth Davis ap Hugh ap Thomas o Lanenddwyn, Meirionnydd, gŵyn yn Llys Siambr y Seren wedi iddo fod yn agos at selio cytundeb a fyddai wedi ei amddifadu o ran o'i eiddo, a hynny am ei fod yn 'simple and illiterate man that can neither write nor read nor speak nor understand any language but only his natural tongue being Welsh'.[24] Ar y llaw arall, dywedodd y llenor Piwritanaidd, Evan Roberts, ym 1649 fod gan nifer o bobl yng Nghymru ryw gymaint o wybodaeth o'r Saesneg, gan ychwanegu y dylai'r penteuluoedd hynny a fedrai ddarllen hyfforddi 'their Houshold, Friends, and Neighbours, who can reade neither English nor Welsh'.[25] Ni ellir gwadu bod demograffeg, topograffeg, llythrennedd a ffframwaith cymdeithasol yn elfennau arwyddocaol mewn unrhyw astudiaeth a wneir i geisio asesu i ba raddau y câi llywodraeth ei gweinyddu yn deg. Dibynnai llywodraeth effeithiol nid yn unig ar y boneddigion ond hefyd, i raddau helaeth, ar sgiliau a chydweithrediad amrywiaeth o swyddogion a oedd yn gyfrifol am gadw trefn o ddydd i ddydd. Yn ddieithriad, gohebai'r boneddigion â'i gilydd yn Saesneg oherwydd iddynt dderbyn eu haddysg yn yr iaith honno ac yn y clasuron. Er mai'r Gymraeg, yn ôl pob tebyg, oedd mamiaith llawer o wŷr bonheddig yr unfed ganrif ar bymtheg a blynyddoedd cynnar yr ail ganrif ar bymtheg, dewisent hwythau ysgrifennu yn Saesneg.[26] Ym Morgannwg yn y 1630au, anfonodd William Gamage lyfr at William

[22] Glanmor Williams, 'Dadeni, Diwygiad, a Diwylliant Cymru' yn *Grym Tafodau Tân: Ysgrifau Hanesyddol ar Grefydd a Diwylliant* (Llandysul, 1984), tt. 75–6.

[23] James I, *Basilikon Doron*, gol. John Ballinger (Caerdydd, 1931), [(a)3].

[24] PRO, Llys Siambr y Seren 8 286/33. Gw. Ifan ab Owen Edwards, 'A Study of Local Government in the Principality of Wales during the Sixteenth and Seventeenth Centuries' (traethawd MA anghyhoeddedig Prifysgol Cymru, 1925), t. 26; Edwards, *Star Chamber Proceedings*, t. 187.

[25] Merfyn Morgan (gol.), *Gweithiau Oliver Thomas ac Evan Roberts: Dau Biwritan Cynnar* (Caerdydd, 1981), tt. [231–2].

[26] Owen, *Description*, III, t. 36. Gw. hefyd Dillwyn Miles (gol.), *Description of Pembrokeshire* (Llandysul, 1994), t. 40.

Herbert, Cogan Pill, llyfr a ddisgrifiwyd fel 'the A.B.C. of our ancient copious learned Brittishe tongue', a'i annog i ddysgu'r iaith er mwyn hwyluso gweinyddiaeth ei ystad.[27] Cyfeiriodd hefyd at y cyfle a roddwyd i etifedd ystad Y Fan yng Nghaerffili i ddysgu Cymraeg, Ffrangeg a Lladin.[28] Bwriad etifedd Cefnmabli oedd dychwelyd i'w ystad a dysgu'r iaith[29] ac, ym 1660, penderfynodd y Cyrnol John Bodfel o Lŷn gymryd gofal am addysg ei ŵyr a'i fagu yng Nghymru fel y byddai'n deall yr iaith ac yn cyfarwyddo â'r lle a'r bobl 'where and among whom he must dwell'.[30]

Cafwyd tueddiadau i'r gwrthwyneb hefyd, wrth reswm. Un o amcanion yr ysgolion gramadeg preifat a sefydlwyd yng Nghymru oedd ehangu gorwelion diwylliannol gwŷr bonheddig ieuainc. Câi meibion y boneddigion eu hyfforddi yn y ddysgeidiaeth newydd[31] a deuai'r boneddigion Cymraeg eu hiaith yn fwyfwy ymwybodol o fanteision dysgu Saesneg. Er enghraifft, anogodd William Glyn o Lyncywarch ym Meirionnydd ei fab Cadwaladr (c.1637) i ymfalchïo yn y ffaith ei fod yn cael ei anfon i 'Oxenford, a famous University, the fountayne and wellhead of all learning'. Cafodd ei gymell hefyd i beidio â siarad Cymraeg ag unrhyw un a fedrai siarad Saesneg fel y gallai lwyr feistroli'r iaith honno.[32] Adlewyrcha ei gyfarwyddyd newid agwedd, a hyd yn oed rywfaint o wrthwynebiad, tuag at barhad yr iaith Gymraeg ymhlith y boneddigion mwyaf blaenllaw, fel y tystia gweithiau Robert Gwyn, Morris Kyffin a Dr John Davies, Mallwyd.[33] Tua diwedd yr ail ganrif ar bymtheg, gresynai Edward Morris, Perthillwydion, at y ffaith fod gwŷr bonheddig yn ymddieithrio ('Seisnigedd yw bonedd byd'), a dywedodd bethau hallt am y defnydd cynyddol a wneid o'r Saesneg.[34] Gallai defnyddio'r Saesneg fod yn anfantais ar adegau, yn enwedig pan fethai cyfieithwyr ddehongli tystiolaeth yn gywir yn y llys.[35] Yn Llys y Siecr ym

---

[27] LlGC, Bute Box 132 Parsel C. Gw. hefyd G. T. Clark (gol.), *Cartae et Alia Munimenta quae ad Dominium de Glamorgancia pertinent* (6 chyf., Cardiff, 1910), VI, tt. 2220–1.

[28] Ibid.

[29] Ibid.; G. T. Clark (gol.), *Limbus Patrum Morganiae et Glamorganiae, being the Genealogies of the Older Families of the Lordships of Morgan and Glamorgan* (London, 1886), tt. 42–53, 286–7, 392–3.

[30] A. H. Dodd, 'The Tragedy of Colonel John Bodvel', *TCHSG*, 6 (1945), 16.

[31] H. Barber a H. Lewis, *The History of Friars School, Bangor* (Bangor, 1901), tt. 142–4.

[32] T. Jones Pierce (gol.), *Clenennau Letters and Papers in the Brogyntyn Collection* (Aberystwyth, 1947), tt. 126–7 (rhif 444).

[33] Garfield H. Hughes (gol.), *Rhagymadroddion 1547–1659* (Caerdydd, 1951), tt. 53, 94; Ceri Davies (gol.), *Rhagymadroddion a Chyflwyniadau Lladin 1551–1632* (Caerdydd, 1980), t. 116.

[34] Hugh Hughes (gol.), *Barddoniaeth Edward Morris, Perthi Llwydion* (Lerpwl, 1902), t. 39. Gw. hefyd E. D. Jones, 'The Brogyntyn Welsh Manuscripts', *CLlGC*, VI, rhifyn 1 (1949), 29.

[35] PRO C. 24, 562. Gw. Owen, *Wales in the Reign of James I*, t. 149 (n. 108).

1583, er enghraifft, cwynwyd bod achos Hywel ap Gruffudd ab Ieuan, iwmon o Nefyn na fedrai Saesneg, wedi ei gamliwio yn ddifrifol gan y cyfieithydd. Dengys hyn fod y Gymraeg yn cael ei defnyddio yn y llysoedd canolog yn Llundain pan fyddai angen.[36]

Ym 1615, pan gyhuddwyd Syr John Wynn o Wedir yng Nghyngor y Gororau o ymddwyn yn ormesol,[37] fe'i hamddiffynnodd ei hun drwy ddatgan bod ei dystion, 'illiterat simple people, not havinge the English tounge', wedi cael eu holi gan gyfreithiwr o Sais, a orfodwyd i ddefnyddio cyfieithydd, ac amheuai Wynn yn fawr nad oedd hwnnw wedi cyfieithu'r dystiolaeth yn gywir.[38] Cadarnheir y dystiolaeth hon, sef bod y Gymraeg yn cael ei defnyddio ar adegau yn y llys yn Llwydlo, gan y memoranda a luniwyd ym 1641 gan Syr Richard Lloyd o Esclusham ger Wrecsam, twrnai'r brenin yng ngogledd Cymru. Un o'i ddadleuon dros ddiogelu Cyngor y Gororau oedd caniatáu defnyddio'r Gymraeg er mwyn ysgafnhau baich y Cymry uniaith a fyddai, fel arall, yn gorfod teithio i Lundain i chwilio am gyfiawnder mewn llysoedd Saesneg eu hiaith: 'the Common people in Wales', meddai, '. . . had rather forgoe their right then travell to London, beinge for want of being able to speake English dishartened to travell farr.' Er na ddaeth dim o'i gynlluniau, dengys dadl Lloyd fod y Cyngor yn caniatáu defnyddio'r Gymraeg drwy gyflogi cyfieithwyr pan oedd eu hangen.[39] Yr oedd y rhan fwyaf o'r tenantiaid yn y berfeddwlad yn ddibynnol ar ewyllys da a chyngor eu meistr tir, a roddid, gan amlaf, yn Gymraeg. Ar achlysur arall, cyfaddefodd Syr John Wynn fod ganddo reolaeth lwyr dros ei denantiaid yng Ngwedir, a'u bod yn dewis ymddiried ynddo ac yn gwrthod derbyn unrhyw brydles ysgrifenedig ganddo.[40] Er na ellid dibynnu ar gywirdeb cyfieithwyr bob amser, barnwyd mewn adroddiad ar wendidau llywodraeth farnwrol Ulster a gyhoeddwyd ym 1598 fod cyfieithwyr Cymru yn fwy effeithiol a medrus na barnwyr y dalaith honno.[41]

Ar achlysuron arbennig defnyddid y Gymraeg i gyhoeddi datganiadau swyddogol a negeseuon eraill mewn ardaloedd Cymraeg eu hiaith. Clywid seiniau'r Gymraeg hefyd yn rhai o'r mân lysoedd. Yn

[36] Emyr Gwynne Jones (gol.), *Exchequer Proceedings (Equity) Concerning Wales, Henry VIII–Elizabeth* (Cardiff, 1939), t. 46.
[37] J. Gwynfor Jones, 'Sir John Wynn of Gwydir and his Tenants: the Dolwyddelan and Llysfaen Disputes', *CHC*, 11, rhifyn 1 (1982), 1–30.
[38] Ibid., t. 25; LlGC Llsgr. 9055E, f. 725.
[39] Llyfrgell Huntington, San Marino, California, Llsgr. 7466, a ddyfynnir yn A. H. Dodd, *Studies in Stuart Wales* (Cardiff, 1952), tt. 66–7. Gw. hefyd Penry Williams, 'The Attack on the Council in the Marches, 1603–1642', *THSC* (1961), 19.
[40] LlGC Llsgr. 9059E, f. 1188.
[41] *Calendar of State Papers: Ireland, 1598–9* (London, 1895–), rhif CCII (rhan iv), t. 394.

Nhrefdraeth, sir Benfro, cyflwynwyd tystiolaeth yn Gymraeg yn Llys y
Cantref ym 1611–12,[42] ac yn sir Gaerfyrddin ym 1611 lleisiwyd
gwrthwynebiad yn llysoedd lît Caeo, Maenordeilo, Ceithiniog a Malláen
ynglŷn â chaniatáu i Saeson ddal swydd rhaglaw yn y cymydau hynny.
Dywedwyd bod y penaethiaid dig wedi defnyddio 'a Welsh fraze "Trech
gwlad nag arglwith" which ys in English, a whole contrye ys to hard for a
Lord'.[43] Yn Llys Siambr y Seren ym 1587 dywedwyd bod uwch gwnstabl
Llanfarthin, sir Fynwy, wedi cyflwyno gwarant gan y siryf yn Lladin,
Saesneg a Chymraeg.[44] Yn y 1630au cyhoeddwyd rhai dogfennau ynglŷn
â'r dreth longau yn y Gymraeg,[45] a diau y paratoid deisebau, deponiadau a
dogfennau o'r fath yn Gymraeg gan is-swyddogion.[46]

Yn nhystiolaeth Llys y Sesiwn Chwarter, nid oes prinder Cymraeg. Ym
1630 hysbyswyd Syr William Thomas o Goedalun a William Gruffudd,
dau ustus heddwch o sir Gaernarfon, fod Katherine Jeffrey wedi galw
Alice Price yn 'ddihirog bydrog' ac yn 'goegen naughtipake' (gwraig o
gymeriad drwg).[47] Yn yr un flwyddyn honnodd y darpar uwch gwnstabl
Harry ap Jeffrey o Gaerhun yn Arllechwedd Isaf fod yr ustusiaid wedi cael
eu camarwain ynglŷn â'i statws a'i safle. Fe'i disgrifiodd ei hun yn ŵr
tlawd ac anllythrennog na fedrai gyflawni ei ddyletswyddau.[48] Y mae nifer
o ddeisebau cyffelyb wedi goroesi lle y mae'r deisebwyr yn pledio tlodi
neu afiechyd neu'r ddau. Cefnogwyd Robert David o Lanfihangel Glyn
Myfyr yn sir Ddinbych, er enghraifft, gan ei gyd-blwyfolion yn ei ble i'w
esgusodi rhag cael ei benodi yn uwch gwnstabl Isaled am ei fod, yn ogystal
â bod yn dlawd, yn 'illiterate and not having a word of English'.[49] Y
mae'n sicr y byddai Harry Lloyd, gŵr a ddisgrifiwyd fel crwydryn a âi
'from one country to another' ac a gyhuddwyd o ddylanwadu ar bobl leol,
wedi bod o dan anfantais mewn llys barn ym 1636 pe disgwylid iddo ei
amddiffyn ei hun yn Saesneg, fel, yn wir, y byddai'r rhai a'i cyhuddodd.[50]

[42] B. G. Charles, 'The Records of the Borough of Newport in Pembrokeshire', *CLlGC*,
     VII, rhifyn 1 (1951), 44–5.
[43] PRO, Llys Siambr y Seren 8 41/13. Gw. Edwards, *Star Chamber Proceedings*, t. 159;
     Owen, *Wales in the Reign of James I* , t. 131.
[44] Owen, *Wales in the Reign of James I*, t. 108 (P23/31/ (29)).
[45] Gerald Morgan, *The Dragon's Tongue* (Narberth, 1966), t. 42; Williams, *Calendar of the
     Caernarvonshire Quarter Sessions Records*, t. xxxvii.
[46] Benjamin Howell, 'Local Administration and Law Enforcement in Sixteenth-Century
     Monmouthshire, including a Calendar of the Quarter Sessions and Gaol Deliveries Roll
     of 18–19 Elizabeth (1576–77)' (traethawd Diploma Hanes Lleol anghyhoeddedig,
     Prifysgol Cymru, Caerdydd, 1991), tt. 16, 34, 60, 65.
[47] Gwasanaeth Archifau Gwynedd, XQS/1630.
[48] Ibid.
[49] LlGC Llsgr. Chirk Castle 51 (c) 32, 32/1. Gw. hefyd 14 (a) 35, 14 (c) 21, 15 (a) 19, 16
     (b) 9.
[50] Gwasanaeth Archifau Gwynedd, XQS/1636.

Datganodd Lucy Stoddart, gwraig ddibriod o Gaernarfon, mewn Llys Chwarter ym 1650 yr âi ati i fynnu ei chyfiawnder ei hun oni châi gyfiawnder gerbron y llys: 'oni chav gyfraith my fynna gyfraith ar rhay ohonnint am llaw fy hyn'.[51] Yn yr un flwyddyn, galwyd Ellen Jones o'r un dref yn 'strumpet . . . whore and jade' ac yn 'arant whore or carn bitten'.[52] Ym 1659 ymosodwyd yn dreisgar ar feilïaid Caernarfon, gan dynnu un ohonynt i'r llawr, a phan geisiodd godi, fe'i tynnwyd i'r llawr drachefn a dywedwyd wrtho: 'Nid oes dym cyfraith yr rowan iw gael.' Diau fod hyn yn adlewyrchu amhoblogrwydd llywodraeth Biwritanaidd yr oes ymhlith haenau is y gymdeithas.[53] Cafodd William Charles, Llanbeblig, ddirwy o 3s.4c. gan Griffith Jones, ustus Piwritanaidd llym o Gastellmarch yn Llŷn, am gymryd enw'r Arglwydd yn ofer drwy lefaru'r geiriau 'Gwaed yr Arglwydd'.[54] Cyflwynwyd achos yn erbyn Edward Williams a oedd, wrth chwarae nawpin ym mynwent eglwys Llangollen, wedi ymosod ar ryw Edward Abraham â chyllell a thyngu 'seu'all oathes in the Welsh language (to witt) Myn gwaud Christ my ath rhwyga dye ar gillell, wch words are thus in Englishe, By the blood of Christ I will ripp thee wth the knife'.[55] Ym 1660 cyflwynodd Ellis Rowlands, ficer Piwritanaidd Clynnog Fawr a Llanwnda, gŵyn yn erbyn Benjamin Lloyd a David Evans, wedi iddynt gloi drws yr eglwys a'i rwystro rhag mynd i mewn oherwydd ei fod yn defnyddio Beibl nad oedd yn cynnwys y Weddi Gyffredin:

That the said Benjamin Lloyd finding the said Ellis Rowlands to repaire to the parish Church . . . on the second day of December last [1660] did enter into the Church and shut the doore . . . uttering these or the like words: '*Ni chei di ddyfod i mewn ymma*' . . . That upon the said 30 day of December, the said David Evans tooke away the Bible of Grace vch Ffrancis and would not restore it, but uttered expressions about burning it saying these or the like words. (*Mi a fynnwn weled llosgi y Bibles fydd heb y Common Prayers ynddynt*) or (*ni a gawn weled llosci yr holl fibles sydd heb y Common Prayer ynddynt*) and haveing so said he opened and held up the said book, saying *dymma fo*.[56]

Awgryma cyfeiriadau swyddogol fel y rhain fod y Gymraeg yn cael ei defnyddio pan fyddai hynny yn angenrheidiol. Y mae'n amlwg nad

---

[51] Ibid., XQS/1650.
[52] Ibid.
[53] Ibid., XQS/1659. Am drafodaeth bellach ar yr achosion hyn, gw. J. Gwynfor Jones, 'Caernarvonshire Administration: the Activities of the Justices of the Peace, 1603–1660', *CHC*, 5, rhifyn 2 (1970), 153–6.
[54] Gwasanaeth Archifau Gwynedd, XQS/1659.
[55] LlGC Llsgr. Chirk Castle 51 (b) 29.
[56] Gwasanaeth Archifau Gwynedd, XCS/1660; Bob Owen, 'Some Details about the Independents in Caernarvonshire', *TCHSG*, 6 (1945), 38–41.

achosai hynny lawer o broblemau mewn llysoedd lle'r oedd y mwyafrif yn
deall ac yn siarad Cymraeg. Y mae deiseb Gwen ferch Pierce o Lanrwst
ym 1658 yn un ymhlith llu o enghreifftiau sy'n profi, er mai yn Saesneg y
cofnodid manylion y troseddau ar ffeiliau'r sesiynau, mai yn Gymraeg yn
ddieithriad y gwneid yr ymholiadau cychwynnol ac y cesglid y dystiolaeth
a gyflwynid yn Saesneg yn ddiweddarach mewn deisebau a deponiadau i'r
llysoedd.[57] Mynnwyd, serch hynny, fod ffurfioldeb y dulliau cyfreithiol a
gweinyddol yn cael eu parchu er hyrwyddo cyfraith gwlad Lloegr, bod y
dulliau cyfreithiol a gweinyddol yn cael eu cynnal, a bod y cyfan yn cael ei
oruchwylio'n llym. Gan fod y gyfraith honno yn cael ei gweithredu ledled
Cymru am y tro cyntaf, yr oedd yn rhaid sefydlu cynsail cyfreithiol. Felly,
yn sgil penodi ustusiaid y cworwm ac un *custos rotulorum* ar gyfer pob sir
ym 1543, sicrhawyd y byddai'r gyfraith yn cael ei chynnal ac y byddai
swyddogion y llywodraeth, barnwyr y brawdlysoedd a chomisiynwyr yn
medru ymdrin â phob mater a godai yn y Llysoedd Chwarter. Canlyniad
gorfodi'r Saesneg, felly, oedd fod pawb yn glynu wrth yr un ffurf ac
athrawiaeth gyfreithiol.

Beth a wyddom am allu ieithyddol ustusiaid y Llysoedd Chwarter? Yn
y canu mawl i ustusiaid heddwch sy'n perthyn i'r cyfnod rhwng 1540 a
1640 pwysleisir eu bod yn diwallu anghenion y llywodraeth. Cyn y
Deddfau Uno yr oedd amryw o feirdd wedi canu i nifer cynyddol o
noddwyr a geisiai fudd materol. Erbyn hynny, fodd bynnag, yr oeddynt
yn cael blas ar ddiwylliant ehangach ac yn glynu'n fwyfwy cadarn wrth y
frenhiniaeth. Yn y cyfnod cyn y rhyfeloedd cartref yr oedd y rhan fwyaf
o'r ustusiaid mewn cyswllt agos â'u perthnasau a'u deiliaid, ac yn flaenllaw
ym materion y gymuned yr oeddynt yn perthyn iddi. Yr oedd nifer
ohonynt yn noddi beirdd a rhai yn feirdd eu hunain. Y mae'n amheus a
fedrent ddeall na gwerthfawrogi'n llawn gynnwys y canu mawl
rhodresgar, ond y mae corff anarferol fawr o gerddi mawl wedi goroesi o'r
cyfnod wedi marwolaeth Elisabeth I hyd at ddechrau'r rhyfeloedd cartref.
A hithau'n gyfnod o galedi economaidd a newidiadau cymdeithasol,
gwelwyd elfennau newydd yn cael eu hychwanegu at y themâu
confensiynol, a'r beirdd yn dechrau beirniadu boneddigion rheibus a
esgeulusai eu cyfrifoldebau cymdeithasol traddodiadol.[58] Fe'u cynghorid i
lynu'n gaeth wrth egwyddorion cyfreithiol, i fod yn arweinwyr yn eu
hardaloedd ac i warchod y rhai a ddibynnai arnynt.

Yr oedd y canu cynganeddol hefyd yn pwysleisio swyddogaeth y rheini
a oedd yn gyfrifol am gadw trefn. Canmolwyd Syr William Herbert, iarll
Penfro, er enghraifft, gan Wiliam Llŷn am ei barodrwydd i siarad ei

[57] LlGC Llsgr. Chirk Castle 51 14 (c) 22.
[58] D. J. Bowen, 'Y Cywyddwyr a'r Dirywiad', *BBCS*, XXIX, rhan 3 (1981), 453–96.

famiaith â'i gyd-wladwyr yn y Llys ('Doedai ef . . . Gymraec wrth Gymro ai gar').[59] Yr oedd boneddigion a wasanaethai fel siryfion, ustusiaid heddwch ac, wedi 1586–7, dirprwy-raglawiaid – y swydd uchaf oll – yn fawr eu bri yn ogystal. Ar adeg pan oedd y cysyniadau hierarchaidd am gymdeithas o dan fygythiad, amddiffynnai'r beirdd y gwerthoedd traddodiadol a oedd yn seiliedig ar linach a chyfrifoldebau cyhoeddus. Un agwedd ar y cyfrifoldeb hwnnw oedd cynnal yr etifeddiaeth ddiwylliannol, ac yr oedd rhai ustusiaid yn flaenllaw yn y dasg o ddiogelu safonau llenyddol. Yr oedd William Mostyn, er enghraifft, yn gomisiynydd ar gyfer ail eisteddfod Caerwys (1567), wedi iddo ef a'i hynafiaid dderbyn y 'gyfte and bestowing of the sylver harpe appertayning to the Cheff of that facultie'. Ymhlith comisiynwyr eraill yr oedd Syr Richard Bwlclai o Fiwmares, Syr Rhys ap Gruffudd o'r Penrhyn, Dr Elis Prys o Blasiolyn, Ieuan Lloyd o Iâl, John Salusbury o Rug, Rhys Thomas o Gaernarfon, Morus Wynn o Wedir, William Lewis o Fôn, Piers Mostyn o Dalacre, John Lewis Owen o Ddolgellau (mab hynaf yr enwog Farwn Lewis ab Owain a lofruddiwyd ym Mawddwy ym 1555), Simon Thelwall o Blas-y-ward, John Gruffudd o Gefnamwlch a Robert Puleston o'r Bers – pob un yn ustus heddwch. Sefydlwyd y comisiwn er mwyn diwygio urdd y beirdd a honnwyd bod yr aelodau yn 'men both of wysdome and vpright dealing and also of Experience and good Knowledg in the scyence'. Disgwylid iddynt gael gwared â beirdd annheilwng a gwarchod enw da yr eisteddfod.[60]

Rai blynyddoedd cyn hynny mynegodd Syr John Price, Aberhonddu – tirfeddiannwr, cyfreithiwr, gweinyddwr a dyneiddiwr tra nodedig – ei ofid ynglŷn ag anghenion ysbrydol ei genedl ac aeth ati i drosi'r gyffes ffydd, Gweddi'r Arglwydd a'r Deg Gorchymyn a'u cyhoeddi dan y teitl *Yny lhyvyr hwnn* (1546).[61] Y mae'n debyg mai oherwydd yr orchest hon, ynghyd â'i gefnogaeth i'r iaith Gymraeg, y cyfansoddodd Gruffudd Hiraethog awdl er anrhydedd iddo:

> Er bod tro ar y byd rhwydd . . .
> Un ydych ni newidiwyd . . .
> Cymro a dawn Cymru deg,
> Cymroaidd eich Cymräeg . . .[62]

[59] J. C. Morrice (gol.), *Barddoniaeth Wiliam Llŷn* (Bangor, 1908), t. 73.

[60] J. Gwenogvryn Evans, *Report on Manuscripts in the Welsh Language* (2 gyf., London, 1898–1902), I, tt. 291–5. Gw. hefyd Gwyn Thomas, *Eisteddfodau Caerwys: The Caerwys Eisteddfodau* (Caerdydd, 1968), tt. 83–109; D. J. Bowen, 'Ail Eisteddfod Caerwys a Chais 1594', *LlC*, 3, rhifyn 3 (1955), 139–61.

[61] Neil R. Ker, 'Sir John Prise', *The Library*, X (1955), 1–24; R. Geraint Gruffydd, '*Yny lhyvyr hwnn* (1546): The Earliest Welsh Printed Book', *BBCS*, XXIII, rhan 2 (1969), 105–16.

[62] D. J. Bowen (gol.), *Gwaith Gruffudd Hiraethog* (Caerdydd, 1990), tt. 72–3.

Ymhlith y clerigwyr a wasanaethai fel ustusiaid ac a gefnogai'r diwylliant Cymraeg yr oedd William Evans, canghellor a thrysorydd Llandaf, brodor o Langatwg Feibion Afel yng Ngwent. Yr oedd yn noddwr brwd i'r beirdd ac fe'i cyfarchwyd gan nifer ohonynt, gan gynnwys Dafydd Benwyn (a'i galwodd yn 'Ifor Hael Llandaf'), Sils ap Siôn a beirdd eraill o dde Cymru. Cyflogai fardd teulu, sef Maredudd ap Rhosier, a dywedir iddo drefnu eisteddfod yn Llandaf pryd y bu nifer o feirdd yn cystadlu er mwyn dod yn hyddysg yn y gelfyddyd hynafol ('i gany ar wawd am y vaistrola[eth]'). Evans ei hun a Thomas Lewis o Landaf – ustus arall ac aelod o deulu Lewis o'r Fan, Caerffili – oedd beirniaid yr englyn.[63] Bu'r ysgolhaig disglair Dr John Davies, Mallwyd, yn eistedd ar fainc Meirionnydd ac fe'i disgrifiwyd gan Rowland Vaughan, Caer-gai, fel 'vnig Plato ardderchawg o'n hiaith ni'.[64] Yr oedd Edmwnd Prys, Archddiacon Meirionnydd, a'i fab Ffowc Prys o Dyddyn-du, Maentwrog, hefyd yn ustusiaid uchel eu parch am eu cyfraniad i farddoniaeth Gymraeg, fel y tystiodd Gruffudd Phylip yn ei farwnad i'r olaf o'r ddau:

> Hwn a'i dad hynod odiaith
> Oedd yn help i naddu'n hiaith;
> Am ein hiaith o'u meirw weithion
> Amddifad yw'r hollwlad hon,
> Na bo o'r gri mewn bro Gred
> Fyth gellwair y fath golled.[65]

Yr oedd Morus Wynn o Wedir (m.1580) a'i fab, Syr John Wynn, wedi eu trwytho yn niwylliant eu gwlad. Cedwid amryw o gyfrifon ystad Morus Wynn yn Gymraeg a châi ei foli yn fynych gan y beirdd am ei gyfraniad clodwiw fel ustus.[66] Fel y dengys ei lythyr at Syr William Jones, Castellmarch, Arglwydd Brif Ustus Iwerddon, yr oedd Syr John Wynn yn wybodus iawn ynglŷn â hynafiaethau Cymru.[67] Ym 1594 bu'n ymgyrchu'n aflwyddiannus, ynghyd ag ustusiaid blaenllaw eraill megis Piers Gruffudd o'r Penrhyn, a John Conway, Edward Thelwall a Hugh

---

[63] Ceri W. Lewis, 'The Literary History of Glamorgan from 1550 to 1770' yn Glanmor Williams (gol.), *Glamorgan County History, Vol. IV, Early Modern Glamorgan* (Cardiff, 1974), tt. 546–7, 549.

[64] Hughes, *Rhagymadroddion*, t. 120.

[65] Glenys Davies, *Noddwyr Beirdd ym Meirion* (Dolgellau, 1974), t. 210.

[66] LlGC Llsgr. Llanstephan 179B. Gw. Enid Roberts (gol.), *Gwaith Siôn Tudur* (2 gyf., Bangor, 1978), I, tt. 125–6.

[67] LlGC Llsgr. 9058E, f. 1005.

Hookes o Gonwy, o blaid cynnal trydedd eisteddfod yng Nghaerwys.[68] Fel yn achos Huw Nannau Hen, ustus ym Meirionnydd, marwnadwyd Syr John Wynn gan nifer mawr o feirdd a dderbyniasai yn hael o'i nawdd.[69]

Cyfieithodd John Conway III o Fotryddan ger Rhuddlan ddwy gyfrol i'r Gymraeg, sef *Klod Kerdd davod a'i dechrevad*, cyfieithiad o *Apologia Musices* (1588) gan John Case, a *Definiad i Hennadirion*, cyfieithiad o *A Summons for Sleepers, a defence of the Protestant Church* (1589) gan Leonard Wright.[70] Cyflwynodd yr ail gyfrol i'w gefnder Robert Salusbury, ustus arall o Feirionnydd, a pharodd hyn i Huw Pennant dynnu sylw at ddoniau ieithyddol y gŵr o Rug ('ych rhagoriaeth aeth fal ieithydd').[71] Aelod arall o gomisiwn heddwch Meirionnydd oedd Robert Vaughan o Hengwrt, yr achyddwr a'r casglwr llyfrau a llawysgrifau enwog y bu ei gyfraniad i hynafiaeth Gymraeg yn anfesuradwy.[72] Yr oedd Syr John Salusbury o Leweni yn fardd ac yn noddwr beirdd, ac fe'i canmolwyd am ei ymdrechion i warchod yr iaith gan Henri Perri yn ei ragair i *Eglvryn Phraethineb* (1595), a ysgrifennwyd ar gais Salusbury.[73] Edmygai Siôn Dafydd Rhys ddoniau diwylliannol Syr Edward Stradling,[74] a chanmolai hefyd Morgan ap Maredudd, ustus o'r Bugeildy, ger Trefyclo yn sir Faesyfed.[75] Yn ei ragair i *Cambrobrytannicae Cymraecaeve Linguae Institutiones* (1592), cydnabu Siôn Dafydd Rhys mai Stradling oedd ei Faecenas – gŵr tra diwylliedig a graslon,[76] a disgrifiwyd Stradling gan Syr Thomas Wiliems o Drefriw, geiriadurwr a chopïydd, yn ei ragair Lladin i *Thesaurus Linguae Latinae et Cambrobrytannicae*, yn 'brif ymgleddwr ein iaith Gymraec yn neheuwlad Gymru'.[77] Canmolodd hefyd Morus Wynn o Wedir, a'i fab Syr John Wynn, Syr John Stradling, Robert Pugh o Benrhyn Creuddyn, John Edwards o'r Waun, Hugh Gwyn, Berth-ddu, Llanrwst, Edward Thelwall, Plas-y-ward, Rhuthun, a Robert Holland,

---

[68] Thomas, *Eisteddfodau Caerwys*, tt. 109–17; Bowen, 'Ail Eisteddfod Caerwys a Chais 1594', 155–60.

[69] J. Gwynfor Jones, 'Priodoleddau Bonheddig yn Nheulu'r Wynniaid o Wedir', *THSC* (1978), 78 et seq.; Arwyn Lloyd Hughes, 'Rhai o Noddwyr y Beirdd yn Sir Feirionnydd', *LlC,* 10, rhifyn 3 a 4 (1969), 160–2.

[70] Enid Roberts, 'Seven John Conways', *FHSJ,* XVIII (1960), 70–3; Gwendraeth Jones, 'Siôn Conwy III a'i waith', *BBCS,* XXII, rhan 1 (1966), 16–30.

[71] Gwendraeth Jones, op. cit., 26.

[72] E. D. Jones, 'Robert Vaughan of Hengwrt', *CCHChSF,* I, rhan 1 (1949), 21–30; Richard Morgan, 'Robert Vaughan of Hengwrt', ibid., VIII, rhan 4 (1980), 397–408.

[73] Hughes, *Rhagymadroddion*, t. 87.

[74] Davies, *Rhagymadroddion a Chyflwyniadau*, tt. 71–8.

[75] Hughes, *Rhagymadroddion*, t. 81.

[76] Davies, *Rhagymadroddion a Chyflwyniadau*, t. 73.

[77] Hughes, *Rhagymadroddion*, t. 115.

clerigwr a chyfieithydd – nifer ohonynt yn ustusiaid a siryfion gweithgar –
am eu cefnogaeth tra oedd yn ceisio cwblhau ei dasg.

Ymddiddorai George Owen o sir Benfro, achyddwr, hynafiaethydd a
noddwr beirdd, yn fawr mewn agweddau ehangach ar ddiwylliant ac
ysgrifennodd nifer o weithiau pwysig ym maes topograffeg, cymdeithaseg,
y gyfraith a gweinyddiaeth.[78] Ustus blaenllaw arall oedd Peter Mutton o
Lannerch yn sir Ddinbych, a oedd yn ŵyr i'r bardd Gruffudd ab Ieuan.
Gan mai'r Gymraeg oedd iaith gyntaf Mutton, yr oedd yn naturiol mai yn
yr iaith honno yr ysgrifennodd at ei fam yn ei hysbysu o'i briodas â merch
amddifad.[79] Penodwyd Simon Thelwall o Blas-y-ward yn sir Ddinbych,
bardd cynganeddol medrus a fu'n ymryson â Syr Rhys Gruffudd a William
Mostyn, yn un o farwniaid ac ustusiaid y saith sir gan y Frenhines
Elisabeth.[80] Yr oedd hefyd yn un o noddwyr amlycaf y beirdd a chafodd ei
lyfrau ar y gyfraith eu canmol yn fawr. Yn eglwys y plwyf Gresffordd saif
beddrod o faen gwyn ac arno'r geiriau: ' . . . Ei ddiwedd-oes a gartrefodd
ef yn llywodraeth a gwasanaeth ei anedigaeth wlad', yn coffáu'r ustus
heddwch John Trefor o Drefalun (m.1580).[81]

Yn ystod y blynyddoedd rhwng y Deddfau Uno a'r rhyfeloedd cartref
gwelwyd arwyddion fod arferion ac agweddau cymdeithasol yn newid a
bod rhai o'r teuluoedd mwyaf blaenllaw yn dechrau cefnu ar eu
traddodiadau a'u cyfrifoldebau diwylliannol. Llwyddodd y boneddigion i
gael swyddi mewn llywodraeth, i sicrhau addysg dda ac i ymgyfarwyddo â
threfn y llys brenhinol a'i swyddogion. Serch hynny, yr oedd carfan
hynod gref o deuluoedd, yn enwedig yn y gogledd a'r gorllewin, a oedd
yn weithgar ym maes gweinyddiaeth leol ac yn ymddiddori mewn
materion diwylliannol Cymreig. Er bod y beirdd yn gynhyrchiol iawn o
hyd, gwelwyd dirywiad amlwg yn ansawdd y canu.

Yr oedd plastai'r boneddigion yn parhau yn ganolbwynt lle y gallai'r
teuluoedd bonheddig eu harddangos eu hunain fel arweinwyr moesol a lle
y daliai'r Gymraeg i ffynnu, yn enwedig ymhlith y teuluoedd mwyaf
ceidwadol. Erbyn diwedd yr unfed ganrif ar bymtheg, fodd bynnag, yn
sgil yr amgylchiadau cyfnewidiol, gwelwyd y beirdd yn cystwyo'r
boneddigion am gefnu dro ar ôl tro ar eu cyfrifoldebau ac am beidio â rhoi
arweiniad diwylliannol i'w cymunedau.[82] Gan ymwrthod â chonfensiwn

---

[78] Am astudiaeth o ddiddordebau hynafiaethol Owen, gw. B. G. Charles, *George Owen of
Henllys* (Aberystwyth, 1976).
[79] David Jenkins, 'Llythyr Syr Peter Mutton (1565–1637)', *CLlGC*, V, rhifyn 3 (1948),
220–1.
[80] LlGC Llsgr. 1553A, f. 759; *Bywg.*, tt. 876–7.
[81] A. N. Palmer, *A History of the Old Parish of Gresford* (Wrexham, 1905), t. 101; Phillips,
Justices of the Peace in Wales, tt. 55–7.
[82] Am wybodaeth bellach ar y thema hon, gw. J. Gwynfor Jones, *Concepts of Order and
Gentility in Wales 1540–1640* (Llandysul, 1992).

traddodiadol, taranent yn erbyn yr hyn a ystyrid ganddynt yn brif faen tramgwydd i ddatblygiad y gymdeithas, sef penderfyniad y boneddigion i droi cefn ar eu cyfrifoldeb ac ymddieithrio oddi wrth y werin Gymraeg ei hiaith. Cynrychiolai'r Llysoedd Chwarter ethos y gymuned sirol, a phwysleisiai cyfeiriadau'r beirdd at swydd yr ustus eu cyfrifoldebau arbennig. Drwy hyn sicrheid bod y gymdeithas wedi ei threfnu yn briodol, bod cyfraith a threfn yn cael eu cynnal a bod arweiniad yn cael ei barchu. Er bod newidiadau cymdeithasol wedi effeithio ar bob rhan o'r gymdeithas, ymddengys cyfeiriadau lu yn nheyrngedau'r beirdd at ymlyniad arweinyddion y gymuned wrth y dreftadaeth Gymraeg yn ystod y degawdau a ddilynodd deyrnasiad y Tuduriaid. Nid ydynt yn cyfeirio at y defnydd o'r iaith mewn llysoedd barn, ond awgrymant yn gryf, yn achos yr ustusiaid mwyaf diwyd, fod y gweithrediadau yn cael eu cynnal er lles pawb. Y mae Edmund Meyrick o Ucheldref ger Corwen yn enghraifft dda: canmolwyd ef gan Risiart Phylip ar ei benodi yn siryf ym 1632 a chlodforwyd ef yn hael am ei rinweddau fel ustus heddwch.[83] Er na chyfeirir at yr iaith a ddefnyddiai wrth gyflawni ei ddyletswyddau fel siryf ac ustus, yr oedd ei gefndir a'i awdurdod yn fodd i wneud y gyfraith, fel y câi ei gweinyddu ganddo ef, yn fwy dealladwy. Ni ellir gweithredu cyfiawnder, eglura'r bardd, onid yw'n ddealladwy ac yn ystyrlon i'r gymuned. Nid modd i sicrhau unffurfiaeth yn unig mohono ond modd i gynnal gwerthoedd cymunedol. Y mae tystiolaeth gref fod nifer mawr o ustusiaid heddwch a swyddogion eraill yn defnyddio'r iaith Gymraeg cyn 1640. Yn ôl Lewys Morgannwg, yr oedd Lewis Gwyn, Cwnstabl Llandeilo Ferwallt, yn parhau i siarad Cymraeg ac i ymddiddori yn y traddodiad diwylliannol.[84] Canmolwyd Cadwaladr ap Morus, Y Foelas, sir Ddinbych, hefyd gan Ruffudd Hiraethog am ei Gymreictod:

> Sylfaen o ustus haelfawr . . .
> Cymro gloyw Cymraeg lawen . . .[85]

Cyfarchodd Rhys Cain un o Dreforiaid dwyrain sir Ddinbych fel un a barchai anghenion y werin-bobl,[86] ac, fel y tystiai Gruffudd Phylip, yr oedd Rhisiart Fychan II o Gorsygedol yn ddisgybl brwd yn y grefft farddol.[87] Aeth Syr William Maurice, Clenennau, ysgwïer gwlad a oedd yn hyddysg yn hynafiaethau'r genedl, ati yn ddi-oed i amddiffyn urdd y beirdd wrth ymateb i sylwadau dirmygus a wnaed gan berthynas iddo:

[83] Davies, *Noddwyr Beirdd ym Meirion*, t. 215.
[84] LlGC Llsgr. Peniarth 114, f. 5.
[85] Bowen, *Gwaith Gruffudd Hiraethog*, t. 126.
[86] LlGC Llsgr. Peniarth 69, f. 99.
[87] Hughes, 'Rhai o Noddwyr y Beirdd', 147.

my cheefest purpose at this time is rather to expostulate with you for your
unkinde . . . detraction of your owne countrey and countreymen . . . The other
unkinde glance or rather nipping of our country *beirdd* (whoe are muche more
beeholdinge to Lucane . . .) than to you theire owne (country)man . . . fowle is
fowel that files his owne nest.[88]

Yn y 1680au, ar adeg pan oedd hi'n fwy llwm ar y beirdd, disgrifiodd
Edward Morris aelwyd Syr Thomas Mostyn yng Ngloddaeth yn sylfaen yr
iaith.[89] Mewn awdl i Owain Wynn, Glyncywarch, cyfeiriodd Phylip Siôn
Phylip at ddoethineb, dysg a chyfiawnder, pennaf nodweddion y
llywodraethwr anrhydeddus,[90] a mawrygwyd y rhinweddau hynny
ymhellach ym marwnad Siôn Cain i Syr Siams Prys o Ynysymaengwyn:

> Calon dewrion i'w diroedd
> Cefn drws y cyfiawnder oedd . . .
> Cefnodd, cadwodd le cadarn,
> Cefn y fainc, cyfiawna'i farn.[91]

Cytgord cymdeithasol a oedd uchaf ym meddwl y bardd, a gallai hynny
olygu defnyddio iaith at ddibenion gweinyddu cyfraith a threfn. Cwynai'r
beirdd fwyfwy am y difrawder cynyddol ynghylch yr iaith ymhlith y
dosbarthiadau breintiedig; dyna hefyd a wnâi'r dyneiddwyr Pabyddol a
Phrotestannaidd, gan dynnu sylw at amharodrwydd gwŷr bonheddig i
ddefnyddio a swcro'r Gymraeg.[92] Credai Robert Gwyn, yr offeiriad
reciwsant ac awdur honedig y rhagair i *Y Drych Cristianogawl* (1587), y
dylai'r boneddigion roi gwell esiampl i'w deiliaid drwy ddefnyddio'r
Gymraeg yn amlach, er mai ychydig o grap a oedd ganddynt arni.[93] Yr
oedd arwyddion o'r dirywiad wedi dod i'r amlwg tua diwedd yr unfed
ganrif ar bymtheg mewn rhai rhannau o Gymru, fel y tystia nifer o feirdd.
Ymddengys, er enghraifft, na lwyddodd Meurig Dafydd, bardd dawnus o
Forgannwg a gyflogid gan Lewisiaid Y Fan, i wneud argraff ar William
Basset o Fewpyr, 'the good ould squier', fel y'i gelwid, 'with a cowydh,
odle or englyn . . . containinge partelie the praises of the gentleman, and
partelie the pettygrees and matches of his auncestors'. Er i'r bardd dderbyn
ei dâl arferol am ei ymdrech, llugoer fu'r ymateb i'w gerdd ac fe'i taflwyd

[88] Jones Pierce, *Clenennau Letters and Papers*, tt. 134–5 (rhif 474).
[89] Hughes, *Barddoniaeth Edward Morris*, tt. 36–8.
[90] Davies, *Noddwyr Beirdd ym Meirion*, t. 86.
[91] LlGC Llsgr. Peniarth 116, f. 813.
[92] Hughes, *Rhagymadroddion*, t. 53.
[93] Ibid., tt. 53–4.

'. . . sure enough unto the fier'.[94] Y trawsnewid cymdeithasol ac economaidd a oedd yn bennaf cyfrifol am yr agwedd negyddol hon ond, yn ystod y cyfnod rhwng y Deddfau Uno a'r rhyfeloedd cartref, ymddengys fod llawer o'r boneddigion a oedd wedi aros gartref i weinyddu cyfiawnder yn ogystal â'u hystadau yn parhau i siarad Cymraeg da ac i groesawu beirdd. Serch hynny, fel y dywedodd Simwnt Fychan, tuedd y rhai a gafodd waith a golud mewn mannau eraill oedd ei hanwybyddu:

> Maent wŷr ifanc mewn trefi
> Yn gwatwar gwaith ein hiaith ni.[95]

Ym 1651 cyhoeddodd John Edwards (Siôn Treredyn), offeiriad cyffredin o Galdicot yng Ngwent, ei gyfieithiad o *Marrow of Modern Divinity* gan Edward Fisher. Yn ei ragair cwyna am ddiffyg diddordeb y Cymry yn eu hiaith er gwaethaf ei threftadaeth hynafol, a gresyna fod cyn lleied o lyfrau Cymraeg yn cael eu hargraffu.[96] Yr oedd ei gŵyn yn debyg i eiddo awduron eraill o'i genhedlaeth, sef nad oedd arweinwyr cymunedau lleol yn cyflawni eu dyletswyddau mor ddiwyd ag y gallent. Cyflwynwyd y gwaith i rai o deuluoedd mwyaf amlwg a chefnog deddwyrain Cymru, sef teuluoedd Herbert Sain Silian a Rhaglan, a theuluoedd Morgan o Dredegyr, Cemeis o Gefnmabli a Williams o Langybi yng Ngwent.[97] Yn ôl sylwadau John Edwards, nid oeddynt yn gefnogwyr brwd i'r iaith Gymraeg ar yr adeg honno, eithr meddent ar linach nodedig, a mawr oedd eu dylanwad ar gomisiynau heddwch siroedd Mynwy a Morgannwg:

canys, fel y gwelwn ni beunydd, hwy nac yr elo na Chymro na Chymraes i Lundain, neu i Caerloyw neu i un fann arall o Loeger, a dysgu ryw ychydig o saesneg, hwy a wadant eu gwlad a'u hiaith eu hunain. Ac o'r Cymru cartrefol, ie ym mhlith y Pendefigion yscholheigiaidd, ie ym mysc y Dyscawdwyr Eglwysig, braidd un o bwmtheg a fedr ddarllen, ac yscrifennu Cymraeg.

Y mae'n arwyddocaol fod aelodau o deuluoedd a roesai yn y gorffennol nawdd a lletygarwch i'r beirdd yn cael eu hystyried, ym mlynyddoedd canol yr ail ganrif ar bymtheg, yn ddigon hyddysg yn yr iaith Gymraeg i

---

[94] John Stradling, *The Storie of the Lower Borowes of Merthyrmawr*, goln. H. J. Randall a William Rees (South Wales and Monmouth Record Society, I, [1932]), tt. 70–1; Lewis, 'The Literary History of Glamorgan', tt. 539–40.

[95] Caerdydd, Llsgr. 4.101, f. 112r.

[96] John Edwards, *Madruddyn y difinyddiaeth diweddaraf* (Llundain, 1651) sig. A4v; W. J. Gruffydd, *Llenyddiaeth Cymru: Rhyddiaith o 1540 hyd 1660* (Wrexham, 1926), t. 130.

[97] Phillips, *Justices of the Peace in Wales*, tt. 360–1.

deilyngu parch offeiriad gwlad. Ceryddodd John Edwards foneddigion ac offeiriaid dysgedig ei gyfnod yn llym am esgeuluso'r iaith a'i diwylliant mewn cyfnod o argyfwng ac apeliodd ar benaethiaid y teuluoedd hynny a grybwyllwyd ganddo i dderbyn ei waith yn raslon fel arwydd o'u cariad at yr iaith.[98]

Nid cynyrfiadau gwleidyddol a chrefyddol y 1640au a'r 1650au yn unig a oedd yn gyfrifol am y dirywiad diwylliannol graddol, yn enwedig ymhlith y teuluoedd mwyaf llewyrchus a oroesodd y drefn Biwritanaidd ac a adferwyd i'w hen safle o fewn y gymdeithas. Daethai newidiadau cymdeithasol i'r amlwg yn ystod y ganrif flaenorol, pan effeithiodd tueddiadau ac agweddau newydd yn drwm ar y dosbarthiadau llywodraethol. Cyrhaeddodd hyn oll, fodd bynnag, benllanw yng nghanol yr ail ganrif ar bymtheg. Gan fod Cymru, at ei gilydd, yn bleidiol i'r frenhiniaeth yn bennaf yn ystod y rhyfeloedd cartref a'r degawd Piwritanaidd a'u dilynodd, dirywio yn raddol a wnaeth grym economaidd y boneddigion. Bu'r rhyfeloedd yn gyfrifol am danseilio masnach, gorfodwyd teuluoedd i dalu dirwyon llym a chafodd ystadau llawer ohonynt eu hatafaelu. Yr oedd llawer o foneddigion yn ddig iawn hefyd oherwydd bod unigolion o statws israddol wedi eu disodli o dan lywodraeth y Piwritaniaid. Bu newid yn amgylchiadau'r tirfeddianwyr wedi'r Adferiad ac ymddangosodd rhwyg rhwng y teuluoedd bonedd Seisnigedig, a ymbellhâi fwyfwy oddi wrth eu hardaloedd gwledig ar y naill law, a'r boneddigion brodorol, a ddioddefodd ergydion trwm yn sgil cyni economaidd y 1640au a 1650au, ar y llaw arall. Ni allent ymladd am seddau seneddol ond parhaent i gyfrannu at lywodraeth gyhoeddus fel aelodau o'r comisiynau heddwch lleol. Wedi 1733, serch hynny, gwelwyd cynnydd yn isafswm yr eiddo yr oedd hi'n ofynnol i ustusiaid fod yn berchen arno i ganpunt y flwyddyn. Y bwriad oedd ffrwyno uchelgais tirfeddianwyr llai cefnog a ddymunai wasanaethu fel ustusiaid.[99] O ddiwedd yr ail ganrif ar bymtheg ymlaen gwelwyd penteuluoedd cyffredin eu byd, a ddaliai swyddi ac a oedd yn berchen ar rywfaint o dir, yn dod yn gynheiliaid y gymdeithas yng Nghymru. Cefnogent achosion dyngarol, tanysgrifient i gyhoeddiadau crefyddol Cymraeg, ac yr oeddynt yn fawr eu gofal dros y gymuned wledig. Yr oedd gan y bonedd mwyaf cefnog ddigon o gyfalaf i fuddsoddi mewn tir, i fanteisio yn llawn ar gytundebau priodasol ac i sicrhau swyddi bras. I'r gwrthwyneb, ni allai'r llai cefnog, a lyffetheiriwyd yn aml gan forgeisi trymion ac a oedd ar drugaredd usurwyr

---

[98] Gruffydd, *Llenyddiaeth Cymru*, t. 130.
[99] 5 Siôr II, p.18 (1732); 18 Siôr II, p.20 (1745). *The Statutes at Large*, VI, 1730–46 (1769), tt. 83–4, 610–12.

Llundain, ddatblygu ystadau mawrion, a dibynnent ar renti a gwerthiant cynnyrch amaethyddol a da byw am eu bywoliaeth.[100]

Er gwaethaf y dirywiad enbyd yng nghynnyrch y beirdd ar ddiwedd yr ail ganrif ar bymtheg a dechrau'r ddeunawfed, cenid teyrngedau i foneddigion canolig ac isel eu hystad ar adeg pan oedd newidiadau ffurfiol yn cael eu cyflwyno yn iaith y llysoedd yng Nghymru a Lloegr. Ym mis Tachwedd 1650 deddfwyd bod y 'Bookes of Law, and all Process and Proceedings in Courts of Justice' i'w cadw yn Saesneg, gan ddisodli'r Lladin ar gyfer cofnodion ffurfiol,[101] er yr adferwyd y Lladin drachefn ym 1660. Ym 1733 deddfwyd (6 Siôr II, p.14) bod pob llys – gan gynnwys llysoedd Cymru – i ddefnyddio'r Saesneg yn unig ac i gofnodi'r gweithrediadau 'in a common legible hand and character',[102] gan rymuso deddf a luniwyd ym 1731 (4 Siôr II, p.26) ac a gyfeiriai at Loegr a'r Alban yn unig.[103] Yn y ddeddf gyntaf nodwyd bod y cofnodion wedi eu hysgrifennu gynt 'in an unknown Language', sef Lladin, a bod 'those who are summoned and impleaded had no knowledge or understanding of what is alleged for or against them in the Pleadings of their lawyers and attornies . . .'[104] Os oedd y gyfraith yn barod i gyfaddef bodolaeth y fath sefyllfa yn llysoedd Lloegr, pa faint mwy o ddryswch a fodolai yn llysoedd Cymru, lle na ddeallai'r mwyafrif y naill iaith na'r llall? Nodwedd ddiddorol arall o ddeddf 1733 yw'r ddirwy o hanner canpunt a bennid pe defnyddid unrhyw iaith arall, awgrym y gallai defnyddio'r Gymraeg fod yn hawlio cosb. Y mae holl gofnodion y Llysoedd Chwarter wedi 1733 yn Saesneg ac ychydig iawn o Gymraeg a geir ynddynt. Serch hynny, ymddengys nifer o achosion o athrod yn ffeiliau Morgannwg.[105] Yng Nghaerdydd ar ddydd Gŵyl Fihangel 1729 dygodd Ann Lewis, gwraig ddibriod, achos yn erbyn John David *alias* Bowen o Lanfihangel-ynys-Afan, gweithiwr, am yngan y canlynol: 'Mi fuo gan ferch Shôn Lewis yr High Constable gan waith heb yr un waith ddiwethaf.'[106] Clywyd achos diddorol arall o athrod yng Nghastell-nedd ym mis Gorffennaf 1730, yn erbyn Margaret gwraig John Richard, am siarad â Rachel William ynghylch William Williams o Lansamlet:

---

[100] Am drafodaeth ar ymraniadau cymdeithasol a gweithgareddau ustusiaid Cymru yn y ddeunawfed ganrif, gw. Geraint H. Jenkins, *The Foundations of Modern Wales. Wales 1642–1780* (Oxford, 1987), tt. 165–72, 219–22, 323–5, 327–8, 333–41.

[101] C. H. Firth ac R. S. Rait (goln.), *Acts and Ordinances of the Interregnum, 1642–1660* (2 gyf., London, 1982), II, tt. 455–6.

[102] *Statutes at Large*, VI (1769), tt. 119–20; III (1603–98) (1763), t. 146.

[103] Ibid., VI, tt. 65–6.

[104] Ibid., VI, t. 65.

[105] J. H. Matthews (gol.), *Records of the Borough of Cardiff* (6 chyf., Cardiff, 1901), III, tt. 198 et seq.

[106] Ibid., t. 202.

Rachell, Rachell, Rachell, ble may Will dy fâb dy y guattws yn yr Claudd ag y
rheibws fy whech mochen i ag oedd ar y Maes, ble may ef, i mi gael y gwade ef
rhag ofn iddo ddwad ith i rheibo mwy y forry etto, mi vynna y croggy ef
gwnna beth y costa i mi.[107]

Llefarwyd geiriau athrodus yn Llangyfelach ym 1733: 'Fi ddaeth gwraig
ach o Languick a Mochin o Landeilo hyd y Pwll Brwnt dan Dregibe ag fe
ddaeth dau ar ei ol hy ag a cymmerth ef i fynnydd oddiwrthi.' Ar ofyn iddi
'Daeth hi ag ef yn lleddrad?' atebwyd: 'Do, fe ddaeth.'[108] Nid cymhwyster
ustusiaid i wrando ar achosion o'r fath yn Gymraeg sy'n bwysig, ond yn
hytrach y ffaith fod yr union eiriau Cymraeg wedi eu cofnodi er mwyn
profi i'r llys iddynt gael eu llefaru. Yn ôl Brian Ll. James, siaredid y
Gymraeg yn bennaf yn ucheldir Morgannwg yn y ddeunawfed ganrif ac
yr oedd yn gyffredin iawn yn ardal Caerdydd yn ogystal.[109] Yn *A Walk
through Wales in August 1797*, dywed Richard Warner ei fod yn synnu
faint o Gymraeg a siaredid yn Y Fenni.[110] Dywedodd John Byng, 5ed Is-
iarll Torrington yn ddiweddarach, iddo glywed cymaint o Gymraeg ag o
Saesneg ar gyrraedd Casnewydd ym 1787, ac iddo ddod ar draws amryw o
bobl ar gyrion Caerdydd nad oeddynt yn deall Saesneg.[111] Cofnododd
William Thomas o Sain Ffagan, ysgolfeistr a dyddiadurwr, yn ei
ddyddiadur ar gyfer 20 Ebrill 1763 fel a ganlyn: 'Quarter Session ended at
Cowbridge . . . There was licensed one Isaac that knew but little English,
for a dissenting Minister'.[112] Ni wyddys pwy yn union oedd yr Isaac hwn
ond y mae'n amlwg fod rhai o'r ustusiaid wedi medru ymdrin â'i achos
heb orfod defnyddio cyfieithydd.

   Ym Meirionnydd yn ystod haf 1746 daeth achos y pregethwr Methodist
Lewis Evan o Lanllugan yn sir Drefaldwyn gerbron William Price,
Rhiwlas. Fe'i cyhuddwyd o bregethu, 'cynghorio' a darllen yr Ysgrythur
yn Y Bala heb drwydded, 'speaking and uttering several profane and
blasphemous words'.[113] Y mae'n debyg i'r geiriau hyn gael eu llefaru yn
Gymraeg a'u defnyddio yn y llys fel tystiolaeth yn erbyn y diffynnydd. Y
mae'n bosibl y cynhelid achosion o'r fath bron yn gyfan gwbl yn Gymraeg

---

[107] Ibid., t. 203.
[108] Ibid., t. 210.
[109] Brian Ll. James, 'The Welsh Language in the Vale of Glamorgan', *Morgannwg*, XVI
    (1972), 22.
[110] R. Warner, *A Walk Through Wales in August 1797* (Bath, 1801), t. 37.
[111] John Byng, *The Torrington Diaries*, gol. C. B. Andrews (6 chyf., London, 1934), I,
    tt. 278, 280.
[112] Caerdydd Llsgr. 4.877. Dymunaf ddiolch i Mr Brian Ll. James am yr wybodaeth hon.
[113] Bob Owen, 'Cofnodion Chwarter Sesiwn Sir Feirionnydd am Lewis Evan, Llanllugan,
    1746', *CCHMC*, XLIII, rhifyn 2 (1958), 42–3; Richard Bennett, 'Lewis Evan,
    Llanllugan', ibid., VI, rhif 3 (1921), 51–6; Williams-Jones, *Merioneth Quarter Sessions
    Rolls*, tt. xxii, 46–8, 285.

gan fod Price yn hynafiaethydd nodedig ac yn Gymro Cymraeg, fel yn wir yr oedd swyddogion eraill y llys.[114] Y mae tystiolaeth yn rholiau llys tymor Hilari (1782), y Pasg a'r Drindod (1785) a'r Pasg (1786) ym Meirionnydd yn awgrymu bod y Gymraeg yn cael ei defnyddio yn y llys.[115] Yng nghofnodion a Chofrestr Festri Plwyf Llanuwchllyn, ceir cofnodion yn Saesneg ac yn Gymraeg.[116] Yn sir Fynwy ceir cofnod ar gyfer 25 Mawrth 1803 yn Llyfr Cyfrifon y Trysorydd (1803–14) gogyfer â thalu cyfieithwyr y llys.[117] Derbyniodd John Jones o Langatwg ger Castell-nedd ddirwy o ddecpunt ar 14 Gorffennaf 1778 am gamymddwyn ac fe'i cadwyd yn y ddalfa hyd nes iddo ei thalu. Ar yr achlysur hwnnw clywodd yr ustusiaid y diffynnydd yn datgan yn Gymraeg eiriau a gofnodwyd yn Saesneg fel a ganlyn: 'The Bench are a lot of Cheaters, I look upon them as dividing the spoils, particularly the old cheat and kite Gabriel' [sef Gabriel Powell o Abertawe].[118] Nodwyd ym 1793 fod pledion yn cael eu cynnal yn Gymraeg, drwy gyfrwng cyfieithwyr, yn Llys y Sesiwn Fawr yn Nolgellau.[119] Mewn cofnodion cyffelyb ar gyfer sir Benfro ym 1801 ceir deiseb Gymraeg yn galw am docio pris ŷd, ac arweiniodd John Ladd, maer Trefdraeth, orymdaith i Lwyn-gwair i geisio cefnogaeth George Owen, yr ustus lleol.[120]

Ymhlith ustusiaid mwyaf blaenllaw Meirionnydd yn y ddeunawfed ganrif yr oedd Robert Vaughan o Hengwrt, gorwyr yr hynafiaethydd disglair, a'i fab Hugh Vaughan, Hugh Hughes Lloyd o Werclas, William Wynn (mab Ellis Wynne o'r Lasynys a aeth ati yn ei lyfr enwog, *Gweledigaetheu y Bardd Cwsc* (1703), i ddifrïo'r swydd a swyddogion eraill a gysylltid â'r Llys Chwarter),[121] William Price o Riwlas a William Vaughan o Gorsygedol a Nannau, 'Penllywydd' cyntaf Anrhydeddus

114 *Bywg.*, t. 736.
115 Williams-Jones, *Merioneth Quarter Sessions Rolls*, tt. xxi (n. 5), xxii, 32 (n. 47), 64 (n. 107), 216, 265 (n.).
116 Henry Thomas, 'An Old Vestry Book', *CCHChSF*, II, rhan 1 (1953), 39–44; G. Bowen Thomas, 'Llanaber Vestry Records, 1726–54', ibid., II, rhan 4 (1956), 271–84. Gw. hefyd T. C. Mendenhall, 'A Merioneth Wage Assessment for 1601', ibid., II, rhan 3 (1955), 204–8.
117 Archifdy Gwent. Llyfr Cyfrifon y Trysorydd 1803–14.
118 Archifdy Sir Forgannwg. Llyfr Archebion 1778–81. Gw. Thomas H. Lewis, 'Documents Illustrating the County Gaol and House of Correction in Wales', *THSC* (1946–7), 243–4.
119 LlGC Llsgr. 9854C. Gw. Peter R. Roberts, 'The Merioneth Gentry and Local Government *circa* 1650–1838', *CCHChSF*, V, rhan 1 (1965), 34.
120 R. Thorne ac R. Howell, 'Pembrokeshire in Wartime 1793–1815' yn Brian Howells (gol.), *Pembrokeshire County History Vol. III. Early Modern Pembrokeshire, 1536–1815* (Haverfordwest, 1987), tt. 381–2; Francis Jones, 'Disaffection and Dissent in Pembrokeshire', *THSC* (1946–7), 226 (n. 1).
121 Aneirin Lewis (gol.), *Gweledigaetheu y Bardd Cwsc* (Caerdydd, 1960), t. 120; Gwyn Thomas, *Y Bardd Cwsg a'i Gefndir* (Caerdydd, 1971), tt. 75–7.

Gymdeithas y Cymmrodorion, a gŵr a ystyrid yr olaf o'r hen uchelwyr Cymreig.[122] Yn sir y Fflint, yr oedd Syr Thomas Mostyn, yr ail farwnig (m.1700?), a'r pumed barwnig, Syr Roger Mostyn (m.1796), yn ymddiddori'n fawr yn llenyddiaeth a hynafiaethau Cymru, a disgrifiwyd y cyntaf o'r ddau yn 'great collector of Welsh MSS and much inclined to Welsh genealogy'.[123] Ymhlith y rhestr hirfaith o danysgrifwyr i'r gyfrol *Antiquae linguae Britannicae thesaurus* (1753) gan Thomas Richards yr oedd William Price, Syr Thomas Mostyn, Robert Myddelton o Gastell Y Waun, Vincent Corbett o Ynysymaengwyn, John Vaughan, Cwrt Derllys, sir Gaerfyrddin, John Lewis, Gernos, sir Aberteifi, William Morgan o Dredegyr, Thomas Lewis o Lanisien, Robert Gwynne o Lanbrân a Marmaduke Gwynne o'r Garth, pob un ohonynt yn ustusiaid heddwch ac yn dal swyddi eraill o fewn eu siroedd.[124] Yn ogystal â thanysgrifio i nifer o lyfrau Cymraeg, bu John Vaughan hefyd yn gefnogol iawn i gynlluniau i'w cyhoeddi a'u marchnata ar y cyd â'r Gymdeithas er Hyrwyddo Gwybodaeth Gristnogol.[125] Ariannwyd *Cydymmaith i'r Allor* (1711), cyfieithiad Moses Williams o gyfrol William Viccar, *Companion to the Altar*, gan John Lewis, Gernos, Llangunllo, ac yr oedd Walter Lloyd, Coedmor, yn rhannol gyfrifol am noddi cyfrol Alban Thomas, *Dwysfawr Rym Buchedd Grefyddol* (1722).[126] Yr oedd o leiaf draean o'r 141 ustus ar gomisiwn Morgannwg rhwng 1774 a 1782, yn enwedig y rhai o'r Blaenau, yn gyfarwydd â'r iaith Gymraeg ac mewn sefyllfa i'w defnyddio yn y llys pe bai angen. Yn eu plith yr oedd John Bevan o Gastell-nedd, William Jenkins o Landdunwyd, Edward Thomas o Dregroes, William Thomas o Lanbradach (Llanfabon) a George Williams o Aberpergwm.[127] Gwyddys bod Edmund Thomas o Wenfô (m.1677) yn siarad Cymraeg â'i deulu ond bod disgynnydd iddo, o'r un enw, wedi gorfod defnyddio cyfieithydd at y pwrpas hwnnw yn y 1750au.[128]

Ym mlynyddoedd canol a diweddar y ddeunawfed ganrif yr oedd llawer o ustusiaid sir Aberteifi yn Gymry Cymraeg. Yn eu plith yr oedd Thomas Lloyd o Fronwydd, John a Syr Herbert Lloyd o Ffynnon Bedr, a David Lloyd o Fraenog. Yr oedd rhai, megis Thomas Johnes, Aber-mad, a'i fab

[122] Peter R. Roberts, 'The Social History of the Merioneth Gentry *circa* 1660–1840', *CCHChSF*, IV, rhan 3 (1963), 227.

[123] *Bywg.*, tt. 634–5. Gw. *DWB*, t. 674, am y cyfeiriad hwn.

[124] Thomas Richards, *Antiquae linguae Britannicae thesaurus* (Bristol, 1753), [d.t.].

[125] Geraint H. Jenkins, *Literature, Religion and Society in Wales, 1660–1730* (Cardiff, 1978), tt. 113, 253, 269; Mary Clement, 'John Vaughan, Cwrt Derllys, a'i Waith', *THSC* (1942), 73–107.

[126] Jenkins, *Literature, Religion and Society*, t. 269.

[127] Yr wyf yn ddiolchgar i Mr Brian Ll. James am yr wybodaeth hon.

[128] Philip Jenkins, *The Making of a Ruling Class: the Glamorgan Gentry 1640–1790* (Cambridge, 1983), t. 194.

o'r un enw, a George Jones o Roscellan, yn weision cyhoeddus mor ddiffygiol nes yr ystyriwyd eu diswyddo o'r fainc. Achos y barwnig Syr Herbert Lloyd, brawd ieuengaf John Lloyd, sy'n datgelu orau, fodd bynnag, pa mor ormesol y gallai rhai ustusiaid heddwch fod pan oedd eu buddiannau personol hwy yn y fantol. Y cymeriad trahaus ac awdurdodol hwn a oedd wrth wraidd yr anghydfod enwog ynglŷn â mwynfeydd plwm Esgair-mwyn ger Ysbyty Ystwyth ym 1753. Lewis Morris, yr hynafiaethydd enwog o Fôn a Dirprwy Stiward Maenorau'r Goron yn sir Aberteifi ar y pryd, a oedd yn gyfrifol am ddiogelu buddiannau'r Goron yn Esgair-mwyn, lle y darganfuwyd dyddodion haearn crai cyfoethog ym 1751.[129] Un o'i ddyletswyddau oedd rhwystro unrhyw ymyrraeth ar ran boneddigion lleol rhyfygus a oedd â'u bryd ar ymestyn eu heiddo yng nghanolbarth a gorllewin Cymru ond, wedi ymarfogi â phistol, arweiniodd Syr Herbert Lloyd a'i berthynas a'i gyd-ustus, William Powell, Nanteos, giwed derfysglyd o gefnogwyr i Esgair-mwyn a bygwth saethu Morris. Nid oedd hon ond un ymhlith lliaws o ymdrechion ar ran Lloyd i geisio dangos ei awdurdod yn y dull mwyaf mympwyol. Nid ef oedd yr unig un mewn swydd i ddiystyru'r gyfraith a gweithredu fel teyrn, oherwydd mewn cymdeithas wledig glòs, gallai'r gwŷr a oedd mewn grym gamddefnyddio eu hawdurdod yn gwbl ddigywilydd. Yr oedd eu safle o fewn y gymdeithas a'u harweinyddiaeth yn ddiogel, ac ni allai neb eu herio yn effeithiol. Yr oedd y rhan fwyaf o ustusiaid, fodd bynnag, yn wŷr bonheddig digon cyffredin eu byd, a gyflawnai eu dyletswyddau cyfreithiol a gweinyddol, yn aml mewn cymunedau uniaith Gymraeg, yn dawel, yn gyfrifol ac yn weddol effeithlon.

Mewn siroedd gwledig cynhelid y Llys Chwarter yn aml mewn adeiladau digon dirodres a chan y byddai'r llys, yn sir Aberteifi er enghraifft, yn ymgynnull mewn tafarndai – yn Llanbedr Pont Steffan a Thregaron gan amlaf – y mae'n ddiamau y byddai'r swyddogion a'r rhai a fynychai'r llys yn sgwrsio â'i gilydd yn Gymraeg. Nid oes dim dwywaith mai Cymry uniaith Gymraeg oedd yr arolygwyr priffyrdd a phontydd lleol, goruchwylwyr y tlodion, a'r rhai a fynychai'r llys o ardaloedd gwledig pellennig megis Llangeitho, Llanbadarn Odyn, Lledrod, Llandysul, Blaenpennal a Llangwyryfon. Câi cwnstabliaid y sir eu dirwyo neu eu ceryddu yn aml am beidio â phenodi rhydd-ddeiliaid i wasanaethu ar reithgorau. Y mae'n bosibl mai'r anhawster o ddod o hyd i unigolion a fedrai ddigon o Saesneg i wrando achosion a gynhelid yn gyfan gwbl yn yr

---

[129] Bethan Phillips, *Peterwell: the History of a Mansion and its Infamous Squire* (Llandysul, 1983), tt. 63–71; David W. Howell, *Patriarchs and Parasites: The Gentry of South-West Wales in the Eighteenth Century* (Cardiff, 1986), tt. 164–5; Jenkins, *The Foundations of Modern Wales*, tt. 164–72.

iaith honno a gyfrifai am hyn.[130] Yn sir Frycheiniog, y mae'n debyg mai
pregethu grymus Howel Harris yn Gymraeg a arweiniodd at dröedigaeth
yr ustus heddwch, Marmaduke Gwynne o'r Garth, ym 1737. Cyd-dynnai
Harris yn dda â bonheddwyr a bu'n pregethu yn nhŷ un ustus heddwch,
sef John Morris, Carrog, Llanddeiniol.[131] Ymwelai Thomas Price o
Watford, Caerffili ('Price y Justis'), un o ddilynwyr cynnar mwyaf selog
Harris, â brawdlysoedd y tu allan i'w sir ei hun er mwyn amddiffyn
Methodistiaid a gyhuddid o fradwriaeth.[132]

Daeth tro ar fyd, fodd bynnag, a gwelwyd y teuluoedd mwyaf cefnog
yn ymbellhau oddi wrth iaith a diwylliant y werin-bobl. Yn ei ragair i
Antiquae linguae Britannicae thesaurus, gresynai Thomas Richards fod
boneddigion da eu byd wedi Seisnigo ac yn dymuno gweld tranc yr
iaith.[133] Aeth John Evans ar yr un trywydd yn ei *Topographical and Historical
Description of North Wales* (1819) drwy gyfeirio at safbwynt cyffelyb at y
diwylliant Cymreig ymhlith y llywodraethwyr lleol, yn enwedig y rhai a
ddringasai yr ysgol gymdeithasol ac a oedd yn gyfrifol am weinyddiaeth
leol: 'The gentry of the country are principally educated in England',
meddai, 'and consequently few of them speak it, and many of them wish
for its extermination.'[134] Rai blynyddoedd ynghynt cofnododd Benjamin
Heath Malkin, yn ystod ei daith drwy dde Cymru ym 1803, y gallai'r iaith
Gymraeg fod yn andwyol i ddiffynyddion mewn llys barn pe parheid i
gyflogi cyfieithwyr i hwyluso gweithredu prosesau cyfreithiol:

> This interpreter, however distinguished may be his skill, can never convey the
> exact meaning, the tone, the gesture, as it bears upon the verbal impact of the
> evidence, the confidence or hesitation of the witnesses. The consequence is,
> that property or even life may be endangered by a defective interpretation . . .
> Such an evil . . . appears to be irremediable at present, and likely to remain so,
> unless the language of the superior country shall eventually supersede the
> ancient tongue, and become universal.[135]

Cyfeirio at sir Aberteifi yr oedd Malkin yn y darn uchod, a'r tebyg yw mai
cylchdaith y Sesiwn Fawr yng Nghaerfyrddin a oedd dan sylw yn hytrach

---

[130] LlGC, Cofysgrifau Llysoedd Chwarter Sir Aberteifi OB/1–4.

[131] Gomer M. Roberts (gol.), *Selected Trevecka Letters (1742–1747)* (Caernarfon, 1956), t. 2.

[132] J. Price Williams, 'Plas y Watford a'i Berchennog', *CCHMC*, XXXIX, rhifyn 3 (1954),
57.

[133] Richards, *Antiquae linguae*, tt. xv–xvi; Francis Jones, 'The Old Families of Wales' yn
Donald Moore (gol.), *Wales in the Eighteenth Century* (Swansea, 1976), tt. 36–40.

[134] John Evans, *A Topographical and Historical Description of North Wales* (London, 1819),
t. 129.

[135] Benjamin H. Malkin, *The Scenery, Antiquities, and Biography, of South Wales* (ail arg., 2
gyf., London, 1807), II, tt. 29–30; Howell, *Patriarchs and Parasites*, tt. 155–6.

na'r Llys Chwarter. Gan mai Sais oedd barnwr y brawdlys, gallai anawsterau o'r fath gael effaith andwyol ar achos y diffynnydd ond, yn y Llysoedd Chwarter, y mae'n ddiau fod presenoldeb ustusiaid a swyddogion Cymraeg eu hiaith yn lliniaru ychydig ar y sefyllfa.

Pa ffactorau cymdeithasol, felly, a fu'n fodd i hyrwyddo'r defnydd a wnaed o'r Gymraeg yn y Llysoedd Chwarter yn ystod y ddwy ganrif a hanner wedi'r Deddfau Uno? Y mae'n rhaid cyfaddef bod y dystiolaeth yn siomedig o brin. Eto, y mae'n rhaid gochel rhag rhoi gormod o bwys ar y ddadl fod holl foneddigion Cymru erbyn y ddeunawfed ganrif wedi troi eu cefn yn llwyr ar yr ardaloedd gwledig ceidwadol ac wedi mabwysiadu arferion a safbwyntiau newydd. Yn raddol y digwyddodd y newid cymdeithasol ac amrywiai o deulu i deulu yn unol â'u hamgylchiadau. Yr oedd y proses o ymwrthod â'r iaith yn un llawer arafach nag a dybir yn fynych.[136] Yr oedd yn well gan y rhan fwyaf o'r Cymry drafod eu busnes yn eu mamiaith a chan fod Cymru yn wlad wledig, denau ei phoblogaeth a cheidwadol ei natur, ymddengys y cynhelid materion cyfreithiol a gweinyddol, yn rhannol o leiaf, ar lafar yn Gymraeg. Y mae'r ffaith na cheir fawr o gyfeiriadau at yr iaith yn awgrymu, o bosibl, ei bod yn cael ei defnyddio yn bur helaeth, ac nid oes lle i gredu bod ustusiaid heddwch yng Nghymru'r ddeunawfed ganrif yn methu neu yn gwrthod ymwneud ag achosion yn yr iaith Gymraeg. Er ei bod yn wir fod tuedd ymhlith rhai ustusiaid – aelodau o'r teuluoedd mwyaf cefnog gan amlaf – i'w cysylltu eu hunain â chylchoedd breintiedig cymdeithas, parhâi ustusiaid eraill i wasanaethu eu hardaloedd yn briodol ac i ddefnyddio'r Gymraeg pan fyddai angen. Er y cafwyd rhai enghreifftiau o ustusiaid cwbl anghymwys yn camymddwyn wrth gyflawni dyletswyddau cyhoeddus yn ystod y cyfnod modern cynnar, yr argraff gyffredinol a geir yw fod carfan gymharol fechan o lywodraethwyr ym mhob sir yn cyflawni eu dyletswyddau yn ddiwyd hyd eithaf eu gallu. Yn rhinwedd eu swyddi fel asiantau'r llywodraeth ganol yn eu broydd, hwy a ysgwyddai'r beichiau gweinyddol amrywiol yn eu cantrefi a'u plwyfi a chynrychiolent rychwant cymdeithasol eang mewn cymunedau trefol a gwledig. Yr oedd rhai yn fwy cefnog, yn fwy hyderus ac yn fwy egnïol na'i gilydd wrth gyflawni eu dyletswyddau, ond yr oedd yr ustusiaid mwyaf prysur yn rhoi yn hael o'u hamser i gynnal cyfraith a threfn, a hynny yn aml yng nghadarnleoedd y Gymraeg, ac fe'u perchid gan y gymuned am eu bod yn wŷr o dras a oedd yn meddu ar y nodweddion angenrheidiol i fod yn arweinwyr llwyddiannus.

---

[136] Bedwyr Lewis Jones, 'Yr Hen Bersoniaid Llengar' (Gwasg yr Eglwys yng Nghymru, 1963), tt. 8–12; Herbert M. Vaughan, The South Wales Squires (Carmarthen, 1988), tt. 233–9.

6

Unoliaeth Crefydd neu Unoliaeth Iaith? Protestaniaid a Phabyddion a'r Iaith Gymraeg 1536–1660

GLANMOR WILLIAMS

AR WAHÂN i'r ffydd Gristnogol ei hun, yr iaith Ladin oedd y brif ddolen a gysylltai'r Eglwys ynghyd yn yr Oesoedd Canol. Hi oedd y cyfrwng ar gyfer holl weithrediadau swyddogol yr Eglwys, sef addoliad cyhoeddus, y Beibl a'r llyfrau gwasanaeth; cyfraith eglwysig, a chofnodion cyfreithiol a gweinyddol; llenyddiaeth grefyddol ac ysgolheictod diwinyddol; ac ynddi hi y trafodid ac y traethid dysg. Er hynny, am na wyddai mwyafrif llethol y boblogaeth nemor ddim Lladin, ac am mai prin oedd gwybodaeth llawer o'r offeiriaid plwyf o'r iaith oherwydd eu haddysg annigonol, byddai'r Eglwys yn gorfod gwneud defnydd helaeth o'r ieithoedd brodorol. Yn y famiaith y byddai rhaid gwrando cyffes, rhoi hyfforddiant sylfaenol a phregethu, yn ogystal â chynnal pob cyfathrebu anffurfiol.

Yn ystod yr Oesoedd Canol yr oedd yr iaith Gymraeg yn hen ddigon cymwys i gyflawni'r cyfryw swyddogaethau.[1] Mewn llawysgrifau niferus goroesodd casgliad helaeth o ryddiaith a gyfieithwyd o'r Lladin i'r Gymraeg er mwyn cynorthwyo offeiriaid a lleygwyr i gyflawni eu dyletswyddau crefyddol. Ymhlith y rhain y mae eitemau megis cyfieithiadau o rannau allweddol o'r Ysgrythur. Yn y cyfieithiad Cymraeg o'r *Officium Parvum Beatae Mariae Virginis* (Gwassanaeth Meir), er enghraifft, ceir mwy o ddetholiadau o'r Ysgrythur nag mewn unrhyw destun canoloesol Cymraeg arall.[2] Ar gael hefyd y mae llawlyfrau hyfforddi, gweddïau, emynau, gweithiau duwiol a defosiynol, bucheddau'r saint, ac amrywiaeth o gyfansoddiadau cyffelyb. Yn ogystal â'r corff hwn o ryddiaith, yr oedd hefyd gyswllt agos rhwng crefydd a barddoniaeth

---

[1] D. Simon Evans, *Medieval Religious Literature* (Cardiff, 1986); Glanmor Williams, *The Welsh Church from Conquest to Reformation* (ail arg., Cardiff, 1976); J. E. Caerwyn Williams, 'Medieval Welsh Religious Prose', *Proceedings of the International Congress of Celtic Studies 1963* (Cardiff, 1963), tt. 65–97; idem, 'Rhyddiaith Grefyddol Cymraeg Canol' yn Geraint Bowen (gol.), *Y Traddodiad Rhyddiaith yn yr Oesau Canol* (Llandysul, 1974), tt. 312–408.

[2] Brynley F. Roberts, *Gwassanaeth Meir* (Caerdydd, 1961).

Gymraeg. Yn aml, derbyniai beirdd ac offeiriaid gyfran o'u haddysg yng nghwmni ei gilydd ac, fel arfer, clerigwyr megis Einion Offeiriad a ysgrifennai'r gramadegau barddol. Arferai clerigwyr gyfansoddi barddoniaeth ac yr oeddynt ymhlith noddwyr mwyaf hael y beirdd proffesiynol. Y mae ar gael gorff helaeth o gerddi crefyddol o waith y beirdd llys cynharaf yn y cyfnod rhwng yr unfed ganrif ar ddeg a'r bedwaredd ar ddeg, y cywyddwyr rhwng y bedwaredd ganrif ar ddeg a'r unfed ganrif ar bymtheg, a beirdd eraill. Ymhlith hoff bynciau'r rhain yr oedd mawl i'r Drindod, haeddiannau'r saint, byrder bywyd a natur bechadurus dyn, atyniadau pererindota, a themâu eraill o'r fath.[3] Y mae'n bur debyg hefyd fod corff o gerddi crefyddol yn y mesurau rhydd sydd wedi mynd i ddifancoll am nad ystyrid y farddoniaeth honno yn ddigon pwysig i'w chadw mewn llawysgrifau. Gwelir, felly, fod yr etifeddiaeth lenyddol a oedd yn sail i gyfieithiadau beiblaidd yr unfed ganrif ar bymtheg yn un lawn mor hir ac anrhydeddus ag eiddo'r cyfieithwyr Saesneg cyfoes.

O ran egwyddor, yr oedd yn ofynnol i bob offeiriad plwyf ddysgu i'w bobl, bedair gwaith y flwyddyn, Weddi'r Arglwydd, y Deg Gorchymyn, y Credo, y Saith Weithred Drugarog, y Saith Pechod Marwol a phethau tebyg. Câi'r offeiriad gyfle i esbonio'r rhain yn fanwl i'w gynulleidfa yn ei bregeth, sef yr unig ran o'r gwasanaeth a leferid yn yr iaith frodorol. Y mae'r holl fformwlâu hyn ar gael wedi eu cyfieithu i'r Gymraeg mewn llawysgrifau cyfoes. Anodd dweud yn bendant pa mor gyffredinol yr oedd y defnydd o'r ysgrifeniadau hyn ymhlith yr offeiriaid a'r lleygwyr; ond tybir mai anghyson a braidd yn aneffeithiol oedd dylanwad llawysgrifau yng Nghymru, fel yn achos gwledydd eraill, ac na ellid dibynnu ychwaith ar y gair llafar i wneud iawn am y diffyg. Ym 1546 cafwyd beirniadaeth lem ar yr offeiriaid gan Syr John Price, Aberhonddu, awdur y llyfr printiedig Cymraeg cyntaf, am iddynt fethu dysgu i'r bobl y pethau hynny y dylent eu gwybod. Y canlyniad, meddai, oedd 'vot rhan vawr om kenedyl gymry mewn tywyllwch afriuaid o eisieu gwybodaeth duw ae orchymineu'.[4] Priodolai hyn i ffaeleddau'r offeiriad, i brinder llawysgrifau, ac i absenoldeb llwyr unrhyw lyfrau printiedig. Er mwyn cywiro'r diffyg hwn, i ryw raddau, y cyhoeddodd ei lyfr Yny lhyvyr hwnn.

Erbyn i'r llyfr ymddangos, yr oedd Harri VIII eisoes wedi cyflwyno ei Ddiwygiad i Gymru. Gan mai ychydig o alw am ddiwygio a gafwyd yma, bu'n rhaid gorfodi'r gyfundrefn newydd oddi uchod. Yn Saesneg y lledaenwyd y newid, trwy statud, proclamasiwn, pregeth a thestun printiedig ac, o ganlyniad, lleiafrif bychan yn unig o'r boblogaeth, sef y

---

[3] Henry Lewis, Hen Gerddi Crefyddol (Caerdydd, 1931); J. E. Caerwyn Williams, Canu Crefyddol y Gogynfeirdd (Abertawe, 1977); Williams, Welsh Church, tt. 106–13, 416–30.

[4] John Price, Yny lhyvyr hwnn, gol. John H. Davies (Bangor, 1902), rhagymadrodd; Garfield H. Hughes (gol.), Rhagymadroddion 1547–1659 (Caerdydd, 1951), tt. 3–4.

rhai a fedrai Saesneg, a'i deallodd. Fel o'r blaen, parhâi Lladin yn yr eglwysi. Hyd yn oed y pryd hwnnw, yr oedd rhai agweddau ar bolisïau'r brenin a effeithiodd yn anuniongyrchol, ond yn arwyddocaol, ar yr iaith Gymraeg a'i llenyddiaeth. Trwy ddiddymiad y mynachlogydd, 1536–40, diflannodd nifer o ganolfannau pwysig, lle yr arferid copïo a diogelu llawysgrifau Cymraeg, a daeth i ben hefyd y nawdd i feirdd o du llawer o'r abadau.[5] Golygodd dileu cyrchfannau pererindodau ym 1538 ragor o golli ffynonellau nawdd ac ysbrydoliaeth i lenydda. Er cryn syndod, ychydig o ddatgan gofid a achosodd hyn oll. Yr oedd un bardd blaenllaw, Lewys Morgannwg, hyd yn oed yn cymeradwyo'r hyn a wnaethai'r brenin.[6]

Yn gyffredinol, yr oedd Harri VIII yn tueddu i fod yn geidwadol, a chadwodd yn ddigyfnewid y rhan fwyaf o'r athrawiaeth ganoloesol a'r ffurfiau addoli; ond caniataodd ddefnyddio rhywfaint o'r iaith frodorol mewn crefydd. Cyfieithwyd y Beibl i'r Saesneg ac anogwyd y bobl i'w ddarllen. Troswyd rhai rhannau o'r gwasanaeth hefyd i'r Saesneg. Yr oedd y symud graddol hwn at yr iaith frodorol yn arwyddocaol iawn gan y gellid tybio y ceid yn y dyfodol un ddeddf, un ffydd, ac un iaith o dan y tywysog.[7] Wrth i leiafrif bychan amgyffred pwysigrwydd y newidiadau hyn, ceisiwyd addasu'r amodau ar gyfer Cymru. Mor gynnar â 1538, gorchmynnodd William Barlow, esgob Tyddewi, i brior a ficer Aberteifi bregethu ac esbonio'r epistolau a'r efengylau yn y famiaith.[8] Oherwydd atgasedd amlwg Barlow at yr iaith Gymraeg, a'r ffaith fod nifer helaeth o siaradwyr Saesneg yn byw yn Aberteifi, mwy na thebyg mai'r Saesneg a olygid wrth 'y famiaith' yn y cyswllt hwn. Ym 1542, fodd bynnag, yn sgil datganiad y brenin ym 1541 yn galw ar ei holl ddeiliaid i ddysgu'r Credo, y Pader, y Deg Gorchymyn, a'r Afe yn yr iaith frodorol, gorchmynnodd yr Esgob Arthur Bulkeley, Bangor, i'r offeiriaid, yr ysgolfeistri a'r penteuluoedd yn ei esgobaeth roi hyfforddiant crefyddol yn Gymraeg i'r rhai o dan eu gofal. Dyma'r gorchymyn cyntaf gan esgob ynghylch defnyddio'r Gymraeg y gwyddom i sicrwydd amdano yn ystod teyrnasiad Harri.[9] Oddeutu'r un adeg, fymryn yn gynharach o bosibl, ac yn bendant cyn 1543, yr oedd rhyw glerigwr anhysbys yn ne Cymru wrthi'n cyfieithu rhannau o Destament Newydd William Tyndale o'r Saesneg i'r Gymraeg. Cynhwyswyd y rhain yn Llawysgrif Hafod 22, ynghyd â detholion wedi eu cyfieithu o waith Thomas Cranmer, *English Litany and Order of*

---

[5] Catrin T. Beynon Davies, 'Y cerddi i'r tai crefydd fel ffynhonnell hanesyddol', *CLlGC*, XVIII, rhifynnau 3 a 4 (1974), 268–86, 345–73.

[6] Williams, *Welsh Church*, t. 548.

[7] Peter R. Roberts, 'The Welsh Language, English Law and Tudor Legislation', *THSC* (1989), 26.

[8] T. Wright (gol.), *Letters relating to the Suppression of Monasteries* (Camden Society, 1843), t. 187.

[9] William Salesbury, *Kynniver Llith a Ban,* gol. John Fisher (Caerdydd, 1931), t. xxi.

Communion.[10] Ymddengys yr ymgymerwyd â chyfieithu o'r Testament
Newydd er mwyn cynorthwyo clerigwyr yn y naill neu yn y ddwy
esgobaeth yn ne Cymru i 'ddatgan' ystyr yr epistolau a'r efengylau yn unol
â gorchymyn y brenin. Ym 1543, fodd bynnag, collfarnodd deddf
seneddol gyfieithiad Tyndale a fersiynau eraill o'r Beibl Saesneg.

Serch hynny, yn ystod blynyddoedd olaf teyrnasiad Harri, gwelwyd
datblygiadau pwysig a fyddai'n effeithio ar fywyd crefyddol a diwylliannol
Cymru. Ym Medi 1545 cafodd William Salesbury a'r argraffydd, John
Waley, drwydded frenhinol i argraffu geiriadur er mwyn cynorthwyo'r
Cymry i ddod yn fwy hyddysg yn y Saesneg.[11] Yn y flwyddyn ddilynol yr
ymddangosodd *Yny lhyvyr hwnn* gan Syr John Price, y llyfr cyntaf i'w
argraffu yn Gymraeg. Ymhlith pethau eraill, cynhwysai fersiynau
Cymraeg o'r Credo a'r Pader ac ati. Pwysigrwydd hyn yw fod Price yn
haeru mai'r pechod mwyaf fyddai gadael i filoedd lawer o'r Cymry
ddioddef colledigaeth am na chaent eu dysgu yn yr unig iaith a ddeallent,
ac y gallai llawer ohonynt ei ddarllen, er na fedrent unrhyw un arall. Er nad
oedd gwaith Price, o ran cynnwys, yn sylweddol, yr oedd ei arwyddocâd
yn hynod oherwydd y pwyslais a roddai ar yr angen dybryd i gyhoeddi
llenyddiaeth yn Gymraeg ar gyfer trwch y boblogaeth os oedd y diwygiad
i lwyddo, a hefyd oherwydd y ddirnadaeth o'r budd enfawr a geid o
ddefnyddio'r argraffwasg yn effeithiol 'er amylhau gwybodaeth y eireu
bendigedic ef . . . val na bai ddiffrwyth rhodd kystal a hon yni mwy noc y
eraill'.[12]

Yn fuan wedyn, yn gynnar yn ystod teyrnasiad Edward VI, daeth i
amlygrwydd y ffigur mwyaf creadigol ac egnïol ym myd dyneiddiaeth ac
argraffu llyfrau yng Nghymru yn yr unfed ganrif ar bymtheg, sef William
Salesbury.[13] Ac yntau wedi ei wreiddio yn y traddodiad llenyddol a ffynnai
yn sir Ddinbych ers canrifoedd, impiodd ar hwnnw ysbrigau newydd
dyneiddiaeth a diwygiad a gawsai ym Mhrifysgol Rhydychen ac yn
Llundain. Bu'n datgan yn fwy pendant na neb arall o'i gyfoeswyr yr angen
am argraffu llenyddiaeth Gymraeg, yn rhyddiaith ac yn farddoniaeth. Yn
ei ail lyfr, *Oll Synnwyr pen Kembero ygyd* (1547), a ddisgrifiwyd mor

---

[10] Henry Lewis, 'Darnau o'r efengylau', *Y Cymmrodor*, XXXI (1921), 193–216; R. Geraint
Gruffydd, 'Dau destun Protestannaidd cynnar o lawysgrif Hafod 22', *Trivium*, I (1966),
56–66.

[11] W. Ll. Davies, 'Welsh books entered in the Stationers' Registers 1554–1708', *JWBS*, II,
rhifyn 5 (1921), 167–76.

[12] *Yny lhyvyr hwnn*, rhagymadrodd; cymh. Hughes, *Rhagymadroddion*, t. 3.

[13] R. Brinley Jones, *William Salesbury* (Cardiff, 1994); W. Alun Mathias, 'William Salesbury
– ei fywyd a'i weithiau' yn Geraint Bowen (gol.), *Y Traddodiad Rhyddiaith* (Llandysul,
1970), tt. 27–53; idem, 'William Salesbury – ei ryddiaith', ibid., tt. 54–78; D. R.
Thomas, *The Life and Work of Bishop Davies and William Salesbury* (Oswestry, 1902);
Glanmor Williams, 'The Achievement of William Salesbury' yn *Welsh Reformation Essays*
(Cardiff, 1967), tt. 191–205.

briodol fel maniffesto cyntaf dyneiddiaeth Brotestannaidd Gymraeg, anogai ei gyd-wladwyr yn frwd: 'mynwch yr yscrythur lan yn ych iaith' . . . 'Pererindotwch yn droednoeth, at ras y Brenhin . . . y cael yr yscrythur lan yn ych iaith'.[14] Lleisiodd ei apêl daer ar adeg argyfyngol yn gynnar yn nheyrnasiad Edward pan ddechreuwyd cyflwyno Diwygiad Protestannaidd, yn hytrach na chwyldro gwrthbabyddol, yn Lloegr ac yng Nghymru. Gwnaed ei erfyniad yn fwy perthnasol fyth ym 1549, pan gyhoeddwyd y Llyfr Gweddi Gyffredin cyntaf yn Saesneg a gorfodi ei ddefnyddio yn holl eglwysi plwyf Cymru. I bobl heb fod yn siarad Saesneg, yr oedd y newid o'r Lladin i'r Saesneg yn aruthrol, a chreodd argyfwng ieithyddol a chrefyddol na welwyd ei debyg. Nid oedd y gredo newydd na'r iaith ddieithr yn dderbyniol gan y Cymry. Gan mai ychydig ohonynt a fedrai ddarllen, neu hyd yn oed ddeall, y llyfr gweddi newydd, tybiai llawer mai gorfodi ffydd hereticaidd y Saeson arnynt oedd hyn.[15] Sylweddolai Salesbury yn llawn y benbleth a'r perygl a wynebai siaradwyr Cymraeg. Gan weithio o dan bwysau dybryd, prysurodd i gwblhau ei gyfieithiad o'r epistolau a'r efengylau o'r llyfr gweddi a'i gyhoeddi ym 1551 fel *Kynniver Llith a Ban*.[16] Er ei fod yn ddiwygiwr selog, yn ysgolhaig ymroddedig ac yn rhyddieithwr medrus, ni chafodd ei waith y llwyddiant a ddisgwylid. Ni dderbyniodd ei waith gefnogaeth swyddogol; ceid ôl brys arno a gwelid ynddo hefyd dystiolaeth o syniadau rhyfedd yr awdur ynghylch orgraff. Eto i gyd, sefydlodd gynsail amhrisiadwy ar gyfer y dyfodol, a dangosodd hefyd nid yn unig yr angen dirfawr am gyfieithiad o'r fath ond hefyd y ffordd ymarferol i'w ddiwallu. Rhaid bod *Kynniver Llith a Ban* wedi apelio'n fawr at rywun fel Gruffudd ab Ieuan ap Llywelyn Fychan, y bardd Cymraeg cyntaf i gymeradwyo egwyddorion Protestannaidd yn ei gerddi;[17] ac yr oedd y gwerth a osodid ar gopïau o lyfr Salesbury yn sicr yn ddigon i'w cadw'n ddiogel rhag adwaith yn nheyrnasiad Mari.

Buan y gwelwyd beirniadu'r newid trefn mewn crefydd, yn enwedig ymhlith y beirdd. Yn y canu rhydd yn ogystal â'r canu caeth, buont yn ceryddu nid yn unig yr elfennau newydd mewn athrawiaeth, ymarfer a defod, ond hefyd yn anghymeradwyo'n chwyrn y cefnu ar Ladin er mwyn arfer Saesneg. Aeth un bardd cyn belled â honni nad oedd modd i neb

---

[14] William Salesbury, *Oll Synnwyr pen Kembero ygyd*, gol. J. Gwenogvryn Evans (Bangor, 1902); cymh. Saunders Lewis, 'Damcaniaeth Eglwysig Brotestannaidd', *EFC*, II (1947), 36–55.

[15] L. J. Hopkin-James a T. C. Evans (goln.), *Hen Gwndidau, Carolau, a Chywyddau* (Bangor, 1910), t. 33.

[16] Salesbury, *Kynniver Llith a Ban*.

[17] J. C. Morrice (gol.), *Detholiad o Waith Gruffudd ab Ieuan ab Llewelyn Vychan* (Bangor, 1910).

gyfieithu'n ddigon teilwng yr offeren Ladin i'r Saesneg.[18] Digon tawel, serch hynny, fu protest y beirdd yn ystod teyrnasiad Edward, ond gydag esgyniad Mari i'r orsedd ac adfer ffydd Rhufain, gwelai'r beirniaid eu cyfle i ddwrdio yn rhydd. Yr un pryd, yr oedd rhai o gefnogwyr mwyaf brwd polisïau Mari yn ymwybodol o'r angen i ddefnyddio rhagor ar y famiaith mewn crefydd, os oeddynt o ddifri am ennill trwch y boblogaeth drosodd i Rufain. Mewn synod ym 1555, galwodd Cardinal Pole am gyfieithiad o'r Testament Newydd a mwy o bwyslais ar bregethu yn yr iaith frodorol.[19] Cafwyd ymateb priodol gan esgobion yng Nghymru, megis Thomas Goldwell, Llanelwy, a William Glyn, Bangor, ac yn neilltuol felly gan eu his-swyddogion blaengar, Morys Clynnog a Gruffydd Robert, ill dau yn awduron Pabyddol alltud o fri yn ystod teyrnasiad Elisabeth. Pan oedd Mari ar yr orsedd y cyfieithodd Arthur ap Huw i'r Gymraeg waith George Marshall, *Compendious Treatise in Metre*. Wrthi'n gweithio hefyd tua'r un adeg yr oedd cyfieithydd anhysbys y testunau yn Llawysgrif Hafod 17, a drosodd i'r Gymraeg rannau o *primer* Mari, a hefyd gasglwr Llawysgrif Llansteffan 117, sef casgliad o destunau crefyddol.[20]

Gydag esgyniad Elisabeth i'r orsedd i olynu ei hanner chwaer yn Nhachwedd 1558, gwelwyd tro chwim arall yn olwyn y newid crefyddol. Yng ngwanwyn 1559, yn sgil penderfyniad y frenhines newydd i ailsefydlu Protestaniaeth, atgyfodwyd yng Nghymru y problemau mwyaf dyrys a gafwyd yn nheyrnasiad Edward VI. Trwy'r Ddeddf Unffurfiaeth ym Mawrth 1559 gorfodwyd eto ar y Cymry lyfr gweddi Saesneg, yn seiliedig yn bennaf ar ail lyfr Edward, gyda'r un trafferthion ag o'r blaen. Craidd y mater i'r dyrnaid bach o ddyneiddwyr Protestannaidd Cymraeg oedd a lwyddent ai peidio i sicrhau fersiwn Cymraeg o'r llyfr gweddi a'r Ysgrythurau a darbwyllo llywodraeth Elisabeth i awdurdodi eu defnyddio mewn addoliad cyhoeddus. I gyrraedd y nod, byddai'n rhaid goresgyn cyfres o anawsterau. Yn gyntaf oll, yr oedd llawer o ddeiliaid y frenhines, gan gynnwys Protestaniaid, o blaid defnyddio un iaith swyddogol ledled y deyrnas, ac ni welent unrhyw reswm dros ddefnyddio'r Gymraeg. Yn ail, er nad oedd cyhoeddi yn Gymraeg yn anghyfreithlon, byddai'n rhaid argraffu testunau Cymraeg yn Llundain gan argraffwyr na wyddent yr iaith, ac ar ragor o gost ac anhwylustod. Yn drydydd, yr oedd anllythrennedd yn rhemp yng Nghymru, a bychan oedd nifer y rhai a allai fforddio llyfrau ac a oedd yn eiddgar i'w prynu. At hynny, gwyddai awduron Cymraeg cyfoes fod llawer o'r Cymry yn ddifraw ofnadwy

---

[18] D. J. Bowen, 'Detholiad o Englynion Hiraeth am yr Hen Ffydd', *EFC*, VI (1954), 5–12.

[19] Wilhelm Schenk, *Reginald Pole, Cardinal of England* (London, 1950), tt. 142–4.

[20] Brynley F. Roberts, 'Defosiynau Cymraeg' yn Thomas Jones (gol.), *Astudiaethau Amrywiol* (Caerdydd, 1968), tt. 99–110.

ynghylch eu hiaith eu hunain. Cynigiwyd y gallai plant Cymru a Chernyw na siaradent Saesneg ddysgu egwyddorion y ffydd yn eu hiaith eu hunain.[21] Mewn cyfarfod o'r cyngor esgobaethol yn Llanelwy ym 1561 galwyd am ddarllen y catecism yn Gymraeg, ac am ddarllen yr epistol a'r efengyl yn gyntaf yn Saesneg ac yna yn Gymraeg[22] – awgryma hyn fod copïau o *Kynniver Llith a Ban* Salesbury wedi goroesi teyrnasiad Mari. Y mae copi o 'Appeal made to the Privy Council' ar gael o hyd. Anogai wŷr dysgedig a duwiol i ymgynnull i geisio modd i wasgaru 'sooch miserable darknes for the lack of the shynyng lyght of Christe's Gospell' drwy gyfieithu Testament yr Arglwydd i'r Gymraeg.[23] Ym 1562–3, ceisiodd John Waley, cyn gydymaith Salesbury ym maes argraffu, gael trwydded i argraffu'r Litani yn Gymraeg.[24] Nid oes copi o'r gwaith hwn wedi goroesi, ond y gred gyffredinol yw mai Salesbury a fu'n gyfrifol amdano. Yn ôl pob tebyg, yr oedd llaw fedrus William Salesbury y tu ôl i'r mentrau hyn oll. Dichon iddo godi ei galon ar anogaeth Richard Davies, esgob Llanelwy 1560–1. Y mae'n debyg mai'r prif ysgogwyr i hyrwyddo taith deddf seneddol breifat 1563 ar gyfer cyfieithu'r Beibl a'r Llyfr Gweddi i'r Gymraeg erbyn 1567 oedd Salesbury, Davies (a ddaethai'n esgob Tyddewi ym 1561) a Humphrey Llwyd, AS Dinbych.[25] Er na fyddai angen deddf i gyfreithloni cyfieithu'r Beibl, byddai'n rhaid cael caniatâd y Senedd i awdurdodi lliniaru Deddf Unffurfiaeth (1559) er mwyn caniatáu defnyddio llyfr gweddi Cymraeg. Awdurdodwyd defnyddio'r testunau cyfieithiedig yn yr holl blwyfi hynny lle y siaredid Cymraeg yn arferol. Yn y cyfamser, o'r Sulgwyn 1563 ymlaen, yr oedd yr epistolau, yr efengylau, y Pader, y Credo, y Deg Gorchymyn a'r Litani i'w darllen yn Gymraeg.

Gorchest, yn wir, fu sicrhau'r fath ddeddfwriaeth. Golygai fod y frenhines a'i chynghorwyr wedi eu darbwyllo i lwyr newid y polisi ynghylch yr iaith ar gyfer crefydd yng Nghymru, er bod amodau'r ddeddf yn mynnu bod copi o'r Beibl Cymraeg i'w osod ochr yn ochr â'r un Saesneg ym mhob eglwys er mwyn i'r bobl allu cymharu'r naill a'r llall, a dod yn fwy hyddysg yn yr iaith Saesneg[26] – gobaith nas gwireddwyd. Ond yr oedd llawer eto i'w gyflawni. Bu pwy bynnag a fu'n gyfrifol am ddeddf 1563 yn rhyfeddol o hyderus yn tybio y gellid cyfieithu, o fewn yr amser a ganiateid, yr holl weithiau yr oedd galw amdanynt. I gynhyrchu fersiwn

---

[21] Llyfrgell Brydeinig Llsgr. Egerton 2350, f. 54.

[22] Thomas, *Davies and Salesbury*, t.72.

[23] Jones, *Salesbury*, t. 51.

[24] Thomas, *Davies and Salesbury*, t. 102.

[25] R. Geraint Gruffydd, 'Humphrey Lhuyd a Deddf Cyfieithu'r Beibl i'r Gymraeg', *LlC*, 4, rhifynnau 2 a 4 (1956–7), 114–15, 233; Glanmor Williams, *Bywyd ac Amserau yr Esgob Richard Davies* (Caerdydd, 1953), tt. 72–3; 92–5. G. R. Elton, 'Wales in Parliament, 1542–1581' yn R. R. Davies et al. (goln.), *Welsh Society and Nationhood* (Cardiff, 1984), tt. 108–21.

[26] Ivor Bowen (gol.), *The Statutes of Wales* (London, 1908), tt. 149–51.

Cymraeg o'r Beibl, gan ddefnyddio'r golygiadau cyfoes gorau o'r testunau
gwreiddiol, byddai'n rhaid meddu ar safon uchel o ysgolheictod a
beirniadaeth mewn Lladin, Groeg a Hebraeg.[27] Byddai angen bod yn
sensitif a medrus wrth drin yr iaith Gymraeg ei hun hefyd: osgoi geirfa ac
arferiadau canoloesol; peidio â gorddibynnu ar unrhyw dafodiaith
benodol; bod yn hyblyg a dealladwy; a'r un pryd yn urddasol ac yn
soniarus, gan gadw'r nodweddion clasurol o gadernid, cysondeb a
phurdeb a gysylltid â'r hen draddodiad llenyddol. Byddai trin a thrafod
gydag argraffwyr yn Llundain yn gofyn am gryn fedr ac amynedd; a
byddai cyllido'r fenter ar gost y cyfieithwyr eu hunain a'u noddwyr yn
golygu aberth ariannol sylweddol. Rhaid fyddai i'r sawl a ymgymerai â'r
fath orchwyl fod â gweledigaeth eglur, ymroddiad di-ildio ac
ewyllysgarwch i wasanaethu Duw er lles ei gyd-wladwyr. Yn awr ei
chyfyngder, rhwng 1551 a 1620, yr oedd Cymru – gwlad â'i phoblogaeth
heb fod yn fwy na rhyw 300–400,000 – yn ffodus fod ganddi ddynion
mor rhagorol â William Salesbury, Richard Davies, William Morgan,
Richard Parry a John Davies, a oedd yn barod i ddod i'r adwy trwy
gyfieithu'r Ysgrythurau.[28]

Er na allai gyhoeddi dim yn ystod teyrnasiad Mari, mwy na thebyg fod
Salesbury wedi dal ati i gyfieithu ar ôl 1551, gan ei bod fel arall yn bur
annhebygol y gallai fod wedi cyflawni cymaint ag a wnaethai yn ystod y
1560au. I hwyluso'r gwaith, gwahoddwyd ef i aros ym mhlas yr Esgob
Richard Davies yn Abergwili am rai misoedd ym 1564, ac eto ym 1565–6,
er mwyn iddo allu cydweithio ag ef ac, yn ddiweddarach, â Thomas Huet,
pen-cantor Tyddewi. Yr oedd Davies eisoes wedi dechrau cyfieithu I a II
Timotheus, Titus, a Philemon, sydd ar gael o hyd yn Llawysgrif Gwysane
27; ond rhoes y gorau i'r cwbl ar wahân i I Timotheus, yr unig un o'r
pedwar a gyfieithodd ar gyfer y Testament Newydd a gyhoeddwyd ym
1567. Salesbury a ymgymerodd â'r rhan helaethaf o ddigon o'r gwaith
cyfieithu. Er nad oes enw'r un cyfieithydd ar Lyfr Gweddi Cymraeg 1567,
y mae ôl Salesbury yn amlwg ar y cynnwys a'r arddull, a'r un modd hefyd
yn y cyfieithiad o'r Llyfr Salmau a gynhwyswyd yn y Llyfr Gweddi. Ef
hefyd a gyfieithodd y mwyafrif o lyfrau'r Testament Newydd, er bod
Davies wedi cyfieithu pump, a Huet un.[29] Y Llyfr Gweddi a
ymddangosodd gyntaf, ym Mai 1567, a'r Testament Newydd yn fuan
wedyn; argraffwyd y ddau gan Henry Denham ar draul Humphrey Toy.

[27] Isaac Thomas, *Y Testament Newydd Cymraeg 1551–1620* (Caerdydd, 1976); idem, *Yr Hen
Destament Cymraeg 1551–1620* (Aberystwyth, 1988).

[28] R. Geraint Gruffydd (gol.), *Y Gair ar Waith: Ysgrifau ar yr Etifeddiaeth Feiblaidd yng
Nghymru* (Caerdydd, 1988).

[29] Davies a gyfieithodd I Timotheus, Hebreaid, Iago, ac I a II Pedr. Huet a gyfieithodd Lyfr
y Datguddiad.

Fe'u bwriadwyd i'w defnyddio'n eang yn eglwysi plwyf Cymru a'r Gororau, a hefyd mewn ysgolion ac ar aelwydydd dethol, lle bynnag yr oedd y modd a'r ewyllys i'w prynu.

Yr oedd y cyfieithu yn gampwaith rhyfeddol o ran llenyddiaeth ac ysgolheictod. Amcan Salesbury, yn ei eiriau ef ei hun, oedd 'that God's own word may remayn sincere and unviolate from generation to generation', a daliodd yn ffyddlon ddiysgog i'r testun gwreiddiol trwy gydol y gwaith.[30] Er cymaint y ddyled i Salesbury fel ysgolhaig clasurol ac awdur rhyddiaith, nid oedd y gwaith heb ei feiau, rhai ohonynt yn bur ddifrifol. Yr oedd ei orgraff yn anghyffredin eithriadol, yn nes at y Saesneg neu'r Ffrangeg, a sillafai eiriau yn unol â'u tarddiad yn hytrach na'u sain, fel y gweir yn y Gymraeg. O ganlyniad, yr oedd ôl edmygedd Salesbury o'r iaith Ladin yn drwm ar y gwaith: cyflwynai lawer o eiriau Cymraeg ar ffurf Ladinaidd, e.e. 'eccles' am 'eglwys', neu 'discipul' am 'disgybl'. Tueddai hefyd i gadw cytseiniaid dechreuol a chanol heb eu treiglo, er ei fod yn hyn o beth, fel mewn achosion eraill, yn hynod o anghyson. Aeth ei amrywiadau ymyl y ddalen, a fwriadwyd i fod o gymorth i'r darllenwyr i oresgyn y gwahaniaethau tafodieithol, yn rhy niferus a dryslyd. Am ei fod hefyd yn credu mai meddu ar gyfoeth o ffurfiau hynafol oedd pennaf rhinwedd unrhyw iaith, cadwodd ormod o eiriau ac ymadroddion yn perthyn i'r gorffennol nas defnyddid yn arferol yn ei gyfnod ef. Achosai'r nodweddion hynod ragor o ofid oherwydd bod Syr John Price eisoes wedi nodi bod cymaint mwy o gydsyniad ymhlith y Cymry ynghylch eu hiaith hwy nag a oedd ymhlith y Saeson.[31] Tra oedd Salesbury yn cadw ei olygon yn sefydlog ar y safonau a ddisgwylid gan ddysgedigion ym Mhrydain ac yn Ewrop, yr oedd ei brif gyd-weithiwr, Richard Davies, yn meddwl mwy am anghenion yr offeiriad plwyf a'r addolwr cyffredin.[32] Yn y llyfrau a gyfieithodd ef, ysgrifennai'n fwy naturiol a darllenadwy na Salesbury. Paratôdd Richard Davies hefyd ar gyfer y Testament Newydd ragarweiniad tra dylanwadol a elwid 'Epistol at y Cembru'. Math o arolwg hanesyddol oedd hwn, yn ceisio dangos sut yr oedd Cristnogaeth bur hynafiaid Brythonig y Cymry wedi ei seilio'n fanwl ar yr efengyl frodorol a oedd yn gyffredin yn eu plith. Ar hyd y canrifoedd bu agwedd ac ymddygiad y Babaeth yn llygru'r ffydd Gristnogol gysefin honno a gyflwynwyd i Brydain gan Joseff o Arimathea yn fuan wedi marwolaeth Crist. Gan hynny, math o 'ail flodeuad' o'r Efengyl ymhlith y Cymry yn eu hiaith eu hunain oedd cyfieithiad newydd 1567. Yr oedd yr ail-ddehongliad Protestannaidd hwn o hanes Prydain yn gweddu'n berffaith i

[30] Gruffydd, *Gair ar Waith*, tt. 51–3.
[31] Neil R. Ker, 'Sir John Prise', *The Library*, X (1955), 1–24.
[32] Williams, *Reformation Essays,* tt. 212–13.

ateb y ddwy brif feirniadaeth yn erbyn y Diwygiad yng Nghymru: yn gyntaf, mai rhyw heresi newydd, wahanol ydoedd, ac yn ail, mai ffydd Seisnig, estron a orfodid ar y Cymry o'r tu allan ydoedd.

Amrywiai'r farn gyfoes ynglŷn ag addasrwydd y cyfieithiadau ar gyfer yr eglwysi plwyf. Cafwyd beirniadaeth lem gan ddau o awduron amlycaf oes Elisabeth, sef John Penry a Morris Kyffin. Cwynai Penry eu bod yn 'most pitifully euill read . . . and not vnderstoode of one among tenne of the hearers';[33] a honnai Kyffin 'na alle clust gwir Gymro ddioddef clywed mo 'naw'n iawn'.[34] I'r gwrthwyneb, yr oedd dau eglwyswr blaenllaw yn dra chanmoliaethus. Tystiai'r Esgob Nicholas Robinson, Bangor, ym 1576 iddo gael boddhad o wybod bod 'all things are done in Welsh',[35] a phan ddaeth hi'n bryd i William Morgan gyflwyno ei Feibl i'r Frenhines Elisabeth, talodd deyrnged uchel i Salesbury, 'who, above all men, deserved well of our church'.[36] Gan farnu'n unig yn ôl golwg allanol ryfedd y testunau argraffedig, nid yw'n anodd deall paham yr oedd lleygwyr a chlerigwyr heb dderbyn llawer o addysg, a than orfodaeth i'w defnyddio, yn barnu bod y cyfieithiadau yn gymhleth ac anhywaith. Eto i gyd, o gofio pa mor fympwyol ac ansafonol y gallai orgraff yr unfed ganrif ar bymtheg fod ar y gorau, y mae'r sawl sydd wedi cael achos i ddarllen y testunau yn rheolaidd yn tystio y daw'r dasg yn llawer rhwyddach gyda thipyn o ymarfer. Beirniadaeth fwy difrifol ar Salesbury a Davies, o bosibl, yw iddynt fethu cyfieithu'r Beibl cyfan. Yr oeddynt wedi mynegi mewn print eu bwriad i gwblhau'r Hen Destament, ond, yn ôl Syr John Wynn, oddeutu 1575 bu ffrae rhwng y ddau gyfieithydd ynghylch ystyr un gair, mae'n debyg.[37] Anodd derbyn hynny, oni bai fod rhyw wahaniaeth sylfaenol wedi codi ynghylch yr egwyddorion y dylid eu dilyn wrth gyfieithu, a bod yr ymdderu wedi cyrraedd rhyw uchafbwynt ynghylch yr un gair hwnnw. Ymddengys fod Davies wedi lled-fwriadu dal ati i gyfieithu ar y cyd â'i nai, Siôn Dafydd Rhys, ond ni ddaeth dim o hynny.

Gŵr ifanc, graddedig o Gaer-grawnt, William Morgan, ficer plwyf anghysbell Llanrhaeadr-ym-Mochnant,[38] a gwblhaodd y cyfieithiad. Nid oes sicrwydd pa bryd y dechreuodd ef ar y gwaith, ond go brin ei fod yn ddiweddarach na 1579, o ystyried ei fod yn barod i'w gyhoeddi erbyn

---

[33] John Penry, *Three Treatises Concerning Wales*, gol. David Williams (Cardiff, 1960), t. 56.

[34] Morris Kyffin, *Deffynniad Ffydd Eglwys Loegr*, gol. W. Prichard Williams (Bangor, 1908), t. [x].

[35] Glanmor Williams, *Recovery, Reorientation and Reformation. Wales c.1415–1642* (Oxford, 1987), t. 315.

[36] *Y Beibl Cyssegr-lan* (1588), cyflwyniad.

[37] John Ballinger (gol.), *The History of the Gwydir Family* (Cardiff, 1927), t. 64.

[38] R. Geraint Gruffydd, 'Y Beibl a droes i'w bobl draw': *William Morgan yn 1588* (Llundain, 1988); Prys Morgan, *Beibl i Gymru* (Caerdydd, 1988); Glanmor Williams, *The Welsh and their Religion* (Cardiff, 1991), tt. 173–229.

1587. Gorffennodd y dasg gydag anogaeth frwd yr Archesgob Whitgift a chyda chymorth nifer o'i gyfeillion o ddyddiau Caer-grawnt, ac fe'i cyhoeddwyd ym Medi 1588. Aeth yn 1599 cyn iddo allu cynhyrchu ei fersiwn o'r Llyfr Gweddi, wedi ei ddiwygio yn unol â thestun ei Feibl. Cafwyd Llyfr Gweddi llawer rhwyddach i'w ddarllen nag o'r blaen, a llwyddodd i wneud y gwasanaeth diwygiedig yn ddealladwy i'r bobl a pheri iddynt ei hoffi.[39] Yr oedd hefyd wedi crybwyll ei fwriad i gyhoeddi golygiad newydd o'r Testament Newydd heb fod â chynifer o wallau ag un 1588, yn llai o faint ac yn rhatach ei bris. Ni welwyd byth mohono, gwaetha'r modd; credir iddo fynd ar goll yn yr anhrefn a ddigwyddodd ym musnes Thomas Salisbury, cyhoeddwr gweithiau Morgan, yn sgil y pla ym 1603.

Yn fuan wedi iddo ymddangos, cydnabu beirniaid o fri fod Beibl William Morgan yn gampwaith heb ei ail. Fel ysgolhaig, yr oedd Morgan yn alluog dros ben, ac fel golygydd testun Cymraeg yr oedd yn ddigymar. Er ei fod wedi derbyn oddeutu tri chwarter cyfieithiadau Salesbury, bu'n diwygio'n llwyr ac yn moderneiddio testun cyfan y Testament Newydd a'r Llyfr Gweddi o ran geirfa ac orgraff. Yn olaf, yr oedd ei ddefnydd o'r iaith Gymraeg yn dangos nid yn unig ddawn llenor godidog a ymatebai'n reddfol i athrylith ei iaith ef ei hun, ond hefyd drylwyredd ysgolhaig tra dysgedig. Ar adeg argyfyngus yn hanes yr iaith, pan oedd cyfundrefn y beirdd, a fuasai tan hynny yn gwarchod ei chadernid a'i phurdeb, yn awr yn prysur ddirywio, llwyddodd Morgan i ymgorffori yn ei gyfieithiad elfennau gorau a mwyaf parhaol y traddodiad barddol. Clodforodd yr awdur rhyddiaith, Huw Lewys, Morgan 'am iddaw . . . adferu eilwaith yw pharch ai braint, iaith gyforgolledic, ac agos wedi darfod am dani'.[40] Yn ddi-oed, cydnabyddai beirdd a llenorion cyfoes y gwasanaeth amhrisiadwy a roes Morgan i'r iaith Gymraeg a'i llenyddiaeth. Mor gynnar â Nadolig 1588, anogai'r bardd-offeiriad, Thomas Jones o sir Fynwy, ei wrandawyr:

> Er mwyn prynu hwn rhag trais
> Dos, gwerth dy bais, y Cymro.[41]

A dyma gyfarchiad llawen Siôn Tudur i Morgan:

> Dwyn gras i bob dyn a gred,
> Dwyn geiriau Duw'n agored.[42]

---

[39] Williams, *The Welsh and their Religion*, tt. 215–22.
[40] Morgan, *Beibl i Gymru*, t. 27.
[41] *Hen Gwndidau*, tt. 187–92.
[42] Enid Roberts (gol.), *Gwaith Siôn Tudur* (2 gyf., Caerdydd, 1980), I, t. 375.

Cyfeiriodd Morris Kyffin ato ym 1595 fel 'gwaith angenrheidiol, gorchestol, duwiol, dyscedig; am yr hwn ni ddichyn Cymry fyth dalu a diolch iddo gymaint ag a haeddodd ef.[43]

Y bennod olaf yn hanes cyfieithu'r Beibl i'r Gymraeg oedd golygiad 1620, sef gwaith Richard Parry, esgob Llanelwy, a'i frawd-yng-nghyfraith, Dr John Davies, Mallwyd. Gwnaeth Fersiwn Awdurdodedig y Beibl Saesneg (1611) argraff ddofn ar Parry, olynydd Morgan fel esgob, ac yr oedd yn awyddus i Gymru hithau gael budd o'r fath. Yr oedd yn ymwybodol yr un pryd fod copïau o Feibl William Morgan wedi mynd yn brin. Felly, gyda chymorth anhepgor John Davies, cynhyrchodd fersiwn 1620. Yr oedd Davies, y gramadegydd Cymraeg mwyaf erioed ym marn amryw, wedi bwrw ei brentisiaeth fel cyfieithydd beiblaidd trwy weithio o dan gyfarwyddyd Morgan ar Lyfr Gweddi 1599 a hefyd y fersiwn a gollwyd o Destament Newydd diwygiedig 1603. Ef oedd yn bennaf cyfrifol am fersiwn diwygiedig 1620 o Feibl 1588. Gan seilio ei waith ei hun ar yr un testunau Groeg a Hebraeg â'r Fersiwn Awdurdodedig, gwnaeth yr un gymwynas â Chymru ag a wnaethai'r llall â Lloegr. Mesur o'i lwyddiant yw'r ffaith mai Beibl 1620 a ddefnyddid yn gyffredinol hyd at 1988, ac yn nhyb llawer o unigolion a chynulleidfaoedd Cymraeg, nid yw hyd heddiw wedi ei ddisodli gan y Beibl Cymraeg Newydd! Ym 1621 ymddangosodd golygiad wedi ei ddiweddaru o'r Llyfr Gweddi yn seiliedig ar Feibl 1620. Dyma'r Llyfr Gweddi a gâi ei ddefnyddio am ganrifoedd wedyn yn yr eglwysi Anglicanaidd yng Nghymru. Ynddo hefyd yr oedd Salmau Cân Edmwnd Prys, a ddaeth mor adnabyddus a phoblogaidd o'u mynych ganu yn yr eglwysi Cymraeg. Ymhen rhyw ddeng mlynedd, ym 1630, cyhoeddwyd yr argraffiad cyntaf rhad, hwylus a phoblogaidd o'r Beibl Cymraeg, sef 'Y Beibl Bach', a werthid am bum swllt. Dau fasnachwr Cymraeg cefnog a duwiol, yn byw yn Llundain, Rowland Heylin a Syr Thomas Myddelton, a dalodd yr holl gostau, ac fe'i bwriadwyd ar gyfer teuluoedd wrth iddynt addoli ar yr aelwyd, ac ar gyfer unigolion. Anogodd y noddwyr y darllenydd fel hyn: 'mae'n rhaid iddo drigo yn dy stafell di, tan dy gronglwyd dy hun . . . fel cyfaill yn bwytta o'th fara, fel anwyl-ddyn a phen-cyngor it'.[44] Cyfieithu'r Beibl i'r Gymraeg oedd yr her fwyaf a wynebai'r dyneiddwyr Protestannaidd. Trwy lwyddo i oresgyn hyn, gellid profi, yn anad dim, fod yr iaith yn offeryn teilwng i ddygymod ag unrhyw alwad, pa mor anodd bynnag, a wneid arni hi, a gellid datrys hefyd, yr un pryd, y broblem grefyddol ddyfnaf a'r benbleth ddiwylliannol waethaf a wynebwyd gan y Cymry. Ynghyd â nifer o bobloedd eraill Ewrop,

---

[43] *Deffynniad Ffydd*, tt. [ix-x].
[44] *Y Bibl Cyssegr-Lan* (1630), cyflwyniad i'r darllenydd.

llwyddasant i gynhyrchu fersiwn o bwys hanesyddol o'r Beibl yn eu hiaith eu hunain, a hwy oedd yr unig un o'r cenhedloedd Celtaidd i gyflawni hynny yn yr unfed ganrif ar bymtheg.[45] Yn llawer diweddarach, neu ddim o gwbl, y gwelwyd y cyfieithiad ymhlith y Celtiaid eraill, ac nid enillodd ychwaith yn y mannau hynny le mor gynnes yng nghalonnau'r werinbobl. Y 'llyfr pwysicaf yn yr iaith Gymraeg' oedd barn W. J. Gruffydd amdano,[46] ac fe'i disgrifiwyd gan J. Lloyd-Jones fel 'sylfaen yr holl ryddiaith Gymraeg a ysgrifennwyd ar ei ôl'.[47]

Yn sicr, agorodd y Beibl a'r Llyfr Gweddi wythïen newydd o ryddiaith Gymraeg yn y blynyddoedd dilynol. Mewn llawer modd, y *genre* mwyaf dylanwadol oedd y catecism, y cyhoeddwyd fersiynau ohono o dro i dro fel cyhoeddiadau ar wahân, yn ogystal ag fel rhan o bob llyfr gweddi.[48] Cyn y Diwygiad Protestannaidd, arferid beirniadu'r offeiriaid yn llym am iddynt fethu hyfforddi'r bobl. Gwelir oddi wrth y ffaith fod copïau print o'r catecism yn ymddangos yn rheolaidd, llawer ohonynt wedi eu cyhoeddi cyn 1660, y rhoddid pwyslais cynyddol bellach ar ddysgu'r plwyfolion, yn enwedig yr ieuenctid. Wrth reswm, bwriadwyd y catecism ar gyfer lleygwyr yn ogystal ag offeiriaid. Er bod prinder dybryd o offeiriaid a allai bregethu yn Gymraeg, ni chyhoeddwyd Llyfr yr Homilïau, cyfieithiad Cymraeg Edward James o *The Book of Homilies*, sef pregethau swyddogol ar gyfer offeiriaid heb drwydded i bregethu, tan 1606.[49] O ystyried mor rhagorol yw arddull ei ryddiaith, y mae'n rhyfedd nad adargraffwyd mohono tan y bedwaredd ganrif ar bymtheg, oni bai fod ei gynnwys a'i fynegiant yn rhy anodd i lawer o aelodau'r gynulleidfa – ac efallai i fwy nag ambell offeiriad hefyd.

O'r gweithiau rhyddiaith crefyddol eraill a gyhoeddwyd rhwng 1588 a 1660, cyfieithiadau i'r Gymraeg oedd saith o bob wyth.[50] Ar yr olwg gyntaf, ymddengys hyn yn beth rhyfedd iawn, gan ei bod yn ddiarhebol o anodd i gyfieithwyr osgoi glynu'n rhy gaeth wrth briod-ddulliau a rhythmau'r awduron gwreiddiol. Fodd bynnag, nid ennill clod iddynt eu hunain fel llenorion oedd prif amcan yr ysgrifenwyr hyn, eithr, yn hytrach, hyrwyddo llesâd crefyddol eu darllenwyr. Dyna paham yr aethant ati i gyfieithu clasuron cydnabyddedig a oedd eisoes wedi apelio at y

---

[45] Glanmor Williams a Robert Owen Jones (goln.), *The Celts and the Renaissance. Tradition and Innovation* (Cardiff, 1990); Gruffydd, *Gair ar Waith*, tt. 150–8.

[46] *Geiriadur Beiblaidd* (Wrecsam, 1926), I, t. 209.

[47] J. Lloyd-Jones, *Y Beibl Cymraeg* (Caerdydd, 1938), t. 52.

[48] R. Geraint Gruffydd, 'Religious prose in Welsh from the beginning of the reign of Elizabeth to the Restoration' (traethawd DPhil anghyhoeddedig Prifysgol Rhydychen, 1952); *Libri Walliae*.

[49] Glanmor Williams, 'Edward James a Llyfr yr Homiliau', *Morgannwg, XXV* (1981), 79–99.

[50] Glanmor Williams, 'Religion and Welsh Literature in the Age of the Reformation', *The Welsh and their Religion*, tt. 158–61.

cyhoedd yn gyffredinol – llyfrau megis *Apologia Ecclesiae Anglicanae* John Jewel neu *The Practice of Piety* gan Lewis Bayly. Disgrifiwyd yr awduron hyn gan Huw Lewys fel gweithwyr 'grymus nerthol, yn y winllan ysprydol'.[51] Trwy weithredu yn y modd hwn yr oedd cyfieithwyr yn magu hyder ac yn dod yn fwy sicr o'u darllenwyr; gwelwyd mai 'peth arferedig yw cyfeithio a throi gweithredoedd duwiol gwyr da defosionol o r naill iaith i iaith arall er chwanegu gwybodaeth, er egorud deall, ac er pureiddio moesau da'.[52] O'r rhai a ysgrifennai'r fath lyfrau, ychydig a fyddai'n trafod agweddau dadleuol crefydd. Nod bron y cyfan o'r gweithiau hyn oedd codi ymwybyddiaeth ynghylch cred ac ymarweddiad. Fe'u hanelid at benteuluoedd, perchenogion eiddo mawr a mân, yr oedd arnynt ddyletswydd nid yn unig i dderbyn rhwymedigaeth grefyddol drostynt hwy eu hunain, ond hefyd 'i fedru dyscu eu plant a'u tylwyth gartref y ngwyddorion y ffydd'.[53] Mynegodd yr awduron, bron yn ddieithriad, eu bwriad i ysgrifennu mewn arddull blaen, ddiaddurn, fel y dywedodd Robert Llwyd, 'gan ymfodloni ar cyfryw eiriau sathredig, ac y mae cyffredin y wlâd yn gydnabyddus a hwynt, ac yn yspys ynddynt'.[54] Eto i gyd, camgymeriad fyddai tybio ar sail gosodiadau fel hyn fod arddull yr awduron hyn yn israddol. I'r gwrthwyneb, llwyddodd cenhedlaeth y 1620au a'r 1630au – John Davies, Rowland Vaughan, Robert Llwyd ac Oliver Thomas – i'w mynegi eu hunain yn gelfydd a graenus. Cyrhaeddwyd safon uwch fyth gan y mwyaf meistrolgar o awduron Piwritanaidd y 1640au a'r 1650au, sef Morgan Llwyd,[55] y cydnabyddir hyd heddiw ei fod ymhlith rheng flaenaf holl ysgrifenwyr rhyddiaith Gymraeg. Erbyn hynny, yr oedd tair neu bedair cenhedlaeth o awduron rhyddiaith, trwy adeiladu ar y seiliau a osodwyd gan y Beibl Cymraeg, wedi llunio rhyddiaith newydd hyblyg a grymus. Daethai'n fodd effeithiol i gyflwyno gwirioneddau craidd y Diwygiad Protestannaidd i'r Cymry a fedrai ddarllen.

Cafwyd ymdeimlad crefyddol yng ngwaith beirdd Cymru yn ogystal ag yng ngwaith yr ysgrifenwyr rhyddiaith. Yr oedd y canu caeth clasurol yn rhy geidwadol a sefydlog i gyfleu'n rhwydd syniadau'r oes newydd. Ystyfnig iawn oedd y beirdd traddodiadol pan geisiai rhai fel Edmwnd Prys eu cymell i gefnu ar eu hen arferion ac ymgymryd â swyddogaeth

---

[51] Huw Lewys, *Perl mewn Adfyd* (1595), gol. W. J. Gruffydd (Caerdydd, 1929), t. [xvii].

[52] David Rowlands, *Disce Mori*; Hughes, *Rhagymadroddion*, t. 132.

[53] Oliver Thomas, *Carwr y Cymry*, gol. John Ballinger (Caerdydd, 1930), t. 8.

[54] Robert Llwyd, *Llwybr hyffordd yn cyfarwyddo yr anghyfarwydd i'r nefoedd* (Llundain, 1630), sig. A10r; Hughes, *Rhagymadroddion*, t. 130.

[55] Hugh Bevan, *Morgan Llwyd y Llenor* (Caerdydd, 1954); M. Wynn Thomas, *Morgan Llwyd* (Caerdydd, 1984); idem, *Morgan Llwyd, ei Gyfeillion a'i Gyfnod* (Caerdydd, 1991).

newydd fel beirdd y ddysg Gristnogol a'r llyfr printiedig.[56] Gwelwyd cyfraniad pennaf y canu cynganeddol yn y cerddi mawl i'r esgobion a'r offeiriaid Protestannaidd mwyaf blaenllaw, llawer ohonynt, yn wahanol i'w rhagflaenwyr yn y cyfnod canoloesol, yn Gymry Cymraeg ac yn byw yng Nghymru. Yr oedd aelwydydd rhai ohonynt, yn enwedig aelwyd Richard Davies yn Abergwili ac aelwyd William Morgan ym Matharn a Llanelwy, yn ganolfannau gweithgarwch llenyddol yn ogystal â chrefyddol. Ni symbylwyd y beirdd i glodfori unrhyw beth arall mor angerddol â'u mawl i Feibl William Morgan.[57]

Llawer mwy arwyddocaol na'r rhan a chwaraewyd gan y canu caeth oedd cyfraniad y canu rhydd. Cyflawnid swyddogaeth bendant gan y cwndidau, y carolau a'r halsingod ac, yn anad dim, gan Salmau Cân Edmwnd Prys a phenillion poblogaidd y Ficer Rees Prichard. Oherwydd ei natur yr oedd y canu rhydd yn llawer rhwyddach na'r canu caeth i'w addasu ar gyfer rhoi hyfforddiant crefyddol i'r bobl, ac yn llawer haws i'r anllythrennog a'r lled-lythrennog ei ddysgu ar y cof. Y mae hyn i'w ganfod yn amlwg yn yr ymateb ymhlith y werin-bobl i waith Edmwnd Prys a'r Ficer Prichard. Honnai Prys fel a ganlyn: 'pob plant, gweinidogion, a phobl annyscedic a ddyscant bennill o garol, lle ni allai ond ysgolhaig ddyscu Cywydd neu gerdd gyfarwydd arall'.[58] Cadarnhawyd ei farn gan lwyddiant enfawr a pharhaol ei Salmau Cân, a luniwyd ar fesur syml ac mewn iaith ddirodres: cyhoeddwyd cant namyn un argraffiad ohonynt rhwng 1621 a 1885. Eto i ddod yr oedd llwyddiant tebyg penillion cartrefol y Ficer Prichard. Nid ei amcan ef, fel y dywedodd, oedd cyfansoddi'n artistig:

> Ni cheisiais ddim cywrein-waith,
> Ond mesur esmwyth, perffaith,
> Hawdd i'w ddysgu ar fyr dro,
> Gan bawb a'i clywo deirgwaith.[59]

Er bod y Ficer Prichard wedi gobeithio atgyfnerthu llwyddiant ei benillion trwy eu hargraffu, bu farw cyn gallu gwneud hynny. Fe'u cyhoeddwyd, fodd bynnag, gan Stephen Hughes ym 1658, ac o hynny ymlaen cynyddodd eu hapêl fwyfwy ymhlith y werin; rhwng 1658 a 1820 ymddangosodd 52 argraffiad.[60] Llwyddodd y farddoniaeth grefyddol i

---

[56] Williams, *The Welsh and their Religion*, tt. 162–3; Gruffydd Aled Williams, *Edmwnd Prys a Wiliam Cynwal* (Caerdydd, 1986).
[57] Gruffydd, '*Y Beibl a droes*', passim.
[58] T. H. Parry-Williams, *Canu Rhydd Cynnar* (Caerdydd, 1932), t. xxxvii.
[59] D. Gwenallt Jones, *Y Ficer Prichard a 'Canwyll y Cymry'* (Caernarfon, 1946), t. 50.
[60] R. Brinley Jones, '*A Lanterne to their Feete*' (Porth-y-rhyd, 1994), tt. 26–31.

symleiddio a gwneud yn gofiadwy yr hyn a gyflwynid yn fwy dwfn a
manwl yn y testunau rhyddiaith. Aralleiriai beth o gynnwys y Beibl;
ailadroddai ar fydr gynnwys llyfr gweddi, homili a chatecism; a chrynhôi
mewn iaith werinol feunyddiol ddadleuon hirwyntog gweithiau
diwinyddol. Cyhyd ag y parhâi mwyafrif y Cymry yn anllythrennog neu â
dim ond crap ar ddarllen, y cerddi hyn oedd y dull mwyaf effeithiol o
apelio atynt.

Nid y Protestaniaid yn unig a sylweddolai bwysigrwydd cyrraedd eu
cynulleidfa drwy'r famiaith; yr oedd y Pabyddion hwythau lawn mor
ymwybodol o hyn.[61] Er nad oedd i'r iaith frodorol le mor ganolog yn
addoliad a dysgeidiaeth y Pabyddion, gofalai'r Eglwys ganoloesol bob
amser wneud defnydd ohoni. Wedi canfod ei bod yn offeryn mor
effeithiol ymhlith y Protestaniaid, gwnaeth Eglwys adfywiedig y
Gwrthddiwygiad gryn ddefnydd o'r iaith frodorol yn ei hymgais i
ledaenu'r neges ymhlith ei chefnogwyr. Mewn meysydd eraill hefyd, ac er
gwaethaf pob gwrthdaro o ran athrawiaeth, yr oedd gan y Pabyddion a'r
Protestaniaid Cymraeg fwy yn gyffredin nag a dybid. Yr oedd y ddwy
garfan yn wladgarwyr selog ac yn rhannu'r un balchder yn yr hyn a farnent
yn hanes, iaith a llenyddiaeth hynafol, unigryw a chlodwiw y Cymry.[62]
Rhoddai'r naill ochr a'r llall hefyd bwyslais ar lythrennedd a'r llyfr
printiedig. Yn eu hymdrech i gynhyrchu llenyddiaeth mewn print, fe
wynebent yr un rhwystrau. Câi'r ddwy ochr anhawster cyffelyb wrth
geisio ennill noddwyr hael i dalu costau argraffu; ac ni allent ychwaith
ddibynnu ar niferoedd helaeth o bobl eiddgar a llythrennog i brynu eu
llyfrau. At hynny, oherwydd sensoriaeth lem y llywodraeth, gwaherddid y
Pabyddion rhag defnyddio gweisg argraffu Seisnig. Fe'u gorfodwyd o'r
herwydd i sefydlu eu gweisg dirgel a byrhoedlog eu hunain, megis yr un
yn yr ogof yn Rhiwledin ger Llandudno,[63] neu i argraffu eu llyfrau ar y
Cyfandir, eu smyglo i Gymru a'u dosbarthu yn y dirgel. Yr unig ddewis
arall oedd dibynnu ar lafur dyfal ac ymroddiad rhyfeddol copïwyr
llawysgrifau, megis Llywelyn Siôn.[64] Gallai fersiwn llawysgrif o destun
Cymraeg fod cystal cyfrwng llenyddol â llyfr printiedig yng ngolwg yr
awdur. Byddai amryw o gopïau llawysgrif o destunau Pabyddol
poblogaidd yn aml yn cylchredeg yn ddirgel yr un pryd. Gwnâi
reciwsantiaid eu gorau i'w lledaenu, er gwaethaf gorfod gwadu sut y

[61] Geraint Bowen, 'Rhyddiaith Reciwsantiaid Cymru' (traethawd PhD anghyhoeddedig
    Prifysgol Cymru, 1978); idem, 'Llenyddiaeth Gatholig y Cymry (1559–1829): rhyddiaith
    a barddoniaeth' (traethawd MA anghyhoeddedig Prifysgol Lerpwl, 1952–3); gw. hefyd
    LlLlG.
[62] Yr enghraifft nodedig oedd Gruffydd Robert. Gruffydd Robert, Gramadeg Cymraeg, gol.
    G. J. Williams (Caerdydd, 1939).
[63] R. Geraint Gruffydd, Argraffwyr Cyntaf Cymru (Caerdydd, 1972).
[64] G. J. Williams, Traddodiad Llenyddol Morgannwg (Caerdydd, 1948), tt. 157–60.

daethai copi i'w meddiant pe caent eu dal. Ysgrifennodd y myfyriwr ifanc, Robert Gwyn, lythyr Cymraeg at ei deulu, gan ddisgwyl y byddai llawer o Babyddion eraill hefyd yn ei ddarllen.[65] Byddai tirfeddianwyr reciwsantaidd, megis John Edwards, Y Waun, yn ymarfer eu hawdurdod dros eu tylwyth a'u tenantiaid trwy ddarllen yn uchel yn eu gŵydd lawysgrifau Pabyddol Cymraeg pan fyddent yn addoli yn y dirgel.[66]

Ymddengys fod nifer o'r gweithiau Pabyddol Cymraeg a ysgrifennwyd yn y cyfnod hwn wedi mynd ar goll, a dim ond teitlau rhai eraill sy'n weddill. Allan o ryw ddeg ar hugain o destunau rhyddiaith grefyddol a defosiynol y Pabyddion y bu Dr Geraint Bowen ar eu trywydd, dim ond rhyw hanner dwsin a argraffwyd, a phedwar o'r rheini yn gatecismau.[67] Megis y llyfrau a ysgrifennwyd gan Brotestaniaid, cyfieithiadau o glasuron cydnabyddedig oedd y mwyafrif llethol o'r rhain hefyd. Fe'u bwriadwyd yn bennaf i gynnal ffydd y lleiafrif Pabyddol Cymraeg eu hiaith mewn oes o erlid cynyddol. Honnai eu hawduron eu bod yn ysgrifennu'n syml ac eglur ar gyfer y di-ddysg, sef y rhai na chawsent addysg ffurfiol yn yr ieithoedd clasurol ond heb fod, o anghenraid, yn anllythrennog nac yn anfodlon gwrando ar eraill yn darllen iddynt. Gwaith dyrnaid bach o unigolion ymroddgar, offeiriaid gan mwyaf, oedd y llyfrau hyn. Ysgrifennent yn unol â'u gweledigaeth eu hunain o anghenion eu heglwys, ac nid fel rhan o unrhyw gynlluniau ehangach, gan nad oedd y cyfryw yn bodoli. Yn wir, dichon fod eu hymdrechion, llafar ac ysgrifenedig, wedi dioddef yn arw am na wyddai'r alltudion o Saeson, sef y rhai a gyfeiriai'n bennaf ymdrechion y Gwrthddiwygiad, faint o gydymdeimlad a oedd gan y Cymry fel cenedl at Babyddiaeth nac am yr angen i apelio atynt yn yr iaith Gymraeg.[68] Yr oedd hi'n anodd, onid amhosibl, i lawer o'r offeiriaid Cymraeg dan hyfforddiant fentro'n ôl i'w cynefin, a byddai anfon offeiriaid di-Gymraeg o ddim budd yn y mannau hynny.

Yr oedd y Pabyddion lawn mor ymwybodol â'r Protestaniaid o werth barddoniaeth Gymraeg fel cyfrwng dysg ac ysbrydoliaeth grefyddol. Yr oedd nifer sylweddol o gerddi Pabyddol yn cylchredeg ymhlith y Cymry; ond, o gofio'r erlid ar Babyddion, nid yw'n syndod fod llawer llai o'r rhain wedi goroesi nag o gerddi Protestannaidd. Ymddengys fod y rhan fwyaf o'r hyn sydd ar gael a chadw yn bodloni ar annog y bobl i fyw'n dduwiol a da yn unol â dysgeidiaeth Crist, a dim ond yma a thraw y ceir ebwch o ddicter tuag at Brotestaniaid. Fodd bynnag, yr oedd rhai o gerddi

[65] Robert Gwyn, *Gwssanaeth y Gwŷr Newydd*, gol. Geraint Bowen (Caerdydd, 1970).
[66] Geraint Bowen, 'Gweithiau apologetig reciwsantaid Cymru', *CLlGC*, XIII, rhifyn 2 (1963), 174–8.
[67] Williams, *The Welsh and their Religion*, t. 153.
[68] John Bossy, *The English Catholic Community, 1570–1850* (London, 1975), tt. 97–9.

Richard Gwyn,[69] a ddienyddiwyd yn Wrecsam ym 1584, yn fwy llym a dadleuol eu natur. Dyma unig farddoniaeth Gymraeg y cyfnod a argraffwyd, er nad oes yr un copi gwreiddiol wedi goroesi. Gallai grym cynyddol heresi a rhai o'r nodweddion Piwritanaidd mwyaf ymosodol o'i mewn esbonio chwerwedd cerddi Gwyn. Bu'n lladd ar y Beibl Saesneg, gan honni ei fod yn llawn o ddychmygion ffug, a barnai'n hallt nad oedd y gwasanaethau Protestannaidd yn ddim llai nag anghysegriad:

Yn lle allor trestyl trist
Yn lle Krist mae bara.[70]

Er gwaethaf arwriaeth Richard Gwyn a merthyron a dioddefwyr Pabyddol eraill o dan law'r wladwriaeth Brotestannaidd, parhau'n lleiafrif bychan a wnaeth y garfan reciwsantaidd drwy'r adeg. Eto i gyd, yn y canolfannau cryfaf, megis rhannau o siroedd y Fflint a Mynwy, daliai i fod yn rhyfeddol o ddi-ildio, gan ychwanegu rhywfaint at ei niferoedd hyd at y 1640au.[71] Diamau fod y defnydd a wneid o'r iaith Gymraeg o fantais wrth drwytho'r ffyddloniaid, meithrin hyder, a chreu traddodiad o weithgarwch llenyddol Pabyddol yng Nghymru a barhaodd tan y ddeunawfed ganrif. Pryderai'r Cyfrin Gyngor ynghylch y fath weithgareddau bradwrus ac, o bryd i'w gilydd, cosbid y rhai a ledaenai eu cynhyrchion llenyddol. Honnai mab yr hanesydd enwog, David Powel, fod ei dad wedi achwyn ers blynyddoedd lawer wrth y Cyngor ynghylch Pabyddion yn ysgrifennu ac yn areithio yn erbyn y frenhines.[72] Efallai mai'r dystiolaeth gadarnaf i'r gwerth a roddai Pabyddion ar lenyddiaeth reciwsantaidd Gymraeg oedd eu hymlyniad wrthi trwy gydol yr unfed ganrif ar bymtheg a'r ail ganrif ar bymtheg, a hynny er gwaethaf yr holl anawsterau a'u hwynebai wrth geisio ei chynhyrchu a'i dosbarthu.

At bwy yn bennaf yr anelid yr holl weithgarwch crefyddol hwn yn yr iaith Gymraeg – yn rhyddiaith, yn farddoniaeth, yn wasanaethau, yn bregethau, yn gatecismau ac ati? Digon gwir fod yna rai pobl yng Nghymru a fyddai wedi deall yn burion y genadwri yn Saesneg. Yr oedd siaradwyr Saesneg yn byw ar hyd arfordir de Cymru mewn lleoedd megis de sir Benfro, Bro Morgannwg, gwastadedd Gwent ac ar hyd y ffin ddwyreiniol â Lloegr; ac eraill yn yr holl drefi marchnad ac ymhlith llawer o'r boneddigion, y cyfreithwyr, y masnachwyr, ynghyd â nifer o'r offeiriaid. Barnai William Salesbury fod rhyw gymaint o siaradwyr

[69] T. H. Parry-Williams (gol.), *Carolau Richard White [1537?–1584]* (Caerdydd, 1931); D. Aneurin Thomas, *The Welsh Elizabethan Catholic Martyrs* (Cardiff, 1971).
[70] Parry-Williams, *Carolau*, t. 32.
[71] Williams, *The Welsh and their Religion*, t. 169.
[72] PRO, Llys Siambr y Seren 5/P48/25.

Saesneg i'w cael yn y mwyafrif o blwyfi Cymru.[73] Un arwydd o ledaeniad yr iaith Saesneg yw'r ffaith fod mwy o Gymry yn ysgrifennu llyfrau yn Saesneg nag yn eu mamiaith yn yr unfed ganrif ar bymtheg. Ond eto parhâi'r ffaith mai trwy gyfrwng y Gymraeg yn unig y gellid apelio'n llwyddiannus at drwch y boblogaeth yng Nghymru. Naill ai ni wyddent unrhyw iaith arall, neu yr oeddynt yn teimlo'n fwy cartrefol ynddi. Fel y cydnabyddai'r rhagair i Ddeddf 1563 ynglŷn â chyfieithu'r Beibl: 'the English Tongue . . . is not understanded of the most and greatest Number of all her Majesty's most loving and obedient Subjects inhabiting within . . . Wales'.[74] Golygai hynny, fel y gwyddai pob awdur a oedd yn llwyr ymwybodol o gyflwr ysbrydol ei gyd-wladwyr, mai colledigaeth fyddai tynged y bobl, oni bai eu bod yn derbyn crefydd yn eu mamiaith. Yr oedd rhai Protestaniaid brwd yn argyhoeddedig fod Duw drwy ei ragluniaeth wedi cadw'r iaith Gymraeg yn fyw er mwyn gallu cyhoeddi'r newyddion am 'ailenedigaeth Crist'[75] neu 'ailflodeuad efengyl Crist' i'r bobl yn Gymraeg. Ar ben hynny, byddai hyrwyddo crefydd yn yr iaith o fantais ychwanegol trwy gadw'r Gymraeg a'i llenyddiaeth yn fyw ac iach. Dyna ystyriaeth hynod o berthnasol i'r dyneiddwyr blaenllaw hynny, ar ddwy ochr y rhaniad crefyddol, a drwythwyd yn nhraddodiadau diwylliannol eu gwlad.

Yn y sefyllfa a oedd ohoni, rhaid bod pleidwyr crefydd ac iaith wedi ystyried o ddifrif at bwy yr anelent yn bennaf. Mwy na thebyg fod dwy garfan yn neilltuol y dymunent gyrraedd atynt, sef yr offeiriaid a'r penteuluoedd. Sylweddolai'r Pabyddion a'r Protestaniaid bwysigrwydd swyddogaeth yr offeiriaid wrth gyfleu i'w plwyfolion yr hyn a dderbyniasent hwy eu hunain. Cytunai'r ddwy ochr hefyd fod gwir angen diwygio'r offeiriadaeth. Rhoddwyd rhagor o bwyslais ar eu haddysg ffurfiol – mewn athrofa, neu mewn ysgol ramadeg a phrifysgol, er bod rhaid addef nad oedd unrhyw ddarpariaeth o gwbl ar gyfer astudio'r iaith Gymraeg yn y sefydliadau hynny. Barnai'r Protestaniaid, fodd bynnag, y dylai Beibl a Llyfr Gweddi Cymraeg fod ar gael. Rhoddent bwyslais neilltuol hefyd ar bregethu, darparu homilïau printiedig ar gyfer clerigwyr heb drwydded i bregethu eu pregethau eu hunain, a cherddi rhydd, cwndidau neu 'bregethau ar gân', yn ogystal. Serch hynny, poenus o araf fu'r newid er gwell yn hanes yr offeiriaid. Yr oedd yr Eglwys sefydledig yn rhy dlawd i gynnig llawer o fywiolaethau eglwysig cysurus i offeiriaid dysgedig. Cwynai Huw Lewys fod mwyafrif yr offeiriaid 'yn ddiog yn ei swydd ai galwedigaeth, heb ymarddel a phregethu ac a deongl dirgelwch gair duw i'r bobl, eythr byw yn fudion, ac yn aflafar, fal cwn heb gyfarth,

[73] Thomas, *Davies and Salesbury*, t. 67.
[74] Bowen, *Statutes*, tt. 149–50.
[75] Jones, *Salesbury*, t. 38.

clych heb dafodeu, ne gannwyll dan lestr'.[76] Daliwyd i leisio cwynion lu
am eu diffygion drwy gydol yr ail ganrif ar bymtheg.

Penteuluoedd oedd y garfan arall a ystyrid o bwys strategol. Mewn
llawer gwlad yn Ewrop lle'r oedd yr athrawiaeth Brotestannaidd wedi
gwreiddio, 'offeiriadaeth y *paterfamilias*' oedd yr hyn a gafwyd, yn anad
'offeiriadaeth yr holl gredinwyr'. Nid oedd gan y Ficer Prichard, ac eraill
tebyg iddo, unrhyw amheuaeth ynghylch dyletswyddau pob penteulu
duwiol:

> Bydd Reolwr, bydd offeiriad,
> Bydd Gynghorwr, bydd yn Ynad,
> Ar dy dŷ, ac ar dy bobol,
> I reoli pawb wrth reol.[77]

Ymhlith y cyfryw benteuluoedd yr oedd mân-foneddigion, rhydd-
ddeiliaid, clerigwyr, masnachwyr, cyfreithwyr a'u tebyg. Ar ben isaf y
raddfa gwelid hefyd denantiaid a hwsmoniaid da eu byd; dynion ac iddynt
ddigon o statws i allu ymgymryd â swyddi lleol, megis cwnstabl plwyf neu
warden eglwys. Disgwylid i'r rhain oll gyd-dynnu o dan gyfarwyddyd y
boneddigion pennaf i gynnal y grefydd sefydledig a'r drefn gymdeithasol.
Dyna paham yr oedd angen hybu llythrennedd ymhlith y bobl hyn.
Ceisiai'r Piwritan cymedrol, Oliver Thomas, godi cywilydd ar ei gyd-
wladwyr i ddysgu darllen trwy eu cymharu'n anffafriol â'r Saeson, gan
honni bod y tlotaf yn eu plith hwy yn medru darllen eu beiblau.[78] Bu'r
Ficer Prichard yntau yn eu hannog trwy eu sicrhau, pe bai'r ewyllys
ganddynt, y dysgent ddarllen o fewn mis o amser.[79] Yr oedd hi'n
bwysicach fyth i'r garfan hon nid yn unig fedru darllen a meithrin eu cred
grefyddol eu hunain, ond hefyd fod mewn sefyllfa i ddylanwadu ar
syniadau pobl eraill a oedd o dan eu hawdurdod, sef gwragedd, plant,
gwasanaethyddion, is-denantiaid, llafurwyr, a hyd yn oed dlodion a
chardotwyr. Cymry uniaith, wrth reswm, fyddai bron pob un yn y
grwpiau hyn. Y mae lle i gredu, fodd bynnag, na wireddwyd o bell ffordd
yr egwyddor o greu cymdeithas o ddinasyddion duwiol yn gosod esiampl
i'w hefelychu gan feidrolion llai breintiedig. Yr oedd mwy o bregethu
dyletswyddau nag o'u cyflawni, a llawer mwy o annog nag o weithredu.

---

[76] *Perl mewn Adfyd*, rhagymadrodd [xxi]; cymh. Hughes, *Rhagymadroddion*, t. 101.
[77] Glanmor Williams, *Grym Tafodau Tân: Ysgrifau Hanesyddol ar Grefydd a Diwylliant* (Llandysul, 1984), t. 162.
[78] *Canwr y Cymry*, tt. 23, 38, 39, 71, 100.
[79] Williams, *The Welsh and their Religion*, t. 45.

Parhau i restru Cymru gyda 'chorneli tywyll y deyrnas' a wnâi beirniaid Piwritanaidd yr ail ganrif ar bymtheg.[80]

Er gwaethaf hyn i gyd, bu'r blynyddoedd rhwng 1536 a 1660 yn gyfnod o newidiadau eithriadol o bwysig yn natur crefydd ac iaith yng Nghymru. Yn gyntaf oll, daeth Cymru yn un o wledydd Protestannaidd Ewrop ac yr oedd i hynny oblygiadau pwysig o safbwynt lle'r famiaith mewn addoliad. Heb amheuaeth, bwriad y Goron i ddechrau oedd sicrhau y byddai'r iaith Saesneg yn disodli Lladin unwaith ac am byth fel iaith crefydd ledled y deyrnas. I bob pwrpas, dyna a ddigwyddodd yn swyddogol yn rhannau eraill y deyrnas lle y siaredid ieithoedd Celtaidd, h.y. Cernyw, Ynys Manaw, ac Iwerddon. Gwnaed sylw craff gan yr hynafiaethydd galluog, George Owen, Henllys, fod y Saesneg mor annealladwy i'r Cymry (fel ag yr oedd, o ran hynny, i'r Celtiaid eraill) ag yr oedd y Lladin yn yr adeg a ddisgrifiai ef fel 'the time of blindness'.[81] Digwyddodd enghraifft debyg o imperialaeth ddiwylliannol yn Norwy, lle y cyflwynodd y Daniaid y Diwygiad yn y Ddaneg, er ei bod hi'n iaith anodd ei deall i fwyafrif y Norwyaid. Yn ffodus i'r Cymry, o'r cychwyn cyntaf pan ddechreuwyd cyflwyno'r Diwygiad, bu grŵp bychan, ond un tra goleuedig a phenderfynol, yn dadlau na fyddai gobaith i'r Diwygiad fwrw gwreiddiau heb ddefnyddio'r Gymraeg. Yr oeddynt yr un mor argyhoeddedig hefyd fod gan yr iaith yr adnoddau cynhenid i ddarparu cyfieithiad teilwng. I William Salesbury ac, yn ddiweddarach, i William Morgan, a'r cylch bychan ond ymroddedig o ysgolheigion dyneiddiol a ysbrydolwyd ganddynt, y mae Cymru'n ddyledus am y ffaith iddi yn y pen draw dderbyn a choleddu'r Diwygiad yn ei hiaith ei hun ac nid mewn iaith estron. Yn araf iawn, rhaid cyfaddef, y lledaenwyd y Diwygiad ymhlith trwch y boblogaeth. Mor ddiweddar â 1630, cwynai Robert Llwyd, ficer Y Waun, yn ei ragymadrodd i'w gyfieithiad o *The Plain man's pathway to heaven,* fod y Cymry yn esgeuluso crefydd ac yn ymroi bron yn llwyr i'r 'twmpath chwareu, a'r bowliau, ar tafarnau, a'r bêl-droed, ar denis',[82] a thros ganrif wedyn, disgrifiodd Griffith Jones, Llanddowror, yn llawn anobaith, 'the brutish, gross and general ignorance in things pertaining to salvation'. Nododd y gwendid sylfaenol: 'how deplorably ignorant the poor people are who cannot read, even where constant preaching is not wanting'.[83] Crefydd llyfr oedd y grefydd Brotestannaidd; fe'i bwriadwyd yn bennaf ar gyfer y llythrennog, a châi ei thanseilio'n ddifrifol gan bobl na allent ddarllen drostynt eu hunain. Ni chyrhaeddodd y Diwygiad ei benllanw yng Nghymru tan ail hanner y ddeunawfed ganrif, pryd yr aed

---

[80] J. E. C. Hill, 'Puritans and "the Dark Corners of the Land"', *TRHS*, 13 (1963), 77–102.

[81] Owen, *Description*, III, t. 57.

[82] Llwyd, *Llwybr Hyffordd*, sig. A10r; cymh. Hughes, *Rhagymadroddion*, t. 128.

[83] Glanmor Williams, *Religion, Language, and Nationality in Wales* (Cardiff, 1979), t. 202.

ati o ddifri ac ar raddfa eang i drechu anllythrennedd.[84] Er hynny, camgymeriad dybryd fyddai tanbrisio llwyddiant yr Eglwys sefydledig yng Nghymru yn y cyfnod cyn 1642. Enillasai'n sicr le cynnes iddi ei hun yng nghalonnau llawer o'r llythrennog, a rhai heb fod felly. Yn ychwanegol, parhaodd y teyrngarwch iddi bron yn ddi-sigl, er gwaethaf pob darostyngiad a thrychineb adeg y rhyfeloedd cartref. Ymhlith y lleiafrif, fodd bynnag, a oedd yn dilyn 'piwritaniaeth eglwysig' frwd y cyfnod Stiwartaidd cynnar, ac yn sgil cefnogaeth gref y wladwriaeth i'r sectau Piwritanaidd yn y 1650au a phregethu tanllyd eu harweinyddion, paratowyd y ffordd ar gyfer lledaeniad cymharol fuan eu syniadau ymhlith rhai Cymry Cymraeg. Tystiai'r Piwritan blaenllaw, Walter Cradock, ei fod wedi gweld 'in the mountains of Wales, the most glorious work that I ever saw in England . . . The Gospel is run over the mountains between Brecknockshire and Monmouthshire, as the fire in the thatch'.[85] Bu'r cenhadon Piwritanaidd cynnar hyn yn paratoi'r tir i dderbyn Anghydffurfiaeth ac, yn ddigamsyniol, y ddewis iaith yn eu plith hwy fyddai'r Gymraeg.[86]

Gan fod y Diwygiad Protestannaidd wedi rhoi lle anrhydeddus i'r Gymraeg mewn crefydd, datblygodd swyddogaeth yr offeiriaid i fod yn fwyfwy perthnasol o ran hyrwyddo'r iaith. Eisoes, trwy gydol yr Oesoedd Canol, tueddai clerigwyr i goleddu'r iaith genedlaethol ac i roi iddi statws ac urddas. Aethant cyn belled â datgan yn ffurfiol wrth y Pab y dylid penodi esgobion Cymraeg eu hiaith ar gyfer esgobaethau Cymru.[87] O'r unfed ganrif ar bymtheg ymlaen, byddai'r iaith o bwys ychwanegol iddynt. Gan ei bod bellach wedi ei derbyn yn iaith addoliad, nid oedd dewis ganddynt ond gwneud eu gorau glas i'w chefnogi. Haeddant fwy fyth o glod am wneud hynny, o gofio na châi'r iaith ronyn o sylw yn yr addysg a dderbynient mewn prifysgol nac ysgol ramadeg. Yr unig grŵp addysgedig yn y wlad a gâi fudd proffesiynol a phersonol o ddefnyddio'r iaith Gymraeg wrth ddilyn eu galwedigaeth, ac o ddangos parch ati, oedd yr offeiriaid. Yr oedd arferion a moesau Seisnigaidd yn dylanwadu'n gyson ar ddiwylliant brodorol y bonedd a'r cyfreithwyr, yn enwedig o'r ail ganrif ar bymtheg ymlaen; ac yr oedd y beirdd a fu tan hynny yn 'benseiri'r iaith', chwedl Salesbury,[88] yn prysur golli eu dylanwad. I raddau helaeth, yr offeiriad a gymerodd eu lle. Dros y canrifoedd i ddod, offeiriaid fyddai

---

[84] Williams, *Reformation Essays*, tt. 27–30.
[85] Dyfynnwyd yn Thomas Rees, *History of Protestant Nonconformity in Wales* (London, 1861), t. 77.
[86] R. Tudur Jones, *Hanes Annibynwyr Cymru* (Abertawe, 1966); T. M. Bassett, *Bedyddwyr Cymru* (Abertawe, 1977); Derec Llwyd Morgan, *Y Diwygiad Mawr* (Llandysul, 1981).
[87] Williams, *Welsh Church*, tt. 126–7.
[88] Jones, *Salesbury*, t. 4.

bron pob un o'r sêr yn ffurfafen llenyddiaeth Gymraeg, yn awduron rhyddiaith, megis John Davies, Morgan Llwyd a Charles Edwards, neu'n feirdd mor wahanol i'w gilydd ag Edmwnd Prys, y Ficer Prichard a Goronwy Owen. Yn yr un modd eto, offeiriaid a gweinidogion oedd yr arloeswyr amlycaf ym myd addysgu'r werin – Stephen Hughes, Samuel Jones, Brynllywarch, a Griffith Jones. Pe tynnid ymaith enwau offeiriaid a gweinidogion o feysydd addysg, llenyddiaeth a chyhoeddi llyfrau, ychydig o sylwedd a fyddai'n weddill. Bu'r ffaith mai siaradwyr Cymraeg oedd mwyafrif yr esgobion a'r uwch offeiriaid, yn enwedig yng ngogledd Cymru, yng nghyfnod y Tuduriaid a dechrau cyfnod y Stiwartiaid o gymorth mawr i greu'r ymwybyddiaeth hon o swyddogaeth hanfodol y Gymraeg mewn crefydd. Yr oedd hyd yn oed yn bosibl i esgob fel William Hughes, Llanelwy, gŵr heb fod ag enw rhy dda, gael ei ddwyn gerbron llys barn oherwydd ei amharodrwydd i sefydlu offeiriad na fedrai siarad Cymraeg. Ym 1585 daethpwyd ag achos yn ei erbyn am iddo wrthod derbyn gŵr o'r enw Bagshaw i fywoliaeth Whittington ar sail ei Gymraeg annigonol.[89] Ym mhen arall Cymru, yn Abertawe, erlynwyd y ficer, John After, yn y llys eglwysig gan ei blwyfolion ym 1593 am iddo beidio â chynnal gwasanaethau yn Gymraeg, ac fe'i gorfodwyd i wneud hynny gan y llys.[90]

O'r cychwyn cyntaf, buan y deallodd beirdd ac ysgolheigion y byddai cyfraniad y Beibl Cymraeg bron cymaint i'r iaith ag i grefydd yng Nghymru. Yr hyn na sylweddolent ac, yn wir, na allent ei sylweddoli oedd arwyddocâd llawn hynny. Nid oedd modd iddynt amgyffred sefyllfa pryd y byddai'r Gymraeg mewn perygl o beidio â bod yn iaith mwyafrif y boblogaeth yng Nghymru. Yn wir, un o'r prif resymau paham yr ymgymerodd dynion fel Salesbury a Morgan â'r cyfieithu oedd eu cred na allai'r Cymry byth ddarllen y Beibl, na dim arall ychwaith, mewn unrhyw iaith heblaw eu hiaith eu hunain. Yn y pen draw, y ffactor unigol mwyaf tyngedfennol a sicrhaodd barhad yr iaith oedd peri ei bod yn iaith addoliad cyhoeddus yn yr holl blwyfi hynny lle y siaredid hi'n arferol, ynghyd â darparu Beibl Cymraeg, llyfr gwasanaeth a llenyddiaeth grefyddol. Pe bai'r Saesneg wedi dal i fod yn iaith addoliad cyhoeddus, byddai pob eglwys blwyf yng Nghymru, ni waeth pa mor anghysbell, wedi datblygu'n anorfod yn ganolfan i'r bobl ymgyfarwyddo â'r iaith honno. Byddai hynny wedi creu rhwydwaith eang a pharhaol o ddylanwadau estron na fyddent, fel arall, byth braidd wedi gallu ymdreiddio. Heb amheuaeth, byddai'r Gymraeg wedi gwanychu'n arw iawn ac, o bosibl, wedi diflannu. Nid ar unwaith, wrth reswm; proses araf fyddai hi wedi bod, ond un

---

[89] D. R. Thomas, *History of the Diocese of St Asaph* (3 cyf., Oswestry, 1908), I, t. 100.
[90] W. S. K. Thomas, *The History of Swansea from Rover Settlement to the Restoration* (Llandysul, 1990), t. 181.

anochel, serch hynny. Eisoes, yr oedd Deddf Uno 1536 wedi gwneud y Saesneg yn iaith llywodraeth, gweinyddiaeth, cyfraith a chyfiawnder, a thrwy hynny wedi rhoi hwb pendant i'r proses o Seisnigeiddio haenau uchaf y gymdeithas. Deddf 1563 a fu'n gyfrifol am ddad-wneud llawer o effaith y ddeddfwriaeth gynharach trwy wneud y Gymraeg yn iaith swyddogol crefydd. Wedi'r cyfan, yn anaml y deuai trwch y boblogaeth i gysylltiad â llywodraeth a llys barn, ond yr oedd deddf gwlad yn mynnu bod holl ddeiliaid y deyrnas yn mynychu'r eglwys ar y Sul. Pe bai'r Saesneg wedi bod yr unig iaith a glywid yno, byddai pob eglwys blwyf wedi bod yn ganolbwynt i'w lledaenu. Yn ychwanegol, nid anodd dyfalu'r effaith pe bai'r offeiriaid, yn lle cynnal gwasanaethau, cyfarwyddo a chateceisio eu plwyfolion, a phregethu iddynt yn Gymraeg, wedi barnu mai eu swyddogaeth oedd cymell y bobl i ddysgu Saesneg gynted fyth ag y gellid. Yn hyn o beth, gwelir cyferbyniad dirfawr rhwng y statws a roddwyd i'r Gymraeg ym myd crefydd a safle israddol yr ieithoedd Celtaidd eraill.[91] Trwy beidio â dyrchafu eu statws, seliwyd eu tynged. Fel ieithoedd llafar, byw, diflannodd y Gernyweg a'r Fanaweg yn llwyr yn y diwedd. Y mae hyd yn oed yr Wyddeleg, a siaredid yn yr unfed ganrif ar bymtheg gan lawer mwy o bobl na'r Gymraeg, wedi colli tir yn gynt na hi. Hyd yn oed heb y defnydd o'r Gymraeg yn yr eglwysi, rhaid cydnabod y gallai'r iaith fod wedi parhau ar lafar, ond dim ond fel nifer amrywiol o dafodieithoedd gwerinol, heb nac urddas, na chywirdeb, na chysondeb. Y Beibl, yn ôl Siôn Dafydd Rhys, oedd y symbyliad i ddysgedigion feithrin yr iaith yn eu cyfnod eu hunain, 'wedi dechrau "[c]affael peth gwrtaith gan wyrda dysgedig o'n hamser ni, a hynny yn enwedig o ran Cymreicáu corff yr Ysgrythur Lân"'.[92] Hyn a roesai i Gymru iaith safonol ac unigryw, a honno, megis yr iaith farddol a ddisodlwyd ganddi, yn gyffredin drwy'r holl wlad ac yn ddealladwy i fwyafrif ei phobl.

Pe bai'r Gymraeg wedi rhyw lun o oroesi heb dderbyn yr ysgogiad newydd hwn, pe bai hi wedi llusgo byw yn dafodieithoedd sathredig, ni ellir dychmygu am funud y byddai wedi parhau yn gyfrwng teilwng i lenyddiaeth. Byddai dirywiad trist a buan cyfundrefn y beirdd o ddiwedd yr unfed ganrif ar bymtheg ymlaen wedi gwaethygu'r sefyllfa yn arw. Pe byddai swyddogaeth y beirdd wedi diflannu heb ddim byd arall cymwys i lenwi'r bwlch, byddai ar ben ar y Gymraeg fel iaith lenyddol. Yn ogystal â dirywiad diwrthdro y gyfundrefn farddol, yr oedd temtasiynau cryf yn denu awduron Cymraeg i ysgrifennu yn Saesneg, ac ildiodd llawer i'r temtasiynau hynny.[93] Y Beibl Cymraeg, megis Beibl Luther yn yr

---

[91] Williams and Jones, *Celts and Renaissance*, passim.

[92] Gruffydd, *Gair ar Waith*, t. 73.

[93] Glanmor Williams, 'Welsh authors and their books, 1500–1642' yn M. B. Line (gol.), *The World of Books and Information* (British Library, 1987), tt. 187–96.

Almaen, a osododd y safon a'r esiampl ar gyfer gwaith yr holl awduron yn y cyfnodau dilynol a ysgrifennai yn Gymraeg. Cyflawnodd y Beibl, ynghyd â'r gweithiau a sylfaenwyd arno, ddyheadau mwyaf angerddol dyneiddwyr Cymru yn yr unfed ganrif ar bymtheg.[94] Gwireddodd eu hargyhoeddiad y gallai'r Gymraeg gyfarfod â'r holl ofynion y byddai'r cyfuniad newydd o ddysg y Dadeni a diwinyddiaeth y Diwygiad yn eu gosod arni. Yn y canrifoedd ar ôl hynny, pwrpas crefyddol neu foesol a oedd i'r rhan fwyaf o'r hyn a ysgrifennwyd ac a gyhoeddwyd yn Gymraeg, yn enwedig mewn rhyddiaith. Cymharol ychydig o'r gweithiau hynny a ysbrydolwyd gan unrhyw uchelgais lenyddol; swyddogaeth ddidactig amlwg oedd i'r cyfan bron. Er hynny, crëwyd traddodiad newydd o ryddiaith; ac ar ben hynny, bu Salmau Cân Prys a phenillion y Ficer Prichard yn braenaru'r tir ar gyfer emynau cyfoethog a cherddi telynegol crefyddol y ddeunawfed ganrif a'r bedwaredd ar bymtheg. Er nad oedd maes y llenyddiaeth hon yn eang, ac er bod ei themâu yn gyfyng, llwyddodd i gynhyrchu, o fewn ei therfynau ei hun, gnwd rhyfeddol o doreithiog a llewyrchus. Llenyddiaeth y Gymraeg oedd yr unig un o'r llenyddiaethau Celtaidd i bontio'n llwyddiannus y trawsnewid o draddodiad llafar a llawysgrifol yr Oesoedd Canol i lenyddiaeth brintiedig yr oes fodern.

Yn olaf, bu'r cyfnod o 1536 i 1660 yn dyst i gydblethu trawiadol rhwng crefydd, iaith a llenyddiaeth, ynghyd ag ymwybod cryf o hunaniaeth y Cymry fel cenedl.[95] Yr oedd hyn, ar lawer ystyr, yr un mor wir am y Pabyddion yn eu plith ag am y Protestaniaid. Dangosent gartref ac mewn alltudiaeth eu bod yn wladgarwyr diffuant, fel y datgelwyd yn eu beirniadaeth lem o rai materion a gefnogid gan eu cyd-Babyddion o Saeson, a hefyd mewn llu o gyfeiriadau yn eu gweithiau ysgrifenedig. Ond yr oedd eu hymlyniad wrth eglwys fyd-eang a'u teyrngarwch i Babaeth goruwch cenhedloedd yn sicr o atal rhyw gymaint ar eu balchder mewn cenedl, ac yn enwedig yn y frenhiniaeth honno a ystyrid gan Brotestaniaid yn un 'genedlaethol'. Ni phrofodd y Protestaniaid unrhyw rwystr o'r fath. Gallent uniaethu â chyfundrefn o lywodraeth yr oedd ei phenaethiaid yn cydymdeimlo â'u delfrydau. Nid llai ychwaith oedd eu cymeradwyaeth i rinweddau 'Prydeinig' tybiedig Iago I nag i eiddo'r Tuduriaid.[96] Aethant hyd yn oed mor bell â chanmol eu hen elynion, y Saeson, a ymarweddai gynt fel bleiddiaid rheibus, ond a oedd bellach, yn sgil y Diwygiad

---

[94] Gruffydd, *Gair ar Waith*, tt. 87–112; Bowen, *Traddodiad Rhyddiaith*, passim; Thomas Parry, *Hanes Llenyddiaeth Gymraeg hyd 1900* (Caerdydd, 1944), pennod 8; G. J. Williams, *Agweddau ar Hanes Dysg Gymraeg* (Caerdydd, 1969), pennod 2.

[95] Gruffydd, *Gair ar Waith*, tt. 135–58; Williams, *The Welsh and their Religion*, tt. 169–72, 226–9.

[96] A. H. Dodd, 'Wales and the Scottish Succession 1570–1605', *THSC* (1937), 201–5.

Protestannaidd, yn fugeiliaid gofalus.[97] Buont yn teg ddarlunio'r Diwygiad fel dychweliad at burdeb cysefin y grefydd a blannwyd gan yr apostolion ymhlith y Brythoniaid cynnar yn y cyfnod mwyaf ysblennydd yn eu hanes, 'y gyntaf o'r holl daleithiau i dderbyn enw Crist yn agored'.[98] Atgyfodi'r ffydd wreiddiol honno a wnaethpwyd, felly, yn yr unfed ganrif ar bymtheg, gan gyflawni, yn y modd mwyaf dyrchafedig, y darogan ynghylch adfer hen ogoniannau Cymru gynt. Am ganrifoedd wedyn, parhaodd y balchder yn y cyfuniad unigryw hwnnw o grefyddolder a Chymreictod a sylfaenwyd yn y cyfnod modern cynnar. Dyna a ledaenodd ymhlith y Cymry y gred eu bod yn bobl etholedig, yn hanu o'r un cyff â'r Hebreaid eu hunain, ac yn gydradd â hwy. Ni ragluniwyd erioed ddim byd gwell i gadw'n fyw eu hymwybod o fod yn genedl arbennig ac ar wahân.

[97] Charles Edwards, *Y Ffydd Ddi-ffuant*, gol. G. J. Williams (Caerdydd, 1936), tt. 209–10.
[98] Gruffydd, *Gair ar Waith*, t. 101.

7

Yr Eglwys Sefydledig, Anghydffurfiaeth a'r Iaith Gymraeg c.1660–1811

ERYN M. WHITE

YN EI LYTHYR annerch i *Antiquae Linguae Britannicae* ym 1621, honnodd Dr John Davies, Mallwyd, fod Duw wedi rhagordeinio mai trwy gyfrwng yr iaith Gymraeg y byddai'r Cymry yn galw ar Ei enw. Credai yn angerddol na fyddai'r iaith wedi llwyddo i oresgyn yr holl rwystrau yn ei ffordd oni bai fod cynllun dwyfol wedi sicrhau ei pharhad.[1] Drwy gyfrwng y gair printiedig meithrinwyd yn y Cymry y gred fod y Gymraeg yn iaith bur a sanctaidd a drosglwyddwyd yn dreftadaeth i'w cyn-deidiau gan Gomer, ŵyr Noa. Profodd y chwedl hon yn hirhoedlog iawn a chafodd ei harddel am flynyddoedd lawer gan haneswyr ac ysgolheigion, gan gynnwys Charles Edwards a Theophilus Evans. Y mae'n wir fod yr iaith Gymraeg yn hawlio lle pwysig fel cyfrwng addoliad. Ers blynydd-oedd maith bu crefyddwyr ac ysgolheigion Cymru yn dadlau bod y Gymraeg yn hanfodol fel cyfrwng i drosglwyddo gwirioneddau crefyddol gan mai hi oedd yr unig iaith a oedd yn gyfarwydd i fwyafrif y Cymry. Yn ei ragair i Feibl 1588, cytunodd William Morgan y byddai'n ddymunol iawn i'r Cymry ddysgu Saesneg, ond barbaraidd a chreulon yn ei dyb ef fyddai tynghedu pobl, yn y cyfamser, i farw o newyn am Air Duw trwy eu hamddifadu o'r Ysgrythur yn eu hiaith eu hunain.[2] Er mwyn achub eneidiau'r Cymry uniaith, felly, yr oedd yn rhaid gwneud defnydd o'r Gymraeg. Mewn oes pan nad oedd gan yr iaith statws swyddogol ym myd gweinyddiaeth a chyfraith, crefydd oedd un o'r ychydig feysydd a oedd yn weddill iddi.[3] Bernid mai crefydd yn fynych iawn oedd cadarnle grymusaf yr iaith mewn mannau lle'r oedd y Gymraeg ar drai.

Erbyn ail hanner yr ail ganrif ar bymtheg a'r ddeunawfed ganrif, yr oedd yn ofynnol mewn ardaloedd Cymraeg i gynnal gwasanaethau'r Eglwys

---

[1] Ceri Davies (gol.), *Rhagymadroddion a Chyflwyniadau Lladin 1551–1632* (Caerdydd, 1980), tt. 117–18.

[2] Ibid., tt. 68–9.

[3] Awgrymwyd bod llenyddiaeth Saesneg y ddeunawfed ganrif, mewn gwrthgyferbyniad, yn cysylltu'r iaith Saesneg â'r Gyfraith a'r Cyfansoddiad er mwyn hybu ymdeimlad o genedligrwydd. John Barrell, *English Literature in History, 1730–80* (London, 1983), tt. 110–75.

sefydledig trwy gyfrwng yr iaith honno, yn ôl yr egwyddor a sefydlwyd gan bedwaredd erthygl ar hugain Eglwys Loegr, ynghyd â Deddf Cyfieithu'r Beibl 1563 a Deddf Unffurfiaeth 1662. Yr oedd y ddwy ddeddf yn datgan y dylid cynnal gwasanaethau Cymraeg mewn plwyfi Cymraeg eu hiaith. Cyfeiriodd Ieuan Fardd (Evan Evans) yn y 1760au at Ddeddf Cyfieithu'r Beibl fel 'siarter ein rhyddid crefyddol', oherwydd credai iddi sefydlu hawl gyfreithiol y Cymry i gael gwasanaethau eglwysig drwy gyfrwng eu hiaith eu hunain.

Er bod mwyafrif helaeth y Cymry ar ddiwedd yr ail ganrif ar bymtheg yn parhau'n deyrngar i'r Eglwys sefydledig yng Nghymru, wynebai'r Eglwys honno broblemau enfawr. Dioddefai yn rhannol oherwydd diffyg arweiniad ei hesgobion. Etifeddiaeth o'r Oesoedd Canol oedd ei strwythur a'i gweinyddiaeth ac yr oeddynt yn gwbl annigonol i wynebu'r her o du Anghydffurfiaeth ac, yn ddiweddarach, o du'r gymdeithas ddiwydiannol newydd.[4] Deilliai'r rhan fwyaf o drafferthion yr Eglwys, fodd bynnag, o'i thlodi affwysol. Yr oedd sefyllfa'r Eglwys yn y de yn fwy truenus nag yn y gogledd oherwydd bod yr hawl i gasglu'r degwm mewn nifer helaeth o blwyfi wedi syrthio i ddwylo amfeddwyr lleyg yn sgil diddymu'r mynachlogydd. Amcangyfrifwyd bod esgobaethau Llanelwy a Bangor yng nghanol y ddeunawfed ganrif ill dwy yn werth £1,400 y flwyddyn, tra oedd Tyddewi yn werth £900 a Llandaf, Sinderela'r esgobaethau, yn werth £500 yn unig.

Oherwydd y tlodi hwn ni roddai darpar-esgobion fawr ddim bri ar esgobaethau Cymru yn y cyfnod dan sylw. Ystyrid hwy yn gam cyntaf i swyddi brasach yn y pen draw. Yr oedd Edward Cressett yn eithriad ymhlith esgobion y cyfnod oherwydd ymfalchïai ef yn ei ddyrchafiad i Landaf ym 1748. Datganodd ei bleser yn ei benodiad, gan daeru na ddymunai fyth ymadael â Llandaf, a gwireddwyd ei ddymuniad pan fu farw yn y swydd ym 1755. Ond i'r mwyafrif o'i gyfoeswyr, cyfnod o benyd oedd gwasanaethu fel esgob yng Nghymru. Llygadu porfeydd brasach y tu draw i'r ffin a wnâi'r mwyafrif ohonynt. 'Though I love Wales very much', meddai Thomas Herring, esgob Bangor, ym 1742, 'I would not choose to be reduced to butter, milk, and lean mutton.'[5] Llawenychodd John Gilbert yn ddirfawr pan gafodd ei drosglwyddo o Landaf i esgobaeth Sarum ym 1748, gan ddiolch am yr achubiaeth a gawsai. Yr oedd ambell un yn ddigon haerllug i wneud cais am gael ei drosglwyddo i esgobaeth arall hyd

---

[4] Philip N. Jones, 'Baptist Chapels as an Index of Cultural Transition in the South Wales Coalfield before 1914', *JHG*, II (1976), 356; Colin H. Williams, 'Language Decline and Nationalist Resurgence in Wales' (traethawd PhD anghyhoeddedig Prifysgol Cymru, 1978), t. 103.

[5] Norman Sykes, *Church and State in England in the XVIII*[th] *Century* (Cambridge, 1934), t. 94.

yn oed cyn i'r proses o'i gysegru gael ei gwblhau. Dywedir mai esgobion a oedd wedi colli ffafr oedd yr unig rai a dariai'n hir yng Nghymru, rhai megis Richard Watson a adawyd i swatio yn Llandaf o 1782 hyd 1816 oherwydd iddo wneud datganiadau gwleidyddol annoeth.

Cwynai'r esgobion nid yn unig am y diffyg gwobr ariannol ond hefyd oherwydd ei bod mor anodd teithio i Gymru i ymweld â'u preiddiau. Disgwylid iddynt fod yn bresennol yn Nhŷ'r Arglwyddi yn ystod misoedd y gaeaf er mwyn bwrw eu pleidlais dros y llywodraeth a'u dyrchafodd i'w swyddi. Yn ystod misoedd yr haf yn unig, felly, yr oeddynt yn rhydd i ymweld â'u hesgobaethau, ond hyd yn oed wedyn ychydig iawn o frwdfrydedd a welid ganddynt wrth ymgymryd â'r bererindod flynyddol i Gymru. Gwell gan rai ohonynt oedd osgoi'r daith yn gyfan gwbl. Enillodd Benjamin Hoadly, esgob cloff Bangor (1716–21), enwogrwydd trwy beidio ag ymweld â'i esgobaeth o gwbl yn ystod cyfnod o chwe blynedd, er y dywedwyd iddo geisio hwylio yno o Fryste yn ystod haf 1719. Ni rwystrodd ei anabledd corfforol ef, serch hynny, rhag dringo'n uwch ar yr ysgol eglwysig i ennill urddas a chyfoeth fel esgob Sarum ac yna Gaer-wynt.

Dioddefai'r Eglwys, felly, o ganlyniad i absenoldeb a difaterwch ei harweinwyr ysbrydol. At hynny, ysywaeth, yr oedd y mwyafrif ohonynt yn Saeson a chanddynt fawr ddim parch at Gymru a'i phobl. Yn ystod y cyfnod yn union wedi'r Adferiad, penodwyd nifer o Gymry Cymraeg cydwybodol yn esgobion, ond ni lwyddodd rhai megis William Lloyd, Llanelwy (1680–92) a Humphrey Humphreys, Bangor (1689–1701) ychwaith i wrthsefyll y demtasiwn i groesi'r ffin er mwyn gwella eu hystad. Enillodd Humphrey Humphreys barch a chymeradwyaeth yn sgil y nawdd a roes i gyhoeddwyr llyfrau Cymraeg. Ym 1701 cyflwynodd Ellis Wynne *Rheol Buchedd Sanctaidd,* ei gyfieithiad o waith Jeremy Taylor, *Holy Living,* i Humphrey Humphreys, gan y tybiai mai ef oedd y person mwyaf addas i roi ymgeledd i'r llyfr. Wrth gyflwyno ei gyfieithiad o waith John Fox, *Amser a Diwedd Amser,* i Humphreys ym 1707, diolchodd Samuel Williams iddo am ei holl garedigrwydd at y wlad a'i hiaith. Dywedodd iddo ei brofi ei hun yn dadmaeth i'r Gymraeg ac yn:

> Ben-colofn ardderchog i gynnal i fynu hên Iaith y Brutaniaid, yn gwîr garu llwyddiant eich Gwlad, yn hoffi clywed llafar plant ein Sion yn canu mawl cydleisiawl i Dduw yn eu Tafodiaith eu Hunain, ac yn Ganllaw ymgeleddus i ymddiffyn Iaith-Mam (sy wedi myned yn ddigyfrif tan draed a'i braint yn niffodd ymmysg pobl goeg feilchion y Genhedlaeth serch-newyddiawg hon).[6]

---

[6] Samuel Williams, *Amser a Diwedd Amser* (Llundain, 1707), sig. A2r-v; Owain W. Jones, 'The Welsh Church in the Eighteenth Century' yn David Walker (gol.), *A History of the Church in Wales* (Penarth, 1976), t. 109; Geraint H. Jenkins, 'Bywiogrwydd Crefyddol a Llenyddol Dyffryn Teifi, 1689–1740' yn *Cadw Tŷ Mewn Cwmwl Tyston: Ysgrifau Hanesyddol ar Grefydd a Diwylliant* (Llandysul, 1990), t. 138.

Bu William Lloyd hefyd yn gefn i'r iaith trwy ofalu mai Cymry Cymraeg a oedd yn gwarchod bywiolaethau Cymraeg ei esgobaeth. Pan drosglwyddwyd ef i Gaerlwytgoed ym 1692, pwysodd yn daer ar Archesgob Caer-gaint i sicrhau mai Cymro fyddai ei olynydd yn Llanelwy. Credai William Beaw, esgob Llandaf, mai dylanwad Lloyd a oedd yn gyfrifol am ei fethiant ef i ennill y swydd a chwynodd yn ddiweddarach fod Lloyd wedi bod yn sisial yng nghlust yr archesgob y syniad herfeiddiol y dylai esgob yng Nghymru fod yn Gymro.[7]

Er gwaethaf ymdrechion William Lloyd, ni dderbyniwyd yr egwyddor hon yn gyffredinol. Yn wir, rhwng 1727 a 1870, ni phenodwyd yr un Cymro Cymraeg yn esgob yng Nghymru ac ni chredid bod gwybodaeth o'r iaith yn angenrheidiol ar gyfer swydd o'r fath. Penodid esgobion ar sail eu teyrngarwch gwleidyddol i'r llywodraeth ac nid oherwydd eu bod yn gymwys i wasanaethu Cymru. Y canlyniad oedd dieithrwch rhwng y bugail a'i braidd. Fel y dywedodd Jenkin Evans: 'How can the Sheep know the Shepherd's Voice, when they do not know the meaning of one Syllable he says?'[8] Mabwysiadwyd agwedd sarhaus at y Gymraeg gan nifer o'r Esgyb Eingl hyn. Er y dywedir bod Richard Smallbrooke, esgob Tyddewi (1724–31), wedi dysgu rhywfaint o Gymraeg, dangosai'r mwyafrif o'r esgobion ddiffyg cydymdeimlad enbyd at iaith a diwylliant y wlad ac ni wnâi amryw ohonynt unrhyw ymdrech i gelu eu dirmyg at famiaith y Cymry. Er mor fodlon yr oedd Edward Cressett â'i esgobaeth, ni ddangosai'r un hoffter at famiaith cyfran helaeth o'i phlwyfolion.[9] Gwrthodai Philip Bisse, esgob Tyddewi, danysgrifio i gyfieithiadau Cymraeg oherwydd credai y byddent yn rhwystro'r iaith Saesneg rhag ennill tir.[10] Ond gelyn mwyaf digyfaddawd yr iaith ymhlith yr Esgyb Eingl, yn ôl pob tebyg, oedd Robert Hay Drummond – Albanwr, neu 'Sgottyn gwenwynllyd', chwedl William Morris – a benodwyd yn esgob Llanelwy ym 1748. Mewn cinio ar gyfer offeiriaid a gwŷr blaenllaw ei esgobaeth cyhoeddodd yn ddiflewyn-ar-dafod 'mai gwell a fyddai ped fai'r iaith Gymraeg wedi ei thynnu o'r gwraidd'. Datganodd ar goedd mewn pregeth a draddodwyd ym 1753 fod angen dileu'r Gymraeg ac mai da o beth fyddai i'r Cymry ehangu eu gorwelion ac uno â'r Saeson mewn iaith

---

[7] A. Tindal Hart, *William Lloyd 1627–1717* (London, 1952), t. 85; Sykes, op. cit., tt. 363–4.

[8] Anad., *A Dialogue between the Rev. Mr. Jenkin Evans . . . and Mr. Peter Dobson . . . concerning Bishops, Particularly the Bishops in the Principality of Wales* (London, 1744), tt. 56–7.

[9] C. L. S. Linnell (gol.), *The Diaries of Thomas Wilson, D.D. 1731–37 and 1750* (London, 1964), t. 235.

[10] Mary Clement (gol.), *Correspondence and Minutes of the S.P.C.K. relating to Wales, 1699–1740* (Cardiff, 1952), t. 42.

yn ogystal â llywodraeth.[11] Yr oedd gweld arweinwyr ysbrydol yn bwrw sen ar eu hiaith yn dân ar groen nifer o Gymry diwylliedig yr oes, gydag amryw o gylch Morrisiaid Môn yn eu plith. Un o feirniaid mwyaf hallt yr esgobion oedd Ieuan Fardd, a luniodd draethawd tua 1764–5 yn condemnio'r Eglwys a oedd, yn ei dyb ef, yn 'Crochlefain am at-gyweiriad'. Priodolai holl wendidau'r Eglwys i'r 'estroniaid gormesawl, ag sydd yn ymhyrddu yn Esgobion arnom er mwyn budr elw, ag nid er mwyn gofal Eneidiau'. Onid afresymol oedd disgwyl i wlad gyfan newid ei hiaith er mwyn rhyngu bodd pedwar o Esgyb Eingl, meddai?[12]

Er gwaethaf gelyniaeth gwŷr rhagfarnllyd fel yr Esgob Drummond, yr oedd yr angen i gynnal gwasanaethau trwy gyfrwng y Gymraeg yn parhau mewn rhannau helaeth o'r wlad, a hynny am y rheswm syml na fedrai nifer mawr o'r addolwyr ddeall unrhyw iaith arall. Yr oedd y defnydd o'r Gymraeg yn angenrheidiol o hyd yng nghyd-destun addoliad cyhoeddus mewn rhannau helaeth o Gymru trwy gydol y ddeunawfed ganrif. Y mae unrhyw gofnodion sy'n cyfeirio at iaith gwasanaethau eglwysig, felly, yn dystiolaeth werthfawr tu hwnt ynglŷn â pharhad y Gymraeg a lledaeniad y Saesneg. Yr oedd yn ofynnol i bob esgob gynnal gofwy neu ymweliad mor fuan â phosibl ar ôl iddo gael ei gysegru i'r swydd, a phob tair blynedd wedi hynny. Cyn pob ymweliad dosberthid holiadur i glerigwyr a wardeniaid pob plwyf ynglŷn â'r gwasanaethau a gynhelid, cyflwr yr adeiladau ac ymddygiad y plwyfolion. Y mae'r atebion, felly, yn cynnig toreth o fanylion, gan gynnwys, yn fynych iawn, ddatganiad ynglŷn ag iaith addoliad cyhoeddus yn yr eglwysi a'r capeli.

Ymddangosodd cwestiwn ynglŷn ag iaith yn esgobaeth Llandaf am y tro cyntaf ym 1771 ac wedi hynny yn y blynyddoedd 1774, 1781, 1784, 1788, 1791 a 1795 yn y ddeunawfed ganrif, ynghyd â 1802, 1805, 1809 a 1813 ym mlynyddoedd cynnar y bedwaredd ganrif ar bymtheg. Nid oes cynifer o adroddiadau gofwy wedi goroesi ar gyfer esgobaeth Tyddewi, sef y fwyaf o ddigon o bedair esgobaeth Cymru. Cynhwysai esgobaeth Tyddewi siroedd Aberteifi, Brycheiniog, Caerfyrddin, Maesyfed, Penfro, ynghyd â rhan o sir Drefaldwyn, tri phlwyf yn sir Fynwy a Phenrhyn Gŵyr yn sir Forgannwg. Ceir atebion y clerigwyr ar gyfer y blynyddoedd 1755 a 1799 yn unig, a hefyd ar gyfer 1762 yn achos Archddiaconiaeth Aberhonddu. Yn ystod blynyddoedd cynnar y bedwaredd ganrif ar bymtheg, ceir atebion ar gyfer y blynyddoedd 1807, 1813 a 1828. Yn esgobaeth Bangor, ymddangosodd y cwestiwn ynglŷn ag iaith am y tro cyntaf ym 1749 ac wedyn yn yr holiaduron ar gyfer 1776, 1778, 1788,

[11] *ML*, I, tt. 237, 288.
[12] LlGC Llsgr. 2009B, passim; Geraint H. Jenkins, 'Yr Eglwys "Wiwlwys Olau" a'i Beirniaid', *Ceredigion*, X, rhifyn 2 (1985), 140–1.

1807, 1811 a 1817. Ni wnaed unrhyw ymholiadau ynglŷn ag iaith gwasanaethau yn esgobaeth Llanelwy tan 1791. Ceir atebion hefyd ar gyfer blynyddoedd 1795, 1799, 1806 a 1809. Yn ogystal, y mae rhai o adroddiadau deoniaid gwlad Llanelwy ar gyfer canol y ddeunawfed ganrif wedi goroesi ac y maent yn taflu cryn dipyn o oleuni ar iaith addoliad cyhoeddus yn yr esgobaeth cyn 1791.

Un o'r cyhuddiadau mwyaf cyffredin yn erbyn yr Esgyb Eingl oedd eu bod yn penodi Saeson uniaith i wasanaethu mewn bywiolaethau Cymraeg, gan amddifadu gwerin-bobl Cymru o'r cyfle i addoli trwy gyfrwng yr unig iaith a ddeallent. Ond y mae tystiolaeth yr holiaduron ac atebion gofwy yn dangos yn eglur fod y clerigwyr a weinyddai yn y plwyfi Cymraeg fel arfer yn medru cynnal gwasanaethau trwy gyfrwng y Gymraeg. Diau fod llawer ohonynt yn medru dweud, fel y gwnaeth Owen Owen, ficer Llanilar, ym 1813: 'I am a Welshman born, a native of this Parish, and lived in this Parish and the Neighbourhood all my days.'[13] I raddau helaeth bu raid hepgor yr egwyddor mai graddedigion yn unig a oedd yn gymwys i'w hordeinio fel un cwbl anymarferol ar gyfer Cymru. Fel yr esboniodd yr Esgob William Lloyd wrth Archesgob Sancroft ym 1686, yr oedd mwy o fywiolaethau na graddedigion yn y wlad a chan fod mwyafrif y boblogaeth yn deall dim ond Cymraeg, yr oedd yn bwysicach llenwi'r bywiolaethau hynny â Chymry Cymraeg na graddedigion.[14] Yn ogystal, yr oedd y cyflog a gynigid yn aml yn rhy fychan i ddenu gwŷr graddedig. Lle nad oedd offeiriad y plwyf yn hyddysg yn y Gymraeg, gan amlaf cyflogid curad a siaradai Gymraeg i weithredu ar ei ran. Ym 1763 esboniodd Neville Walter, rheithor Llanwytherin yn sir Fynwy, ei fod, am nad oedd yn gyfarwydd â'r Gymraeg, wedi sefydlu curad yn y plwyf tra oedd ef ei hun yn parhau i wasanaethu plwyf yn Hampshire.[15] Cyfaddefodd Thomas Mills Hoare, ficer Casnewydd, ym 1771 nad oedd erioed wedi croesi rhiniog ei gapel yn Y Betws er iddo gael ei benodi i'r fywoliaeth ym 1760. Gan nad oedd mwyafrif y trigolion yn deall Saesneg, ac nad oedd yntau'n deall Cymraeg, credai y byddai'n briodol iddo benodi curad a fedrai siarad Cymraeg.[16]

Ceir ambell enghraifft o glerigwr a fwriodd ati i ddysgu Cymraeg er mwyn medru arwain addoliad ei braidd. Erbyn 1813 yr oedd David Pugh eisoes wedi gwasanaethu fel rheithor Trefdraeth, sir Benfro, ers tua deugain mlynedd. Ar ddechrau'r cyfnod hwnnw bu raid iddo benodi curad i gyflawni ei orchwylion ar ei ran oherwydd ei anallu i gynnal

---

[13] LlGC, Cofysgrifau'r Eglwys yng Nghymru, SD/QA/7.
[14] Tindal Hart, op. cit., t. 64.
[15] LlGC, Cofysgrifau'r Eglwys yng Nghymru, LL/QA/2.
[16] LlGC, Cofysgrifau'r Eglwys yng Nghymru, LL/QA/5.

gwasanaethau yn y Gymraeg. Parhaodd y trefniant hwn am ychydig flynyddoedd hyd nes i Pugh benderfynu ei fod yn 'tolerable master of the Welsh language' ac yn abl i gynnal gwasanaethau ei hun.[17] Yn yr un modd, esboniodd Dr James Phillips, rheithor Llangoedmor a ficer Nyfer, iddo orfod cyflogi cynorthwyydd hyd nes yr oedd wedi perffeithio ei wybodaeth o'r iaith Gymraeg. Magwyd Phillips ym Mlaen-pant, Llandygwydd, ac yr oedd yn hynafiaethydd brwd, yn 'ddarn o antiquary', chwedl Lewis Morris. Pan ddywedodd ym 1755 nad oedd wedi llwyr feistroli'r Gymraeg, yr oedd eisoes wedi bod yn rheithor Llangoedmor er tua 1738 ac yn ficer Nyfer er 1730.[18]

Er cydnabod yr angen i weinidogaethu trwy gyfrwng y Gymraeg mewn plwyfi Cymraeg eu hiaith, eto i gyd ni pheidiodd yr arferiad o benodi bugeiliaid na fedrent gyflawni'r ddyletswydd honno. Gorfodwyd trigolion Betws Cedewain yn sir Drefaldwyn, plwyf a fuasai'n ddwyieithog, i fynychu gwasanaethau uniaith Saesneg o 1795 ymlaen yn sgil penodiad curad na fedrai siarad Cymraeg.[19] Ni chofnodwyd unrhyw achosion tebyg yn esgobaeth Bangor, ond parhaodd yr arfer yn y tair esgobaeth arall yn y bedwaredd ganrif ar bymtheg. Yn naturiol ddigon, y bywiolaethau brasaf a ddenai'r cyfran uchaf o glerigwyr o'r tu draw i Glawdd Offa. Taranai Ieuan Fardd yn erbyn hyn: 'Nid oes yrawron ond offeiriaid anwybodus o'r iaith yn perchennogi'r lleoedd gorau ymhob Esgobaeth, pan i mae y Cymry cynnenid yn gweini danynt am ffiloreg.'[20] Rhaid peidio ag anghofio bod Ieuan wedi chwerwi oherwydd iddo fethu ennill dyrchafiad yn yr Eglwys, ac y mae'n debyg mai ef ei hun a oedd ganddo mewn golwg pan gyfeiriai at fethiant yr esgobion i gydnabod doniau'r Cymry Cymraeg ymhlith eu clerigwyr. Eto i gyd, ategir cyhuddiadau Ieuan gan J. R. Guy yn ei astudiaeth o esgobaeth Llandaf: yn y bywiolaethau a dalai orau y ceid y nifer mwyaf o Saeson, megis yn Llanwenarth yn sir Fynwy. Gwasanaethwyd y plwyf gan gyfanswm o naw rheithor rhwng 1662 a 1800 ac y mae'n arwyddocaol fod pump ohonynt, yn ystod y cyfnod 1734–80, yn Saeson. Trwy'r rhan fwyaf o'r ddeunawfed ganrif cynhelid gwasanaethau Cymraeg a Saesneg am yn ail yn yr eglwys, ond bu raid penodi curad a siaradai Gymraeg i gyflawni'r dyletswyddau hyn, tra oedd y rheithor ei hun yn mwynhau'r incwm a ddeuai i'w ran.[21]

[17] LlGC, Cofysgrifau'r Eglwys yng Nghymru, SD/QA/2; SD/QA/7.
[18] LlGC, Cofysgrifau'r Eglwys yng Nghymru, SD/QA/1; SD/MISCB./39; LlGC Llsgr. 9145F, ff. 99–100; *ML*, I, t. 189.
[19] LlGC, Cofysgrifau'r Eglwys yng Nghymru, SA/QA/8.
[20] LlGC Llsgr. 2009B, f. 19.
[21] LlGC, Cofysgrifau'r Eglwys yng Nghymru, LL/QA/2; J. R. Guy, 'An investigation into the pattern and nature of patronage, plurality and non-residence in the old diocese of Llandaff between 1660 and the beginning of the nineteenth century' (traethawd PhD anghyhoeddedig Prifysgol Cymru, 1983), tt. 467–8.

Nid yr esgobion a oedd yn gyfrifol am y penodiadau hyn ym mhob
achos, oherwydd yr oedd yr hawl i enwebu clerigwyr ar gyfer amryw o
fywiolaethau yn nwylo lleygwyr nad oeddynt yn debyg o golli cwsg yn
poeni am ganlyniadau penodi clerigwyr di-Gymraeg i segurswyddi. Yn
esgobaeth Llandaf, er enghraifft, yr unig blwyf y câi'r esgob benodi
rheithor iddo oedd plwyf Basaleg, ynghyd â chapeliaethau cysylltiedig
Rhisga a Bedwellte. Yr oedd gan yr esgob yr awdurdod o hyd i wrthod
caniatáu penodi offeiriad nad oedd yn abl i gynnal gwasanaethau yn
Gymraeg, awdurdod a gafodd ei gadarnhau trwy statud ym 1838.[22] Yn
anfynych, fodd bynnag, y câi'r hawl hon ei harfer. Ymddengys fod cyflogi
cynorthwyydd a siaradai Gymraeg yn cael ei ystyried yn gyfaddawd
derbyniol gan amlaf. Oherwydd bod amfeddwyr lleyg wedi meddiannu'r
degymau mewn amryw o blwyfi, bach iawn a oedd yn weddill i dalu
curad am gyflawni ei amryfal ddyletswyddau. Yn Nhyddewi, yr oedd tua
60 y cant o'r degymau wedi syrthio i ddwylo amfeddwyr lleyg. Erbyn
iddynt hwythau a'r offeiriaid gael eu cyfran o'r elw, rhyw £5 neu £10 y
flwyddyn a oedd yn weddill i gyflogi curad. O'r herwydd, gorfodwyd
llawer o guradiaid i ymgymryd â gofal tri neu bedwar plwyf er mwyn
ceisio cael dau ben llinyn ynghyd. Ym 1809, er enghraifft, gweithredai
James Thomas fel curad ym mhlwyfi Llansanffraid, Llanfihangel-y-gofion,
Cemais Comawndwr, Trostre a Chapel Coed y Mynach yn sir Fynwy,
gan gynnal un gwasanaeth y Sul ym mhob un o'r addoldai.[23] Er mai rhyw
filltir neu ddwy yn unig oedd y daith rhwng Cemais Comawndwr,
Trostre a Chapel Coed y Mynach, gyda Llansanffraid a Llanfihangel-y-
gofion tua thair milltir i'r gogledd eto, prin y câi'r curad gyfle i gael ei
wynt ato wrth ruthro i gyflawni'r gylchdaith bob Sul. O ganlyniad i'r fath
amodau, yr oedd amlblwyfiaeth yn rhemp yng Nghymru a thlodi'r
curadiaid yn ddiarhebol. Yn y gogledd, lle nad oedd lleygwyr wedi
ysbeilio coffrau'r Eglwys i'r fath raddau, nid oedd y sefyllfa mor druenus.
Gan fod clerigwyr y gogledd yn cael eu talu yn well, nid oedd y plwyfi
yno wedi dioddef cymaint gan effeithiau amlblwyfiaeth ac absenoldeb eu
bugeiliaid, a chredai Ieuan Fardd mai hynny a oedd wrth wraidd diffyg
llwyddiant Anghydffurfiaeth yn y parthau hynny o'u cymharu â'r de.[24]

   Yr Esgob William Lloyd, Llanelwy, oedd un o'r ychydig esgobion i
fynnu bod y clerigwyr a benodid yn siarad Cymraeg. Pan benodwyd
Thomas Clopton, nai Isaac Barrow, rhagflaenydd Lloyd, yn rheithor
Castell Caereinion, gwnaed hynny ar y ddealltwriaeth ei fod yn medru'r
Gymraeg, ond buan y gwelwyd mai twyll oedd hynny er mwyn
meddiannu'r fywoliaeth. Barnodd Lloyd nad oedd modd i'r gynulleidfa

[22] Ivor Bowen (gol.), *The Statutes of Wales* (London, 1908), t. 253.
[23] LlGC, Cofysgrifau'r Eglwys yng Nghymru, LL/QA/123.
[24] LlGC Llsgr. 2009B, f. 13.

elwa'n ysbrydol ar ymgais drwsgl Clopton i ddarllen pregeth Gymraeg iddynt ac aeth i gryn drafferth i sicrhau bywoliaeth Saesneg iddo fel na châi ei blwyfolion unrhyw gam.[25]

Yn esgobaeth Bangor y profwyd y gwrthwynebiad mwyaf chwyrn yn erbyn penodi Saeson i fywiolaethau Cymraeg, fel y dengys achos Thomas Bowles, neu'r 'Sais brych', chwedl Ieuan Fardd. Penodwyd Thomas Bowles − Sais uniaith a oedd wedi cyrraedd oedran yr addewid − yn offeiriad plwyfi Trefdraeth a Llangwyfan yn Ynys Môn ym 1766, er gwaethaf y ffaith mai'r Gymraeg oedd unig iaith mwyafrif llethol y trigolion. Ar y pryd, dim ond pump o'r pum cant o blwyfolion a oedd yn deall Saesneg. Arweiniodd ei benodiad yn y pen draw at achos llys a dducpwyd gerbron Llys y Bwâu ym 1773, yn sgil ymgyrch yn ei erbyn gan ei blwyfolion. Defnyddiwyd Deddf Cyfieithu'r Beibl 1563, Deddf Unffurfiaeth 1662 a phedwaredd erthygl ar hugain Eglwys Loegr yn seiliau i'r dadleuon yn erbyn Bowles, dadleuon a grisialwyd yn effeithiol yn llyfr John Jones, *Considerations on the illegality and impropriety of preferring Clergymen who are unacquainted with the Welsh Language to benefices in Wales* (1767). Defnyddiodd Bowles bob math o gastiau brwnt mewn ymgais i gasglu tystiolaeth a fyddai'n darbwyllo'r llys ei fod yn abl i weinidogaethu trwy gyfrwng y Gymraeg, ond ni lwyddodd i daflu llwch i lygaid y barnwr, Dr George Hay. Yn ei farn ef, yr oedd penodiad Bowles yn torri amodau Deddfau 1563 a 1662 ac yn groes i ysbryd pedwaredd erthygl ar hugain Eglwys Loegr, a oedd yn datgan mai peth gwrthun oedd cynnal gweddi a sacrament trwy gyfrwng iaith na fedrai'r gynulleidfa ei deall. Awgrymodd yn gynnil mai ffwlbri noeth oedd penderfyniad yr Esgob John Egerton i'w benodi i wasanaethu plwyfi yr oedd eu trigolion yn Gymry uniaith. Ond er iddo gondemnio Bowles, ni theimlai y gallai ei amddifadu o'i fywoliaeth ac yntau eisoes wedi ei sefydlu yno a heb fod yn gwbl analluog i ddarllen Cymraeg. Yn dechnegol, felly, Bowles a orfu, ond cadarnhawyd yn y proses fod i'r Gymraeg ei phriod le, yn ôl cyfraith gwlad ac eglwys, yn addoliad cyhoeddus yr Eglwys sefydledig a bod anwybodaeth o'r iaith yn sail ddigonol dros wrthod ordeinio clerigwr.[26] Arweiniodd yr achos hwn at anfodlonrwydd ymhlith plwyfolion esgobaeth Bangor, a oedd yn gyndyn i dderbyn penodiadau tebyg. Ymddengys fod William Gruffydd a Robert Williams, wardeniaid eglwys Llanbeblig, sir Gaernarfon, wedi gwrthod sefydlu Trevor Hill i'r plwyf ym 1820 hyd nes iddo ddysgu darllen yr Ysgrythur yn yr iaith Gymraeg. Pan glywodd Angharad Llwyd, yr hynafiaethydd o Gaerwys, sir y Fflint, am eu

[25] Tindal Hart, op. cit., tt. 84−5.
[26] Geraint H. Jenkins, 'Y Sais Brych' yn *Cadw Tŷ Mewn Cwmwl Tystion*, tt. 198−224; idem, ' "Horrid Unintelligible Jargon": The Case of Dr Thomas Bowles', *CHC*, 15, rhifyn 4 (1991), 494−523.

safiad, cymaint oedd ei hedmygedd ohonynt nes iddi eu hanrhegu â chwpan arian yr un. Câi'r rhain eu llanw yn fynych iawn, yn ôl pob sôn, er mwyn yfed llwncdestun i haelioni Angharad Llwyd. Lluniwyd englyn gan fardd anhysbys i gofnodi'r rhodd:

> Ariant yn gofiant, teg yw—gwedi'i roi
> Am gadw'r Iaith rhag distryw
> Ein iaith oedd, sydd, a fydd fyw
> Er estron ai fawr ystryw.[27]

Yn yr eglwysi hynny lle'r oedd y ddarpariaeth yn anfoddhaol, ymunai rhai plwyfolion â chynulleidfaoedd eraill, naill ai mewn eglwys arall neu gapel yr Anghydffurfwyr. Yn ei ymweliad ag archddiaconiaeth Caerfyrddin ym 1710, nododd Edward Tenison fod y polisi o gyflwyno pregethau Cymraeg yn Lacharn wedi llwyddo i ddenu nifer o ddefaid crwydredig yn ôl i gorlan yr Eglwys. Yr oedd amryw o blwyfolion wedi cefnu ar yr Eglwys pan benodwyd offeiriad Saesneg i'r fywoliaeth, ond wedi iddo ef gyflogi cynorthwyydd a fedrai'r Gymraeg, gostyngodd nifer y teuluoedd a fynychai gyfarfodydd yr Anghydffurfwyr o un ar bymtheg i bedwar.[28] Dengys adroddiad Tenison ei fod yn ymwybodol o'r angen i sicrhau darpariaeth ddigonol yn yr iaith Gymraeg ac nad oedd arno ofn beirniadu'r sawl a fethai gyflawni'r ddyletswydd honno. Yn ei farn ef, yr oedd Lewis Beddo, Sais a benodwyd yn rheithor Llanglydwen, yn anaddas ar gyfer swydd a alwai am offeiriad a fedrai'r Gymraeg. Unwaith y flwyddyn yn unig y byddai Beddo – gŵr a chanddo enw drwg am ymgecru yn ei feddwdod – yn ymweld â'i braidd ac, yn ei absenoldeb, yr oedd curad a siaradai Gymraeg yn gofalu am y plwyf am gyflog o chwe phunt y flwyddyn. Yr oedd yr archddiacon hefyd yn anfodlon ynglŷn â'r hyn a oedd yn digwydd ym mhlwyf Llanrhian. Gan mai Sais oedd y curad, arferai'r plwyfolion deithio ryw dair milltir bob Sul i'r cyfarfodydd Cymraeg a weinyddid gan bregethwr Anghydffurfiol yn Llangloffan.[29]

Yr oedd y duedd hon i droi cefn ar eglwys y plwyf er mwyn mynychu gwasanaeth trwy gyfrwng y famiaith yn ddigon cyffredin. Gan na fedrent ddeall Saesneg, arferai pedwar neu bum aelod o eglwys Sant Woolloos yng Nghasnewydd fynychu gwasanaethau Cymraeg yn eglwys gyfagos Basaleg, gyda sêl bendith eu ficer, Thomas Mills Hoare, a oedd yn ogystal

---

[27] LlGC Llsgr. 1577C, ff. 32–5.
[28] G. Milwyn Griffiths, 'A Visitation of the Archdeaconry of Carmarthen, 1710', *CLlGC*, XVIII, rhifyn 3 (1974), 307.
[29] Ibid., 302; ibid., XIX, rhifyn 3 (1976), 324; S. R. Thomas, 'The Diocese of St David's in the Eighteenth Century: the working of the diocese in a period of criticism' (traethawd MA anghyhoeddedig Prifysgol Cymru, 1983), tt. 15–20.

yn ddeon gwlad ar gyfer Casnewydd ym 1771.[30] Yn Nhrelawnyd yn sir y Fflint ym 1809 cynhelid y gwasanaeth boreol yn Gymraeg a Saesneg am yn ail ddydd Sul a'r gwasanaeth hwyrol yn Gymraeg. Er mai dau yn unig o'r 250–300 o blwyfolion a oedd yn ddi-Gymraeg, tybiai Edward Davies, y curad, fod yn rhaid darparu gwasanaethau Saesneg ar eu cyfer, ac o ganlyniad penderfynodd nifer helaeth o'r gynulleidfa fynychu cyfarfodydd yr Anghydffurfwyr ar y boreau Sul pan gynhelid gwasanaethau Saesneg yn yr eglwys.[31]

Golygai'r ffaith fod deoniaid gwlad (a benodid o blith offeiriaid y ddeoniaeth) yn ymweld â'r plwyfi fod rhywfaint o oruchwyliaeth dros benderfyniad clerigwr wrth bennu iaith gwasanaeth. Yn hyn o beth y mae'n ddiddorol sylwi ar adroddiadau deoniaid gwlad Llanelwy ar gyfer 1749. Gofynasai'r esgob iddynt sylwi'n arbennig ar iaith y gwasanaeth, gan roi ystyriaeth i les y plwyfolion: 'I must intreat you to inform me as particularly as you can, what in this respect would be most for the Edification of the Generality of the Parishioners.'[32] Yn achos deg o'r 116 o addoldai y gwnaed adroddiad arnynt, beirniadwyd y clerigwyr ynghylch eu dewis o iaith. Ym mhob achos, barnai'r deon fod angen mwy o Gymraeg yn y gwasanaethau, a chyfeiriai'n fynych at ddicter y plwyfolion ynglŷn â'r diffyg. Efallai nad yw'r gyfran yn ymddangos yn uchel, ond y mae'n arwyddocaol fod y plwyfi a ddaeth o dan y lach wedi eu lleoli mewn ardaloedd dwyieithog yn nwyrain Maldwyn, Dinbych a'r Fflint, ardaloedd lle'r oedd y berthynas rhwng y ddwy iaith yn ansicr ac yn y proses o newid. Y dystiolaeth nesaf a geir ar gyfer Llanelwy yw atebion y clerigwyr ar gyfer 1791. Erbyn hynny yr oedd pedwar o'r addoldai yn arddel mwy o Gymraeg yn y gwasanaethau, sef Aberriw a Llangynog yn sir Drefaldwyn, a Nercwys a Threffynnon yn sir y Fflint, a phump yn gwneud defnydd helaethach o'r Saesneg, sef Aberhafesb, Betws Cedewain, Llanfair Caereinion a Llanllwchaearn yn sir Drefaldwyn a Rhiwabon yn sir Ddinbych. Parhaodd y trefniant o gynnal gwasanaethau Cymraeg a Saesneg am yn ail ddydd Sul yn ddigyfnewid yn Llaneurgain yn sir y Fflint.[33]

Gwaetha'r modd, nid yw adroddiadau'r deoniaid gwlad ynglŷn ag iaith gwasanaethau wedi goroesi yn yr esgobaethau eraill i'r un graddau, ac o'r herwydd ni ellir cymharu eu sylwadau â thystiolaeth clerigwyr y plwyfi. Ceir peth gwybodaeth am safon rhai o'r clerigwyr, fodd bynnag. Ym 1733, er enghraifft, nododd deon Dungleddy nad oedd William

[30] LlGC, Cofysgrifau'r Eglwys yng Nghymru, LL/QA/5.
[31] LlGC, Cofysgrifau'r Eglwys yng Nghymru, SA/QA/15.
[32] LlGC, Cofysgrifau'r Eglwys yng Nghymru, SA/RD/26.
[33] LlGC, Cofysgrifau'r Eglwys yng Nghymru, SA/QA/7.

Crowther, offeiriad Maenclochog, Llangolman a Llandeilo, yn cyflawni ei ddyletswyddau fel y dylai, ond credai fod gobaith ei ddiwygio. Ni wireddwyd ei obeithion, fodd bynnag, oherwydd deng mlynedd yn ddiweddarach derbyniodd Edward Willes, esgob Tyddewi, ddeiseb gan bymtheg o blwyfolion William Crowther, yn cynnwys wardeniaid yr eglwys, yn cwyno'n dost am ei amryfal ffaeleddau fel offeiriad.[34] Ymhlith pechodau megis meddwdod, anfoesoldeb, bod yn dad i ddau blentyn siawns ac amharchu'r Sul, rhestrwyd ei anallu i siarad Cymraeg. Dywedwyd nad oedd erioed, yn ystod ei dair blynedd ar ddeg yn y plwyf, wedi adrodd y gwasanaeth mewn iaith a oedd yn ddealladwy i'r trigolion.

Er bod galw ar wardeniaid eglwys fel arfer i dystio i barodrwydd clerigwr i ddefnyddio'r iaith, neu'r cyfuniad o ieithoedd, a oedd fwyaf addas i'r plwyf, ychydig iawn ohonynt a fanteisiai ar y cyfle i feirniadu. Mewn nifer o achosion, arwydd a geid ar ddiwedd yr holiadur yn hytrach na llofnod y wardeniaid, sy'n awgrymu bod y clerigwyr eu hunain yn ysgrifennu ar eu rhan. Cafwyd un enghraifft yn unig o warden yn achwyn ynglŷn â'r iaith a ddewiswyd ar gyfer addoli cyhoeddus. Cwynodd Thomas Powell o'r Batel yn sir Frycheiniog ym 1804 fod y rhan fwyaf o drigolion y plwyf yn cadw draw oherwydd bod cymaint o Saesneg yn cael ei ddefnyddio yn y gwasanaethau. Y mae'n arwyddocaol fod atebion y clerigwyr yn dangos newid yn yr iaith o Gymraeg yn unig ym 1799 i Gymraeg a Saesneg am yn ail ym 1807. Ymddengys na chafodd cwynion Thomas Powell fawr o ddylanwad, oherwydd parhaodd y drefn yn ddigyfnewid hyd 1813. Dim ond gyda dyfodiad curad newydd ym 1828 y cyfyngwyd y gwasanaethau Saesneg i rai misol yn unig.[35]

Ceir yr argraff, felly, nad oedd llawer o gyfle gan blwyfolion i apelio yn erbyn polisi iaith clerigwr y plwyf. Eto i gyd, pan yrrodd plwyfolion Machynlleth ddeiseb at Lewis Bagot, esgob Llanelwy, ym 1800 yn gofyn iddo ganiatáu mwy o Saesneg yn eu gwasanaethau, cytunodd i'w cais. Gorchmynnodd y dylid cynnal dau wasanaeth y mis yn Saesneg yn hytrach na'r un a gafwyd yn flaenorol, ac y dylid cynnal gwasanaeth cymun yn Saesneg bedair gwaith y flwyddyn.[36] Gan amlaf, serch hynny, dewis y clerigwyr a weinidogaethai yn y plwyfi oedd yr iaith a ddefnyddid, ac yn anfynych y gwelid yr awdurdodau eglwysig yn ymyrryd â'u penderfyniad. Wrth reswm, offeiriad y plwyf a oedd fwyaf abl i fesur anghenion ieithyddol ei blwyfolion. Mewn amryw achosion, honnai ei fod wedi ystyried dymuniadau ei braidd cyn pennu iaith y gwasanaeth.

---

[34] LlGC, Cofysgrifau'r Eglwys yng Nghymru, SD/MISC/1199; Thomas, 'The Diocese of St Davids', tt. 191–2.
[35] LlGC, Cofysgrifau'r Eglwys yng Nghymru, SD/QA/187; SD/QA/253; SD/QA/190; SD/QA/200.
[36] LlGC, Cofysgrifau'r Eglwys yng Nghymru, B/MISC/10.

Mewn cyfarfod o blwyfolion Llangatwg Dyffryn Wysg yn sir Fynwy ym 1809, penderfynwyd cynnal gwasanaethau Cymraeg a Saesneg am yn ail. Yn y Drenewydd yn Notais yn sir Forgannwg ym 1781, cytunodd y rheithor a'i braidd i gynnal un gwasanaeth y Sul, pryd y byddai'r Salmau yn cael eu darllen yn Saesneg a gweddill y gwasanaeth a'r bregeth yn Gymraeg.[37] Arferai rhai clerigwyr ddisgwyl i'w plwyfolion ymgynnull ar gyfer y gwasanaeth cyn penderfynu pa iaith neu gyfuniad o ieithoedd a fyddai fwyaf priodol ar gyfer y gynulleidfa arbennig honno. Dyna oedd y drefn mewn nifer o blwyfi dwyieithog, gan gynnwys Eglwys y Drindod, Whitson a Threfesgob yn sir Fynwy, Llan-gors a Thalach-ddu yn sir Frycheiniog, Rhiwabon yn sir Ddinbych, Abergwaun yn sir Benfro, a'r Pîl a Chynffig yn sir Forgannwg. Yr anfantais oedd nad oedd modd i'r plwyfolion wybod ymlaen llaw faint o'r gwasanaeth a gâi ei gynnal trwy gyfrwng iaith a oedd yn ddealladwy iddynt, ac y mae'n bosibl mai dyma oedd y rheswm paham nad oedd rhai ohonynt yn mynychu'r eglwys yn rheolaidd.

Dymuniadau'r plwyfolion pwysicaf, yn ddiamau, a ddylanwadai fwyaf ar y clerigwyr. Cytunodd Edward Evans, curad Diserth yn sir y Fflint, i gynnal gwasanaeth Saesneg unwaith y mis ar gais ei blwyfolion 'mwyaf parchus'. Yn yr un modd, llwyddodd trigolion mwyaf blaenllaw Croesoswallt i argyhoeddi'r Esgob Lewis Bagot i gyfyngu'r defnydd o'r Gymraeg i un gwasanaeth y mis ym 1799.[38] Arferiad digon cyffredin oedd troi i'r iaith fain er mwyn rhyngu bodd gwŷr bonheddig lleol pan ddewisent fynychu'r cysegr. Digwyddai hynny hyd yn oed mewn plwyfi a fuasai fel arall yn gwbl Gymraeg eu hiaith. Yn Llanfair Nant-y-gof yng ngogledd Penfro gorfodid cynulleidfa o ryw hanner cant o Gymry Cymraeg i wrando ar wasanaeth Saesneg bob tro y deuai teulu Vaughan Trecŵn i'r eglwys.[39] Cynhelid gwasanaethau Cymraeg ym Mhendeulwyn yn sir Forgannwg heblaw am y Suliau pan ddeuai'r Iarll Talbot a'i deulu i addoli.[40] I'r gwrthwyneb yn hollol, adroddodd curad Llandygái ym 1811 mai dim ond yn ystod absenoldeb teulu'r Penrhyn y câi gyfle i gynnal gwasanaeth Saesneg. Ar ôl marwolaeth ei gŵr yn ystod y rhyfel ym 1815, mynnodd Arglwyddes Penrhyn barhau â'r drefn honno. Rhoes y plwyfolion Saesneg dâl ychwanegol i'r curad am bregethu yn Saesneg am yn ail fore Sul pan nad oedd teulu'r Penrhyn yn bresennol.[41] Ond eithriad oedd y sefyllfa hon. Ffromai llawer o eglwyswyr teyrngar wrth weld cynulleidfaoedd uniaith Gymraeg yn cael eu hamddifadu o wasanaethau

[37] LlGC, Cofysgrifau'r Eglwys yng Nghymru, LL/QA/23; LL/QA/8.
[38] LlGC, Cofysgrifau'r Eglwys yng Nghymru, SA/QA/6; SA/QA/8; SA/QA/12.
[39] LlGC, Cofysgrifau'r Eglwys yng Nghymru, SD/QA/129.
[40] LlGC, Cofysgrifau'r Eglwys yng Nghymru, LL/QA/4.
[41] LlGC, Cofysgrifau'r Eglwys yng Nghymru, B/QA/19; B/QA/22.

yn eu hiaith eu hunain. Er enghraifft, yn ei siars ym 1710 condemniodd
William Fleetwood, esgob Llanelwy, yn hallt y duedd i wasanaethu yn
Saesneg er mwyn plesio'r bonedd:

> In some Place I understand there is now and then an English Sermon preached,
> for the sake of one or two of the best Families in the Parish, although the rest
> of the Parish understand little or nothing of English, and those few Families
> understand the British perfectly well, as being their native Tongue. I cannot
> possibly approve of this Respect and Complaisance to a few, that makes the
> Minister so useless to the rest, and much the greatest Number of his People.[42]

Gwylltiwyd Samuel Williams, Llandyfrïog, gan bersoniaid a oedd yn rhy
'chwyddedig' i bregethu i'r werin uniaith Gymraeg yn eu hiaith eu
hunain ac ymosododd ei fab, Moses, yn ffyrnig ar y 'Periglorion segurllyd'
a fynnai wasanaethu yn Saesneg 'yn ddigywilydd ddigon yn y
cynulleidfaon mwya' cymreigaidd yn y Wlâd'.[43]
  Er bod ambell ddafad ddu yn eu plith, yr oedd y rhan fwyaf o'r
clerigwyr yn ymwybodol o'u cyfrifoldebau. Wedi'r cwbl, onid dyma'r
Eglwys a gynhyrchodd wŷr o weledigaeth, dysg a diwylliant, megis Moses
Williams, Griffith Jones a Theophilus Evans, ynghyd â Daniel Rowland a
William Williams Pantycelyn? Yr oedd nifer o lenorion mwyaf disglair a
diwyd yr oes yn wŷr mewn urddau eglwysig ac ymdrechent i ddarparu
llenyddiaeth grefyddol a fyddai'n gosod canllawiau moesol a defosiynol ar
gyfer eu plwyfolion. Cyflwynodd Moses Williams Y Catecism (1716) i'w
blwyfolion yn Llanwenog er mwyn gwneud iawn am ei absenoldeb yn
ystod y cyfnod y bu'n diwygio'r Beibl a'r Llyfr Gweddi Gyffredin ar gyfer
y wasg. Aeth Theophilus Evans i'r afael â chyhoeddi amryw gyfieithiadau
o'r Saesneg, megis Prydferthwch Sancteiddrwydd yn y Weddi Gyffredin
Thomas Bisse (1722), er budd 'fy Ngwladwyr un jaith'. Trefnodd William
Stanley, awdur The Faith and practice of a Church of Englandman, gyfieithiad
Cymraeg o'r gwaith ar ei draul ei hun ym 1710, sef Cred a Buchedd Gwr o
Eglwys Loegr, yn arbennig er lles ei blwyfolion ei hun yn Henllan. Ym
1730 cyhoeddwyd A Du-Glott-Exposition, of the Creed, the Ten
Commandments, And the Lords Prayer gan Robert Roberts, ficer Y Waun
yn sir y Fflint, yn benodol at ddefnydd trigolion y Gororau a oedd yn
gyfarwydd â'r ddwy iaith, ac yn enwedig ar gyfer plwyfolion Y Waun
'whose Inhabitants are partly Welsh and partly English'. Cyflyrid y gwŷr

---

[42] William Fleetwood, The Bishop of St. Asaph's Charge to the Clergy of that Diocese in 1710
(London, 1712), tt. 11–12.
[43] Williams, Amser a Diwedd Amser, sig. A2r-v; Moses Williams, Pregeth a Barablwyd yn
Eglwys Grist yn Llundain (Llundain, 1718), t. 14.

hyn i ysgrifennu gan bryder am yr eneidiau a oedd o dan eu gofal. Fel yr eglurodd David Maurice ym 1700, yr oedd pregethu i bobl heb wybodaeth Gristnogol megis adeiladu heb sylfaen, ac yr oedd angen darparu adnoddau ysgrifenedig er mwyn gosod y sylfaen honno. Byddai'r defnyddiau hynny yn parhau ymhell wedi i'r bregeth a draddodwyd o'r pulpud fynd yn angof: 'I mae'r llais, a glower, yn darfod yn ddisymmwth, ond yr scrifen a beru byth.'[44] Yn ogystal, yr oedd enwau clerigwyr yn frith ymhlith rhestrau tanysgrifwyr llyfrau print y cyfnod. Pan gyhoeddodd Dafydd Jones o Drefriw ei *Blodeu-gerdd Cymry* ym 1759, er enghraifft, yr oedd y nifer o glerigwyr ymhlith y tanysgrifwyr, sef 137, yn llawer mwy na'r nifer a berthynai i unrhyw alwedigaeth neu garfan gymdeithasol arall. Yr oedd gan yr Eglwys, felly, nifer o glerigwyr cydwybodol a oedd yn deyrngar i'r iaith ac yn debyg o gytuno â dyfarniad offeiriad Llandudno ym 1811:

> In Wales, it is a mockery to read the service in English where the Congregation dont understand it, or indeed dont wish to have the Language of their Forefathers abolished.[45]

At ei gilydd, y mae'r atebion a geir yng nghofnodion yr ymweliadau eglwysig yn adlewyrchu'r iaith a ddefnyddid gan y plwyfolion. O blith y 1,010 o eglwysi a chapeli sy'n ymddangos yn yr ymholiadau, prin mewn gwirionedd yw'r enghreifftiau o glerigwr yn methu neu'n gwrthod gwasanaethu yn yr iaith sydd fwyaf addas i'w gynulleidfa. Wedi dweud hynny, cyfyd nifer o broblemau o ddefnyddio'r ymweliadau fel tystiolaeth. Am amryfal resymau nid oes gwybodaeth ar gael am rai ardaloedd yng Nghymru. Ni cheid unrhyw ymholiad ynglŷn ag iaith yn rhai o blwyfi dwyreiniol sir Faesyfed yn esgobaeth Henffordd nac yn rhai o blwyfi gogledd Cymru yn esgobaethau Caer a Chaerlwytgoed. Hefyd yr oedd ardal Penarlâg yn y gogledd-ddwyrain o dan drefniant arbennig a heb fod o dan awdurdod yr un esgob. Hyd yn oed yng ngweddill y wlad, ychydig o'r atebion sydd wedi goroesi ar gyfer rhai blynyddoedd arbennig. Er enghraifft, ceir atebion ar gyfer 10 y cant yn unig o blwyfi sir Benfro ym 1755. Ni chynhwysid y cwestiwn ynglŷn ag iaith y gwasanaethau ym mhob holiadur a hyd yn oed pan gâi ei gynnwys yr oedd clerigwyr ar adegau yn esgeuluso ei ateb yn gyflawn. Wedi cwblhau'r holiadur ar gyfer 1784, gwrthododd ficer Eglwys Sant Ioan, Caerdydd, ateb unrhyw gwestiynau ar gyfer y tri ymweliad canlynol, ar

---

[44] David Maurice, *Cwnffwrdd ir Gwan Gristion, neu'r Gorsen Ysyg Mewn Pregeth* (Llundain, 1700), t. vi.

[45] LlGC, Cofysgrifau'r Eglwys yng Nghymru, B/QA/19.

wahân i restru nifer y cymunwyr.[46] Hyd yn oed pan wnâi'r clerigwyr eu gorau glas i lenwi'r holiadur, ceid atebion niwlog ac anghyson yn bur aml. Wrth lunio eu hatebion, diau fod y clerigwyr yn ymwybodol iawn o'r ffaith eu bod yn adrodd yn ôl i'r awdurdodau eglwysig ac o ganlyniad yr oeddynt, wrth reswm, yn awyddus i roi'r wedd orau bosibl ar eu gweinidogaeth. Yn naturiol, gofalent rhag cofnodi datganiadau a fyddai yn niweidiol i'w gyrfa a'u gobeithion am ddyrchafiad. Yr oedd curadiaid a atebai ar ran offeiriaid absennol yn arbennig o wyliadwrus rhag ofn iddynt beryglu eu safle eu hunain trwy gynnig atebion a fyddai'n adlewyrchu'n anffafriol ar yr offeiriaid. Y mae'n bosibl mai'r dyhead hwn i blesio pawb ac i geisio arfer doethineb wrth ateb a oedd yn rhannol gyfrifol am amwysedd rhai o'r datganiadau. Er enghraifft, ym 1771 honnodd Evan Thomas, curad Trostre a Chemais Comawndwr yn sir Fynwy, ei fod yn pregethu yn y ddau blwyf 'yn aml iawn yn Gymraeg, ond yn amlach yn Saesneg'.[47] Ym mhlwyf Llan-non, sir Gaerfyrddin, eglurodd John Jones, y curad, iddo bregethu yn Saesneg a Chymraeg blith draphlith ('promiscuously') ym 1810 a 1813.[48] Yr oedd yr anhawster a gâi'r clerigwyr i esbonio trefniant ieithyddol eu bywiolaethau hefyd yn deillio o'r cymhlethdodau a ddeuai yn sgil gweinidogaethu mewn plwyfi dwyieithog. Dengys yr atebion yr anawsterau a ddeuai i ran offeiriaid a geisiai wasanaethu mewn plwyfi lle'r oedd y ddwy iaith yn cydfodoli, a'r ymdrechion a wneid i geisio dygymod â'r sefyllfa. Mewn rhai achosion yr oedd yr ymgais i daro ar gyfuniad addas a boddhaol yn arwain at drefn arswydus o gymhleth. Yng Nghroesoswallt ym 1791, er enghraifft, ceisiodd y ficer egluro ei bolisi iaith fel a ganlyn:

> On every other Sunday in the Month it is all English service – on every other Sunday it is English and Welsh alternately in the Morning with the Exception of the first Lesson and second service in English on Welsh Sunday Mornings and all English Service in the Afternoons.[49]

Y mae'n bwysig cofio mai datganiadau ynglŷn â pholisi eglwysi a chapeli unigol oedd yr atebion a geid, yn hytrach na datganiadau ynglŷn ag iaith y plwyfolion. Eto i gyd, byddai'r polisi hwnnw yn cael ei lunio gyda'r bwriad o ddarparu ar gyfer y sefyllfa ieithyddol a fodolai mewn plwyf arbennig. Dylai dewis y clerigwr, felly, fod yn adlewyrchiad o'r sefyllfa honno. Fel y gellid disgwyl, yr oedd y mwyafrif sylweddol o blwyfi

[46] LlGC, Cofysgrifau'r Eglwys yng Nghymru, LL/QA/10; LL/QA/12; LL/QA/14; LL/QA/16.
[47] LlGC, Cofysgrifau'r Eglwys yng Nghymru, LL/QA/5.
[48] LlGC, Cofysgrifau'r Eglwys yng Nghymru, SD/QA/66; SD/QA/68.
[49] LlGC, Cofysgrifau'r Eglwys yng Nghymru, SA/QA/7.

siroedd Aberteifi, Caerfyrddin, Caernarfon, Dinbych, Meirionnydd, Môn, a gogledd Penfro yn uniaith Gymraeg. Yr oedd ardaloedd eraill, gan gynnwys de Penfro a Phenrhyn Gŵyr, wedi eu Seisnigeiddio yn gyfan gwbl a mater syml oedd darparu ar gyfer y boblogaeth yn y parthau hynny. Wynebai'r clerigwyr broblemau mwy dyrys wrth geisio penderfynu ar iaith y gwasanaeth mewn plwyfi dwyieithog. Yn y cyddestun hwn y mae 'dwyieithog' yn dynodi ardal lle'r oedd y ddwy iaith yn cael eu defnyddio, ond lle nad oedd y boblogaeth gyfan, o angenrheidrwydd, yn medru'r ddwy. Mewn ardaloedd lle y ceid defnydd gweddol gyfartal o'r ddwy iaith, y drefn symlaf oedd cynnal gwasanaeth Saesneg a Chymraeg am yn ail. Ond yr oedd y pwysau i gyflawni'r 'ddyletswydd ddwbl', fel y'i gelwid, yn gallu bod yn ormod i gurad Cymraeg tlawd a yrrid yn fynych at amlblwyfiaeth oherwydd ei gyflog pitw. Un ffordd o ysgafnhau'r baich oedd cynnal un gwasanaeth ar y Sul, gan ddefnyddio'r Gymraeg a'r Saesneg ar gyfer gwahanol elfennau ohono. Yn Llanfihangel y Bont-faen yn sir Forgannwg ym 1781, adroddid y Salmau, yr emynau, y llith gyntaf a'r litani yn Saesneg, a gweddill y gwasanaeth yn Gymraeg. Yn Larnog a Phenarth ym Morgannwg cynhelid y gwasanaeth i gyd yn Saesneg, ond pregethid yn Gymraeg oherwydd bod y gynulleidfa, yn ôl y clerigwr, yn deall yr iaith honno yn well. Trwy fabwysiadu trefn o wasanaethau cymysg eu hiaith, sicrhawyd bod pawb yn y gynulleidfa yn clywed o leiaf ychydig o'u mamiaith bob Sul, er iddynt gael eu hamddifadu o wasanaeth cyfan trwy gyfrwng yr iaith honno. Yn ogystal, wrth fynychu gwasanaethau cymysg eu hiaith byddai'r gynulleidfa yn cyfarwyddo â chlywed seiniau'r iaith arall. Pan gynhelid gwasanaethau Cymraeg a Saesneg am yn ail, yr oedd modd i'r plwyfolion osgoi clywed gwasanaethau yn yr iaith ddieithr drwy gadw draw o'r cysegr, fel yr eglurodd offeiriad Llanfair-ar-y-bryn ym 1813: 'But few, or none, of those who understand the English language attend the Welsh service and "vice versa".'[50]

Ar ôl sylwi ar y math o atebion a gafwyd yn y pedair esgobaeth, dosbarthwyd y plwyfi i'r categorïau iaith canlynol:

DA   Dim Ateb

C1   Cymraeg
C2   Ychydig Saesneg
C2a Ychydig Saesneg ar gyfer ymwelwyr/gwŷr bonheddig
C3   Saesneg unwaith y mis
C3P Pregeth Saesneg unwaith y mis

---

[50] LlGC, Cofysgrifau'r Eglwys yng Nghymru, SD/QA/68.

C3C Gwasanaeth cymysg unwaith y mis
C4   Saesneg un Sul allan o dri
C4P Pregeth Saesneg un Sul allan o dri
C5   3 gwasanaeth ar y Sul – 1 gwasanaeth Saesneg a 2 wasanaeth Cymraeg
C6   1 gwasanaeth cymysg ac 1 gwasanaeth Cymraeg ar y Sul/ gwasanaeth Cymraeg a Saesneg am yn ail ac 1 gwasanaeth Cymraeg ar y Sul
C6P Pregeth Saesneg unwaith y pythefnos
C7   Gwasanaeth cymysg, yn ffafrio'r Gymraeg/Cymraeg a Saesneg am yn ail, ond elfen gyson o Gymraeg bob Sul

D1   Cymraeg a Saesneg am yn ail
D2   Cymraeg a Saesneg am yn ail Sul
D3   Gwasanaeth cymysg gyda defnydd cyfartal o'r ddwy iaith
D4   Dwyieithog – amhenodol
D5   Gwasanaeth Saesneg a phregeth Gymraeg

S1   Saesneg
S2   Ychydig o Gymraeg
S3   Cymraeg unwaith y mis
S3P Pregeth Gymraeg unwaith y mis
S4   Cymraeg un Sul o bob tri
S4P Pregeth Gymraeg un Sul o bob tri
S5   3 gwasanaeth ar y Sul – 1 gwasanaeth Cymraeg a 2 wasanaeth Saesneg
S6   1 gwasanaeth cymysg ac 1 gwasanaeth Saesneg ar y Sul/gwasanaeth Cymraeg a Saesneg am yn ail ac 1 gwasanaeth Saesneg ar y Sul
S6P Pregeth Gymraeg unwaith y pythefnos
S7   Gwasanaeth cymysg yn ffafrio'r Saesneg/Cymraeg a Saesneg am yn ail, ond elfen gyson o Saesneg bob Sul

Cafwyd peth anhawster yn achos siroedd a oedd â phlwyfi mewn mwy nag un esgobaeth oherwydd nad oedd yr ymweliadau yn disgyn yn yr un flwyddyn yn y gwahanol esgobaethau. Yr achos mwyaf dyrys oedd sir Drefaldwyn lle'r oedd 39 o addoldai yn esgobaeth Llanelwy, saith yn esgobaeth Bangor a dau yn esgobaeth Tyddewi. Er mwyn ceisio creu darlun cyflawn o batrwm ieithyddol y sir bu raid ystyried adroddiadau gofwy un esgobaeth gyda'r rhai agosaf o ran blwyddyn yn yr esgobaethau eraill. Ar gyfer yr astudiaeth hon ymdriniwyd â Phenrhyn Gŵyr ar wahân i weddill sir Forgannwg, gan fod yr ardal mewn esgobaeth wahanol ac am fod cymaint o wahaniaeth rhwng ei sefyllfa ieithyddol hi a'r rhan helaethaf o'r sir. Problem ychwanegol yw'r ffaith fod nifer yr atebion ar gyfer rhai ymweliadau yn rhy fach i ffurfio sampl deg a bu raid diystyru'r ffigurau ar gyfer y cyfryw flynyddoedd.

Dengys y canlyniadau (gw. Atodiadau 1–3) mai ardaloedd y gorllewin oedd cadarnleoedd y Gymraeg yn y cyfnod dan sylw. Yn siroedd Aberteifi, Caernarfon, Meirionnydd a Môn y ceid y ganran uchaf o blwyfi uniaith Gymraeg. Y sir a ddangosai'r lleiaf o ddylanwad o du'r Saesneg oedd sir Feirionnydd, a oedd yn parhau bron yn gyfan gwbl Gymraeg. Dim ond yn eglwysi Llanycil a Chorwen, ynghyd â chapel Y Rug, y gwneid defnydd achlysurol o'r Saesneg. Cyflwynid elfen o Saesneg i'r gwasanaeth yng Nghorwen pan fyddai aelodau o deulu bonheddig Y Rug yn bresennol yn yr eglwys,[51] ac yn yr un modd cynhelid gwasanaethau Saesneg yn bennaf yng nghapel Y Rug pan fyddai'r teulu gartref.[52] Yn Llanycil, Cymraeg oedd cyfrwng addoli naturiol y plwyf, ond troid at yr iaith fain pan gynhelid llysoedd y Sesiwn Fawr yn Y Bala, er budd eneidiau'r barnwyr, yr ustusiaid a'r cyfreithwyr, mae'n debyg.[53]

Ategwyd tystiolaeth y clerigwyr ynglŷn â phwysigrwydd y Gymraeg yn y gorllewin gan atebion wardeniaid yr eglwysi i'r cwestiwn am iaith y Beiblau a'r Llyfrau Gweddi Gyffredin a ddefnyddid yn y plwyfi. Ymgais oedd yr ymholiad hwn i sicrhau bod cyflenwad digonol o lyfrau yn yr eglwysi. Yn y rhan fwyaf o siroedd y gogledd-orllewin, Aberteifi a gogledd Penfro, ynghyd â rhannau helaeth o sir Gaerfyrddin, dim ond llyfrau Cymraeg a oedd ar gael yn y plwyfi. Wrth geisio cyfiawnhau'r diffyg llyfrau Saesneg, cyfeirid yn fynych at y ffaith na fyddent o unrhyw fudd i'r trigolion am nad oedd ganddynt unrhyw wybodaeth o'r iaith fain. Esboniodd wardeniaid Llangrannog yn gwrtais ddigon ym 1820 nad oedd llyfrau Saesneg yn angenrheidiol yn y plwyf, ond atebodd nifer o wardeniaid, gan gynnwys rhai Aber-porth, Henfynyw ac Eglwyswrw, yn blwmp ac yn blaen: 'English books not wanted here.'[54] Ceir cadarnhad pellach o'r dybiaeth mai cymunedau uniaith Gymraeg oedd mwyafrif ardaloedd gwledig y de-orllewin yn ystod y ddeunawfed ganrif gan yr atebion i gwestiwn a osodwyd yn esgobaeth Tyddewi ym 1807, sef:

> Do you read His Majesty's Proclamation against Vice, and for the encouragement of Virtue, at least once a Quarter in your Church or Chapel?[55]

---

[51] LlGC, Cofysgrifau'r Eglwys yng Nghymru, SA/QA/6.

[52] LlGC, Cofysgrifau'r Eglwys yng Nghymru, SA/RD/26.

[53] LlGC, Cofysgrifau'r Eglwys yng Nghymru, SA/RD/21; SA/RD/23; SA/RD/26; SA/QA/12.

[54] LlGC, Cofysgrifau'r Eglwys yng Nghymru, SD/QA/3; SD/QA/10; SD/QA/11; SD/QA/13.

[55] LlGC, Cofysgrifau'r Eglwys yng Nghymru, SD/QA/5–6; SD/QA/65; SD/QA/124–5; SD/QA/187.

Atebodd nifer helaeth o glerigwyr y de-orllewin nad oedd ganddynt gyfieithiad Cymraeg o'r proclamasiwn ac mai ofer fyddai darllen y fersiwn Saesneg gerbron eu cynulleidfaoedd oherwydd byddai'n gwbl estron ac annealladwy iddynt. Dyna oedd y gŵyn, er enghraifft, yn Llanbadarn Fawr, lle y cynhelid y gwasanaethau yn gyfan gwbl trwy gyfrwng y Gymraeg.

Yn ardaloedd dwyreiniol y Gororau, serch hynny, yr oedd yr iaith Saesneg ar gynnydd a ffin y Cymru Gymraeg yn cael ei gwthio ymhellach i'r gorllewin yn sgil ymdreiddiad dylanwadau Saesneg o'r dwyrain. Wrth i'r Gymraeg gilio'n raddol, crëwyd ardal ddwyieithog a weithredai fel clustog rhwng y Gymraeg a'r Saesneg ac a ymwthiai'n araf tua'r gorllewin. Yr oedd y ddwy iaith yn cydfodoli yn yr ardal hon, er bod y cydbwysedd rhyngddynt yn ansicr ac yn newid yn gyson. Erbyn y ddeunawfed ganrif ni cheid unrhyw olion o'r Gymraeg yng ngwasanaethau eglwysig y plwyfi hynny yn swydd Henffordd a oedd yn rhan o esgobaeth Tyddewi. Daliai'r iaith ei thir rywfaint yn well tua'r gogledd, a pharhâi cnewyllyn o blwyfi yng nghyffiniau Croesoswallt yn swydd Amwythig i'w defnyddio yn gyson. Cymraeg oedd unig iaith y gwasanaeth ym mhlwyf Llanymynech, a leolid ar y ffin rhwng sir Drefaldwyn a Lloegr, yn y cyfnod hwn.[56] Cynhelid gwasanaethau Cymraeg a Saesneg am yn ail ym mhlwyf cyfagos Llanyblodwel a gwasanaethau Cymraeg unwaith y mis yng Nghroesoswallt a Selatyn.[57] Rhedai'r ardal ddwyieithog ar ffurf llain denau trwy blwyfi gogledd-orllewin Maldwyn, megis Meifod a Llanfyllin, ar hyd y ffin â swydd Amwythig, gan gynnwys Llansilin a Llangedwyn yng ngodre sir Ddinbych, a thrwy Wrecsam a Rhiwabon. Cyraeddasai'r ardal ddwyieithog hyd at Lanfair Caereinion yng nghanol sir Drefaldwyn erbyn 1809, ond yr oedd mwyafrif addoldai gogledd-orllewin y sir yn parhau i ddefnyddio'r Gymraeg yn brif iaith. Yn sir Ddinbych Cymraeg oedd prif iaith yr holl addoldai i'r gorllewin o Wrecsam a Rhiwabon, ac eithrio tref Rhuthun, lle y cynhelid gwasanaethau yn Gymraeg a Saesneg bob yn ail. Erbyn cyrraedd sir y Fflint, yr oedd yr ardal ddwyieithog wedi ymledu ac yn cynnwys y rhan helaethaf o'r sir, ond glynai llond dwrn o addoldai'r gogledd-orllewin yng nghyffiniau Rhuddlan wrth wasanaethau Cymraeg yn bennaf. Yn siroedd Dinbych a'r Fflint fel ei gilydd, prin iawn oedd yr enghreifftiau o blwyfi a ddefnyddiai Saesneg yn brif iaith addoli – pedwar yn unig yn sir Ddinbych a dim un yn sir y Fflint – er bod y rhan fwyaf o blwyfi'r sir honno yn ddwyieithog.

Ar y llaw arall, yr oedd yn drawiadol o amlwg erbyn canol y ddeunawfed ganrif fod y Gymraeg yn colli tir ymhellach i'r de yn sir

---

[56] LlGC, Cofysgrifau'r Eglwys yng Nghymru, SA/QA/10; SA/QA/12; SA/QA/15.
[57] Ibid.

Faesyfed, er gwaethaf datganiad Lewis Morris ym 1742 fod gwasanaethau eglwysig yn cael eu cynnal yn Gymraeg ym mhob cwr o'r sir. Gwaetha'r modd, nid yw'r holiaduron ar gyfer sir Faesyfed yn y ddeunawfed ganrif yn gyflawn o bell ffordd, ond erys digon i ddangos bod y Gymraeg ar drai yn y sir, er bod ychydig o blwyfi'r de a'r gorllewin wedi glynu wrth y Gymraeg tan yn ddiweddar iawn yn y ganrif. Ym 1799 y peidiodd y Gymraeg â bod yn iaith addoli cyhoeddus ym mhlwyfi Bochrwyd, Llandeilo Graban, Y Clas-ar-Wy a Llansteffan yn y de, ynghyd â Diserth a Chefn-llys yn y gorllewin. Erbyn blynyddoedd cynnar y bedwaredd ganrif ar bymtheg, plwyfolion pedwar plwyf yn unig, sef Saint Harmon, Rhaeadr Gwy, Llansanffraid Cwmteuddwr a Nantmel a gâi glywed rhywfaint o Gymraeg yn y gwasanaethau. Gwasanaethid trwy gyfrwng y Gymraeg yn achlysurol yn unig yn Rhaeadr Gwy a thraddodid pregeth Gymraeg unwaith y mis yn Nantmel tan 1807 pan roddwyd y gorau i ddefnyddio'r iaith yn y plwyf. Yn y cyfnod rhwng 1755 a 1828, felly, dim ond dau blwyf a ddefnyddiai'r Gymraeg yn gyson yn brif iaith gwasanaeth, sef Saint Harmon a Llansanffraid Cwmteuddwr yng ngogledd-orllewin y sir. Yr oedd deugain o blwyfi yn defnyddio Saesneg yn gyson yn iaith addoliad yn ystod yr un cyfnod a throdd chwech o blwyfi at gynnal gwasanaethau uniaith Saesneg yn hytrach na rhai dwyieithog.

Un o'r datganiadau mwyaf arwyddocaol a gafwyd yn yr holl holiaduron oedd ateb offeiriad Abaty Cwm-hir ym 1813:

> Church service is performed always in English, & has been so for a great number of years; as the young people do not in general understand Welsh, but the Old People do understand English.[58]

Hynny yw, cyrhaeddwyd y sefyllfa lle'r oedd pawb yn deall Saesneg a lle nad oedd y Gymraeg bellach yn gwbl angenrheidiol fel cyfrwng cyfathrebu. Mewn sefyllfa o'r fath, mater o gryfder teyrngarwch ac ymlyniad pobl wrth y Gymraeg a benderfynai a gâi gwasanaethau'r Eglwys eu cynnal yn yr iaith honno ai peidio. Gan mai'r genhedlaeth hŷn yn unig a fedrai'r Gymraeg, yr argoelion oedd mai Saesneg fyddai iaith y dyfodol yn sir Faesyfed.

Yn ystod yr un cyfnod, gwelid y Gymraeg yn cilio rhywfaint yn nwyrain sir Frycheiniog, gyda chynnydd yn y defnydd o Saesneg mewn pedwar ar ddeg o addoldai yn yr ardal. Serch hynny, daliai'r Gymraeg ei thir yng ngweddill y sir, a oedd yn ffinio ag ardaloedd Cymraeg siroedd Aberteifi, Caerfyrddin a Morgannwg. Yn sir Fynwy, yr oedd ymlediad y Saesneg yn llawer mwy trawiadol. Yr oedd y Gymraeg wedi diflannu fel iaith addoliad cyhoeddus ym mhlwyfi'r dwyrain erbyn canol y ddeunawfed ganrif.

---

[58] LlGC, Cofysgrifau'r Eglwys yng Nghymru, SD/QA/190.

Cynhelid y gwasanaethau yn Saesneg yn unig yn y rhan fwyaf o'r trefi hefyd – fel y gwneid yng Nghasnewydd a Brynbuga, er enghraifft. Gwyddys bod gwasanaethau Cymraeg yn dal i gael eu cynnal unwaith y mis yn Y Fenni ym 1763, ond erbyn 1771 diflanasai'r Gymraeg yn y fan honno hefyd. Yng nghanol y sir, ac yn fwyfwy i gyfeiriad y gorllewin, yr oedd ardal ddwyieithog a chanddi ffiniau hyblyg. Clywid seiniau gwasanaethau Cymraeg o hyd ar ochr orllewinol y sir, lle y ceid yr unig addoldai a oedd yn parhau'n uniaith Gymraeg. Ond o'r 128 o addoldai y cyfeirir atynt yn y cofnodion, un ar ddeg yn unig a barhaodd yn uniaith Gymraeg hyd at ymweliad 1813, sef Llanddewi Fach, Pant-teg, Mamheilad, Aberystruth, Llanhiledd, Bedwellte, Mynyddislwyn, Henllys, Llansanffraid Gwynllŵg, Rhisga a Choedcernyw. Y mae'n bosibl y gellid ychwanegu enwau rhai plwyfi eraill, megis Bedwas a'r Betws, ond nid oes digon o dystiolaeth ar gael i gadarnhau'r dybiaeth honno. Yn ystod y cyfnod 1771–1813 mabwysiadodd saith o addoldai wasanaethau dwyieithog yn hytrach na rhai Cymraeg a phump ar hugain Saesneg yn brif iaith addoliad. Erbyn 1813 yr oedd 86 o addoldai sir Fynwy (sef 67 y cant) yn defnyddio Saesneg yn brif iaith addoli cyhoeddus. Tystiolaeth ddigamsyniol atebion yr ymweliadau, felly, oedd fod y Gymraeg yn prysur edwino fel iaith yr Eglwys yn sir Fynwy.

Yr oedd nifer o ardaloedd yng Nghymru a oedd wedi hen Seisnigeiddio, ond ni welwyd unrhyw arwydd eu bod yn lledu eu dylanwad i'r plwyfi cyfagos yn ystod y cyfnod dan sylw. Ffurfiai de sir Benfro ynys o Seisnigrwydd yn y de-orllewin eithaf ac ni chafwyd nemor ddim newid yn y ddarpariaeth ieithyddol yn y parthau hynny. Yr oedd gwrthgyferbyniad hynod i'w weld rhwng de a gogledd y sir, fodd bynnag: bron na ellid tynnu llinell yn syth ar draws y sir, gan ddilyn ffiniau deheuol cantrefi Dewisland a Chemais, i ddynodi'r ffin ieithyddol rhwng y Gymraeg a'r Saesneg.[59] I'r gogledd o'r llinell hon y lleolid y 44 o addoldai a barhaodd yn gyson Gymraeg eu hiaith. Ceid haenen denau o blwyfi dwyieithog ar hyd ffiniau'r cantrefi hyn a wahanai'r ardaloedd uniaith Gymraeg oddi wrth y 78 o addoldai a ddefnyddiai Saesneg yn brif gyfrwng addoliad. Yr unig blwyfi i'r de o'r llinell a oedd yn parhau i ddefnyddio'r Gymraeg oedd plwyf Cymraeg Llan-y-cefn ynghyd â phlwyfi dwyieithog Treamlod, Dwyrain Waltwn, Llys-y-frân a Threfelen a ymwthiai ychydig i'r de dros y ffin rhwng cantrefi Cemais a Daugleddau.[60] Yn ogystal, lleolid ar hyd ffin ddwyreiniol y sir gnewyllyn o blwyfi uniaith Gymraeg

[59] Brian S. John, 'The Linguistic Significance of the Pembrokeshire Landsker', *PH*, 4 (1972), 7.

[60] Nodir gan Brian John blwyfi Treamlod, Dwyrain Waltwn, Llys-y-frân, a Threfelen, ynghyd â'r Mot lle y cynhelid gwasanaethau Saesneg erbyn y ddeunawfed ganrif, yn rhai a drodd yn ôl at y Gymraeg yn raddol ar ôl cyfnod y gwladychu cynnar gan y Normaniaid a'r Fflemiaid. Ibid., t. 25.

(Llanfallteg a Llan-gan) a dwyieithog (Llanddewi Felffre a Llanbedr Felffre) a chanddynt mewn gwirionedd gyswllt mwy naturiol ag ardaloedd Cymraeg sir Gaerfyrddin nag â de Penfro. Nid enillodd yr iaith Saesneg fawr o dir yn sir Benfro; yn wir, profodd fwy o golledion na'r Gymraeg yn ystod y cyfnod 1755–1828, pryd y trodd eglwysi Llanbedr Felffre a Threfelen yn y dwyrain i fod yn ddwyieithog gyfartal yn hytrach na Saesneg, ac eglwys Llanstinan yn y gogledd i fod yn Gymraeg yn lle Saesneg. Prin iawn oedd y plwyfi lle y defnyddid y ddwy iaith ochr yn ochr â'i gilydd. Dim ond pedwar ar ddeg o addoldai a ddarparai wasanaethau dwyieithog yn ystod y ddeunawfed ganrif ac erbyn blynyddoedd cynnar y ganrif ddilynol yr oedd pedwar o'r rheini yn arddel y Gymraeg yn brif iaith addoliad cyhoeddus. Ymdreiddiai'r dylanwad Saesneg i ryw raddau ar hyd yr arfordir o dde sir Benfro i waelod sir Gaerfyrddin. Saesneg oedd unig iaith y gwasanaethau ym mhlwyfi glan môr Llansadyrnin a Phentywyn erbyn canol y ddeunawfed ganrif. Yn ystod yr un ganrif, gollyngodd plwyfi cyfagos Eglwys Gymyn a Marros yr arferiad o gynnal gwasanaethau dwyieithog a dim ond arlliw o'r Gymraeg a oedd yn weddill ym mhlwyf Lacharn erbyn chwarter cyntaf y bedwaredd ganrif ar bymtheg.

Ardal arall a oedd yn draddodiadol Saesneg ei hiaith oedd Penrhyn Gŵyr. Unwaith yn rhagor ceid gwrthgyferbyniad amlwg rhwng yr ardal hon a'r ardaloedd o'i chwmpas. Yr oedd y rhan helaethaf o arch-ddiaconiaeth Gŵyr yn esgobaeth Tyddewi yn gyfan gwbl Saesneg ei hiaith, heb unrhyw ddefnydd o'r Gymraeg yn nhrefniadaeth yr Eglwys. I'r gogledd o dref Abertawe lleolid clwstwr bychan o blwyfi dwyieithog a bontiai'r gagendor rhwng y penrhyn Saesneg ac ardaloedd Cymraeg y cylch. Y mae a wnelo natur y tirlun â'r gwrthgyferbyniadau trawiadol hyn rhwng ardaloedd cyfagos a'i gilydd.[61] Yng Ngŵyr, Seisnigeiddiwyd yr iseldir arfordirol, ond glynodd yr ucheldir gogleddol wrth y Gymraeg. Gwelid patrwm tebyg yn ei amlygu ei hun yn y gwahaniaethau rhwng Bro a Blaenau Morgannwg. Yn yr un modd yn y fan honno, yr oedd yr iaith Saesneg wedi ymdreiddio i'r gwastadedd arfordirol, tra parhâi'r Gymraeg i dra-arglwyddiaethu yn yr ardal fynyddig i'r gogledd. Sefyd-lwyd y gwahaniaethau hyn gan batrwm gwladychu y Normaniaid, a gawsai eu denu gan yr ardaloedd ffrwythlon gwastad a oedd yn fwy addas ar gyfer y system fanorol o amaethu. Nid aethant yn agos i'r ucheldiroedd llai cynhyrchiol ac o ganlyniad ni ddisodlwyd y Gymraeg o'r mannau hynny.

[61] V. A. Chesters, 'Studies in the linguistic geography of the Vale of Glamorgan, the Swansea Valley and the Breconshire hinterland' (traethawd MA anghyhoeddedig Prifysgol Cymru, 1971), t. 9; Brian Ll. James, 'The Welsh Language in the Vale of Glamorgan', *Morgannwg*, XVI (1972), 18–19; Michael Williams, 'The Linguistic and Cultural Frontier in Gower', *AC*, CXXI (1972), 62–5.

Yr oedd newidiadau diddorol ar droed mewn ardal arall a oedd wedi hen Seisnigeiddio, sef Bro Morgannwg. Ar draws y sir rhwng Margam ac afon Rhymni lleolwyd ardal ddwyieithog a adwaenid fel y Fro Ffin ac a ffurfiai ymyl gogleddol y Fro. I'r gogledd yr oedd y Blaenau mynyddig ac i'r de dir ffrwythlon, poblog y Fro ei hun. Erbyn diwedd y ddeunawfed ganrif, yr oedd traean poblogaeth gyfan sir Forgannwg wedi ei leoli yn yr ardal honno, gan gynnwys trefi Caerdydd, Y Bont-faen a Phen-y-bont ar Ogwr. Awgrymir bod y Gymraeg wedi adennill tir yn yr ardal yn rhannol yn sgil mewnlifiad o Gymry Cymraeg o'r Fro Ffin a'r Blaenau ac mai yn ystod y ganrif 1750–1850 y gwelwyd y Gymraeg yn cyrraedd ei hanterth yn y Fro yn ystod y cyfnod modern. Yr oedd amryw o blwyfi ar hyd yr arfordir deheuol yn parhau i ddefnyddio Saesneg yn unig, gan gynnwys Sili, Porthceri, Silstwn, Sain Tathan, a Llanilltud Fawr. Ond yr oedd y Gymraeg yn grymuso hyd yn oed yn y parthau hyn, gyda Sain Dunwyd yn mabwysiadu Cymraeg yn unig iaith gwasanaeth erbyn 1802 a Merthyr Dyfan yn gwneud yr un modd erbyn 1813. Yn ôl tystiolaeth yr ymweliadau eglwysig, profwyd cynnydd yn y defnydd o'r iaith Gymraeg mewn un ar ddeg o addoldai yn yr ardal rhwng 1771 a 1813. Ond yn ystod yr un cyfnod gwelwyd ugain o addoldai yn mabwysiadu trefn a olygai ddefnydd helaethach o'r iaith Saesneg. Trodd pedwar ar ddeg ohonynt at wasanaethau dwyieithog yn hytrach na rhai uniaith Gymraeg, pump at wasanaethau Saesneg yn hytrach na rhai dwyieithog ac un, sef Llanfihangel-y-pwll, o wasanaethau Cymraeg at rai Saesneg. Y mae'n amlwg, felly, fod ardal de Morgannwg yn profi cyfnod o newid iaith, gyda thrai a llanw yn hanes y ddwy iaith fel ei gilydd. Amrywiai iaith y gwasanaethau yn fawr, gyda phlwyfi uniaith Saesneg, uniaith Gymraeg a dwyieithog o fewn ychydig filltiroedd i'w gilydd. Y mae'n anodd iawn priodoli'r newidiadau i unrhyw batrwm daearyddol ond, at ei gilydd, lleolid y plwyfi a brofodd gynnydd yn y defnydd o'r Saesneg ar ochr ogleddol y Fro go-iawn. Gwelwyd dylanwad y Saesneg yn ymledu i gyfeiriad y gogledd-orllewin. Er enghraifft, mabwysiadwyd gwasanaethau dwyieithog yn hytrach na rhai Cymraeg mewn clwstwr o blwyfi o amgylch Trelales a Merthyr Mawr.

Yn ogystal â'r Saesonaethau traddodiadol, yr oedd yr eglwysi yn nhrefi Cymru at ei gilydd yn ynysoedd o Seisnigrwydd, hyd yn oed yn yr ardaloedd mwyaf Cymraeg. Fel rheol, nid oedd yr iaith a ddefnyddid yn gyfrwng addoli yn y trefi pwysicaf ledled Cymru yn adlewyrchu'r iaith a siaredid yn y cyffiniau. Yn siroedd Môn ac Arfon, trefi Biwmares, Amlwch, Bangor, Conwy a Chaernarfon yn unig a dorrai ar unffurfiaeth Cymreictod y siroedd. Ffurfiai Aberystwyth, Aberteifi a Llanbedr Pont Steffan ddylanwadau o du'r Saesneg yn sir Aberteifi, fel y gwnâi Caerfyrddin, Castellnewydd Emlyn, Llandeilo a Llanelli hwythau yn sir

Gaerfyrddin. Cyfrwng pwysig arall a oedd yn fodd i ledaenu'r wybodaeth o Saesneg oedd y catecism a arferid yn yr eglwysi. Yr oedd yn ddyletswydd ar glerigwyr i ddysgu ac arholi'r catecism yn rheolaidd, ond cwynent byth a beunydd fod rhieni yn esgeuluso anfon eu plant i'r eglwys i dderbyn hyfforddiant. A barnu wrth atebion y clerigwyr, yr oedd tuedd bendant i gateceisio yn Saesneg, hyd yn oed mewn lleoedd megis Llaneugrad yn Ynys Môn, Botwnnog yn sir Gaernarfon, Dolgellau yn sir Feirionnydd ac Eglwysilan yn sir Forgannwg, lle y defnyddid y Gymraeg yn unig mewn gwasanaethau. Cyfaddefai amryw o'r clerigwyr fod yn rhaid egluro'r catecism Saesneg yn Gymraeg cyn y medrai eu cynulleidfaoedd ei ddeall. Eto, er gwaethaf yr anawsterau, parhaent i ffafrio'r Saesneg, efallai oherwydd bod arnynt eisiau dysgu mwy o Saesneg i'w preiddiau. Yng Ngelli-gaer ym Morgannwg ym 1771, cynhelid y gwasanaeth yn Gymraeg, arferid cateceisio'r plant yn Saesneg, ond ceid esboniad o'r catecism yn Gymraeg ar gyfer y bobl hŷn.[62] Yr esboniad o'r catecism y cyfeirid ato yn fwyaf aml yn adroddiadau y cyfnod dan sylw oedd eiddo William Wake, *The Principles of Christian Religion explained* (1699), na chafodd ei gyfieithu i'r Gymraeg. Gweithiau poblogaidd eraill oedd esboniad John Lewis, a gyfieithwyd i'r Gymraeg gan Ellis Wynne ym 1713 *(Catechism yr Eglwys wedi ei egluro)*, esboniad Thomas Secker, a gyfieithwyd i'r Gymraeg gan Thomas Jones ym 1778 *(Traethiadau ar Gatecism Eglwys Loegr)* ac esboniad Thomas Wilson, esgob Sodor a Manaw, y troswyd ei waith i'r Gymraeg ym 1752 *(Egwyddorion a dyledswyddau y grefydd Grist'nogawl)*. Ceid cyfeiriadau mynych hefyd at waith William Beveridge, esgob Llanelwy, a ymddangosodd yn Gymraeg ym 1708 dan y teitl, *Eglurhaad o Gatechism yr Eglwys*.[63] Er syndod, ychydig iawn o sôn a geid am gatecism Griffith Jones, gŵr a gafodd ddylanwad mawr, serch hynny, trwy gyfrwng ei ysgolion cylchynol. Yr oedd iaith yr ysgol leol yn elfen bwysig wrth benderfynu iaith y catecism. Nododd rhai clerigwyr, gan gynnwys y rhai a oedd â gofal plwyfi Merthyr Mawr a Llanbedr-y-fro, eu bod bellach, yn sgil ymweliad ysgol gylchynol Gymraeg, yn gallu defnyddio'r catecism Cymraeg gan fod y plwyfolion eisoes yn hyddysg ynddo. Ym 1771 gresynai offeiriad Ystradyfodwg yn sir Forgannwg fod yn rhaid iddo gateceisio trwy gyfrwng y Saesneg gan nad oedd ysgol Gymraeg yn y plwyf, er gwaethaf y ffaith fod dirfawr angen un.[64]

Yr oedd nifer o elfennau eraill yn ystod y cyfnod hwn yn gyfrifol am newidiadau ieithyddol. Yn siroedd y de-orllewin, yn arbennig, bu raid

---

[62] LlGC, Cofysgrifau'r Eglwys yng Nghymru, LL/QA/4.

[63] Geraint H. Jenkins, *Literature, Religion and Society in Wales 1660–1730* (Cardiff, 1978), tt. 75–84; D. L. Davies, 'A Study of Selected Visitation Material in Glamorgan, 1763–1813' (traethawd MA anghyhoeddedig Prifysgol Cymru, 1988), tt. 42–7.

[64] LlGC, Cofysgrifau'r Eglwys yng Nghymru, LL/QA/4.

addasu iaith y gwasanaethau yn sgil y cynnydd yn nifer y plwyfolion di-
Gymraeg. Yr oedd rheidrwydd ar yr Eglwys i fod yn hyblyg yn y mater
hwn oherwydd bod ganddi gyfrifoldeb i wasanaethu ei holl aelodau. Felly,
pan fyddai teulu Saesneg ei iaith yn symud i ardal Gymraeg, byddai
rhywfaint o Saesneg bob amser yn cael ei gynnwys yn y gwasanaethau, er
gwaethaf y ffaith nad oedd gan drwch yr aelodaeth unrhyw grap ar yr iaith
fain. Digwyddai hyn hyd yn oed ym mherfeddion cefn gwlad, megis yn
Nhroed-yr-aur yn sir Aberteifi. Yr oedd y duedd hon yn fwyfwy amlwg
yn siroedd Aberteifi a Chaerfyrddin erbyn adeg ymweliadau 1813 a 1828
yn esgobaeth Tyddewi. Yng Ngartheli, yng nghanol sir Aberteifi, bu raid
cynnwys elfen o Saesneg yn y gwasanaeth ar gyfer un teulu o Saeson a
symudodd i'r fro yn ystod y flwyddyn 1813.[65] Cychwynnwyd yr arfer o
gynnal addoliad cyhoeddus yn rhannol drwy gyfrwng y ddwy iaith nid
nepell i ffwrdd yn Nhregaron yn yr un flwyddyn yn sgil dyfodiad dau
deulu o Saeson i'r dref. Amcangyfrifai'r ficer fod tua 200–300 allan o'r
boblogaeth o 1,300 yn mynychu'r cysegr yn gyson. A chaniatáu ei fod yn
gor-ddweud i ryw raddau, yr oedd, serch hynny, nifer helaeth o Gymry
Cymraeg yn y dref bellach yn clywed Saesneg yn gyson yn yr eglwys.
Nodwyd yr angen i ddefnyddio Saesneg er mwyn dyrnaid o unigolion
mewn amryw o blwyfi eraill yn ogystal, gan gynnwys Llanwenog a
Llangrannog yn sir Aberteifi, Cilymaenllwyd, Llanfair-ar-y-bryn,
Llanfynydd, Llanllawddog, a Phen-boyr yn sir Gaerfyrddin, ynghyd â
Llanganten a Merthyr Cynog yn sir Frycheiniog. Mewn rhai ardaloedd
llwyddwyd, ymhen amser, i gymathu'r mewnfudwyr i'r cymunedau
Cymraeg. Yn Llanbryn-mair, er enghraifft, honnwyd bod nifer o'r
siaradwyr Cymraeg yn y plwyf yn ddisgynyddion i Saeson a oedd, gyda
threigl amser, wedi ymdoddi i'r gymdeithas leol, ond nodwyd hefyd fod y
sefyllfa honno yn un eithriadol.[66]

Ymdrechai'r Eglwys hefyd yn achlysurol i ddarparu ar gyfer ymwelwyr
tymhorol, yn enwedig mewn rhai ardaloedd ar yr arfordir a oedd yn
datblygu yn ganolfannau gwyliau yn ystod yr haf.[67] Yn ystod ail hanner y
ddeunawfed ganrif denid ymwelwyr i Borth-cawl ym mhlwyf
Drenewydd yn Notais i brofi dŵr y môr, ac arferai'r offeiriad draddodi
ambell bregeth yn Saesneg ar eu cyfer.[68] Yn y gogledd, er nad oedd
Llandudno a'r Rhyl wedi datblygu yn gyrchfannau ffasiynol, yr oedd

[65] LlGC, Cofysgrifau'r Eglwys yng Nghymru, SD/QA/7.
[66] LlGC, Cofysgrifau'r Eglwys yng Nghymru, SA/RD/27.
[67] W. T. R. Pryce, 'Language Areas and Changes, c.1750–1981' yn Prys Morgan (gol.),
    Glamorgan County History, Volume VI. Glamorgan Society, 1780–1980 (Cardiff, 1988),
    t. 284; Geraint H. Jenkins, *The Foundations of Modern Wales. Wales 1642–1780* (Oxford,
    1987), tt. 288–9.
[68] LlGC, Cofysgrifau'r Eglwys yng Nghymru, LL/QA/10.

Abergele yn atyniad mor boblogaidd i ymwelwyr fel y bu raid darparu pregethau Saesneg yn ystod yr haf.[69]

Dylifiad pobloedd i ardaloedd diwydiannol a oedd yn gyfrifol am rywfaint o'r newid a welwyd mewn iaith addoliad. Gwelwyd gweithfeydd haearn, glo a phlwm yn datblygu yng ngogledd-ddwyrain Cymru o ganol yr ail ganrif ar bymtheg ymlaen a phrofodd yr ardal welliannau mewn cysylltiadau a mewnlifiad o weithwyr yn sgil hynny. Yr oedd nifer o'r rhain yn Gymry Cymraeg a oedd wedi symud o gefn gwlad, ond ceid hefyd amryw Saeson yn eu plith ac achosai eu presenoldeb hwy newidiadau yn iaith addoliad yr eglwysi. Yng nghapel Mwynglawdd ym mhlwyf Wrecsam cyfrannai'r mwyngloddwyr plwm yn ariannol er mwyn sicrhau bod yr offeiriad yn darparu pregethau Saesneg bob yn ail Sul.[70] Ar ddechrau'r ddeunawfed ganrif cafwyd cwynion fod curad plwyf Llangynog yng ngogledd Maldwyn yn analluog i gynnal gwasanaethau Saesneg ar gyfer y mewnlifiad o weithwyr a oedd yn gysylltiedig â'r diwydiant plwm. Erbyn 1749, fodd bynnag, y gŵyn oedd fod y curad yn dal i gynnal gwasanaethau Cymraeg a Saesneg am yn ail er bod y gwaith plwm wedi cau a'r gweithwyr estron wedi hen ymadael â'r fro.[71] Gyda dyfodiad y gweithgarwch diwydiannol, gwelwyd mewnlifiad o weithwyr o ddau wahanol gyfeiriad: Cymry Cymraeg o'r ardaloedd gorllewinol a Chymry di-Gymraeg o'r dwyrain. Tueddai'r ddwy ffrwd i gyfarfod yng nghyffiniau Clawdd Offa, terfyn y gellid ei ddefnyddio'n gyfleus i ddynodi'r ffin ieithyddol a diwylliannol.[72] Y mae Rees Pryce wedi awgrymu yn ei waith ar ddaearyddiaeth iaith yn y gogledd-ddwyrain fod yr ardal ddwyieithog erbyn canol y ddeunawfed ganrif yn cyfateb fwy neu lai i'r maes glo.[73] Erbyn diwedd y ganrif, serch hynny, yr oedd yn amlwg wedi ymledu, gan lyncu'r rhan fwyaf o sir y Fflint, ac eithrio ychydig blwyfi yn y gogledd.

Merthyr Tudful yn sir Forgannwg, tref a ddaeth yn grud i'r chwyldro diwydiannol yn ne Cymru, sy'n dangos yn fwyaf eglur effaith twf diwydiant ar iaith. Er bod mwyafrif y mewnfudwyr i Ferthyr yn hanu o siroedd cyfagos Cymraeg eu hiaith, yr oedd digon o bobl o'r tu draw i Glawdd Offa i beri bod newid yn iaith yr eglwys yn angenrheidiol. Ym

[69] LlGC, Cofysgrifau'r Eglwys yng Nghymru, SA/QA/6; SA/QA/8; SA/QA/11; SA/QA/15.

[70] LlGC, Cofysgrifau'r Eglwys yng Nghymru, SA/QA/3–4.

[71] LlGC, Cofysgrifau'r Eglwys yng Nghymru, SA/RD/5; SA/RD/26; David Jenkins, 'The Population, Society and Economy of Late Stuart Montgomeryshire, c.1660–1720' (traethawd PhD anghyhoeddedig Prifysgol Cymru, 1985), t. 38.

[72] A. H. Dodd, 'Welsh and English in east Denbighshire: a historical retrospect', THSC (1940), 52; Melville Richards, 'The Population of the Welsh Border', ibid. (1970), 94–5.

[73] W. T. R. Pryce, 'Approaches to the Linguistic Geography of Northeast Wales, 1750–1846', CLlGC, XVII, rhifyn 4 (1972), 353–5.

1771 nododd John Davies, curad Merthyr, ei fod newydd gychwyn yr
arfer o bregethu yn Saesneg bob yn ail nos Sul ar gais Saeson a oedd yn
gysylltiedig â gweithfeydd haearn y plwyf. Erbyn 1784, fodd bynnag, yr
oedd un o'r ddau wasanaeth a geid ar y Sul yn cael ei gynnal yn Saesneg
bob pythefnos. Golygai hynny fod chwarter y gwasanaethau bellach yn
Saesneg. Erbyn 1788 yr oedd y drefn o gynnal gwasanaethau Cymraeg a
Saesneg am yn ail wedi ei sefydlu, a pharhaodd y drefn honno yn y
bedwaredd ganrif ar bymtheg. O fewn llai nag ugain mlynedd, felly,
buasai newid sylweddol yn iaith y plwyf.[74] Eto, yng ngweddill plwyfi
eang, mynyddig y Blaenau yr oedd y Gymraeg yn dal ei gafael yn dynn.
Cymraeg oedd unig iaith yr eglwys ym mhlwyfi Ystradyfodwg, Aberdâr,
Glyncorrwg, Llanwynno, Gelli-gaer ac Eglwysilan drwy gydol y cyfnod
hwn.

Awgryma tystiolaeth clerigwyr godre sir Frycheiniog fod twf
diwydiannol yn creu problemau yn yr ardal. Er bod y gwasanaethau ym
mhlwyf Y Faenor yn parhau'n uniaith Gymraeg ym 1828, poenai'r curad
ynglŷn â'r ddarpariaeth ar gyfer pentref Coedycymer ryw ddwy filltir o
eglwys y plwyf. Gan fod y pentref mor agos i weithfeydd haearn Merthyr
Tudful, cynyddasai nifer y trigolion i ddwy fil. Awgrymodd y curad mai
da o beth fyddai adeiladu eglwys yno, gan fod y Methodistiaid eisoes yn
achub y blaen ar yr Eglwys yn yr ardal. Wynebai curad plwyf Llanelli yr
un cyfyng-gyngor, sef sut i ddygymod â mewnlifiad o bobl a oedd yn byw
cryn bellter o eglwys y plwyf. Mynegodd yntau hefyd bryder y byddai'r
Eglwys yn debygol o ildio tir i'r Anghydffurfwyr pe na bai'n gweithredu
ar fyrder:

> And I most respectfully beg to add that while dissenting chapels are continually
> erected without difficulty wherever the increase of population seems to invite
> yet there are so many obstacles thrown in the way of building a new church as
> to render it in many cases a hopeless object. And while in default of chapels,
> dissenting ministers are able to preach in private houses wherever they can form
> a congregation – yet the regular Clergyman is obliged to confine himself to his
> Church however remotely or inconveniently it may be situated.[75]

Un o'r prif broblemau a wynebai'r Eglwys sefydledig oedd ei hanallu i
addasu ei chyfundrefn blwyfol at ddibenion y cymunedau diwydiannol
newydd. Yr oedd yr eglwysi mewn plwyfi megis Ystradyfodwg,
Bedwellte ac Aberystruth wedi cael eu codi ar gyfer poblogaeth
wasgaredig amaethyddol, ond bellach yr oedd angen dybryd am eglwysi

---

[74] LlGC, Cofysgrifau'r Eglwys yng Nghymru, LL/QA/4; LL/QA/10; LL/QA/12.
[75] LlGC, Cofysgrifau'r Eglwys yng Nghymru, SD/QA/200.

yn nes at y gweithfeydd.[76] Erbyn blynyddoedd cynnar y bedwaredd ganrif ar bymtheg yr oedd nifer o glerigwyr yn ymwybodol o'r bygythiad cynyddol o du Anghydffurfiaeth. Ofnid y byddai plwyfolion yn penderfynu mynychu cyfarfodydd Anghydffurfiol er mwyn clywed eu mamiaith yn hytrach nag oherwydd argyhoeddiad crefyddol. Pryderai esgob Tyddewi ym 1811 oherwydd 'the Welsh Language is with the Sectaries a powerful means of seduction from the church'.[77] Oherwydd natur hyblyg eu trefniadaeth, yr oedd yn haws o lawer i'r Anghydffurfwyr sefydlu canolfannau cyfarfod newydd mewn ymateb i anghenion y boblogaeth. Yr oedd yr Eglwys yn colli tir hefyd oherwydd bod cynifer o glerigwyr, yn enwedig yn ne Cymru, yn amlblwyfwyr ac yn methu darparu mwy nag un gwasanaeth y Sul ar gyfer eu heglwysi. Ym 1771 nododd John Walters, y gramadegwr enwog a oedd yn ficer Saint Hilari, Llandochau'r Bontfaen a Llan-fair ym Morgannwg, nad oedd modd iddo gynnal mwy nag un gwasanaeth yn yr un o'i eglwysi oherwydd pwysau ei ofalon bugeiliol.[78] Gwyddys bod eraill yn ysgwyddo baich trymach o lawer nag ef.

Er mor werthfawr yw tystiolaeth yr adroddiadau gofwy, erys llawer o gwestiynau heb eu hateb. Er enghraifft, y mae'n amhosibl gwybod i ba raddau yr oedd cynulleidfa yn deall yr iaith a leferid yn y pulpud. Anodd credu nad ymlyniad wrth draddodiad yn unig a oedd wrth wraidd yr arfer o gynnal pregeth Gymraeg unwaith y flwyddyn mewn addoldai megis capel Morton a St Martin's yn swydd Amwythig ym 1791.[79] Nid oedd cynnal addoliad cyhoeddus trwy gyfrwng un iaith yn unig yn golygu o reidrwydd nad oedd gan y gynulleidfa unrhyw afael ar yr iaith arall. Yn esgobaeth Tyddewi ym 1811, awgrymodd yr Esgob Thomas Burgess fod amryw o'r Cymry a oedd dan ei ofal yn deall Saesneg 'in Common conversation', ond bod yn well ganddynt glywed gweddi a phregeth yn eu mamiaith.[80] Ceid arwyddion nad oedd y Gymraeg o reidrwydd wedi diflannu'n llwyr yn yr ardaloedd lle'r oedd wedi peidio â bod yn iaith yr eglwys. Ym 1771 eglurodd Thomas Mills Hoare, ficer Casnewydd, mai Saesneg oedd iaith ei eglwys oherwydd dyna'r iaith a leferid amlaf ac a ddeellid orau:

---

[76] E. T. Davies, *Religion and Society in the Nineteenth Century* (Llandybïe, 1981), tt. 51–2; Sian Rhiannon Williams, 'Iaith y Nefoedd mewn Cymdeithas Ddiwydiannol: y Gymraeg a Chrefydd yng Ngorllewin Sir Fynwy yn y Bedwaredd Ganrif ar Bymtheg' yn Geraint H. Jenkins a J. Beverley Smith (goln.), *Politics and Society in Wales, 1840–1922: Essays in Honour of Ieuan Gwynedd Jones* (Cardiff, 1988), t. 48.

[77] LlGC, Cofysgrifau'r Eglwys yng Nghymru, SD/MISC/1085.

[78] LlGC, Cofysgrifau'r Eglwys yng Nghymru, LL/QA/4.

[79] LlGC, Cofysgrifau'r Eglwys yng Nghymru, SA/QA/7.

[80] LlGC, Cofysgrifau'r Eglwys yng Nghymru, SD/MISC/1085.

the Welsh Liturgy very few of them can join in; and when a Welsh Sermon is
to be preach'd many of them usually leave the church before the Sermon
begins; for our Neighbouring Welsh Preachers affect preaching a pure correct
Welsh, which is here almost unintelligible.[81]

Deil W. H. Rees nad yw'r adroddiadau gofwy o raid yn adlewyrchu
iaith trigolion y plwyfi oherwydd eu bod yn dueddol i orbwysleisio
Seisnigrwydd ac na ddylid eu defnyddio ond mewn cysylltiad â
thystiolaeth ynglŷn ag Anghydffurfiaeth.[82] Diau fod tystiolaeth rhai o'r
clerigwyr yn profi bod gwasanaethau Saesneg yn cael eu cynnal mewn
rhai mannau ar gyfer cyfran fechan iawn o boblogaeth y plwyf, ond
arwydd oedd hynny o'r problemau dyrys a wynebai'r Eglwys wrth geisio
diwallu anghenion cymdeithasau dwyieithog. Gwaetha'r modd, nid oes
cofnodion helaeth yn perthyn i'r enwadau Anghydffurfiol ar gael ar gyfer
y cyfnod hwn, cofnodion a fyddai'n ein galluogi i gymharu iaith eu
cyfarfodydd hwy ag iaith yr Eglwys. Fel arfer, ysgrifennid cofnodion
eglwysi'r Annibynwyr a'r Bedyddwyr yn Saesneg, ond dibynnai llawer ar
batrwm ieithyddol gwahanol yr ardaloedd. Er enghraifft, cedwid
cofnodion capel Cilfowyr yn sir Benfro, a oedd yn gangen o eglwys y
Bedyddwyr yn Rhydwilym, yn Gymraeg yn ystod y ddeunawfed ganrif,
ond Saesneg oedd iaith cofnodion eglwys y Bedyddwyr yn Llanwenarth
yn sir Fynwy yn ystod yr un cyfnod.[83] Er bod cyfrifon a rhestrau
derbyniadau a marwolaethau yr Annibynwyr yn Rhaeadr Gwy yn
Saesneg, nodid testunau'r pregethau yn Gymraeg, sy'n awgrymu efallai
mai dyna oedd iaith y gwasanaethau.[84]

Yn ystod y cyfnod dan sylw yr oedd nifer o wŷr blaenllaw ymhlith yr
Anghydffurfwyr yn ymwybodol o'r angen am lyfrau crefyddol i ddiwallu
anghenion y Cymry Cymraeg. Fel yn achos yr eglwyswyr, yr oeddynt yn
gwybod yn dda am allu'r gair printiedig i blannu egwyddorion y ffydd
Brotestannaidd yng nghalonnau'r Cymry. Cyhoeddwyd gweithiau gan
Charles Edwards a Stephen Hughes o dan fantell yr Ymddiriedolaeth
Gymreig yn ystod ail hanner yr ail ganrif ar bymtheg, ond nid tan y
ddeunawfed ganrif y datblygodd to gweithgar o Anghydffurfwyr a oedd
yn frwd dros ddarparu llenyddiaeth grefyddol drwy gyfrwng y Gymraeg.
Nod y llyfrau hyn oedd egluro athrawiaethau a chredoau, atgoffa
darllenwyr am bwysigrwydd y pedwar peth diwethaf (sef angau, barn,

---

[81] LlGC, Cofysgrifau'r Eglwys yng Nghymru, LL/QA/5.
[82] W. H. Rees, 'The Vicissitudes of the Welsh Language in the Marches of Wales, with
special reference to its territorial distribution in modern times' (traethawd PhD
anghyhoeddedig Prifysgol Cymru, 1947), t. 45.
[83] LlGC Llsgr. 1110B; LlGC Llsgr. Adnau 409B.
[84] LlGC Llsgr. 395A.

nefoedd ac uffern), a'u hannog i fyw bywyd dilychwin er mwyn paratoi ar gyfer dydd y farn fawr. Cyfieithiadau o weithiau cymeradwy yn Saesneg oedd nifer helaeth o'r llyfrau a gyhoeddwyd ganddynt, megis *Dydd y Farn Fawr* gan Jenkin Jones (1727) a *Darluniad o'r Gwir Gristion* gan Phylip Pugh (1748). Ymhlith y mwyaf adnabyddus o'r cyfieithwyr hyn oedd Iaco ab Dewi, Annibynnwr o dan weinidogaeth Christmas Samuel a gŵr a fu'n gyfrifol am drosi nifer o lyfrau duwiol i'r Gymraeg, gan gynnwys *Tyred a Groesaw at Iesu Grist* (1719), cyfieithiad o waith John Bunyan, *Come and Welcome to Jesus*. Yn ogystal â llawlyfrau defosiynol ac anogaethau i fyw yn dda, cyhoeddwyd nifer o lyfrau gan Anghydffurfwyr yn pleidio athrawiaeth neu yn amddiffyn enwad arbennig. Un o ganlyniadau defnydd yr Anghydffurfwyr o'r gweisg oedd creu cynulleidfa ddarllengar, aeddfed ar gyfer y mudiad Methodistaidd yng nghanol y ddeunawfed ganrif.[85]

I raddau helaeth, Saesneg oedd iaith cofnod a gweinyddiaeth ymhlith y Methodistiaid. Gellid dadlau mai'r rheswm am hynny oedd fod y Sasiwn a roddai drefn ar y mudiad yn cynnwys aelodau o ardaloedd Saesneg eu hiaith, megis de Penfro, yn ogystal â'r ffaith fod rhai o arweinwyr y Methodistiaid yn Lloegr, yn enwedig George Whitefield, yn ymweld â Chymru o bryd i'w gilydd. Er bod adroddiadau'r seiadau yn fynych iawn yn cael eu llunio mewn Cymraeg glân gan gynghorwyr y mudiad, arferid eu trosi cyn eu cynnwys yng nghofnodion swyddogol y mudiad. Gwaith Howel Harris fyddai'r cyfieithiad fel arfer ac ar adegau manteisiai ef ar y cyfle i sensro ychydig ar y cynnwys gwreiddiol. Yn Saesneg hefyd y byddai prif arweinwyr y mudiad yn y ddeunawfed ganrif yn gohebu â'i gilydd gan amlaf, arferiad nid anghyffredin yn yr oes honno. Cadwodd Howel Harris ei ddyddiadur yn Lladin am rai blynyddoedd yn y 1730au, cyn troi at y Saesneg am weddill ei oes. Dim ond yn achlysurol, wrth nodi pennau pregethau, y defnyddiai'r Gymraeg yn ei ddyddiadur, er ei fod yn gallu ysgrifennu Cymraeg graenus, fel y dengys yr ychydig lythyrau Cymraeg a adawodd ar ei ôl. Cynhelid y seiadau drwy gyfrwng yr iaith a weddai orau i'r aelodau, ond sicrhawyd bod digon o gynghorwyr a oedd yn hyddysg yn y Gymraeg ar gael ar gyfer y seiadau a gynhelid yn yr iaith honno. Nodwyd ym 1743, er enghraifft, fod James Beaumont yn anghymwys i weithredu fel cynghorwr yn Llanfihangel Crucornau, ger Y Fenni, oherwydd nad oedd yn medru'r Gymraeg.[86] Anogid aelodau'r seiadau yn gyson gan eu harweinwyr i fynychu ysgolion cylchynol Griffith Jones er mwyn dysgu darllen y Gair trwy gyfrwng eu mamiaith.

[85] Garfield H. Hughes, *Iaco ab Dewi (1648–1722)* (Caerdydd, 1953), tt. 101–28; R. Tudur Jones, *Hanes Annibynwyr Cymru* (Abertawe, 1966), tt. 130–3; T. M. Bassett, *Bedyddwyr Cymru* (Abertawe, 1977), tt. 65–76; Jenkins, *Literature, Religion and Society*, tt. 174–8.
[86] LlGC, Archifau'r MC, Llsgr. Trefeca 3001.

Awgrymodd R. T. Jenkins mai un o brif baradocsau'r Diwygiad Methodistaidd oedd y ffaith nad ym myd crefydd y bu'n fwyaf dylanwadol.[87] Nid oes amheuaeth na chafodd y Diwygiad effaith gadarnhaol ar yr iaith Gymraeg, er nad o fwriad y digwyddodd hynny. Nid oedd gan yr arweinwyr na'r aelodau unrhyw ymwybyddiaeth arbennig o'r mudiad fel un cynhenid Gymreig na Chymraeg. Ni cheir gan y Methodistiaid apêl at hanes na chyfeiriadau at y cyswllt traddodiadol rhwng y grefydd Gristnogol a'r iaith Gymraeg, fel y gwelir yng ngweithiau crefyddwyr eraill o'r un cyfnod, gan gynnwys Griffith Jones a Theophilus Evans.[88] Ymfalchïent, yn hytrach, mewn cymariaethau â'r Eglwys Fore ac yn eu cysylltiadau â mudiadau efengylaidd tebyg ledled y byd. Serch hynny, erbyn ail hanner y ddeunawfed ganrif, byddai Howel Harris o bryd i'w gilydd yn mynegi ei serch a'i deyrngarwch at y Gymraeg, gan geryddu'r Cymry am eu hynfydrwydd yn ymwrthod ag iaith hynafol a gyflwynwyd iddynt gan yr Hollalluog: 'I was much here too for ye old Brittons not to swallow ye English Pride & Language & despise their own.'[89]

Wynebai'r Methodistiaid y broblem oesol o geisio mynegi profiadau crefyddol a oedd y tu hwnt i eiriau. Awgrymwyd yn ddiweddar mai camp fawr George Whitefield oedd poblogeiddio crefydd yn ystod y ddeunawfed ganrif drwy ddefnyddio iaith masnach i'w chyflwyno i'r cyhoedd.[90] Cyfeiriwyd at amryw o enghreifftiau yn ei bregethau a'i lythyrau lle y gwnaeth ddefnydd o ddelweddau megis 'buddsoddi' yng Nghrist a 'phrynu cyfranddaliadau' yn ei deyrnas Ef. Ni wnaethpwyd defnydd tebyg o iaith a delweddau masnach gan Fethodistiaid Cymru a hynny, mae'n debyg, am nad oedd Cymru wedi cyfranogi o'r chwyldro defnyddiau i'r un graddau ag y gwnaethai Lloegr ac America. Awgrymodd Harry S. Stout, hanesydd o America a ddatblygodd y syniadau hyn, fod Howel Harris, o'i wrthgyferbynnu â Whitefield, wedi addasu iaith serch a charwriaeth ar gyfer ei genhadaeth yng Nghymru.[91] Byddai'n fwy cywir i honni mai William Williams Pantycelyn a fu'n bennaf cyfrifol am ddatblygu'r ieithwedd serchus honno, oherwydd iddo dynnu'n helaeth ar arddull Caniad Solomon, yn hytrach na dibynnu'n llwyr ar yr iaith lafar.

---

[87] R. T. Jenkins, *Hanes Cymru yn y Ddeunawfed Ganrif* (Caerdydd, 1928), t. 103.

[88] Derec Llwyd Morgan, 'Y Beibl a Llenyddiaeth Gymraeg' yn R. Geraint Gruffydd (gol.), *Y Gair ar Waith: Ysgrifau ar yr Etifeddiaeth Feiblaidd yng Nghymru* (Caerdydd, 1988), tt. 100–1.

[89] LlGC, Archifau'r MC, Dyddiaduron Howel Harris, 262, 24 Mai 1770.

[90] Frank Lambert, 'Pedlar in Divinity: George Whitefield and the Great Awakening, 1737–1745', *JAH*, 77 (1990), 812–37; Harry S. Stout, *The Divine Dramatist: George Whitefield and the Rise of Modern Evangelicalism* (Michigan, 1991), passim; Frank Lambert, '*Pedlar in Divinity': George Whitefield and the Transatlantic Revivals, 1737–1770* (Princeton, 1994), passim.

[91] Stout, *The Divine Dramatist*, t. 69.

Un peth sy'n gwbl sicr: yr oedd ieithwedd y Methodistiaid, fel y Piwritaniaid o'u blaenau, wedi ei gwreiddio'n ddwfn yn yr Ysgrythurau.

Ym marn nifer o Brotestaniaid pybyr, iaith y Beibl oedd yr unig iaith addas i drin a thrafod profiadau crefyddol. Oherwydd y pwyso cyson ar ieithwedd yr Ysgrythurau, yr oedd y math o eirfa a ddefnyddid yn adroddiadau'r seiadau Methodistaidd ac yn nyddiaduron ysbrydol gwŷr megis Howel Harris, Richard Tibbott a John Thomas, yn debyg iawn i'r hyn a geid yn hanesion tröedigaeth y Piwritaniaid.[92] Galwai'r mudiadau hyn am ddadansoddiad manwl o gyflwr ysbrydol pobl ac yr oedd angen meithrin geirfa addas i'r pwrpas hwnnw. Bu raid i'r Methodistiaid ddewis eu geiriau yn ofalus iawn, rhag iddynt godi gwrychyn awdurdodau eglwysig. Rhoes Griffith Jones gyngor i Howel Harris yn gynnar yn ei yrfa ynglŷn â doethineb dewis a dethol geiriau yn ofalus. Awgrymodd, er enghraifft, y dylai arddel y gair 'edifeirwch' os oedd y gair hwnnw yn llai o faen tramgwydd i'w gynulleidfa na'r gair 'ail-enedigaeth'.[93] Nid oedd am iddo newid ei neges ond, yn hytrach, ei mynegi mewn modd mwy derbyniol i'r gwrandawyr. Ar brydiau, byddai'r Methodistiaid yn osgoi defnyddio termau'r Eglwys ac Anghydffurfiaeth rhag iddynt gael eu cyhuddo o ryfyg neu o geisio creu enwad newydd. Am y rheswm hwn gelwid pregethwyr lleyg y mudiad yn 'gynghorwyr' yn y gobaith o leddfu amheuon yr awdurdodau eglwysig. Yn yr un modd, pwysleisid mai 'ysgoldai' neu 'dai seiat' oedd yr adeiladau cyntaf i'w codi gan y mudiad ac nid tai cwrdd na chapeli.

Serch hynny, nid datblygu termau gweinyddol a diwinyddol addas oedd pennaf angen y Methodistiaid yn gymaint â llunio ieithwedd profiad. Dosberthid yr aelodau Methodistaidd yn ôl eu cyflwr ysbrydol a cheid mynych gyfeiriadau at Gristnogion 'profiadol', at aelodau a oedd yn 'gaeth i'r ddeddf' neu yn gwrthgilio, at galonnau'n 'toddi' neu'n 'llosgi', ac at eneidiau 'sych' neu 'esmwyth'. Awgrymwyd mai yn sgil twf tueddiadau Piwritanaidd yn yr ail ganrif ar bymtheg, a'r pwyslais cynyddol ar hunan-archwiliad, y bathwyd nifer o eiriau Saesneg yn cychwyn â'r rhagddodiad 'self-'.[94] Y mae'n arwyddocaol fod *Geiriadur Prifysgol Cymru* yn nodi bod amryw eiriau Cymraeg yn cychwyn â'r gair 'hunan-' wedi ymddangos

[92] Gw., e.e., George Lawton, *John Wesley's English* (London, 1962); Perry Miller, 'The Plain Style' yn Stanley E. Fish (gol.), *Seventeenth Century Prose* (Cambridge, 1971), tt. 147–86; Owen C. Watkins, *The Puritan Experience* (London, 1972); Patricia Caldwell, *The Puritan Conversion Narrative: the Beginnings of American Expression* (Cambridge, 1982); Glyn Tegai Hughes, 'Pantycelyn a'r Piwritaniaid' yn Derec Llwyd Morgan (gol.), *Meddwl a Dychymyg Williams Pantycelyn* (Llandysul, 1991), tt. 31–54; Eryn M. White, *'Praidd Bach y Bugail Mawr': Seiadau Methodistaidd De-Orllewin Cymru 1737–50* (Llandysul, 1995), pennod IV.
[93] Dyddiaduron Howel Harris, 54, 9 Mawrth 1740.
[94] Charles Lloyd Cohen, *God's Caress: The Psychology of Puritan Religious Experience* (Oxford, 1986), t. 20.

mewn print am y tro cyntaf yn ystod y ddeunawfed ganrif.[95] Erbyn y
cyfnod hwnnw, yr oedd nifer o weithiau gan Biwritaniaid Lloegr wedi eu
trosi i'r Gymraeg am y tro cyntaf a'r Methodistiaid yn dechrau datblygu eu
llenyddiaeth eu hunain.

Gwnaeth y Diwygiad Methodistaidd lawer i atgyfnerthu a chyfoethogi'r
Gymraeg drwy ddarparu llenyddiaeth doreithiog ar ffurf pregethau, llyfrau
defosiynol, emynau a marwnadau. William Williams a wnaeth y cyfraniad
mwyaf nodedig, er iddo gael ei feirniadu droeon yn y gorffennol am
ddefnyddio iaith sathredig ac am ddiystyru canllawiau Cymraeg safonol.
Honnodd Thomas Charles na phoenai Williams ynglŷn â phurdeb iaith, a
chytunodd Saunders Lewis â'r farn honno: 'Ni pharchai ef eiriau o gwbl,
ond eu darnio a'u hanafu.'[96] Y mae'n wir fod yr argraffiadau gwreiddiol
o'i emynau yn cynnwys amryw ffurfiau sathredig, er nad cymaint ag a
gafwyd yng ngweithiau'r Ficer Prichard yn y ganrif flaenorol. Defnyddiai
Williams eiriau tafodieithol, yn enwedig yn ei emynau, er mwyn
tanlinellu'r ymdeimlad o agosatrwydd mynwesol â'i Waredwr, megis y
defnydd helaeth o'r gair 'Dere' wrth gyfarch Crist. Yr oedd yr arfer hwn
yn nodweddiadol o'r hyn a eilw Derec Llwyd Morgan yn 'hyfdra serchus'
tuag at ei Arglwydd.[97] Ond yr oedd Pantycelyn yn ymwybodol iawn o
anallu'r iaith Gymraeg a phob iaith ddaearol arall i iawn fynegi'r profiadau
y canai amdanynt:

> Uwch pob geiriau i ddodi ma's
> Yw dy gariad, yw dy heddwch,
> Yw dy anfeidrol ddwyfol ras.[98]

Tynnwyd sylw at y ffaith nad pobl un dafodiaith oedd cynulleidfa
Pantycelyn a'r diwygwyr. Er mwyn cyfleu gwirioneddau mewn iaith a
fyddai'n ddealladwy iddynt oll yr oedd angen llunio rhyw fath o 'iaith y
pulpud' a fyddai'n cyfuno iaith lafar ac iaith ysgrythurol i greu tafodiaith

---

[95] Y mae'n werth sylwi, er enghraifft, fod y geiriau 'hunanchwilio' yn ymddangos am y tro
cyntaf yn Jenkin Jones, *Llun Agrippa* (Caerfyrddin, 1723), cyfieithiad o waith Matthew
Mead, *Almost a Christian Discovered* (1671); 'hunanymddiddan' yn William Williams,
Golwg ar Deyrnas Crist (Caerfyrddin, 1764) a 'hunanymholiad' yn Thomas Baddy, *Pasc y
Christion neu Wledd yr Efengyl* (Llundain, 1703).

[96] Saunders Lewis, *Williams Pantycelyn* (Llundain, 1927), t. 32; Alwyn Roberts, 'Pantycelyn
fel bardd cymdeithasol', *Y Traethodydd*, 127 (1972), 7; Derec Llwyd Morgan, *Williams
Pantycelyn* (Caernarfon, 1983), t. 5.

[97] Morgan, *Williams Pantycelyn*, t. 19.

[98] Saunders Lewis, op. cit., tt. 33, 222–3; Kathryn Jenkins, 'Motiffau Emynau Pantycelyn'
yn Morgan, *Meddwl a Dychymyg*, tt. 105–6.

gyffredin grefyddol.[99] Yn ei ragair i'r ail ran o'i gasgliad o emynau, *Aleluia* (1745), esboniodd Williams mai ei amcan oedd cyfansoddi emynau yn 'swn a iaith yr 'Scrythurau'. Dyna'r iaith a fyddai'n gyffredin i'w holl gynulleidfa.

Datblygodd y mudiad Methodistaidd y defnydd o iaith y Beibl yn rhyw fath o law-fer ar gyfer datgelu cyflwr ysbrydol yr aelodau. Pan fyddai arolygwr yn disgrifio seiat fel 'dinas ar fryn' neu fel 'yr had ar y graig leoedd' neu pan gyfeiriai at aelod yn 'chwilio am y perl', byddai'n dwyn i gof rai o ddamhegion y Testament Newydd a oedd yn gwbl gyfarwydd i'w ddarllenwyr. Llwyddai'r ymadroddion hyn, felly, i gyfleu cyfoeth o wybodaeth am gyflwr yr aelodau mewn modd cryno a chyfleus. Yn ogystal â chyfeiriadau at adnodau penodol, datblygwyd delweddau yn seiliedig ar yr Ysgrythur. Ymhlith y mwyaf cyffredin o'r rhain oedd y delweddau o bererindod trwy'r anialwch, y Cristion fel milwr yn brwydro'n wrol o dan faner Crist, a'r ffyddloniaid yn cael eu gwahodd i wledda gyda'r Arglwydd. Daeth yr ieithwedd Feiblaidd hon yn rhan o iaith feunyddiol y Methodistiaid a phoblogeiddiwyd myrdd o enwau lleoedd y Beibl yn ogystal yn sgil y cyfeiriadau at Salem Dir a phen Calfaria yn emynau Pantycelyn. Gellid defnyddio rhai o'r enwau hyn i ddynodi cyflwr ysbrydol, megis y gwrthgyferbyniad rhwng Sinai a Seion i gynrychioli'r gwahaniaeth rhwng y sawl a oedd yn gaeth i'r ddeddf a'r Cristion a ryddhawyd trwy ffydd yng Nghrist.[100]

Erbyn y bedwaredd ganrif ar bymtheg yr oedd y cysylltiad traddodiadol rhwng yr iaith Gymraeg a chrefydd os rhywbeth wedi ei dynhau yn sgil twf Methodistiaeth ac Anghydffurfiaeth yn gyffredinol. Yn ystod y ganrif honno daethpwyd i ystyried yr enwadau Anghydffurfiol yn gynheiliaid yr iaith Gymraeg a'r Eglwys yn sefydliad Seisnig ei naws. Serch hynny, nid oes amheuaeth nad oedd iaith gwasanaethau'r Eglwys yn ystod y ddeunawfed ganrif a blynyddoedd cynnar y bedwaredd ganrif ar bymtheg yn parhau i adlewyrchu iaith y boblogaeth ac felly yn gyfrwng i asesu cryfder cymharol y Gymraeg a'r Saesneg. Amlyga'r darlun a grëwyd gan dystiolaeth yr ymweliadau eglwysig y modd yr oedd y Gymraeg yn cael ei herydu'n raddol yn ardaloedd y Gororau, ac ardal ddwyieithog yn ymwthio gan bwyll bach i gyfeiriad y gorllewin. Hyd yn oed yn yr ardaloedd lle'r oedd y Gymraeg yn dal ei gafael yn dynn, enillasai'r iaith Saesneg droedle, wrth i agwedd gwŷr bonheddig, ynghyd â dylanwad trefi a chanolfannau diwydiant, hybu lledaeniad Seisnigrwydd. Er gwaethaf y

[99] Alwyn Roberts, op. cit., tt. 10–11; Glyn Tegai Hughes, *Williams Pantycelyn* (Cardiff, 1983), tt. 86–7; idem, 'Charles Wesley a Williams Pantycelyn' yn Owen E. Evans (gol.), *Gwarchod y Gair: Cyfrol Goffa Y Parchedig Griffith Thomas Roberts* (Dinbych, 1993), t. 177.

[100] Gw., e.e., Ralph Erskine, *Sinai a Seion: Neu Allwydd y Ddau Gyfamod, Gan mwyaf tan yr Enwau Deddf a Gras* (Caerfyrddin, 1745).

grymoedd hyn, nid oes amheuaeth nad y Gymraeg oedd unig iaith y mwyafrif o bobl mewn rhannau helaeth o'r wlad ac adlewyrchid y ffaith hon yn iaith gwasanaethau'r Eglwys yn y ddeunawfed ganrif. Er bod arwyddion o drai mewn rhai ardaloedd, yr oedd y Gymraeg yn parhau i fod yn 'iaith y nefoedd' i fwyafrif pobl Cymru.

ATODIAD 1

Aberteifi – Canran yr addoldai ym mhob categori iaith 1807–1828
Nifer yr addoldai: 73

	1807	1813	1828	
Nifer yr atebion	57	69	70	
	%	%	%	
C1	86	83	70	
C2	2	4	7	Cymraeg yn
C2a	0	0	3	brif iaith
C3P	4	0	0	
C4	0	3	0	
C7	4	3	10	Dwyieithog, ond yn ffafrio'r Gymraeg
D1	2	3	3	
D2	0	0	1	Dwyieithog
D3	0	1	4	
D4	2	3	0	
S5	0	0	1	Dwyieithog, ond yn ffafrio'r Saesneg
S1	2	0	0	Saesneg yn brif iaith

Brycheiniog – Canran yr addoldai ym mhob categori iaith 1799–1828
Nifer yr addoldai: 80

	1799	1813	1828	
Nifer yr atebion	71	77	77	
	%	%	%	
C1	62	55	42	
C2	0	3	3	Cymraeg yn
C3	4	9	13	brif iaith
C3P	0	3	0	
C7	0	0	1	Dwyieithog, ond yn ffafrio'r Gymraeg
D1	10	8	6	
D2	0	1	10	Dwyieithog
D3	4	5	3	
D4	8	6	0	
S7	0	0	8	Dwyieithog, ond
S6P	1	1	0	yn ffafrio'r Saesneg
S6	0	0	1	
S1	10	8	10	Saesneg yn brif iaith

Caerfyrddin – Canran yr addoldai ym mhob categori iaith 1755–1828
Nifer yr addoldai: 87

	1755	1810	1813	1828	
Nifer yr atebion	54	66	80	84	
	%	%	%	%	
C1	76	75	61	55	
C2	0	2	10	2	Cymraeg yn
C2a	0	0	0	2	brif iaith
C3	0	5	5	5	
C3P	0	0	1	0	
C6	0	0	0	1	Dwyieithog,
C6P	0	0	0	1	ond yn ffafrio'r
C7	6	2	1	6	Gymraeg
D1	0	3	4	6	
D2	0	0	0	1	Dwyieithog
D3	14	6	5	10	
D4	4	3	3	10	
S7	0	0	1	1	Dwyieithog,
S6	2	0	0	1	ond yn ffafrio'r
S5	2	0	1	0	Saesneg
S2	2	0	1	1	Saesneg yn
S1	6	6	6	6	brif iaith

Caernarfon – Canran yr addoldai ym mhob categori iaith 1749–1817
Nifer yr addoldai yn esgobaeth Bangor: 69
Nifer yr addoldai yn esgobaeth Llanelwy: 2
Cyfanswm nifer yr addoldai: 71

Llanelwy Bangor	1749	1776	1801	1809 1811	1814	1817	
Nifer yr atebion	54	57	58	57	53	50	
	%	%	%	%	%	%	
C1	93	96	96	93	94	90	Cymraeg yn
C2	0	0	0	0	2	0	brif iaith
C2a	0	0	0	0	2	0	
C5	0	0	0	2	0	0	Dwyieithog, ond
C6	0	0	0	0	2	0	yn ffafrio'r Gymraeg
D1	0	4	2	2	0	4	
D3	2	0	2	2	2	2	Dwyieithog
D4	0	0	0	2	0	0	
S1	6	0	0	0	2	0	Saesneg yn brif iaith

Dinbych – Canran yr addoldai ym mhob categori iaith 1749–1811

Nifer yr addoldai yn esgobaeth Bangor: 16
Nifer yr addoldai yn esgobaeth Llanelwy: 46
Cyfanswm nifer yr addoldai: 62

Llanelwy: Bangor:	1749 1749	1791	1795	1799 1801	1809 1811	
Nifer yr atebion	49	40	41	47	57	
	%	%	%	%	%	
C1	71	58	61	70	65	
C2	0	3	2	4	4	
C2a	0	5	2	2	2	Cymraeg yn
C3	2	10	5	2	4	brif iaith
C3P	2	5	0	2	7	
C3C	0	3	0	0	0	
C4	0	0	5	0	0	
C5	0	0	2	2	4	Dwyieithog,
C6P	0	3	0	0	0	ond yn ffafrio'r
C7	0	0	7	4	0	Gymraeg
D1	4	3	2	4	3	
D2	2	2	0	0	0	Dwyieithog
D3	2	0	0	0	2	
D4	2	0	0	0	0	
S7	6	0	0	0	0	Dwyieithog,
S6	2	3	5	2	4	ond yn ffafrio'r
S5	2	0	0	0	0	Saesneg
S1	2	8	7	6	7	Saesneg yn brif iaith

Fflint – Canran yr addoldai ym mhob categori iaith 1749–1809

Nifer yr addoldai: 25

	1749	1791	1795	1799	1809	
Nifer yr atebion	22	21	23	21	21	
	%	%	%	%	%	
C1	36	33	26	24	29	
C2	0	0	0	5	0	Cymraeg yn
C2a	9	0	4	0	5	brif iaith
C3	9	14	13	24	24	
C3P	0	5	4	0	0	
C6	0	5	4	5	10	Dwyieithog,
C6P	0	5	0	0	0	ond yn ffafrio'r
C7	14	19	4	5	0	Gymraeg
D1	0	14	17	14	19	
D2	9	0	4	5	0	Dwyieithog
D3	9	0	0	10	0	
D4	0	0	0	5	14	
S7	9	5	4	0	0	Dwyieithog,
S6	5	0	4	0	0	ond yn ffafrio'r Saesneg
S2	0	0	4	0	0	Saesneg yn
S1	0	0	4	5	0	brif iaith

Maesyfed – Canran yr addoldai ym mhob categori iaith 1762–1828

Nifer yr addoldai: 48

	1762	1799	1807	1813	1828	
Nifer yr atebion	20	23	21	34	45	
	%	%	%	%	%	
C1	0	0	10	0	0	Cymraeg yn
C3	0	0	0	6	4	brif iaith
D1	5	0	0	0	0	
D3	10	0	0	0	0	Dwyieithog
D4	10	0	0	0	0	
S7	5	4	0	0	0	Dwyieithog, ond yn ffafrio'r Saesneg
S2	0	0	0	3	2	Saesneg yn
S1	70	96	90	91	93	brif iaith

Meirionnydd – Canran yr addoldai ym mhob categori iaith
1749–1811

Nifer yr addoldai yn esgobaeth Bangor: 21
Nifer yr addoldai yn esgobaeth Llanelwy: 14
Cyfanswm nifer yr addoldai: 35

Llanelwy	1749	1799	1809	
Bangor	1749	1801	1811	
Nifer yr atebion	32	33	30	
	%	%	%	
C1	94	97	100	Cymraeg yn
C2	0	3	0	brif iaith
C2a	3	0	0	
D4	3	0	0	

Môn – Canran yr addoldai ym mhob categori iaith 1749–1814
Nifer yr addoldai: 76

	1749	1776	1801	1814	
Nifer yr atebion	53	57	63	51	
	%	%	%	%	
C1	98	96	95	92	
C2a	0	0	0	2	Cymraeg yn
C3	0	0	0	2	brif iaith
C4	0	0	2	2	
C4P	0	2	0	0	
C5	0	0	2	0	Dwyieithog, ond
C6	0	0	2	0	yn ffafrio'r Gymraeg
D1	0	0	0	2	Dwyieithog
S6	0	2	0	0	Dwyieithog, ond
S5	2	0	0	0	yn ffafrio'r Saesneg

Morgannwg – Canran yr addoldai ym mhob categori iaith 1771–1813

Esgobaeth Llandaf: 103 o addoldai

	1771	1774	1781	1784	1788	1791	1795	1813	
Nifer yr atebion	97	82	89	79	81	83	82	69	
	%	%	%	%	%	%	%	%	
C1	46	44	40	42	51	52	57	43	
C2	4	2	3	5	4	2	1	4	Cymraeg yn
C2a	1	0	1	0	0	0	0	0	brif iaith
C3	0	0	1	1	0	0	1	0	
C3P	0	0	0	1	0	0	0	0	
C6	0	1	1	1	0	0	0	0	Dwyieithog,
C6P	1	1	0	0	0	0	0	0	ond yn ffafrio'r
C7	0	4	4	4	0	2	1	0	Gymraeg
D1	1	2	2	8	5	5	2	1	
D2	2	5	3	4	1	5	11	16	
D3	16	11	3	11	11	5	6	3	Dwyieithog
D4	8	7	4	3	10	8	5	1	
D5	0	0	4	1	0	1	0	0	
S7	3	2	0	0	0	4	0	0	Dwyieithog,
S6P	0	0	1	1	1	2	4	3	ond yn ffafrio'r
S6	0	1	0	0	0	0	0	0	Saesneg
S5	1	1	1	1	0	0	0	0	
S3P	0	0	3	4	1	0	2	0	
S3	0	0	0	0	0	1	0	1	Saesneg yn
S2	2	6	2	0	1	0	0	1	brif iaith
S1	13	11	16	13	12	12	9	17	

Morgannwg: Gŵyr – Canran yr addoldai ym mhob categori iaith 1807–1828

Esgobaeth Tyddewi: 25 o addoldai

	1807	1810	1813	1828	
Nifer yr atebion	21	21	17	22	
	%	%	%	%	
C1	14	14	29	9	Cymraeg yn
C2	5	0	0	5	brif iaith
C7	0	5	0	0	Dwyieithog, ond yn ffafrio'r Gymraeg
D1	0	5	0	5	
D2	5	0	6	0	Dwyieithog
D3	0	0	0	5	
D4	5	5	6	0	
S1	71	71	58	77	Saesneg yn brif iaith

Mynwy – Canran yr addoldai ym mhob categori iaith 1771–1813

Nifer yr addoldai yn esgobaeth Llandaf: 125
Nifer yr addoldai yn esgobaeth Tyddewi: 3
Cyfanswm nifer yr addoldai: 128

| Tyddewi | | | | | | 1799 | 1807 | 1813 | |
Llandaf	1771	1774	1781	1784	1788	1791	1802	1809	1813
Nifer yr atebion	114	107	109	85	86	59	59	69	88
	%	%	%	%	%	%	%	%	%
C1	15	14	15	15	15	12	7	15	9
C2	4	2	3	2	0	0	2	0	0	Cymraeg yn
C2a	0	1	0	0	0	0	0	0	0	brif iaith
C3	1	2	1	1	0	2	2	0	2	
C6P	0	1	0	0	1	0	0	0	0	Dwyieithog,
C7	3	3	0	2	0	2	0	0	0	ond yn ffafrio'r Gymraeg
D1	4	3	3	4	7	5	0	3	1	
D2	6	0	4	4	1	7	14	13	10	Dwyieithog
D3	8	8	8	7	2	3	2	1	1	
D4	7	6	6	7	8	7	8	1	6	
S7	0	2	1	2	0	2	2	0	0	
S6P	0	0	2	0	0	0	0	0	0	Dwyieithog,
S6	0	1	1	0	0	0	0	0	0	ond yn ffafrio'r
S5P	0	0	0	0	0	0	3	0	0	Saesneg
S4	0	0	0	0	0	0	0	1	0	
S3P	2	3	0	1	0	0	0	0	0	
S3	3	4	2	0	2	2	0	0	2	Saesneg yn
S2	3	6	5	1	2	0	2	0	0	brif iaith
S1	46	46	50	53	60	59	59	65	68	

Penfro – Canran yr addoldai ym mhob categori iaith 1807–1828

Nifer yr addoldai: 147

	1807	1810	1813	1828	
Nifer yr atebion	93	58	139	139	
	%	%	%	%	
C1	25	10	29	27	
C2	1	2	1	2	
C2a	0	0	1	0	Cymraeg yn
C3	2	0	1	0	brif iaith
C3P	0	2	0	1	
C7	0	0	2	6	Dwyieithog, ond yn ffafrio'r Gymraeg
D1	2	2	2	2	
D2	0	2	0	0	
D3	5	7	4	6	Dwyieithog
D4	3	3	3	0	
D5	0	0	1	0	
S7	0	0	1	1	Dwyieithog, ond yn ffafrio'r Saesneg
S2	0	2	1	1	Saesneg yn
S1	62	71	55	55	brif iaith

Trefaldwyn – Canran yr addoldai ym mhob categori iaith
1749–1813

Nifer yr addoldai yn esgobaeth Llanelwy: 39
Nifer yr addoldai yn esgobaeth Bangor: 7
Nifer yr addoldai yn esgobaeth Tyddewi: 2
Cyfanswm nifer yr addoldai: 48

Tyddewi:	1755				1813	
Llanelwy:	1749	1791	1795	1799	1809	
Bangor:	1749			1801	1811	
Nifer yr atebion	46	37	38	41	45	
	%	%	%	%	%	
C1	26	32	34	34	38	
C2	0	3	0	0	2	
C3	4	5	5	2	2	Cymraeg yn
C3P	7	8	5	7	4	brif iaith
C4	7	3	3	5	0	
C4P	0	3	3	0	0	
C5	0	0	0	0	2	Dwyieithog, ond
C6	0	0	3	0	0	yn ffafrio'r Gymraeg
D1	6	16	5	5	9	
D2	13	0	5	2	7	Dwyieithog
D3	0	0	0	0	0	
D4	2	0	0	5	0	
S7	9	0	0	0	0	Dwyieithog, ond
S6P	0	0	0	7	0	yn ffafrio'r Saesneg
S6	0	0	3	0	4	
S3C	0	3	3	2	0	
S3P	2	0	5	2	0	Saesneg yn
S2	9	8	3	2	0	brif iaith
S1	15	16	24	22	29	

ATODIAD 2

Iaith addoldai'r Eglwys Sefydledig dros y cyfnod *c.*1750/1771– *c.*1820
Gogledd Cymru

	Nifer yr addoldai	C	CDC	CD	CS	D	DCD	DSD	DC	DS	S	SDS	SD	SC	?
Caernarfon	71	61	0	1	0	2	0	0	0	0	1	0	0	2	4
%		86	0	1	0	3	0	0	0	0	1	0	0	3	6
Dinbych	62	51	0	0	0	5	0	0	1	3	1	0	0	0	1
%		82	0	0	0	8	0	0	2	5	2	0	0	0	2
Fflint	25	9	1	3	0	7	0	0	3	0	0	0	0	0	2
%		36	4	12	0	28	0	0	12	0	0	0	0	0	8
Maldwyn	48	18	0	3	1	6	0	0	2	2	14	1	0	1	0
%		38	0	6	2	13	0	0	4	4	29	2	0	2	0
Meirionnydd	35	34	0	0	0	0	0	0	0	0	0	0	0	0	1
%		97	0	0	0	0	0	0	0	0	0	0	0	0	3
Môn	76	71	0	1	0	1	0	0	0	0	0	0	0	0	3
%		93	0	1	0	1	0	0	0	0	0	0	0	0	4

Iaith addoldai'r Eglwys Sefydledig dros y cyfnod *c.*1750/1771– *c.*1820
De Cymru

	Nifer yr addoldai	C	CDC	CD	CS	D	DCD	DSD	DC	DS	S	SDS	SD	SC	?
Aberteifi	73	60	0	3	0	5	0	0	0	0	0	0	1	0	4
%		82	0	4	0	7	0	0	0	0	0	0	1	0	5
Brycheiniog	80	46	0	9	2	13	0	0	1	3	5	0	0	0	1
%		58	0	11	2.5	16	0	0	1	4	6	0	0	0	1
Caerfyrddin	87	56	0	9	0	9	0	0	5	3	2	0	3	0	0
%		64	0	10	0	10	0	0	6	3	2	0	3	0	0
Maesyfed	48	2	0	0	0	0	0	0	0	6	40	0	0	0	0
%		4	0	0	0	0	0	0	0	12	83	0	0	0	0
Morgannwg	128	37	7	13	1	10	4	3	7	7	30	3	2	2	2
%		29	5	10	1	8	3	2	5	5	23	2	1.5	1.5	1.5
Mynwy	128	11	1	7	6	8	0	1	1	19	58	3	2	1	10
%		9	1	5	5	6	0	1	1	15	45	2	1.5	1	8
Penfro	147	44	0	1	0	9	0	0	4	1	78	0	2	1	7
%		30	0	1	0	6	0	0	3	1	53	0	1	1	5

ATODIAD 3
Iaith Addoldai'r Eglwys Sefydledig dros y cyfnod *c*.1750/1771– *c*.1820

Allwedd

C	Cymraeg yn brif iaith yn gyson
CDC	Cymraeg yn brif iaith, ond gwasanaethau dwyieithog am gyfnod
CD	Newid o'r Gymraeg yn brif iaith i wasanaethau dwyieithog
CS	Newid o'r Gymraeg yn brif iaith i Saesneg yn brif iaith
D	Gwasanaethau dwyieithog yn gyson
DCD	Gwasanaethau dwyieithog yn gyson, ond y Gymraeg yn brif iaith am gyfnod
DSD	Gwasanaethau dwyieithog yn gyson, ond Saesneg yn brif iaith am gyfnod
DC	Newid o wasanaethau dwyieithog i Gymraeg yn brif iaith
DS	Newid o wasanaethau dwyieithog i Saesneg yn brif iaith
S	Saesneg yn brif iaith yn gyson
SDS	Saesneg yn brif iaith, ond gwasanaethau dwyieithog am gyfnod
SD	Newid o'r Saesneg yn brif iaith i wasanaethau dwyieithog
SC	Newid o'r Saesneg yn brif iaith i Gymraeg yn brif iaith
?	Diffyg gwybodaeth neu batrwm anghyson

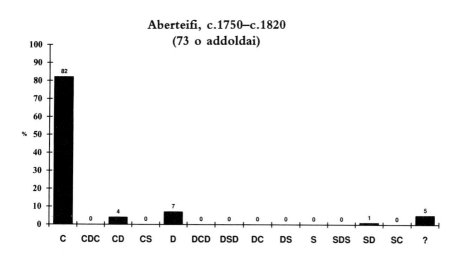

Aberteifi, c.1750–c.1820
(73 o addoldai)

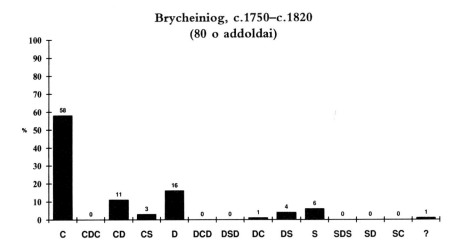

Brycheiniog, c.1750–c.1820
(80 o addoldai)

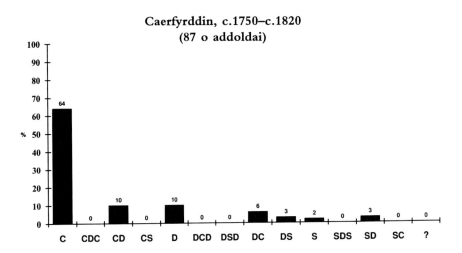

Caerfyrddin, c.1750–c.1820
(87 o addoldai)

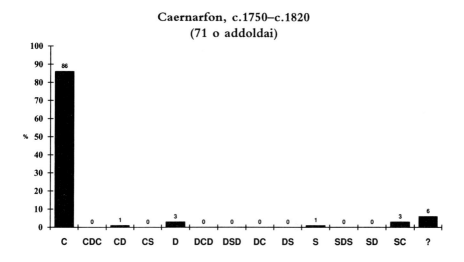

Caernarfon, c.1750–c.1820
(71 o addoldai)

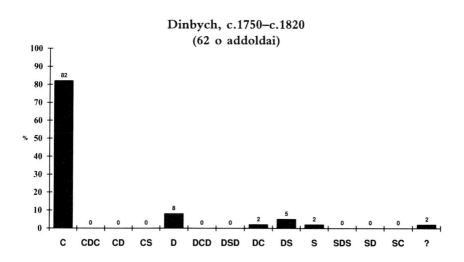

Dinbych, c.1750–c.1820
(62 o addoldai)

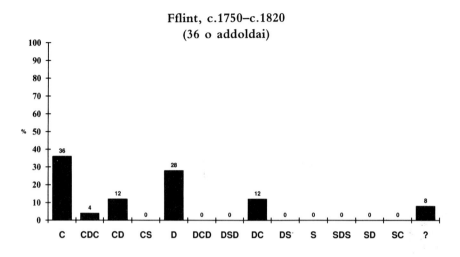

Fflint, c.1750–c.1820
(36 o addoldai)

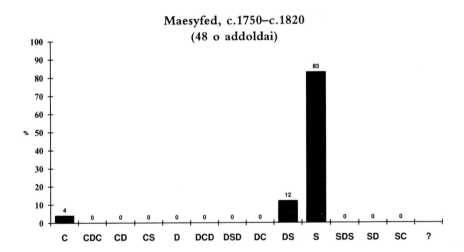

Maesyfed, c.1750–c.1820
(48 o addoldai)

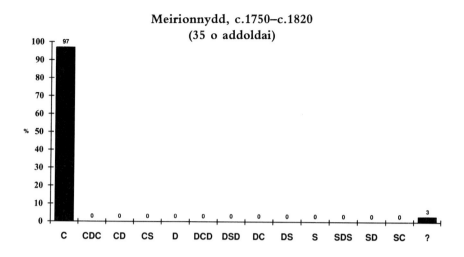

Meirionnydd, c.1750–c.1820
(35 o addoldai)

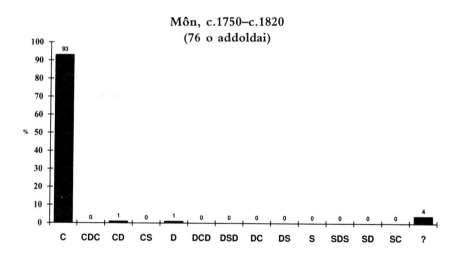

Môn, c.1750–c.1820
(76 o addoldai)

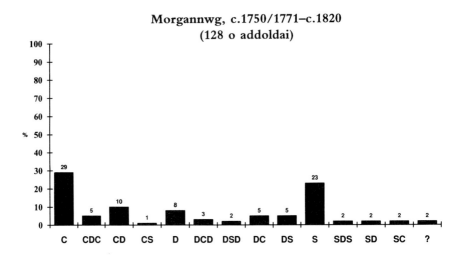

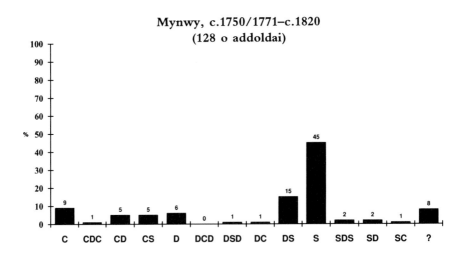

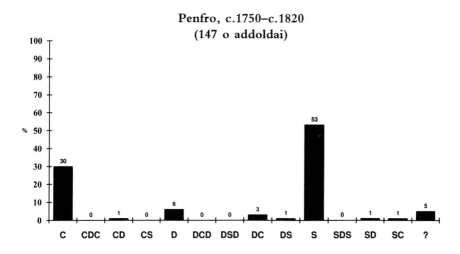

Penfro, c.1750–c.1820
(147 o addoldai)

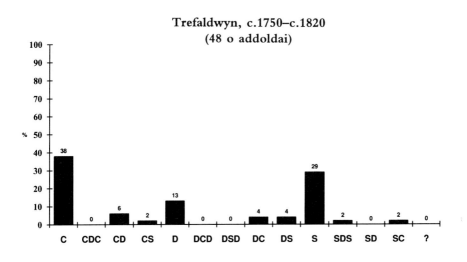

Trefaldwyn, c.1750–c.1820
(48 o addoldai)

8

Dysg Ddyneiddiol, Addysg a'r Iaith Gymraeg 1536–1660

WILLIAM P. GRIFFITH

Nɪ ᴇʟʟɪʀ dadlau ag unrhyw argyhoeddiad fod yr iaith Gymraeg wedi chwarae rhan flaenllaw mewn addysg ffurfiol yng Nghymru yn ystod y cyfnod rhwng y Dadeni a'r Adferiad. Ar y gorau, nid oedd yr iaith yn ddim amgenach na chyfrwng addysgu anffurfiol, a cheir tystiolaeth sy'n awgrymu iddi gael ei hanwybyddu'n fwriadol gan y rhai a fu'n hyrwyddo addysg ddyneiddiol a Christnogol ymhlith myfyrwyr yng Nghymru. Y mae'n bosibl dweud mwy am swyddogaeth yr iaith Saesneg mewn addysg yng Nghymru gan fod y Cymry, i raddau helaeth, yn cael eu syniadau addysgol yn y cyfnod hwn o Loegr. Yn wir, gan fod twf trefol yng Nghymru yn weddol fach ac wedi ei gymathu i strwythur llywodraethol Lloegr, prin oedd y cyfle i ddatblygu agwedd annibynnol a chwbl Gymreig at addysg a'i swyddogaeth, agwedd a allai fod wedi rhoi cyfle i'r iaith ddatblygu yn gyfrwng addysg. Yr oedd dyneiddwyr Cymru yn llwyr ymwybodol o'r cyfyng-gyngor hwn oherwydd iddynt hwythau dderbyn addysg Saesneg. Wrth geisio cynnig dadleuon paham y dylid defnyddio'r iaith frodorol yn gyfrwng i hyrwyddo addysg a dysg, yr oeddynt yn ymwybodol iawn fod rhesymau cryf ac argyhoeddiadol dros ffafrio'r Saesneg fel cyfrwng addysg, ac y dylid hefyd roi sylw dyledus i Ladin a Groeg, yr ieithoedd clasurol cydnabyddedig.

Yr oedd dylanwad y Saesneg a gwerthoedd Seisnig yn amlwg ymhell cyn y Deddfau Uno.[1] Cafodd Maredudd ab Ieuan, hynafiad Syr John Wynn, hyfforddiant yn y gyfraith, Lladin a Saesneg yn Siawnsri tywysogaeth gogledd Cymru yng Nghaernarfon ar ddiwedd y bymthegfed ganrif,[2] ac y mae'r adroddiad am fagwraeth fonheddig Syr Rhys ap Thomas yn ne-orllewin Cymru hefyd yn awgrymu bod y Saesneg ar

---

[1] Glanmor Williams, *Recovery, Reorientation and Reformation. Wales c. 1415–1642* (Oxford, 1987), tt. 144–5, 267–78.

[2] John Wynn, *The History of the Gwydir Family and Memoirs*, gol. J. Gwynfor Jones (Llandysul, 1990), tt. 49, 153.

gynnydd.[3] Yn yr un modd, yr oedd llyfrau gramadeg Saesneg poblogaidd
yn cael eu defnyddio yng ngogledd-ddwyrain Cymru tua'r un adeg.[4] Yr
oedd y defnydd cynyddol o'r Saesneg ym maes y gyfraith ac mewn
gweinyddiaeth ystadau, ynghyd â'r ffaith fod cyfreithwyr o Loegr wedi
ymsefydlu yng Nghymru erbyn y bymthegfed ganrif, yn gyfrifol am elfen
o Seisnigeiddio ymhlith rhai Cymry, yn enwedig o ystyried natur
anffurfiol hyfforddiant cyfreithiol yn ystod y cyfnod hwnnw.[5]

Serch hynny, ni ddylid rhoi gormod o bwyslais ar yr enghreifftiau hyn.
Parhâi'r iaith Gymraeg yn bwysig ymhlith haenau uchaf y gymdeithas. Yr
oedd bywiogrwydd y traddodiad barddol ymhlith y beirdd a'u noddwyr a'r
duedd gynyddol i gofnodi deunydd hynafiaethol a barddol mewn
llawysgrifau fel y gallai'r noddwyr eu profi a'u mwynhau yn ddatblygiadau
calonogol. Yr oedd y gramadeg barddol, sef y Dwned, a oedd yn deillio o'r
'Donatus' ac a adolygwyd yn ystod yr Oesoedd Canol Diweddar, yn fodd i
ddwyn i gof gysylltiadau clasurol y diwylliant Cymraeg ac yn cynnig o leiaf
un arf grymus yn y Gymraeg i gyrchu hanfodion addysg a dysg.[6] Yr oedd
ymddangosiad beirdd o linach fonheddig megis Hywel Swrdwal
(fl.1430–60) a beirdd bonheddig megis Ieuan ap Rhydderch (fl.1430–70), a
ganai er mwyn pleser yn hytrach nag am dâl, yn awgrymu bod diwylliant
Cymraeg a chlasurol yn ymdreiddio mewn ffyrdd addysgol anffurfiol ar
draws ystod ehangach o'r gymdeithas erbyn diwedd y bymthegfed ganrif.[7]
At hynny, ymddengys i'r addysg ffurfiol a geid y tu allan i lysoedd y
boneddigion Cymreig mwyaf grymus gael ei throsglwyddo i'r boblogaeth
seciwlar gan y gwŷr eglwysig a oedd yn aml yn noddi diwylliant Cymraeg.

[3] Gw. Ralph A. Griffiths, *Sir Rhys ap Thomas and his Family* (Cardiff, 1993) am olygiad o
     Henry Rice, 'History of Sir Rhys ap Thomas', yn enwedig tt. 182 et seq., 186–7, 196
     am ei gysylltiadau diwylliannol brenhinol, aristocrataidd ac esgobol a'i addysg filwrol.
[4] Llinos Beverley Smith, 'The grammar and commonplace books of John Edwards of
     Chirk', *BBCS, XXXIV* (1987), 174–84, yn enwedig 181. Yr oedd defnyddio'r Saesneg
     yn gyfrwng hyfforddiant ar gyfer dysgu'r ieithoedd clasurol yn beth newydd cyn y
     bymthegfed ganrif. Trwy gyfrwng y Ffrangeg y buasai addysg yn Lloegr oddi ar y
     Goresgyniad Normanaidd. Gw. Nicholas Orme, *Education and Society in Medieval and
     Renaissance England* (London, 1989), tt. 4, 9–12. Nid yw effaith y newidiadau addysgol ar
     yr iaith Gernyweg yn cael eu trafod yn Orme, *Education in the West of England
     1066–1548* (Exeter, 1976), astudiaeth sydd, fel arall, yn drwyadl iawn. Y mae'n amlwg
     o'r hyn a ddywed P. Berresford Ellis, *The Cornish Language and its Literature* (London,
     1974), pennod 2, fod llythrennedd ac ysgolheictod Cernyweg yn bodoli ac yn parhau i
     fodoli cyn 1500 er gwaethaf y cynnydd mewn Saesneg.
[5] Y mae'r wybodaeth hon yn seiliedig ar bapurau a draddodwyd gan Llinos Beverley
     Smith ac A. D. Carr yn y gynhadledd 'Literacy in medieval Celtic societies', a
     gynhaliwyd ym Mhrifysgol Cymru Bangor ym 1994, ac a gyhoeddir mewn cyfrol wedi
     ei golygu gan Huw Pryce. Gw. hefyd Anthony Hopkins, 'The earliest written English in
     Monmouthshire? The Herbert bailiff's account. 1463', *MA, XI* (1995), 87–97.
[6] Thomas Parry, *Hanes Llenyddiaeth Gymraeg hyd 1900* (Caerdydd, adarg. 1964), tt. 102–3,
     ond cymh. hefyd t. 120; Williams, *Recovery, Reorientation and Reformation*, pennod 6.
[7] *Bywg.*, tt. 383–4, 387.

Yn ôl pob tebyg, bu cynnydd mewn llythrennedd ymhlith y Cymry erbyn 1500, o bosibl yn sgil y ffaith fod aelodau o'r urddau rheolaidd a'r clerigwyr graddedig yn dysgu neu o leiaf yn cyflwyno'r clasuron Lladin i'w myfyrwyr drwy gyfrwng y Gymraeg.[8] Y clerigwyr mwyaf dysgedig fel rheol oedd yr unig rai a gâi'r cyfle i gyfranogi o ddysg uwch yr oes drwy fynychu prifysgolion y Cyfandir neu, yn amlach na pheidio, brifysgolion Lloegr. Ymddengys fod profiadau o'r fath wedi eu hysgogi i hyrwyddo a hybu eu diwylliant brodorol wedi iddynt ddychwelyd i'w mamwlad.[9] Yn y cyfnod modern cynnar, fodd bynnag, daethpwyd i gredu bod Lloegr yn meddu ar arferion a gwerthoedd diwylliannol ac addysgol rhagorach ac y byddai'n werth i'r Cymry eu hefelychu. Y mae'n debyg mai'r twf sylweddol mewn llythrennedd a darpariaeth addysgol a welwyd yn Lloegr o'r bymthegfed ganrif ymlaen, darpariaeth a ragorai ar yr hyn a gynigid mewn rhannau eraill o Ewrop, a oedd yn rhannol gyfrifol am hynny.[10]

Y mae'r ffaith fod corff o ddyneiddwyr Cymraeg hynod o lythrennog wedi dod i'r amlwg yn ystod yr unfed ganrif ar bymtheg a dechrau'r ail ganrif ar bymtheg, gan dynnu sylw at statws a hynafiaeth yr iaith Gymraeg a pharchusrwydd y traddodiad diwylliannol yng Nghymru, yn cadarnhau dygnwch y diwylliant hwnnw a'i allu i addasu, yn achos rhai ysgolheigion o leiaf, y gwerthoedd a ddysgid drwy'r system addysg ffurfiol. Ond yr oedd cyfyng-gyngor, os nad argyfwng, yn bodoli yn ystod y cyfnod hwn. Fe'i crisialwyd gan Dr John Davies, Mallwyd, yn ei lith ragarweiniol i *Antiquae Linguae Britannicae* (1621), lle yr amddiffynnodd yr iaith yn erbyn ei beirniaid (dienw) ac un yn arbennig a oedd â'i lach ar anghysondeb orgraff yr iaith Gymraeg. Y rheswm am hynny, meddai Davies, oedd fod y Cymry wedi bod yn darllen ac ysgrifennu yn Saesneg am yn agos i ganrif.[11] Gwaetha'r modd, nid ymhelaethodd Davies ar yr hyn a

---

[8] Glanmor Williams, 'The collegiate church of Llanddewibrefi', *Ceredigion*, IV, rhifyn 4 (1963), 336–52; L. Stanley Knight, 'Welsh Schools from AD 1000 to AD 1600', *AC*, XIX (1919), 276–87; F. Madan a H. H. E. Craster, *A Summary Catalogue of Western Manuscripts in the Bodleian Library at Oxford* (6 chyf., Oxford, 1922–4), II, rhan 1, t. 171.

[9] Catrin T. Beynon Davies, 'Y cerddi i'r tai crefydd fel ffynhonnell hanesyddol', *CLlGC*, XVIII, rhifyn 3 (1974), 278–84.

[10] W. Ogwen Williams, 'The Survival of the Welsh Language after the Union of England and Wales: the First Phase, 1536–1642', *CHC*, 2, rhifyn 1 (1964), 68, 70; Nicholas Orme, *English Schools in the Middle Ages* (London, 1973), pennod 3; Rosemary O'Day, *Education and Society, 1500–1800* (London, 1982), penodau 1, 2; Lawrence Stone, 'The Educational Revolution in England, 1560–1640', *PP*, 28 (1964), 41–80; Victor Morgan, 'Approaches to the history of the English universities in the sixteenth and seventeenth centuries' yn *Bildung, Politik und Gesellschaft: Wiener Beiträge zur Geschichte der Neuzeit*, Band 5 (München, 1978), 138–42, 144 et seq. Câi'r hawl i gael addysg ei gysylltu fwyfwy â statws, ac efallai mai dyna paham yr oedd y boneddigion Cymraeg mor frwd o blaid addysg Saesneg.

[11] Ceri Davies (gol.), *Rhagymadroddion a Chyflwyniadau Lladin 1551–1632* (Caerdydd, 1980), t. 115.

ddigwyddasai yn ystod y can mlynedd hyn. Efallai mai cyfeiriad anuniongyrchol a geir ganddo at effeithiau 'cymal iaith' y Ddeddf Uno gyntaf, neu, o bosibl, ei ymateb i'r Seisnigeiddio a ddaeth yn sgìl y Diwygiad Protestannaidd yng Nghymru.[12] Yn sicr, yr oedd Davies yn ymwrthod â'r farn mai unffurfiaeth ieithyddol oedd y ffordd orau i sicrhau unffurfiaeth grefyddol,[13] a hyderai y byddai ei ramadeg yn cyfoethogi cymhwysedd ieithyddol ei gyd-glerigwyr.[14]

Y mae'n bosibl mai'r hyn yr oedd gan Davies mewn golwg, felly, oedd natur addysg yng Nghymru a'r modd y datblygasai sefydliadau addysgol. Dechreuwyd sefydlu ysgolion gramadeg yng Nghymru yn ystod y can mlynedd blaenorol, ac yr oedd pob un ohonynt wedi diystyru'r Gymraeg yn gyfan gwbl, er gwaethaf y ffaith fod iddi draddodiad ysgolheigaidd ac addysgol hir iawn, fel y gwyddai Davies cystal â neb.[15] Ymhelaethodd Davies ar ddatblygiadau'r unfed ganrif ar bymtheg yn ei eiriadur Cymraeg, *Antiquae Linguae Britannicae . . . et linguae Latinae, Dictionarium Duplex* (1632), gan gyfeirio at dair wahanol garfan o bobl addysgedig yng Nghymru a fyddai wedi dymuno diogelu'r Gymraeg, ond a gollodd yr iaith oherwydd iddynt sianelu eu hymdrechion i sicrhau addysg brifysgol.[16] Sut y gallai'r mwyafrif o Gymry gael mynediad i brifysgol yn yr unfed ganrif ar bymtheg heb yn gyntaf fynychu ysgol ramadeg?

Ceid cyfeiriadau cyson yng ngwaith yr awduron dyneiddiol at y ffaith fod y boneddigion mwyaf dylanwadol, a'r clerigwyr, i raddau llai, wedi colli'r iaith. Credid bod hyn yn gysylltiedig ag addysg, gan mai un o'r prif resymau dros ddirywiad yr iaith oedd diffyg deunydd addysgol da, yn Gymraeg ac yn Lladin, ar gyfer dysgu'r Gymraeg. Ceisiodd amryw o'r awduron hyn wneud iawn am y diffyg drwy gyhoeddi deunydd yn y Gymraeg. Bwriadai Siôn Dafydd Rhys i'w *Cambrobrytannicae Cymraecaeve Linguae Institutiones* (1592) fod yn rhan o raglen ar gyfer cynhyrchu deunyddiau at ddibenion addysgol, yn seiliedig ar yr iaith frodorol, gan ymgorffori syniadau a fabwysiadwyd ganddo pan oedd yn ysgolfeistr yn yr Eidal.[17] Yr oedd *Grammatica Britannica* (1593) Henry Salesbury ac *Eglvryn Phraethineb* (1595) Henri Perri yn rhan o'r cynllun i gynhyrchu deunydd o safon a fyddai'n galluogi ysgolfeistri ysgolion gramadeg yng Nghymru a'u

[12] Trafodwyd gan Peter R. Roberts, 'The Welsh Language, English Law and Tudor Legislation', *THSC* (1989), 48–9.

[13] Davies, *Rhagymadroddion a Chyflwyniadau,* t. 117.

[14] Ibid., t. 121.

[15] Ibid., tt. 119–20.

[16] Ibid., tt. 125–6. Yr oedd y tair carfan yn cynnwys pobl a garai'r iaith ac a ddymunai ei chadw rhag cael ei llygru; pobl a ddymunai sicrhau parhad yr hen weithiau llenyddol Cymraeg; a'r rheini a ddymunai weld Gair Duw yn cael ei gyhoeddi yn eu hiaith eu hunain.

[17] Ibid., tt. 77–8, 88; Garfield H. Hughes (gol.), *Rhagymadroddion 1547–1659* (Caerdydd, 1951), tt. 66–7.

disgyblion, ynghyd â myfyrwyr prifysgol, i wneud astudiaeth fanwl o gystrawennau'r iaith.[18] Cytunai Huw Lewys â'u safbwynt ar addysg a'r iaith Gymraeg[19] ac y mae llwyddiant y deunydd ysgolheigaidd a gyhoeddwyd yn Gymraeg yn awgrymu bod clerigwyr gogledd Cymru, yn enwedig yn esgobaeth Bangor, wedi cydweithio i feithrin yr iaith Gymraeg yn iaith dysg.[20] Wrth wneud hyn yr oeddynt yn ymateb i syniadau am y Gymraeg a wyntyllwyd ers dwy genhedlaeth o leiaf. Ym 1567 a 1584 yr oedd Gruffydd Robert, yr alltud o Babydd, wedi pwysleisio pwysigrwydd defnyddio'r Gymraeg yn gyfrwng trafod ysgolheigaidd, gan ddynnu sylw yr un pryd at y rhwystrau a wynebai'r sawl a geisiai drosglwyddo dysg drwy gyfrwng yr iaith frodorol.[21] Yn gynharach fyth, ym 1547, yr oedd William Salesbury wedi cyfiawnhau cyhoeddi *Oll Synnwyr pen Kembero ygyd* drwy danlinellu'r prinder deunydd yn y Gymraeg yn ymdrin â hanfodion addysg gorllewin Ewrop, sef y saith celfyddyd, yn ogystal â gweithiau Erasmus a'i efelychwyr.[22]

Y mae hyn oll yn datgelu awydd i wneud y Gymraeg yn iaith gyfoes yn ogystal ag i anrhydeddu'r hyn a ystyrid yn orffennol mawreddog, gorffennol a roesai i'r iaith hynafiaeth a choethder a allai gystadlu â Lladin, Groeg a Hebraeg, sef yr ieithoedd yr oedd pob addysg a dysg dduwiol wedi ei seilio arnynt.[23] Erbyn canol yr unfed ganrif ar bymtheg, fodd bynnag, yr oedd y Saesneg eisoes yn gosod patrwm ar gyfer addysg fodern drwy gyfrwng iaith frodorol. Yr oedd Salesbury ei hun yn cydnabod gwerth dysgu Saesneg:

> Dyscwch nes oesswch Saesnec
> Doeth yw e dysc da iaith dec.[24]

---

[18] Ibid., tt. 93, 99; Henri Perri, *Eglvryn Phraethineb*, gol. G. J. Williams (Caerdydd, 1930), tt. vii–ix.

[19] Henry Lewis (gol.), *Hen Gyflwyniadau* (Caerdydd, 1948), t. 9.

[20] Cyfyngid ar y dylanwad a gâi hyn ar ysgolheictod ac addysg Gymraeg gan y nifer o gopïau a gyhoeddid. Un argraffiad yn unig o *Eglvryn Phraethineb* Perri a gyhoeddwyd (cyn 1930) tra cafwyd nifer helaeth o argraffiadau Saesneg a Lladin o waith Ramus, yn ogystal ag esboniadau arno. Gw. W. A. Jackson, F. S. Ferguson a K. F. Pantzer (goln.), *A Short-title Catalogue of Books printed in England, Scotland and Ireland* (ail arg., 3 chyf., London, 1976–91), II, t. 231, dan 'Perry', a Bedwyr Lewis Jones, 'Testunau rhethreg y Dadeni' (traethawd MA anghyhoeddedig Prifysgol Cymru, 1961), pennod 4, a tt. 173 et seq. am ddylanwad Ramus ar un neu ddau o ysgolheigion a beirdd Cymraeg eraill.

[21] Lewis, *Hen Gyflwyniadau*, tt. 5–6; Thomas Jones (gol.), *Rhyddiaith Gymraeg, Yr Ail Gyfrol. Detholion o Lawysgrifau a Llyfrau Printiedig 1547–1618* (Caerdydd, 1956), t. 60.

[22] Hughes, *Rhagymadroddion*, tt. 11, 14.

[23] Davies, *Rhagymadroddion a Chyflwyniadau*, tt. 77, 81, 82, 84, 85, 98–9; R. Brinley Jones, *The Old British Tongue: the Vernacular in Wales 1540–1640* (Cardiff, 1970), rhagymadrodd.

[24] Hughes, *Rhagymadroddion*, t. 8.

Yr oedd awduron eraill, wrth gyfansoddi, yn efelychu'r hyn a gynhyrchid yn Lloegr, gan gydnabod bod tuedd gynyddol ymhlith y dosbarthiadau uwch dysgedig yng Nghymru i ddibynnu yn bennaf ar destunau Saesneg. Cydnabu Syr John Price mor rhwydd y siaradai Saesneg a pheth mor naturiol oedd bod yn ddwyieithog.[25] Yn eu hanfod, cyfieithiadau neu addasiadau o ddeunydd Saesneg poblogaidd oedd y testunau Cymraeg a gynhyrchwyd tua diwedd y ganrif, megis *Eglvryn Phraethineb* Henri Perri.[26] Gobaith y dyneiddwyr Cymraeg oedd y gallent, drwy gynhyrchu deunydd o'r fath, addasu'r profiad addysgol a gwrthweithio effeithiau dylanwadau Seisnig.[27]

Ond yr hyn a roes i'r iaith swyddogaeth addysgol briodol oedd crefydd, a'r angen i sicrhau bod poblogaeth Cymru yn dduwiol a gwybodus. Nod dyneiddwyr Cymraeg yr unfed ganrif ar bymtheg oedd gofalu bod corff o glerigwyr duwiol a dysgedig ar gael a oedd yn gymwys i ddarllen yr Ysgrythurau yn y Gymraeg ac i bregethu'r efengyl yn iaith y werin-bobl. Hynny yw, yr oedd i'r iaith swyddogaeth dduwiol yn ogystal ag addysgol.[28] Yn ystod yr ail ganrif ar bymtheg symudodd y pwyslais i raddau, gan anelu at geisio sicrhau llythrennedd cyffredinol yn yr iaith fel bod lleygwyr yn fwy cymwys i astudio a myfyrio ar Air Duw.

Nododd Syr John Price ym 1546 fod rhyw fath o lythrennedd cyffredinol yn yr iaith yn bodoli hyd yn oed yng nghanol yr unfed ganrif ar bymtheg pan honnodd nad oedd yr Ysgrythurau Cymraeg yn darparu ar ei gyfer.[29] Yn yr un modd, mynnai'r Piwritan, John Penry, ar ddiwedd y 1580au, fod poblogaeth Cymru yn llythrennog yn y Gymraeg ond nad oedd ganddi ddim o werth llenyddol nac ysbrydol i'w astudio.[30] Ni cheisiodd Price na Penry esbonio pa mor eang oedd y llythrennedd hwn na sut y daeth i fod, ond y mae'n debyg ei fod yn ganlyniad addysg anffurfiol yn y cartref yn hytrach na phatrwm ffurfiol o addysg a dysg.[31] Credid yn gyffredinol mai addysg ffurfiol oedd un o'r prif resymau dros y Seisnigeiddio a oedd yn digwydd ymhlith yr *élites* a'r bobl gyffredin.[32] Yr

---

[25] Ibid., tt. 3–4; Davies, *Rhagymadroddion a Chyflwyniadau*, t. 37.

[26] Perri, *Eglvryn Phraethineb*, tt. vii–viii.

[27] Hughes, *Rhagymadroddion*, tt. 63–4; Jones, *The Old British Tongue*, tt. 48–51.

[28] Isaac Thomas, *Y Testament Newydd Cymraeg 1551–1620* (Caerdydd, 1976), tt. 58–9, 99–100; Roberts, 'The Welsh Language', 42, 47, 54–6, 67, 70, 71.

[29] Hughes, *Rhagymadroddion*, tt. 3–4.

[30] John Penry, *Three Treatises Concerning Wales*, gol. David Williams (Cardiff, 1960), tt. 34–5. Delfryd Penry, wrth gwrs, oedd y byddai'r Cymry yn dysgu Saesneg ond yn y cyfamser yr oedd yn angenrheidiol fod gwirionedd yr Ysgrythur yn cael ei fynegi trwy gyfrwng y Gymraeg (ibid., t. 37). Gw. Glanmor Williams, 'John Penry: Marprelate and Patriot?' *CHC*, 3, rhifyn 4 (1967), 376–8.

[31] Tybed a oedd eu sylwadau yn seiliedig ar brofiad sir Frycheiniog yn unig, o gofio bod y ddau yn enedigol o'r sir honno?

[32] Davies, *Rhagymadroddion a Chyflwyniadau*, t. 69.

oedd prinder arweinwyr cymdeithasol a oedd yn llythrennog neu'n hyddysg yn yr iaith Gymraeg yn amddifadu'r werin-bobl o batrwm ysbrydol a diwylliannol, pwynt a nodwyd hefyd gan yr awdur Pabyddol Robert Gwyn ym 1585[33] ac yn llawer diweddarach gan y Piwritan John Edwards (Siôn Treredyn) ym 1650.[34] Yr ateb oedd ceisio annog llythrennedd cyffredinol yn y cartref drwy hyrwyddo hunan-ddysgu yn ogystal â dyletswydd foesol ac ysbrydol. Daeth yr egwyddor hon, a sefydlwyd gan Edward Kyffin a Thomas Salisbury ym 1603,[35] yn thema gyson ar ôl 1620 yn sgil cyhoeddi argraffiad newydd o'r Beibl Cymraeg o dan nawdd yr Esgob Richard Parry.[36]

Drwy hyrwyddo argraffiad poblogaidd o'r Beibl hwn, a thrwy annog cynhyrchu rhagor o weithiau defosiynol yn y Gymraeg, sefydlodd awduron Piwritanaidd ganllawiau newydd i'r iaith. Nid oedd yr un ohonynt bellach yn cymryd yn ganiataol fod yng Nghymru boblogaeth a oedd yn llythrennog yn yr iaith Gymraeg, ac aethant ati i adfer yr iaith ymhlith y rhai a Seisnigeiddiwyd ac i hyrwyddo llythrennedd ymhlith y Cymry uniaith anllythrennog. Disgwylid felly i weithiau duwiol fod â swyddogaeth addysgol. Yn ogystal â cheisio caboli medrau darllen a hyrwyddo llythrennedd yn y cartref, yr oedd rhai awduron yn mynd ati o ddifrif, drwy annog pobl i ddatblygu medrau dysgu ar y cof, i feithrin duwioldeb ymhlith y rhai a fyddai, fel arall, o bosibl, yn parhau'n anllythrennog. Pwysleisiodd Robert Llwyd ym 1630[37] a David Rowlands yntau ym 1633[38] y pwysigrwydd o ddarllen yn uchel i bobl, a chredai David Rowlands yn gryf yng ngwerth cofeiriol rhigymau a phenillion Cymraeg. Yr un oedd barn Richard Jones o Lanfair Caereinion ym 1655, a rhoes Richard Jones o Ddinbych yntau bwyslais mawr ar berffeithio technegau cofeiriol.[39]

Mewn ymgais i alluogi Cymry a Seisnigeiddiwyd i gael gwell gafael ar eiriau Cymraeg, cynhyrchodd Evan Roberts yn *Sail Crefydd Gristnogawl* (1649) wyddor (ynganu) Gymraeg, a ystyrid yn gam addysgol tra arwyddocaol. Yr oedd Roberts yn anelu at Gymry llythrennog a oedd wedi eu Seisnigeiddio o ganlyniad i gael eu haddysgu drwy gyfrwng y Saesneg. Ar ôl meistroli'r wyddor byddent yn gallu cymharu testunau cyfochrog, gan ddysgu'r Gymraeg a dod yn llythrennog ynddi. Yn ychwanegol at hyn, ac yn bwysicach fyth, byddai pobl o'r fath yn gallu dysgu eraill:

[33] Hughes, *Rhagymadroddion*, t. 53.
[34] Lewis, *Hen Gyflwyniadau*, t. 27.
[35] Hughes, *Rhagymadroddion*, tt. 106, 108.
[36] Davies, *Rhagymadroddion a Chyflwyniadau*, t. 102.
[37] Hughes, *Rhagymadroddion*, tt. 127–9.
[38] Ibid., tt. 134–5.
[39] Ibid., tt. 137–8, 140–1.

they may be better enabled to teach others, their Houshold, Friends, and
Neighbours, who can reade neither English nor Welsh.

Yr oedd prinder deunydd yn y Gymraeg yn parhau'n broblem, yn ôl
Roberts:

> . . . among twenty Families, there can scarce one Welsh Bible be found: As for
> the English Bible, in that Family where any is, it is but uselesse, in respect of the
> generalitie of those which know nothing, and understand nothing in that
> tongue.[40]

Credai Roberts y byddai meithrin llythrennedd yn y Gymraeg yn peri bod
y cyhoedd yn datblygu yn fwy gwybodus a moesol. Cafodd y sylwadau
hyn, ac eraill, sylw manwl Oliver Thomas, cyd-weithiwr Roberts. Yn *Sail
Crefydd Ghristnogol* (*c.*1640), a gyhoeddwyd ar y cyd ganddynt, dadleuir o
blaid lledaenu llythrennedd, ac ystyrir y Gymraeg yn gyfrwng i hyrwyddo
duwioldeb ymhlith y bobl. Honnir bod Lloegr hyd yma wedi bod ar y
blaen i Gymru yn hyn o beth.[41] Yr oedd yr elfen gymharol hon yn thema
y rhoesai Thomas sylw iddi eisoes yn *Car-wr y Cymru* (1631). Yr oedd y
doreth o ddeunydd crefyddol a gyhoeddwyd yn Saesneg wedi rhoi hwb
sylweddol i dduwioldeb y werin Seisnig, hyd yn oed ymhlith
gwasanaethyddion, ond yr oedd prinder deunydd o'r fath yn y Gymraeg.
Hefyd, yr oedd tuedd yr oes i roi bri ar ddarllen ieithoedd eraill, y Saesneg
yn enwedig, yn faen tramgwydd mewn perthynas â llythrennedd yn
Gymraeg. Arweiniodd hyn at y gred fod gallu darllen yr Ysgrythurau yn
Saesneg yn unig yn ddigon. Yr oedd hyn yn burion o safbwynt unigolion
neu dylwythau a oedd yn gyfarwydd â'r Saesneg, ond yr oedd dyfodol y
ffydd Brotestannaidd yn dibynnu ar dwf cynulleidfa a allai ddarllen
Cymraeg.[42] Byddai hon yn thema gyson am weddill y ganrif a mwy.

Y mae'r ffeithiau ynglŷn ag addysg fodern gynnar yn cadarnhau nad
oedd y dyneiddwyr a'r awduron crefyddol yn gwneud datganiadau er
mwyn effaith yn unig. Er eu bod, efallai, yn gwneud honiadau am yr iaith
er mwyn cyfiawnhau amcanion neu fwriadau eraill, y mae'n amlwg ddigon
fod rhagdybiaethau, gwerthoedd a rhagfarnau Seisnig yn lliwio dyheadau a
gorwelion addysg Gymraeg. Rhaid pwysleisio eto mai'r hyn a olygid wrth
addysg yn y cyfnod hwn, ledled gorllewin Ewrop, oedd y cyfuniad

---

[40] Evan Roberts, *Sail Crefydd Gristnogawl* (Llundain, 1649), t. 2, yn Merfyn Morgan (gol.),
Gweithiau Oliver Thomas ac Evan Roberts (Caerdydd, 1981), t. 232.

[41] *Sail Crefydd Ghristnogol* (Llundain, *c.*1640), sig. A, yn Morgan (gol.), op. cit., t. 161.

[42] *Car-wr y Cymru* (1631), tt. 4, 15, 38–9, 70–4, yn Morgan (gol.), op. cit., tt. 34, 45,
100–4. Ar y sefyllfa yn Lloegr, gw. Tessa Watt, *Cheap Print and Popular Piety 1550–1640*
(Cambridge, 1991), tt. 322–6.

cyffredin o werthoedd a syniadau a sylfaenwyd ar athroniaeth glasurol a llenyddiaeth Ladin ac, yn fwyfwy, Groeg. Yn ogystal, yr oedd addysg yn gyffredinol yn rhannu'r un iaith, gan fod y mwyafrif llethol o lyfrau a thestunau yn cael eu cynhyrchu yn yr iaith Ladin ac yn cynrychioli corff canolog o ddysg uwch. Yn ymarferol, yr oedd Lladin yn anhepgor ar gyfer dal swyddi proffesiynol, ysgolheigaidd a gweinyddol. Yr oedd dysg o'r fath yn bodoli uwchben, neu yn ychwanegol at, ieithoedd cenedlaethol a rhanbarthol a pha lenyddiaeth a diwylliant bynnag a gynhwysid o fewn yr ieithoedd hynny. Wrth reswm, cafodd y modd y lledaenwyd y ddysg uwch hon effaith ar ddiwylliannau brodorol ac ar y ffordd y defnyddid yr iaith frodorol i ddysgu'r ieithoedd clasurol ac i egluro, trwy gyfrwng cyfieithiadau, destunau a ffynonellau clasurol. Dylanwad arall oedd y dadleuon crefyddol a diwinyddol a darddai o'r Diwygiad Protestannaidd a'r Gwrthddiwygiad. Er bod y rhain hefyd yn cael eu cynnal drwy gyfrwng 'yr iaith gyffredin' – sef Lladin – cydnabuwyd bod yr ieithoedd brodorol yn hanfodol i ledaenu syniadau athrawiaethol a phleidgar ac yn hollbwysig o safbwynt cyflwyno gwybodaeth grefyddol a gwerthoedd duwiol. Daeth addysg, felly, yn gyfuniad o syniadau a chredoau clasurol a chrefyddol a drosglwyddid drwy gyfrwng cyfuniad o ieithoedd clasurol a brodorol. Yr oedd yr union gyfuniad yn amrywio o wlad i wlad, gan ddibynnu ar natur y wladwriaeth, ei thywysog, a rhagdueddiadau'r carfanau hynny a oedd naill ai â diddordeb mewn gwaddoli addysg, neu am elwa ar addysg, neu ynteu yn awyddus i hyrwyddo llythrennedd.

Yng Nghymru, nid oedd newidiadau yn statws y famiaith byth yn digwydd mewn gwagle. Er bod esboniad strwythurol-swyddogaethol pur o gyflwr yr iaith yn y cyfnod hwn yn annigonol, yr oedd rhai nodweddion sy'n awgrymu bod iddo beth dilysrwydd. Dengys yr astudiaeth uchod (tt. 121–50) o statws yr iaith, ar y naill law, sut y cafodd pwysigrwydd cynyddol y Saesneg ym maes y gyfraith cyn ac ar adeg y Deddfau Uno effaith niweidiol ar y Gymraeg, ac, ar y llaw arall, sut y rhoes yr angen am hybu a diogelu'r ffydd Brotestannaidd yng Nghymru werth gwirioneddol iddi.[43] Dros gyfnod o amser cyfrannodd y Ddeddf Uno gyntaf ym 1536 at farn arbennig ynglŷn â sut y dylid trefnu addysg yng Nghymru drwy bwysleisio'r anghysondebau a achoswyd wrth ddefnyddio iaith ar wahân i'r Saesneg a thrwy fynnu ymhellach y dylai siaradwyr Cymraeg a oedd yn dal swyddi gweinyddol fod yn hyddysg yn y Saesneg ac y dylent, o hynny ymlaen, ei defnyddio yn ysgrifenedig ac ar lafar.[44] Mewn geiriau eraill, magwyd ymhlith y Cymry ymwybyddiaeth o werth derbyn addysg a oedd

---

[43] Yn fwy cyffredinol ar y cymhellion i hybu addysg, gw. C. Arnold Anderson a Mary Jean Bowman, 'Education and economic modernisation' yn Lawrence Stone (gol.), *Schooling and Society: Studies in the History of Education* (London, 1977), t. 9.

[44] William Rees, *The Union of England and Wales* (Cardiff, 1948), t. 70.

yn seiliedig ar y Saesneg neu drwy gyfrwng y Saesneg. Yn wir, os yw glòs
Syr William Gerard ar 'gymal iaith' y ddeddf yn gywir, yr oedd yr
ymwybyddiaeth hon ynghlwm wrth gefnogaeth y Cymry i ail Ddeddf
Uno 1543:

> The likinge which bothe the kinge and the Subiectes of wales had of this
> chainge of all the walshe lawes and customes into the maner and order of the
> lawes of Englande, appereth by the acte the same kinge . . . pleased to passe.[45]

Yn sicr, gydag ad-drefnu cyfraith a gweinyddiaeth ar ôl 1536–43
atgyfnerthwyd swyddogaeth Llwydlo fel canolfan ranbarthol a chanolfan
dysg, wedi ei threfnu o gwmpas llys a gosgordd yr arglwydd lywydd.[46] Yr
oedd Gerard yn rhag-weld, wrth i nifer cynyddol o wŷr ifainc o Gymry
dderbyn hyfforddiant fel clercod yn y gyfraith yn Llwydlo, y ceid rhagor o
fanteision, o safbwynt trefn a gwarineb, ym mhob rhan o Gymru. Hynny
yw, byddent yn gyfrwng i ledaenu safonau Seisnig.[47]

Gall y modd y datblygwyd canolfan wleidyddol ar y Gororau fod o
gymorth wrth geisio esbonio patrwm dosbarthiad yr ysgolion gramadeg
yng Nghymru yn ystod yr unfed ganrif ar bymtheg a'r ail ganrif ar
bymtheg. Yr oedd y rhain wedi eu crynhoi ar gyrion dyffrynnoedd
dwyreiniol Cymru, ac yr oedd y cyfan ohonynt o fewn cyrraedd Llwydlo.
Dengys y dystiolaeth sydd wedi goroesi am addysg a threfniadau
cwricwlaidd yr ysgolion hyn eu bod yn efelychu'r trefniadau a geid yn
Lloegr, heb roi unrhyw ystyriaeth i'r cyd-destun Cymreig. Yn wir, un o
amcanion statudau gwreiddiol Coleg Crist, Aberhonddu (1542) oedd
hyrwyddo'r Saesneg ymhlith y boblogaeth leol.[48] Mewn sefydliadau eraill,
y prif nod oedd meithrin yn y disgyblion ddealltwriaeth a rhwyddineb
arddull yn yr iaith Ladin, ac i raddau llai mewn Groeg, ond yr oedd y
disgyblion newydd yn y dosbarthiadau isaf i'w haddysgu yn gyfan gwbl
drwy gyfrwng y Saesneg. Yr un oedd y drefn ym Mangor, Trefynwy,
Croesoswallt a Rhuthun. Yn Rhuthun, yr oedd statudau y Deon Gabriel
Goodman, a ddyddiai o 1590, yn gwahardd disgyblion y dosbarthiadau
uwch rhag defnyddio'r Saesneg rhag iddi amharu ar y naws glasurol mewn
unrhyw ffordd, tra gwaherddid y Gymraeg yn y dosbarthiadau isaf rhag
iddi amharu ar y Saesneg:

---

[45] D. Lleufer Thomas, 'Further Notes on the Court of the Marches', *Y Cymmrodor*, XIII
(1900), 147; cymh. Peter R. Roberts, 'The "Henry VIII Clause": Delegated Legislation
and the Tudor Principality of Wales' yn Thomas G. Watkin (gol.), *Legal Record and
Historical Reality* (London, 1989), tt. 43, 45 am y ddeddf gyntaf.

[46] D. Lleufer Thomas, 'Further Notes', 109–10.

[47] Ibid., 163.

[48] Theophilus Jones, *A History of the County of Brecknock* (4 cyf., Brecon, 1909–30), I, t. 46.

if in one of the upper classes he speaks English and if in one of the lower Classes he speaks Welsh he shall be deemed faulty and an Imposition given him.[49]

Yn ôl statudau Bangor, a efelychai statudau Bury St Edmunds, ni châi unrhyw ddisgybl ei dderbyn oni bai ei fod yn hollol lythrennog yn y Saesneg, ac er mai'r Lladin oedd yr iaith arferol ar gyfer cynnal trafodaeth-au, yr oedd i'r Saesneg ran allweddol mewn addoli ac athrawiaethu.[50] Yr oedd statudau sefydliadau addysgol eraill yng Nghymru, megis Defynnog, yn pennu bod yn rhaid i'r ysgolfeistr neu'r ysgolfeistri fod yn Saeson, a byddai eraill, o ddewis, yn cyflogi Saeson.[51]

Ni fu fawr o newid ychwaith yn y patrwm addysg o dan y Piwritaniaid yng nghanol yr ail ganrif ar bymtheg. Bu Thomas Chaloner, a yrrwyd o Ysgol Amwythig ym 1645, yn ymweld ag ysgolion gogledd Cymru a'r Gororau yn dysgu'r pynciau clasurol traddodiadol. Ym Mhenarlâg cafodd ei siomi o ddarganfod bod diddordeb mewn addysg wedi treiddio i'r dosbarthiadau cymdeithasol isaf, a bod yn rhaid iddo ddysgu Saesneg i nifer o'r 'lowest sort'.[52] Er gwaethaf sylwadau'r awduron Cymraeg y cyfeiriwyd atynt uchod ynglŷn â phwysigrwydd dysgu drwy gyfrwng yr iaith frodorol, yr oedd y Piwritaniaid Seisnig yn ddirmygus iawn o'r iaith Gymraeg oherwydd diffyg sêl grefyddol ymhlith y Cymry. Credent y dylid dod â'r wlad i drefn dduwiol ac unffurfiaeth â Lloegr drwy'r dulliau addysgol a ddefnyddid yno. Dyma'r math o feddylfryd a oedd y tu ôl i gynlluniau i sefydlu coleg offeiriadol Piwritanaidd yng Nghymru[53] a'r canllawiau ar gyfer yr ysgolion a sefydlwyd o ganlyniad i'r Ddeddf er Taenu a Phregethu'r Efengyl yn Amgenach yng Nghymru (1650). Wedi 1650 yr oedd pob ysgol hen a newydd i'w rheoli gan ysgolfeistri y gellid eu cymeradwyo ar sail eu duwioldeb a'u dysg yn hytrach na'u gwybodaeth o'r Gymraeg.[54]

Drwy gydol y cyfnod dan sylw yr oedd yr ysgolion yng Nghymru yn efelychu ysgolion Lloegr nid yn unig o ran eu trefniadaeth a'u statudau

[49] L. S. Knight, *Welsh Independent Grammar Schools to 1600* (Newtown, 1927), t. 119; W. M. Warlow, *A History of the Charities of William Jones* (London, 1899), t. 358.

[50] Knight, *Welsh Independent Grammar Schools*, tt. 42, 97, 98; M. L. Clarke, 'The Elizabethan Statutes of Friars School, Bangor', *TCHSG*, 16 (1955), 25–8. Gw. O'Day, *Education and Society*, tt. 72–3, ar y defnydd cynyddol o'r Saesneg i ddysgu Lladin.

[51] William P. Griffith, 'Schooling and Society' yn J. Gwynfor Jones (gol.), *Class, Community and Culture in Tudor Wales* (Cardiff, 1989), t. 93.

[52] J. B. Oldham, *A History of Shrewsbury School, 1552–1952* (Oxford, 1952), tt. 49–50; hefyd, O'Day, *Education and Society*, tt. 65–6 ar y cynnydd mewn addysg frodorol Saesneg.

[53] Geoffrey F. Nuttall, 'The correspondence of John Lewis, Glasgrug, with Richard Baxter and with Dr John Ellis, Dolgelley', *CCHChSF*, II, rhifyn 2 (1954), 130.

[54] Thomas Richards, *A History of the Puritan Movement in Wales, 1639–53* (London, 1920), pennod 15; Griffith, 'Schooling and Society', t. 108; J. W. Adamson, *Pioneers of Modern Education 1600–1700* (Cambridge, 1905), tt. 97–8.

ond hefyd yn eu deunydd darllen. Nid oes unrhyw gyfeiriad at lenyddiaeth Gymraeg ymhlith y dystiolaeth sydd wedi goroesi. Llyfrau Lladin, gan gynnwys gramadeg, llenyddiaeth, peth athroniaeth naturiol a diwinyddiaeth, oedd y mwyafrif llethol o'r deunydd yn llyfrgell wreiddiol Ysgol Lady Hawkins yng Ngheintun ar y ffin â Chymru ym 1638. Yr unig eithriadau oedd ambell fersiwn o'r Ysgrythurau a phregethau yn Saesneg.[55] Gwelir y tueddiadau yn gliriach fyth yng nghatalog llyfrgell Ysgol Ramadeg Biwmares fel yr oedd ym 1662 wedi anhrefn y rhyfeloedd cartref a'r Werinlywodraeth. Unwaith eto, yr oedd y mwyafrif o'r testunau yn Lladin, ond yr oedd yn amlwg fod gan yr ysgol lyfrau Saesneg ar gyfer bron pob maes astudiaeth. Rhoddid peth sylw i Ffrangeg ac Almaeneg, ond ni chafwyd unrhyw dystiolaeth, hyd yn oed yn y casgliad o Ysgrythurau, fod y Gymraeg yn cael ei hastudio.[56] Y mae'r llyfrau a geid mewn llyfrgelloedd ysgolion hefyd yn arwydd o'r math o addysg a oedd ar gael ar raddfa brifysgol yn Lloegr, a oedd yn dilyn yn naturiol yr addysg a geid yn yr ysgolion. A barnu oddi wrth y dystiolaeth brin sydd ar gael, megis rhestrau eiddo myfyrwyr ac aelodau prifysgol, ymddengys mai'r un patrwm a geid ag yn yr ysgolion, ac nad oedd myfyrwyr o Gymru yn berchen ar unrhyw ddeunydd Cymraeg.[57] Yr oedd yr ysgolion gramadeg, neu o leiaf y rhai gorau yn eu plith, yn paratoi eu disgyblion ar gyfer y math o fywyd diwylliannol a geid ym mhrifysgolion Lloegr neu ysbytai'r brawdlys. Ym Miwmares yn ystod y 1650au byddai'r disgyblion yn cymryd rhan mewn dramâu Saesneg, tra oedd statudau rhai ysgolion, megis ysgol Rhuthun, yn annog disgyblion i ymarfer dramâu Lladin, gweithgarwch a oedd y tu allan i brofiad diwylliannol arferol y Cymry.[58]

Y mae'r ffaith nad oedd y Gymraeg yn rhan o'r patrwm addysgol arferol yn awgrymu bod disgyblion a myfyrwyr o Gymru yn cael eu hannog i gydymffurfio â'r safonau a osodid ar gyfer myfyrwyr Saesneg, nid yn unig o ran eu haddysg ond hefyd o ran eu mynegiant a'u hymddygiad. Nid yw'n syndod fod y Cymry yn ymwybodol o'r angen i gydymffurfio, neu i fod yn dderbyniol, o ystyried safbwyntiau dychanol y Saeson tuag atynt yn y cyfnod hwn.[59] Ym 1599 mynegodd darpar-diwtor Robert Broughton o Lower Broughton, sir y Fflint, mab i farnwr yng nghylchdaith Caer, ei

[55] Penelope E. Morgan, 'The Library of Lady Hawkins' School, Kington, Herefordshire', *CLlGC*, XXIV, rhifyn 1 (1985), 46–62.

[56] Archifdy Sir Fôn, Elusennau David Hughes, Bocs 13.

[57] Gw. William P. Griffith, *Learning, Law and Religion: Higher Education and Welsh Society, c.1540–1640* (Cardiff, 1996), pennod 3.

[58] Knight, *Welsh Independent Grammar Schools*, t. 118; LlGC, Adroddiad Blynyddol 1978–9 (Aberystwyth, 1979), t. 60. Yr wyf yn ddiolchgar i Ms Nia M. W. Powell am y cyfeiriad hwn.

[59] T. Powell, 'The Welsh as pictured in old English jest books', *Y Cymmrodor*, III (1880), 107–16.

ddirmyg at y Gymraeg, er ei fod yn hyddysg mewn amryw o ieithoedd eraill.[60] Er mawr annifyrrwch i John Williams o Gochwillan, gwnaed hwyl am ben ei acen Gymreig pan aeth i Goleg Sant Ioan, Caer-grawnt am y tro cyntaf ym 1598:

> One thing put him to the blush, and a little Shame, that such as had gigling [sic] Spleens would laugh at him for his *Welsh* Tone. For those who knew him at his Admission . . . would often say, that he brought more *Latin* and *Greek*, than good *English* with him.[61]

Y mae'n amlwg fod yr addysg a gawsai yn Ysgol Ramadeg Rhuthun yn ddiffygiol o'r safbwynt hwn. Er mwyn cyrraedd safon dderbyniol, felly, disgwylid i fyfyriwr o Gymru gefnu ar blwyfoldeb ei gyd-wladwyr ac efelychu ymddygiad Saeson a gawsai well magwraeth. Fel y dywedodd ysgwïer o sir Feirionnydd wrth ei fab *c.*1637, mewn llythyr a ddyfynnir yn aml:

> Speake noe Welsh to any that can speake English, noe not to your bedfellows, that therby you may attaine . . . Englishe tongue perfectly [sic]. I hadd rather that you shuld keepe company with studious, honest Englishmen than with many of your own countrymen who are more prone to be idle and riotous than the English.[62]

Digon tebyg oedd barn Syr John Wynn ar ddechrau'r 1600au, ac yntau ar fin anfon ei ail fab, Richard, i Lincoln's Inn yn Llundain:

> provyd hym a chamber with som good student an Enghleman [sic] as near the In as yow can.[63]

Mwy dadlennol byth yw hunangofiant y Tad Augustine Baker, neu David Baker o'r Fenni, a gafodd ei ddwyn i fyny yn ystod chwarter olaf teyrnasiad Elisabeth. Yn ei achos ef, gellir gweld yn glir swyddogaeth ymarferol addysg a'r gred ei bod yn hanfodol cymdeithasu â myfyrwyr o

[60] W. J. Smith (gol.), *Calendar of Salusbury Correspondence 1553 – circa 1700* (Cardiff, 1954), rhif 55, tt. 40–1.

[61] John Hacket, *Scrinia Reserata: A Memorial Offer'd to the Great Deservings of John Williams, D.D.* (London, 1693), rhan 1, t. 7; trafodir hyn hefyd yn Griffith, *Learning, Law and Religion*, t. 93. Cymh. E. D. Snyder, 'The Wild Irish: a study of some English satires against Irish, Scots and Welsh', *MP*, 17, rhifyn 2 (1920), yn enwedig 165–8.

[62] T. Jones Pierce (gol.), *Clenennau Letters and Papers in the Brogyntyn Collection* (Aberystwyth, 1947), tt. 126–7 (rhif 444) a J. Gwynfor Jones, *Wales and the Tudor State: Government, Religious Change and the Social Order 1534–1603* (Cardiff, 1989), t. 153.

[63] LlGC Llsgr. 9052E, rhif 221.

Saeson os am ddod ymlaen yn y byd, gan ddysgu eu hiaith yn dda a'i hynganu'n gywir. Er ei fod, yn ddiamau, wedi dysgu darllen Saesneg (gan gynnwys gweithiau polemig) yn Y Fenni, ymddengys fod ei lefaru yn ddiffygiol, yn rhannol oherwydd naws Gymreig y dref a'r ffaith fod y Gymraeg yn gryfach na'r Saesneg yno. Felly, ac yntau'n un ar ddeg oed, fe'i tynnwyd o'r ysgol ramadeg leol gan ei dad a'i anfon i Lundain. Yno, yn Ysbyty Crist, cyfarfu â meibion bonedd Lloegr, mynychodd wasanaethau eglwysig a darlleniadau o'r Beibl, a daeth mor hyddysg yn y Saesneg nes anghofio ei Gymraeg. Ni chafodd gyfle i ailafael yn y Gymraeg nes iddo ddychwelyd i Gymru at ei deulu yn ystod argyfwng yr Armada ym 1588.[64] Yr un mor ddadlennol ag adroddiad Baker ei hun yw'r crynodeb o'i fywyd a ysgrifennwyd gan ei gyd-wladwr, ei gyd-weithiwr a'i ddisgybl, y Tad Leander Prichard, sy'n dangos yn glir y berthynas anghyfartal a fodolai rhwng y Gymraeg a'r Saesneg:

> He got to speak English purely without any corruption from his mother tongue, which doth commonly infect men of our countrie, that they cannot speak English but that they are discovered by their vitious pronunciation or idiotisms. He tooke great care to remedy this in me; but it would not be, at least not perfectly. Now his father intended most especially, by sending him up to London, this acquiring of the English tongue, as most necessary for his advancement in the world.[65]

Byddai merched gwŷr bonheddig, yn ogystal â'r meibion, yn derbyn manteision addysg Saesneg. At ei gilydd, câi'r merched eu haddysgu yn y cartref gan ddiwtor preifat. Cafodd un o ferched teulu Brynkir ei dysgu i ddarllen straeon tylwyth teg ac i ddarllen Saesneg yn berffaith. Fodd bynnag, fe'i hanfonwyd i Gaer yn arbennig er mwyn gloywi ei Saesneg llafar, ac aeth ei thiwtor i blasty arall.[66]

Nid peth anghyffredin oedd i fechgyn o Gymru dderbyn eu haddysg yn Lloegr. Cerdded yn ôl traed ei frawd yr oedd Augustine Baker pan anfonwyd ef i Lundain. Yr oedd lleiafrif nid bychan o ddisgyblion o Gymru yn mynychu sefydliadau addysgol mwyaf neu bwysicaf Lloegr erbyn troad yr ail ganrif ar bymtheg, yn enwedig Westminster, Caer-wynt

---

[64] Justin McCann a Hugh Connolly (goln.), *Memorials of Father Augustine Baker* (Catholic Record Society, XXXIII, London, 1933), tt. 30, 31, 75; cymh. G. Dyfnallt Owen, *Wales in the Reign of James I* (London, 1988), t. 127, lle'r adroddir hanes disgybl yn cael ei symud o Ysgol Ramadeg Caerfyrddin i Ysgol Ramadeg Henffordd am resymau yn ymwneud â disgyblaeth ac ymddygiad.

[65] *Memorials of Father Augustine Baker*, t. 58; cymh. John Edwards (Siôn Treredyn) ar y Seisnigeiddio yn sir Fynwy genhedlaeth ar ôl Baker (Lewis, *Hen Gyflwyniadau*, tt. 27–8).

[66] John Ballinger (gol.), *Calendar of Wynn (of Gwydir) Papers 1515–1690* (Aberystwyth, 1926), rhif 967. Gw. hefyd Williams, 'The Survival of the Welsh Language', 84.

ac Amwythig.[67] Pwysleisiai statudau Ysgol Amwythig y disgwylid i bob disgybl fod yn hollol lythrennog yn y Saesneg cyn cael mynediad. Y mae ei chofrestriadau o gyfnod cynnar yn dangos bod nifer sylweddol o ddisgyblion o Gymru yno, a gellir adnabod y bechgyn a ddeuai o ardaloedd y Gororau wrth eu tadenwau. Erbyn y 1590au, er bod disgyblion o Gymru yn dal i fynychu'r ysgol, fel y dengys y cofnod o'u hardaloedd genedigol, yr oedd gan y mwyafrif ohonynt gyfenwau – arwydd pendant o'r duedd i fabwysiadu arferion y Saeson.[68] Yn ystod y 1630au yr oedd nifer helaeth o'r myfyrwyr o Gymru (o ogledd Cymru yn bennaf) a oedd yng Ngholeg Sant Ioan, Caer-grawnt, wedi treulio blwyddyn neu ragor mewn ysgolion yn Lloegr cyn mynd yno. Gellir cymryd yn ganiataol y gwneid hyn er mwyn rhoi sglein ar eu doniau cymdeithasol a'u galluoedd addysgol cyn iddynt fynd i'r coleg.[69]

Er nad oedd yr un math o gylch cymdeithasol yn bodoli ym mhrifysgolion Lloegr ag a geid yn ysbytai'r brawdlys yn Llundain, yr oeddynt, erbyn diwedd yr unfed ganrif ar bymtheg, yn denu nifer cynyddol o fyfyrwyr a chanddynt ddyheadau cymdeithasol cryf ond ymrwymiad academaidd gwan. Er na châi'r mwyafrif o fyfyrwyr o Gymru eu hystyried yn ddim amgenach na gwerinos neu seisariaid, yr oedd yn eu plith rai a berthynai i haen gymdeithasol uwch, a châi'r rheini eu denu gan ffordd o fyw y Saeson a berthynai i'r un raddfa gymdeithasol â hwy a chan eu harferion diwylliannol. Yn eu hachos hwy, fel yn achos cymdeithas fwy rhydd ysbytai'r brawdlys, yr oedd atyniadau a phwysau i gydymffurfio â bywyd mwy Seisnig ei naws. Yr oedd y Cymry – o ganlyniad i'r cysylltiadau cymdeithasol a ffurfid rhyngddynt a gwŷr ifainc o gefndir cymdeithasol cyffelyb, ac o ganlyniad i'r ffaith iddynt, fel yn achos meibion Syr John Wynn o Wedir, ddod yn gyfeillgar â Saeson[70] – dan bwysau i ollwng gafael ar eu hiaith. Yr oeddynt dan bwysau mwy milain hefyd i ymseisnigo, er ei bod yn anodd dweud pa mor gyffredin oedd hyn. Er mai eithriad, o bosibl, oedd achos Henry Leigh o Hart Hall, Rhydychen ym 1580, myfyriwr pengaled o Ddyfnaint yr oedd clywed seiniau'r Gymraeg yn wrthun ganddo, y mae'n werth ei gofnodi gan ei fod yn dangos y math o ragfarn a allai fod yn llechu dan yr wyneb. Honnai myfyrwyr o Gymry a Saeson fel ei gilydd fod Leigh wedi ysgrifennu deunydd enllibus a oedd yn cynnwys ymosodiadau ar bedwar myfyriwr o Gymru. Yn ôl Griffith Hughes, yr oedd Leigh wedi darllen:

[67] Griffith, 'Schooling and Society', tt. 98–100.
[68] E. Calvert (gol.), *Shrewsbury School Regestum Scholarium 1562–1635* (Shrewsbury, 1892), passim; Oldham, *History of Shrewsbury School*, t. 18.
[69] J. E. B. Mayor (gol.), *Admissions to the College of St John the Evangelist, Cambridge* (Cambridge, 1882), passim.
[70] Griffith, *Learning, Law and Religion*, tt. 403–5.

a certayne writinge agaynst the Welshmen terminge their speeche the vnlawfull Welshe tonge.[71]

Gwir i hyn ddigwydd adeg y Nadolig, pan oedd Arglwyddi Anhrefn yn teyrnasu a phryd y gellid troi pob awdurdod ac ymddygiad arferol â'i ben i waered,[72] ond yr oedd ymddygiad Leigh yn ddigon difrifol yng ngolwg awdurdodau'r brifysgol fel y bu iddynt ei erlyn yn Llys y Canghellor. Y mae'n amlwg nad oeddynt yn barod i oddef gelyniaeth agored rhwng unigolion na grwpiau lleiafrifol.

Yr oedd addysg ffurfiol, felly, a'i chyd-destun cymdeithasol, yn cynyddol adlewyrchu dylanwad safonau academaidd a moesau Seisnig. Yn ogystal â'r teimlad o israddoldeb a oedd yn mynd law yn llaw â mabwysiadu'r gwerthoedd hyn, datblygodd gagendor rhwng y dosbarth-iadau uchaf dysgedig a gweddill y gymdeithas Gymreig wrth i'r bonedd ddechrau gwerthfawrogi manteision gwasanaethu'r gymanwlad Seisnig. At hynny, fel y nododd Morris Kyffin, yr oedd geiriau Saesneg yn llifo i'r iaith frodorol.[73] Yr oedd hyn yn arbennig o wir yn achos ymadroddion cyfreithiol Saesneg,[74] a châi ei adlewyrchu hefyd yn y duedd gynyddol ymhlith y Cymry i ohebu â'i gilydd yn Saesneg.

Sut, felly, y llwyddodd yr iaith i oroesi o fewn rhyw fath o fframwaith addysgol? Yn gyntaf, dylid pwysleisio, er bod y Saesneg yn bwysig yn y strwythur addysgol, mai'r ieithoedd clasurol a oedd yn dal i gael blaenoriaeth yn y cyfnod hwn, gyda'r canlyniad nad oedd yr amgylchedd addysgol ond yn rhannol Seisnig. Ond yr oedd yr amgylchiadau cymdeithasol yn wahanol, wrth reswm.[75] Yn ail, er bod mawr angen am gymhwysedd yn y Saesneg, yn enwedig yn sgil y Deddfau Uno, nid oedd nemor ddim gelyniaeth agored at yr iaith Gymraeg o du'r llywodraeth fel a gafwyd yn erbyn Gaeleg Iwerddon, er enghraifft, yn neddf 28 Harri VIII, p.15, Senedd Iwerddon.[76] Yn wir, o ganol yr unfed ganrif ar bymtheg ymlaen, ymddengys i'r Gymraeg a gweithiau cyhoeddedig yn y Gymraeg gael eu derbyn, os nad eu hannog, am gyfnod. Yn y cyswllt hwn ni ellir gorbwysleisio pwysigrwydd William Herbert, iarll Penfro, gŵr llys amlwg a siaradai Gymraeg, a noddwr dysg.[77] Hefyd, yr oedd pwysigrwydd

---

[71] Archifau Prifysgol Rhydychen, Hyp B.2. Deponiadau 1578–84; trafodir hyn hefyd yn Griffith, ibid., tt. 94, 173–4.

[72] Trafodir hyn yng nghyd-destun addysg a chadw trefn yn Griffith, 'Schooling and Society', t. 95.

[73] Jones, *The Old British Tongue*, tt. 48–51.

[74] W. P. Griffith, 'Addysg a chymdeithas ym Môn, 1540–1640', *TCHNM* (1985), 54n.; cymh. Williams, 'The Survival of the Welsh Language', 73.

[75] Griffith, *Learning, Law and Religion*, tt. 400 et seq.

[76] Alan Ford, *The Protestant Reformation in Ireland 1590–1641* (Frankfurt am Main, 1985), t. 13.

[77] Davies, *Rhagymadroddion a Chyflwyniadau*, tt. 38, 95.

noddwyr Seisnig a oedd â chydymdeimlad at y Gymraeg, gwŷr megis yr
Arglwydd Lumley, Syr William Cecil, Syr Henry Sidney a'r Archesgob
Matthew Parker, yn hanfodol o safbwynt rhoi statws i'r iaith ac anogaeth
seicolegol i'r dyneiddwyr o Gymry a oedd â'u bryd ar wneud y Gymraeg
yn gyfrwng ysgolheigaidd ac ysgrythurol.[78] Rhoes cydnabyddiaeth
ysgolheigion Ewropeaidd megis Gesner a Montaigne ddilysrwydd pellach
i'r iaith,[79] a atgyfnerthid gan nawdd ysgolheigaidd teuluoedd cyfoethog
lled-aristocrataidd megis Stradlingiaid Sain Dunwyd.[80] Yr oedd cym-
helliad, felly, i bob un o dueddfryd ysgolheigaidd i fod â rhyw gymaint o
ddealltwriaeth academaidd o'r iaith frodorol, yn enwedig gan yr
ymddangosai fod tebygrwydd, o ran strwythur a ffoneg, rhwng y
Gymraeg ac ieithoedd uchel eu parch megis Groeg[81] a Hebraeg.[82]

Cymhelliad arall dros ddal gafael ar y Gymraeg, neu, yn achos
teuluoedd gwŷr bonheddig a oedd wedi Seisnigeiddio, dros ddysgu
ychydig o Gymraeg, oedd yr angen i allu cyfathrebu'n uniongyrchol â
thenantiaid a gwasanaethyddion. Dyna paham yr anfonwyd Edward,
Arglwydd Herbert o Chirbury, a oedd wedi cael ei addysgu gartref yn y
clasuron, at Edward Thelwall, Plas-y-ward, sir Ddinbych, pan oedd yn
naw oed. Yr oedd Thelwall yn ysgolhaig ac ieithydd o bwys, ac y mae'n
sicr y byddai wedi llwyddo i feithrin Cymraeg Herbert oni bai i salwch
dorri ar draws addysg y bachgen ifanc.[83] Dengys gohebiaeth ddiddorol
rhwng y Parchedig William Gamage a William Herbert o Cogan Pill,
Morgannwg, ar ddiwedd y 1630au fod Gamage yn clodfori rhinweddau
amlieithrwydd, gan atgoffa Herbert o fanteision ychwanegu'r Gymraeg at
y pedair iaith yr oedd yn gynefin â hwy eisoes, sef Hebraeg, Groeg,
Lladin, a Saesneg yn arbennig. I'r perwyl hwn, cyflwynodd i Herbert
wyddor Gymraeg, wedi ei llunio ganddo ef ei hun, yn ôl pob tebyg, a
chynigiodd hyfforddiant pellach iddo. Yr oedd yn bwysig iddo ddysgu
'iaith y werin', meddai, oherwydd:

> you are a gentleman borne to good meanes in y[r] native soyle and therefore not
> to deal in y[r] affaires by interpreters wch oft are deceiptfull: but rather with
> METHRIDATES to answeare All in theire owne language . . .[84]

---

[78] Griffith, *Learning, Law and Religion*, t. 412; V. E. Durkacz, *The Decline of the Celtic Languages* (Edinburgh, 1983), tt. 33–5.

[79] Griffith, op. cit., t. 391n.; John Florio (cyf.), *The Essayes of Michael Lord of Montaigne* (3 cyf., London, 1904–6), I, t. 196.

[80] Davies, *Rhagymadroddion a Chyflwyniadau*, tt. 72–4.

[81] *Memorials of Father Augustine Baker*, t. 40.

[82] Davies, *Rhagymadroddion a Chyflwyniadau*, tt. 108–9.

[83] *The Autobiography of Edward, Lord Herbert of Cherbury*, rhagymadrodd gan Sidney Lee (London, arg. 1906), t. 21; hefyd John Butler, *Lord Herbert of Chirbury (1582–1648)* (Lampeter, 1990), tt. 12–13.

[84] G. T. Clark (gol.), *Cartae et Alia Munimenta quae ad Dominium de Glamorgancia pertinent* (6 chyf., Cardiff, 1910), VI, tt. 2220–1.

Wrth dynnu sylw at bwysigrwydd dysgu Cymraeg, cyfeiriodd Gamage at drefniant a wnaed gan gymdoges iddo, y Foneddiges Beauchamp, ar ran dau lanc lled ifanc a oedd yn etifeddion ystadau, sef cyflogi tri thiwtor annibynnol i'w hyfforddi mewn tair iaith wahanol, Lladin, Ffrangeg a Chymraeg. Y mae i ba raddau yr oedd y boneddigion yn gallu fforddio cyflogi tiwtoriaid yn bwnc dadleuol. Nid oedd y mwyafrif ohonynt mor gyfoethog â theulu Beauchamp, yr Herbertiaid neu Wynniaid Gwedir. Lle'r oedd tiwtoriaid yn cael eu cyflogi, y mae'n amheus a oeddynt i gyd yn dysgu, neu'n gallu dysgu, Cymraeg. Y mae'n debyg fod barn y boneddigion am iaith y werin yn amrywio yn yr un modd â'u barn am barchusrwydd clerigwyr gwlad. Erbyn 1640, neu wedi hynny, nid oedd rhai teuluoedd mwyach yn coleddu'r iaith Gymraeg ac nid oeddynt yn dymuno ei throsglwyddo i'w plant.

Serch hynny, y mae'n amheus a oedd y mwyafrif o foneddigion Cymru wedi eu llwyr Seisnigeiddio erbyn y cyfnod hwn; yr oedd y rhan fwyaf ohonynt wedi dod, neu yn dod, yn ddwyieithog, neu, yn wir, yn amlieithog o fewn cyd-destun addysg y cyfnod. Yr ysgol ramadeg oedd y dewis arall i'r boneddigion hynny ac aelodau'r dosbarth canol na allent fforddio tiwtoriaid personol. Fel y gwelwyd eisoes, yr oedd statudau ysgolion fel rheol yn mynnu bod y darpar-ddisgyblion yn gyfarwydd â'r Saesneg ac yn ei siarad yn rhugl. Rhaid cymryd yn ganiataol, felly, y disgwylid i'r disgyblion ddysgu Saesneg yn raddol cyn eu bod yn saith oed, sef yr oedran arferol ar gyfer mynediad. Y mae'n debyg y byddai'n rhaid, am resymau ymarferol, ddefnyddio'r iaith Gymraeg i gychwyn wrth ddysgu Saesneg i'r disgyblion. Nid oes gennym ddigon o wybodaeth am Gymru i allu dweud i ba raddau y gwneid hyn mewn ysgolion un athrawes neu ysgolion bach.[85]

Ceir peth tystiolaeth sy'n dangos bod rhai ysgolion plwyf ar gael dan ofal clerigwyr a gawsai addysg well na'r cyffredin.[86] Gwaetha'r modd, nid yw bob amser yn eglur beth oedd safon yr iaith mewn ysgolion o'r fath, na pha iaith a ddefnyddid yn gyfrwng yr addysg. Derbyniodd Christopher Love, bachgen o Gaerdydd a oedd, mae'n debyg, yn siarad Cymraeg, ei holl addysg gynnar yn y 1620au drwy gyfrwng y Saesneg, gan mai gwerslyfrau Saesneg yn unig a oedd gan y clerigwr a'i dysgai.[87] Y mae'n bosibl fod clerigwyr eraill wedi cynnig peth hyfforddiant drwy gyfrwng y Gymraeg oherwydd eu diddordeb yn llenyddiaeth Cymru, fel y gwnaeth

[85] Griffith, 'Schooling and Society', t. 107 a chymh. Williams, 'The Survival of the Welsh Language', 89 a n. 1.
[86] Griffith, 'Schooling and Society', tt. 102–4.
[87] M. H. Jones, 'The life and letters of Christopher Love, 1618–51' (traethawd MA anghyhoeddedig Prifysgol Cymru, 1932), tt. 15–16.

y gŵr gradd Richard Gray yn Llanfaethlu yn sir Fôn yn y 1630au.[88] Yn nyffryn Clwyd ar ddiwedd yr unfed ganrif ar bymtheg ceid clerigwyr plwyf a oedd yn hyddysg yn y clasuron ac ysgolfeistri megis John Wyn o Euarth a oedd yn ysgolheigion Cymraeg a chlasurol.[89] Disgwylid i glerigwyr plwyf o leiaf annog llythrennedd yn yr Ysgrythurau a cheir peth tystiolaeth – yn Nhalach-ddu ac Abertawe, er enghraifft – y cedwid gweithiau defosiynol Cymraeg a Saesneg mewn cistiau plwyf at ddefnydd y bobl.[90]

Erbyn diwedd yr unfed ganrif ar bymtheg yr oedd yr esgobion yn amlwg yn ymwybodol fod angen sicrhau bod clerigwyr yn hyddysg yn y famiaith, a bod yr Ysgrythurau ar gael ganddynt yn y Gymraeg ar gyfer astudio neu gynnig hyfforddiant.[91] O'r hyn a wyddom am esgobaeth Bangor, llwyddwyd i raddau, o ganlyniad i bolisïau ordeinio a recriwtio clerigwyr, i ddenu clerigwyr o Gymru a feddai ar well cymwysterau. Perthynai'r rhain fel rheol i'r dosbarthiadau cymdeithasol isaf a chanol ac o'r herwydd yr oeddynt, o bosibl, yn llai tebygol o ddilyn tueddiadau Seisnig.[92] Er y ceid cwynion o hyd am allu ieithyddol clerigwyr yng nghanol yr ail ganrif ar bymtheg,[93] y mae'n amlwg fod llawer ohonynt yn hollol abl i roi hyfforddiant yn y Gymraeg.[94] Mewn ymgais i gael clerigwyr o safon, gwnaed ymdrechion, nad oeddynt yn gwbl lwyddiannus, i greu llyfrgelloedd mewn eglwysi cadeiriol ac i ddatblygu cyfundrefnau synodaidd yn yr esgobaethau.[95] Defnyddiwyd hyd yn oed blasau'r esgobion yn ganolfannau addysgol ar gyfer rhai clerigwyr.[96] Drwy godi safonau ymhlith y graddedigion yn ogystal â'r sawl a ymddiddorai mewn llenyddiaeth, yr oedd gwell gobaith o hybu addysg yn y plwyfi, ar lefel boblogaidd ac yn yr iaith frodorol. Ni châi ysgolion plwyf o'r fath eu caethiwo gan statudau a oedd yn pennu cwricwlwm gosod neu gyfrwng yr addysg.

Yr oedd lle i'r iaith frodorol hyd yn oed yn yr ysgolion gramadeg. O ystyried profiad John Williams o Gochwillan yn ysgol Rhuthun, ymddengys y byddai wedi bod yn anodd iawn gwahardd y Gymraeg yn

---

[88] T. Gwynn Jones, 'Rhai o lawysgrifau Môn', *TCHNM* (1921), 47–8; Griffith, 'Schooling and Society', t. 102.

[89] Trafodir hyn gan Nia M. W. Powell, 'Robert ap Huw – a wanton minstrel of Anglesey', *Hanes Cerddoriaeth Cymru*, II (i'w gyhoeddi).

[90] Griffith, *Learning, Law and Religion*, t. 305; David Walker (gol.), *A History of the Church in Wales* (Penarth, 1976), t. 67.

[91] David Mathew, 'Some Elizabethan documents', *BBCS*, VI, rhan 1 (1931), 78; Davies, *Rhagymadroddion a Chyflwyniadau*, t. 79.

[92] Griffith, *Learning, Law and Religion*, tt. 285 et seq.

[93] Lewis, *Hen Gyflwyniadau*, t. 27.

[94] Griffith, *Learning, Law and Religion*, tt. 319 et seq.

[95] Ibid., tt. 312–13.

[96] Davies, *Rhagymadroddion a Chyflwyniadau*, t. 127.

llwyr, ac yn fwy anodd byth petai'r ysgolfeistri yn bleidiol i'r iaith, fel yr
oeddynt, yn ôl pob tebyg, yn Rhuthun cyn ac ar ôl cyhoeddi statudau'r
ysgol.[97] Bu Siôn Dafydd Rhys yn dysgu yn Ysgol Friars, Bangor, ac y
mae'n hawdd dychmygu y byddai wedi cymhwyso ei egwyddorion
ynghylch swyddogaeth y Gymraeg yn ystod y cyfnod y bu'n ysgolfeistr
yno.[98] Y mae'n bosibl fod hyn yn wir am glerigwyr eraill o Gymry a
ddaeth yn ysgolfeistri mewn ysgolion gramadeg yng Nghymru, ac a oedd
yn hollol ddwyieithog. Y mae tystlythyrau David Lloyd MA ym 1665 yn
datgan ei fod yn:

> very Civill person, and a good preacher, both in Welsh and English, he hath
> laudably for Nine Yeares taught a grammar Schoole at Cowbridge and sent
> Sufficient grammar scholers from Thence to the university, he hath had the
> Tuition, and still hath, of many Gentlemen Sonns, which prosper very much
> under his Government.[99]

Yn yr un modd, y mae'n debyg y byddai ysgolfeistri preifat megis Richard
Gwyn y reciwsant hefyd wedi defnyddio'r Gymraeg.[100] Ond efallai, ar y
llaw arall, y byddai bodolaeth y reciwsantiaid yn rheswm pellach o blaid
sicrhau unffurfiaeth ieithyddol mewn sefydliadau addysgol, gan nad oedd
yr awdurdodau yn hoffi gweld iaith na allent ei hamgyffred yn cael ei
defnyddio yn gyfrwng addysg. Dylid cofio na chollodd Augustine Baker ei
famiaith ar ôl ei hadennill, ac iddo ei defnyddio'n fwriadol yn iaith
gyfathrebu gyfrinachol.[101]

Y mae'n anodd egluro sut yn union y goroesodd ac y datblygodd
llythrennedd ac ysgolheictod yn y Gymraeg yn y cyfnod hwn. Os nad
oedd lle i'r iaith mewn addysg ffurfiol, sut y datblygodd y garfan o
ddyneiddwyr a greodd draddodiad rhyddiaith mor gain yn y Gymraeg?
Sut y llwyddodd yr Eglwys yng Nghymru, er gwaethaf ei holl wendidau,
i hyrwyddo'r ffydd Brotestannaidd drwy gyfrwng y Gymraeg? Y mae'r
ateb ynghlwm wrth y traddodiad o noddi llenyddiaeth a ddatblygodd yng
Nghymru o'r Oesoedd Canol ymlaen, ynghyd â'r traddodiad o gasglu a
chyfnewid llawysgrifau, traddodiad a lwyddodd i ennyn diddordeb eang.
Er bod corff o feirdd a hynafiaethwyr y gellid eu galw'n gynheiliaid
proffesiynol y traddodiad barddol ac a dderbyniai nawdd y boneddigion,
ni fu'r corff hwn erioed yn hunangynhwysol. Ni fu erioed yn ddosbarth

---

[97] Powell, 'Robert ap Huw', yn enwedig ar yr Esgob Richard Parry.
[98] R. Geraint Gruffydd, 'The life of Dr John Davies of Brecon (Siôn Dafydd Rhys)',
    THSC (1973), 181.
[99] LlPCB, Llsgr. 2693, trawsgrifiad o Lsgr. Bodley 28183 (Papurau Sheldon), f. 118.
[100] Thomas Dempsey, *Richard Gwyn, Man of Maelor: Martyr or Traitor?* (Bolton, 1970), t. 16.
[101] *Memorials of Father Augustine Baker*, t. 58.

fel beirdd Gaeleg Iwerddon neu'r Alban.[102] Nid oedd y traddodiad barddol Cymraeg wedi ei gyfyngu i deuluoedd arbennig, a cheid unigolion eraill a ymddiddorai yn y grefft, yn enwedig beirdd amatur – beirdd a ganai ar eu bwyd eu hun – o blith y bonedd llai, iwmyn a chlerigwyr.[103] Golygai hyn fod dysg farddol a brodorol led eang yn bodoli ar ddechrau'r unfed ganrif ar bymtheg ac iddi barhau felly am dros ganrif er gwaethaf y dirywiad diwylliannol. Ac er y cwynai dyneiddwyr Cymru fod y beirdd proffesiynol yn amharod i gyfansoddi ar themâu newydd ac i gyhoeddi eu cynnyrch a'u gwybodaeth eiriadurol er budd cynulleidfa ehangach, nid oedd hyn yn golygu eu bod yn amharod i gyfathrebu a rhannu eu gwybodaeth. Yr hyn sy'n nodedig yw bywiogrwydd y traddodiad o gasglu a chyfnewid llawysgrifau a'r trafodaethau ysgolheigaidd a gynhelid ymhlith y beirdd, y bonedd a'r clerigwyr hyd ddechrau'r ail ganrif ar bymtheg o leiaf.

Yr oedd y diddordeb hwn yn cyniwair er gwaethaf dylanwad addysg ffurfiol. Y mae'n debyg fod y rheini a feddai ar y gallu i ddatblygu'r iaith frodorol wedi eu trwytho yn y diwylliant Cymraeg cyn derbyn addysg uwch ac iddynt ychwanegu at eu gwybodaeth o'r iaith yn ystod eu gyrfa addysgol.[104] Yr hyn a ddigwyddodd, yn fwy na thebyg, oedd fod rhai o'r bonedd a'r clerigwyr, yn ogystal â chyflogi athrawon a thiwtoriaid, yn croesawu beirdd i'w cartrefi, ac yn disgwyl iddynt roi hyfforddiant mewn orgraff Gymraeg, gramadeg a geiriadureg, ac i drafod y mesurau barddol a cherddorol traddodiadol ac ymhelaethu ar agweddau ar herodraeth ac achyddiaeth.[105] Y mae'n bosibl hefyd y byddent wedi dysgu rhai elfennau o'r *trivium* a'r *quadrivium* clasurol. Yr oedd eu gramadegau hwy eu hunain yn deillio o'r Lladin, ond yr oedd rhai ohonynt, megis Gruffudd Hiraethog yn fwyaf arbennig, yn ymwybodol iawn o wahanol ganghennau dysg.[106] Pan gyhoeddodd William Salesbury ei lyfr o ddiarhebion Cymraeg, *Oll Synnwyr pen Kembero ygyd* (1547), a seiliwyd ar gasgliad gan Gruffudd Hiraethog, disgwyliai gynulleidfa ddysgedig o tua mil o bobl,[107]

---

[102] John Bannerman, 'The MacLachlans of Kilbride and their Manuscripts', *SS*, 21 (1977), 1–34. Gw. hefyd Jenny Wormald, *Court, Kirk, and Community: Scotland 1470–1625* (London, 1981), tt. 60–5 am ddiwylliannau'r ddwy iaith yn yr Alban, a D. B. Quinn, *The Elizabethans and the Irish* (Ithaca, N. Y., 1966), tt. 42–5 am urdd y beirdd yn Iwerddon.

[103] Am y traddodiad barddol, gw. Parry, *Hanes Llenyddiaeth*, tt. 105–6 a hefyd 128–9 am y brwdfrydedd o blaid y canu rhydd.

[104] D. J. Bowen, 'Canrif olaf y cywyddwyr', *LlC*, 14, rhifyn 1 a 2 (1981–2), 27.

[105] Ibid., 23–4. Gw. hefyd sylwadau Lewys Dwnn am y beirdd a'r uchelwyr y cafodd ganddynt ddeunydd achyddol ar ddiwedd yr unfed ganrif ar bymtheg. Lewys Dwnn, *Heraldic Visitations of Wales and part of the Marches*, gol. S. R. Meyrick (2 gyf., Llandovery, 1846), I, t. 7, rhagymadrodd Dwnn, dyddiedig 1586.

[106] Griffith, 'Addysg a chymdeithas', 28, ynghylch barddoniaeth ar y saith celfyddyd.

[107] Hughes, *Rhagymadroddion*, t. 9.

clerigwyr a bonedd yn arbennig, a gâi fudd o gyfranogi o'r diddordebau ysgolheigaidd yr oedd ef ei hun eisoes wedi eu mwynhau yn Rhydychen. Yn wir, yr adeg honno yr oedd y cylch diwylliannol a drôi o gwmpas Gruffudd Hiraethog yn cynnwys unigolion megis Dr Elis Prys, Dr Thomas Yale a Richard Mostyn, gwŷr a oedd yn ymwybodol iawn o werth addysg glasurol ffurfiol a dysg Gymraeg.[108]

Yr unigolion hyn, a werthfawrogai ddysg glasurol a Chymraeg, a oedd yn y safle gorau i sicrhau parhad yr iaith fel cyfrwng ysgolheigaidd. Ceid ym Morgannwg, er enghraifft, draddodiad byw o noddi beirdd, o gyfieithu deunydd Lladin a Saesneg i'r Gymraeg ac o gasglu a chopïo llawysgrifau, yn seiliedig ar gylch a gynhwysai feirdd megis Dafydd Benwyn ac aelodau o deuluoedd bonheddig megis y Stradlingiaid, y Mawnseliaid, Lewisiaid Y Fan a Siencyniaid Hensol.[109] Y mae'r cyd-weithrediad hynod rhwng beirdd, boneddigion a chlerigwyr yng ngogledd Cymru, yn enwedig yn Nyffryn Clwyd ar ddiwedd yr unfed ganrif ar bymtheg a dechrau'r ail ganrif ar bymtheg, yn adlewyrchu'r ffaith eu bod yn rhan o amgylchedd diwylliedig ac addysgol lle y gellid cyfuno traddodiadau brodorol a chlasurol (gan gynnwys y brifysgol) a gwneud defnydd cyflawn o'r Gymraeg.[110] Er nad oedd gweithiau gwŷr megis Dafydd Johns, ficer Llanfair Dyffryn Clwyd, Richard Langford o Drefalun, John Conway o Fotryddan ac, yn fwyaf neilltuol, Roger Morris, Coed-y-talwrn, ar gael ond mewn llawysgrifau, yr oeddynt yn enghreifftiau o ymdrechion i gynhyrchu deunydd addysgol yn y Gymraeg.[111] Datblygasai arddull Gymraeg rwydd ar gyfer cyfathrebu hefyd, fel y dengys llythyr a ysgrifennodd Peter Mutton o Lannerch a Rhuddlan at ei fam ym 1605 pan oedd yn astudio'r gyfraith yn Llundain; perthynai'r ddau i deulu Cymreig tra diwylliedig.[112]

Yr oedd diddordebau ysgolheigaidd o'r fath yn mynd law yn llaw ag addysg ffurfiol. Yr oedd hunan-addysgu yn elfen bwysig yng nghynnydd deallusol amryw o'r teuluoedd bonheddig yn y blynyddoedd hyn, gan ei

---

[108] D. J. Bowen (gol.), *Gwaith Gruffudd Hiraethog* (Caerdydd, 1990), tt. 10–15, 141–3, 160–1, 174–6, 291–3; idem, 'Siân Mostyn, "Yr Orav o'r Mamav ar sydd yn Traythv Iaith Gamberaec"' yn J. E. Caerwyn Williams (gol.), *Ysgrifau Beirniadol XVI* (Dinbych, 1990), tt. 111–26, sy'n ein hatgoffa o bwysigrwydd swyddogaeth y wraig fonheddig addysgedig yn cynnal y Gymraeg ar yr aelwyd yng nghanol yr unfed ganrif ar bymtheg.

[109] G. J. Williams, *Traddodiad Llenyddol Morgannwg* (Caerdydd, 1948), penodau 3 a 5.

[110] Idem, 'Traddodiad Llenyddol Dyffryn Clwyd a'r Cyffiniau', *TCHSDd*, 1 (1952), 25–9; Enid Roberts, 'The Renaissance in the Vale of Clwyd', *FHSJ*, 15 (1954–5), 62–3; Nia M. W. Powell, *Dyffryn Clwyd in the time of Elizabeth I* (Ruthin, 1991), tt. 7–8, 12–15; gw. hefyd eadem, 'Robert ap Huw', lle y ceir llyfryddiaeth gynhwysfawr.

[111] Jones, *Rhyddiaith Gymraeg II*, tt. 75, 76, 227–30; R. Alun Charles, 'Noddwyr y Beirdd yn Sir y Fflint', *LlC*, 12, rhifyn 1 a 2 (1972), 7–8; Powell, 'Robert ap Huw'.

[112] Jones, *Rhyddiaith Gymraeg II*, tt. 209–10; Powell, *Dyffryn Clwyd*, t. 10.

fod yn eu galluogi i ganolbwyntio ar y diddordebau Cymreig a chlasurol a daniai eu dychymyg. Y mae teuluoedd Thelwall Plas-y-ward, Llwydiaid Henblas, Môn, neu'n ddiweddarach, Hugh Owen o Wenynog ym Môn ac o sir Fynwy, yn nodweddiadol o'r teuluoedd bonheddig a bonedd llai a fuasai'n ymddiddori mewn dysg o bob math ers cenedlaethau.[113] I'r math hwn o gefndir y perthynai'r dyneiddwyr o Gymru a aeth i Loegr i gael addysg uwch. A hwythau'n hyddysg yn niwylliant Cymru, yr oeddynt mewn sefyllfa i greu dolen gyswllt rhwng dysg Gymraeg ac addysg uwch Seisnig-Ewropeaidd, ac i gynhyrchu deunydd ysgolheigaidd ac addysgol a gyfoethogai eu hiaith frodorol.[114]

Er bod rhai ysgolheigion Cymraeg, megis Thomas Wiliems o Drefriw,[115] yn portreadu'r prifysgolion fel sefydliadau a oedd o reidrwydd yn peri Seisnigeiddio, yr oeddynt, serch hynny, yn caniatáu peth trafod deallusol yn y Gymraeg. Yn ddi-os, yr oedd nifer y myfyrwyr o Gymru yn Rhydychen (cofrestrwyd dros 2,000 ohonynt rhwng 1540 a 1640), ac yn ysbytai'r brawdlys (700 yn yr un cyfnod) yn ogystal, yn ôl pob tebyg, yn ddigon sylweddol i sicrhau na fyddent yn cael eu boddi gan yr awyrgylch Seisnig-Ladin.[116] Yn wir, drwy ymgynnull yn y prifysgolion neu ysbytai'r brawdlys, llwyddodd y myfyrwyr Cymreig i oresgyn y rhwystrau daearyddol a'u hwynebai gartref, a chawsant gyfle i fagu ymdeimlad o Gymreictod. Y mae'n bosibl y câi'r Gymraeg ei defnyddio yn gyfrwng hyfforddi yn ogystal ag mewn sgwrs. Gwneid pob ymdrech i benodi tiwtoriaid a hanai o ardaloedd genedigol y myfyrwyr, ac mewn amryw o golegau, megis Coleg Iesu a Choleg y Frenhines, Caer-grawnt, a Choleg y Trwyn Pres, Rhydychen, câi myfyrwyr o Gymru eu harolygu gan diwtoriaid Cymreig. Y mae'n anodd credu nad oedd rhywfaint o leiaf o'r hyfforddiant hwn drwy gyfrwng y Gymraeg.[117]

Gellir cymryd yn ganiataol fod rhyw fath o hyfforddiant drwy gyfrwng y Gymraeg ar gael yng Ngholeg Iesu, Rhydychen hefyd, er na chafodd hyn ei nodi'n swyddogol. Hyd 1589, nid oedd gan y Coleg unrhyw amcan na chyfeiriad penodol, er gwaethaf y ffaith fod nifer mawr o'r myfyrwyr yn Gymry. Y mae'r ail gyfres o freintlythyrau o'r flwyddyn honno yn awgrymu bod y llywodraeth ganolog ar fin cymryd agwedd fwy

---

[113] J. E. Caerwyn Williams, 'Anglesey's contribution to Welsh literature', *TCHNM* (1959), 17–18; Butler, *Lord Herbert*, t. 12; Griffith, 'Schooling and Society', t. 110.

[114] Gruffydd Robert, *Gramadeg Cymraeg*, gol. G. J. Williams (Caerdydd, 1939), tt. xciv-xcviii; W. Alun Mathias, 'William Salesbury – ei fywyd a'i weithiau' yn Geraint Bowen (gol.), *Y Traddodiad Rhyddiaith* (Llandysul, 1970), tt. 28–9; Gwyn Thomas, 'Rowland Vaughan' yn ibid., t. 234.

[115] T. H. Parry-Williams (gol.), *Rhyddiaith Gymraeg, Y Gyfrol Gyntaf. Detholion o Lawysgrifau 1488–1609* (Caerdydd, 1954), t. 141; Griffith, *Learning, Law and Religion*, t. 394.

[116] Griffith, *Learning, Law and Religion*, pennod 1.

[117] Ibid., t. 69; cymh. Anderson a Bowman, 'Education and economic modernisation', tt. 6–7.

difrifol tuag at y Coleg, a hynny o bosibl gan ei bod yn sylweddoli pwysigrwydd hyrwyddo'r ffydd Brotestannaidd yng Nghymru.[118] Yr oedd hyn yn cyd-fynd yn fras â'r ymdrechion yn Iwerddon i hybu Protestaniaeth drwy gyfrwng addysg, ymdrechion a arweiniodd at sefydlu Prifysgol Dulyn a Choleg y Drindod ym 1593.[119] Yng Ngholeg y Drindod, fodd bynnag, er gwaethaf yr elyniaeth draddodiadol at yr Wyddeleg, bu'n rhaid hyrwyddo'r ffydd drwy'r iaith frodorol, gan ei chynnwys yn y statud fel cyfrwng dysgu. Ni welwyd dim byd tebyg i hyn yn digwydd yn achos Coleg Iesu a Chymru.[120] Hyd yn oed ym 1622, pan dderbyniodd Coleg Iesu ei statudau llywodraeth o'r diwedd, ni chynhwyswyd unrhyw gymalau arbennig yn pennu y dylid defnyddio'r Gymraeg. Y rheswm am hyn, o bosibl, oedd fod yr awdurdodau'n hyderus y byddai digon o glerigwyr Cymraeg eu hiaith ar gael i lenwi swyddi eglwysig yng Nghymru; yn Iwerddon, ar y llaw arall, oedd yn rhaid hyfforddi mewnfudwyr neu Eingl-Wyddyl yn yr Wyddeleg.[121]

Yn ymarferol, ysbeidiol oedd yr hyfforddiant drwy gyfrwng yr Wyddeleg, gan ei fod yn dibynnu ar agwedd y sawl a oedd yn dal swydd y profost. Y mae'n anos fyth darganfod a oedd hyfforddiant cyson drwy gyfrwng y Gymraeg i'w gael yng Ngholeg Iesu. Gellir tybied y byddai rhai o'r prifathrawon yn fwy brwdfrydig na'i gilydd: John Williams, efallai, gan iddo feddu ar fywiolaethau yng Nghymru, neu Griffin Powell oherwydd ei ddiddordeb fel hyfforddwr ac fel gŵr a oedd yn frwd ei sêl dros yr Eglwys yng Nghymru, neu Eubule Thelwall oherwydd bod ei wreiddiau yn niwylliant Dyffryn Clwyd a'r ffaith fod ganddo ymrwymiad i'r gyfundrefn eglwysig yng Nghymru. Ymhlith y cymrodyr cyflogedig a'r tiwtoriaid preswyl cyntaf yn y 1590au yr oedd Edward James, a gyfieithodd Lyfr yr Homilïau (1606) i'r Gymraeg yn ddiweddarach.[122] Y mae'n bosibl fod John Davies, Mallwyd, yn un o'i ddisgyblion cynnar. Er mai yng Ngholeg Lincoln yr astudiodd Davies ar gyfer ei raddau uwch, yr oedd yn dal i gadw cysylltiad â Choleg Iesu. Ym 1630, un o brif gywirwyr

---

[118] Gw. erthygl i'w chyhoeddi yn *THSC* gan William P. Griffith, 'Jesus College, Oxford and Wales: the first half-century'. Am arolwg mwy chwerw ar ddylanwad y Coleg ar ddiwylliant Cymraeg, gw. Parry, *Hanes Llenyddiaeth*, t. 126.

[119] Ford, *Protestant Reformation*, tt. 76–8.

[120] Gw. William P. Griffith, 'Trinity College, Dublin and Wales' yn *Hermathena* (i'w gyhoeddi).

[121] Gw. Philip Jenkins, 'The Anglican Church and the unity of Britain: the Welsh experience, 1590–1714' yn Steven G. Ellis a Sarah Barber (goln.), *Conquest and Union: Fashioning a British State 1485–1725* (London, 1995), pennod 5, yn enwedig tt. 118–22.

[122] Coleg Iesu, Rhydychen Llsgr., Memorandwm gan Griffin Powell 'Of the Estate of Jesus College in Oxon . . .' (1613), t. 2; cymh. Ford, *Protestant Reformation*, tt. 76, 104–5, 124–5, 140–2. Ni ddaeth Coleg y Drindod, Dulyn, erioed yn sefydliad cenedlaethol yn yr un modd ag y gwnaeth Coleg Iesu.

yr argraffiad poblogaidd newydd o adolygiad yr Esgob Richard Parry o'r
Beibl (ar y cyd â John Davies) oedd Michael Roberts, cymrawd amlwg
yng Ngholeg Iesu, a gŵr a raddiodd, fel y mae'n digwydd, yn Nulyn.[123]
Erbyn y 1620au ystyrid Coleg Iesu, Rhydychen, yn goleg offeiriadol
cenedlaethol i Gymru, a chyda'i gorff sefydlog o gymrodyr ac
ysgolheigion preswyl yr oedd ganddo'r adnoddau i ddysgu drwy gyfrwng
y Gymraeg. Yr oedd bron y cyfan o'r aelodau gwaddoledig yn Gymry, a
naill ai mewn urddau eglwysig neu ar fin eu cymryd. Hyd yn oed yn
ystod y rhyfeloedd cartref a'r Werinlywodraeth – pan ddaeth Michael
Roberts yn bennaeth – yr oedd yr elfen Gymreig yn dal yn gryf.
Ymddengys ar yr olwg gyntaf, felly, fod i'r Gymraeg ei lle o fewn y
trefniadau dysgu.

Ni chafodd yr iaith unrhyw gydnabyddiaeth ffurfiol tan ar ôl yr
Adferiad, fodd bynnag, pan sefydlwyd dwy gymrodoriaeth newydd ar
gyfer siaradwyr Cymraeg yn sgil rhodd gan William Backhouse,
bonheddwr o Sais, ym 1661.[124] Gellir awgrymu sawl rheswm dros y
rhodd. Ar y naill law, gellid ei ddehongli yn ymgais i sicrhau rhyw fath o
ddarpariaeth ar gyfer siaradwyr Cymraeg pan oedd yr holl swyddi eraill yn
disgyn i ddwylo Cymry a oedd wedi eu Seisnigeiddio neu bobl nad
oeddynt yn Gymry o gwbl. Ond nid oes unrhyw dystiolaeth o dduedd o'r
fath. Ar y llaw arall, gellid ystyried ei bod yn rhoi sêl bendith ar
swyddogaeth cymrodyr a thiwtoriaid Cymraeg eu hiaith, nas cafwyd cyn
hynny. Gellid tybied hefyd ei bod yn torri cwys newydd drwy wneud
cymhwyster ieithyddol, am y tro cyntaf, yn brif neu'n unig faen prawf ar
gyfer penodiad. Yr oedd yr holl roddion colegol eraill a oedd yn
gysylltiedig â Chymru yn rhoi blaenoriaeth i ymgeiswyr a oedd naill ai yn
perthyn i'r noddwyr, neu â chysylltiad â siroedd neu ardaloedd neilltuol
neu ysgolion gramadeg penodol. Ond nid oedd ystyriaethau o'r fath yn
bwysig i Backhouse gan mai Sais heb unrhyw gysylltiad â Chymru
ydoedd, a'i fwriad wrth gyflwyno'r rhodd oedd cydnabod gwasanaeth
ffyddlon Richard Lloyd (Henblas, Môn), cyn-gymrawd yng Ngholeg
Iesu, a fu'n ddiwtor i'w deulu.[125]

Tua'r adeg hon cydnabu dau awdur Cymraeg eu dyled i Rydychen am
eu cymell i ddechrau ysgrifennu. Ym 1658 pwysleisiodd Rowland
Vaughan o Gaer-gai ym Meirionnydd sut y ducpwyd llenyddiaeth dda a
gweddus i'w sylw pan oedd yn Rhydychen.[126] Ym 1661 nododd Elis
Lewis, Llwyn-gwern, Meirionnydd, ei fod yn hyderus ynglŷn â

[123] R. Geraint Gruffydd, 'Michael Roberts o Fôn a Beibl Bach 1630', *TCHNM* (1989),
      31–3.
[124] E. G. Hardy, *Jesus College* (London, 1899), t. 143; LlGC Nanhoron 573.
[125] Hardy, op. cit., t. 143.
[126] Lewis, *Hen Gyflwyniadau*, tt. 20–1.

chyhoeddi *Ystyriaethau Drexelivs ar Dragywyddoldeb*, addasiad Cymraeg o waith myfyriol, gan ei fod wedi cael cyngor a chymorth golygyddol ei gyd-wladwyr yn Rhydychen.[127] Ynghynt, ym 1632, yr oedd Dr John Davies wedi canmol ymdrechion awduron a dderbyniasai addysg brifysgol i hyrwyddo'r iaith, er y gresynai nad oedd pob aelod o'r gymuned academaidd wedi bod yn barod i rannu ei ddysg ag ef.[128]

Yr oedd gan y gymuned academaidd ddi-Gymraeg ryw gymaint o ddiddordeb yn yr iaith Gymraeg a'i diwylliant. Astudiwyd y cyfreithiau Cymraeg gan Thomas Allen, pennaeth Gloucester Hall, Rhydychen, yn oes Elisabeth. Daeth amryw o lyfrgelloedd prifysgolion a cholegau yn berchen ar lawysgrifau Cymraeg.[129] Yn Llundain, yr oedd diddordeb rhai o'r cyfreithwyr sifil o Gymru, gan gynnwys Thomas Yale, mewn astudiaethau hynafiaethol Cymreig ym mlynyddoedd cynnar oes Elisabeth yn deillio yn rhannol o'r gwerthoedd ysgolheigaidd a dyneiddiol a darddai o'r Doctors' Commons.[130] Yn ysbytai'r brawdlys hefyd byddai myfyrwyr o Gymru yn cyfnewid gwybodaeth â chyfreithwyr o Loegr a oedd yn awyddus i ddysgu mwy am yr iaith Gymraeg a diwylliant Cymru.[131] Yn ogystal, paratoid llawysgrifau Cymraeg ar gyfer alltudion o Gymru, yn enwedig yn y prifysgolion, yn y gobaith y cedwid eu diddordeb yn yr iaith a'r diwylliant traddodiadol ac na chaent eu denu gan y grymoedd clasurol a Seisnig. Byddai gwŷr megis Dr Theodore Price o Hart Hall, Rhydychen, wedi gwerthfawrogi deunydd o'r fath, fel y byddai eraill o gyffelyb anian.[132] Yr oedd yn y prifysgolion ysgolheigion a oedd yn fedrus yn y traddodiad barddol, yn ogystal â rhai, megis Wiliam Bodwrda, a ddaeth yn gasglwyr ac yn gopïwyr llawysgrifau tra dyfal.[133]

Nodweddion amlwg o waith y dyneiddwyr oedd eu hoffter o gymharu

---

[127] Ibid., tt. 33–5.

[128] Davies, *Rhagymadroddion a Chyflwyniadau*, tt. 127, 154.

[129] Griffith, *Learning, Law and Religion*, tt. 409–10. Gw. n. 8 uchod a hefyd, H. O. Coxe, *Catalogus Codicum MSS qui in Collegiis Aulisque Oxoniensibus* (Oxford, 1852), rhan 1, Coleg Balliol, CCCLIII; Coleg y Brenin, CCLXXXVIII; rhan 2, Coleg y Drindod, X; Coleg Iesu, XXVII, LVII, LXI, LXXXVIII, CXXXVII, CXXXVIII; R. A. B. Mynors, *Catalogue of the Manuscripts of Balliol College Oxford* (Oxford, 1963), tt. 349–51, a gw. hefyd t. 280; M. R. James, *The Western Manuscripts in the Library of Trinity College, Cambridge. A Descriptive Catalogue* (4 cyf., Cambridge, 1900–04), III, t. 324; *A Catalogue of the Manuscripts preserved in the Library of the University of Cambridge* (5 cyf., Cambridge, 1856–67), IV, t. 213.

[130] F. D. Logan, 'Doctors' Commons in the Early Sixteenth Century: a Society of Many Talents', *HR*, 61, rhif 145 (1988), 151–65; gw. hefyd J. Gwynfor Jones, *Wales and the Tudor State*, t. 288.

[131] Griffith, *Learning, Law and Religion*, tt. 408–9; Richard Ovenden, 'Jasper Gryffyth and his books', *BLJ*, 20, rhifyn 2 (1994), 116–18.

[132] Griffith, *Learning, Law and Religion*, tt. 393–4.

[133] Ibid., t. 395 a n. 82; Dafydd Ifans, 'Wiliam Bodwrda (1593–1660)', *CLlGC*, XIX, rhifyn 3 (1976), 300–10.

geiriau ac ymadroddion mewn gwahanol ieithoedd ac o gasglu diarhebion yn yr iaith frodorol,[134] a gwnâi myfyrwyr ac academyddion Cymraeg – yn eu plith John Rogers, Piwritan o Aberhonddu, George Stradling, Anglican teyrngar o Rydychen, a Francis Mansell, pennaeth Coleg Iesu a brenhinwr – ddefnydd ohonynt yn eu llythyrau (a oedd yn Saesneg, gan amlaf).[135] Ceir tystiolaeth fod y diarhebion yn rhan o'u hastudiaethau academaidd yn llyfr dyfyniadau Thomas Ellis, cymrawd o Goleg Iesu, Rhydychen, yn y 1650au, lle y gosodwyd gwirebau Cymraeg ochr yn ochr â'r ffurfiau cyfatebol Saesneg a Lladin.[136]

Ond y mae crynswth gwybodaeth Ellis a'r ffynonellau a ddyfynnwyd yn dangos i ba raddau yr oedd yn rhaid i Gymro academaidd ddibynnu ar ddeunydd Saesneg erbyn canol yr ail ganrif ar bymtheg. Yn niffyg traddodiad dyneiddiol hollol annibynnol, yr oedd yn rhaid i chwilfrydedd deallusol y rhan fwyaf o'r Cymry gael ei ddiwallu gan yr hyn a oedd ar gael mewn cylchoedd academaidd yn Lloegr. Yn wahanol i brofiad Iwerddon, nid oedd nifer mawr o alltudion o Gymru yn astudio dramor mewn colegau offeiriadol Pabyddol. Lle'r oedd alltudion o'r fath i'w cael, byddent fel rheol yn byw dan yr un to â nifer mawr o alltudion o Loegr, fel nad oedd yn hawdd iddynt fynegi na chynnal eu hunaniaeth eu hunain.[137] Yn wahanol i'r Gwyddelod, felly, nid oedd gan y Cymry bresenoldeb cenedlaethol digonol i sicrhau iddynt eu colegau eu hunain a'r cyfle i baratoi dysg yn eu hiaith frodorol.[138] Ar y llaw arall, llwyddodd y Cymry i osgoi penbleth yr Albanwyr yn y cyfnod hwn. Er bod ganddynt hwy hunaniaeth wleidyddol wahanol, ynghyd â fframwaith cynhwysfawr o ysgolion a phrifysgolion, nid oeddynt yn gallu dygymod â swyddogaeth yr iaith Aeleg.[139] Yn wir, erbyn 1600 yr oedd eisoes wedi cael ei disodli, o ran ei swyddogaeth addysgol, gan y Saesneg, a hynny mewn modd cwbl ddifrïol.[140] Ni ddigwyddodd hynny i'r Gymraeg. Er mai hybu gwybodaeth ehangach o'r Lladin neu'r Saesneg oedd y prif nod, nid oedd

---

[134] Jones, *The Old British Tongue*, tt. 81, 82.

[135] Llsgr. Bodley D 273, f. 290; B109, f. 142v; Coleg Iesu, Rhydychen Llsgr. I Arch. 18/5.

[136] Griffith, *Learning, Law and Religion*, t. 394.

[137] W. Llewelyn Williams, 'Welsh Catholics on the Continent', *THSC* (1901–2), 72–3.

[138] Mícheál Mac Craith, 'Gaelic Ireland and the Renaissance' yn Glanmor Williams a Robert Owen Jones (goln.), *The Celts and the Renaissance: Tradition and Innovation* (Cardiff, 1990), tt. 57–89.

[139] John MacQueen, 'The Renaissance in Scotland' yn Williams a Jones, *The Celts and the Renaissance*, t. 54; Durkacz, *The Decline of the Celtic Languages*, tt. 15–17.

[140] Yr oedd dylanwad y Saesneg ar ddiwylliant yr Alban eisoes yn amlwg erbyn 1500, yn ôl Gregory Kratzmann, *Anglo-Scottish Literary Relations, 1430–1550* (Cambridge, 1980). Proses hir oedd tanseilio'r iaith Aeleg ac, yn wahanol i'r sefyllfa yng Nghymru, bu addysg efengylaidd yn gyfrwng Seisnigeiddio. Gw. Durkacz, *The Decline of the Celtic Languages*, tt. 18 et seq.; Glanville Price, *The Languages of Britain* (London, 1984), tt. 52–3; Charles W. J. Withers, 'Education and Anglicisation: the policy of the SSPCK toward the Education of the Highlander, 1709–1825', *SS*, 26 (1982), yn enwedig 37–9.

gelyniaeth agored at y Gymraeg a'r diwylliant Cymreig, ac o'r herwydd llwyddodd yr iaith i oroesi ac i ddatblygu'n anffurfiol o fewn trefniadau addysgol Cymru, nes y daeth yn bryd iddi gael ei mabwysiadu yn brif gyfrwng dysg efengylaidd boblogaidd.

9

Addysg Boblogaidd a'r Iaith Gymraeg 1650–1800

ERYN M. WHITE

DYMA'R cyfnod pryd y cafwyd yr ymdrechion pendant cyntaf i ddysgu cyfran sylweddol o boblogaeth Cymru i ddarllen. Taniwyd y rhan fwyaf o'r ymdrechion hyn gan un cymhelliad grymus, sef yr awydd i achub pobl yr ofnid eu bod yn dihoeni mewn tywyllwch ac anwybodaeth. Mudiadau elusennol a fu'n bennaf cyfrifol am sefydlu ysgolion i'r pwrpas hwn ac fe'u cyllidwyd gan garedigion cefnog. Yr oedd gan yr Ymddiriedolaeth Gymreig (1674–81), y Gymdeithas er Taenu Gwybodaeth Gristnogol (SPCK) (1699–1737), ysgolion cylchynol Griffith Jones (1731–79) ac ysgolion Sul Thomas Charles (1785–) fel ei gilydd bolisi ynglŷn â defnyddio'r iaith Gymraeg, a'r polisi hwnnw, i raddau helaeth, a bennodd lwyddiant eu hymdrechion yn y pen draw. Gellir priodoli'r ffaith mai yn y cyfnod hwn y dechreuwyd mynd i'r afael o ddifrif â phroblem anllythrennedd i'r penderfyniad a wnaed yn y 1730au i ddysgu poblogaeth a oedd, i bob pwrpas, yn uniaith Gymraeg i ddarllen trwy gyfrwng yr iaith honno. Bu defnyddio'r Gymraeg yn gyfrwng dysgu hefyd o gymorth i sicrhau y byddai'n goroesi yn y pen draw fel iaith ysgrifenedig yn ogystal ag iaith lafar.

Thema gyson pob un o'r cynlluniau addysgol hyn oedd yr angen taer a pharhaus i egluro egwyddorion sylfaenol y ffydd Brotestannaidd i fwyafrif y boblogaeth. Crefydd llyfr oedd Protestaniaeth ac ymhlyg yn ei dysgeidiaeth yr oedd yr angen i bob crediniwr allu darllen yr Ysgrythurau yn ei famiaith. Ystyrid addysg yn y cyfnod hwn yn fodd i ryddhau'r Cymry o gaethiwed Pabyddiaeth, ofergoeliaeth a swyngyfaredd. Yn ystod cyfnod y Werinlywodraeth, barn yr oruchwyliaeth Biwritanaidd oedd mai cornel dywyll o'r wlad oedd Cymru;[1] yn wir, yn eu tyb hwy, prin y gellid ei hystyried yn wlad Gristnogol o gwbl. Amlygwyd pryder am hyn yn rhagymadrodd a chynnwys y Ddeddf er Taenu a Phregethu'r Efengyl yn

---

[1] Christopher Hill, 'Puritans and "the Dark Corners of the Land"' yn *Change and Continuity in Seventeenth-Century England* (London, 1974), tt. 3-47; Geraint H. Jenkins, *Protestant Dissenters in Wales 1639–1689* (Cardiff, 1992), tt. 9-10; Christopher Hill, *The English Bible and the Seventeenth Century Revolution* (Harmondsworth, 1993), tt. 89-90.

Amgenach yng Nghymru a basiwyd ar 22 Chwefror 1650. Prif amcan y ddeddf oedd penodi pregethwyr addas i ddatgan dysgeidiaeth Biwritanaidd gadarn i bobl Cymru, ond darparodd y ddeddf hefyd ar gyfer sefydlu ysgolion er mwyn gwella safonau addysg. Gofalu yn bennaf am anghenion meibion bonheddig a rhydd-ddeiliaid cefnog a wnâi ysgolion gramadeg y cyfnod yn hytrach na darparu ar gyfer haenau isaf cymdeithas. Mewn ymgais i wella'r sefyllfa, sefydlwyd cyfanswm o 63 o ysgolion ym mhrif drefi marchnad Cymru. Ariannwyd y rhain gan gyllid a atafaelwyd o incwm yr Eglwys, a darparwyd addysg yn rhad ac am ddim i aelodau o'r ddwy ryw. Yr oedd y maes llafur, a ddysgid trwy gyfrwng y Saesneg, yn cynnwys y 'tair R' – darllen, ysgrifennu, a rhifyddeg. Sefydlwyd 37 o ysgolion yn ne Cymru a 26 yn y gogledd. Tueddwyd i'w lleoli mewn ardaloedd lle'r oedd dylanwad y Piwritaniaid yn gymharol gryf ac felly sefydlwyd mwy ohonynt ar y Gororau nag yn ardaloedd Cymraeg y gorllewin. Golygai'r defnydd o'r Saesneg mai cyfyng fyddai effaith yr addysg, er gwaethaf y cymhellion canmoladwy a oedd yn sail i'r ddeddf.[2]

Daeth cyfnod cyntaf y Ddeddf er Taenu'r Efengyl i ben ar ddiwedd Mawrth 1653 ac am amryw resymau ni chafodd ei hadnewyddu gan Senedd yr Ychydig Weddill. Er bod llawer o'r ysgolion a sefydlwyd o dan y ddeddf yn parhau i weithredu ar ôl 1653, anodd oedd canfod ysgolfeistri cymwys, ac ysgubwyd yr ysgolion olaf ymaith ar ôl yr Adferiad ym 1660. Felly y daeth ymgais gyntaf y wladwriaeth i ddarparu cyfundrefn addysg gynradd yng Nghymru i ben. Mudiadau elusennol ac unigolion annibynnol a oedd wrth wraidd yr ymdrechion nesaf i feithrin llythrennedd. Yr Ymddiriedolaeth Gymreig, mudiad gwirfoddol a sefydlwyd ym 1674 o dan arweiniad Thomas Gouge, gŵr a drowyd allan o'i fywoliaeth yn St Sepulchre yn Southwark, a oedd yn gyfrifol am yr ymgais gyntaf o'r fath. Er mai yn Llundain y trigai Gouge, yr oedd ganddo gydymdeimlad mawr â phobl Cymru ac ymboenai'n angerddol am eu hanghenion ysbrydol. Gellid olrhain y diddordeb hwn, i raddau helaeth, i gofiant Joseph Alleine o Taunton, gŵr arall a fu'n dyheu am wella cyflwr crefyddol Cymru. Sefydlodd Gouge yr Ymddiriedolaeth â chyllid a gasglwyd oddi ar Lundeinwyr cefnog a hael, amryw ohonynt yn hanu o gefndir Cymreig. Cafwyd cefnogaeth i'r mudiad ar draws ffiniau crefyddol ac fe'i cynhaliwyd gan gyfraniadau trwy law Anglicaniaid ac Anghydffurfwyr fel ei gilydd. Yr oedd sylfaen eang y gefnogaeth yn adlewyrchu delfrydau Latidunaraidd yr oes ac agwedd gymedrol a

² Mary Clement, 'Dechrau Addysgu'r Werin' yn Jac L. Williams (gol.), *Ysgrifau ar Addysg: Y Bedwaredd Gyfrol* (Caerdydd, 1966), tt. 24–5; R. Tudur Jones, *Hanes Annibynwyr Cymru* (Abertawe, 1966), t. 49; Geraint H. Jenkins, *The Foundations of Modern Wales. Wales 1642–1780* (Oxford, 1987), tt. 53–4.

goddefgar ei harweinwyr, Thomas Gouge a Stephen Hughes. Fel Gouge, cawsai Stephen Hughes yntau ei droi allan o'i fywoliaeth ym Meidrim, sir Gaerfyrddin, oherwydd ei dueddiadau Piwritanaidd. Er ei fod yn Anghydffurfiwr wrth broffes, fodd bynnag, daliai i bregethu mewn eglwysi lleol ac i gymuno'n achlysurol yn yr Eglwys sefydledig. Dangosai oddefgarwch sylweddol at ddaliadau crefyddol o bob math, ac eithrio Pabyddiaeth, crefydd yr oedd yn ei chasáu â chas perffaith.

Yr oedd amcanion yr Ymddiriedolaeth Gymreig yn ddeublyg, sef ceisio sefydlu ysgolion a fyddai'n dysgu egwyddorion crefydd i blant, a darparu copïau o'r Beibl a llawlyfrau defosiynol i'r bobl. Yn ei hymdrechion addysgol, cafodd yr Ymddiriedolaeth lwyddiant nodedig ar y cychwyn. Sefydlwyd ysgolion ym mhrif drefi marchnad pob sir, ac eithrio Meirionnydd, a chafwyd ffyniant eithriadol, yn enwedig yn siroedd deheuol Aberteifi, Caerfyrddin, Morgannwg, Mynwy a Phenfro. Erbyn haf 1675 sefydlwyd dros bedwar ugain o ysgolion, ac ynddynt dros ddwy fil o ddisgyblion. Y cyfnod hwn oedd penllanw'r Ymddiriedolaeth; dirywiodd pethau'n fuan wedi hynny a 33 yn unig o'r ysgolion a oedd yn dal ar agor erbyn 1678. Cynyddai gelyniaeth at yr Ymddiriedolaeth ymhlith y rhai a oedd yn amau mai awydd i ailorseddu Piwritaniaeth oedd ei phrif ysgogiad, a daethpwyd â'r mudiad i ben yn sgil marwolaeth Thomas Gouge ym 1681.[3]

Saesneg oedd cyfrwng y dysgu yn ysgolion yr Ymddiriedolaeth Gymreig. Er mai ychydig a wyddys am y disgyblion a'u cefndir, tueddid i leoli'r ysgolion mewn ardaloedd lle'r oedd y trigolion yn fwy tebygol o fedru siarad Saesneg, sef yn y prif drefi a'r ardaloedd ar y ffin â Lloegr. Er hynny, y mae'n debygol iawn y byddai defnyddio Saesneg yn gyfrwng dysgu wedi cyfyngu ar y dylanwad a gâi'r ysgolion. Ymddengys fod defnyddio Saesneg yn rhan o bolisi bwriadol yr Ymddiriedolaeth er mwyn dysgu'r plant i fod yn fwy gwasanaethgar i'w gwlad ac i fyw yn fwy cysurus yn y byd.[4] Y mae'n bosibl hefyd fod hynny'n gymorth i sicrhau cefnogaeth ariannol oddi wrth y bonedd a'r awdurdodau eglwysig, gan nad oedd y naill na'r llall yn gefnogwyr brwd i'r iaith Gymraeg. Gwrthwynebwyd y penderfyniad yn chwyrn gan Stephen Hughes, a oedd eisoes, ym 1672, wedi mynegi ei wrthwynebiad i'r hyn a ystyriai yn ffolineb, sef addysgu plant uniaith Gymraeg trwy gyfrwng y Saesneg:

Ac pyt fae dros lawer oes dri chant ar ddeg o Saeson dyscedig, cydwybodol, ar unwaith yn cadw ysgolion, yn nhair Shîr a'r ddeg Cymru, i ddyscu saesneg i'n

---

[3] M. G. Jones, *The Charity School Movement* (Cambridge, 1938), tt. 277–89; E. T. Davies, 'The Church of England and Schools 1662–1774' yn Glanmor Williams (gol.), *Glamorgan County History, Vol IV: Early Modern Glamorgan* (Cardiff, 1974), tt. 452–4.
[4] Dyfynnir y polisi yn Jones, *The Charity School Movement*, t. 284.

cydwladwyr: er hynny ni byddei bossibl, i gyffredin bobl ein Gwlâd golli iaith eu mammau y pum can mlynedd ac a ganlynant, os parhaiff y Byd cyhŷd a hynny . . . Ac etto dymma'r fath beth y mae rhai yn ei phansio . . .[5]

Wedi tranc yr Ymddiriedolaeth Gymreig, parhawyd â'r ymdrechion i addysgu'r Cymry, ac o 1699 ymlaen gwnaed hynny'n bennaf trwy waith y Gymdeithas er Taenu Gwybodaeth Gristnogol. Yr oedd mwyafrif yr aelodau yn perthyn i'r Eglwys sefydledig ac fe'u taniwyd gan yr un dylanwadau Pietistaidd â llawer un arall o gymdeithasau gwellhaol y cyfnod, gan gynnwys y Gymdeithas er Diwygio Moesau (Society for the Reformation of Manners) a'r Gymdeithas er Taenu'r Efengyl (Society for the Propagation of the Gospel). Yn ôl pob tebyg, defnyddiwyd yr arian a oedd yn weddill yng nghoffrau'r Ymddiriedolaeth Gymreig i sefydlu ysgolion dan nawdd y Gymdeithas er Taenu Gwybodaeth Gristnogol. Y mae'n arwyddocaol fod deg ar hugain o'r ysgolion cynnar a sefydlwyd gan y Gymdeithas wedi eu lleoli mewn mannau a wasanaethwyd cyn hynny gan ysgolion yr Ymddiriedolaeth Gymreig. Sefydlwyd 68 o ysgolion gan y Gymdeithas rhwng 1699 a 1715, ac erbyn 1740 yr oedd y cyfanswm yn 96. Unwaith eto cafwyd y llwyddiant mwyaf yn nhrefi marchnad y de; pedair ysgol ar ddeg yn unig a sefydlwyd yn y gogledd. Aelod amlycaf y Gymdeithas yng Nghymru oedd Syr John Philipps, Castell Pictwn yn sir Benfro, gŵr a sefydlodd ddwy ar hugain o ysgolion yn y sir honno yn unig. Yr oedd yn ddyngarwr brwd, ac ysgwyddodd y cyfrifoldeb o dalu holl gostau cynnal yr ysgolion a sefydlwyd ganddo, gan gynnwys cyflog yr athrawon. Ymboenai nid yn unig am addysg y disgyblion ond am ddarparu bwyd a dillad addas ar eu cyfer yn ogystal. Ymhlith noddwyr pwysig eraill yr ysgolion elusennol yr oedd Syr Humphrey Mackworth, Castell-nedd, a John Vaughan, Cwrt Derllys, sir Gaerfyrddin, tad Madam Bridget Bevan a ddaeth, yn ddiweddarach, yn un o brif gymwynaswyr ysgolion cylchynol Griffith Jones.

Yr oedd pwyslais cwricwlwm yr ysgolion elusennol ar ddarllen, ysgrifennu ac adrodd y catecism. Byddai'r disgyblion mwyaf llwyddiannus yn mynd yn eu blaen i dderbyn rhagor o addysg, y merched mewn gwniadwaith, gweu, gwehyddu a throelli, a'r bechgyn mewn rhifyddeg, mordwyaeth ac amaethyddiaeth. Saesneg oedd yr iaith a ddefnyddid yn yr ysgolion elusennol gan amlaf, er i rai o blith sefydlwyr yr ysgolion geisio sicrhau bod y Gymraeg yn cael ei defnyddio mewn gwersi. Er na chofnodwyd unrhyw ddefnydd o'r Gymraeg yn ne Cymru, gwyddys iddi gael ei defnyddio mewn nifer o ysgolion yn y gogledd. Sefydlodd Dr John Jones, deon Bangor, ddeuddeg o ysgolion cyfrwng Cymraeg yng

---

[5] Stephen Hughes (gol.), *Gwaith Mr. Rees Prichard* (Llundain, 1672), rhagymadrodd.

ngogledd Cymru, a gadawodd arian i rai o'r ysgolion elusennol yn ei ewyllys ar yr amod y caniateid i'r plant ddysgu Cymraeg yn berffaith.[6] Dysgid Cymraeg hefyd yn y British Charity School a sefydlwyd gan aelodau cefnog y Society of Antient Britons yn Clerkenwell Green, Llundain. Y mae'n ymddangos, felly, fod y Gymdeithas yn caniatáu rhywfaint o ryddid, er ei bod yn amlwg mai Saesneg oedd yr iaith a gâi ei ffafrio ganddi.

Er iddynt brofi dechreuad addawol, bu dirywiad trawiadol yn hanes ysgolion y Gymdeithas er Taenu Gwybodaeth Gristnogol o ganlyniad i wrthdrawiadau gwleidyddol a sectyddol a ddigwyddodd yn gynnar yn nheyrnasiad yr Hanoferiaid. Peidiodd cefnogaeth yr Anghydffurfwyr yn sgil y drwgdeimlad a achoswyd gan Ddeddf Sgism 1714 ac o ganlyniad nid oedd cydweithredu rhwng Anghydffurfwyr ac Anglicaniaid yn bosibl mwyach. Gwaethygodd y sefyllfa ymhellach yn sgil effeithiau gwleidyddol gwrthryfel y Jacobitiaid ym 1715. Er gwaethaf y ffaith iddi ddatgan teyrngarwch i Siôr I, ofnid bod y Gymdeithas yn meithrin syniadau Jacobitaidd yn ei hysgolion ac o'r herwydd collodd gefnogaeth amryw o'i noddwyr. Nid oedd manteision addysg yn amlwg ar unwaith i bawb ac nid gwaith hawdd ar y gorau oedd perswadio rhieni tlawd i ganiatáu i'w plant fynychu ysgol yn rheolaidd. Yr oedd angen cadw rhai o'r plant gartref i roi help llaw gyda thasgau megis corlannu anifeiliaid a gwarchod cnydau rhag adar, ac ni allai teuluoedd tlawd fforddio gwneud heb gyfraniad plant a gyflawnai orchwylion syml fel y rhain. Cyfyngwyd yn arw ar ddylanwad a datblygiad y Gymdeithas yng Nghymru gan yr elfennau hyn, yn ogystal â chan ei pholisi iaith.

Glynodd yr Ymddiriedolaeth Gymreig a'r Gymdeithas er Taenu Gwybodaeth Gristnogol yng Nghymru wrth eu hymrwymiad i ddysgu trwy gyfrwng y Saesneg, er gwaethaf yr anawsterau a grëwyd gan y fath bolisi. Sefydlwyd eisoes gan yr ysgolion gramadeg ac ysgolion y Ddeddf er Taenu'r Efengyl yn Amgenach draddodiad cryf o ddefnyddio'r Saesneg yn gyfrwng addysg. Yr oedd y Piwritaniaid cynnar yng Nghymru hefyd wedi cydsynio â hynny. Dilyn yr un traddodiad a wnaeth yr academïau Anghydffurfiol, a sefydlwyd yn wreiddiol er mwyn darparu addysg ar gyfer Anghydffurfwyr a waharddwyd rhag mynychu prifysgolion. Ymhlith y cyntaf o'r rhain oedd academïau Samuel Jones ym Mrynllywarch a Rhys Prydderch yn Ystradwallter. Dichon mai'r enwocaf oedd academi Caerfyrddin, a sefydlwyd ym 1703 ac a symudodd yn ddiweddarach i Lwyn-llwyd o dan gyfarwyddyd Vavasor Griffiths. Y celfyddydau a'r clasuron – maes llafur traddodiadol y prifysgolion – oedd prif feysydd astudiaeth y sefydliadau hyn, a chynigid yn ogystal hyfforddiant mewn

<hr>

[6] Mary Clement, *The S.P.C.K. and Wales, 1699–1740* (London, 1954), t. 10.

rhethreg i baratoi darpar weinidogion Anghydffurfiol ar gyfer eu dyletswyddau. Saesneg oedd iaith yr academïau; er enghraifft, hyfforddwyd William Williams Pantycelyn trwy gyfrwng y Saesneg yn academi Llwyn-llwyd, ffaith sydd, o bosibl, yn esbonio paham yr oedd ei lyfrgell yn gyforiog o lyfrau Saesneg. Y Gymraeg, ar y llaw arall, oedd iaith feunyddiol yr ysgol Anglicanaidd a sefydlwyd gan Edward Richard yn Ystradmeurig. Nod yr ysgol honno oedd darparu sylfaen drwyadl yn y clasuron, diwinyddiaeth, a barddoniaeth Gymraeg, yn gymaint felly nes i Pryse Morris, mab Lewis Morris, flynyddoedd yn ddiweddarach, ddefnyddio'r ffaith iddo dderbyn ei addysg yn Ystradmeurig yn esgus am ei ddiffyg Saesneg: 'My none knowledge of the English tongue excuses my not writing in stile, you well know that Ystrad Meirig was but a Poor Englifying Colledge.'[7] Seisnig, i bob pwrpas, oedd awyrgylch a diwylliant yr academïau Anghydffurfiol, fodd bynnag.[8] Ymddengys, felly, fod cefnogaeth eang o fewn Cymru ac o'r tu allan, yn enwedig ymhlith pobl gefnog, i'r syniad y dylid cadarnhau mai Saesneg fyddai iaith addysg.

Er gwaethaf eu cyndynrwydd i ddefnyddio'r Gymraeg yn gyfrwng dysgu, yr oedd yr Ymddiriedolaeth Gymreig a'r Gymdeithas er Taenu Gwybodaeth Gristnogol yn fodlon cyfrannu arian ac ymdrech at gyhoeddi llenyddiaeth grefyddol yn Gymraeg. Yn wir, gellid ystyried y ddarpariaeth hon fel eu cyfraniad mwyaf sylweddol ac arhosol at dwf llythrennedd. Dechreuodd yr Ymddiriedolaeth trwy gasglu ynghyd, a goruchwylio dosbarthu, weithiau a oedd eisoes wedi eu cyhoeddi, gan gynnwys 32 Beibl Cymraeg, 479 Testament Newydd a 500 o gopïau o'r ffefryn bythol *Holl Ddyledswydd Dyn*, cyfieithiad o *The Whole Duty of Man* gan Richard Allestree. Y cam nesaf oedd ariannu cyhoeddi llyfrau newydd, argraffiadau newydd o hen ffefrynnau a chyfieithiadau o weithiau Saesneg. Bu Stephen Hughes yn arbennig o weithgar yn y maes hwn ac ef fu'n gyfrifol am olygu gweithiau'r Ficer Prichard a John Bunyan, gweithiau a brofodd yn eithriadol o boblogaidd ymhlith cyhoedd darllengar Cymru. Y mwyaf arwyddocaol o'r cyfan oedd argraffiad 1678 o'r Beibl, ynghyd â'r Llyfr Gweddi a'r Apocryffa, wedi eu paratoi gan Stephen Hughes.[9] Cynhyrchwyd wyth mil o gopïau ar gost o tua £2,000. Gwerthwyd saith

---

[7] *ALM*, II, tt. 783-4; D. G. Osborne-Jones, *Edward Richard of Ystradmeurig* (Carmarthen, 1934), tt. 48-50. Y mae 'Englifying' yn cyfeirio at ddiddordeb Edward Richard mewn barddoniaeth Gymraeg a chynghanedd.

[8] G. Dyfnallt Owen, *Ysgolion a Cholegau yr Annibynwyr* (Abertawe, 1939), tt. 2-27; Dewi Eirug Davies, *Hoff Ddysgedig Nyth* (Abertawe, 1976), tt. 124-5; R. Tudur Jones, 'The Puritan Contribution' yn Jac L. Williams a Gwilym Rees Hughes (goln.), *The History of Education in Wales, 1* (Swansea, 1978), tt. 42-4.

[9] Geraint H. Jenkins, *Literature, Religion and Society in Wales, 1660-1730* (Cardiff, 1978), tt. 58-60; idem, 'Apostol Sir Gaerfyrddin: Stephen Hughes c.1622-1688' yn *Cadw Tŷ Mewn Cwmwl Tystion: Ysgrifau Hanesyddol ar Grefydd a Diwylliant* (Llandysul, 1990), t. 14.

mil o'r rhain am 4s.2c. yr un, a rhoddwyd y gweddill i'r rhai na allent fforddio talu am gopi. Yn sgil dirwyn yr Ymddiriedolaeth i ben, etifeddwyd ei mantell fel noddwr cyhoeddiadau crefyddol yn y Gymraeg gan y Gymdeithas er Taenu Gwybodaeth Gristnogol. Unwaith eto, y llwyddiant mwyaf oedd yr ymgyrch i gyfarfod â'r galw cynyddol am Feiblau Cymraeg. Ymdrechion diflino Moses Williams yn casglu tanysgrifiadau a pharatoi'r gwaith ar gyfer ei gyhoeddi a oedd yn bennaf cyfrifol am lwyddiant argraffiad 1718 o'r Beibl. O'r deng mil o gopïau a gynhyrchwyd, dosbarthwyd mil yn rhad ac am ddim i'r tlawd.

Cymerodd y Gymdeithas er Taenu Gwybodaeth Gristnogol gam pellach tuag at hyrwyddo llythrennedd drwy sefydlu llyfrgelloedd benthyca a oedd yn cynnwys llyfrau Cymraeg ar destunau crefyddol. Cyn hynny, casgliadau preifat wedi eu lleoli yn nhai teuluoedd bonheddig oedd y rhan fwyaf o lyfrgelloedd, megis llyfrgell Wynnstay a chasgliad teulu Mostyn.[10] Syr Humphrey Mackworth, yn bennaf, a oedd wrth wraidd y fenter hon, ac o ganlyniad i'w anogaeth ef sefydlwyd pwyllgor i ymchwilio i'r mater. Erbyn 1711 yr oedd llyfrgelloedd wedi eu sefydlu ym mhob un o'r pedair esgobaeth, sef yng Nghaerfyrddin, Bangor, Y Bont-faen a Llanelwy. Ariennid y llyfrgelloedd gan danysgrifiadau oddi wrth gyfranwyr hael yng Nghymru. Gobeithid ymestyn y ddarpariaeth i gynnwys llyfrgelloedd plwyf a sefydlwyd amryw o lyfrgelloedd o'r fath yn ystod blynyddoedd cynnar y ddeunawfed ganrif.[11] Yr oedd llyfrgell Y Bont-faen ar agor am ddwy awr ar ddyddiau marchnad ar gyfer unrhyw glerigwr neu ysgolfeistr a oedd yn byw o fewn deng milltir i'r dref, yn ogystal ag unrhyw un o ymddiriedolwyr y llyfrgell ac unrhyw un a gyfrannai'r swm o ddeg swllt mewn arian parod neu lyfrau cyfwerth â hynny. Go brin fod y llyfrgell wedi hybu Cymreictod, gan mai un llyfr Cymraeg yn unig, sef copi o Feibl 1689, a geid ar ei silffoedd, er ei bod yn cadw amryw o bregethau, gweithiau athronyddol a hanes eglwysi yn yr iaith Saesneg.[12]

Yr oedd y parodrwydd hwn i ddarparu llenyddiaeth grefyddol trwy gyfrwng y Gymraeg yn ymddangos yn eironig yng ngoleuni penderfyniad yr Ymddiriedolaeth Gymreig a'r Gymdeithas er Taenu Gwybodaeth Gristnogol i wahardd yr iaith o'u hysgolion, ond y mae'n amlwg mai mesur dros-dro oedd hwn er mwyn darparu ar gyfer oedolion uniaith Gymraeg a diau mai'r nod yn y pen draw oedd Seisnigeiddio'r rhai

---

[10] Eiluned Rees, 'An Introductory Survey of 18th Century Welsh Libraries', *JWBS*, X, rhifyn 4 (1971), 197–208.

[11] Clement, *The S.P.C.K. and Wales*, tt. 43–5.

[12] Yn ddiweddarach, ychwanegwyd copi o gyfieithiad Edward Morris, *Y Rhybuddiwr Cristnogawl* (3ydd arg., 1706), at y casgliad. Ewart Lewis, 'The Cowbridge Diocesan Library, 1711–1848', *JHSCW*, IV (1954), 39–43.

ifainc.[13] Beth bynnag am hynny, rhaid cydnabod bod parodrwydd y ddau fudiad i gyflenwi llenyddiaeth Gymraeg yn sicr wedi helpu i baratoi'r ffordd ar gyfer cynlluniau addysgol mwy llwyddiannus, yn enwedig felly wrth ddarparu copïau o'r Beibl ar gyfer aelodau haenau isaf cymdeithas. Cyn 1660 cynhyrchwyd cyfanswm o 15,000 o gopïau o'r Beibl (neu rannau ohono) yn Gymraeg, ond rhwng 1660 a 1730 cyhoeddwyd 40,000 o gopïau mewn chwe argraffiad gwahanol. Rhwng 1718 a 1752 bu'r Gymdeithas ei hun yn gyfrifol am argraffu o leiaf 50,000 o gopïau.[14] Yn y modd hwn, bu'r mudiadau elusennol cynnar hyn yn gymorth i hybu twf llythrennedd yng Nghymru.

O ran addysg cyfrwng Cymraeg a thwf llythrennedd, yr ysgolion mwyaf llwyddiannus oedd ysgolion cylchynol Griffith Jones. Ganwyd Jones ym Mhen-boyr, sir Gaerfyrddin, ym 1684, a bu'n rheithor Llanddowror rhwng 1716 a 1761, gan wneud enw iddo'i hun fel pregethwr nodedig iawn.[15] Yn ŵr ifanc, yr oedd wedi pregethu yn yr awyr agored, yn groes i reolau'r Eglwys, pan oedd ei gynulleidfaoedd yn rhy fawr i'w cynnwys mewn eglwys. Ym 1714, pan ddwrdiwyd ef am ei ymddygiad anghonfensiynol gan Adam Ottley, esgob Tyddewi, dadleuodd fod rhai o drigolion de-orllewin Cymru yn gwybod llai am Grist na nifer o ddilynwyr Mohamed.[16] Yn wyneb y fath anwybodaeth, cymhellwyd ef i barhau i bregethu iddynt yn eu mamiaith er mwyn egluro egwyddorion sylfaenol y ffydd Brotestannaidd. Enillodd brofiad gwerthfawr ar gyfer y dyfodol hefyd fel ysgolfeistr gyda'r Gymdeithas er Taenu Gwybodaeth Gristnogol yn Lacharn. Sefydlodd ei ysgol gyntaf yn ei blwyf ei hun yn Llanddowror ym 1731 ac erbyn cyhoeddi rhifyn cyntaf ei adroddiad blynyddol, *The Welch Piety* (a fodelwyd ar *Pietas Hallensis* Hermann Francke), ym 1738 yr oedd cyfundrefn o ysgolion cylchynol eisoes ar waith.

Taniwyd Griffith Jones yntau â'r un dyhead taer i achub eneidiau. Collasai amryw o'i blwyfolion eu bywyd yn sgil achos difrifol o'r teiffws yn ne-orllewin Cymru rhwng 1727 a 1731, ac ofnai Griffith Jones fod llawer ohonynt wedi marw heb wybod am eu Hiachawdwr a'u bod wedi eu tynghedu yn anorfod i ddamnedigaeth dragwyddol. Cymhellwyd ef i weithredu gan awydd i gywiro'r sefyllfa druenus hon. 'Ignorance', meddai, 'is the Mother and Nurse of Impiety.'[17] Er mwyn ymladd annuwioldeb, felly, yr oedd yn hanfodol dileu anwybodaeth. O ran ei

[13] Jenkins, *Literature, Religion and Society*, tt. 37–8.
[14] John Ballinger, *The Bible in Wales* (London, 1906), tt. 13–15.
[15] Geraint H. Jenkins, '"An Old and Much Honoured Soldier": Griffith Jones, Llanddowror', *CHC*, 11, rhifyn 4 (1983), 455-7; Gwyn Davies, *Griffith Jones, Llanddowror: Athro Cenedl* (Pen-y-bont ar Ogwr, 1984), tt. 25–35.
[16] LlGC, Papurau Ottley 100, tt. 4–5.
[17] *The Welch Piety* (London, 1740), t. 12.

gymhellion, yr oedd gan Griffith Jones lawer yn gyffredin â'i ragflaenwyr. Y gwahaniaeth sylfaenol rhyngddo ef a hwy, fodd bynnag, oedd ei benderfyniad i ddefnyddio'r Gymraeg yn brif gyfrwng dysgu yn ei ysgolion. Ei nod, uwchlaw popeth arall, oedd sicrhau achubiaeth eneidiau, a theimlai fod modd cyflawni'r nod hwnnw yn gyflymach ac effeithiolach trwy ddefnyddio'r iaith yr oedd mwyafrif pobl Cymru yn ei deall a'i siarad.

Gan adeiladu ar ei brofiad fel ysgolfeistr gyda'r Gymdeithas er Taenu Gwybodaeth Gristnogol, addasodd Griffith Jones ei ysgolion ar gyfer anghenion pobl dlawd ac anllythrennog Cymru. Ei brif nod oedd cyflwyno egwyddorion sylfaenol y grefydd Gristnogol, ac yn anorfod dylanwadwyd ar y dulliau a'r maes llafur a fabwysiadwyd gan y rheidrwydd moesol a oedd yn sail i'r ymdrechion hynny. Gan mai ei amcan sylfaenol oedd dysgu darllen Gair Duw, penderfynodd nad oedd angen hyfforddiant mewn pynciau eraill megis ysgrifennu a rhifyddeg. Trwy fabwysiadu maes llafur cul ond effeithiol, credai Jones fod modd cyflawni llawer mewn cyfnod byr. At hynny, penderfynodd gynnal yr ysgolion yn ystod misoedd y gaeaf, sef y cyfnod tawelaf yn y calendr amaethyddol, fel y byddai'r nifer mwyaf posibl o ddisgyblion yn gallu eu mynychu. Câi'r ysgolion, a gynhelid mewn eglwysi plwyf a ffermdai gan amlaf, eu sefydlu am gyfnodau o dri mis ar y tro, a gofynnid iddynt ddychwelyd yn rheolaidd. Nid oedd y cynllun yn un arbennig o wreiddiol: yr oedd Syr Humphrey Mackworth eisoes wedi dadlau o blaid sefydlu rhwydwaith o athrawon teithiol ym 1719 a'r Gymdeithas er Taenu Gwybodaeth Gristnogol hithau wedi annog sefydlu ysgolion symudol yng ngogledd yr Alban cyn hynny.[18] Nid am wreiddioldeb ei syniadau y cofir Griffith Jones, felly, ond yn hytrach am ei barodrwydd i droi syniadau yn weithgarwch a'i benderfyniad i ddefnyddio'r Gymraeg yn gyfrwng dysgu.

Amddiffynnodd Griffith Jones ei benderfyniad i ddysgu trwy gyfrwng y Gymraeg ar sail ymarferoldeb a phragmatiaeth. Fel y nododd yn un o rifynnau cyntaf ei adroddiad blynyddol, *The Welch Piety*: 'Welsh is still the Vulgar Tongue and not English.'[19] Ar sail ei brofiadau gydag ysgolion y Gymdeithas er Taenu Gwybodaeth Gristnogol, gwyddai y cymerai dair blynedd i ddysgu plentyn uniaith Gymraeg i ddarllen yn Saesneg ond cwta dri mis i ddysgu'r plentyn hwnnw i ddarllen yn ei famiaith. Yr oedd amser yn hollbwysig pan oedd eneidiau yn y fantol. Trawodd Jones nodyn ymarferol hefyd wrth bwysleisio mai swm cymharol fychan o gyllid a oedd ei angen ar gyfer rhaglen addysgol a allai gynhyrchu darllenwyr

---

[18] Mary Clement, 'The Welsh Circulating Schools' yn Williams a Hughes, op. cit., t. 61; Gwyn Davies, op. cit., t. 46; Jenkins, *The Foundations of Modern Wales*, t. 371.

[19] *The Welch Piety* (London, 1740), t. 44.

medrus o fewn ychydig wythnosau. Ar sawl achlysur broliodd y gellid addysgu chwe disgybl am ugain swllt pe dysgid hwy yn eu mamiaith. Anghytunai â'r rhai a honnai fod addysg Gymraeg yn rhwystro pobl rhag dysgu Saesneg, gan ddadlau ei bod hi'n haws dysgu Saesneg i bobl a oedd eisoes yn llythrennog yn y Gymraeg. Yr oedd llawer o ddisgyblion yr ysgolion cylchynol, meddai, wedi mynd yn eu blaen i ddysgu darllen Saesneg hefyd. Felly, yr oedd rhesymau synhwyrol, iwtilitaraidd o blaid defnyddio'r Gymraeg. Fel yr oedd gwŷr megis yr Esgob William Morgan wedi nodi yn y gorffennol, waeth pa mor ddymunol yr oedd medrusrwydd yn y Saesneg, a ellid caniatáu i eneidiau dirifedi barhau mewn anwybodaeth nes iddynt ddysgu'r iaith honno? Yn y cyfamser onid gwell fyddai eu haddysgu trwy gyfrwng yr iaith yr oeddynt yn ei deall?

Nid pragmatiaeth yn unig, fodd bynnag, a lywiai agwedd Griffith Jones at yr iaith.[20] Yn ei ddadl o blaid defnyddio'r Gymraeg yn ei ysgolion, cyflwynodd amddiffyniad bywiog o'r iaith, gan ddatgelu ei falchder a'i hoffter o heniaith y Brythoniaid. Er iddo haeru nad oedd ei ddiddordeb yn nyfodol a pharhad yr iaith fel y cyfryw, a bod ei fryd yn hytrach ar achub eneidiau pobl Cymru, amddiffynnodd yr iaith ar sail ei phurdeb a'i hynafiaeth. Ymfalchïai yn y gred mai'r Gymraeg oedd yr iaith buraf a mwyaf dilychwin yn Ewrop a honnodd ei bod wedi gwarchod y bobl rhag Pabyddiaeth a dylanwadau anfoesol a oedd i'w canfod mewn llenyddiaethau eraill, gan gynnwys Saesneg. Dadleuodd fod y Gymraeg yn debyg i'r Hebraeg; yn wir, tybiai fod y naill wedi tarddu o'r llall yn ystod y cymysgu ieithoedd a ddigwyddodd yn Nhŵr Babel. Wedi hynny yr oedd wedi aros yn ddigyfnewid er dyddiau Taliesin. Credai nid yn unig fod y Gymraeg yn llai dibynnol ar eiriau benthyg na'r rhan fwyaf o ieithoedd modern eraill, ond fod ieithoedd eraill wedi benthyg yn helaeth o'r Gymraeg. Aeth mor bell â dyfynnu'r hanes a geir yng ngwaith Gerallt Gymro am gyfarfyddiad Harri II â Hen Ŵr Pencader, sy'n mynegi'r gred bendant y byddai'r Gymraeg yn dal i gael ei siarad yng Nghymru ar Ddydd y Farn. Amlygir ei hoffter amlwg o'r iaith yn y dyfyniad canlynol:

> I pray, that due Regard may be had to *her great Age, her intrinsick Usefulness*; and that *her longstanding Repute* may not be stained by wrong Imputations: Let it suffice, that so great a Part of *her Dominions* have been usurped from Her; but let no Violence be offered to *her Life*: Let Her stay the appointed Time, to expire a peaceful and natural Death, which we trust will not be till the Consummation of all Things, when all the *Languages* of the World will be reduced into one again.[21]

---

[20] Prys Morgan, 'Welsh Education from Circulating Schools to Blue Books', *Education for Development*, 10 (1985), 35; Geraint H. Jenkins, 'Hen Filwr dros Grist: Griffith Jones, Llanddowror' yn *Cadw Tŷ Mewn Cwmwl Tystion*, tt. 168-9.

[21] *The Welch Piety* (London, 1740), t. 51.

Ffynnodd yr ysgolion cylchynol o'r cychwyn cyntaf, yn enwedig yn siroedd Aberteifi, Caerfyrddin a Phenfro, lle y cynhaliwyd cyfanswm o 92 ysgol yn y flwyddyn 1742 yn unig.[22] Cyn hir dechreuasant ennill tir, gan lwyddo'n arbennig yn siroedd gogledd-orllewin Cymru. Ni wnaethant gymaint o argraff, fodd bynnag, yn rhai o siroedd y gogledd-ddwyrain. Yn sir y Fflint, yn enwedig, dim ond deg ysgol ar hugain a sefydlwyd mewn wyth plwyf rhwng 1751 a 1773. Yr oedd y sefyllfa ychydig yn fwy addawol yn sir Drefaldwyn lle y cynhaliwyd 87 ysgol mewn cyfanswm o ugain plwyf rhwng 1740 a 1776. Yn sir Faesyfed hefyd, effaith gyfyngedig a gafodd yr ysgolion; rhwng 1739 a 1774 cynhaliwyd 34 ysgol mewn pedwar plwyf ar ddeg.

Awgrymodd G. J. Lewis wrth drafod patrymau ieithyddol yn siroedd y Gororau fod dosbarthiad yr ysgolion cylchynol mewn ardal arbennig yn tystio i barhad yr iaith Gymraeg yn yr ardal honno.[23] Yn siroedd Dinbych, y Fflint, Maesyfed a Threfaldwyn, lle'r oedd rhannau gwahanol o'r boblogaeth yn defnyddio Cymraeg a Saesneg, ymddengys fod yr ysgolion cylchynol wedi eu cynnal trwy gyfrwng y Gymraeg, ffaith sy'n cadarnhau bod yr iaith yn fyw yn yr ardaloedd hynny. Yn sir y Fflint, er enghraifft, cynhaliwyd ysgolion cylchynol ym mhlwyfi Caerwys, Cilcain, Y Cwm, Diserth, Helygain, Llanasa, Allt Melyd a Rhuddlan yn y cyfnod 1751–73. Yn y plwyfi hyn parheid i ddefnyddio'r Gymraeg yn rhan bwysig neu arwyddocaol o'r addoliad cyhoeddus yn yr Eglwys sefydledig. Yn sir Faesyfed dychwelai'r ysgolion amlaf i blwyfi Llansanffraid Cwmteuddwr a Saint Harmon, dau blwyf lle'r oedd y defnydd o'r Gymraeg wedi goroesi mewn gwasanaethau eglwysig. Cafwyd rhai enghreifftiau yn y sir honno, fodd bynnag, o gynnal ysgolion cylchynol Cymraeg ymhell wedi i'r Saesneg ddod yn iaith addoliad cyhoeddus y plwyf. Y mae hyn yn wir yn achos Nantmel, lle y sefydlwyd ysgol gylchynol Gymraeg ym 1766 er mai Saesneg oedd iaith y gwasanaethau yn y plwyf er 1755, yn ôl pob hanes. Cofnodwyd hefyd fod ysgol gylchynol (wedi ei chynnal, hyd y gwyddys, trwy gyfrwng y Gymraeg) yn Ffawyddog neu Fwthog yn swydd Henffordd ym 1750.[24]

Er hynny, nid yw presenoldeb ysgolion cylchynol mewn ardal arbennig o angenrheidrwydd yn profi bod y Gymraeg yn dal yn fyw ar lafar yn yr ardal honno, gan fod nifer cynyddol o'r ysgolion yn dysgu trwy gyfrwng y Saesneg. Yn bragmataidd fel arfer, sylweddolodd Griffith Jones fod angen

[22] Eryn M. White, '*Praidd Bach y Bugail Mawr*': *Seiadau Methodistaidd De-Orllewin Cymru 1737–50* (Llandysul, 1995), t. 30.

[23] G. J. Lewis, 'The Geography of Cultural Transition: The Welsh Borderland 1750–1850', *CLlGC*, XXI, rhifyn 2 (1979), 134.

[24] *The Welch Piety* (London, 1750), t. 97. Daeth Ffawyddog, a oedd yn swydd Henffordd yn y ddeunawfed ganrif, yn rhan o sir Fynwy ym 1893. Gw. Melville Richards, *Welsh Administrative and Territorial Units* (Cardiff, 1969), t. 70.

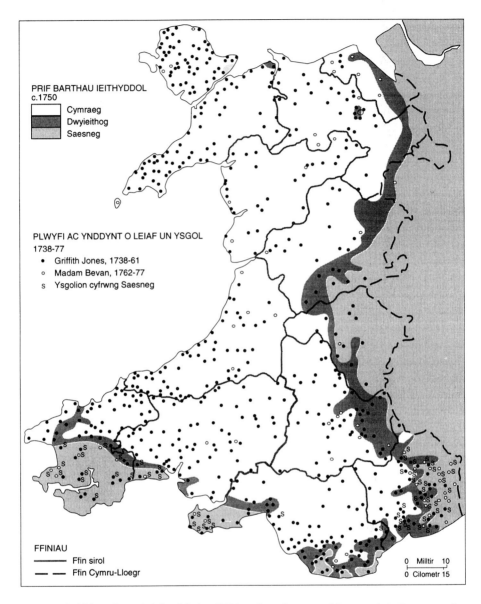

PRIF BARTHAU IEITHYDDOL
c.1750

- [ ] Cymraeg
- [ ] Dwyieithog
- [ ] Saesneg

PLWYFI AC YNDDYNT O LEIAF UN YSGOL
1738-77

- • Griffith Jones, 1738-61
- ○ Madam Bevan, 1762-77
- s Ysgolion cyfrwng Saesneg

FFINIAU

- ━━━━ Ffin sirol
- ─ ─ ─ Ffin Cymru-Lloegr

0   Milltir   10
0   Cilometr 15

**Prif barthau ieithyddol *c*.1750: plwyfi ac ynddynt o leiaf un ysgol
1738–77**

defnyddio Saesneg yn yr ardaloedd hynny lle'r oedd hi'n brif iaith y bobl. Ym 1747 eglurodd ei fod:

> . . . in Compliance with very earnest, and repeated Importunities of many, I have set up of late some *English Charity Schools*, in such small Districts of this Country where the People speak the *English* Tongue, though very corruptly; and likewise some Schools of mixt *English* and *Welch* Scholars, on the Borders of these Districts. – *Many more such Schools are desired*; but at present I am not sufficiently provided with Means to encourage them.[25]

Yn yr un rhifyn o *The Welch Piety*, cynhwysodd lythyr oddi wrth ficer a rhai o blwyfolion Llangwm yn sir Fynwy yn deisebu am ysgol Saesneg ei chyfrwng ar y sail mai yn anaml y defnyddid y Gymraeg yno ac mai Saesneg oedd eu mamiaith.[26] Gwnaed hyn, mae'n debyg, er mwyn ategu bod yr ysgolion Saesneg yn cael eu sefydlu mewn ymateb i ddymuniad diffuant gan y trigolion lleol. Fel y gellid disgwyl, yn ardaloedd Seisnigedig de sir Benfro, Penrhyn Gŵyr a sir Fynwy y ceid y mwyafrif o ysgolion Saesneg. Er enghraifft, cynhaliwyd ysgolion Saesneg yn sir Benfro yng Ngorllewin Waltwn (lle y dywedid nad oedd pobl yn deall yr iaith Gymraeg) ym 1764 a 1773.[27] Cynhaliwyd un o'r ysgolion cymysg eu hiaith y cyfeiriodd Griffith Jones atynt ym 1747 yn Eglwyswrw ac fe'i mynychwyd gan bymtheg o ddisgyblion Cymraeg eu hiaith ac un ar bymtheg o rai Saesneg. Ychydig o dystiolaeth a geir ynghylch bodolaeth ysgolion dwyieithog eraill o'r fath. Yr oedd ysgolion Saesneg eu cyfrwng hefyd yn gyffredin yn sir Fynwy, yn Y Fenni a Brynbuga, er enghraifft. Ym 1769 defnyddiwyd y gair 'English' yn nheitl adroddiad blynyddol *The Welch Piety* ar yr ysgolion cylchynol: *An Account of the Circulating and Catechetical Welsh and English Charity Schools.* Defnyddiwyd y fformwla hon ym mhob rhifyn o hynny ymlaen ac yn ystod y 1770au cafwyd cyfeiriadau cynyddol at ysgolion Saesneg eu cyfrwng. Erbyn hynny Madam Bridget Bevan, cyfeilles a noddwraig Griffith Jones, a oedd yn gyfrifol am yr ysgolion. Ymddengys fod y defnydd o'r Saesneg wedi peri peth pryder mewn rhai cylchoedd ac ym 1761 ysgrifennodd Lewis Morris at ei frawd Richard yn cwyno am hyn:

> . . . Circulating Charity Welsh Schools which are in Wales, which should be rather called English Schools, it being the English language they teach, contrary to the original design, and against the true intent of that Charity. For this kind of education as matters now stand only enables them, like the Irish, to crowd

---

[25] *The Welch Piety* (London, 1747), t. 7.
[26] Ibid., t. 51.
[27] *The Welch Piety* (London, 1764), t. 22; ibid., (1773), tt. 25–6.

over in droves to England to the utter ruin of the place of their nativity, which by degrees must turn to a wilderness for want of hands. [28]

Yr oedd y brodyr Morris yn amlwg yn bryderus iawn ynglŷn â dyfodol addysg trwy gyfrwng y Gymraeg. Anfonodd Richard ei ferch Angharad i ysgol ym Miwmares pan oedd hi'n wyth oed i'w haddysgu yn Gymraeg,[29] a gyrrodd Lewis bedwar o'i feibion, Lewis, John, William a Pryse, sef y rhai a oroesodd eu babandod, i ysgol Edward Richard yn Ystradmeurig i'w haddysgu drwy gyfrwng y Gymraeg yn y clasuron.[30] Ymfalchïai William fod ei nith, Peggy Owen, yn dysgu'r plant lleol trwy gyfrwng y Gymraeg,[31] ac ym 1752 fe'i cyffrowyd i ysgrifennu at ei frawd Richard yn gresynu'n ddirfawr at ymosodiad John Evans, Eglwys Gymyn, ar yr ysgolion cylchynol a'u sylfaenydd:

> Pa beth sydd yn darfod ir siaplan yna pan fo yn y modd echryslon yma yn ceisio taflu i lawr a llarpio mal llew rhuadwy ein hysgolion Cymreig ni. Y rhain ynhŷb pob Crist'nogaidd Gymro diduedd 'ynt dra mawr fendith i'n gwlad. Ai allan oi bwyll y mae'r dyn? Pam waeth pwy a yrro ymlaen y daionus orchwyl, bydded o Dwrc, Iddew brŷch, Pagan neu Fethodyst? Oni fyddai hyfryd gennych a chan bob Cymro diledryw weled yn yr ysgol yma, sef ymhlwy Cybi ond odid 40 neu 50 o blantos tlodion yn cael eu haddyscu yn *rhodd* ac yn *rhad* i ddarllain yr hen Frutanaeg druan ag i ddeall egwyddorion eu crefydd. Y rhai (pe nis cawsid drwy draul a diwidrwydd Mr Griff. Jones yr eluseni yma) a fasent mae'n ddigon tebyg bod ag un anllythyrennog ag ond odid yn anghrefyddol, h.y., heb na dysc na dawn.[32]

Y mae'r amcangyfrif o'r nifer o ddisgyblion a fynychodd yr ysgolion cylchynol yn amrywio. Yn ôl yr adroddiadau yn *The Welch Piety*, yr oedd Griffith Jones, erbyn adeg ei farwolaeth ym 1761, wedi sefydlu 3,495 o ysgolion, gan addysgu 158,237 o ddisgyblion. Yn gyffredinol, y mae haneswyr yn gytûn fod angen addasu'r ffigurau hyn. Tybir bellach fod oddeutu 3,325 o ysgolion ac o bosibl dros 200,000 o oedolion a phlant yn nes at y gwirionedd.[33] O gofio mai tua 480,000 oedd poblogaeth y wlad yng nghanol y ddeunawfed ganrif, yr oedd hon yn gamp aruthrol ac yn un o'r ymdrechion mwyaf llwyddiannus a gafwyd yn Ewrop. Yr oedd yr

---

[28] *ML*, II, t. 368.
[29] Ibid., tt. 475, 487.
[30] *ALM*, II, tt. 540-1; Tegwyn Jones, *Y Llew a'i Deulu* (Tal-y-bont, 1982), tt. 94, 107, 115.
[31] *ML*, II, t. 477.
[32] *ML*, I, t. 197.
[33] Thomas Kelly, *Griffith Jones, Llanddowror: Pioneer in Adult Education* (Cardiff, 1950), tt. 45-7; Glanmor Williams, 'Religion, Language and the Circulating Schools' yn *Religion, Language and Nationality in Wales* (Cardiff, 1979), tt. 207-8; Jenkins, 'Hen Filwr dros Grist: Griffith Jones, Llanddowror', t. 170.

addysg, ar gyfer disgyblion o bob oed, yn rhad ac am ddim; câi ffermwyr, creffwyr a llafurwyr na fedrent fynychu'r ysgol yn ystod y dydd eu dysgu gyda'r hwyr a chariai llawer danwydd a chanhwyllau i'r ysgol er mwyn ymestyn yr oriau dysgu. Adroddid hanesion teimladol am rai hen ac ifanc yn dysgu darllen yn eu mamiaith am y tro cyntaf. Ceid hefyd doreth o straeon am blant hengall yn adroddiadau'r ysgolion cylchynol. Rhyfeddai John Roberts, Margam, wrth glywed 'little Urchins, not seven years of Age' yn adrodd ymatebion y catecism yn berffaith.[34] Honnodd Rees Pierce, offeiriad Llwyngwril ym Meirionnydd, iddo gael sioc bleserus, ac yntau'n ymweld â phlentyn sâl yn ei blwyf, o weld bachgen tair ar ddeg oed wrth erchwyn y gwely yn darllen Gofwy y Clwyfus o'r Llyfr Gweddi Gyffredin, a hynny mor rhugl ag y buasai ef ei hun wedi ei wneud.[35] Mewn cyferbyniad â hyn, ceid adroddiadau hefyd am y modd y cyflwynid rhyfeddodau'r gair printiedig i hen bobl a oedd yn drigain neu'n ddeg a thrigain oed, a hwythau'n gresynu na chawsant y fath gyfle yn eu hieuenctid. Yr oedd hyd yn oed bobl ddeillion yn gallu manteisio ar yr addysg, fel y dengys yr adroddiad hwn o Gelli-gaer yn sir Forgannwg:

> It may give you some Pleasure to be informed of a poor old blind Woman, above Eighty Years of Age, pretty near the School, that is now instructed in the Principles of Religion. This poor Creature, out of Curiosity at first, desired to be led into the School, to hear the Children; after she heard them catechised and their Answers, it had such an Effect upon her, that she also desired to be instructed.[36]

Yr oedd y dulliau ffonetig a chofeiriol a ddefnyddid yn yr ysgolion yn ei gwneud yn bosibl i bobl ddall ddilyn y gwersi. Ceir cyfeiriadau at y ffaith y byddai'r disgyblion, ar ôl cwblhau'r dasg gychwynnol o ddysgu'r wyddor, yn ailadrodd brawddegau a adroddwyd yn y lle cyntaf gan yr athro. Yr oedd dysgu ar y cof yn gyffredin yn y cyfnod modern cynnar[37] a chredai Griffith Jones ei fod yn ymarfer synhwyrol iawn gan ei fod yn galluogi disgyblion i ddarllen yn rhugl.[38] Rhoddid pwyslais ar adrodd a chofio darnau helaeth o'r Ysgrythur yn ogystal ag ymatebion y catecism. Yr oedd cateceisio yn weithgaredd pwysig yn yr ysgolion ac y mae'n werth cofio mai fel Ysgolion Cylchynol a Chatecismaidd y cyfeiriai'r sylfaenydd atynt. Derbyniodd yr agwedd hon o'r dysgu sêl bendith llawer

---

[34] The Welch Piety (London, 1761), t. 3.
[35] The Welch Piety (London, 1755), tt. 42–3.
[36] The Welch Piety (London, 1759), tt. 41–2.
[37] David Cressy, Literacy and the Social Order (Cambridge, 1980), tt. 20–1; Keith Thomas, 'The Meaning of Literacy in Early Modern England' yn Gerd Baumann (gol.), The Written Word: Literacy in Transition (Oxford, 1986), t. 108; R. A. Houston, Literacy in Early Modern Europe: Culture and Education 1500–1800 (London, 1988), tt. 56–7.
[38] The Welch Piety (London, 1752), t. 21.

o'r offeiriaid plwyf, a honnai ei fod yn gwneud eu dyletswydd hwy i gateceisio plwyfolion (yn ystod cyfnod y Grawys, fel arfer) gymaint â hynny'n haws, gan fod llawer o blant eisoes yn gyfarwydd â'r catecism Cymraeg.[39] Wedi dysgu'r hanfodion i'r plant, yr oedd yn bosibl i'r athrawon ddatblygu sgiliau darllen y disgyblion mwyaf galluog pan fyddent yn ymweld â'r ardal drachefn. Un arall o gymwynasau Griffith Jones oedd cynorthwyo i ddosbarthu deunydd darllen ymhlith disgyblion, gan amlaf ar gais clerigwyr y plwyf. Er enghraifft, anfonwyd ym 1755 ddeuddeg copi o waith Griffith Jones ei hun, *Galwad at Orseddfaingc y Grâs* (1738) i blwyf Llanfair Talhaearn yn sir Ddinbych, i'w dosbarthu ymhlith y plwyfolion tlawd.[40] Yn y cyswllt hwn bu cydweithrediad y Gymdeithas er Taenu Gwybodaeth Gristnogol yn amhrisiadwy. Er gwaethaf dirywiad ei hysgolion, yr oedd y Gymdeithas yn fwy na bodlon parhau i gyhoeddi'r Beibl, Llyfrau Gweddi, catecismau a llawlyfrau defosiynol ac yn aml i'w dosbarthu yn rhad ac am ddim. Defnyddid llawer o'r llyfrau Cymraeg a gyhoeddwyd yn y ddeunawfed ganrif fel gwerslyfrau elfennol, gan eu bod yn cynnwys yr wyddor a chanllaw byr ar gyfer darllen geiriau ac ynddynt nifer amrywiol o sillafau. Yn eu plith yr oedd amryw o weithiau Griffith Jones, gan gynnwys ei lyfr hynod boblogaidd *Cyngor Rhad yr Anllythrennog* (1737) a hefyd yr *Esponiad Byr ar Gatecism yr Eglwys* (1752). Yr oedd y cyngor a roddid yn y cyntaf ar ffurf cwestiwn ac ateb. Fel hyn yr atebwyd y cwestiwn: 'Paham yr ydych chi am ddysgu darllen yn Gymraeg?':

> Am mae'r Iaith Gymraeg fedraf i ddeall, rhaid llawer mwy o gost ac amser cyn dwad y ddeall saesnaeg nac allaf i, a dynion isel y hebcor; a chwedy treulio tair neu bedair neu whaneg o flynydde i'w dyscy, ni allaf gwedyn ddeall mo'r saesnaeg sydd mewn llyfrau yn agos cystal am Hiaith fy hun . . . Mae Yscolion mewn Gieithoedd eraill, a pham na baent yn y Iaith Gymraeg? onid yw cyn reited yr Cymru gael Dysc y achub ei heneidau a phobl eraill? nid oes dim sôn am ûn wlâd na theyrnas yn y Bŷd oddiamgylch y ni, ond Cenhedl y Cymru, nad Iaith y wlâd lle bont mae pawb yn ddyscy yn yr yscolion, a rhai fo yn bwriady dyscy amriw Ieithodd, ei Hiaith ei hûn a ddyscant ei darllen gynta: a phwy feder feddwl mo'r resynnol yw'r trueni fod cnifer o'r tylodion a'r werinos gyffredin yn cael ei gadel y fynd mewn tywyllwch y Ddinistr, yn ein plith ni, o eisiau yscolion iw dyscy y ddarllen yn y Iaith a ddeallant.[41]

Ychydig sy'n wybyddus am yr athrawon a gyflogid gan Griffith Jones, ac eithrio eu bod yn derbyn tâl bychan ac annigonol am eu gwaith. Nid

---

[39] Gw., e.e., *The Welch Piety* (London, 1741), tt. 66–7; am sylwadau ar blwyfi Llantrisant, Drenewydd yn Notais, Llanbedr-y-fro a Merthyr Mawr, gw. LlGC, Cofysgrifau'r Eglwys yng Nghymru, LL/QA/4.

[40] *The Welch Piety* (London, 1755), t. 42.

[41] Griffith Jones, *Cyngor Rhad i'r Anllythrennog* (Llundain, 1737), tt. 1–2.

oedd cyflog o £3.5s. y flwyddyn yn cymharu'n ffafriol â'r uchafswm o £8 a dalasai'r Gymdeithas er Taenu Gwybodaeth Gristnogol i'w hathrawon.[42] Yr oedd rhai o'r athrawon yn gyn-ddisgyblion yr ysgolion cylchynol ac wedi derbyn hyfforddiant pellach gan Griffith Jones yn Yr Hen Goleg yn Llanddowror. Yr oedd cysylltiadau Methodistaidd gan nifer o'r athrawon, gan gynnwys Howel Harris[43] a'r emynydd Morgan Rhys o Lanfynydd.[44] Cyflogid amryw o athrawesau yn ogystal, mwy efallai nag a sylweddolwyd hyd yma.[45] Yn *The Welch Piety* enwir o leiaf wyth ar hugain o wragedd a fu'n gyfrifol am ysgolion cylchynol, pedair ohonynt yn dysgu trwy gyfrwng y Saesneg.[46] Disgrifiwyd y gwragedd a'r gwŷr hyn fel pobl ddilychwin eu bywyd a'u sgwrs, a nodedig am eu duwioldeb a'u diwydrwydd. Ystyrid y rhinweddau hyn yn gymwysterau hanfodol ar gyfer pob athro a gyflogid gan Griffith Jones, gan fod ganddynt ddylet-swydd gysegredig i feithrin moesoldeb ymhlith eu disgyblion.

Er gwaethaf y gofal a gymerai Griffith Jones wrth ddewis ei athrawon, bu cryn feirniadu ar gymwysterau ac ymddygiad yr athrawon hynny, gan lesteirio i ryw raddau dwf yr ysgolion. Am rai blynyddoedd yn y 1740au profodd yr ysgolion gyfnod o ddirywiad o ganlyniad i'w cysylltiadau honedig â Methodistiaeth. Lansiwyd yr ymosodiad mwyaf deifiol gan John Evans, rheithor absennol Eglwys Gymyn, yn ei *Some Account of the Welsh Charity Schools; and of the Rise and Progress of Methodism in Wales, through the Means of them* (1752). Yn ddoeth iawn, penderfynodd Griffith Jones anwybyddu'r llith ragfarnllyd hon, ond fe'i gorfodwyd i ateb amryw o'r beirniadaethau eraill a wnaed yn ei erbyn, yn enwedig y cyhuddiadau ei fod yn defnyddio Methodistiaid yn athrawon, ei fod yn ceisio annog twf Methodistiaeth, a bod y defnydd o'r Gymraeg yn yr ysgolion yn rhwystro pobl rhag dysgu Saesneg. Nid oes amheuaeth nad oedd y mudiad Methodistaidd a'r ysgolion cylchynol wedi cynnal breichiau ei gilydd a bod aelodau'r cymdeithasau Methodistaidd yn mynychu'r ysgolion teithiol er mwyn dysgu darllen Gair Duw. Er gwaethaf ei gysylltiadau â'r arweinwyr Methodistaidd, teimlai Griffith Jones fod rheidrwydd arno i'w ddatgysylltu ei hun yn gyhoeddus oddi wrth y mudiad er mwyn bodloni ei noddwyr. Dibynnai yn llwyr ar gymwynaswyr caredig fel ei frawd yng

---

[42] Clement, *The S.P.C.K. and Wales*, t. 7; Williams a Hughes, op. cit., t. 64.

[43] Richard Bennett, *Howell Harris and the Dawn of Revival* (Bridgend, 1987), t. 139.

[44] Tom Beynon, 'Morgan Rhys a Chylch Cilycwm hyd at Ystrad Ffin', *CCHMC*, XX, rhifyn 4 (1935), 145–7; Gomer M. Roberts, *Morgan Rhys, Llanfynydd* (Caernarfon, 1951), tt. 3–4.

[45] Jones, *The Charity School Movement*, t. 307.

[46] Câi rhai o'r gwragedd eu cyflogi mewn gwahanol ardaloedd ar wahanol adegau. Er enghraifft, bu Lowri Owen yn gyfrifol am ysgolion mewn gwahanol rannau o sir Gaernarfon, gan gynnwys Pwllheli a Llannor, ac fe'i disgrifiwyd fel person diwyd a gweithgar.

nghyfraith, Syr John Philipps, yn ogystal â meddygon, bancwyr, gwyddonwyr a bonedd Seisnig, i ariannu'r ysgolion. Gallai arddel cyswllt agos â'r Methodistiaid fod wedi ennyn gwrthwynebiad chwyrn o du boneddigion a chlerigwyr lleol ac yr oedd Griffith Jones yn ymwybodol iawn na allai fforddio colli nawdd ariannol ac ewyllys da teuluoedd dylanwadol. Yn y pen draw, fodd bynnag, tawelodd llawer o'r elyniaeth at yr ysgolion cylchynol wrth i fanteision y gyfundrefn eu hamlygu eu hunain. Tystiai clerigwyr plwyf yn aml i ddylanwad llesol yr addysg a ddarperid; fel yr honnodd David Havard, curad Llandysul yn sir Aberteifi ym 1747: 'I may boldly say, that the *Welch* Charity School did more Good in our Parish than all our Preaching for many Years.'[47] Ym 1776 tystiodd John Owen, offeiriad Llangefni yn sir Fôn, hefyd i lwyddiant y gwaith: 'these Schools have a tendency to effect the Minds of People with a great Veneration for Religion and Piety, and to dispel the great Darkness that overspreads several Parts of our Principality.'[48]

Y mae'n anodd pwyso a mesur effaith yr ysgolion cylchynol ar dwf llythrennedd trwy gyfrwng y Gymraeg. Yn y cyfnod hwn ystyrid darllen ac ysgrifennu yn sgiliau cwbl wahanol i'w gilydd a dim ond ar ôl meistroli'r gallu i ddarllen yr âi rhywun ymlaen i ddysgu ysgrifennu.[49] Nid yw'n glir faint o ddisgyblion yr ysgolion cylchynol a gymerai'r cam hwnnw. Y mae haneswyr, yn gyffredinol, wedi derbyn bod gallu person i lofnodi ei enw yn arwydd o lythrennedd, gan fod hynny'n nodi lefel o gyrhaeddiad mewn darllen.[50] Dadleua Keith Thomas, fodd bynnag, fod y dull hwn yn diystyru cyfran helaeth o bobl a oedd yn gallu darllen ond nad oeddynt yn gallu ysgrifennu.[51] Y mae'n dra phosibl mai dyma oedd y sefyllfa yn achos amryw ddisgyblion a addysgwyd yn yr ysgolion cylchynol. Dylid dwyn ar gof hefyd nad yw llofnod, ar ei ben ei hun, yn dynodi ym mha iaith y mae rhywun yn llythrennog. Y mae'n amlwg, fodd bynnag, y cafwyd cynnydd sylweddol yn y cyhoedd darllengar yng Nghymru yn ystod y ddeunawfed ganrif, yn ogystal â chynnydd yn nifer y llyfrau a oedd ar gael.[52] Chwyddodd nifer y darllenwyr i'r fath raddau nes

---

[47] *The Welch Piety* (London, 1747), t. 27.

[48] *The Welch Piety* (London, 1776), t. 30.

[49] Lawrence Stone, 'Literacy and Education in England, 1640–1900', *PP*, 42 (1968), 98; Cressy, op. cit., tt. 20–4; David Vincent, *Literacy and Popular Culture: England 1750–1914* (Cambridge, 1989), tt. 10–11.

[50] R. S. Schofield, 'The Measurement of Literacy in Pre-industrial England' yn Jack Goody (gol.), *Literacy in Traditional Societies* (Cambridge, 1968), t. 319; Cressy, op. cit., t. 54; F. Furet a J. Ozouf, *Reading and Writing: Literacy in France from Calvin to Jules Ferry* (Cambridge, 1982), tt. 9–18; R. A. Houston, 'Literacy and Society in the West 1500–1850', *Social History*, 8 (1983), 270.

[51] Thomas, 'The Meaning of Literacy', tt. 102–3.

[52] Melville Richards, 'Yr Awdur a'i Gyhoedd yn y Ddeunawfed Ganrif', *JWBS*, X, rhifyn 1 (1966), 18; Jenkins, ' "An Old and Much Honoured Soldier" ', 465.

cynnwys elfennau o'r gymdeithas na fu ganddynt unrhyw fodd cyn hynny o gyfranogi o'r gair ysgrifenedig. Cyhoeddwyd dros 2,500 o lyfrau Cymraeg yn ystod y ddeunawfed ganrif a chynyddai nifer y tanysgrifwyr gwerinol fel yr âi'r ganrif yn ei blaen. Fel rhan o'r ymgyrch i greu cymdeithas ddefosiynol a duwiol yng Nghymru, rhoddwyd cyfle, am y tro cyntaf erioed yn hanes Cymru, i ffermwyr, crefftwyr a llafurwyr, ynghyd â'u gwragedd a'u plant, i ddod yn llythrennog. Diau mai hon oedd cymwynas bennaf yr ysgolion cylchynol.

Nid oes fawr o amheuaeth na wnaeth Griffith Jones gyfraniad arwyddocaol iawn i'r ymgais i sicrhau parhad yr iaith Gymraeg drwy ei sefydlu yn iaith llythrennedd boblogaidd. Galwyd ef yn un o gym-wynaswyr mwyaf y genedl a dywed Glanmor Williams i'w ysgolion wneud mwy na dim arall i ddiogelu ac atgyfnerthu'r iaith Gymraeg a'i llenyddiaeth, yr iaith yr oedd y Beibl yn gonglfaen iddi.[53] Priodolwyd yr adfywiad trawiadol yn yr iaith Gymraeg ym Mro Morgannwg yn ystod y ddeunawfed ganrif yn uniongyrchol i ddylanwad yr ysgolion cylchynol yn yr ardal.[54] Credai Iolo Morganwg iddynt fod yn allweddol yn hyn o beth, ond nid oes tystiolaeth bendant i gefnogi ei ddamcaniaeth. Y ffynhonnell fwyaf dibynadwy a systematig o wybodaeth ynglŷn â daearyddiaeth ieithyddol Morgannwg yn y ddeunawfed ganrif yw adroddiadau gofwy yr Eglwys sefydledig, sy'n darparu manylion am yr iaith a ddefnyddid ym mhob plwyf o 1771 ymlaen. Yn sicr yr oedd y plwyfi yr ymwelid â hwy amlaf gan yr ysgolion cylchynol – megis Llangyfelach, gyda chyfanswm o 41 o ysgolion rhwng 1740 a 1773, ac Aberdâr gyda chyfanswm o 34 o ysgolion yn ystod yr un cyfnod – yn rhai a ddefnyddiai'r Gymraeg yn brif iaith eu haddoliad cyhoeddus. Yn ardal y Fro ei hun, fodd bynnag, y mae'r patrwm yn llai amlwg. Ymwelodd yr ysgolion cylchynol â phlwyfi Tregolwyn, Radur a Saint Andras, gan fabwysiadu defnydd helaethach o'r Gymraeg mewn gwasanaethau eglwysig erbyn diwedd y ddeunawfed ganrif.[55] Ond nid ymwelyd â phob plwyf a brofodd gynnydd yn y defnydd o'r Gymraeg. Yn ystod y cyfnod 1770–1820 mabwysiadodd tri phlwyf ar ddeg wasanaethau dwyieithog yn hytrach na Chymraeg, ac wyth plwyf wasanaethau Saesneg yn unig. O'r rhain, yr oedd nifer sylweddol wedi mabwysiadu'r newidiadau yn ystod y 1790au neu ar ddechrau'r bedwaredd ganrif ar bymtheg, pan nad oedd dylanwad yr

---

[53] Williams, 'Religion, Language and the Circulating Schools', t. 215.
[54] Brian Ll. James, 'The Welsh Language in the Vale of Glamorgan', *Morgannwg*, XVI (1972), t. 26.
[55] Cynhaliwyd ysgolion cylchynol yn Nhregolwyn ym 1746, 1749, 1750, 1757, 1759, 1760 a 1761; yn Radur ym 1755 a 1773; ac yn Saint Andras ym 1740, 1746, 1747, 1748, a dwywaith ym 1749. Mabwysiadwyd gwasanaethau Cymraeg yn unig yn Nhregolwyn erbyn 1791; yr un oedd y drefn yn Radur erbyn 1781, a mabwysiadwyd gwasanaethau dwyieithog yn hytrach na rhai Saesneg yn Saint Andras ym 1795.

ysgolion cylchynol bellach yn ffactor yng nghyswllt parhad y defnydd o'r iaith Gymraeg, ffaith y gellid ei hystyried yn dra arwyddocaol. Ym mhlwyf Trelales, er enghraifft, lle y cynhaliwyd un ar bymtheg o ysgolion cylchynol yn Gymraeg rhwng 1740 a 1763, gan addysgu cyfanswm o 667 o ddisgyblion, cynhelid gwasanaethau yn bennaf trwy gyfrwng y Gymraeg yn ystod y 1770au a'r 1780au, ond erbyn 1795 fe'u cynhelid yn Saesneg a Chymraeg am yn ail. Y mae'n debygol, felly, fod gwaith yr ysgolion wedi bod yn gymorth i gynnal y defnydd o'r Gymraeg mewn rhai plwyfi yn y Fro yn ystod canol y ddeunawfed ganrif, er ei bod hi'n anodd profi hynny y tu hwnt i bob amheuaeth. Nid oes adroddiadau gofwy sy'n cynnwys gwybodaeth am iaith addoliad cyhoeddus ar gael ar gyfer y Fro cyn 1771 ac o ganlyniad y mae'n amhosibl canfod a oedd y cynnydd yn y defnydd o'r Gymraeg wedi digwydd yn sgil dylanwad yr ysgolion cylchynol neu yn hytrach oherwydd twf Methodistiaeth ac Anghydffurfiaeth.

Wedi marwolaeth Griffith Jones ym 1761 parhaodd yr ysgolion i ffynnu o dan oruchwyliaeth Madam Bridget Bevan, a brofodd yn rheolwraig arbennig o weithgar a medrus. Bwriadodd i'w chymynrodd o £10,000 gynnal yr ysgolion ar ôl ei marwolaeth ym 1779, ond heriodd ei theulu yr ewyllys ac ni ryddhawyd yr arian am nifer o flynyddoedd wedi hynny. Dirwynodd yr ysgolion cylchynol i ben i bob pwrpas yn ystod y 1780au, ond parhaodd yr ymdrechion i addysgu pobl Cymru trwy gyfrwng yr ysgolion Sul. Cysylltir y rhain yn bennaf â Thomas Charles, brodor o Lanfihangel Abercywyn yn sir Gaerfyrddin a chynnyrch cyfundrefn yr ysgolion cylchynol. Efallai, yn wir, mai Morgan John Rhys neu ynteu Edward Williams, Croesoswallt, a haedda'r clod am gyflwyno'r ysgolion Sul i Gymru, ond dylanwad Thomas Charles fu'r mwyaf parhaol a'i enw ef a gysylltir yn anorfod â datblygiad addysg Sabothol yng Nghymru. Awgryma cofianwyr Charles ei fod yn gyfarwydd â gwaith Robert Raikes, gŵr sy'n cael ei gydnabod yn arloeswr y gyfundrefn ysgolion Sul yng Nghaerloyw o 1780 ymlaen.[56] Ymddengys, serch hynny, fod Charles, yn ei ymdrechion cychwynnol ym maes addysg, wedi efelychu ysgolion Griffith Jones.[57] Profodd Charles dröedigaeth wrth wrando ar bregethu Daniel Rowland, Llangeitho, a oedd yn ei dro wedi profi tröedigaeth wrth wrando ar bregeth gan Griffith Jones. Fel Jones, yr oedd Charles yn benderfynol o achub eneidiau a galluogi nifer mwy fyth o oedolion a phlant i ddysgu darllen. O tua 1785 ymlaen, mewn ymgais i lenwi'r bwlch

---

[56] D. E. Jenkins, *The Life of the Rev. Thomas Charles of Bala* (3 cyf., Denbigh, 1908), III, t. 366; Beryl Thomas, 'Mudiadau Addysg Thomas Charles' yn Gomer M. Roberts (gol.), *Hanes Methodistiaeth Galfinaidd Cymru. Cyf. II. Cynnydd y Corff* (Caernarfon, 1978), t. 438.

[57] Derec Llwyd Morgan, '"Ysgolion Sabbothol" Thomas Charles' yn *Pobl Pantycelyn* (Llandysul, 1986), tt. 90–1.

a adawyd gan ddirywiad yr ysgolion cylchynol, dechreuodd sefydlu ysgolion cylchynol dyddiol. Hyfforddwyd yr athrawon yn ei gartref yn Y Bala, a chan gychwyn â saith ym 1786 cynyddodd y nifer yn raddol i ugain athro erbyn 1794. Erbyn hynny amcangyfrifir bod deugain o ysgolion wedi eu sefydlu yng ngogledd Cymru.[58] O 1797 ymlaen, fodd bynnag, rhoes Charles ei fryd ar droi'r ysgolion dyddiol yn ysgolion Sul.

Nid oedd fawr ddim gwreiddiol na newydd ynglŷn â chwricwlwm yr ysgolion Sul. Yr oedd y pwyslais yn bendant ar ddysgu darllen a chateceisio. Fel ei ragflaenwyr, daeth Charles i sylweddoli bod angen sylfaen gref o wybodaeth i adeiladu arni cyn y gellid pregethu yn effeithiol. Nid ag addysg er ei fwyn ei hun yr ymboenai ond yn hytrach â hyrwyddo gwybodaeth Gristnogol ac achub eneidiau:

> Y mae'n drueni athrist i weled creaduriaid o berchen eneidiau anfarwol, yn cael eu magu a'u meithrin mewn hollol anwybodaeth o'r pethau a berthynant i'w tragywyddol heddwch! Os na thrysorwn ni eu meddyliau â gwerthfawr drysorau Duw, fe lanwa'r byd a'r diafol hwy â'r trysorau melldigedig a gloddir o uffern.[59]

Gyda'r bwriad hwn yn flaenaf, mynnai Charles mai'r Gymraeg oedd yr unig iaith ymarferol ar gyfer addysgu disgyblion Cymraeg eu hiaith yn ei ysgolion. Fel Griffith Jones, credai nad oedd llythrennedd mewn Cymraeg yn rhwystr rhag ennill sgiliau cyffelyb mewn Saesneg. I'r gwrthwyneb, credai fod dysgu disgyblion i ddarllen yn eu mamiaith yn ei gwneud hi'n haws iddynt fynd ymlaen i ddysgu darllen yn Saesneg hefyd. Gwnaeth ei orau glas i sicrhau bod gan yr ysgolion gyflenwad digonol o werslyfrau Cymraeg, gan gynnwys fersiynau o'r catecism a geiriadur ysgrythurol cynhwysfawr.[60] Ni chyfyngodd ei ymdrechion i gynorthwyo siaradwyr Cymraeg yn unig, fodd bynnag, gan ei fod hefyd yn ymboeni'n fawr am y rheini yr oedd Saesneg yn iaith gyntaf iddynt. Ar eu cyfer hwy y cyhoeddodd *An Evangelical Catechism* ym 1797 a'r *Short Evangelical Catechism* ym 1801.

Mynd rhagddynt o nerth i nerth fu hanes yr ysgolion Sul o'u dyddiau cynnar ar ddiwedd y ddeunawfed ganrif ymlaen. O'r cychwyn cyntaf fe'u cysylltid yn agos â Methodistiaeth, ond yn ystod y bedwaredd ganrif ar bymtheg llwyddasant, i raddau cynyddol, i gipio dychymyg Anghyd-ffurfwyr a hyd yn oed Anglicaniaid yn ogystal. Llwyddodd yr ysgolion Sul i ddenu niferoedd rhyfeddol ac, yn ddiamau, buont o gymorth i godi

---

[58] Jones, *The Charity School Movement*, t. 315.
[59] Thomas Charles, *Crynodeb o Egwyddorion Crefydd: neu Gatecism Byrr i Blant, ac Eraill, i'w Ddysgu* (Trefecca, 1789), t. ii.
[60] Charles, *Crynodeb o Egwyddorion Crefydd*; idem, *Hyfforddwr yn Egwyddorion y Grefydd Gristionogol* (Y Bala, 1807); idem, *Geiriadur Ysgrythyrol* (4 cyf., Y Bala, 1805–11).

safonau dysgu a lefelau llythrennedd, a hynny trwy feithrin yr arfer o ddarllen. Dengys adroddiadau'r Pwyllgor Dethol a benodwyd i ymchwilio i Addysg y Tlodion fod 315 o ysgolion Sul wedi eu sefydlu yng Nghymru erbyn 1818, a bod ynddynt 25,000 o ddisgyblion.[61] Yr oedd gan hyd yn oed y beirniaid llym hynny, Comisiynwyr Adroddiad Addysg 1846–7, feddwl uchel o'r ysgolion Sul, a oedd, trwy eu llwyddiant, wedi tanlinellu diffygion yr ysgolion dyddiol. Credai Jelinger C. Symons, un o'r tri Chomisiynydd, fod y rhan fwyaf o'r wybodaeth a amlygid gan ddisgyblion yr ysgolion dyddiol wedi ei chyflwyno iddynt yn yr ysgolion Sul ac yr oedd yn gwbl bendant ynglŷn â gwerth eu cyfraniad: 'I must bear my cordial testimony to the services which these humble congregations have rendered to the community.'[62]

Yn wahanol i brofiad ieithoedd Celtaidd eraill Ynysoedd Prydain, ffynnodd yr iaith Gymraeg dan law hyrwyddwyr mudiadau addysgol ar ddiwedd yr ail ganrif ar bymtheg ac yn ystod y ddeunawfed ganrif. Saesneg oedd iaith addysg ysgolion elusennol mewn mannau eraill, megis yr Alban, Iwerddon ac Ynys Manaw, a bu hynny'n gyfrwng i Seisnigeiddio trigolion y gwledydd hynny. Er enghraifft, datganodd y Society in Scotland for Propagating Christian Knowledge (SSPCK) yn glir mai ei bwriad oedd caniatáu i'r iaith Aeleg ddihoeni yn yr Alban. Ni welai hyd yn oed Griffith Jones fawr o werth mewn cadw'r Fanaweg, yr Wyddeleg a'r Aeleg yn fyw, er y rhagwelai broblemau ymarferol wrth geisio dileu'r ieithoedd hynny.[63] Yn ei waith ar Aeleg yr Alban, dengys Charles Withers fod yr holl ysgolion a sefydlwyd gan yr SSPCK ar hyd ffiniau Ucheldiroedd yr Alban yn adlewyrchu, a hyd yn oed yn diffinio, dirywiad daearyddol yr iaith, gan awgrymu ei bod wedi profi'n haws i'r iaith frodorol oroesi yn ardaloedd mwyaf anghysbell yr Ucheldiroedd, lle'r oedd nifer yr ysgolion yn gymharol isel. Er bod elfennau eraill yn gysylltiedig â dirywiad yr iaith Aeleg, nid oes amheuaeth na chafodd polisi Seisnigeiddio mudiad yr ysgolion elusennol effaith niweidiol arni.[64]

Y mae'n bosibl y dangosid agwedd mwy goddefgar at yr iaith Gymraeg

---

[61] John Williams, *Digest of Welsh Historical Statistics* (2 gyf., Y Swyddfa Gymreig, 1985), II, tt. 201, 212.

[62] Gareth Elwyn Jones, 'Llyfrau Gleision 1847' yn Prys Morgan (gol.), *Brad y Llyfrau Gleision* (Llandysul, 1991), t. 34. Gw. hefyd Prys Morgan, 'From Long Knives to Blue Books' yn R. R. Davies et al. (goln.), *Welsh Society and Nationhood* (Cardiff, 1984), t. 207; Ieuan Gwynedd Jones, *Mid-Victorian Wales: The Observers and the Observed* (Cardiff, 1992), t. 132.

[63] *The Welch Piety* (London, 1740), tt. 51–3.

[64] Charles W. J. Withers, *Gaelic in Scotland 1698–1981* (Edinburgh, 1984), tt. 131–3. Gw. hefyd T. C. Smout, *A History of the Scottish People 1560–1830* (London, 1969), tt. 461–6; Nancy Dorian, *Language Death: The Life Cycle of a Scottish Gaelic Dialect* (Philadelphia, 1981), tt. 20–3; V. E. Durkacz, *The Decline of the Celtic Languages* (Edinburgh, 1983), penodau 2 a 3.

oherwydd y tybid ei bod yn gymharol rydd o stigma Jacobitiaeth a Phabyddiaeth. Yn wahanol i'r Wyddeleg a'r Aeleg yn y cyfnod hwnnw, ni chysylltid y Gymraeg yn y meddwl cyhoeddus â gwrthryfel ac o ganlyniad nid ystyrid yr angen i sicrhau rheolaeth gymdeithasol trwy gyflwyno'r Saesneg yn hanfodol yng Nghymru. Nododd M. G. Jones fod mudiadau ysgolion elusennol yng Nghymru yn wahanol i fudiadau cyfatebol yn Lloegr, yr Alban ac Iwerddon yn yr ystyr eu bod yn ceisio achub eneidiau plant y tlawd yn hytrach na'u cyflyru i dderbyn yr hyn a ddeuai i'w rhan.[65] At hynny, nid rhywbeth a orfodwyd ar Gymru o'r tu allan oedd mudiadau addysgol y ddeunawfed ganrif, ond gwaith Cymry a sbardunwyd i weithredu gan bryder am gyflwr ysbrydol eu cyd-wladwyr. Y brif ystyriaeth oedd lledaenu gwybodaeth grefyddol yn hytrach na thawelu pobl wrthnysig.

Parhau, fodd bynnag, a wnâi'r amheuon ynglŷn â dysgu haenau isaf y gymdeithas i ddarllen. Ystyrid darllen heb unrhyw arolygiaeth yn rhywbeth hynod beryglus ac ofnid y byddai'n cymell anniddigrwydd a thanseilio'r drefn, gan arwain yn y pen draw at wrthryfel. Mynnai diwygwyr crefyddol, serch hynny, y byddai nifer sylweddol o bobl yn parhau yn anwybodus ynghylch credoau sylfaenol y ffydd Brotestannaidd pe na cheid gwelliant yn safonau llythrennedd. Un o feirniaid llymaf y gyfundrefn addysg i'r tlodion oedd Bernard de Mandeville a aeth mor bell â dadlau mai llafurio oedd priod waith haenau isaf y gymdeithas, ac y dylid, er lles y wladwriaeth, eu cadw mewn anwybodaeth ynglŷn â materion dinesig ac ysbrydol. Yr oedd ei safbwynt yn taro tant ym meddyliau amryw o Gymry a fu'n gohebu â'r Gymdeithas er Taenu Gwybodaeth Gristnogol ac a ofnai mai canlyniad anorfod addysgu'r tlodion fyddai creu dosbarth isaf diog a hunanfodlon a fyddai'n troi eu cefn ar lafur corfforol.[66] Trechwyd yr amheuon hyn i raddau helaeth gan gymhelliad crefyddol grymus mudiadau addysgol y cyfnod. Y gobaith oedd y byddai'r ysgolion elusennol yn hyrwyddo ymdeimlad o foesoldeb, gwedduster ac ufudd-dod ymhlith eu disgyblion. Aeth Griffith Jones mor bell â honni y byddai addysg trwy gyfrwng y Gymraeg yn gymorth i gadw, yn hytrach na bygwth, y drefn gymdeithasol. Mynnodd nad oedd y llyfrau printiedig a gyhoeddid yn yr iaith Gymraeg yn cynnwys dim o'r annuwioldeb a'r llygredigaeth a oedd mor amlwg mewn llenyddiaeth Saesneg. Felly, byddai dysgu'r haenau isaf i ddarllen yn Gymraeg yn eu gwarchod rhag dylanwad anfoesoldeb, Pabyddiaeth ac anffyddiaeth. Yn ogystal, credai y byddai'n peri eu bod yn fwy bodlon ar eu byd, gan fod y

---

[65] Jones, *The Charity School Movement*, t. 266.
[66] Clement, *The S.P.C.K. and Wales*, tt. 16–17; Thomas Walter Laqueur, *Religion and Respectability: Sunday Schools and Working Class Culture 1780–1850* (New Haven, 1976), t. 125; Vincent, *Literacy and Popular Culture*, t. 7.

rheini a ddysgai Saesneg yn aml yn chwennych mwy na'u haeddiant.
Ofnai Griffith Jones y byddai llafurwyr cyffredin, pe dysgent Saesneg, yn
dymuno profi amgenach bywyd yn Lloegr neu dros y dŵr, gan droi cefn
ar eu galwedigaeth a'u gwlad. Yn y pen draw, fodd bynnag, ni lwyddwyd
i ennill yn llwyr a therfynol y ddadl o blaid addysg trwy gyfrwng y
Gymraeg. Derbyniwyd yr angen i frwydro yn erbyn anwybodaeth, ond
datgelodd dadleuon y bedwaredd ganrif ar bymtheg fod amheuaeth yn
parhau ynglŷn â pha iaith a allai gyflawni'r nod hwnnw orau. Ym marn
llawer, yr oedd cryn dipyn i'w ddweud o blaid y Saesneg fel cyfrwng
addysg ac fel offeryn ar gyfer rheolaeth gymdeithasol.

10

Yr Iaith Gymraeg mewn Ysgolheictod a Diwylliant 1536–1660[1]

R. GERAINT GRUFFYDD

AR DDECHRAU ein cyfnod, ceid yng Nghymru urdd ymddangosiadol lewyrchus o feirdd mawl proffesiynol Cymraeg a gynrychiolai draddodiad a oedd y pryd hwnnw tua mil o flynyddoedd oed. Telid y beirdd hyn i glodfori aelodau o'r *élite* yng Nghymru am y rhinweddau a oedd yn weddus i'w statws mewn bywyd, i ganu marwnadau pan fyddent farw, i ofyn am roddion (a fyddai wedi eu haddo ymlaen llaw) ar gân, ac weithiau i ganu cerddi serch (gweithgarwch a ystyrid yn arbennig o addas i feirdd ifainc) a cherddi crefyddol i Dduw, y Forwyn Fair a'r saint. O bryd i'w gilydd byddai beirdd yn cychwyn ymryson barddol, yn aml am faterion digon distadl, megis pwy oedd â'r hawl bennaf i nawdd rhyw deulu neu'i gilydd. Ond weithiau byddai'r ddadl yn ymwneud â chwestiynau aruchel a sylfaenol megis ffynhonnell eu hawen.[2] Yr oedd hwn yn gwestiwn tyngedfennol, oherwydd credid bod y beirdd wedi eu breintio â dogn nid bychan o rym goruwchnaturiol, yn tarddu o'u cyndeidiau paganaidd a oedd yn perthyn i ddosbarth offeiriadol. Credid y gallent rag-weld y dyfodol, a golygai hynny y gallai fod iddynt swyddogaeth wleidyddol rymus ar adeg o argyfwng. Credid hefyd y gallai mawl y beirdd ddyrchafu'r derbynnydd mewn ystyr real iawn, ac y gallai eu dychan, yn yr un modd, ei lorio. Canent yn y mesurau caeth bob amser, mewn cynghanedd lawn, a datgenid eu cerddi i gyfeiliant cerddorion proffesiynol yn canu telyn neu grwth.

Buasai gan y beirdd proffesiynol Cymraeg, yn eu swyddogaeth fel proffwydi neu ddaroganwyr gwleidyddol, ran bwysig yn y dasg o ennill cefnogaeth i Harri Tudur yn ystod ei daith i Frwydr Bosworth ym 1485.

---

[1] Hoffwn gydnabod fy nyled gyffredinol i weithiau Glanmor Williams, yn enwedig ei *Recovery, Reorientation and Reformation. Wales c.1415–1642* (Oxford, 1987); ar gyfer ail ran y cyfnod bu chwaer gyfrol Geraint H. Jenkins, *The Foundations of Modern Wales. Wales 1642–1780* (Oxford, 1987), yr un mor ddefnyddiol.

[2] Bobi Jones, 'Pwnc Mawr Beirniadaeth Lenyddol Gymraeg' yn J. E. Caerwyn Williams (gol.), *Ysgrifau Beirniadol III* (Dinbych, 1967), tt. 253–88.

Yn sgil buddugoliaeth Harri yn Bosworth, yr oedd ei lywodraeth, a llywodraethau ei olynwyr, yn naturiol yn ymwybodol o rym gwleidyddol posibl daroganwyr o'r fath, a chadwent lygad barcud arnynt rhag iddynt, am ba reswm bynnag, gael eu temtio i ymarfer eu doniau yn erbyn y Goron.[3] Ym 1523 cynhaliwyd eisteddfod yn nhref Caerwys yn sir y Fflint gerbron tri bonheddwr a dau fardd (y naill yn fardd proffesiynol a'r llall yn amatur) i ddyfarnu graddau i'r beirdd a'r cerddorion proffesiynol ac i reoli eu gweithgareddau: galwyd y ddogfen a restrai'r rheolau newydd yn *Ystatud Gruffudd ap Cynan.* Honnid mai gwaith brenin Gwynedd yn y ddeuddegfed ganrif oedd y statud, ond y mae bron yn sicr mai ar gyfer ei chyhoeddi yn yr eisteddfod y cafodd ei llunio.[4]

Y dyn amlycaf yn eisteddfod Caerwys, ac eithrio Richard ap Hywel o Fostyn, bonheddwr grymus o sir y Fflint, oedd y bardd proffesiynol enwog o sir Ddinbych, Tudur Aled, a fu farw, gwaetha'r modd, ryw dair blynedd ar ôl yr eisteddfod. Yn fuan wedyn bu farw dau o'i gyd-feirdd, a oedd lawn mor enwog, sef Lewys Môn a Iorwerth Fynglwyd o Forgannwg.[5] Ac eithrio Wiliam Llŷn, ni ddaeth yr un bardd proffesiynol arall o safon gyffelyb i'r amlwg yn ystod y ganrif a hanner o fywyd a oedd yn weddill i gyfundrefn y beirdd. Ym 1526–7, fodd bynnag, er bod llawer o alaru ar ôl Tudur Aled yn arbennig, nid oedd yn ddechrau'r diwedd i'r beirdd, o bell ffordd. Llenwyd y bwlch gan Lewys Morgannwg fel prif fardd proffesiynol Cymru, a chafodd gefnogaeth frwd Siôn Brwynog o Fôn.[6] Ym 1546 rhoes Lewys Morgannwg radd disgybl pencerddaidd i Gruffudd Hiraethog, bardd proffesiynol o sir Ddinbych, a hynny nid mewn eisteddfod ond mewn gwledd briodas ym Maesyfed. Yr oedd ef, ymhlith ei gampau eraill, i ddod yn athro nodedig i'r genhedlaeth nesaf o feirdd proffesiynol.[7] Ar ddechrau ein cyfnod, felly, ymddangosai fel petai traddodiad anrhydeddus y bardd Cymraeg am barhau i ffynnu am fil o flynyddoedd arall.

Hyd yn oed y pryd hwnnw, fodd bynnag, yr oedd rhai pobl yn anghytuno â'r farn obeithiol hon. Y dyneiddwyr Cymraeg newydd oedd

---

[3] Glanmor Williams, *Religion, Language and Nationality in Wales* (Cardiff, 1979), tt. 71–86.

[4] D. J. Bowen, 'Graddedigion Eisteddfodau Caerwys, 1523 a 1567/8', *LlC*, 2, rhifyn 2 (1952), 129–34; J. H. Davies, 'The Roll of the Caerwys Eisteddfod of 1523', *TLWNS* (1904–5 – 1908–9), 85–102.

[5] Am fanylion bywgraffyddol, gw. *Bywg.* a'r *Cydymaith.* Ffynhonnell anhepgor ar gyfer deunydd llyfryddol yw *LlLlG* a *LlLlG²*.

[6] E. J. Saunders, 'Gweithiau Lewys Morgannwg' (traethawd MA anghyhoeddedig Prifysgol Cymru, 1922); Rose Marie Kerr, 'Cywyddau Siôn Brwynog' (traethawd MA anghyhoeddedig Prifysgol Cymru, 1960). Ceir manylion am draethodau ymchwil anghyhoeddedig sy'n ymwneud â Chymru yn Alun Eirug Davies (gol.), *Traethodau Ymchwil Cymraeg a Chymreig. Welsh Language and Welsh Dissertations 1887–1991* (Caerdydd, 1997).

[7] D. J. Bowen (gol.), *Gwaith Gruffudd Hiraethog* (Caerdydd, 1990), tt. xxvi–xxvii et passim.

y rheini, mân foneddigion gan mwyaf, a oedd wedi eu hyfforddi yn y prifysgolion – yn Lloegr, gan nad oedd prifysgol yng Nghymru – a'u trwytho yn nelfrydau a gwerthoedd dyneiddiaeth y Dadeni.[8] Yn ogystal â rhagdybio rhagoriaeth yr awduron clasurol Groeg a Lladin o'u cyferbynnu ag awduron yr Oesoedd Canol, ceid yn syniadau a gwerthoedd y dyneiddwyr awgrym, onid anogaeth gref, y dylid efelychu'r awduron hynny yn yr ieithoedd cyfiaith. Yr oedd Eidaleg, o reidrwydd, ar flaen y gad yn y cyswllt hwnnw, ac yna Ffrangeg, Sbaeneg, Almaeneg, ac, yn ddiweddarach, Saesneg. Yn naturiol, dymunai'r dyneiddwyr Cymraeg weld eu hiaith hwy yn cyfranogi o'r proses daionus hwn. Yr oedd eu cred fod y Cymry yn tarddu o Samothes neu Gomer, un o ddau ŵyr Noa, yn cryfhau'r dymuniad hwnnw, fel yr oedd y gred fod y genedl wedi derbyn achles pan ddaeth gweddill poblogaeth orchfygedig Caerdroea i'r wlad hon o dan arweiniad Brutus, gorwyr Aeneas, tua mil a chant o flynyddoedd cyn Crist; elfen ychwanegol yn eu darlun o orffennol y Cymry oedd dyfodiad y ffydd Gristnogol i Brydain o dan Joseff o Arimathea yn fuan ar ôl Croeshoeliad ac Atgyfodiad Crist. O ganlyniad i'r hen hanes hwn, gallai'r iaith Gymraeg hawlio ei bod yn rhyw lun o berthyn i'r Hebraeg, Groeg a Lladin – y tair iaith a gâi eu cydnabod yn ieithoedd dysgedig drwy'r byd i gyd y pryd hwnnw. Yn ddigon naturiol, credid bod yr etifeddiaeth ieithyddol aruchel hon wedi cynhyrchu cyfoeth o waith ysgrifenedig, ond câi'r dyneiddwyr Cymraeg eu gorfodi i gyfaddef mai darnau yn unig a oedd yn weddill o'r cyfoeth hwnnw. Ceisient egluro bod hynny yn ganlyniad i ryfel, trychinebau naturiol a gweithgarwch offeiriad maleisus o'r enw Ysgolan (yn rhyfedd iawn, y mae ef yn ymddangos hefyd yn Llydaw). Pan fyddai'r dyneiddwyr Cymraeg yn edrych ar feirdd proffesiynol eu cyfnod, fe'u gwelent yn bennaf fel disgynyddion y beirdd y soniai awduron clasurol amdanynt, sef y *druides*, y *bardi* a'r *vates*, a'r dosbarthiadau dysgedig y tybid eu bod wedi eu sefydlu gan ddisgynyddion Samothes. Cydnabyddent eu bod hefyd yn feistri ar eu crefft. Ond teimlent yn anniddig yn eu cylch am ddau reswm, y naill yn fewnol a'r llall yn allanol. Yn fewnol, nid oeddynt yn bodloni delfrydau'r

---

[8] Am ymdriniaeth ar ddyneiddiaeth Gymraeg, ynghyd â chyfeiriadau, gw. R. Geraint Gruffydd, 'The Renaissance and Welsh Literature' yn Glanmor Williams a Robert Owen Jones (goln.), *The Celts and the Renaissance. Tradition and Innovation* (Cardiff, 1990), tt. 17–39. Casglwyd ynghyd y dogfennau sylfaenol ar gyfer dadansoddiad o syniadau'r dyneiddwyr yn Henry Lewis (gol.), *Hen Gyflwyniadau* (Caerdydd, 1948); Garfield H. Hughes (gol.), *Rhagymadroddion 1547–1659* (Caerdydd, 1951); T. H. Parry-Williams (gol.), *Rhyddiaith Gymraeg, Y Gyfrol Gyntaf. Detholion o Lawysgrifau 1488–1609* (Caerdydd, 1954); Thomas Jones (gol.), *Rhyddiaith Gymraeg, Yr Ail Gyfrol. Detholion o Lawysgrifau a Llyfrau Printiedig 1547–1618* (Caerdydd, 1956); Ceri Davies (gol.), *Rhagymadroddion a Chyflwyniadau Lladin 1551–1632* (Caerdydd, 1980). Gw. hefyd R. Brinley Jones, *The Old British Tongue: the Vernacular in Wales 1540–1640* (Cardiff, 1970).

dyneiddwyr: disgwylid iddynt fod yn hollol eirwir (mater anodd bob amser mewn canu mawl), yn gyfarwydd â dysg newydd y Dadeni mewn llyfrau argraffedig, yn huawdl (a hynny'n cael ei ddehongli fel gwybodaeth o gelfyddyd rhethreg), ac yn barod i ddatgelu cyfrinachau eu crefft hynafol i bawb. Yn allanol, sylwodd y dyneiddwyr Cymraeg fod pobl yn gyffredinol yn tueddu i ddilorni'r iaith Gymraeg. Yr oedd hynny'n wir nid yn unig am y Cymry a fudai i Loegr, ond hefyd, yn bwysicach fyth, am nifer cynyddol o foneddigion Cymreig, sef y bobl a oedd yn bennaf cyfrifol am roi nawdd i lenyddiaeth Gymraeg. Byddai'r dyneiddwyr, felly, yn annog y beirdd i ymwrthod â gweniaith, i ddysgu o lyfrau, ac i ychwanegu barddoniaeth wyddonol a hanesyddol at y math o gerddi yr oeddynt yn eu canu (gallai hyn olygu peth arbrofi mydryddol); fe'u hanogid hefyd i ymgyfarwyddo â chelfyddyd rhethreg y Dadeni (paratowyd llawlyfrau ar eu cyfer gan William Salesbury o sir Ddinbych a Henry Perri o sir y Fflint), ac i ganiatáu i'r dyneiddwyr eu hunain ac i feirdd amatur y Dadeni yng Nghymru fynediad llawn i gyfrinachau eu celfyddyd. Yr oedd y nod olaf hwn yn ddelfrydol yn golygu argraffu amrywiaeth helaeth o destunau hen a chyfoes. (Y ddwy ddogfen hollbwysig yn y ddadl rhwng y dyneiddwyr a'r beirdd proffesiynol yw'r ymryson barddol rhwng Edmwnd Prys a Wiliam Cynwal, 1580–7, a'r llythyr agored gan Siôn Dafydd Rhys at 'feirdd a dysgedigion Cymru' ym 1597.)[9] O ran y boneddigion, yr ofnid bod eu teyrngarwch i'r iaith yn cael ei danseilio, byddai'r dyneiddwyr Cymraeg ar y naill law yn eu hannog i ysgwyddo eu cyfrifoldebau, yn enwedig tuag at y beirdd proffesiynol (ceir gan William Salesbury a Siôn Dafydd Rhys, yn arbennig, ddarnau huawdl ar y pwnc hwn),[10] ac ar y llaw arall yn ceisio dangos iddynt, trwy gyfrwng eu traethodau dysgedig, wychder pobl Cymru a'u hiaith yn y gorffennol a'r presennol, er mwyn atgyfnerthu eu hymlyniad wrth eu gwreiddiau. Byddwn yn dychwelyd at yr agwedd hon ar eu gwaith yn ddiweddarach.

Methodd dyneiddwyr Cymru yn llwyr â diwygio arferion y beirdd proffesiynol, er bod rhai o'u plith, yn enwedig Gruffudd Hiraethog a Siôn Tudur, yn bur ymwybodol o bwysigrwydd dadleuon y dyneiddwyr.[11] Canu mawl oedd bywoliaeth y beirdd hyn, a phrin y gallai'r dyneiddwyr ddisgwyl iddynt newid confensiynau hynafol y *genre*, llai fyth ddisgwyl iddynt gyfuno eu mawl â dychan er mwyn cydymffurfio â syniad y dyneiddwyr am

---

[9] Gruffydd Aled Williams, *Ymryson Edmwnd Prys a Wiliam Cynwal* (Caerdydd, 1986); Jones, *Rhyddiaith Gymraeg II*, tt. 155–60. Gw. hefyd Gruffydd Aled Williams, 'Golwg ar Ymryson Edmwnd Prys a Wiliam Cynwal' yn J. E. Caerwyn Williams (gol.), *Ysgrifau Beirniadol VIII* (Dinbych, 1974), tt. 70–109; Branwen Jarvis, 'Llythyr Siôn Dafydd Rhys at y Beirdd', *LlC*, 12, rhifyn 1 a 2 (1972), 45–56.

[10] Hughes, *Rhagymadroddion*, tt. 15–16; Jones, *Rhyddiaith Gymraeg II*, tt. 156–7.

[11] Bowen, *Gwaith Gruffudd Hiraethog*, tt. xcviii–cxxiii; Enid Roberts (gol.), *Gwaith Siôn Tudur* (2 gyf., Caerdydd, 1980), I, t. 606; ibid., II, tt. 539–41.

wirionedd. (Byddai'r beirdd proffesiynol weithiau yn canu cerddi dychan, ond nid oeddynt i fod i wneud hynny.) Nid oedd yn realistig ychwaith ddisgwyl iddynt gefnu ar eu dulliau traddodiadol o hyfforddi, a oedd mewn gwirionedd yn brentisiaeth naw mlynedd, gan dderbyn addysg ysgol ramadeg a phrifysgol yn eu lle, hyd yn oed os oedd ganddynt y modd i ddilyn y llwybr hwnnw. Y mae ymateb y bardd proffesiynol Simwnt Fychan i lawlyfr rhethreg William Salesbury wedi ei gofnodi ac nid yw'n ffafriol: y mae'n dadlau, yn gywir, yn ôl pob tebyg, ei bod yn haws dysgu defnyddio iaith ffigurol drwy ddynwared nag o lawlyfrau.[12] Yn olaf, yr oedd y beirdd yn naturiol yn eiddigeddus o'r rhannau hynny o'u dysg yr oeddynt wedi eu meistroli drwy hyfforddiant llafar yn ystod eu prentisiaeth ac nas cynhwyswyd yn y llawlyfrau cerdd dafod niferus a ymddangosodd o ddauddegau'r bedwaredd ganrif ar ddeg ymlaen; ac am ba reswm bynnag, ychydig enghreifftiau o'u celfyddyd, boed yn gynnar neu'n ddiweddar, a gafodd eu hargraffu yn ystod y cyfnod hwn – cyfanswm o un ar ddeg o gywyddau, hwyrach, a thair awdl.[13] Y mae effaith ymdrechion y dyneiddwyr yng Nghymru i atal dirywiad nawdd y boneddigion i lenyddiaeth Gymraeg yn fwy anodd ei mesur. Fe gafodd yr ymdrechion hynny ychydig effaith, mae'n sicr, ond yn y pen draw, y grymoedd cymdeithasol a gwleidyddol a oedd drechaf. Hyd yn oed cyn y Deddfau Uno, yr oedd boneddigion Cymru yn cyflym ddysgu Saesneg. Dywed Syr John Wynn o Wedir fod ei hendaid, Maredudd ab Ieuan, wedi dysgu Saesneg a Lladin mewn ysgol yng Nghaernarfon, ac awgrymir bod hynny'n duedd gyffredinol ym molawd Dafydd Nanmor i Ddafydd Llwyd ap Dafydd o Gogerddan, dyn o bwys yng Ngheredigion tua chanol y bymthegfed ganrif, er bod y bardd yn honni nad oedd ei noddwr ef o'r un duedd:

Llawer ysgwïer, dysg oedd,
A draethant dair o ieithoedd.
Mwy synnwyr a ŵyr o iaith
[Yn] naturiol no'i [*sic, recte* no'u] teiriaith.[14]

[12] G. J. Williams ac E. J. Jones (goln.), *Gramadegau'r Penceirddiaid* (Caerdydd, 1934), t. 130.

[13] Gruffydd Robert, *Gramadeg Cymraeg*, gol. G. J. Williams (Caerdydd, 1939), [349]-[354], [361]-[386] (cywyddau gan Siôn Cent (2), Gruffudd Hiraethog, Siôn Tudur (4) a Dafydd ap Gwilym); LlGC Llsgr. 727D, ff. 236–8 (taflen goll yn cynnwys cywydd gan Siôn ap Robert ap Rhys ap Hywel); Martial, *Martial to himselfe, treating of worldly blessedness* (London, 1571) (yn cynnwys cywydd gan Simwnt Fychan); Richard Davies, *A funerall sermon* (London, 1577) (yn cynnwys cywydd gan Huw Llŷn). Yn Siôn Dafydd Rhys, *Cambrobrytannicae Cymraecaeve linguae institutiones* (London, 1592), tt. 235–46, ceir awdlau gan Gwilym Tew, Lewys Morgannwg a Simwnt Fychan; ceir yn ogystal nifer o benillion unigol hwnt ac yma yn enghreifftiau o wahanol fesurau.

[14] John Wynn, *The History of the Gwydir Family and Memoirs*, gol. J. Gwynfor Jones (Llandysul, 1990), t. 49; Thomas Roberts ac Ifor Williams (goln.), *The Poetical Works of Dafydd Nanmor* (Cardiff & London, 1923), t. 71. Cymh. Ralph A. Griffiths, *The Principality of Wales in the Later Middle Ages* (Cardiff, 1972), t. 446.

Fel yr eglurir yn llawn mewn rhannau eraill o'r gyfrol hon, yr oedd y
Ddeddf Uno gyntaf ym 1536 yn ei gwneud yn ofynnol i bawb a fyddai'n
dal swydd gyhoeddus wedi hynny allu siarad Saesneg ac arfer yr iaith wrth
gyflawni eu dyletswyddau: felly y daeth Saesneg yn iaith swyddogol
gweinyddiaeth yng Nghymru. O ganlyniad, daeth y prif foneddigion i gyd
a mwyafrif helaeth y mân foneddigion yn ddwyieithog yn gyflym iawn.
Gellir tybied mai dyna oedd y drefn yn ystod rhan gynharaf ein cyfnod,
ond tua diwedd y cyfnod y mae'n ymddangos yn debygol fod y prif
foneddigion o leiaf yn dechrau anghofio eu Cymraeg. Eithr cadwodd
llawer o'r mân foneddigion eu gafael ar yr iaith, a pharhaodd mwyafrif
helaeth y boblogaeth yn uniaith Gymraeg drwy gydol y cyfnod.[15]

Oherwydd dirywiad y Gymraeg ymhlith y gwŷr bonheddig, gwelwyd
lleihad graddol, o reidrwydd, yn eu nawdd i'r beirdd proffesiynol, ac yr
oedd y beirdd eu hunain yn boenus o ymwybodol o hynny.[16] Ni fu'r
ffaith iddynt geisio ymaddasu i hunan-ddelwedd newydd eu noddwyr –
gwelent hwy eu hunain yn llai o filwyr dewr ac yn fwy o weinyddwyr
medrus erbyn hynny – yn gymorth o gwbl i atal y dirywiad yn y pen
draw.[17] Rhaid pwysleisio, fodd bynnag, fod urdd y beirdd proffesiynol
wedi parhau i ffynnu'n allanol am fwy na chanrif ar ôl y Deddfau Uno, a
pharheid i ddefnyddio ffurfiau a chonfensiynau'r beirdd proffesiynol gan
feirdd amatur ymhell i'r ddeunawfed ganrif (y mae eu holion i'w gweld
hyd yn oed yn y bedwaredd ganrif ar bymtheg).[18] Un mlynedd ar ddeg ar

---

[15] W. Ogwen Williams, 'The Survival of the Welsh Language after the Union of England
and Wales: the First Phase, 1536–1642', *CHC*, 2, rhifyn 1 (1964), 67–93.

[16] D. J. Bowen, 'Agweddau ar Ganu'r Unfed Ganrif ar Bymtheg', *THSC* (1969), 284–335;
idem, 'Canrif Olaf y Cywyddwyr', *LlC,* 14, rhifyn 1 a 2 (1981–2), 3–51; idem, 'Y
Cywyddwyr a'r Dirywiad', *BBCS*, XXIX, rhan 3 (1981), 453–96.

[17] Gwyn Thomas, 'Y Portread o Uchelwr ym Marddoniaeth Gaeth yr Ail Ganrif ar
Bymtheg' yn J. E. Caerwyn Williams (gol.), *Ysgrifau Beirniadol VIII* (Dinbych, 1974),
tt. 110–29; idem, 'Golwg ar Gyfundrefn y Beirdd yn yr Ail Ganrif ar Bymtheg' yn R.
Geraint Gruffydd (gol.), *Bardos* (Caerdydd, 1982), tt. 76–94.

[18] Y mae'r prosiect ymchwil pwysig ar y traddodiad nawdd yn yr 'hen' siroedd (h.y. cyn
1974), dan arolygiaeth yr Athro Emeritws D. J. Bowen, bron yn gyflawn: cwblhawyd
traethodau MA ar siroedd Aberteifi (D. Hywel E. Roberts, 'Noddwyr y Beirdd yn Sir
Aberteifi', 1969), Brycheiniog a Maesyfed (Tegwen Llwyd, 'Noddwyr Beirdd yn
Siroedd Brycheiniog a Maesyfed', 1988), Caerfyrddin (Eurig R. Ll. Davies, 'Noddwyr y
Beirdd yn Sir Gaerfyrddin', 1977), Caernarfon (E. Mavis Phillips, 'Noddwyr y Beirdd yn
Llŷn', 1973; John Gwilym Jones, 'Teulu Gwedir fel Noddwyr y Beirdd', 1975; Iwan
Llwyd Williams, 'Noddwyr y Beirdd yn Sir Gaernarfon', 1986), Dinbych (Cledwyn
Fychan, 'Astudiaethau ar Draddodiad Llenyddol Sir Ddinbych a'r Canolbarth', 1986), y
Fflint (R. Alun Charles, 'Noddwyr y Beirdd yn Sir y Fflint', 1967), Meirionnydd
(Arwyn Lloyd Hughes, 'Noddwyr y Beirdd yn Sir Feirionnydd. Casgliad o'r Cerddi i
Deuluoedd Corsygedol, Dolau-gwyn, Llwyn, Nannau, Y Rug, Rhiwedog, Rhiw-goch,
Rhiwlas ac Ynysmaengwyn', 1969; Glenys Davies, 'Noddwyr Eraill y Beirdd yn Sir
Feirionnydd', 1972), Môn (Richard Llewelyn Parry Jones, 'Arolwg ar y Traddodiad
Nawdd yn Sir Fôn', 1975), Morgannwg a Mynwy (Eirian E. Edwards, 'Noddwyr y
Beirdd yn Siroedd Morgannwg a Mynwy', 1970), Penfro (Euros Jones Evans, 'Noddwyr

hugain ar ôl y Ddeddf Uno gyntaf, ym 1567, cynhaliwyd ail eisteddfod yng Nghaerwys yn ymateb i gomisiwn gan Gyngor y Gororau (Syr Henry Sidney oedd y Llywydd y pryd hwnnw) i un ar hugain o foneddigion o ogledd Cymru, a phennaeth tŷ Mostyn unwaith eto yn bwysicaf yn eu plith. Prif ddiben yr eisteddfod oedd diogelu'r beirdd rhag y cyfreithiau i atal crwydriaid, ac y mae awgrym fod hyn yn destun pryder nid yn unig ymhlith aelodau'r Cyngor ond hefyd ymhlith y comisiynwyr (cymerir bod o leiaf rai ohonynt wedi deisebu'r Cyngor ymlaen llaw). Nid oedd yn argoeli'n dda fod deiseb am eisteddfod arall ym 1594 wedi ei hanwybyddu, na bod apêl Siôn Mawddwy at ei noddwr, George Owen, i ddefnyddio ei ddylanwad i geisio sicrhau cynulliad tebyg hefyd wedi bod yn aneffeithiol. Yr oedd Gruffudd Hiraethog wedi marw ers tair blynedd pan gynhaliwyd ail eisteddfod Caerwys, ond enillodd pedwar o'i ddisgyblion y radd uchaf am farddoniaeth, a chafodd tri arall y radd uchaf ond un; rhwng pawb, urddwyd tua dau ar bymtheg o feirdd yn ogystal ag un ar hugain o delynorion ac un ar bymtheg o grythorion.[19] Nid yw'n syndod mai disgyblion Gruffudd Hiraethog a oedd fwyaf blaenllaw yn hanes barddoniaeth broffesiynol gogledd Cymru yn ystod yr hanner canrif nesaf: sef Lewis ab Edward (a fu farw yn fuan ar ôl cynnal yr eisteddfod), Wiliam Llŷn (m.1580), Wiliam Cynwal (m.1587), Owain Gwynedd (m.1601), Siôn Tudur (m.1602), Simwnt Fychan (m.1606) a Siôn Phylip (m.1620). Bu Rhisiart, brawd iau Siôn Phylip, byw tan 1641 a'i feibion Gruffudd Phylip a Phylip Siôn Phylip tan 1666 a c.1677, yn y drefn honno: eu llinach hwy oedd y llinach farddol fawr olaf. Cyfoeswyr i Rhisiart Phylip yn fras oedd Rhisiart Cynwal (m.1634) a Huw Machno (m.1637), ill dau o Ddyffryn Conwy. Ymsefydlodd Wiliam Llŷn yng Nghroesoswallt a hyfforddodd, yn ogystal â Siôn Phylip, ddau fardd toreithiog a oedd hefyd yn herodron (fel yr oedd Gruffudd Hiraethog), sef Rhys Cain (m.1614) a Lewys Dwnn (m.1616); addysgodd y ddau hynny yn eu tro eu meibion Siôn Cain (m. c.1650) a Siams Dwnn (m. c.1660) mewn barddoniaeth a herodraeth (dylid nodi bod gan Gruffudd Hiraethog a Lewys Dwnn ill dau swyddi yn y Coleg Arfau). Yn ne-ddwyrain Cymru, y bardd proffesiynol mwyaf toreithiog o bell ffordd ar ddiwedd yr unfed ganrif ar bymtheg oedd Dafydd Benwyn, a ymwelai â thai boneddigion digon di-nod, ond cafwyd cyfraniadau sylweddol hefyd gan Meurig Dafydd (m.1595) a Llywelyn Siôn (m. c.1615). Dilynwyd

---

y Beirdd yn Sir Benfro', 1974) a Threfaldwyn (Robert Lewis Roberts, 'Noddwyr y Beirdd yn Sir Drefaldwyn', 1980). Rhestrir erthyglau yn seiliedig ar y traethodau hyn yn *LlLlG*, tt. 90–1 a *LlLlG²*, tt. 86–9, ond yr unig gyfrol yw Glenys Davies, *Noddwyr Beirdd ym Meirion* (Dolgellau, 1974).

[19] Gw. yr erthyglau a restrir yn n. 4 uchod; gw. hefyd Gwyn Thomas, *Eisteddfodau Caerwys: The Caerwys Eisteddfodau* (Caerdydd, 1968), a'r llyfryddiaeth.

hwy gan Edward Dafydd, a wnaeth ei orau i gynnal y traddodiad tan ymhell i saithdegau'r ail ganrif ar bymtheg. Cyfoeswr diddorol i Lywelyn Siôn a Meurig Dafydd oedd Siôn Mawddwy (m.1613), yr oedd cylch ei deithio'n ehangach na'r rhan fwyaf o feirdd proffesiynol ei gyfnod. Cyfran fechan o'r beirdd proffesiynol a oedd yn ymarfer eu dawn yng Nghymru rhwng 1536 a 1660 yw'r rhain, er bod y rhestr, gobeithio, yn cynnwys y rhai pwysicaf yn eu plith. Rhyngddynt cynyrchasant filoedd lawer o gywyddau ac awdlau, y rhan fwyaf ohonynt heb eu golygu hyd yma a heb gael llawer o sylw beirniadol.[20] Gellir ailadrodd yn ddigon hyderus, fodd bynnag, mai Wiliam Llŷn yw'r unig un o'r beirdd hyn y mae modd ei gymharu â'i ragflaenwyr enwog o ddiwedd y bymthegfed ganrif a dechrau'r unfed ganrif ar bymtheg; crefftwyr llenyddol digon medrus oedd gweddill ei gymrodyr o'r unfed ganrif ar bymtheg a dechrau'r ail ganrif ar bymtheg. Gallent weithiau ganu ambell gywydd gwych, ond dim mwy na hynny. Tua diwedd y cyfnod y mae dirywiad difrifol yn ei amlygu ei hun; aeth y cerddi'n rhy hir ac olrhain achau'n llawer rhy amlwg ynddynt. At hynny, y mae meistrolaeth o'r gynghanedd yn gwanhau a chonfensiynau ieithyddol traddodiadol y ffurf yn cael eu hanwybyddu fwyfwy. Yr oedd y traddodiad yn marw ar ei draed cyn trybini'r rhyfeloedd cartref, a chyda'r chwalfa gymdeithasol a ddaeth yn eu sgil hwy, daeth yr ergyd farwol. Ar ôl marw Gruffudd Phylip ym 1666, nid oedd y grefft ond cysgod o'r hyn a fu.

[20] Yr unig ddau y cyhoeddwyd golygiad o'u gwaith yw Gruffudd Hiraethog a Siôn Tudur (gw. n. 7 a n. 11 uchod) ond ceir traethodau ymchwil anghyhoeddedig ar Lewis ab Edward (R. W. Macdonald, 'Bywyd a Gwaith Lewis ab Edward', MA Prifysgol Lerpwl, 1960–1), Wiliam Llŷn (Roy Stephens, 'Gwaith Wiliam Llŷn', PhD Prifysgol Cymru, 1983), Wiliam Cynwal (Sarah Rhiannon Williams, 'Testun Beirniadol o Gasgliad Llawysgrif Mostyn 111 o Waith Wiliam Cynwal ynghyd â Rhagymadrodd, Nodiadau a Geirfa', MA Prifysgol Cymru, 1965; Geraint Percy Jones, 'Astudiaeth Destunol o Ganu Wiliam Cynwal yn Llawysgrif (Bangor) Mostyn 4', MA Prifysgol Cymru, 1969; Richard Lewis Jones, 'Astudiaeth Destunol o Awdlau, Cywyddau ac Englynion gan Wiliam Cynwal', MA Prifysgol Cymru, 1969), Owain Gwynedd (D. Roy Saer, 'Testun Beirniadol o Waith Owain Gwynedd, ynghyd â Rhagymadrodd, Nodiadau a Geirfa', MA Prifysgol Cymru, 1961), teulu'r Phylipiaid (William Davies, 'Phylipiaid Ardudwy: with the Poems of Siôn Phylip in the Cardiff Free Library Collection', MA Prifysgol Cymru, 1912), Huw Machno (Dan Lynn James, 'Bywyd a Gwaith Huw Machno', MA Prifysgol Cymru, 1960), Dafydd Benwyn (Dafydd Huw Evans, 'The Life and Work of Dafydd Benwyn', DPhil Prifysgol Rhydychen, 1981), Meurig Dafydd a Llywelyn Siôn (T. O. Phillips, 'Bywyd a Gwaith Meurig Dafydd (Llanisien) a Llywelyn Siôn (Llangewydd)', MA Prifysgol Cymru, 1937), Edward Dafydd (John Rhys, 'Bywyd a Gwaith Edward Dafydd o Fargam a Dafydd o'r Nant, a Hanes Dirywiad y Gyfundrefn Farddol ym Morgannwg', MA Prifysgol Cymru, 1953) a Siôn Mawddwy (J. Dyfrig Davies, 'Astudiaeth Destunol o Waith Siôn Mawddwy', MA Prifysgol Cymru, 1965). Rhestrir erthyglau ar y beirdd hyn ac eraill yn *LlLlG*, tt. 93–121, 143–6 a *LlLlG²*, tt. 89–105. Y mae blodeugerdd Nesta Lloyd (gol.), *Blodeugerdd Barddas o'r Ail Ganrif ar Bymtheg (Cyfrol 1)* (Cyhoeddiadau Barddas, 1993), yn hynod ddefnyddiol. Dylid nodi bod y berthynas rhwng athro a disgybl ychydig yn fwy cymhleth nag y mae'r testun yn ei awgrymu.

Gallai bonheddwr delfrydol y Dadeni lunio soned yn ogystal â defnyddio'i gledd, a gobeithiai dyneiddwyr Cymru, yn naturiol, y byddai to o feirdd amatur dawnus yn codi yn eu plith a fyddai, hwyrach, yn gallu adfywio'r mesurau caeth. Digwyddodd hynny i raddau'n unig, er bod Thomas Prys o Blasiolyn yn sir Ddinbych wedi gallu rhestru naw a deugain o amaturiaid o'r fath yn siroedd Caernarfon, Dinbych, Meirionnydd a Môn rhwng, dyweder, 1560 a 1630.[21] Yr oedd y beirdd hyn yn cyfansoddi yn bennaf (er nad yn llwyr) yn y mesurau caeth, a chymerir mai er eu lles hwy y cyhoeddwyd traethodau ar gerdd dafod Gymraeg gan Gruffydd Robert ym Milan ym 1584–94, gan Siôn Dafydd Rhys yn Llundain ym 1592 a chan William Midleton, eto yn Llundain, ym 1593 (yn achos Gruffydd Robert a Siôn Dafydd Rhys yr oedd y traethodau hynny'n rhan o gyfanweithiau mwy); ysgrifennodd Thomas Prys ei hun draethawd tebyg ond ni chafodd ei gyhoeddi.[22] O'r amaturiaid hyn Thomas Prys oedd y mwyaf toreithiog o bell ffordd, ond y mae swmp o waith digon sylweddol gan Roger Kyffin, gŵr bonheddig o Faldwyn, wedi goroesi hefyd, yn ogystal â chan 'Syr' Huw Roberts, clerigwr o Fôn.[23] Yr oedd llawer iawn o waith y beirdd hyn yn gadarn o fewn y traddodiad canu mawl, er bod llai o ffurfioldeb, yn amlwg, yn y berthynas rhwng bardd a noddwr, ac ni fyddent, drwy drugaredd, yn gosod achau ar gân. Yr oedd crefydd a serch yn parhau'n bynciau poblogaidd i'w cerddi, yn ôl tueddiadau personol y beirdd eu hunain, ond byddent yn barod hefyd o bryd i'w gilydd i ganu ar themâu na fyddai'r beirdd proffesiynol fel rheol yn ymgeisio atynt, megis disgrifiad o fywyd y cyfnod a beirniadaeth arno. Gwendid llawer o'r canu caeth amatur hwn, fodd bynnag, oedd nad oedd yr awduron wedi cael eu dysgu gan y meistri. Y mae cerdd dafod Gymraeg mor gymhleth fel bod gofyn prentisiaeth faith ac ymarfer cyson wedyn cyn y gall fod yn llestr addas i weledigaeth farddonol aruchel. O blith yr amaturiaid hyn i gyd, Edmwnd Prys yn unig sy'n agos at y safon. Fodd bynnag, cafodd mwy o'u gwaith hwy nag o waith y beirdd proffesiynol ei argraffu: er enghraifft, cafodd detholiad o ganu caeth gan Gruffydd Robert ei argraffu mewn gwasg ddirgel yn y wlad hon ac ym Milan ym 1584–94. Cafodd detholiadau cyffelyb o waith

---

[21] J. Gwenogvryn Evans, *Report on Manuscripts in the Welsh Language* (2 gyf., London, 1898–1910), II, t. 1093.

[22] Robert, *Gramadeg Cymraeg*, [205]-[332]; G. J. Williams (gol.), *Barddoniaeth neu Brydyddiaeth gan Wiliam Midleton yn ôl argraffiad 1593, gyda chasgliad o'i awdlau a'i gywyddau* (Caerdydd, 1930); Williams a Jones, *Gramadegau'r Penceirddiaid*, tt. lvii–lviii, lxi–lxxxviii, 189–91, 196–8.

[23] Casglwyd llawer o gerddi Thomas Prys yn J. Fisher (gol.), *The Cefn Coch MSS* (Liverpool, 1899); gw. hefyd William Rowlands, 'Barddoniaeth Tomos Prys o Blas Iolyn' (traethawd MA anghyhoeddedig Prifysgol Cymru, 1912). Y mae Dyfed Rowlands wedi ymgymryd â'r gwaith o ailolygu'r cywyddau.

William Midleton eu hargraffu yn Rhydychen *c.*1595 ac yn Llundain ym 1603 (ar ôl ei farw), ac argraffwyd un cywydd gan Huw Lewys fel atodiad i *Perl mewn adfyd* ym 1595.[24]

Yr oedd traddodiad symlach y canu rhydd yn cydredeg â'r traddodiad caeth.[25] Yn ei ffurf wreiddiol, sy'n hen iawn yn ôl pob tebyg, byddai'r traddodiad hwn yntau'n defnyddio mesurau traddodiadol, ond heb gynghanedd a chyda llawer llai o bwyslais ar gyfrif sillafau; yn wir, gydag amser tueddai i ddod yn acennog yn hytrach na sillafog. Yn ystod yr Oesoedd Canol defnyddid y mesurau 'rhydd' hyn gan radd is o feirdd proffesiynol na'r rheini a fyddai'n canu yn y mesurau caeth, ond y mae eu gwaith hwy wedi diflannu bron yn llwyr.[26] Yn ystod ein cyfnod ni, ac eithrio un neu ddau sydd wedi goroesi o'r hen drefn, gan fân foneddigion, clerigwyr a'r crefftwr achlysurol y cyfansoddid cerddi rhyddion; yn anaml iawn y byddai beirdd proffesiynol y mesurau caeth yn ymostwng i gyfansoddi unrhyw beth yn y mesurau rhyddion. Nid yn unig yr oedd cywair ieithyddol barddoniaeth rydd lawer yn is nag yn y mesurau caeth, ond yr oedd cwmpas y testunau hefyd lawer yn ehangach; yn ogystal â'r ddau bwnc mawr sefydlog, crefydd a serch, cafwyd ychydig o ganu mawl, cryn dipyn o ganu dychan a llawer iawn o ddarogan (ychydig ohono'n hunan-barodïol), a rhoddid llawer iawn o sylw i ddigwyddiadau cyfoes. Yr oedd dylanwad y Saesneg i'w weld ym mhobman, yn gymaint â dim yn yr alawon a ddewisid ar gyfer y cerddi.[27] Amrywiai safon y cerddi, er bod rhai yn rhyfeddol o gain. Yr oedd y gynulleidfa ar gyfer y canu rhydd yn llawer mwy niferus nag ar gyfer y canu caeth; yn wir, hwyrach mai'r canu rhydd oedd y math o lenyddiaeth y byddai trwch y boblogaeth yn ei chlywed amlaf, ac y mae'n fynegai defnyddiol i syniadau a theimladau'r werin-bobl.[28] Ar wahân i'r defnydd sydd wedi goroesi, y mae'n debyg fod llawer iawn o'r canu rhydd anhysbys a fu'n cylchredeg ar ffurf caneuon tymhorol a phenillion telyn wedi eu colli am byth.[29] Yr oedd dyneiddwyr Cymru wedi eu hudo i'r fath raddau gan y traddodiad caeth fel mai

---

[24] Robert, *Gramadeg Cymraeg*, [303]-[388], cymh. *Libri Walliae*, rhif 4382; ibid., rhifau 465–9 (hefyd Siôn Dafydd Rhys, op. cit., tt. 246–8); Huw Lewys, *Perl mewn adfyd, yn ôl argraffiad 1595 gyda rhagymadrodd gan W. J. Gruffydd* (Caerdydd, 1929), tt. [247]-[250].

[25] Am arolwg cyffredinol, gw. Brinley Rees, *Dulliau'r Canu Rhydd 1500–1650* (Caerdydd, 1952); R. M. Jones, 'Mesurau'r Canu Rhydd Cynnar', *BBCS*, XXVIII, rhan 3 (1979), 413–41.

[26] Gw. Cennard Davies, 'Robin Clidro a'i Ganlynwyr' (traethawd MA anghyhoeddedig Prifysgol Cymru, 1964).

[27] Brinley Rees, 'Tair cerdd a thair tôn', *BBCS*, XXXI (1984), 60–73.

[28] Glanmor Williams, *Grym Tafodau Tân: Ysgrifau Hanesyddol ar Grefydd a Diwylliant* (Llandysul, 1984), tt. 140–63, 164–79.

[29] Gw., e.e., Meredydd Evans, 'Y Canu Gwasael yn *Llawysgrif Richard Morris o Gerddi'*, *LlC*, 13, rhifyn 3 a 4 (1980–1), 207–35, a Rhiannon Ifans, *Sêrs a Rhybana* (Llandysul, 1983).

ychydig sylw a roid i'r chwaer fach, er bod Gruffydd Robert, yn ei draethawd ar y mesurau ym 1584–94, o blaid defnyddio mydrau Eidalaidd ar gyfer y canu gwyddonol a hanesyddol newydd, ac y mae'n debygol fod Edmwnd Prys a Siôn Dafydd Rhys hefyd yn meddwl am ddulliau newydd felly wrth gynnig testunau newydd ar gyfer barddoniaeth Gymraeg (rhoes Siôn Dafydd Rhys gynnig hyd yn oed ar fesur chweban Cymraeg, gyda chanlyniadau trychinebus).[30] Ond llwyddodd un y gellir cyfiawnhau ei alw yn un ohonynt, sef Richard Hughes o sir Gaernarfon, i gyfansoddi nifer o delynegion serch cain a oedd yn adlewyrchiad teg o ffasiynau bonheddig y cyfnod.[31] Yr oedd y casgliadau o gerddi rhydd a gyfansodd-wyd yn ystod ein cyfnod – *Carolau* (1600) Richard Gwyn, *Llyfr y Psalmau* (1621) gan Edmwnd Prys a 'Canwyll y Cymru' (1617, 1646?) gan Rees Prichard[32] – i gyd yn gyfraniadau at addoliad crefyddol, hyfforddiant a dadl yn hytrach nag at gynnydd dyneiddiaeth, er bod awduron pob un ohonynt yn ddyneiddwyr o ryw fath, a Prys, yn enwedig, yn un o ddyneiddwyr mwyaf blaenllaw Cymru. Cafodd gwaith bardd gwych arall yn y mesurau rhyddion, Morgan Llwyd (m.1659), ei ysbrydoli'n llwyr gan ei ddaliadau Piwritanaidd tanbaid.[33]

Ymhell cyn diwedd yr unfed ganrif ar bymtheg, yn ôl pob tebyg, dechreuodd math newydd o ganu rhydd gystadlu â'r hen fesurau. Yr oedd y canu newydd hwn yn seiliedig ar alawon Seisnig poblogaidd yn hytrach nag ar fydrau traddodiadol: câi geiriau eu cyfansoddi ar gyfer yr alawon (a byddai'r geiriau hyn weithiau'n adlewyrchu'r caneuon poblogaidd yr oedd yr alawon yn gysylltiedig â hwy yn Lloegr a'r Alban), ac wedyn byddai'r llinellau hynny'n cael eu cynganeddu'n llawn. Cyfansoddwyd enghreifftiau campus o'r math hwn o ganu gan Edmwnd Prys a Richard Hughes, ac yn wir cyhoeddodd Hughes un o'i gerddi fel dalen unigol *c*.1620.[34] Pencampwyr y math newydd o ganu rhydd, fodd bynnag, oedd Edward Morris (m.1689) a Huw Morys 'Eos Ceiriog' (m.1709), ill dau yn hanu o sir Ddinbych ond o ddau ben eithaf y sir.[35] Er bod y ddau fardd yn

[30] Robert, *Gramadeg Cymraeg*, [330]-[331], a'r testunau y cyfeiriwyd atynt yn n. 8 uchod.
[31] T. H. Parry-Williams (gol.), *Canu Rhydd Cynnar* (Caerdydd, 1932), tt. 1–20. Cymh. ibid., tt. 21–9, am gyfres nodedig arall o gerddi serch, o bosibl gan Lywelyn ap Hwlcyn. Arno ef, gw. Bobi Jones, 'Wrth Angor', *Barddas*, rhif 149 (Medi 1989), 8–9; nid yw cysylltiadau dyneiddiol Llywelyn eto wedi cael eu sefydlu.
[32] *Libri Walliae*, rhifau 5179; 587; 1049; 4098.
[33] M. Wynn Thomas, *Morgan Llwyd: Ei Gyfeillion a'i Gyfnod* (Caerdydd, 1991); R. M. Jones, *Cyfriniaeth Gymraeg* (Caerdydd, 1994), tt. 39–77.
[34] Rees, 'Tair cerdd a thair tôn', 60–73; *Libri Walliae*, rhif 2542.
[35] Ar Edward Morris, gw. Gwenllian Jones, 'Bywyd a Gwaith Edward Morris, Perthi Llwydion' (traethawd MA anghyhoeddedig Prifysgol Cymru, 1941), ac ar Huw Morys, gw. David Jenkins, 'Bywyd a Gwaith Huw Morys (Pont y Meibion) 1622–1709' (traethawd MA anghyhoeddedig Prifysgol Cymru, 1948). Rhestrir erthyglau yn ymwneud â'r beirdd hyn yn *LlLlG*, tt. 144–5 a *LlLlG*², t. 115.

dal i ddefnyddio'r mesurau caeth confensiynol ar gyfer canu mawl cyn diwedd ein cyfnod ac wedyn, eu campwaith pwysicaf oedd perffeithio'r math newydd o ganu rhydd a elwid yn ganu carolaidd. Ar ei orau, yn eu dwylo hwy yr oedd y math newydd hwn o gerdd yn creu undod geiriau ac alaw nad oedd yn annhebyg o ran effaith, gellid tybio, i'r hyn a geid wrth osod cerddi caeth ar gerddoriaeth draddodiadol Gymreig tua diwedd yr Oesoedd Canol. Yr oedd mwyafrif cerddi poblogaidd y ddeunawfed ganrif a'r bedwaredd ganrif ar bymtheg, gan gynnwys y baledi a'r anterliwtiau, yn y dull hwn. Yr oedd Huw Morys, yn wir, yn un o arloeswyr yr anterliwt, ond perthyn i ail hanner yr ail ganrif ar bymtheg y mae ei ymdrechion yn y maes hwn. Y mae *Troelus a Chresyd* – sydd o bosibl yn waith Humphrey Llwyd (m.1568), y dyneiddiwr pwysig o Ddinbych, a'r unig ddrama i oroesi o'r cyfnod – yn creu ei mesurau ei hun yn seiliedig ar batrymau Saesneg ond, yn ddoeth iawn, yn hepgor cynghanedd.[36] Y mae *Troelus a Chresyd* yn sicr yn waith dyneiddiol, a gellir tybio bod y ffaith iddo fethu ag ysbrydoli cnwd o ddynwaredwyr yn symbol o fethiant cymharol y dyneiddwyr i ddiwygio ac adfywio barddoniaeth Gymraeg.

Darlun pur wahanol a geir ym myd rhyddiaith Gymraeg. Yn yr achos hwnnw yr oedd gan y dyneiddwyr lawer mwy o ryddid. Cyrhaeddodd rhyddiaith Gymraeg ei phinacl yn y ddeuddegfed ganrif a'r drydedd ganrif ar ddeg, cyn dechrau dirywio'n raddol, er bod llawer o waith diddorol – yn gyfieithiadau, gan mwyaf – yn dal i gael ei gynhyrchu yn ystod y bedwaredd ganrif ar ddeg, y bymthegfed a dechrau'r unfed ganrif ar bymtheg.[37] Drwy gydol ein cyfnod, y mae hynt a helynt rhyddiaith ynghlwm wrth hanes y wasg argraffu i raddau llawer iawn mwy nag yw barddoniaeth. Ni chafodd gwaith yr awdur rhyddiaith mwyaf uchelgeisiol yn hanner cyntaf yr unfed ganrif ar bymtheg, sef Elis Gruffydd (m. *c.*1552) o sir y Fflint a Calais, a ysgrifennodd draethawd ar hanes y byd fel y gwyddai ef amdano, erioed ei gyhoeddi ac o ganlyniad ni ddaeth yn hysbys tan yr ugeinfed ganrif; gellir, yn sicr, ystyried Gruffydd yn egin-ddyneiddiwr o leiaf. Erbyn pumed degawd tyngedfennol yr unfed ganrif ar bymtheg, yr oedd gwir ddyneiddwyr Cymru yn barod i harneisio'r wasg argraffu i hyrwyddo eu hachos, a oedd o'r cychwyn cyntaf – fel

---

[36] W. Beynon Davies (gol.), *Troelus a Chresyd o Lawysgrif Peniarth 106* (Caerdydd, 1971); R. J. Stephen Jones, 'The authorship of *Troelus a Chresyd*', *BBCS*, XXVIII, rhan 2 (1979), 223–8.

[37] Ceir cyflwyniadau cyffredinol rhagorol yn A. O. H. Jarman a Gwilym Rees Hughes (goln.), *A Guide to Welsh Literature Volume 1* (Swansea, 1976), tt. 189–276, ac idem, *A Guide to Welsh Literature Volume 2* (Swansea, 1979), tt. 338–75. Gw. hefyd ymdriniaeth bwysig Ceridwen Lloyd-Morgan, 'Rhai Agweddau ar Gyfieithu yng Nghymru yn yr Oesoedd Canol' yn J. E. Caerwyn Williams (gol.), *Ysgrifau Beirniadol XIII* (Dinbych, 1985), tt. 134–45.

dyneiddiaeth gogledd Ewrop yn gyffredinol – wedi magu gwedd grefyddol yn bennaf. O ganlyniad, natur grefyddol oedd i fwyafrif y 160 o lyfrau, fwy neu lai, a argraffwyd yn Gymraeg rhwng 1546 a 1660.[38] Gan mai Anglicanaidd oedd crefydd Cymru, fel Lloegr, yn swyddogol, y mae mwyafrif y llyfrau hyn o'r duedd honno, er bod lleisiau'r Pabyddion a'r Piwritaniaid i'w clywed hefyd o bryd i'w gilydd drwy gyfrwng y wasg argraffu. Mewn gwirionedd, testun Pabyddol radicalaidd yn hytrach na Phrotestannaidd yw'r llyfr cyntaf a gafodd ei argraffu, sef *Yny lhyvyr hwnn* (1546) gan Syr John Price o Aberhonddu, ond eithriad yw hwn i brofi'r rheol. Yr oedd *Yny lhyvyr hwnn* hefyd yn destun dyneiddiol yn ei hanfod gan mai dyfyniadau o 'Ymborth yr Enaid' – traethawd crefyddol pwysig yn dyddio o'r drydedd ganrif ar ddeg, a darn o ddysgeidiaeth ddiwinyddol hynafol y Cymry yr oedd Price yn awyddus i'w ledaenu – yw crynswth y gwaith.[39] Eisoes ym 1545 yr oedd y dyneiddiwr ifanc o Brotestant, William Salesbury, wedi dod i gytundeb â'r cyhoeddwr John Waley yn Llundain, o dan gysgod patent brenhinol, i argraffu geiriadur a rhai cyfieithiadau crefyddol, ac ymddangosodd y geiriadur yn ei dro ym 1547.[40] Ym 1547 hefyd, mae'n debyg, y mynegodd Salesbury ei amcanion mewn rhagair angerddol i gasgliad o ddiarhebion yr oedd wedi eu 'brith ladrata' oddi ar ei gyfaill Gruffudd Hiraethog; yr amcanion hynny oedd cael y Beibl yn Gymraeg a chael dysg yn Gymraeg. Yr oedd y naill nod yn amhosibl ei gyrraedd heb y llall.

Y mae hanes ymdrechion Salesbury ym maes cyfieithu'r Beibl wedi ei adrodd yn llawn uchod (tt. 213–16) a dim ond crynodeb byr a geir yma. Ym 1551, gyda chymorth y cyhoeddwr Robert Crowley, cyhoeddodd *Kynniver llith a ban*, ei gyfieithiad ei hun o ddarnau ysgrythurol y Llyfr Gweddi Gyffredin. Ym 1563 pasiwyd Deddf Seneddol y bu'n gweithio o'i phlaid, gyda chefnogaeth ei gyfeillion yr Esgob Richard Davies o Dyddewi (m.1581) a Humphrey Llwyd, ac a orchmynnai fod pedwar esgob Cymru ac esgob Henffordd yn sicrhau bod y Beibl a'r Llyfr Gweddi Gyffredin yn cael eu cyfieithu a'u cyhoeddi erbyn Gŵyl Ddewi 1567. Erbyn 1567 yr oedd ef ei hun, gyda chymorth achlysurol gan Davies a Thomas Huet, pen-cantor Eglwys Gadeiriol Tyddewi, wedi cyfieithu'r Llyfr Gweddi Gyffredin a'r Testament Newydd i gyd, a chyhoeddwyd y rheini yn ystod y flwyddyn honno, a hynny, mae'n debyg, gyda chefnogaeth ariannol y llyfrwerthwr a'r cyhoeddwr o Gymro, Humphrey

---

[38] Glanmor Williams, *The Welsh and their Religion* (Cardiff, 1991), tt. 138–72.

[39] R. Geraint Gruffydd, '*Yny lhyvyr hwnn* (1546): the earliest Welsh printed book', *BBCS*, XXIII, rhan 2 (1969), 105–16; R. Iestyn Daniel, *Ymborth yr Enaid* (Caerdydd, 1995).

[40] Am yr hyn sy'n dilyn, gw. y bennod y cyfeiriwyd ati yn n. 8 uchod; gw. hefyd R. Geraint Gruffydd, 'The first printed books, 1546–1604' yn Philip H. Jones ac Eiluned Rees (goln.), *A Nation and its Books* (Aberystwyth, i'w gyhoeddi).

Toy, a drigai yn Llundain. Er bod Davies a Salesbury wedi dechrau cydweithio ar gyfieithiad o'r Hen Destament, ni allent gytuno â'i gilydd a daeth y bartneriaeth i ben. Yr oedd Salesbury yn ddysgedig tu hwnt ac yn biniynus iawn — cyfuniad digon cyffredin — a chafodd yr orgraff a ddefnyddiai ei phenderfynu yn bennaf gan egwyddorion y dyneiddwyr o barchu hynafiaeth a'r dymuniad am amrywiaeth; achosai benbleth i guradiaid di-ddysg, ac ni allai'r rheini a ymdeimlai â Chymraeg naturiol ei goddef. Digwyddiad ffodus, felly, oedd fod William Morgan (m.1604), a oedd y pryd hwnnw yn offeiriad plwyf ar y ffin rhwng siroedd Dinbych a Threfaldwyn, wedi ymgymryd â'r dasg o gyfieithu'r Beibl cyfan. Cyhoeddwyd y gwaith, gyda chefnogaeth a chymeradwyaeth swyddogol, yn Llundain ym 1588, yn fuan wedi i Armada Sbaen gael ei threchu. Adeiladodd Morgan ei gyfieithiad ar gryfderau Salesbury, gan gael gwared â'r rhan fwyaf o'i wendidau a chynhyrchu fersiwn a oedd yn gyffredinol dderbyniol ac yn llwyr haeddu'r ganmoliaeth a gafodd; diwygiodd gyfieithiad Salesbury o'r Llyfr Gweddi Gyffredin hefyd ym 1599. Yn olaf, cynhyrchodd yr Esgob Richard Parry o Lanelwy (m.1623), gyda chymorth anhepgor ei frawd-yng-nghyfraith, Dr John Davies, Mallwyd (m.1644), fersiwn diwygiedig o Feibl Morgan ym 1620 ac o Lyfr Gweddi Gyffredin Salesbury a Morgan ym 1621; parhaodd y rheini, heb eu diwygio'n sylfaenol, yn fersiynau awdurdodedig y Beibl Cymraeg a'r Llyfr Gweddi hyd yr ugeinfed ganrif.[41]

Y mae gwaith ymchwil diweddar wedi dangos yn bendant fod cyfieithwyr y Beibl Cymraeg yn ysgolheigion Beiblaidd penigamp a hefyd yn feistri ar y Gymraeg, er gwaethaf mympwyon orgraffyddol Salesbury.[42] Rhaid aros i weld i ba raddau yr oedd cystrawen y fersiynau yn adlewyrchu iaith lafar ac ysgrifenedig y cyfnod; ond hyd yn oed os yn rhannol yn unig y gwnaent hynny, hwyrach nad drwg o beth oedd fod cywair y testunau aruchel hyn ar lefel ychydig yn uwch nag iaith bob dydd (er bod dadleuon cryf i'r gwrthwyneb). Y mae'r cyfieithiadau hyn yn bwysig yn y lle cyntaf oherwydd eu harwyddocâd a'u heffaith grefyddol, ond o'n safbwynt ni, gellir nodi dwy agwedd bellach ar eu pwysigrwydd. Yn y lle cyntaf, yr oeddynt yn batrwm i awduron rhyddiaith diweddarach o ryddiaith rugl, reolaidd a phersain a gwmpasai amrywiaeth helaeth o arddulliau llenyddol. Yn ail — ac efallai, yng nghyd-destun yr astudiaeth hon, yn bwysicach — yr oeddynt yn sicrhau y dygid trwch y boblogaeth yn gyson i gysylltiad â gweithgareddau o'r pwys mwyaf, a hynny yn yr iaith

---

[41] Am arolwg cyffredinol, gw. R. Geraint Gruffydd (gol.), *Y Gair ar Waith: Ysgrifau ar yr Etifeddiaeth Feiblaidd yng Nghymru* (Caerdydd, 1988); gw. hefyd Williams, *The Welsh and their Religion*, tt. 173–229.

[42] Isaac Thomas, *Y Testament Newydd Cymraeg 1551–1620* (Caerdydd, 1976); idem, *Yr Hen Destament Cymraeg 1551–1620* (Aberystwyth, 1988).

Gymraeg. Petasai pobl Cymru wedi cael eu gorfodi i fynychu gwasanaeth-
au a gynhelid yn gyfan gwbl trwy gyfrwng y Saesneg – rhywbeth a
ymddangosai'n debygol yn y cyfnod 1539–49 – gallasai effaith hynny ar
hynt yr iaith fod wedi bod yn drychinebus.[43] Ni ellir mesur dyled yr iaith
i'r egwyddor y sylfaenasid Deddf 1563 arni, sef yr egwyddor
Brotestannaidd fod gan bob unigolyn yr hawl i glywed Gair Duw yn ei
iaith ei hun.

Fel yr awgrymwyd uchod, ymddangosodd cnwd o weithiau rhyddiaith
Anglicanaidd Cymraeg tua'r un pryd â'r cyfieithiadau o'r Beibl.[44] Yr oedd
cyflwyniad maith Richard Davies i Destament Newydd Salesbury ym
1567 yn pleidio'n huawdl y ddamcaniaeth, a gâi ei derbyn gan bron pob
un o'r dyneiddwyr Cymraeg, mai Joseff o Arimathea, yn hytrach na Sant
Awstin o Gaer-gaint, negesydd esgob Rhufain, a ddaethai â'r efengyl i
Brydain. Wedi hynny, yr oedd gweithiau rhyddiaith yr Anglicaniaid
Cymraeg bron i gyd yn gyfieithiadau, yn eu plith glasuron cydnabyddedig
megis *Deffynniad Ffydd Eglwys Loegr* (1595), cyfieithiad Morris Kyffin o'r
Apologia Ecclesiae Anglicanae gan yr Esgob John Jewel, *Perl mewn adfyd*
(1595), cyfieithiad Huw Lewys (drwy gyfrwng fersiwn Saesneg gan Miles
Coverdale) o *Ein Kleinot* gan Otto Werdmüller, *Pregethau a osodwyd allan
trwy awdurdod i'w darllein ymhob Eglwys blwyf a phob capel er adailadaeth i'r
bobl annyscedig* (1606), cyfieithiad Edward James o Homilïau swyddogol
Eglwys Loegr, *Yr Ymarfer o dduwioldeb* (1629), cyfieithiad Rowland
Vaughan o *The Practice of Piety* gan yr Esgob Lewis Bayly, *Llwybr hyffordd
yn cyfarwyddo yr anghyfarwydd i'r nefoedd* (1630), cyfieithiad Robert Llwyd o
The Plain man's pathway to heaven gan Arthur Dent, a *Llyfr y resolusion*
(1632), cyfieithiad John Davies, Mallwyd, o fersiwn Protestannaidd
Edmund Bunny o *The First booke of the Christian exercise, appertayning to
resolution* gan Robert Persons SJ.[45] Tua diwedd cyfnod y Werinlywodraeth
gwelwyd adfywiad mewn cyhoeddiadau Anglicanaidd, a chyfrannodd
Rowland Vaughan, a oedd wedi ei chwerwi'n fawr gan ei brofiadau yn y

---

[43] Peter R. Roberts, 'The Welsh Language, English Law and Tudor Legislation', *THSC*
(1989), 44–54.

[44] Ceir arolwg o'r maes yn R. Geraint Gruffydd, 'Religious Prose in Welsh from the
Beginning of the Reign of Elizabeth to the Restoration' (traethawd DPhil
anghyhoeddedig Prifysgol Rhydychen, 1952–3).

[45] Ceir argraffiadau modern o Morris Kyffin, *Deffynniad Ffydd Eglwys Loegr*, gol. W.
Prichard Williams (Bangor, 1908), Huw Lewys, *Perl mewn adfyd* (gw. n. 24 uchod), a
Lewis Bayly, *Yr Ymarfer o dduwioldeb . . . wedi ei gyfieithu i'r Gymraeg gan Rowland
Vaughan*, gol. John Ballinger (Caerdydd, 1930). Y lleill yw *Libri Walliae*, rhifau 1162
(James), 1682 (Lloyd) a 3869 (Davies). Am astudiaeth o Lloyd, gw. Branwen Heledd
Morgan, 'Arolwg o Ryddiaith Gymraeg, 1547–1634 gydag Astudiaeth Fanwl o
Dysgeidiaeth Cristnoges o Ferch (1552) a'r *Llwybr Hyffordd* (1632)' (traethawd MA
anghyhoeddedig Prifysgol Cymru, 1969).

rhyfeloedd cartref ac wedi hynny, gynifer â chwech o deitlau, y cwbl yn gyfieithiadau ac o bosibl wedi eu cyhoeddi ym 1658.[46] Yr oedd y cyfieithiadau Anglicanaidd hyn yn atgyfnerthu'r traddodiad rhyddiaith a oedd eisoes wedi ei sefydlu gan fersiwn Cymraeg y Beibl. Disodlwyd yr ansicrwydd cynnar ynglŷn â chywirdeb iaith gan gytundeb lled gyffredinol. Yr oedd y rhan fwyaf o'r cyfieithwyr, o fewn y cyfyngiadau yr oedd ymarfer eu crefft yn eu gosod arnynt, yn defnyddio arddull mor syml â phosibl er mwyn cyrraedd cynifer o ddarllenwyr ag y gallent. Y mae'n lled amlwg hefyd y disgwylient i'w llyfrau gael eu darllen yn uchel gerbron cynulliadau o bobl yn ogystal ag yn breifat (yr oedd homilïau Edward James, wrth gwrs, wedi eu llunio o'r cychwyn i gael eu darllen yn uchel yn yr eglwys). O ganlyniad, yr oedd yn debygol fod neges y llyfrau hyn, yn ogystal ag un y Beibl a'r Llyfr Gweddi Gyffredin (yr un neges yn ei hanfod), yn cyrraedd y gyfran honno o'r boblogaeth – tua phedair rhan o bump ohoni – na allai ddarllen ond a fyddai'n mynd i'r eglwys.[47] Er gwaethaf eu hawydd i boblogeiddio eu deunydd, fodd bynnag, daliodd y cyfieithwyr yn ddyneiddwyr bron yn ddieithriad, a dengys eu gwaith eu bod yn ymwybodol o adnoddau'r traddodiad llenyddol Cymraeg y byddent yn dibynnu arno ac yn cyfrannu ato. Cafodd Rowland Vaughan, er enghraifft, ei addysgu yn Rhydychen ac yr oedd yn fardd cynhyrchiol iawn yn y mesurau caeth a rhydd yn ogystal ag yn gyfieithydd nifer o lyfrau Anglicanaidd. Fel cyfieithydd, fodd bynnag, nid oedd yn cymharu â Morris Kyffin, Edward James, Robert Llwyd na John Davies o Fallwyd. Y mae *Llyfr y resolusion* (1632) yn enwedig yn dangos Davies yn ei anterth fel awdur rhyddiaith, ac oherwydd ei enwogrwydd fel diwygiwr y Beibl Cymraeg a'r Llyfr Gweddi ac fel awdur gramadeg a geiriadur safonol yr iaith, daeth y cyfieithiad yn fuan iawn yn batrwm i'w efelychu. O'r ychydig awduron Anglicanaidd ar ôl Richard Davies a geisiodd gynhyrchu gweithiau gwreiddiol, y mae Robert Holland o sir Benfro ar ei ben ei hun, a hynny yn bennaf ar sail y pamffled bywiog yn erbyn gwrachyddiaeth a gyhoeddwyd ganddo ym 1600.[48] Yn ddiweddarach bu Holland yn gysylltiedig â chynlluniau uchelgeisiol Thomas Salisbury,

[46] *Libri Walliae*, rhifau 708–9, 1874, 3526, 4150 a 4988.

[47] Williams, *Recovery, Reorientation and Reformation*, t. 437. Nid yw'r pregethau sydd wedi goroesi mewn llawysgrifau wedi eu hastudio i'r graddau fod modd cyffredinoli yn eu cylch, ond gw. gwaith arloesol Glyn Morgan, 'Pregethau Cymraeg William Griffith (?1566–1612) ac Evan Morgan (*c.*1574–1643)' (traethawd MA anghyhoeddedig Prifysgol Cymru, 1969), a Ruth Elisabeth Jones, 'Y Bregeth Gymraeg 1558–1642 (gan fanylu ar y pregethau yn llsgrau. NLW 5982A, NLW (Add.) 73A, BL Add. 15058 ac NLW CM (Bala) 769)' (traethawd MA anghyhoeddedig Prifysgol Cymru, 1979).

[48] Jones, *Rhyddiaith Gymraeg II*, tt. 161–73; Stuart Clark a P. T. J. Morgan, 'Religion and magic in Elizabethan Wales: Robert Holland's dialogue on witchcraft', *JEH*, XXVII (1976), 31–46.

cyhoeddwr o Gymro a drigai yn Llundain, i ehangu'n sylweddol nifer y llyfrau Cymraeg a gâi eu cyhoeddi, cynlluniau a danseiliwyd gan bla 1603.[49]

Arhosodd nifer o gyfieithiadau rhyddiaith Anglicanaidd heb eu cyhoeddi, yn benodol cyfieithiad John Conway (m.1606) o sir y Fflint o *A Summons for Sleepers* gan Leonard Wright, cyfieithiad Dafydd Rowland (m.1640) o sir Gaernarfon o *Disce Mori* gan Christopher Sutton, a chyfieithiadau William Powell (m.1654 x 1660) o Wrecsam o *English Catechism Explained* gan John Mayer a *Supplications of Saints* Thomas Sorocold, yn ogystal â defnydd arall na ellir olrhain ei ffynhonnell ar hyn o bryd.[50] Nid oedd yr un o'r tri yn feistr ar ryddiaith Gymraeg, er bod Powell yn rhagori ar Rowland, a Rowland yn rhagori ar Conway: yr oedd ei feistrolaeth ef o'r iaith ymhell o fod yn sicr. Er hynny, y mae Conway yn awdur arbennig o ddiddorol. Yn ŵr bonheddig cyfoethog o sir y Fflint ac yn noddwr beirdd proffesiynol, bu'n gyfrifol hefyd (fel y gwelwn) am gyfieithu traethawd dyneiddiol ar gerddoriaeth; yr oedd ei wraig, Margaret Mostyn, yn un o'r reciwsantiaid Pabyddol, ac efallai mai ymgais i sefydlu ei enw da fel Protestant a oedd wrth wraidd cyfieithiad Conway o'r *Summons*.

Daw'r ystyriaeth hon â ni at ymdrechion llenyddol y Pabyddion yn ystod y cyfnod hwn.[51] Cafodd yr ymgyrch ei llesteirio'n ddirfawr gan waharddiad effeithiol, o 1559 ymlaen, ar argraffu defnyddiau Pabyddol yng Nghymru. Ceisiai Pabyddion ddad-wneud effeithiau niweidiol y gwaharddiad mewn tair ffordd: drwy argraffu'n agored mewn gwledydd Pabyddol ar y Cyfandir; drwy argraffu'n ddirgel gartref; a thrwy gylchredeg copïau llawysgrif. Mor gynnar â 1568, llwyddodd un o'r alltudion Pabyddol yn Rhufain, sef Morys Clynnog (m.1581) o sir Gaernarfon, i gyhoeddi *Athravaeth Gristnogavl,* sef ei gyfieithiad o gatecism byr ar

---

[49] R. Geraint Gruffydd, 'Thomas Salisbury o Lundain a Chlocaenog: ysgolhaig-argraffydd y Dadeni Cymreig', *CLIGC,* XXVII, rhifyn 1 (1991), 1–19.

[50] Ar Conway, gw. Gwendraeth Jones, 'Astudiaeth o Ddiniad i Hennadirion, Cyfieithiad Siôn Conwy o *A Summons for Sleepers* gan Leonard Wright gyda Rhagymadrodd, Nodiadau a Geirfa' (traethawd MA anghyhoeddedig Prifysgol Cymru, 1963); ar Rowland, gw. Beryl Dorothy Williams, '*Addysg i Farw.* Dafydd Rowland. NLW Add. MS. 731B: Plas Power 16: 1633. Astudiaeth Destunol, Hanesyddol a Llenyddol' (traethawd MA anghyhoeddedig Prifysgol Cymru, 1961), ac ar Powell, gw. Goronwy Price Owen, 'Cyfieithiadau William Powell yn llsgr. Ll.G.C. Peniarth 321' (traethawd MA anghyhoeddedig Prifysgol Cymru, 1988). Rhestrir erthyglau ar Conway yn *LILIG,* tt. 91, 140.

[51] Ceir arolwg o'r maes yn Geraint Bowen, 'Llenyddiaeth Gatholig y Cymry (1559–1829): Rhyddiaith a Barddoniaeth' (traethawd MA anghyhoeddedig Prifysgol Lerpwl 1952–3); idem, 'Rhyddiaith Reciwsantiaid Cymru' (traethawd PhD anghyhoeddedig Prifysgol Cymru, 1978). Ar reciwsantiaeth Margaret Mostyn, gw. Peter Roberts, *Y Cwtta Cyfarwydd: 'The Chronicle written by the famous clarke, Peter Roberts', notary public, for the years 1607–1646,* gol. D. R. Thomas (London, 1883), t. 118.

ddysgeidiaeth Gristnogol (honnid yn ddiweddarach mai gwaith Juan
Alfonso de Polanco SJ ydoedd): aeth alltud arall o Gymru, Gruffydd
Robert (m.1605?), hefyd o sir Gaernarfon, â'r gwaith drwy'r wasg ym
Milan; y mae'n amlwg fod gwaith Clynnog wedi cyrraedd y wlad hon
oherwydd ceisiodd Lewis Evans ei wrthbrofi ym 1571.[52] Yn gynnar yn yr
àil ganrif ar bymtheg cyhoeddwyd ym Mharis gan drydydd alltud, Roger
Smyth (m.1625) o sir y Fflint, fersiwn byr ac yna fersiwn cyflawn o
gatecism *Summa Doctrinae Christianae* Sant Pedr Canisius, sef *Crynnodeb o
addysc Cristnogawl* (1609, 1611), a hefyd *Coppi o lythyr crefydhvvr a merthyr
dedhfol discedig at i dad* (1612), cyfieithiad o *An Epistle of a Religious Priest
unto his father* gan Robert Southwell SJ,[53] yn ogystal â gwaith dyneiddiol yn
ymwneud ag athroniaeth foesol y byddwn yn dychwelyd ato yn nes
ymlaen. Cafodd *Eglurhad helaeth-lawn o'r athrawaeth Gristnogawl*, sef
cyfieithiad Richard Vaughan (m.1624) o sir Ddinbych o *Dottrina Christiana*
gan Sant Roberto Bellarmino, ei gyhoeddi yn yr un modd yn
St Omer yn Ffrainc ym 1618, a hynny, mae'n debyg, drwy gyfrwng John
Salisbury, pennaeth yr Iesuwyr yng Nghymru.[54] I'r gwrthwyneb, cafodd
rhan gyntaf *Y Drych Cristianogawl* – gwaith o anogaeth grefyddol, yn anad
dim – ei gynhyrchu ar y wasg ddirgel gyntaf y gwyddom iddi gael ei
sefydlu ar dir Cymru, sef honno mewn ogof yn Rhiwledin ar y Gogarth
Bach ger Llandudno yn gynnar ym 1587. Er y credir erbyn hyn mai
Robert Gwyn, offeiriad cenhadol nodedig o sir Gaernarfon, yw awdur y
gwaith, honnir yn y llyfr ei hun iddo gael ei ysgrifennu gan Gruffydd
Robert ac mai Roger Smyth a aeth ag ef drwy'r wasg yn Rouen ym 1585.
Cafodd y wasg ei darganfod ar 14 Ebrill (Gwener y Groglith) 1587 a
gwasgarwyd y rhai a oedd yn ei gweithio, ond yn ddiweddarach y
flwyddyn honno gwnaed ymdrech i sefydlu gwasg arall yn nhŷ Siôn
Dafydd Rhys yn Aberhonddu er mwyn argraffu dwy ran arall y llyfr.
Trechwyd yr ymgais honno hefyd gan wyliadwriaeth yr awdurdodau. Yr

---

[52] *Libri Walliae*, rhif 4020. Rhestrir erthyglau ar Clynnog yn *LlLlG*, tt. 133–4; noder yn
enwedig Geraint Bowen, 'Ateb i *Athravaeth Gristnogavl* Morys Clynnog', *CLlGC*, VII,
rhifyn 4 (1952), 388.

[53] *Libri Walliae*, rhifau 3955–6. Ar Canisius, gw. John Ryan, 'Seventeenth-century
Catholic Welsh Devotional Works, with Special Reference to the Welsh Translation of
the Catechism of Petrus Canisius and Robert Bellarmine's *Summary of Christian doctrine*'
(traethawd MA anghyhoeddedig Prifysgol Lerpwl, 1966); gw. hefyd John Ryan, 'The
sources of the Welsh translation of the Catechism of St. Peter Canisius', *JWBS*, XI,
rhifynnau 3–4 (1975–6), 225–32. Darganfuwyd y cyfieithiad o Southwell yn ddiweddar
yn y Bibliothèque Mazarine, Paris; gw. A. F. Allison a D. M. Rogers, *The Contemporary
Printed Literature of the English Counter-Reformation between 1558 and 1640* (2 gyf.,
Aldershot, 1989–94), II, t. 144 (rhif 725.5).

[54] *Libri Walliae*, rhif 332; Allison a Rogers, op. cit., II, t. 148 (rhif 747); Geraint Bowen,
'Richard Vaughan, Bodeiliog, ac *Eglvrhad Helaeth-lawn*, 1618', *CLlGC*, XII, rhifyn 1
(1961), 83–4.

oedd sôn am wasg ddirgel arall ar y ffin rhwng sir y Fflint a swydd
Amwythig ym 1590, ac y mae un copi wedi goroesi o gasgliad bychan o
gerddi Gruffydd Robert a gynhyrchwyd, y mae'n rhaid, ar wasg debyg i
honno; at hynny, y mae gennym gyfeiriad clir, fel y gwelsom eisoes, at
gyhoeddiad o 'garolau' dadleuol y Sant Richard Gwyn ym 1600.[55] Yr oedd
y rhan fwyaf o weithiau mwyaf sylweddol ymdrech lenyddol y
Gwrthddiwygiad yng Nghymru yn parhau heb eu hargraffu, fodd bynnag:
yn eu plith yr oedd y *Drych Cristianogawl* cyflawn, gwaith dadleuol o dan y
teitl 'Nad oes vn Ffydd ond y wir Ffydd', traethawd yn gwahardd pobl rhag
mynd i wasanaethau Anglicanaidd, sef 'Gwssanaeth y Gwŷr Newydd',
gwaith amddiffynnol ac iddo'r teitl 'Coelio'r Saint', a thraethawd ar
ddiwinyddiaeth foesol, o bosibl yn dwyn y teitl 'Drych Ufudd-dod'.
Gwaith Robert Gwyn yn sicr yw'r ail a'r trydydd o'r teitlau hyn, ac y mae
Dr Geraint Bowen, y prif awdurdod yn y maes, wedi dadlau'n gyson y
dylid priodoli'r tri arall iddo hefyd.[56] Y mae 'Coelio'r Saint' ar gael mewn
dau gopi llawysgrif, holograff a chopi, sy'n dangos sut y câi'r llyfrau hyn eu
cylchredeg a chyfyngiadau'r dull hwnnw. Ni chafodd yr un llyfr Pabyddol
Cymraeg ei gyhoeddi rhwng 1618 a diwedd ein cyfnod; ymddengys i
lawlyfr ar gyffes, *Drych cydwybod*, gael ei gyhoeddi ym 1661, ond y mae pob
copi ohono wedi diflannu erbyn hyn.[57]

Byddai'r Piwritaniaid hefyd yn defnyddio llenyddiaeth yn ogystal â'r
pulpud i ledaenu eu syniadau. Eglwyswyr teyrngar oedd y Piwritaniaid
cynnar gan mwyaf, ac yn eu plith gellir enwi Rowland Puleston, ficer
Wrecsam yn ddiweddarach, a ysgrifennodd ym 1583 waith sylweddol ond
ieithyddol drychinebus o dan y teitl 'Llyfr o'r Eglwys Gristnogaidd', ac
Oliver Thomas, ficer West Felton ger Amwythig, a gyhoeddodd ym 1631
anogaeth grefftus i'w gyd-wladwyr i wneud defnydd helaeth o'r Beibl
Cymraeg teuluol a gyhoeddwyd flwyddyn ynghynt. Cyhoeddodd
Thomas ddarnau eraill, llai sylweddol, yn ddiweddarach.[58] Cyhoeddwyd
llyfrau Cymraeg gan ddau o arweinwyr mwyaf blaenllaw y Piwritaniaid
Cymraeg yn ystod cyfnod y Werinlywodraeth, sef Vavasor Powell a
Morgan Llwyd. Cyfieithiadau i'r Gymraeg o'i weithiau Saesneg
gwreiddiol ef ei hun oedd llyfrau Powell (yr oedd dau o'r rhain, ac fe'u
cyhoeddwyd, mae'n debyg, ym 1653), ond cynhwysai'r saith llyfr a
phamffled a gyhoeddodd Llwyd yn Gymraeg bum gwaith gwreiddiol a

---

[55] R. Geraint Gruffydd, *Argraffwyr Cyntaf Cymru* (Caerdydd, 1972).
[56] Geraint Bowen, *Y Drych Cristianogawl: Astudiaeth* (Caerdydd, 1988); idem, 'Ysgol Douai' yn Geraint Bowen (gol.), *Y Traddodiad Rhyddiaith* (Llandysul, 1970), tt. 118–48. Gw. hefyd idem, *Y Drych Kristnogawl* (Caerdydd, 1996).
[57] *Libri Walliae*, rhif 1718.
[58] Merfyn Morgan (gol.), *Gweithiau Oliver Thomas ac Evan Roberts: Dau Biwritan Cynnar* (Caerdydd, 1981).

dau gyfieithiad (dyfyniadau o weithiau'r cyfrinydd Lutheraidd, Jacob Boehme, a'r ddau wedi eu cyhoeddi ym 1657).[59] Hanai Llwyd o deulu bonheddig o Feirionnydd, ond bu'n rhaid iddo fodloni ar addysg mewn ysgol ramadeg yn Wrecsam (lle bu'n gweinidogaethu yn ddiweddarach); yr oedd yn ŵr o gryn brofiad ysbrydol a chanddo feddwl ymchwiliol, aflonydd a dawn farddonol wych. Yr oedd yn argyhoeddedig fod digwyddiadau ei gyfnod yn arwydd fod Crist ar fin dychwelyd i'r ddaear, a cheisiodd gyfarwyddo ei gyd-wladwyr i ymbaratoi drwy wrando ar lais yr Ysbryd o'u mewn ac ufuddhau i'w ysgogiadau Ef. Y mae ei ryddiaith, sy'n ffigurol iawn, weithiau'n amwys ond bob amser yn rymus. Yn y llyfr a'r ddau bamffled a gyhoeddwyd ganddo ym 1653 – *Llyfr y Tri Aderyn*, *Llythyr i'r Cymru cariadus* a *Gwaedd Ynghymru yn wyneb pob cydwybod euog* – y mae ei waith ar ei fwyaf angerddol a threiddgar. Yn y llyfr a'r pamffled a gyhoeddwyd ganddo ym 1656 a 1657 – *Gair or Gair* a *Cyfarwyddid ir Cymru* – ceir arwyddion ei fod yn fwy gwastad ei feddwl ac yn fwy myfyrgar. Y mae peth amheuaeth ynghylch uniongrededd sylfaenol Llwyd, ond ni all neb amau ei ddoniau aruthrol fel awdur rhyddiaith. Y mae'n debyg hefyd ei fod yn bregethwr effeithiol iawn. Nid oedd unrhyw un o'r awduron Piwritanaidd eraill mor alluog ag ef, er bod nifer o'i gyfoedion yn grefftwyr llenyddol digon cymwys: o'r rheini hwyrach y gellid enwi Richard Jones, ysgolfeistr o Biwritan o Ddinbych a gyhoeddodd *Galwad ir annychweledig*, sef cyfieithiad o *A Call to the unconverted* gan Richard Baxter, ym 1659 ac a fu'n cynorthwyo Stephen Hughes yn ddiweddarach â'r gwaith a oedd yn sail i'r Ymddiriedolaeth Gymreig.[60]

Yr oedd ymroddiad dyneiddiol awduron y gweithiau rhyddiaith crefyddol yr ydym wedi eu trafod yn amrywio'n eang: a chyffredinoli braidd yn arwynebol, gellir dweud ei fod yn gryf yn achos yr Anglicaniaid, yn wannach yn achos y Pabyddion, ac yn wannach fyth yn achos y Piwritaniaid. Ychydig amheuaeth sydd, fodd bynnag, am yr ymroddiad i ddelfrydau dyneiddiol ymhlith grŵp bychan o awduron rhyddiaith a geisiai drin pynciau dysgedig (ar wahân i iaith a hanes Cymru ei hun) drwy gyfrwng y Gymraeg. Y mae 'Llysieulyfr Meddyginiaethol' William Salesbury yn enghraifft odidog, gan ei bod wedi ei seilio ar yr awdurdodau

---

[59] *Libri Walliae*, rhifau 4056–8, 3400–18. Casglwyd gweithiau Llwyd yn T. E. Ellis (gol.), *Gweithiau Morgan Llwyd o Wynedd* (Bangor, 1899); J. H. Davies (gol.), *Gweithiau Morgan Llwyd o Wynedd Cyf. II* (Bangor a Llundain, 1908); J. Graham Jones a G. Wyn Owen (goln.), *Gweithiau Morgan Llwyd o Wynedd Cyf. III* (Caerdydd, 1994). Dylid cyfeirio hefyd at M. Wynn Thomas, *Morgan Llwyd* (Cardiff, 1984) a Goronwy Wyn Owen, *Morgan Llwyd* (Caernarfon, 1992), lle y ceir llyfryddiaethau gwerthfawr. Gw. hefyd *LlLlG*, tt. 148–9 a *LlLlG²*, tt. 115–16.

[60] *Libri Walliae*, rhif 310.

diweddaraf yn Lloegr ac ar y Cyfandir; gwaetha'r modd, ni chafodd ei gyhoeddi tan yr ugeinfed ganrif.[61] Yr oedd cyfieithiad Richard Owen, na wyddom ddim amdano, o *De Institutione Feminae Christianae* y dyneiddiwr Sbaenaidd Juan Luis Vives, yn cynnwys llai o newydd-deb ond y mae'n gynharach (1552); ni chafodd hwnnw ychwaith ei gyhoeddi.[62] Yn yr un categori bras o athroniaeth foesol yr oedd *Theater du Mond sef iw Gorsedd y Byd,* cyfieithiad Rhosier Smyth o *Le theatre du monde* gan y dyneiddiwr o Lydaw, Pierre Boaistuau; cafodd hwnnw ei gyhoeddi, fodd bynnag, a hynny ym 1615, naill ai ym Mharis neu'n ddirgel ym Mhrydain.[63] Cafodd dau draethawd ar elfennau cerddoriaeth eu cyfieithu hefyd yn ystod y cyfnod hwn: *Apologia Musices* John Case (1588) gan John Conway tua diwedd yr unfed ganrif ar bymtheg, a *Musicae activae micrologus* Andreas Ornithoparcus (1517) gan delynor y Brenin, Robert Peilin, ar ddechrau'r ail ganrif ar bymtheg.[64] Parhaodd y rhain mewn llawysgrif, sy'n fendith yn achos Conway gan fod ei Gymraeg yn affwysol o wan, ond nid felly yn achos Peilin gan fod ei gyfieithiad yn ddiddorol iawn yng nghyd-destun hanes cerddoriaeth yng Nghymru yn y cyfnod hwnnw. Eto, fel y nodwyd eisoes, ni ellir gwadu nad yw Conway yntau'n ffigur diddorol iawn: ef, o bosibl, oedd y Cymro uchaf ei radd ar ôl Syr John Price i ysgrifennu yn Gymraeg yn ystod y cyfnod hwn – er y byddai nifer o'i gyd-fonheddwyr yn sicr yn amau'r gosodiad hwnnw'n fawr iawn! Y mae ei ddymuniad i ysgrifennu, ynghyd â'i afael betrus ar yr iaith, yn tystio i statws amwys y Gymraeg ym meddyliau noddwyr traddodiadol yr iaith, yn enwedig yn y gogledd-ddwyrain, tua diwedd yr unfed ganrif ar bymtheg. Daliodd mab Conway i noddi'r beirdd proffesiynol yn hael, ond wedi hynny ymddengys fod y teulu wedi ymwrthod, i raddau helaeth, â'u cyfrifoldebau i'r cyfeiriad hwnnw.[65]

Rhaid mai cyfyngedig iawn, iawn oedd nifer darllenwyr y dosbarth o ryddiaith yr ydym newydd fod yn sôn amdani. Ni fu gan y gweithiau crefyddol hyd yn oed, er eu bod yn cael eu darllen yn uchel yn ogystal ag yn breifat, erioed gynulleidfa mor eang â'r hen chwedlau a ddisgrifir yn y traethiad enwog 'The state of North Wales touching religion'. Darganfu-

[61] Gw. Iwan Rhys Edgar, 'Llysieulyfr William Salesbury: testun o lawysgrif Ll.G.C. 4581, ynghyd â rhagymadrodd ac astudiaeth o'r enwau llysiau Cymraeg a geir ynddo' (traethawd PhD anghyhoeddedig Prifysgol Cymru, 1984); idem, *Llysieulyfr Salesbury* (Caerdydd, 1997).

[62] Trafodir hyn gan Branwen Heledd Morgan (gw. n. 45), ac mewn erthyglau a restrir yn *LlLlG,* t. 140 a *LlLlG²,* t. 112.

[63] Rhosier Smyth, *Theater du Mond (Gorsedd y Byd),* gol. Thomas Parry (Caerdydd, 1930); *Libri Walliae,* rhif 579: cymh. Allison a Rogers, op. cit., II, t. 141 (rhif 710).

[64] Ar Conway, gw. y cyfeiriadau yn n. 50 uchod. Y mae Irwen Cockman yn paratoi traethawd ymchwil ar draethawd Peilin, sef Caerdydd, Llsgr. Hafod 3.

[65] R. Alun Charles, 'Noddwyr y Beirdd yn Sir y Fflint', *LlC,* 12, rhifyn 1 a 2 (1972), 3–11.

wyd hwn ymhlith papurau Burghley a thebyg ei fod yn perthyn i ddiwedd
yr unfed ganrif ar bymtheg. Y mae wedi ei ddyfynnu'n helaeth, ond y
mae'n werth gwneud hynny eto:

> Upon the Sondaies and hollidaies the multitude of all sortes of men woomen
> and childerne of everie parishe doe use to meete in sondrie places either one
> some hill or one the side of some mountaine where theire harpers and
> crowthers singe them songs of the doeings of theire auncestors, namelie, of
> theire warrs againste the kings of this realme and the English nacion, and then
> doe they ripp upp theire petigres at lenght howe eche of them is discended
> from those theire ould princs. Here alsoe doe they spende theire time in
> hearinge some part of the lives of Thalaassyn, Marlin, Beno, Kybbye, Jermon,
> and suche other the intended prophetts and saincts of that cuntrie.[66]

Y mae'n sicr mai 'that cuntrie', fel y dangosodd Syr Ifor Williams yn
eglur, oedd yr ardal a oedd â'i chanolbwynt yng Nghlynnog Fawr, tua
deng milltir i'r de-orllewin o Gaernarfon. Er bod dyn yn amau bod yr
adroddiad, o fwriad, yn codi bwganod ac na ellir, o'r herwydd, ddibynnu
ar y manylion a geir ynddo, y mae'n anodd gwadu'r prif ergyd.
Ymddengys fod y traddodiad canoloesol Cymreig o adrodd straeon yn dal
yn fyw i ryw raddau, o leiaf mewn rhai rhannau o'r wlad, tan ddiwedd yr
unfed ganrif ar bymtheg. Fe gofiwn fod Gruffydd Robert yn y 'Prylog' i
ran gyntaf ei ramadeg Cymraeg, a gyhoeddwyd ym Milan ym 1567, yn
dweud yr un peth:

> Os mynnych chwithau glowed arfer y wlad yn amser yn teidiau ni, chwi a
> gaech henafgwyr briglwydion a ddangossai iwch ar dafod laferydd bob
> gweithred hynod, a gwiwglod a wneithid trwy dir cymru er ys talm o amser.[67]

Ac er bod y safbwynt yn hollol wahanol, caiff poblogrwydd adrodd straeon
ei bwysleisio eto y flwyddyn wedyn yng nghyflwyniad Robert i gyfieithiad
Clynnog o gatecism Polanco, wrth iddo annog ei gyd-wladwyr i 'adael i
ffordd henchwedlau coegion, a chywyddau gwenieithus celwyddog'.[68]

Erys i'w thrafod un agwedd ar waith y dyneiddwyr Cymraeg mewn
perthynas â dysg a diwylliant, sef eu gweithgarwch ym maes astudio'r iaith
Gymraeg a hanes Cymru. Fel yr awgrymwyd yn gynharach, diben y
gweithgarwch hwn oedd nid yn unig gynhyrchu gwaith ymchwil
diduedd, ond hefyd ddangos i foneddigion Cymreig, yn enwedig y rheini

---

[66] Ifor Williams, 'Hen Chwedlau', *THSC* (1946–7), 28–58, yn enwedig 28, n. 2.
Ymgorfforwyd cywiriadau Syr Ifor yn y dyfyniad.

[67] Robert, *Gramadeg Cymraeg*, tt. 2–3.

[68] Lewis, *Hen Gyflwyniadau*, t. 6.

a gâi eu temtio i droi cefn ar eu gwreiddiau, gyfoeth a rheoleidd-dra'r iaith
Gymraeg a gogoniant gorffennol Cymru. Y gwaith cyntaf gan William
Salesbury i'w argraffu oedd geiriadur Cymraeg-Saesneg 1547, a luniwyd
ar batrwm *Lesclarcissement de la langue francoyse* (1530) gan John Palsgrave.
Cynorthwyo'r Cymry i ddysgu Saesneg (fel yr oedd Salesbury ei hun wedi
ei wneud yn gymharol hwyr yn ei ieuenctid) oedd prif ddiben y geiriadur,
er y gellid ei ddefnyddio at ddibenion eraill, wrth gwrs.[69] Yn sgil gwaith
Salesbury, lluniwyd geiriaduron gan nifer o brif ddyneiddwyr eraill
Cymru, yn eu plith David Powel, Henry Perri a William Morgan, ond nis
cyhoeddwyd ac y maent bellach ar goll.[70] Goroesodd dau eiriadur
gwerthfawr ac uchelgeisiol mewn llawysgrif: 'Trysor yr iaith Ladin a'r
Gymraeg' a luniwyd gan Thomas Wiliems ym 1604–8, geiriadur Lladin-
Cymraeg yn seiliedig ar *Dictionarium linguae Latinae, et Anglicanae* gan
Thomas Thomas; a 'Geirfa Tafod Cymraeg' gan Henry Salesbury,
geiriadur Cymraeg-Lladin sydd wedi goroesi mewn dau fersiwn, un
ohonynt yn dal i gael ei loywi gan ei awdur yn ddiweddar iawn yn ei
fywyd (y mae'n debyg iddo farw *c.*1635).[71] Yr unig eiriadur, ar wahân i un
William Salesbury, i'w argraffu yn ystod ein cyfnod oedd gwaith
rhyfeddol John Davies o Fallwyd, *Antiquae Linguae Britannicae . . . et
linguae Latinae, Dictionarium Duplex* (1632), sy'n cynnwys geiriadur
Cymraeg-Lladin gan Davies a fersiwn cryno o eiriadur Lladin-Cymraeg
Thomas Wiliems – camp eithriadol gan y gramadegydd pur mwyaf a
gynhyrchwyd gan y Dadeni yng Nghymru.[72] Ym maes gramadeg, rhaid
rhoi'r lle blaenaf i *Gramadeg Cymraeg* Gruffydd Robert a luniwyd ym
1567–94, nid yn unig am mai hwnnw oedd y llyfr gramadeg cyntaf i
ymddangos, ond hefyd am ei fod wedi ei ysgrifennu mewn rhyddiaith
Gymraeg huawdl a chain. Y mae dwy ran gyntaf y gramadeg yn ymdrin ag
orgraff a morffoleg, yn y drefn honno, ynghyd â rhoi ychydig sylw i
gystrawen, a'r hyn sy'n nodedig ynddynt yw'r pwyslais ar ddilysrwydd yr
iaith lafar, pwyslais y gellir ei olrhain bron yn sicr i waith yr ieithegwyr a
berthynai i ysgol Siena dan arweiniad Claudio Tolomei.[73] Cyfeiriwyd

---

[69] W. Alun Mathias, 'William Salesbury a'r Testament Newydd', *LlC*, 16, rhifyn 1 a 2
(1989), 40–68; y mae troednodiadau'r erthygl honno yn gweithredu fel mynegai i holl
gyhoeddiadau Mr Mathias ar Salesbury.

[70] Am arolwg cyffredinol anhepgor, gw. J. E. Caerwyn Williams, *Geiriadurwyr y Gymraeg
yng Nghyfnod y Dadeni* (Caerdydd, 1983).

[71] Idem, 'Thomas Wiliems, y Geiriadurwr', *SC*, XVI-XVII (1981–2), 280–316; Ceri
Davies, 'Y berthynas rhwng *Geirfa Tafod Cymraeg* Henry Salesbury a'r *Dictionarium
Duplex*', *BBCS*, XXVIII, rhan 3 (1979), 399–400; M. T. Burdett-Jones, 'Dau Eiriadur
Henry Salesbury', *CLlGC*, XXVI, rhifyn 3 (1990), 241–50.

[72] *Libri Walliae*, rhifau 1551–2.

[73] Am olygiad, gw. n. 13 uchod. Am ymdriniaethau, gw. T. Gwynfor Griffith, 'A
borrowing from the *Cortegiano*' yn O. Feldman (gol.), *Homenaje a Robert A. Hall, Jr.*
(Madrid, 1977), tt. 149–52, a Heledd Hayes, 'Claudio Tolomei: a major influence on
Gruffydd Robert', *MLR*, LXXXIII (1988), 56–66.

eisoes at rannau olaf y llyfr sy'n ymdrin â mydrau, ond dylid crybwyll y
ddau atodiad yn ogystal, sef cyfieithiad gwych o ran o *De Senectute* gan
Cicero a blodeugerdd o gerddi Cymraeg gan Robert ac eraill. Yn Lladin
yr ysgrifennwyd y tri gramadeg Cymraeg arall a gyhoeddwyd yn ystod ein
cyfnod, fel y gellid argyhoeddi nid yn unig y boneddigion Cymreig a
dueddai at ddyneiddiaeth, ond y byd dysgedig i gyd, o werth yr iaith.
Cyhoeddodd Siôn Dafydd Rhys ei *Cambrobrytannicae Cymraecaeve Linguae
Institutiones* ym 1592, gyda chefnogaeth foesol ac ariannol ei noddwr Syr
Edward Stradling; fel y nodwyd eisoes, y mae'n cynnwys adran faith ar
fydr yn ogystal ag adrannau ar ffonoleg a morffoleg: y mae'r adran ar
ffonoleg yn arbennig o werthfawr.[74] Yr oedd *Grammatica Britannica*
(1593–4) gan Henry Salesbury yn ymdrech lawer llai uchelgeisiol, fel y
cyfaddefai ef ei hun (cafodd ei ysgrifennu ym 1587, ymhell cyn i'r
Institutiones ymddangos), ond y mae'n dal o gryn ddiddordeb.[75] Disodlwyd
pob un o'r gweithiau hyn, fodd bynnag, ym 1621 gan ymddangosiad
Antiquae Linguae Britannicae . . . rudimenta John Davies o Fallwyd. Ceir yn
y gwaith hwn ddadansoddiad manwl gywir o'r iaith a ddefnyddid gan y
beirdd proffesiynol, prif geidwaid yr iaith lenyddol, ym marn ddiymwad
Davies a'i gyd-ddyneiddwyr.[76] Gramadeg Davies, yn fwy felly na'i
eiriadur hyd yn oed, yw coron ysgolheictod y dyneiddwyr Cymraeg.

Yn y maes hanesyddol, cyfeiriwyd ymdrechion y dyneiddwyr yn bennaf
at ddau amcan: darganfod, diogelu a chyhoeddi cofnodion hynafol yn
ymwneud â gorffennol Cymru, ac amddiffyn yr adroddiadau chwedlonol
am y gorffennol hwnnw. Yr oeddynt i gyd, fwy neu lai, yn credu'r
adroddiadau hyn gan eu bod yn dyfnhau eu hunan-barch fel Cymry ac yn
rhoi dilysrwydd i'w gweithgareddau ysgolheigaidd a diwylliannol.[77] O ran
yr amcan cyntaf, Humphrey Llwyd a David Powel a wnaeth y cyfraniad
mwyaf sylweddol. Ym 1559 cynhyrchodd Llwyd gyfieithiad Saesneg
mewn llawysgrif o 'Frut y Tywysogyon' – y ffynhonnell unigol bwysicaf o
ran hanes y ddeuddegfed a'r drydedd ganrif ar ddeg yng Nghymru – ac ym
1584 cyhoeddodd Powel y cyfieithiad hwn gyda'i ychwanegiad a'i
nodiadau ei hun dan y teitl *The Historie of Cambria*. Drwy gydol y cyfnod
hwn, bu'r dyneiddwyr Cymraeg – ac yn bennaf yn eu plith John Jones o'r
Gellilyfdy yn sir y Fflint a Robert Vaughan o Hengwrt ym Meirionnydd
– yn crynhoi, yn trosi ac yn casglu pa ffynonellau hynafol bynnag y gallent

---

[74] *Libri Walliae*, rhif 4282; Glyn E. Jones, 'Central Rounded and Unrounded Vowels in
   Sixteenth Century Welsh', *Papurau Gwaith Ieithyddol Cymraeg Caerdydd / Cardiff Working
   Papers in Welsh Linguistics*, rhifyn 2 (Amgueddfa Werin Cymru, 1982), tt. 43–52.
[75] *Libri Walliae*, rhif 4558.
[76] *Libri Walliae*, rhif 1550 (argraffiad lledrith yw rhif 1557).
[77] Ieuan M. Williams, 'Ysgolheictod hanesyddol yr unfed ganrif ar bymtheg', *LlC*, 2,
   rhifynnau 2 a 4 (1952–3), 111–24, 209–23.

eu darganfod. Y mae'n drueni o'r mwyaf na chyhoeddodd Vaughan, a oedd yn berchen ar y llyfrgell breifat orau a welodd Cymru erioed, fwy o'i ddarganfyddiadau.[78] O ran yr ail amcan a grybwyllwyd uchod, sef amddiffyn yr hanesion chwedlonol am orffennol Cymru, yn enwedig y rheini a ddibynnai ar *Historia Regum Britanniae* (1138) Sieffre o Fynwy, Syr John Price a'i *Historiae Britannicae Defensio* (a ysgrifennwyd ym 1547–53 a'i gyhoeddi ym 1573) a oedd ar flaen y gad, ac yna Humphrey Llwyd a'i *Commentariolum* ym 1572 ac amryw draethodau gan David Powel ym 1585. Neilltuodd John Davies o Fallwyd yntau ran helaeth o'r cyflwyniad maith i'w *Dictionarium* ym 1632 i ddadlau hawliau hanes traddodiadol Prydain. Ar ffurf llawysgrif, fodd bynnag, y parhaodd llawer o'r amddiffyniadau mwyaf trawiadol o lyfr Sieffre, sef y rheini gan Siôn Dafydd Rhys ym 1597, gan John Lewis o Lynwene yn ystod y blynyddoedd 1603–12, a chan Robert Vaughan o Hengwrt a William Maurice o Lansilin yn ystod degawd olaf ein cyfnod.[79] Yn Saesneg yr ysgrifennodd Lewis, Vaughan a Maurice, ond y mae gwaith Siôn Dafydd Rhys yn Gymraeg, a hwn yn sicr yw'r gwaith Cymraeg pwysicaf o gyfnod y Dadeni na chafodd ei gyhoeddi. Ynddo dadansoddir yn faith, yn ddysgedig ac yn rhethregol-gywrain, bedwar o'r prif wrthwynebiadau a gyflwynwyd yn erbyn adroddiad Sieffre, gan eu dymchwel i gyd (yn nhyb yr awdur, o leiaf), sef: y ffaith na soniodd neb am Brutus ond Sieffre; chwedl oracl Diana a anogodd Brutus i ddod i'r ynysoedd hyn; bodolaeth y cewri a oedd, yn ôl Sieffre, yn byw ar yr ynys pan laniodd Brutus; a'r campau arfog, ac amhosibl i bob golwg, a gyflawnwyd gan rai o arwyr Sieffre.[80] Ceir dau destun hanesyddol arall sy'n dal mewn llawysgrif, y naill gan Roger Morris a'r llall gan Ifan Llwyd ap Dafydd, ac y mae'r rheini hefyd yn cynnal y farn draddodiadol am y gorffennol, ond heb argyhoeddiad tanbaid Siôn Dafydd Rhys ac yn sicr heb afiaith ei ysgrifennu.[81] Yr oedd tuedd yr oes yn erbyn Sieffre, fodd bynnag; erbyn

[78] Ar Vaughan, gw. T. Emrys Parry, 'Llythyrau Robert Vaughan, Hengwrt (1592–1667)' (traethawd MA anghyhoeddedig Prifysgol Cymru, 1961); ac ar Jones, gw. Nesta Jones, 'Bywyd John Jones, Gellilyfdy' (traethawd MA anghyhoeddedig Prifysgol Cymru, 1964) a Nesta Lloyd (née Jones), 'Welsh Scholarship in the Seventeenth Century, with Special Reference to the Writings of John Jones, Gellilyfdy' (traethawd DPhil anghyhoeddedig Prifysgol Rhydychen, 1970); rhestr erthyglau ar Vaughan a Jones yn *LlLlG*, tt. 153–4 a *LlLlG²*, t. 119.

[79] Ar Siôn Dafydd Rhys, gw. n. 80; ar Lewis, gw. yr erthyglau a restrir yn *LlLlG*, t. 153; ar Vaughan a Maurice, gw. traethawd T. Emrys Parry y cyfeiriwyd ato yn n. 78.

[80] R. Geraint Gruffydd, 'Dr. John Davies, "the old man of Brecknock"', *AC*, CXLI (1992), 1–13.

[81] Ar Morris, gw. Robert Isaac Denis Jones, 'Astudiaeth Feirniadol o Peniarth 168B (tt. 41a–126b)' (traethawd MA anghyhoeddedig Prifysgol Cymru, 1954), ac ar Ifan Llwyd, gw. Nia Lewis, 'Astudiaeth Destunol a Beirniadol o "Ystorie Kymru neu Cronigl Kymraeg" (Ifan Llwyd ap Dafydd)' (traethawd MA anghyhoeddedig Prifysgol Cymru, 1967); gw. hefyd D. J. Bowen, 'Ifan Llwyd ap Dafydd', *LlC*, 2, rhifyn 4 (1953), 257–8.

1655 yr oedd Rowland Vaughan, a oedd wedi ei amddiffyn yn gadarn ym 1629, wedi rhoi'r gorau i'w achos fel un anobeithiol, a chafodd ei geryddu'n chwyrn gan ei berthynas Robert Vaughan am wneud hynny.[82]

Y mae'r hyn a welwn yn y cyfnod 1536–1660 o ran swyddogaeth yr iaith Gymraeg mewn dysg a diwylliant, felly, yn symudiad deublyg. Erbyn traean olaf y cyfnod, o leiaf, yr oedd teyrngarwch y prif foneddigion, noddwyr mwyaf grymus yr iaith yn draddodiadol, wedi gwanhau'n ddifrifol, a chafodd y Gymraeg ergyd galed arall yn sgil cynnwrf cymdeithasol y rhyfeloedd cartref. Yr un pryd, dechreuodd urdd y beirdd proffesiynol, gwŷr dysgedig Cymru *par excellence* yn draddodiadol, ddirywio'n gyflym, er nad heb anhawster mawr y lladdwyd y traddodiad yn llwyr. Parhau'n gadarn uniaith a wnaeth trwch y boblogaeth islaw'r boneddigion, fodd bynnag, a dalient i gael eu cyfoethogi'n feddyliol gan gerddi rhydd a chwedlau llafar, beth bynnag oedd effaith gwahanol fudiadau crefyddol y cyfnod arnynt (ac nid yw hynny'n golygu na fu iddynt gael effaith). Ond yr oedd hefyd symudiad gwrthgyferbyniol arall. Sicrhaodd y cyfieithiadau Cymraeg o'r Beibl a'r Llyfr Gweddi Gyffredin y bu'r mân foneddigion, a oedd wedi dod yn ddyneiddwyr y Dadeni, yn gyfrifol amdanynt, y byddai'r iaith o hynny ymlaen yn teyrnasu mewn maes hanfodol ym mywyd Cymru. I atgyfnerthu neges y Beibl, cynhyrchwyd ganddynt gyfres wych o weithiau rhyddiaith (a sallwyr mydryddol arbennig iawn). Llwyddasant hefyd i ddisgrifio gramadeg y Gymraeg ac i gofnodi ei geirfa, er mwyn codi ei statws fel iaith dysg yng ngolwg pobl ddysgedig Ewrop, a hefyd, fel y gobeithient, yng ngolwg eu pobl eu hunain a oedd wedi eu denu gan ddelfrydau ac amcanion dyneiddiaeth. Yng ngoleuni'r llwyddiannau hyn, gellir anwybyddu i ryw raddau eu methiant i gynhyrchu corff mawr o ryddiaith ddyneiddiol a'u hymdrechion ofer i geisio diwygio barddoniaeth broffesiynol Gymraeg. Erbyn 1660 yr oedd yr iaith yn sicr mewn gwell sefyllfa i wynebu her gyson yr amserau nag yr oedd ym 1536.

---

[82] E. D. Jones, 'Rowland Fychan o Gaer-gai a Brut Sieffre o Fynwy', *LlC*, 4, rhifyn 4 (1957), 228.

11

Adfywiad yr Iaith a'r Diwylliant Cymraeg 1660–1800

GERAINT H. JENKINS

ERBYN ail hanner yr ail ganrif ar bymtheg yr oedd llenorion a ymboenai am ddyfodol yr iaith Gymraeg fel cyfrwng llenyddol yn llawn anobaith a gofid yn ei chylch. 'I Ieithoedd cystal ag i Arglwyddiaethau . . . i mae amser gosodedig', meddai Thomas Jones yr almanaciwr, 'hwy a gawsant eu sail, eu dechreuad a'u mebyd, eu Tyfiad a'u Cynnydd i berffeithrwydd a phurdeb . . . a'u heneidd-dra, eu diflaniad a'u palliad.'[1] Ochr yn ochr â'r anesmwythyd hwn ceid yr hyn a alwyd gan yr hanesydd Paul Hazard yn 'la crise de la conscience européenne',[2] er mai'r gofid pennaf yng Nghymru oedd marweidd-dra diwylliannol yn hytrach na seciwlareiddio meddylfryd. Nid oedd gan Gymru brifddinas boblog, lewyrchus; nid oedd ganddi ychwaith ganolfan ddiwylliannol genedlaethol, na chlybiau nac academïau llenyddol. Nid oedd ganddi brifysgolion i feithrin dysg a meddwl beirniadol ac nid oedd yr Eglwys sefydledig yn awyddus i ddefnyddio ei chyllid i hyrwyddo ysgolheictod Cymraeg nac i hybu ei gweision dawnus. Mor ddiweddar â 1795 cyfaddefodd Walter Davies (Gwallter Mechain) na fyddai Cymru byth yn debygol o fagu athronydd tebyg i Bacon, arbrofwr tebyg i Boyle na hanesydd tebyg i Gibbon,[3] a dwysawyd yr ymdeimlad o argyfwng ynglŷn â'i hunaniaeth gan agwedd elyniaethus biwrocratiaeth. Yng ngolwg y wladwriaeth a'i llywodraeth-wyr, yr oedd y Cymry yn ddim namyn cenedl o bobl ddi-nod a drigai ar ymylon bywyd cymdeithasol gwaraidd. Saesneg oedd yr iaith 'boléit' a 'jargon' neu 'fratiaith' oedd y Gymraeg. 'Dyledswyddau Brenhinoedd a Barnwyr a Llywodraethwyr Gwledig ac Eglwysig', meddai Ellis Wynne yn ofidus ym 1701, 'heb law eu bod yn faith ac yn ddyrus, maent hefyd yn ammherthynol sywaeth i'r Iaith Gymraec am fod y cyfryw rai yn hyddyscach ac yn gynnefinach ag Ieithoedd eraill.'[4] Mewn cylchoedd

---

[1] Thomas Jones, *Y Gymraeg yn ei Disgleirdeb, neu helaeth eir-lyfr Cymraeg a Saesnaeg* (London, 1688), sig. A3r.

[2] Paul Hazard, *La Crise de la Conscience Européenne 1680–1715* (Paris, 1935).

[3] *CAR*, I (1795), 282. Am sylwadau tebyg gan William Owen Pughe, gw. ibid., III (1818), t. 127.

[4] Ellis Wynne, *Rheol Buchedd Sanctaidd* (Llundain, 1701), tt. 145–6.

dysgedig yn Lloegr hefyd, y farn gyffredinol oedd fod yr iaith Gymraeg yn gyff gwawd hwylus iawn ac ni feiddiai neb yno ddadlau'n groes i'r rhagdybiaeth fod llenyddiaeth Gymraeg yn israddol ac yn farwaidd.

At hynny, yr oedd tuedd gynyddol ymhlith y Cymry i gwyno bod yr iaith Gymraeg 'yn ddiymgeledd', 'yn gaeth', 'yn ddibris' ac wedi 'heneiddio'.[5] Digon dilewyrch oedd y traddodiad rhyddiaith, yn enwedig mewn meysydd heblaw am grefydd, ac yr oedd y rhan fwyaf o'r llyfrau a argreffid yn Gymraeg yn tueddu i fod yn gyfieithiadau neu'n addasiadau o weithiau crefyddol a ddisgrifiwyd gan Richard Baxter fel 'affectionate practical English writers'.[6] Er i weithiau llenyddol o'r radd flaenaf megis *Y Ffydd Ddi-ffuant* (1677), *Gweledigaetheu y Bardd Cwsc* (1703) a *Drych y Prif Oesoedd* (1716) gael eu cyhoeddi ar ddechrau'r cyfnod hwn ac er iddynt ennill cryn ganmoliaeth, yr oedd y gred nad oedd y Gymraeg yn gyfrwng priodol i gyfleu syniadau deallusol a dyrys yn parhau. Mewn cyd-destun rhyngwladol, hawdd y câi ei rhoi o'r neilltu. Pan gyhoeddodd James Howell ei *Lexicon Tetraglotton, An English-French-Italian-Spanish Dictionary* ym 1660, mawrygwyd yr iaith Saesneg ymhlith ieithoedd mwyaf gwaraidd Gwledydd Cred ('the Civill'st Toungs of Christendom') ac ar yr wynebddalen llechai'r iaith 'Frythoneg' yng nghysgod pedair gwraig nwydus, fawreddog braidd, a gynrychiolai'r pedair prif iaith.[7] Yn nhyb llenorion Seisnig, iaith farbaraidd, blwyfol, ddiwerth oedd y Gymraeg, ac un na fyddai byth yn datgloi yr un trysor.[8] Gan alaru am ddirywiad y beirdd proffesiynol, hiraethai'r porthmon o fardd, Edward Morris o Berthillwydion, am oes aur barddoniaeth Gymraeg:

> Mae iaith gain Prydain heb bris
> Mae'n ddiwobrwy, mae'n ddibris;
> Darfu ar fath, dirfawr fodd,
> Ei 'mgleddiad, ymgwilyddiodd . . .[9]

Troes y bardd teulu yn fardd talcen slip a barddoni yn hobi ac yn ddifyrrwch yn hytrach na chrefft broffesiynol ddifrifol.[10] Ymddengys mai ychydig a wyddai am fawredd traddodiad llenyddol a hanesyddol Cymru

---

[5] Jones, *Y Gymraeg yn ei Disgleirdeb*, sig. A4r; Thomas Williams, *Ymadroddion Bucheddol ynghylch Marwolaeth* (Llundain, 1691), sig. A2r; Gwenllian Jones, 'Bywyd a Gwaith Edward Morris, Perthi Llwydion' (traethawd MA anghyhoeddedig Prifysgol Cymru, 1941), t. 202; John Pritchard Prŷs, *Difyrrwch Crefyddol* (Amwythig, 1721), sig. A4r.

[6] Richard Baxter, *A Christian Directory* (London, 1673), rhan 3, t. 922.

[7] James Howell, *Lexicon Tetraglotton, An English-French-Italian-Spanish Dictionary* (London, 1660), sig. A1r.

[8] Thomas Fuller, *The Church-History of Britain* (London, 1655), Llyfr 1, t. 65.

[9] Thomas Parry, *Hanes Llenyddiaeth Gymraeg hyd 1900* (Caerdydd, 1944), t. 175.

[10] Francis Jones, 'An Approach to Welsh Genealogy', *THSC* (1948), 402; Geraint H. Jenkins, *The Foundations of Modern Wales. Wales 1642–1780* (Oxford, 1987), tt. 227–30.

yn y gorffennol. Yn wir, mor frawychus oedd dirywiad yr iaith lenyddol hynafol nes bod pryder gwirioneddol y gallai lithro am byth o afael y bobl. Gyda'r iaith o dan bwysau o du elfennau mor rymus a gelyniaethus, hir a llafurus fyddai'r ymdrech i adennill y tir a gollwyd.

Eto i gyd, yn baradocsaidd, bu rhagolygon tywyll yr iaith fel cyfrwng diwylliannol yn fodd i grisialu meddwl y llenorion a'u cymell i weithredu.[11] Allan o'r ymdeimlad cyffredinol o besimistiaeth cododd awydd ysol i adfywio iaith a llenyddiaeth Cymru. Erbyn y ddeunawfed ganrif yr oedd newidiadau ar droed a roes yn y pen draw ymdeimlad newydd o hunanhyder a hunan-barch i bleidwyr yr iaith a'i llenyddiaeth. Un o brif gyfryngau'r newid hwn oedd twf y wasg frodorol Gymraeg. O ganlyniad i ymddangosiad toreth o weisg argraffu ledled y wlad o 1718 ymlaen a datblygiad cynlluniau tanysgrifio, clybiau llyfrau a llyfrgelloedd cylchynol, cafwyd cynnydd aruthrol yn nifer y llyfrau a gynhyrchid.[12] Dengys y ffigurau canlynol (nad ydynt yn cynnwys cyhoeddiadau amrywiol megis almanaciau, baledi a phamffledi) y cynnydd sylweddol yn nifer y llyfrau Cymraeg a gyhoeddwyd wrth i'r ddeunawfed ganrif fynd rhagddi:[13]

$$
\begin{array}{ll}
1660–1699 : & 112 \\
1700–1749 : & 614 \\
1750–1799 : & 1907 \\
\text{Cyfanswm} : & 2633
\end{array}
$$

Daeth argraffu yn fusnes pwysig yn nhrefi mwyaf blaenllaw Cymru a chafodd grym y gair argraffedig fwy o ddylanwad nag erioed o'r blaen ar feddwl y bobl. Yr oedd cyfran uwch o bobl lythrennog ac egnïol bellach yn hyrwyddo gweithgarwch llenyddol yng Nghymru ac, ar lawer ystyr, eu penderfyniad a'u dyfeisgarwch hwy a fu'n gyfrifol am yr hyn a alwyd yn ddiweddar yn ymgyrch i 'ail-lunio Cymru yn y ddeunawfed ganrif'.[14] Cafwyd cymorth parod gwladgarwyr a oedd yn gysylltiedig â chymdeithasau'r Cymry yn Llundain i ailddarganfod cyfoeth llenyddol y

---

[11] Gw., yn enwedig, Prys Morgan, *The Eighteenth Century Renaissance* (Llandybïe, 1981) ac idem, 'The Hunt for the Welsh Past in the Romantic Period' yn E. Hobsbawm a T. Ranger (goln.), *The Invention of Tradition* (Cambridge, 1983), tt. 43–100.

[12] Geraint H. Jenkins, *Literature, Religion and Society in Wales 1660–1730* (Cardiff, 1978); Eiluned Rees, 'Developments in the Book-Trade in Eighteenth Century Wales', *The Library*, XXIV (1969), 33–43; eadem, 'Pre–1820 Welsh Subscription Lists', *JWBS*, XI, rhifynnau 1–2 (1973–4), 85–119; Geraint H. Jenkins, 'The Eighteenth Century' yn Philip H. Jones ac Eiluned Rees (goln.), *A Nation and its Books* (Aberystwyth, i'w gyhoeddi).

[13] *Libri Walliae*.

[14] Trevor Herbert a Gareth E. Jones (goln.), *The Remaking of Wales in the Eighteenth Century* (Cardiff, 1988).

gorffennol ac i roi hwb i'r gred fod y Gymraeg yn iaith a deilyngai astudiaeth ysgolheigaidd ddwys. At hynny, yr oedd yr iaith Gymraeg a'i llenyddiaeth yn ddyledus iawn i'r mudiad Methodistaidd am gynhyrchu gweithiau llenyddol y pery eu gwerth am ganrifoedd eto, ac yn enwedig i William Williams Pantycelyn, emynydd a rhyddieithwr meistraidd. Yn olaf, bu'r don o ddysgeidiaeth ramantaidd a roes fod i ffantasïau rhyfeddol a chwbl afresymol yn gymorth i atgoffa byd ehangach ysgolheictod o fodolaeth iaith a diwylliant un o genhedloedd anghofiedig Ewrop. Gan fod cynifer o wŷr disglair yn ymboeni'n angerddol ynglŷn â chyflwr a thynged yr iaith lenyddol, ailenynnwyd diddordeb yn nhraddodiadau diwylliannol gorau'r genedl.

Tasg gyntaf y rhai a gredai fod yr iaith Gymraeg yn eiddo i linach bendefigaidd, neu gysegredig hyd yn oed, oedd darganfod tarddiad yr iaith. Gan nad oedd byd bregus ysgolheictod yng Nghymru wedi ei ddadrithio gan ddatblygiad gwyddoniaeth a rheswm, yr oedd genesis ieithoedd yn parhau yn ddirgelwch. Yn niffyg fframwaith cronolegol y gellid ymgorffori ynddo dystiolaeth lenyddol neu archaeolegol, byddai ysgolheigion yn dibynnu ar yr Ysgrythurau.[15] Ym 1650 yr oedd James Ussher, Archesgob Armagh, wedi amcangyfrif, ar sail tystiolaeth achyddol yr Ysgrythurau, fod y byd wedi cael ei greu am wyth o'r gloch y bore ar 22 Hydref 4004 C.C. O'r 1650au ymlaen argraffwyd nifer helaeth o'r Beibl Cymraeg ar gyfer y nifer cynyddol o ddarllenwyr, ac ynddo ceid nodyn ar ymyl y ddalen ym mhennod gyntaf Llyfr Genesis i atgoffa'r darllenydd ym mha flwyddyn y creodd Duw y nefoedd a'r ddaear.[16] Ceid storïau Beiblaidd hefyd yn adrodd sut yr arweiniodd balchder at syrthio oddi wrth ras yn Nhŵr Babel a pha mor enbydus a hirhoedlog y bu'r canlyniadau. Yn gosb gan Dduw, adfeddiannwyd y byd wedi'r Dilyw gan Jaffeth fab Noa a'i ddisgynyddion, a gwasgarwyd gwahanol ieithoedd i wahanol barthau o'r ddaear. Dengys gwahanol fathau o dystiolaeth i ba raddau y cipiwyd dychymyg y bobl gan hanes y Dilyw ac ailboblogi'r ddaear. Yn nrama Syr John Vanbrugh, *Aesop*, a lwyfannwyd gyntaf yn Drury Lane, Llundain ym 1697, cyhoeddodd herodr o Gymro (a elwid yn 'Quaint'):

> Sir, I cou'd tell my Mothers Pedigree before
> I could speak plain: which, to shew you
> the depth of my Art, and the strength of my
> Memory, I'll trundle you down in an instant.
> Noah had three Sons, Shem, Ham and Japhet . . .[17]

---

[15] Stuart Piggott, *Ruins in a Landscape* (Edinburgh, 1976), t. 4.

[16] John Ballinger, *The Bible in Wales* (London, 1906).

[17] Bonamy Dobrée a Geoffrey Webb (goln.), *The Complete Works of Sir John Vanbrugh* (4 cyf., London, 1927), II, Act 3.

Yn ystod yr un degawd dywedodd yr ysgolhaig Celtaidd Edward Lhuyd wrth John Lloyd, ysgolfeistr a drigai yn Rhuthun, fod penglogau dynol wedi cael eu darganfod mewn chwarel galchfaen yn sir Faesyfed a bod y sawl a ddaeth o hyd iddynt wedi dweud eu 'bôd nhw yno erpan sincoddy byd yn amser Noe'.[18]

Yr oedd tri chwestiwn o bwys arbennig i'r Cymry: yr honiad fod y Gymraeg yn tarddu o'r Hebraeg; gwladychu Prydain ar ôl y Dilyw; a'r diddordeb newydd yn y cysylltiad Celtaidd. Yn y rhagair Lladin i'w Ramadeg a'i Eiriadur enwog, dadleuasai John Davies, Mallwyd, fod cyswllt agos iawn rhwng yr Hebraeg a mamieithoedd dwyreiniol eraill, gan gynnwys y Gymraeg.[19] Cryfhawyd ei ddadl gan yr Anghydffurfiwr dawnus Charles Edwards y bu ei ddiddordeb yn hunaniaeth hanesyddol ac ysbrydol Cymru yn ysbrydoliaeth iddo lunio ei glasur enwog *Y Ffydd Ddi-ffuant* (1677). Honnai fod tebygrwydd rhwng ynganiad y Gymraeg a'r Hebraeg: 'Mae ei llefariad yn aml fel yr Hebraeg yn dyfod oddiwrth gyffiniau y galon, o wraidd y geneu, ac nid fel y Saesonaeg oddiar flaen y tafod.'[20] Ddwy flynedd cyn hynny, yn *Hebraismorum Cambro-Britannicorum Specimen*, gwnaeth Edwards yn fawr o'r tebygrwydd rhwng y Gymraeg a'r Hebraeg, 'mam y Gymraeg', ac aeth ati i restru'r ymadroddion honedig a brofai wreiddiau cysegredig yn hytrach na chlasurol y Gymraeg:[21]

Lladin	Hebraeg	Brythoneg
Usque ad quercum Moreh Gen. 12.6	Had eloun Moreh	Hyd lwyn Mre
Ab increpatione ejus Job 26.11	Im gaharathvo	Am gerydd fo
Quid profuit Chabbac. 2.18	Mah hounil	Mae ynnill

Bu cydnabod y Gymraeg yn iaith anrhydeddus, gysegredig, a gynhaliwyd ers y dyddiau cynharaf oll gan ragluniaeth fawr y nef, yn hwb sylweddol

---

[18] R. T. Gunther (gol.), *Early Science in Oxford, Vol. XIV, Life and Letters of Edward Lhuyd* (Oxford, 1945), t. 200.

[19] G. J. Williams, *Agweddau ar Hanes Dysg Gymraeg* (Caerdydd, 1969), t. 78.

[20] Charles Edwards, *Y Ffydd Ddi-ffuant* (Rhydychen, 1677), t. 150. Am y cefndir, gw. Derec Llwyd Morgan, 'A Critical Study of the Works of Charles Edwards (1628–1691)' (traethawd DPhil anghyhoeddedig Prifysgol Rhydychen, 1967) ac idem, *Charles Edwards* (Caernarfon, 1994), tt. 28–31.

[21] Charles Edwards, *Hebraismorum Cambro-Britannicorum Specimen* (London, 1675), heb ei dudalennu; Nigel Smith, 'The Uses of Hebrew in the English Revolution' yn Peter Burke a Roy Porter (goln.), *Language, Self, and Society* (Cambridge, 1991), tt. 51–71.

i'w statws. Heriodd Thomas Jones yr almanaciwr y boneddigion hynny a ddifrïai'r iaith a roddwyd gan Dduw yng ngenau'r Cymro: 'Can a man own God, and yet be ashamed of that language which God himself chose first?'[22]

Yr ail fater yr ymddiddorai hynafiaethwyr ac ysgolheigion ynddo oedd gwladychiad Prydain yn y cyfnod cyn-hanes.[23] Gan nad oedd modd i gyfoeswyr wybod bod dwy fil o flynyddoedd rhwng y cyfnod yn union wedi'r Dilyw a'r cyfnod cyn-Rufeinig, cyhoeddwyd rhai damcaniaethau cwbl chwerthinllyd. Ym 1646 cyhoeddwyd y gyfrol *Geographia Sacra* gan Samuel Bochart, ieithegydd disglair o Ffrainc, ac ynddi honnodd fod buddiannau masnachol a morwrol wedi denu'r Phoeniciaid enwog i Brydain.[24] Cadarnhawyd a phoblogeiddiwyd ei syniadau gan Aylett Sammes, cyfreithiwr wrth ei alwedigaeth a gŵr nad oedd yn archaeoleg-ydd maes nac yn ieithegydd. Mewn cyfrol gymysglyd a hirfaith hyd at syrffed sy'n dwyn y teitl *Britannia Antiqua Illustrata* (1676), dadleuodd Sammes mai'r Phoeniciaid oedd sefydlwyr Prydain.[25] Gwyddom heddiw mai ffwlbri llwyr oedd gwaith Sammes, ond bu ei ddylanwad yn fawr ar hynafiaethwyr ar ddechrau'r ddeunawfed ganrif, gan gynnwys Henry Rowlands a William Stukeley.

Hoeliwyd sylw gwladgarwyr diwylliannol Cymru, fodd bynnag, gan yr hyn a ysgrifennodd Sammes ac eraill am lwyth a elwid y Cimbri. Un o nodweddion mwyaf cofiadwy cyfrol Sammes oedd map rhyfeddol a ddarluniai ymdaith yr hen 'Gimbri' (yn eu hetiau tal ac yn teithio mewn wageni caeedig) o'r Môr Du i Brydain. Ni allai Sammes dderbyn, fodd bynnag, mai disgynyddion Gomer ap Jaffeth ap Noa oedd y 'Cimbri' ac o'r herwydd go brin fod darllenwyr Cymru wedi cynhesu ato. Mor bell yn ôl â 1586, hyd yn oed, yr oedd William Camden wedi honni yn *Britannia* mai cangen o'r Galiaid, a oedd eu hunain yn ddisgynyddion o Gomer, oedd trigolion Prydain.[26] Adferwyd syniadau Camden a'u hatgyfnerthu gan gyhoeddiad *L'Antiquité de la nation et de la langue des celtes* (1703), sef gwaith Paul-Yves Pezron, mynach a gwladgarwr brwd o Lydaw. Pan gyfieithwyd gwaith Pezron i'r Saesneg gan David Jones a'i

---

[22] Thomas Jones, *Newydd oddiwrth y Seêr* (Llundain, 1684), sig. A7v. 'I verily believe', meddai curad o'r enw Jenkin Evans, 'that Adam spoke something of the Welsh Tongue in Paradise.' Anad., *A Dialogue between the Rev. Mr. Jenkin Evans . . . and Mr. Peter Dobson . . . concerning Bishops, Particularly the Bishops in the Principality of Wales* (London, 1744), t. 42. Ym 1795 ysgrifennodd y dramodydd Richard Cumberland: 'tis well known that the first man Nature ever made was a Welshman' *(The Wheel of Fortune,* London, 1795, t. 25).

[23] Henry Rowlands, *Mona Antiqua Restaurata* (Dublin, 1723), sig. A1r.

[24] T. D. Kendrick, *British Antiquity* (London, 1950), t. 132; Stuart Piggott, *Ancient Britons and the Antiquarian Imagination* (London, 1989), t. 100.

[25] Aylett Sammes, *Britannia Antiqua Illustrata* (London, 1676), t. 17.

[26] Kendrick, op. cit., tt. 108–9.

gyhoeddi ym 1706, atgoffwyd darllenwyr ynglŷn â safbwynt Camden, sef bod y Brythoniaid a'r Galiaid yn hanu o'r un hil Geltaidd. Daeth Pezron i amlygrwydd nid yn unig oherwydd ei fod yn ddylanwadol yn y proses o ffurfio'r hyn a elwid gan haneswyr yn 'Celtomania', ond hefyd oherwydd iddo gadarnhau'r gred mai Gomer oedd tad y Celtiaid:

> The Language therefore of the Celtae, that fixed in Gaul, was from the first Ages of the Postdiluvian World, the Language of the Gomarians, who were seated originally in the Higher Asia, towards Hircania and Bactriana; and 'tis not to be doubted but the Language of the Gomarians was that of Gomer, who was the Head and Founder; and if it was the Language of Gomer, it must necessarily have been one of those formed at the Confusion of Babel.[27]

Ar y cychwyn o leiaf yr oedd Edward Lhuyd, yr ysgolhaig Celtaidd mwyaf dysgedig ar ddiwedd oes y Stiwartiaid, yn frwdfrydig ynglŷn â gwaith Pezron, ond trodd ei eiddgarwch yn amheuaeth (ac efallai hyd yn oed yn ddirmyg mewn cylchoedd preifat) wrth i ddamcaniaethau'r ysgolhaig o Lydaw ymledu fwyfwy.[28] Ac yntau'n Geidwad amgueddfa enwog yr Ashmolean yn Rhydychen, arferai Lhuyd droi mewn cylchoedd dysgedig ac yr oedd wrth ei fodd yn cyfnewid syniadau ag ysgolheigion o gyffelyb fryd.[29] Tystiai'r rheini a'i hadwaenai ac a gydweithiai ag ef i ehangder a dyfnder ei wybodaeth, a dysgasant ganddo hefyd na ellid bellach seilio astudiaeth academaidd o'r gorffennol ar dystiolaeth lenyddol yn unig. Câi'r holl wybodaeth a dderbyniai'r rhai a oedd yn perthyn i gylch Lhuyd ei harchwilio'n fanwl ac yr oedd i hyn oblygiadau pwysig ym maes ieitheg Geltaidd. Er mwyn deall tarddiad a natur yr ieithoedd Celtaidd yn well, aeth Lhuyd ar daith ymchwil bedair blynedd drwy Iwerddon, Cernyw, yr Alban a Llydaw, gan ymdrechu i feistroli'r prif ieithoedd Celtaidd. Ei fwriad oedd cyhoeddi llyfrau gramadeg a geiriaduron a fyddai i bob pwrpas yn profi perthynas yr ieithoedd Celtaidd â'i gilydd. Er mai dim ond rhagflas o'i waith ymchwil aruthrol a geir yn ei *Archaeologia Britannica* (1707), yr oedd yn gyfrol o'r pwys mwyaf ac enillodd iddo barch a bri'r byd ysgolheigaidd. Drwy ddarganfod tarddiad cyffredin yr ieithoedd Celtaidd a llunio'r ddamcaniaeth yn seiliedig ar yr

---

[27] David Jones, *The Antiquities of Nations; More particularly of the Celtae or Gauls, Taken to be Originally the same People as our Ancient Britains* (London, 1706), t. 144. Gw. hefyd Prys Morgan, 'The Abbé Pezron and the Celts', *THSC* (1965), 286–95; idem, 'Yr Abbé Pezron a'r Celtiaid', *Y Traethodydd*, 120 (1965), 178–84; idem, 'Boxhorn, Leibniz, and the Welsh', *SC*, VIII–IX (1973–4), 220–8.

[28] Gunther, op. cit., t. 489.

[29] G. J. Williams, 'Edward Lhuyd', *LlC*, 6, rhifyn 3 a 4 (1961), 122–37; Frank Emery, *Edward Lhuyd 1660–1709* (Cardiff, 1971); Brynley F. Roberts, *Edward Lhuyd: The Making of a Scientist* (Cardiff, 1980).

ieithoedd Celtaidd *p* a *q*, tanseiliodd Lhuyd ddamcaniaethau Pezron. Torrodd dir newydd hefyd drwy ddarganfod arwyddocâd Hen Gymraeg ac olrhain y parhad yn yr orgraff o ddyddiau cynharaf yr arysgrifau.[30] Yr oedd canlyniadau ymchwil yr ieithegydd Celtaidd eithriadol hwn yn gam arloesol ymlaen ym maes ysgolheictod Cymraeg ac y mae'n drasiedi i'w farwolaeth ddisymwth ac annisgwyl ym 1709 amddifadu'r genedl o gnwd mwy toreithiog o gyhoeddiadau. Petai Lhuyd wedi cael byw, diau y byddai ei astudiaethau o ieitheg gymharol wedi eu hymestyn a'u coethi ymhellach ac y byddai ôl ei ddylanwad i'w weld yn drwm ar genedlaethau'r dyfodol. Er hynny, prif ragoriaeth *Archaeologia Britannica* yw'r modd gorchestol y ducpwyd ynghyd ac y dehonglwyd ynddo doreth o ddeunydd yn ymwneud â'r gwledydd Celtaidd.[31]

Er bod gan y garfan o ysgolheigion Cymreig ieuainc amryddawn y llwyddodd Lhuyd i'w denu i Rydychen le i ddiolch iddo am ddangos y ffordd ymlaen, ychydig a ddilynodd ei gamre. Croesawyd cyhoeddi'r *Archaeologia Britannica* fel dechrau cyfnod newydd ym maes ysgolheictod Cymreig, ond ni welwyd gwireddu'r gobeithion hynny. Moses Williams oedd yr unig un i ddangos unrhyw awydd i wireddu uchelgais Lhuyd. Ei ddymuniad ef yn bennaf oll oedd cyhoeddi casgliad o lawysgrifau yn yr iaith Gymraeg hyd at ddechrau'r unfed ganrif ar bymtheg, ond bu'n aflwyddiannus yn ei ymgais i gasglu 250 o danysgrifiadau, sef yr isafswm a oedd yn ofynnol i weld cyhoeddi'r gyfrol yn llwyddiannus.[32] Collasai Williams ei enw da ymhlith boneddigion Cymru yn sgil ei bregethau gwladgarol diflewyn-ar-dafod. Fe'i herlidiwyd hefyd gan esgobion a oedd yn wrthwynebus i'w Gymreictod.[33] Dangosodd eraill a berthynai i gylch Lhuyd fod ganddynt fwy o archwaeth am y ddiod gadarn nag am waith academaidd, ac ymddengys nad oedd gan y rheini a fu gynt yn gohebu ag ef yr un awydd mwyach i fynnu'r un cywirdeb a gonestrwydd ag a wnâi ef. Cyhoeddwyd gan William Baxter o Lanllugan, gŵr yr amheuai Lhuyd ei fod yn 'too apt to indulge fancy',[34] gyfrol yn dwyn y teitl *Glossarium Antiquitatum Britannicarum* (1719), sef geiriadur o enwau lleoedd a'u tarddiad, a oedd yn gyforiog o wagddamcaniaethau ieithegol niwlog. O ganlyniad, ceryddwyd Baxter gan Lewis Morris am ddryllio a darnio hen

---

[30] Brynley F. Roberts, 'Edward Lhuyd Y Cymro', *CLlGC*, XXIV, rhifyn 1 (1985), 63–83.

[31] Edward Lhuyd, *Archaeologia Britannica* (Oxford, 1707). Rhannwyd y gyfrol hon, a oedd yn rhan o gynllun mwy, yn ddeg rhan, a cheid deunydd gwreiddiol yn chwech ohonynt.

[32] William Baxter, *Glossarium Antiquitatum Britannicarum* (London, 1719), sig. b4v; *Libri Walliae*, II, t. xxvii.

[33] Geraint H. Jenkins, *Cadw Tŷ Mewn Cwmwl Tystion. Ysgrifau Hanesyddol ar Grefydd a Diwylliant* (Llandysul, 1990), tt. 104–5.

[34] Gunther, op. cit., t. 476. Cymh. Arthur Percival, 'William Baxter (1649–1723)', *THSC* (1957), 58–86.

eiriau Brythoneg.[35] Aeth Henry Rowlands, un arall o ohebwyr Lhuyd,[36] ar ddisberod drwy gyhoeddi *Mona Antiqua Restaurata* (1723). Ynddo aeth ati nid yn unig i ddadlau mai Jaffeth oedd hynafiad holl genhedloedd Ewrop ac mai sir Fôn oedd prif bencadlys ac academi Derwyddon Prydain, ond hefyd i ddatgan bod enw Apollo y Gogleddwr (Hyperborean) yn deillio o ap Rees, mai Prasulagus, yn ôl pob tebyg, oedd ap Rees leg, ac mai Arviragus oedd ap Meyric![37] Er bod cyhoeddi *Mona* wedi chwyddo balchder gwladgarwyr Môn, bu'n drychineb o safbwynt ysgolheictod ieithegol ac archaeolegol.[38]

Wrth i hynafiaethwyr, beirdd a rhamantwyr Cymru ymbellhau oddi wrth syniadau Lhuyd, daeth damcaniaethau cyfeiliornus Pezron yn fwyfwy poblogaidd. Yn wir, yr oedd bron pob gair a ysgrifennwyd ar ddarddiad y Cymry a'r Celtiaid yn y ddeunawfed ganrif yng Nghymru yn seiliedig ar ei waith ef. Yn *Drych y Prif Oesoedd* (1716 a 1740), y llyfr hanes mwyaf llwyddiannus a ysgrifennwyd yn Gymraeg hyd at ddiwedd Oes Victoria,[39] rhoes Theophilus Evans gylchrediad eang i syniadau Camden a Pezron drwy gysylltu'r Cymry â'r Cymbri a'r Celtiaid, a llwyddodd i ddal dychymyg ei ddarllenwyr â'i honiad na allai'r un genedl arall olrhain ei hiaith yn ôl i gyfnod cynharach na'r Cymry:

A phwy oedd yn siarad Cymraeg y dybiwch chwi y pryd hwnnw ond Gomer, mab hynaf Japhet, ap Noah, ap Lamech, ap Methusala, ap Enoch, ap Jared, ap Malaleel, ap Cainan, ap Enos, ap Seth, ap Adda, ap Duw?[40]

Ym 1718 yr oedd ôl syniadau rhamantaidd Pezron ar waith Simon Thomas yn *Hanes y Byd a'r Amseroedd*[41] a hefyd ar ei gyfrol *The History of the Cymbri (or Brittains)* (1746), gwaith a fu'n gyfrwng i oleuo darllenwyr di-Gymraeg ynghylch gwreiddiau gogoneddus y Cymry.[42] Er bod

---

[35] *ALM*, II (1949), t. 396.

[36] Gunther, op. cit., tt. 480–3.

[37] Rowlands, *Mona Antiqua*, t. 76.

[38] Gw. y sylwadau beirniadol yn *CAR*, I (1795), 384. Credai Iolo Morganwg fod y *Mona* yn cynnwys 'the most incoherent jumble of mistakes, absurdities, of every thing that ever profaned the sacred name of History' (LlGC Llsgr. 13089E, f. 460). Am y cefndir, gw. J. Gareth Thomas, 'Henry Rowlands The Welsh Stukeley', *TCHNM* (1958), 33–45, a Tomos Roberts, 'Campwaith y "Derwydd"', *Y Casglwr*, 23 (1984), 19.

[39] Geraint H. Jenkins, *Theophilus Evans (1693–1767). Y Dyn, Ei Deulu, a'i Oes* (Llandysul, 1993), tt. 35–40.

[40] Theophilus Evans, *Drych y Prif Oesoedd* (Amwythig, 1740), t. 7.

[41] Simon Thomas, *Hanes y Byd a'r Amseroedd* (Amwythig, 1718), t. 51. Am ddaliadau tebyg, gw. Jeremy Owen, *The Goodness and Severity of God* (London, 1717), t. 10, a William Wotton, *A Sermon preached in Welsh before the British Society in . . . London* (London, 1723), sig. Alv.

[42] Simon Thomas, *The History of the Cymbri (or Brittains)* (Hereford, 1746), passim. Gw. hefyd Richard Rolt, *Cambria. A Poem in Three Books* (London, 1749), tt. 26–7.

dehongliad Griffith Jones Llanddowror o hanes cwymp Babel yn Llyfr Genesis yn ymosodiad llym ar imperialaeth a gormes ieithoedd cenedlaethol, rhoes yntau gefnogaeth frwd i syniadau Pezron yn un o'i lythyrau mwyaf angerddol o blaid yr iaith Gymraeg.[43] Yn yr un modd, yr oedd Lewis Morris yn ddigon parod i ddatgan yn ei *Celtic Remains* mai'r iaith Gymraeg oedd prif gangen a gweddillion yr hen iaith Geltaidd.[44] O'r Celtomania hwn, fodd bynnag, gwelwyd to newydd o gau broffwydi yn codi erbyn canol y ddeunawfed ganrif. Honnodd Bullet yn ei *Mémoires sur La Langue Celtique* (3 cyfrol, 1754–60) mai chwaer-dafodiaith i'r Hebraeg oedd yr iaith Geltaidd ac iddi gael ei llefaru gan Dduw wrth gyfarch Adda yng Ngardd Eden. Bu John Walters nid yn unig yn dyfynnu'n helaeth o waith Pezron ond hefyd yn canu clodydd ysgolheictod a diwydrwydd eithriadol Bullet.[45] Credai disgybl Walters, Iolo Morganwg, fod Pezron wedi cyfrannu llawer at gynnal yr ymdeimlad o hunaniaeth genedlaethol yng Nghymru a hefyd yr ymdeimlad ehangach o Geltigiaeth, a chymaint oedd gafael damcaniaethau'r Llydawr arno nes i Walter Davies (Gwallter Mechain) fynd ati i gopïo darnau helaeth o'r cyfieithiad Saesneg o *L'Antiquité de la nation et de la langue des celtes.*[46] Hyd yn oed mor ddiweddar â 1818 credai William Owen Pughe fod elfen gredadwy yn perthyn i ddyfeisgarwch Pezron.[47] Ar lawer ystyr, felly, bu canlyniadau enbyd i farwolaeth annhymig Edward Lhuyd. O 1709 ymlaen yr oedd datblygiad ysgolheictod Cymreig yn Rhydychen fel petai wedi ei barlysu ac nid oedd neb yng Nghymru a allai atal y dirywiad.

Camarweiniol, fodd bynnag, fyddai cloi'r pwnc hwn heb gyfeirio at gyfraniad nodedig a hirhoedlog cawr deallusol, a'i disgrifiodd ei hun ar un achlysur yn 'hanner Cymro', i faes iaith ac ieitheg.[48] Ganed Syr William Jones – 'Oriental Jones' neu 'Harmonious Jones' fel y'i gelwid yn aml – yn Llundain, yn fab i fathemategydd athrylithgar (ac iddo'r un enw) a hanai'n wreiddiol o Lanfihangel Tre'r-beirdd yn sir Fôn.[49] Er nad oedd Jones yn

[43] Griffith Jones, *The Welch Piety* (London, 1740), tt. 30–53.
[44] Lewis Morris, *Celtic Remains* (Cambrian Archaeological Association, London, 1878), t. xix.
[45] John Walters, *A Dissertation on the Welsh Language* (Cowbridge, 1771), tt. 20–1. Gw. hefyd ddaliadau ei gyd-weithiwr, Thomas Richards, yn *Antiquae linguae Britannicae thesaurus* (Bristol, 1753), sig. br, a Rhys Jones yn *Gorchestion Beirdd Cymru* (Amwythig, 1773), sig. B1v- B2r.
[46] Edward Williams, *Poems Lyric and Pastoral* (2 gyf., London, 1794), II, tt. 8–9; LlGC Llsgr. 1641Bii, ff. 383–433.
[47] *CAR*, III (1818), 146. Gw. y ganmoliaeth a bentyrrodd y Cymreigyddion ar Pezron (LlGC Llsgr.13221E, f. 166).
[48] Garland Cannon (gol.), *The Letters of Sir William Jones* (2 gyf., Oxford, 1970), I, t. 81.
[49] Thomas A. Sebeok, *Portraits of Linguists. A Biographical Source Book for the History of Western Linguistics, 1746–1963* (2 gyf., Bloomington & London, 1966), I, tt. 1–57; Garland Cannon, *The Life and Mind of Oriental Jones* (Cambridge, 1990); Caryl Davies, '"Romantic Jones"; The Picturesque and Politics on the South Wales Circuit, 1775–1781', *CLlGC*, XXVIII, rhifyn 3 (1994), 255–78.

gwbl rugl yn y Gymraeg, yr oedd yn ieithydd penigamp ac yn awdurdod ar gyfraith Hindu. Yn ei anerchiad nodedig i'r Gymdeithas Asiaidd yn Calcutta ym 1786 gwnaeth ddatganiad trawiadol ac arloesol ynglŷn â pherthynas hanesyddol Sansgrit â Lladin, Groeg a'r ieithoedd Germanaidd.[50] Hwn oedd y datganiad cyhoeddus cyntaf ar egwyddorion sylfaenol ieitheg gymharol fodern ac fe dâl inni sylwi ei fod yn ymwrthod yn llwyr â'r damcaniaethau ieithegol cyfeiliornus a goleddid gan Pezron. Syr William Jones a osododd sylfeini'r astudiaethau newydd ym maes ieitheg a gafwyd wedi hynny gan Franz Bopp, Rasmus Kristian Rask a Jacob Grimm ar ddechrau'r bedwaredd ganrif ar bymtheg, gan fraenaru'r tir hefyd ym maes gwyddor ieitheg.[51] Y mae'n werth nodi bod Iolo Morganwg yn gyfarwydd â gwaith 'tad ieitheg fodern' a'r modd yr oedd wedi dyfnhau dealltwriaeth ysgolheigion o esblygiad ieithoedd a'r dolenni cyswllt rhyngddynt. Fe'i symbylid gan waith ymchwil Syr William Jones yn ei ymgyrch ddiflino o blaid sefydliadau diwylliannol cenedlaethol i Gymru:

> Sir William Jones has very recently shown us what lights may be derived from the study of ancient languages, the general history of the world and mankind cleared up by them, new evidences of the Truth of divine Revelation obtained of gigantic strength. A College has lately been Instituted at Calcutta for the acquisition and study of the ancient India, and other Asiatic Languages; when will such an establishment appear in Europe for the study of the ancient Languages of Europe? Never! for money and money only, is the great object of acquisition. Pluton the God of Riches is adored by one half of the Christian World, (Blasphemously so called) and Mars the God of War by the other . . .[52]

Yr oedd Iolo Morganwg yn fwy ymwybodol na mwyafrif ei gyd-Gymry o'r rhan allweddol y gallai prifysgolion ac academïau ei chwarae ym mywyd diwylliannol cenedl. Yn niffyg sefydliadau diwylliannol cyd-nabyddedig, byddai gwybodaeth ffug am darddiad hanesyddol ieithoedd a'r berthynas rhyngddynt a'i gilydd yn sicr o ffynnu.

Ffôl fyddai honni, fodd bynnag, fod holl lenorion y ddeunawfed ganrif wedi mwydro'u pennau ag iaith Gomer ap Jaffeth ap Noa neu â'r modd y tarddai'r ieithoedd Celtaidd o'r un ffynhonnell. Yn sgil twf syfrdanol Methodistiaeth yn ne a chanolbarth Cymru o ganol y 1730au ymlaen,

---

[50] R. H. Robins, *A Short History of Linguistics* (ail arg., London, 1979), t. 134; David Crystal, *The Cambridge Encyclopaedia of Language* (Cambridge, 1987), t. 296.

[51] Hans Aarsleff, *The Study of Language in England 1780–1860* (Princeton, New Jersey, 1967), tt. 159–61; David A. Thorne, *Cyflwyniad i Astudio'r Iaith Gymraeg* (Caerdydd, 1985), t. 37.

[52] LlGC Llsgr. 13121B, ff. 481–2.

ymddangosodd carfanau o bererinion ysbrydol â'u bryd ar achub eneidiau
yn hytrach nag achub yr iaith. Yr oedd anfodlonrwydd dwys â syrthni'r
Eglwys sefydledig a llesgedd ysbrydol y bobl yn elfen allweddol yn
natblygiad Methodistiaeth. O dan arweiniad dynion ieuainc hynod
feiddgar ac egnïol, nod y mudiad oedd ysgogi adfywiad ysbrydol ar raddfa
eang. Yn llawn sêl dros eu cenhadaeth, credai'r efengylwyr Methodistaidd
eu bod wedi eu galw yn bersonol gan Dduw i adfywio'r Eglwys
sefydledig. Yn eu golwg hwy, yr oedd Cymru yn *pays de mission*, ac yr
oedd eu byddin o bregethwyr teithiol yn daer a gweithgar i'w ryfeddu.
Nid oedd y rhai a bleidiai achos Methodistiaeth yn rhy swil i frolio eu
llwyddiannau ac ni flinent ychwaith ar bwysleisio wrth ysgrifennu, boed
yn Gymraeg neu yn Saesneg, mai brwdfrydedd oedd iaith y galon. Yr
oedd y profiad ysbrydol a gawsant o Grist yn eu llenwi â gorfoledd,
gobaith a chariad ac yn eu cymell i ledaenu'r Efengyl mor eang â phosibl.
O'i gymharu â llifeiriant yr Ysbryd Glân, meddent, yr oedd y gwrthdaro
ym Mabel yn gwbl ddibwys. Mewn llythyr at George Whitefield,
honnodd Howel Harris fod ysbryd Crist yn ymddangos 'either as a Spirit
of Wisdom to enlighten the Soul, to teach and build up, and set out the
Works of Light and Darkness, or else a Spirit of Tenderness and Love,
sweetly melting the Souls like the Dew, and watering the Graces; or as a
Spirit of hot burning Zeal, setting their Hearts in a Flame, so that their
Eyes sparkle with Fire, Love, and Joy'.[53] Yn eu pregethau grymus,
traethai'r pregethwyr Methodistaidd mewn arddull rethregol ac ychydig
iawn o ymdrech a wnaent i wneud argraff dda ar eu gwrandawyr (neu i'w
drysu) drwy ddyfynnu o weithiau awdurdodau dysgedig. Megis nifer o
feirdd a dramodwyr yn y cyfnod modern cynnar yn Ewrop,[54] gallent
areithio yn ddifyfyr ac yn effeithiol, a châi eu pregethau o'r frest
dderbyniad tra gwresog, yn enwedig mewn cymunedau gwledig a
chynulliadau preifat.[55]

Yr oedd yn dilyn, felly, nad oedd gan y Methodistiaid lawer o
ddiddordeb yn nechreuad ieithoedd na tharddiad geiriau. Yr oedd disgwyl
i dafodau'r Methodistiaid ganu clodydd Duw a chyfyngid trafodaethau'r
seiadau i raddau helaeth i draethu profiadau am achubiaeth. Yn eu tyb
hwy, nid oedd dim pwysicach na 'llythrennau enw pur yr Iesu',[56]

---

[53] Eifion Evans, 'The First Published Correspondence between Harris and Whitefield',
   CCHMC, 4 (1980), 32–3. Gw. hefyd J. E. Wynne Davies, 'Llythyrau ac Adroddiadau
   Thomas William, Eglwysilan', *CCHMC*, 18 (1994), t. 25.
[54] Peter Burke, *Popular Culture in Early Modern Europe* (London, 1978), tt. 142–4.
[55] Geraint H. Jenkins, 'The New Enthusiasts' yn Herbert a Jones, *The Remaking of Wales*,
   tt. 49–50; Eryn M. White, '*Praidd Bach y Bugail Mawr*': *Seiadau Methodistaidd De-Orllewin
   Cymru 1737–50* (Llandysul, 1995), tt. 42–78.
[56] E. G. Millward (gol.), *Blodeugerdd Barddas o Gerddi Rhydd y Ddeunawfed Ganrif*
   (Cyhoeddiadau Barddas, 1991), tt. 152, 154.

oherwydd ei ras cymodlon Ef yn unig a allai achub gwŷr a gwragedd pechadurus rhag eu hannuwioldeb a'u llygredigaeth. Ond gan fod Methodistiaeth yn grefydd a ddeilliai o'r galon, yr oedd ei harweinwyr yn ei chael hi'n anodd i draethu'r hyn a oedd yn ymddangos i bob pwrpas yn anhraethadwy. Ar ôl clywed pregeth gan Daniel Rowland yn Llangeitho ym 1742, cyfaddefodd Howel Harris fod y 'golau' a'r 'grym' a ddatgelwyd y tu hwnt i eiriau.[57] Yr oedd y llewygu a'r dirdynnu a nodweddai gyfarfodydd y Methodistiaid yn tystio bod hwn yn fudiad na allai ddod o hyd i eiriau digonol i fynegi profiad.[58] Pan fyddai pregethwyr llai addysgedig yn mynd ati i ysgrifennu eu pregethau ar bapur byddai eu harddull mor danllyd ac mor chwim ag y byddai eu pregethau ar lafar. Byddai hyd yn oed llenorion profiadol yn ymbalfalu am eiriau priodol i fynegi arwyddocâd bywiol geiriau megis 'goleuni', 'tân', 'grym', 'bywyd' a 'melyster'.[59]

Ar lawer ystyr, yr oedd brwdaniaeth yn ffenomen ddileferydd a gyffrôi'r nwydau yn hytrach na hogi'r meddwl. Dengys y neidio, y dawnsio, y chwerthin, y canu a'r griddfan mai arddangosiadau cyhoeddus o fawl oedd nod angen canolfannau addoli'r Methodistiaid, a châi popeth ei ddehongli yng ngoleuni'r profiad personol. Gan fod Duw wedi cyflwyno i Gristnogion ailanedig iaith yr adfywiad, ychydig o bwys a roddent ar ddiwinyddiaeth neu syniadaeth. Ymwrthodai'r Methodistiaid bron yn llwyr ag ystyriaethau deallusol ac yr oeddynt bob amser yn ddrwgdybus iawn o 'wybodaeth y pen'. Wrth draethu am bererindod ysbrydol un o'r dychweledigion yn *Bywyd a Marwolaeth Theomemphus* (1764), pwysleisiodd William Williams Pantycelyn newydd-deb y neges Fethodistaidd o'i chyferbynnu â'r hen ddysgeidiaeth draddodiadol:

> Eu hiaith sydd oll o newydd, nid geiriau Babel ga'th,
> Ond iaith Caersalem newydd, na feder daer o'i bath;
> Rhyw ymadroddion hyfryd o foliant ac o glod,
> Mawr fo enw'r Oen fu farw fyth heddiw fel erio'd.
>
> . . .
>
> A raid cael gwybod ieithoedd, – Groeg, Lladin hen a'u sain,
> Caldeaeg, Hebraeg a Syriaeg, a llawer gyda['r] rhain
> Cyn gallo neb anturio i 'nganyd gair o'i ben
> O bulpud am drysorau haelionus nefoedd wen?[60]

[57] Gomer M. Roberts (gol.), *Selected Trevecka Letters (1742–1747)* (Caernarfon, 1956), t. 66.
[58] Ibid., t. 81.
[59] Derec Llwyd Morgan, 'Rhyddiaith Pantycelyn' yn Geraint Bowen (gol.), *Y Traddodiad Rhyddiaith* (Llandysul, 1970), tt. 302–6.
[60] Gomer M. Roberts (gol.), *Gweithiau William Williams Pantycelyn Cyfrol 1* (Caerdydd, 1964), tt. 204, 377.

Drwy ddyrchafu ysbrydolrwydd cynnes a chysurus uwchlaw dysg a
gwybodaeth, fodd bynnag, cafodd y Methodistiaid yr enw o fod yn
philistaidd a chul eu meddwl. Mewn arddull ddireidus o ddychanol,
dirmygwyd y pregethwr o Fethodist gan Lewis Morris yn 'Young Mends
the Clothier's Sermon':

> O ye Oxford & Cambridge, Eaton and Westminster and all Great Schools,
> Shut your doors, and weep at your downfall, for the Spirit hath Overcome you.
> The Spirit Can Expound all the dark Texts of Scripture even those which are
> Incomprehensible; and tho' the Spirit is Illiterate in Human Learning, Yet the
> Spirit Literally understands what is wrote in ye Greek, Hebrew, Syriack arabick
> & Chaldean, If he can but get them translated into his own mother Tounge –
> Great is the Vertue of ye Spirit.[61]

Ond er na roddai'r diwygwyr efengylaidd, at ei gilydd, unrhyw sylw i
liw, diwylliant nac iaith y rhai y credent y gallent eu hachub, gwyddent er
hynny mai trwy ddefnyddio'r famiaith y llwyddent orau i gyrraedd eu
hamcanion. Yr oedd tynged y mudiad Methodistaidd ynghlwm wrth yr
iaith Gymraeg ac yr oedd disgwyl i'w arweinwyr bregethu yn iaith y bobl
wrth fynd ar eu hynt ledled y wlad. Yn baradocsaidd, hefyd, bu
Methodistiaeth i raddau helaeth yn fodd i symbylu a diwallu'r galw am
lyfrau Cymraeg. Honnodd William Williams Pantycelyn, gyda pheth
gormodiaith, fod y Methodistiaid wedi bod yn gyfrifol am ddosbarthu
dros gan mil o lyfrau a phamffledi yn ystod ei oes ef.[62] Trosglwyddwyd
profiadau ysbrydol dyfnaf yr efengylwyr drwy gyfrwng cyfres o bregethau,
epigau rhyddieithol, emynau, marwnadau a gweithiau ar ddiwinyddiaeth
ymarferol ac archwiliad mewnol. Os oedd gan bregethwyr Methodistaidd
swyddogaeth bwysig yn cyflwyno'r bobl i iaith yr adfywiad, felly hefyd y
gair printiedig.

Yn ddiamau, cynnyrch llenyddol cwbl eithriadol William Williams
Pantycelyn sy'n cyfleu orau y taerineb, y nwyd a'r ecstasi a berthynai i
Fethodistiaeth Galfinaidd Gymraeg. Cyhoeddodd Williams oddeutu deg a
phedwar ugain o lyfrau a phamffledi a chyfansoddodd dros fil o emynau
(rhai yn Saesneg ond y mwyafrif mawr ohonynt yn Gymraeg), a enillodd
iddo'r llysenw 'Y Pêr Ganiedydd'.[63] Y mae ei gyfraniad llenyddol i
lwyddiant y mudiad ac i ddiwylliant Cymru yn gyffredinol yn anhraethol.
Yng ngeiriau Derec Llwyd Morgan: 'Dychmygwch y Diwygiad heb ei

---

[61] LlGC Llsgr. 67A, f. 69.

[62] Derec Llwyd Morgan, *Y Diwygiad Mawr* (Llandysul, 1981), tt. 110–11.

[63] Gomer M. Roberts, *Y Pêr Ganiedydd [Pantycelyn] Cyfrol I. Trem ar ei Fywyd*
(Aberystwyth, 1949); idem, *Y Pêr Ganiedydd [Pantycelyn] Cyfrol II. Arweiniad i'w Waith*
(Aberystwyth, 1958).

lyfrau ef, ac fe welwch mor ddistaw fyddai, mor enbyd o fud.'[64] Yn fab fferm o sir Gaerfyrddin, Williams oedd yr unig arweinydd Methodistaidd o blith ei genhedlaeth ef a chanddo wir gariad at ddysg a llenyddiaeth. Darllenai'n eiddgar ac fe'i denwyd gan ei chwilfrydedd heintus i faes anatomeg, seryddiaeth, hanes, mathemateg, meddygaeth, seicoleg a gwyddoniaeth.[65] Yn wahanol i'w gyd-arweinwyr, a oedd at ei gilydd yn elyniaethus tuag at ddiwylliant y Dadeni ac yn ddrwgdybus o unrhyw iaith neu dafodiaith na chanai glodydd yr Arglwydd, yr oedd Williams yn barod i dderbyn syniadau ac ymdrechion deallusol blaengar. Yn un o'i epigau, *Golwg ar Deyrnas Crist* (1756), cerdd ac iddi 1367 o benillion, datgelodd ei ddiddordeb mewn syniadau gwyddonol, damcaniaethau mathemategol, planedau a chomedau, ac yr oedd ei *Pantheologia, neu Hanes Holl Grefyddau'r Byd*, a gyhoeddwyd fesul rhan rhwng 1762 a 1779, yn gasgliad o wybodaeth gyffredinol am ddaearyddiaeth y byd a chrefyddau'r byd. Ym mhob un o'i weithiau, fodd bynnag, yr oedd yr arddull a ddefnyddiai Williams yn ysgrythurol, yn ddiwinyddol ac yn efengylaidd ei naws. Ei brif amcan oedd perswadio ei ddarllenwyr a'i gynulleidfa 'i garu Tywysog mawr ein Iechydwriaeth',[66] oherwydd gras cymodlawn Crist yn unig a allai achub gwŷr a gwragedd annheilwng rhag eu hannuwioldeb a'u drygioni. Yn ei ryddiaith a'i emynau (a gâi eu canu ag angerdd anghyffredin), tynnai Williams ar stôr eang o eirfa, cyfeiriadau a delweddau er mwyn cyfleu profiadau ysbrydol cyfoethog y dychweledigion Methodistaidd, ac efallai mai ei gymwynas bennaf oedd cyflwyno i'w ddilynwyr iaith i adnabod a mynegi'r hunan. Drwy fabwysiadu ffurfiau llenyddol cydnabyddedig a thynnu ar gyfoeth o idiomau a thafodieithoedd lleol, llwyddodd i ddatblygu ieithwedd fydryddol a oedd yn wreiddiol ac yn atyniadol.[67] Gwyddai ei fod yn torri tir newydd yn y gweithiau a gyhoeddodd ac ni allai neb ragori ar ei allu i gyfleu'r cyflwr llesmeiriol pur a oedd yn rhan annatod o brofiad y Methodist. Ychydig o sylw a roddai i burdeb iaith yn ei waith ac y mae rhai beirniaid llenyddol llym wedi gresynu at ei ddefnydd o ymadroddion llafar a benthyciadau o'r Saesneg. Ond bu ei ddawn lenyddol a'i argyhoeddiad Cristnogol dwfn yn fodd i ymestyn iaith brwdaniaeth grefyddol a'i gwneud yn iaith a fyddai'n denu ac yn dal gafael y Cymry Cymraeg. Yng ngwaith William Williams, yn anad neb arall, y clywn lais neilltuol Methodistiaeth Galfinaidd Gymraeg.

---

[64] Derec Llwyd Morgan, *Williams Pantycelyn* (Caernarfon, 1983), t. 14.
[65] Alwyn Prosser, 'Diddordebau Lleyg Williams Pantycelyn', *LlC*, 3, rhifyn 4 (1955), 201–14; D. Myrddin Lloyd, 'Rhai Agweddau o Feddwl Pantycelyn', *EA*, XXVIII (1956), 54–66; Derec Llwyd Morgan (gol.), *Meddwl a Dychymyg Williams Pantycelyn* (Llandysul, 1991).
[66] Roberts, *Gweithiau William Williams*, I, t. ix.
[67] Glyn Tegai Hughes, *Williams Pantycelyn* (Cardiff, 1983), t. 117.

Wrth reswm, nid pawb a garai'r iaith Gymraeg a'i diwylliant a gâi eu swyno gan Fethodistiaeth. Gan fynnu bod ei dilynwyr yn orffwyll,[68] yr oedd llawer yn ei chasáu â chas perffaith. Nid oedd neb a ddirmygai'r 'Poethyddion' yn fwy nag aelodau blaenllaw Cymdeithas y Cymmrodorion, a sefydlwyd yn Llundain ym 1751. O dan arweiniad Lewis a Richard Morris, meibion cowper o sir Fôn, nod y Gymdeithas oedd arwain barn cylchoedd diwylliannol yng Nghymru a thu hwnt. Taer obeithiai ei sylfaenwyr y byddai'r Gymdeithas yn dangos bod ymlyniad y Cymry alltud wrth eu mamwlad a'u diwylliant yr un mor ddwfn ag eiddo'r Cymry Cymraeg a drigai yng Nghymru. Galwai maniffesto rhwysgfawr y gymdeithas, a luniwyd gan Lewis Morris ym 1755, am ymrwymiad diwyro i'r 'hen Iaith wir orchestol hon' yn y cyfarfodydd misol, a disgwylid i'r aelodau mwyaf cefnog dalu gwrogaeth hiraethus i'w mamwlad drwy noddi cyhoeddiadau Cymraeg.[69] Serch hynny, ni wireddwyd gobeithion y Gymdeithas y byddai'n datblygu'n ganolbwynt i weithgarwch deallusol grymus. Yr oedd yn well gan y garfan frith o segurwyr, philistiaid a llymeitwyr a fynychai gyfarfodydd y Cymmrodorion godi'r bys bach, hel merched a chanu na meithrin yr iaith Gymraeg at ddibenion llenyddol, ac y mae'n ffaith ddiymwad i'r aelodau eraill a oedd yn byw ymhell o Lundain brofi'n llawer mwy egnïol a llwyddiannus yn eu hymdrechion i hyrwyddo achos y Gymraeg. Fe'i gadawyd i aelodau Cylch y Morrisiaid, sef cylch o ysgolheigion, hynafiaethwyr a beirdd o'r un anian – Lewis, Richard a William Morris, Ieuan Fardd, Hugh Hughes, Goronwy Owen, Edward Richard a William Wynn yn eu plith – i gasglu, copïo a diogelu barddoniaeth a llenyddiaeth Gymraeg. Yr oedd aelodau'r Cylch yn benderfynol o chwarae rhan flaenllaw yn y dasg o safoni orgraff yr iaith Gymraeg a phuro ei geirfa. Aeth Richard Morris ati i olygu adargraffiadau o'r Beibl Cymraeg a'r Llyfr Gweddi Gyffredin yn drylwyr i'w ryfeddu, ac aeth ei frawd Lewis, arweinydd diamheuol y Cylch, ati i feithrin llenorion a beirdd ieuainc. Ac yntau'n aml yn ŵr trahaus a blin ei dymer, credai Lewis Morris fod ganddo'r gallu i hyrwyddo neu ddinistrio gyrfa lenyddol ysgolheigion Cymraeg. Er bod rhai disgyblion a dderbyniai ei nawdd yn ddig wrtho am ei agwedd awdurdodol a'i feirniadaeth lem, bu ymateb y mwyaf talentog yn eu plith i'w gyngor yn ddigon brwd. I lawer o'i gyfeillion a'i gydnabod, yr oedd Morris yn hollwybodus. Yr oedd yn ŵr hynod o amryddawn, a meddai ar stôr ddihysbydd o ffeithiau mawr a mân. Er ei fod byth a hefyd yn dioddef o ryw afiechyd blin, cafodd ei fendithio ag egni a chwilfrydedd anghyffredin, ac yr oedd yn hyddysg mewn

[68] *ML*, I, t. 83.

[69] *Gosodedigaethau Anrhydeddus Gymdeithas y Cymmrodorion / Constitutions of the Honourable Society of Cymmrodorion* (London, 1755), tt. 10–11. Gw. hefyd R. T. Jenkins a Helen M. Ramage, *A History of the Honourable Society of Cymmrodorion* (London, 1951).

hynafiaetheg, geiriaduraeth, hanes, meddygaeth, cerddoriaeth, athroniaeth, ieitheg, enwau lleoedd, gwyddoniaeth a thechnoleg.[70] Ef oedd y cyntaf i sefydlu gwasg argraffu yng ngogledd Cymru (yng Nghaergybi ym 1735) a threuliodd ymron deugain mlynedd yn casglu a golygu llawysgrifau. Nid oedd yr un pwnc nad oedd yn barod i ddoethinebu yn ei gylch ac ar sawl cyfrif credai mai ef oedd gwir olynydd Edward Lhuyd.

Wrth lunio 'Celtic Remains', gwaith ysgolheigaidd aruthrol ei gwmpas nas cyhoeddwyd tan 1878, dygodd Lewis Morris ynghyd yr holl ddoniau a'i gwnaeth yr ysgolhaig mwyaf dysgedig a mwyaf dylanwadol yng Nghymru yn y cyfnod rhwng marwolaeth Moses Williams ym 1742 a chyhoeddi *Some Specimens of the Poetry of the Antient Welsh Bards* gan Ieuan Fardd ym 1764. Yn ei ragymadrodd i 'Celtic Remains', neilltuodd Morris ddeuddeg tudalen i ymosod yn hallt ar William Camden, yr hynafiaethydd o oes Elisabeth, am ei 'synfyfyrio cyfeiliornus' a'i 'ddyfalu cloff'.[71] Yn ei farn ef, yr oedd camgymeriadau Camden wedi dangos unwaith ac am byth na ellid mentro i faes ieitheg Gymraeg heb wybodaeth gyflawn am yr iaith Gymraeg. Fel y mae'n digwydd, gwyddom nad oedd ymdrechion Lewis Morris ei hun i olrhain tarddiad geiriau yn arbennig o lwyddiannus,[72] ond yr oedd ei ddiddordeb mewn geiriau yn ymylu ar fod yn obsesiwn ac yr oedd ganddo glust eithriadol o dda i ymglywed â hynodrwydd tafodieithoedd. 'The art of writing and speaking any language seems to me a bottomless pit', meddai mewn llythyr at Edward Richard ym mis Awst 1760, 'I see no end of it . . . and I think the confusion of Babel is acted over and over every day'![73] Llifeiriai geiriau dros ei wefusau ac o'i ysgrifbin yn un ffrwd gref ac yn aml cyfaddefai y byddai geiriau Cymraeg (neu eu diffyg) yn ei gadw'n effro drwy'r nos.[74] Gymaint oedd ei awydd i wneud argraff dda ar ysgolheigion Llundain fel yr anogodd ei frawd William i fathu geiriau Cymraeg ar gyfer ei gasgliad o ffosilau:

> You must make your cregyn Welsh names if they have none, there is no if in the case. You must give them names in Welsh. I'll send you a catalogue of yᵉ English names of some sales here, which are all foolish whims, and it is an easy matter to invent new names, and I warrant you they will be as well received as Latin or Greek names. Tell them they are old Celtic names, that is enough. They'll sound as well as German or Indian names, and better.[75]

[70] Am restr o'r llyfrau yn ei lyfrgell, gw. *ALM*, II (1949), tt. 794–807. Gw. hefyd *ML*, I, tt. 87, 97–8, a Frank R. Lewis, 'Lewis Morris the Bibliophile', *JWBS*, V, rhifyn 2 (1938), 67–83.
[71] *Celtic Remains*, t. lxxv.
[72] Williams, *Agweddau ar Hanes Dysg Gymraeg*, t. 119.
[73] *ALM*, II (1949), t. 482.
[74] *ML*, II, t. 5. Gw. hefyd ei ymgais ddiddorol i egluro tarddiad y gair 'priodas'. *ALM*, I, tt. 296–9.
[75] Ibid., I, t. 347. Cymh. tt. 108–15, 440.

Yr oedd Lewis Morris wrth ei fodd yn ymgodymu â geiriau a thafodieithoedd ac âi ati â brwdfrydedd heintus i olrhain a llunio epigramau, diarhebion a ffraethebion. Y mae ei lawysgrifau yn frith o eiriau Cymraeg a fathwyd ganddo ar gyfer gwahanol gregyn, hadau, planhigion, mwynau, offer a pheiriannau, ac yn rhai o'i lythyrau mwyaf cofiadwy canolbwyntia ar ddefnyddio a sillafu'n gywir eiriau a oedd yn ymwneud â gwyddoniaeth, mathemateg a thechnoleg.[76] Serch hynny, fel yn achos nifer o Gymry dawnus y ddeunawfed ganrif – na chyhoeddwyd eu gwaith ond yn achlysurol neu ddim o gwbl – yn rhannol yn unig y gwelwyd gwireddu ei dalentau. Yn hytrach na chyhoeddi ei waith ei hun, yr oedd yn well ganddo oruchwylio a chynghori awduron ieuainc. Ond yr oedd hi'n amlwg fod ganddo ddawn naturiol i ysgrifennu ac yr oedd ei ddychangerddi Rabelaisaidd difyr – mewn rhyddiaith ac ar fydr – yn 'Grub Street' pur. Dengys rhai portreadau digrif o gymeriadau a chaneuon yfed (gan gynnwys y gân Saesneg, 'The Fishing Lass of Hakin') afiaith ac arddeliad neilltuol.[77] Gwerthfawrogai brydferthwch y penillion telyn traddodiadol, ac er ei bod yn well ganddo ohebu â dynion dysgedig, yr oedd hefyd yn barod iawn ei gymorth i feirdd a hynafiaethwyr gwlad megis Dafydd Jones o Drefriw, Huw Jones, Llangwm, a Robert Hughes (Robin Ddu o Fôn).[78] Credai mai ef yn unig a oedd yn gymwys i gymryd 'at y llyw',[79] a rhoes ei fryd ar gadw'r iaith Gymraeg a'i diwylliant yn fyw mewn cylchoedd llenyddol.

Y mae dros fil o lythyrau enwog Cylch y Morrisiaid wedi goroesi; y rhain a'u galluogai i 'ymgyfrinachu . . . o hirbell'.[80] O'u darllen, gwelir mai hwy yn anad neb oedd y meistri ar y grefft o lythyra yng Nghymru yn y ddeunawfed ganrif. Y mae eu hysfa i ysgrifennu wedi sicrhau bod gan yr hanesydd cymdeithasol a'r ieithydd gyfoeth o ddeunydd i bori ynddo, a phrin y gellir darllen y llythyrau heb ryfeddu at eu meistrolaeth ar yr iaith Gymraeg.[81] Yr oedd y Morrisiaid wrth eu bodd yn chwarae â geiriau, gan

---

[76] Gw. ei lythyr gwych at ei frawd Richard (*ML*, I, tt. 108–15). Gw. hefyd Branwen Jarvis, 'Lewis Morris, Y "Philomath Ymarferol"' yn Geraint H. Jenkins (gol.), *Cof Cenedl X* (Llandysul, 1995), tt. 61–90.

[77] Bedwyr Lewis Jones, 'Rhyddiaith y Morrisiaid' yn Bowen, *Y Traddodiad Rhyddiaith,* tt. 276–92; Saunders Lewis, *A School of Welsh Augustans* (Wrexham, 1924), tt. 33–4; Emyr Gwynne Jones, 'Llythyrau Lewis Morris at William Vaughan, Corsygedol', *LlC,* 10, rhifyn 1 a 2 (1968), 43; Raymond Garlick a Roland Mathias, *Anglo-Welsh Poetry 1480–1990* (Bridgend, 1982), tt. 90–2; A. Cynfael Lake (gol.), *Blodeugerdd Barddas o Ganu Caeth y Ddeunawfed Ganrif* (Cyhoeddiadau Barddas, 1993), tt. 24–31.

[78] Geraint H. Jenkins, '"Dyn Glew Iawn": Dafydd Jones o Drefriw, 1703–1785', *TCHSG,* 47 (1986), 71–95.

[79] *ML*, II, t. 192.

[80] Ibid., I, t. 197.

[81] *ALM*, II, t. 423; J. E. Caerwyn Williams, 'Cymraeg y Morrisiaid', *Y Traethodydd,* 25 (1957), 69–82, 107–21.

fritho idiomau Môn ag ymadroddion llafar Billingsgate a Cheapside. Yn amlach na pheidio, byddent yn ysgrifennu fel y siaradent, gan roi'r geiriau ar bapur mewn hyrddiau a symud ar gyflymdra syfrdanol o'r naill bwnc i'r llall a chan oedi yn unig er mwyn caboli ychydig ar y traethu.[82] Y mae'n amlwg iddynt ysgrifennu gyda'r bwriad o gyflwyno stôr o wybodaeth a difyrru ei gilydd.

Un o nodweddion canolog y llythyrau yw'r cynlluniau delfrydol – ac weithiau ymarferol – a geir ynddynt ynglŷn â dyfodol yr iaith Gymraeg ac ysgolheictod Cymreig yn gyffredinol. Ymhyfrydai Richard Morris yn 'yr Iaith odidoccaf dan y ffurfafen',[83] tra mynnai Goronwy Owen, a oedd yn rhugl yn y Gymraeg, Saesneg, Groeg a Lladin ac a feddai ar wybodaeth a oedd yn ddigonol i'w alluogi i ddarllen Arabeg, Caldëeg, Hebraeg a Gwyddeleg, fod y Gymraeg yn tra rhagori ar y rhan fwyaf o ieithoedd eraill Ewrop.[84] Ac yntau'n fardd a roddai bwys mawr ar ddelfrydau Awstaidd megis eglurder, rhwyddineb a chynildeb, credai Owen y gallai fod o gymorth i adfer godidowgrwydd y Gymraeg.[85] Yr oedd ei gyfeillion yn ddiamau yn disgwyl iddo ddatgelu helaethrwydd y Gymraeg drwy gyfansoddi arwrgerdd Gristnogol Filtonaidd ei hyd, ond er i'w gynnyrch amlygu ei allu i gyfansoddi'n gelfydd ac yn grefftus, fe'i gyrrwyd gan ei anwadalwch i ddiota ac i fywyd o dlodi. Prin iawn yw'r cyfansoddiadau a ddaeth o law Goronwy Owen a phrin y llwyddodd i wireddu ei uchelgais.

Nodwedd arall ar y llythyrau hyn ac, yn wir, ar ffrwyth llafur y cylch llenyddol hwn, yw'r parch at lawysgrifau Cymraeg. Yma eto, y prif ysgogydd oedd Lewis Morris. Nid oedd ei debyg am gymell neu ysbrydoli hynafiaethwyr gwangalon i fwrw ati i ymchwilio i destunau a dogfennau. Ym mis Awst 1758 ceryddwyd Edward Richard yn llym gan Morris am esgeuluso llawysgrifau a berthynai 'i'r hen iaith Frythoneg'. 'This is not fair', meddai, 'your ancestors lost their blood as well as others in defence of their country and language, which they have handed down to us, why don't we keep what they have left us?'[86] Prif fwriad Ieuan Fardd wrth gasglu a chopïo llawysgrifau Cymraeg oedd eu hamddiffyn rhag mynd 'i ddistryw ac ebargofiant' a phan ddaeth ar draws arwrgerdd Y Gododdin mewn llawysgrif barnai fod y darganfyddiad mor arwyddocaol â Columbus yn darganfod America.[87] 'One ancient British Ms. be it ever so despicable to ye sight and ragged', meddai Lewis Morris yn ei lythyr at Dafydd Jones ym mis Chwefror 1757, 'is of greater value than all the

[82] Jenkins, *The Foundations of Modern Wales*, tt. 405–6.

[83] *ALM,* I, t. 264.

[84] J. H. Davies (gol.), *The Letters of Goronwy Owen (1723–1769)* (Cardiff, 1924), t. 7. Gw. hefyd tt. 38, 54, 103, 140.

[85] Branwen Jarvis, *Goronwy Owen* (Cardiff, 1986), t. 28.

[86] *ALM,* I, tt. 350–1.

[87] LlGC Llsgr. 2024B, f. 90r; *ALM,* I, t. 349.

English Historians put together.'[88] Dywedwyd am Goronwy Owen y byddai'n well ganddo ymadael â'i wraig na chaniatáu i gyfaill fenthyg rhai o'i hoff lawysgrifau.[89] A hwythau'n benderfynol o osod ysgolheictod Cymraeg ar sylfaen gadarn, treuliai'r cyfryw ysgolheigion eu horiau hamdden yn teithio i bob cwr o'r wlad er mwyn chwilio am hen lawysgrifau a'u copïo â gofal mawr. Mewn llythyr at Rice Williams, honnodd Ieuan Fardd mai dim ond tri Chymro arall a ddeallai'r hen iaith Gymraeg yn well nag ef[90] ac yr oedd ei gyfrol ragorol *Some Specimens of the Poetry of the Antient Welsh Bards* (1764) nid yn unig yn ymateb delfrydol i'r cerddi Osianaidd ffug a gâi eu rhoi ar led gan James Macpherson ond hefyd yn cadarnhau ei safle fel ysgolhaig Celtaidd o'r radd flaenaf.

Y drydedd nodwedd ar yr ohebiaeth rhwng y Morrisiaid a'u cyfeillion oedd y diddordeb cynyddol yn natblygiad geiriadura Cymraeg. Hawdd y gallai Lewis Morris, dyweder, fod wedi ategu geiriau enwog Dr Samuel Johnson yn ei ragair i'w *Dictionary of the English Language* (1755): 'We have long preserved our constitution, let us make some struggles for our language.'[91] Er i eiriadurwyr y ddeunawfed ganrif gydnabod eu dyled fawr i Dr John Davies a'i eiriadur enwog a gyhoeddwyd ym 1632, sylweddolent hefyd mai cyfyng iawn oedd yr adnoddau a'r deunydd ieithyddol a oedd ganddo ef wrth law a bod twf masnach, technoleg a llythrennedd, yn ogystal â'r doreth o eiriaduron Saesneg a welodd olau dydd yn y cyfnod hwn, wedi ymestyn terfynau geirfa'r Gymraeg a'i gwneud hi'n rheidrwydd i ddarganfod cyfystyron Cymraeg ar gyfer geiriau arbenigol neu anghyffredin yn y Saesneg. Fel y cyfaddefodd un o gyfeillion William Gambold ym 1727: 'We still want Words to make us Welshmen through.'[92] Esgorodd yr holl eiriau a restrwyd yn sgil darganfod llawysgrifau Cymraeg gwerthfawr a chyhoeddi nifer cynyddol o lyfrau Cymraeg ar drafod a dadansoddi helaeth ar botensial yr iaith frodorol. Ymhell cyn i Gylch y Morrisiaid gael ei ffurfio, wrth gwrs, bu geiriadurwyr brwd yn tynnu ar waith aruthrol Dr John Davies heb amau na beirniadu dim oll o'i gynnwys. Ym 1688 gwelwyd yng ngeiriadur Thomas Jones yr almanaciwr ymgais i gyflwyno i faes geiriadura yr arfer o boblogeiddio ac ysbeilio geiriau. Yr oedd *Y Gymraeg yn ei Disgleirdeb* yn eiriadur Cymraeg-Saesneg poblogaidd a chymharol rad a fwriadwyd i 'ail

---

[88] *ALM*, I, t. 301.

[89] Ibid., I, t. 293.

[90] Aneirin Lewis (gol.), *The Correspondence of Thomas Percy and Evan Evans* (Louisiana State University, 1957), t. 159; Aneirin Lewis, 'Ieuan Fardd a'r Gwaith o Gyhoeddi Hen Lenyddiaeth Cymru', *JWBS*, VIII, rhifyn 3 (1956), 120–47.

[91] Samuel Johnson, *A Dictionary of the English Language* (London, 1755), Rhagair. Gw. hefyd T. J. Morgan, 'Geiriadurwyr y Ddeunawfed Ganrif', *LlC*, 9, rhifyn 1 a 2 (1966), 3–18.

[92] William Gambold, *A Welsh Grammar* (Carmarthen, 1727), sig. A2r.

sefydlu'r Gymraeg, ac i'n llwybreiddio i ddysgu Saesnaeg'.[93] Fe'i
hailargraffwyd ym 1760 a thrachefn ym 1777. Ym 1725 cyhoeddodd Siôn
Rhydderch – almanaciwr ac argraffydd arall – eiriadur i alluogi darllenwyr
i gyfieithu geiriau o'r Saesneg i'r Gymraeg.[94] Aeth eraill ati yn dawel a
diffwdan: ychwanegodd Thomas Lloyd, gŵr bonheddig diwylliedig o Blas
Power, ger Wrecsam, oddeutu 100,000 o eiriau at ei gopi o *Dictionarium*
John Davies,[95] a chwblhaodd William Gambold, rheithor Cas-mael a
Llanychaer, y 'Lexicon Cambro-Britannicum' ym 1721–2. Er na chafodd
hwn erioed mo'i gyhoeddi, benthyciodd eraill yn helaeth ohono wedi
hynny.[96]

Uchelgais a gweithgarwch ysgolheigion Cylch y Morrisiaid sy'n amlygu
orau, fodd bynnag, y gyfaredd a berthynai i eiriadura. Gwyddent yn dda
am ddirywiad, os nad dadfeiliad, hen eiriau Cymraeg ac fe'u taniwyd gan
awydd i ledaenu syniadau a thestunau newydd er mwyn cyfoethogi a
gloywi eu mamiaith. Uchelgais ysol Lewis Morris oedd cyhoeddi
argraffiad estynedig o *Dictionarium* John Davies. Ac yntau'n ymwybodol o
gamp Samuel Johnson a chyfraniadau aelodau'r Académie Française a'r
Accademia della Crusca i faes geiriaduraeth, aeth ati i ddilorni pob
geiriadur Cymraeg arall, gan gynnwys *Antiquae linguae Britannicae thesaurus*
(1753) gan Thomas Richards (geiriadur digon cymeradwy ac ynddo 488 o
dudalennau yn cynnwys nifer o eiriau a glywyd neu a gasglwyd ym
Morgannwg), a alwyd ganddo 'yn ddim ond sothach'.[97] Heb academi
genedlaethol, ni allai geiriadurwyr alw ar arbenigwyr cydnabyddedig i
ddoethinebu ar faterion ieithyddol, ac nid oedd hyd yn oed farn Lewis
Morris a'i gymdeithion yn gwbl ddibynadwy a diragfarn, yn enwedig ar
gyhoeddiadau a hanai o dde Cymru. Yn wir, brodor o Forgannwg a
luniodd eiriadur mwyaf nodedig y ddeunawfed ganrif. Cyhoeddodd John
Walters, rheithor Llandochau, *An English-Welsh Dictionary* mewn pedair
rhan ar ddeg yn Y Bont-faen rhwng 1770 a 1783 ac yna mewn dwy gyfrol
sylweddol yn Llundain ym 1794. Yr oedd y gyfrol yn gampwaith ac yn
stôr o wybodaeth. Cyflwynodd eiriau o 'iaith feunyddiol' a hefyd amryw
eiriau 'bath' megis 'amaethyddiaeth', 'bytholwyrdd', 'canmoliaethus' a
'tanysgrifio', geiriau a fwriadwyd i ddiwallu anghenion yr oes ac sydd
bellach yn rhan annatod o'n geirfa ni heddiw.[98] Yng ngwaith Walters,

[93] Jones, *Y Gymraeg yn ei Disgleirdeb*, sig. A4r.
[94] Siôn Rhydderch, *The English and Welch Dictionary* (Shrewsbury, 1725).
[95] E. D. Jones, 'Thomas Lloyd y Geiriadurwr', *CLlGC*, IX, rhifyn 2 (1955), 180.
[96] LlGC Llsgrau. Llanstephan 189 a 190; John Walters, *An English-Welsh Dictionary*
(London, 1794), t. vi. Gw. hefyd Helen Emanuel, 'Geiriaduron Cymraeg 1547–1972',
SC, VII (1972), 141–54.
[97] *ALM*, II, t. 513; Allen Reddick, *The Making of Johnson's Dictionary 1746–1773*
(Cambridge, 1990), t. 14.
[98] Walters, passim; Morgan, *The Eighteenth Century Renaissance*, t. 72.

gwelwyd geiriadura yng Nghymru yn cyrraedd safon uchel iawn. Yn sgil y cyhoeddiad neilltuol hwn, hawdd dychmygu bod rhinweddau'r geiriau newydd yn ogystal â thwf a natur ieithoedd yn cael eu trafod nid yn unig yn nhai coffi a salonau Saesneg eu hiaith ond hefyd mewn cylchoedd llenyddol a fynychid gan wŷr dysgedig Cymraeg eu hiaith.

Yr oedd cyhoeddi geiriadur Walters yn rhannol yn ganlyniad yr ymdeimlad cynyddol o argyfwng a oedd i'w ganfod ymysg ysgolheigion Cymraeg oddeutu canol y 1760au. Ym mis Ebrill 1765 bu farw Lewis Morris, brenin y byd diwylliannol Cymreig, a suddodd Cymdeithas y Cymmrodorion i bwll anobaith er gwaethaf ymdrechion gwrol ei Llywydd, Richard Morris. Yr oedd llawer o ddrwgdeimlad a dicter ymhlith y llenorion Cymraeg at y 'Lefiathanod Mawr', y meistri tir di-Gymraeg grymus a gasâi ac a ddifrïai etifeddiaeth ddiwylliannol a hunaniaeth hanesyddol pobl Cymru. Y farn gyffredin oedd fod y boneddigion 'newydd' wedi mynd yn falch, yn sinigaidd ac yn drahaus wrth grynhoi mwy o dir a chyfoeth.[99] Yr oeddynt nid yn unig yn fwyfwy difater ynglŷn â chyflwr tenantiaid y ffermydd a'r tlodion, ond hefyd yn ddirmygus o'r chwedlau hanesyddol gogoneddus a'r delfrydau ieithyddol a fu'n fodd i gynnal ymdeimlad o Gymreictod ymhlith eu cyndadau. Yr oedd *noblesse oblige* yn syniad cwbl ddieithr iddynt. 'Go out away! Get ye off', oedd eu hymateb sarrug i'r beirdd teithiol a chwiliai am nawdd.[100] Drwy dorri'r cyfryw gysylltiadau â'r gorffennol, honnai amryw fod y tirfeddianwyr wedi fforffedu eu hawl i barch a theyrngarwch y werinbobl. Dywedodd Ieuan Fardd yn gwbl ddiflewyn-ar-dafod wrth Syr Watkin Williams Wynn wrth sôn am ei gyd-dirfeddianwyr: 'They glory in wearing the badge of their vassalage, by adopting the language of their conquerors, which is the mark of the most despicable meanness of spirit.'[101] Âi beirdd a baledwyr, hefyd, yn fwyfwy gelyniaethus tuag at y Saeson 'boliog' nad oeddynt mwyach yn barod i gyflawni eu cyfrifoldebau i'r cymunedau Cymraeg.[102] Ceryddodd Siôn Powell, gwehydd o Lansannan, y to newydd o dirfeddianwyr yn hallt:

> Hyll anwyr ni bu llawnach,
> Y cybyddion crinion crach,

---

[99] Jenkins, *The Foundations of Modern Wales*, tt. 265–9.

[100] Lake, *Blodeugerdd Barddas o Ganu Caeth y Ddeunawfed Ganrif*, t. xv.

[101] Evan Evans, *Casgliad o Bregethau* (2 gyf., Amwythig, 1776), I, sig. b2v. Rhybuddiodd Ieuan Fardd hwy ynglŷn â'r peryglon o ganiatáu i lawysgrifau gwerthfawr Edward Lhuyd ddod i feddiant Saeson 'who know no more how to value it than the dunghill cock in Aesop that of the jewel'. D. Silvan Evans (gol.), *Gwaith y Parchedig Evan Evans (Ieuan Brydydd Hir)* (Caernarvon, 1876), t. 245.

[102] *ALM*, II, tt. 745, 749–50.

> Yn trin y byd, ddybryd ddig,
> A charu pridd a cherrig.[103]

'Mae'r llafur yn feinach', ysgrifennodd Hugh Hughes o Gaergybi at Richard Morris ym mis Chwefror 1767, 'y meistred tirodd yn dyblu a threblu eu hardreion i gael arian er porthi eu cyrph moethus efo chwi yn y ddinas anrhydeddus yna, ar Trethi yn chwannegu beunydd ar Saeson yn arglwyddiaethu yn y Tyddynod mwyaf yn y wlad yma, ar Cymru Truain megys Caeth Weision i blant Alis Rhonwen.'[104] Yng nghanol bwrlwm y symud, y digrifwch a'r ystumiau masweddus a nodweddai'r anterliwtiau hynod boblogaidd a gyfansoddwyd gan awduron megis Thomas Edwards (Twm o'r Nant), Jonathan Hughes ac Ellis Roberts (Elis y Cowper), ceid dychangerddi ar wŷr barus megis 'Rinallt Ariannog' a 'Siôn Lygad y Geiniog',[105] ac aeth nifer o almanacwyr, beirdd a rhigymwyr poblogaidd ati hefyd i ddatgelu enghreifftiau o'r camweddau a'r gorthrymderau dybryd a ddioddefwyd gan y werin-bobl oherwydd gormes 'hil Hors' a 'phlant Alis'.[106] 'A raid i ni adael ein iaith i ddilyn Rhonwen?' oedd cri Dafydd Jones o Drefriw.[107]

Yr ail reswm am yr anniddigrwydd oedd canlyniadau pellgyrhaeddol penodi esgobion di-Gymraeg i esgobaethau Cymru. Erbyn canol y ddeunawfed ganrif rhoddid pwys mawr unwaith yn rhagor ar yr hen goel, a arddelid yn helaeth yn oes Elisabeth, fod amrywiaeth ieithyddol yn fygythiad i undod cenedlaethol. Yn esgobaeth Llanelwy cafwyd datganiadau rhagfarnllyd gwrth-Gymreig afiach gan Robert Hay Drummond (1748–61) a Thomas Newcome (1761–9), ac ni wnaeth Dr George Harris, canghellor esgobaeth Bangor oddi ar 1766 ac awdur *Observations upon the English Language* (1752), unrhyw ymgais i gelu ei ddirmyg at iaith 'anwaraidd' y Cymry. Yn wir, ystyriai ei benodiad yn gyfle i 'ddiwyllio' gwerinwyr anwybodus yn un o gorneli tywyllaf y

---

[103] Bobi Jones a Gwyn Thomas, *The Dragon's Pen. A Brief History of Welsh Literature* (Llandysul, 1986), t. 50.

[104] *ALM*, II, tt. 685–6.

[105] T. J. R. Jones, 'Welsh Interlude Players of the Eighteenth Century', *Theatre Notebook*, 2, rhifyn 4 (1948), 62–6; G. G. Evans, 'Yr Anterliwt Gymraeg', *LlC*, 1, rhifyn 2 (1950), 83–96; ibid., 2, rhifyn 4 (1953), 224–31; G. M. Ashton (gol.), *Anterliwtiau Twm o'r Nant* (Caerdydd, 1964).

[106] *ALM*, II, tt. 534, 717, 745, 749–50; Hugh Jones, *Gardd y Caniadau* (Amwythig, 1776), t. 71. Yr oedd Alice (neu Alys) yn ferch i Hengist, pennaeth yr Eingl-Sacsoniaid a'r gŵr dichellgar a dwyllodd Gwrtheyrn ac a oedd, yn ôl pob sôn, yn gyfrifol am Frad y Cyllyll Hirion. Hyd yn oed mor ddiweddar â'r bedwaredd ganrif ar bymtheg gelwid y Saeson yn aml yn 'blant Alys'.

[107] Dafydd Jones, *Cydymaith Diddan* (Llundain, 1766), t. vi.

deyrnas.[108] Yn Nhyddewi, gwrthododd yr Esgob Samuel Squire (1761–6) ganiatáu i Ieuan Fardd gyflwyno ei gyfrol odidog o farddoniaeth Gymraeg iddo,[109] ac arferai un o'i ddilynwyr, Robert Lowth, gŵr diwylliedig iawn, gyfeirio at 'athrylith yr iaith [Saesneg]' gyda'r fath frwdfrydedd fel na allai cynheiliaid yr iaith Gymraeg beidio â synhwyro ei ddirmyg at yr iaith frodorol.[110] Yr oedd curadiaid plwyf yn argyhoeddedig fod esgobion yn cynllwynio i sicrhau bod cynffonwyr o Saeson yn gwella eu safle a'u golud personol ar draul offeiriaid teilwng Cymraeg eu hiaith. Mewn traethawd ymfflamychol, nas cyhoeddwyd yn ystod ei oes ei hun, taranai a rhefrai Ieuan Fardd yn erbyn yr 'Esgyb Eingl' am geisio Seisnigeiddio'r Eglwys mor frwd nes bygwth trawsnewid y fam eglwys yn 'ogof lladron'.[111] Credai'n daer y byddai goblygiadau eu polisi yn andwyol o safbwynt defnyddio'r iaith Gymraeg yn gyfrwng i gyflwyno'r ffydd Brotestannaidd yn y dyfodol:

> Nid oes achos ini er mwyn boddhau yr Esgyb Eingl, golli ein Hiaith a myned yn Saeson, ped fai hyny bossibl. Oherwydd nid oes dim a ddylai fod mor anwyl a gwerthfawr gennym a chaffael mwynhau gair Duw yn ein jaith ein hunain; a ffiaidd ag atgas ydyw'r bwriad hwnnw o'n difuddio ni o'r rhagorfraint hon. Ein lles ni am hynny yn ddiammau yw coledd a mawrhau ein Hiaith, er mwyn adeiladaeth Eglwys Dduw, a phur wybodaeth o'r efengyl dragywyddol.[112]

Yr oedd ei ysgrifau, a oedd bob amser yn llawn atgasedd at y mewnddyfodiaid Saesneg eu hiaith, yn wladgarol frwd. Er bod afiechyd blin, alcoholiaeth a thlodi wedi ei ganlyn hyd ddiwedd ei oes, parhâi i ladd ar yr 'estroniaid gormesawl'[113] ac y mae'n resyn fod gŵr mor eithriadol o ddawnus wedi treulio ei flynyddoedd olaf yn sur ac yn chwerw. Gan ei fod wedi datgelu'r anghyfiawnder a ddioddefai'r Gymraeg o fewn yr Eglwys sefydledig, ni chafodd erioed gyfle i ddringo'r ysgol drwy ddyrchafiad, ac ymhell ar ôl ei farwolaeth yr oedd dylanwad yr 'Esgyb Eingl' yn parhau i nychu'r fam eglwys.

Ni chyfyngwyd y pryderon y gallai'r iaith Saesneg ennill goruchafiaeth dros yr iaith frodorol i gylchoedd eglwysig yn unig. Gofidiai llenorion

---

[108] Robert Hay Drummond, *A Sermon preached before the Incorporated Society for the Propagation of the Gospel in Foreign Parts* (London, 1754), t. 22; *ML*, I, tt. 236–7; G. D. Squibb, *Doctors' Commons. A History of the College of Advocates and of Law* (Oxford, 1977), t. 192; Palas Lambeth, Cofysgrifau Llys y Bwâu, rhif 10002, G 139/95.

[109] Lewis, *Correspondence of Thomas Percy*, tt. 170–1.

[110] Robert Lowth, *A Short Introduction to English Grammar* (London, 1762), t. iii; John Barrell, *English Literature in History 1730–80* (London, 1983), t. 123.

[111] LlGC Llsgr. 2009B, f. 37.

[112] Ibid., f. 30. Gw. hefyd Evan Evans, *The Love of our Country* (Carmarthen, 1772), tt. 27–8; Evans, *Gwaith y Parchedig Evan Evans*, tt. 34–41.

[113] LlGC Llsgr. 2009B, f. 16.

Cymraeg hwythau am yr ymdrechion i ddyrchafu a hyrwyddo'r iaith Saesneg. Erbyn diwedd y ddeunawfed ganrif yr oedd yr iaith Saesneg yn iaith hyderus a gâi ei harddel gan wyth miliwn o bobl yn Lloegr yn unig, ac yn yr argraffiad cyntaf o'r *Encyclopaedia Britannica*, a gyhoeddwyd ym 1768–71, honnwyd mai iaith cenedl fawreddog a grymus ydoedd.[114] Bu twf cyfalafiaeth fasnachol, ffyniant masnach ar draws yr Iwerydd a buddugoliaethau gogoneddus y fyddin a'r llynges dros y gelyn 'Pabaidd' dramor yn fodd i hybu ymdeimlad o falchder cenedlaethol a hunanhyder ymhlith y Saeson. Dadleuodd Linda Colley fod cymhellion cryf dros arddel Prydeindod y pryd hwnnw,[115] ond er dyfeisio'r enw 'Prydain Fawr' ym 1707 ac er cyfansoddi geiriau 'Rule Britannia' ym 1740, ychydig yng Nghymru (ac eithrio efallai'r boneddigion nad oeddynt yn Gymry) a syniai am 'Brydain Fawr' fel uned. Gwyddai ysgolheigion Cymru mai'r rheini a fedrai'r Gymraeg oedd gwir ddisgynyddion yr Hen Frythoniaid a'r hyn a'u pryderai fwyaf oedd yr imperialaeth ddiwylliannol a oedd ynghlwm wrth fawrygu'r Saesneg. Yr oedd balchder a hunan-dyb y Saeson yn dân ar eu croen ac yr oedd yr honiadau mai'r iaith Saesneg oedd 'the Language of the bravest, wisest, most powerful, and respectable Body of People upon the Face of the Globe'[116] yn eu cynddeiriogi.

O ystyried hyn oll, felly, nid yw'n syndod fod llenorion Cymraeg wedi ymgynnull yn un fintai gref i gefnogi'r iaith frodorol ac i hyrwyddo ei goruchafiaeth dros yr iaith Saesneg. Erbyn canol y 1760au yr oedd y ddadl ynglŷn â goruchafiaeth neu israddoldeb ieithoedd yn ogystal â'u natur a'u swyddogaethau yn bwnc trafod yng Nghymru, fel yr oedd ymysg deallusion gwledydd eraill Ewrop.[117] Fe'n hatgoffwyd gan Antonio Gramsci fod newidiadau sylfaenol ar droed o fewn cymdeithas pryd bynnag y cwyd y *questione della lingua*, ac nid oes amheuaeth nad oedd goblygiadau gwleidyddol pwnc yr iaith yn peri pryder i wladgarwyr yng Nghymru. Mewn traethawd ar fersiynau Cymraeg o'r Beibl, a gyhoeddwyd ym 1768, soniodd Thomas Llewelyn am ei barch at y Gymraeg fel iaith hynafol, soniarus a llawn mynegiant ac am ei ddirmyg at y syniad o fynnu unffurfiaeth ieithyddol rhwng y Saeson a'r Cymry.[118] Flwyddyn yn ddiweddarach, mewn gwaith afieithus a gyflwynwyd i Dywysog Cymru, aeth Llewelyn ati i fwrw golwg ar gyflwr yr iaith ar y

---

[114] Paul Langford, *A Polite and Commercial People. England 1727–1783* (Oxford, 1989), t. 306.

[115] Linda Colley, *Britons. Forging the Nation 1707–1837* (New Haven & London, 1992), tt. 364–75.

[116] James Buchanan, *The British Grammar* (London, 1762), Cyflwyniad.

[117] Jonathan Steinberg, 'The Historian and the *Questione Della Lingua*' yn Peter Burke a Roy Porter (goln.), *The Social History of Language* (Cambridge, 1987), tt. 198–209.

[118] Thomas Llewelyn, *An Historical Account of the British or Welsh Versions and Editions of the Bible* (London, 1768), tt. 70, 89–90.

pryd ac i ddadansoddi ei 'hathrylith'.[119] Ym 1770 daeth cyfnodolyn newydd o'r wasg yng Nghaerfyrddin, sef *Trysorfa Gwybodaeth, neu Eurgrawn Cymraeg*, ac ynddo cafwyd erthyglau gwerthfawr ar faterion llenyddol, hanesyddol a gwleidyddol. Yn ei *Dissertation on the Welsh Language* (1771), cadarnhaodd John Walters y gred draddodiadol mai'r Gymraeg oedd un o'r mamieithoedd dwyreiniol, cyn cychwyn ar folawd hudolus ar hynafiaeth, helaethrwydd, ceinder, mynegiant a pherffeithrwydd gramadegol ei famiaith. Yn annhebyg i'r 'mwngrel' o iaith a siaredid gan 'estroniaid', credai fod y Gymraeg yn iaith 'ddiledryw' llawn 'synau i gyfareddu'r enaid'.[120] 'It is a language', meddai, 'which I greatly admire, and "cujus amor mihi crescit in horas", for which my affection encreases every hour!'[121] Yn ôl ei olygydd Rhys Jones o'r Blaenau, cynlluniwyd *Gorchestion Beirdd Cymru*, sef casgliad o gampweithiau gan Feirdd yr Uchelwyr a gyhoeddwyd ym 1773, er mwyn dangos 'rhai o'r Awduriaid ardderchoccaf, a fu erioed yn yr Iaith Gymraeg'.[122] Yr oedd y cyhoeddiadau hyn oll yn arwydd o'r ymrwymiad cynyddol i'r Gymraeg fel cyfrwng llenydda.

Yr oedd datganiadau o'r fath yn asio'n briodol â barn Johann Gottfried Herder mai iaith oedd prif nod angen cenedligrwydd. Yn *Über den Ursprung der Sprache* (1772), dadleuodd Herder y gallai iaith naill ai ddeffro neu ailgynnau ymdeimlad o hunaniaeth o fewn cenedl a hefyd ffurfio cymeriad ei phobl.[123] Yn y pen draw, cafodd ei syniadau ddylanwad tra phwysig, ond hyd yn oed mor gynnar â'r 1770au yr oedd hi'n amlwg fod llenorion megis Ieuan Fardd a Iolo Morganwg yn teimlo bod rheidrwydd arnynt i feithrin a chryfhau'r cysylltiad rhwng iaith a hunaniaeth genedlaethol. O 1770 ymlaen, hefyd, taflwyd Cymdeithas y Cymmrodorion, a oedd erbyn hynny yn farwaidd ac yn llesg, i'r cysgod gan Gymdeithas y Gwyneddigion (a leolwyd yn Llundain hefyd), cymdeithas yr oedd ei haelodau yn fwy gwerinol ac yn fwy ymwybodol o'u Cymreictod. Er gwaethaf hoffter y Gwyneddigion o ddiota, codi stŵr, ymladd gornestau, a rhialtwch o bob math, yr oeddynt hefyd yn frwd o blaid hybu gweithiau llenyddol, cyfnewid syniadau cyffrous, a magu gwir ymdeimlad o genedligrwydd Cymreig.

Ymhlith aelodau mwyaf rhadlon – a diniwed – y Gwyneddigion yr oedd William Owen Pughe, geiriadurwr a gramadegwr y tystia ei yrfa

---

[119] Idem, *Historical and Critical Remarks on the British Tongue and its Connection with other Languages* (London, 1769), t. 118.

[120] John Walters, *A Dissertation on The Welsh Language* (Cowbridge, 1771), tt. 52, 60.

[121] Ibid., t. 63.

[122] Rhys Jones (gol.), *Gorchestion Beirdd Cymru* (Amwythig, 1773), tudalen deitl.

[123] F. M. Bernard, *Herder's Social and Political Thought: From Enlightenment to Nationalism* (Oxford, 1965); George Steiner, *After Babel. Aspects of Language and Translation* (ail arg., Oxford, 1992), t. 81; Peter Burke, *The Art of Conversation* (Cambridge, 1993), t. 70.

frith i'r modd y gallai hunanfynegiant a chreadigedd rhamantaidd fygwth difetha gwir ddraddodiad llenyddol Cymru. Syrthiodd Pughe dan ddylanwad Rowland Jones, brodor o Lanbedrog yn sir Gaernarfon a oedd wedi ymsefydlu yn Llundain fel bargyfreithiwr cefnog. Rhwng 1764 a 1773 cyhoeddodd Jones gyfres o gyfrolau rhyfeddol sy'n ein tywys i fyd ieithyddiaeth hanner pan.[124] O safbwynt y beirniad modern y mae ei waith mor ddefnyddiol â gwyntyll mewn ystafell ddiawel, ond hyd yn oed yn ei oes ei hun yr oedd ysgolheigion parchus o Gymry yn amheus iawn o'i ddamcaniaethau ac yn barod, nid heb reswm, i fwrw amheuaeth ar ei grebwyll. Credai Lewis Morris nad oedd yn ei iawn bwyll ac anobeithiai Iolo Morganwg ynghylch syniadau 'blind and wildly rambling' Rowland Jones 'of insane notoriety'.[125] Cyfaddefodd Jones ei hun fod y syniadau a gyflwynodd mewn gweithiau megis *The Origin of Language and Nations* (1764), *Hieroglyfic* (1768), *The Circles of Gomer* (1771) a *The Io-Triads* (1773) wedi cael eu disgrifio gan feirniaid fel 'a heap of the most unintelligible jargon that ever filled the human pericranium'.[126] Ni fyddai ei honiadau anhygoel yn teilyngu unrhyw sylw pe na bai ei ddamcaniaeth fod iaith gyntefig dyn wedi datblygu o wreiddeiriau unsill a bod pob iaith arall wedi ei ffurfio o gyfansoddeiriau o'r gwreiddeiriau hyn wedi dylanwadu'n drwm ar feddwl William Owen Pughe.

Cymaint oedd Pughe wedi ei gyfareddu gan y syniad y gellid rhannu ieithoedd yn eirynnau neu'n atomau nes iddo fynd ati i'w fabwysiadu yn egwyddor sylfaenol ar gyfer ei astudiaeth ar orgraff yr iaith Gymraeg. Wedi ei sbarduno gan ei frwdfrydedd angerddol i anadlu bywyd newydd i iaith a oedd ar drengi,[127] dechreuodd Pughe weithio ar eiriadur Cymraeg newydd ym 1785. Cyhoeddwyd y rhan gyntaf ym mis Mehefin 1793 a'r argraffiad cyflawn, ac ynddo dros 100,000 o eiriau, ym 1803. Yn wahanol i John Walters, a lynai'n glòs iawn wrth egwyddorion geiriadurol ac orgraffyddol, credai Pughe fod angen elfen o hunanfynegiant, gallu creadigol a hyd yn oed ychydig o ffugio er mwyn profi i'r Cymry eu hunain a'r byd y tu hwnt fod yr iaith Gymraeg yn gyhyrog, yn hyblyg ac yn rymus. Yr oedd ei eiriadur, felly, yn frith o'r orgraff fwyaf gwrthun a gadwai'r argraffwyr a'r darllenwyr proflenni ar flaenau eu traed ac a fu bron â drysu'r darllenwyr yn llwyr. Yn lle'r llythrennau ch, dd, f, ff a ph, defnyddiai ç, z, v, f a f. Yn ogystal â'r erchyllterau orgraffyddol hyn,

---

[124] Stuart Piggott, *The Druids* (London, 1968), t. 171.
[125] *ALM*, II, t. 616; LlGC Llsgr. 13150A, f. 144. Ymateb Ieuan Fardd i *The Origin of Language and Nations* gan Jones (1764) oedd '. . . a shame to common sense! O fie! O fie!', Lewis, *The Correspondence of Thomas Percy*, t. 15. Galwodd Richard Morris ef yn 'strange, whimsical fellow' (*ML*, II, t. 525).
[126] Rowland Jones, *The Philosophy of Words* (London, 1769), t. 45.
[127] William Owen Pughe, *A Dictionary of the Welsh Language* (2 gyf., London, 1803), I, sig.b1r.

cafwyd ganddo hefyd eiriau a drawai'n rhyfedd iawn ar y glust megis 'cynnorthwyolion', 'gwrthymchwelogion', 'llewyrchiannawl', ac 'ym-ddygymmysgiad'. Nid oedd pob gair o'i eiddo, serch hynny, yn anghydnaws. Ni ddylid anghofio mai Pughe a fathodd eiriau megis 'alaw', 'awyren', 'dathlu' a 'diddorol', sy'n eiriau cyfarwydd yn ein hiaith ni heddiw.[128] Credai Pughe a'i gydymaith, Iolo Morganwg, yn gwbl ddidwyll fod ei orgraff yn adlewyrchu dysg a gwybodaeth. Mewn gwirionedd, fodd bynnag, rhyw baldaruo peryglus oedd y cyfan a chondemniwyd ei waith yn hallt. Yr oedd y geiriadur – a hefyd gyfrol arall o'i waith a oedd yn fwy annarllenadwy fyth, sef *Cadóedigaet yr Iait Cybraeg* (1808) – yn ddirgelwch llwyr i ddarllenwyr cyffredin. Yn waeth na hynny, oherwydd yr orgraff ryfedd, yr ymadroddion hynafol cyfeiliornus a'r brawddegau rhwysgfawr a nodweddai ei waith bob amser, yr oedd yn faes peryglus iawn i'r ysgolhaig diniwed droedio ynddo, yn arbennig y rheini a geisiai ei efelychu. Anodd, felly, osgoi'r casgliad mai gwastraff aruthrol ar amser, ymdrech ac arian oedd ymdrechion geiriadurol ac orgraffyddol Pughe.

Yn fwy canolog i'r ymgyrch i ailddiffinio, cyfoethogi a hyrwyddo'r iaith frodorol oedd Edward Williams, y saer maen hynod ddawnus o Forgannwg a adwaenid wrth yr enw barddol Iolo Morganwg. Nid oes yr un Cymro arall o'r ddeunawfed ganrif wedi ennyn cymaint o ddadlau brwd a thanbaid ag ef. Yr oedd creu mythau, ffantasïo a ffugio yn flaenllaw iawn yng ngwaith Iolo a hyn a'i gwnaeth yn unigryw yn holl hanes Cymru. Gwyddai pawb a ddeuai ar ei draws eu bod yng nghwmni dyn eithriadol iawn. Yr oedd yn awdurdod a feddai ar gyfoeth o wybodaeth am yr iaith Gymraeg a'i llenyddiaeth, yn hanesydd a feddai ar gynildeb a dychymyg, ac yn fardd rhamantaidd tra medrus. Gellid ychwanegu at y doniau a'r rhinweddau hyn wybodaeth gynhwysfawr, cof aruthrol, myfïaeth, anwadalrwydd, egni diflino a ffraethineb deifiol. Nid oedd dim yn bwysicach iddo na'r 'hen ddywenydd', sef y dedwyddwch o astudio'r iaith Gymraeg, ei llenyddiaeth a'i hanes.[129] Cysegrodd ryw drigain mlynedd o'i oes i adfer – a choethi – hanes llenyddol ei wlad enedigol ac fe'i cydnabyddir hyd heddiw yn un o'r ffugwyr llenyddol mwyaf llwyddiannus yn hanes Ewrop. Yr oedd ei gyfaill Elijah Waring o'r farn fod ei feddwl fel siop hen greiriau[130] ac yr oedd llawysgrifau a llyfrau wedi eu taenu blith draphlith ar draws ei fwthyn di-drefn a di-lun yn Nhrefflemin ym Mro Morgannwg. Traethodau anorffenedig oedd llawer

---

[128] Glenda Carr, *William Owen Pughe* (Caerdydd, 1983), tt. 82–95; eadem, *William Owen Pughe* (Caernarfon, 1993), tt. 32–3.

[129] Ceri W. Lewis, *Iolo Morganwg* (Caernarfon, 1995), t. 158.

[130] Elijah Waring, *Recollection and Anecdotes of Edward Williams, The Bard of Glamorgan* (London, 1850), t. 11.

o'r papurau, gwaith y gwyddai yn ei galon nas cwblheid na'i gyhoeddi byth. Yr oedd hefyd gruglwyth o driawdau a brutiau (llawer ohonynt yn ffug), diarhebion, geirfâu, a barddoniaeth yn y mesur rhydd a chaeth yn yr 'anialwch dyrus'[131] a'i hamgylchynai wrth iddo ddarllen ac ysgrifennu â'r fath angerdd ac arddeliad. 'Fy mhlant i' oedd y geiriau a ddefnyddiodd un tro i ddisgrifio ei lawysgrifau a mynegodd ddymuniad iddynt gael eu gosod, pan fyddai farw, mewn arch anferthol a'i llusgo gan chwe cheffyl at lan ei fedd![132]

Er bod meistrolaeth Iolo ar yr iaith Saesneg lafar ac ysgrifenedig yn fwy cadarn na'i afael ar y Gymraeg, credai'n daer mai'r iaith Gymraeg oedd maen prawf hunaniaeth genedlaethol. Yr oedd y ddau eiriadurwr blaenllaw – Thomas Richards a John Walters (ill dau yn enedigol o Fro Morgannwg) – wedi deffro ei ddiddordeb mewn ymadroddion a thafodieithoedd Cymraeg ac o hynny ymlaen canai glodydd yr iaith yn ddiflino. Yn ei draethawd ar 'Farddas' a gyhoeddwyd yn *The Heroic Elegies and other Pieces of Llywarch Hen* (1792), y mae ganddo driawd fel a ganlyn: 'Tri anhepgor Iaith: purdeb, amledd, ac hyweddiant.'[133] Credai'n ddiffuant fod Oes Aur y Gymraeg ar ddyfod ac i gyfarch y cyfnod newydd hwn bedyddiodd ei fab cyntaf-anedig yn Taliesin.[134] Ysgrifennodd yn herfeiddiol un tro:

The Welsh with their language, retain in its words and phrases, independently of written memorials, a tolerable history of their progress in arts, literary knowledge and civilization. They are, I believe, the most tenacious, the Jews, perhaps, excepted, of ancient customs and usages, and national peculiarities, of any civilized people in Europe and the English are the least so.[135]

Yr oedd ei arddull mor wahanol i lais dolefus a phrudd ei ragflaenwyr ar ddechrau'r ganrif, ac erbyn y 1790au daethai i amlygrwydd fel y cenedlaetholwr diwylliannol mwyaf blaengar a chroch yng Nghymru.

Oherwydd ei ddawn ryfeddol i ddyfeisio neu ffugio testunau llenyddol a hanesyddol, ystyrir Iolo yn un o'r cymeriadau mwyaf dadleuol yn hanes Cymru.[136] Er iddo gael rhyw foddhad cellweirus, plentynnaidd o dynnu ar

---

[131] LlGC Llsgr. 13221E, f. 11.

[132] Ibid., f. 119.

[133] William Owen Pughe, *The Heroic Elegies and other Pieces of Llywarch Hen* (London, 1792), t. lxxiv.

[134] Richard M. Crowe, 'Diddordebau Ieithyddol Iolo Morganwg' (traethawd PhD anghyhoeddedig Prifysgol Cymru, 1988), t. 74.

[135] LlGC Llsgr. 13097B, f. 207.

[136] Gw. sylwadau G. J. Williams, *Iolo Morganwg – Y Gyfrol Gyntaf* (Caerdydd, 1956); idem, *Iolo Morganwg* (London, 1963); Prys Morgan, *Iolo Morganwg* (Cardiff, 1975); Brinley Richards, *Golwg Newydd ar Iolo Morganwg* (Abertawe, 1979); Ceri W. Lewis, *Iolo Morganwg* (Caernarfon, 1995).

ei gyfoedion, nid twyllwr mohono mewn gwirionedd. Nid o ddireidi nac o falais y cododd yr awydd ynddo i ymyrryd â hen lawysgrifau, i ddileu darnau anghymharus a rhoi yn eu lle ei greadigaethau llenyddol ei hun. Y mae'n rhaid bod yr eglurhad yn deillio, yn rhannol, o waeledd ei wedd, ei fagwraeth glòs, yr ymdeimlad o israddoldeb a oedd wedi ei wreiddio'n ddwfn ynddo (fel Ned y masiwn y câi ei adnabod yn lleol), a'i amgyffrediad ohono'i hun fel un na chafodd ei gydnabod â chlod nac arian am ei gyfraniad. Yr oedd ei chwiwiau a'i hynodrwydd yn elfennau a gyfrannai at hyn hefyd, fel yn wir yr oedd y chwerwder a ddeilliai o'r ffaith fod traddodiadau llenyddol a hanesyddol ei fro enedigol, Bro Morgannwg, wedi eu hesgeuluso, anghyfiawnder yr oedd ef yn benderfynol o'i gywiro. Yr elfen fwyaf allweddol, fodd bynnag, oedd ei ddibyniaeth dros gyfnod o hanner cant a thair o flynyddoedd ar lodnwm (tinctur opiwm), a'i cludai i fyd o ffantasi, twyll a dichell. Gan ddilyn Coleridge, de Quincey, Shelley a nifer o ramantwyr eraill, aeth Iolo yn gaeth i opiwm. O ganlyniad, câi freuddwydion, drychiolaethau a gweledigaethau a borthai ei ddychymyg, a finiogai ei ddeallusrwydd ac a'i galluogai yn aml i ryng-gysylltu delweddau a syniadau mewn modd cyffrous a chwbl annisgwyl. Yn bennaf oll, fe'i hysgogai i gynhyrchu gweithiau a oedd yn gymysgfa o'r gwir a'r gau. Daethai i gredu – nid heb reswm da – y gallai efelychu gwaith Dafydd ap Gwilym a hyd yn oed efallai ragori arno, ac ym 1789 cyhoeddodd Owain Myfyr (Owen Jones) a William Owen Pughe nifer o'r efelychiadau hynny yn enw Dafydd. Gan mor gredadwy yr oedd gwaith Iolo yng ngolwg aelodau o'r Gwyneddigion, nid yw'n syndod iddo ennyn edmygedd eang. Ar ryw olwg, llwyddodd i boblogeiddio ei weithiau ffug drwy rym ei bersonoliaeth yn gymaint â thrwy gyfoeth ei ddychymyg. Mor gyfoethog a hyddysg oedd ei ymddiddan fel y câi ei gyfrif ymhlith y Cymry yn Llundain – fel yn wir y câi Samuel Johnson ei gyfrif ymhlith y Saeson – yn ffynhonnell pob doethineb. Nid oedd neb o'i gyfoedion (yn enwedig ar ôl marwolaeth Ieuan Fardd ym 1788) yn ddigon hyddysg i fwrw amheuaeth ar ei ddeunydd nac i herio ei honiadau mwyaf herfeiddiol. Cafodd ei ffugiadau, felly, lonydd rhag llygaid craff y beirniaid am dros ganrif. Ni ddatgelwyd tan ar ôl y Rhyfel Byd Cyntaf, drwy waith ymchwil nodedig Griffith John Williams, Athro yn Adran y Gymraeg yng Nghaerdydd yn ddiweddarach, i ba raddau y cafodd cenedlaethau lu o ysgolheigion Cymreig eu camarwain gan ffugiwr yr oedd ei allu ymhell uwchlaw Chatterton a Macpherson.

Yr oedd Iolo yn ddigon hirben i sylweddoli bod marchnad bur sylweddol i weithiau o ffantasi rhamantaidd yn ei oes ef. Deallai'n well na'r lliaws hefyd na ellid adfer gogoniant yr iaith Gymraeg heb gefnogaeth sefydliadau cenedlaethol priodol. Yn gwbl hyderus y câi gefnogaeth y cyhoedd, bwriodd ati felly i ffurfio Gorsedd Beirdd Ynys Prydain.[137] Credai Iolo fod gorselogrwydd a diffyg synnwyr cyffredin wedi nodweddu'r Derwyddon tan y 1780au. Ac yntau'n credu mai'r aflwydd gwaethaf a allai ddigwydd i unrhyw Gymro oedd cael ei eni yng ngogledd Cymru, nid yw'n syndod nad oedd ganddo ddim ond dirmyg at ysgolheigion y gogledd a'u cyfraniad at astudiaethau derwyddol. Bychanodd Henry Rowlands a'i honiad yn *Mona Antiqua Restaurata* (1723; ail argraffiad 1766) mai sir Fôn oedd pencadlys Derwyddon Prydain a'i wawdio am ei gamsyniadau.[138] Cafodd Lewis Morris yntau ei wneud yn gyff gwawd: drwy lygaid rhagfarnllyd Iolo, nid oedd ei sylwadau ef ar lenyddiaeth ac ieitheg yn werth 'affliw o ddim'.[139] Gan ymhyfrydu yn ynganiad ac orgraff y Wenhwyseg,[140] credai mai beirdd Morgannwg yn unig a gawsai'r fraint o gyfranogi o Gyfrinach y Beirdd a'u bod wedi llwyddo, er gwaethaf popeth, i gadw'n fyw hen draddodiad barddoniaeth, llenyddiaeth a doethineb o oes y Derwyddon cyn-hanes hyd ddiwedd y ddeunawfed ganrif. Rhoddwyd lle amlwg i'w hoff Forgannwg ym myth y Derwyddon ac ni flinai ar ddatgan mai ef ac Edward Evan o Aberdâr oedd disgynyddion olaf y beirdd derwyddol.[141] Byddai'n aml yn ychwanegu'r llythyron BBD (Bardd wrth Fraint a Defod Beirdd Ynys Prydain) at ei enw, a dywedai ar goedd mai ef yn unig a feddai ar y gallu i gyfleu hanfod y datguddiad dwyfol a roddwyd i ddynolryw ar ffurf crefydd a dysgeidiaeth y Derwyddon.[142] Ar 21 Mehefin 1792, yng nghwmni dyrnaid o wladgarwyr Cymreig, galwodd ynghyd gynulliad derwyddol ar Fryn y Friallen, Llundain, pryd y penderfynwyd 'yn llygad haul ac wyneb goleuni' goleddu'r traddodiad barddol, arddel egwyddorion heddychiaeth, a meithrin yn y Cymry ymdeimlad o falchder yn eu hiaith, eu llenyddiaeth a'u hanes. Drwy ychwanegu wedi hynny symbolau a defodau a led-ymdebygai i ddefodau'r Seiri Rhyddion at gylch y meini hirion a'r wisg farddol, trodd yr Orsedd yn atyniad cyffrous. Credai Iolo y gallai gorffennol ysblennydd, hyd yn oed un wedi ei ddyfeisio, fod yn sylfaen gadarn i adeiladu dyfodol y genedl arni. Er i'r Orsedd gael ei chyflwyno fel perfformiad theatrig, ei obaith oedd y

---

[137] Geraint Bowen, *Hanes Gorsedd y Beirdd* (Cyhoeddiadau Barddas, 1991); Dillwyn Miles, *The Secret of the Bards of the Isle of Britain* (Gwasg Dinefwr, 1992); Geraint H. Jenkins, 'Cyffesion Bwytawr Opiwm: Iolo Morganwg a Gorsedd Beirdd Ynys Prydain', *Taliesin*, 81 (1993), 45–57; idem, 'Iolo Morganwg and the Gorsedd of the Bards of the Isle of Britain', *Studia Celtica Japonica*, 7 (1995), 45–60.

[138] LlGC Llsgr. 13089E, f. 460. Cymh. LlGC Llsgr. 13130A, f. 292.

[139] LlGC Llsgr. 13221E, f. 109.

[140] Ibid., f. 25.

[141] LlGC Llsgr. 4582C; LlGC Llsgr. 13128B, f. 302; *The Gentleman's Magazine*, LIX (1789), Rhan 2, t. 976.

[142] LlGC Llsgr. 21401E, f. 14.

byddai'n rhoi i genedl o bobl ddihanes ryw ymdeimlad newydd,
dyrchafedig o'i gwerth.[143] Fel sefydliad cenedlaethol modern, byddai'r
Orsedd yn ymgorffori balchder ac urddas y Cymro, ac ym mis Gorffennaf
1819, yn y Llwyn Iorwg yng Nghaerfyrddin, gwireddwyd uchelgais Iolo
o gynnwys yr Orsedd yng ngweithgareddau swyddogol yr Eisteddfod. Ac
yntau'n ddeuddeg a thrigain oed, mynegwyd ganddo ar goedd ei
hyfrydwch o fod yn bresennol ar 'the resurrection-day of learning in our
greatly beloved native language'.[144]

Gyda chefnogaeth y Gwyneddigion, aeth Thomas Jones, ecseismon o
Glocaenog yn sir Ddinbych, ati i adfywio'r traddodiad eisteddfodol egwan
o 1789 ymlaen. Hyd hynny, rhyw achlysuron ceiniog a dimai fu'r
eisteddfodau lleol gan mwyaf, lle y gwelid beirdd meddw yn cyfnewid
cerddi amheus iawn eu safon dros gaws a chwrw. Taer anogai Jonathan
Hughes y Cymry yn Llundain i gefnogi ymdrechion gwladgarwyr brwd
sir Feirionnydd a sir Ddinbych i 'helaethu terfynau yr hen Iaith
Gymraeg',[145] a bu ymateb y Gwyneddigion i'w ble yn galonogol. Wedi
cael y cyfryw gynhaliaeth a nawdd, trefnwyd yn nhrefi marchnad gogledd
Cymru eisteddfodau grymus a drôi weithiau'n gecrus, ac yn sgil eu
llwyddiant (yn ogystal â llwyddiant yr Orsedd) ysgogwyd William Jones,
Llangadfan, i ymgyrchu dros sefydlu eisteddfod genedlaethol i Gymru
gyfan. Credai ef y dylai'r 'hen frodyr' o'r deheubarth, a oedd wedi
ymbellhau oddi wrthynt, gael eu hannog i ddychwelyd i'r gorlan i roi
bywyd newydd i'r eisteddfod a'i thrawsnewid yn sefydliad cenedlaethol o
bwys.[146] Yr oedd ei uchelgais yn gwbl gydnaws â delfrydau Iolo
Morganwg. Eu breuddwyd ill dau – breuddwyd gwbl ofer yn yr oes
honno – oedd sefydlu academi Gymreig a llyfrgell genedlaethol i warchod
trysorau'r genedl.[147] Eto i gyd, yr oedd yr awydd i greu sefydliadau
cenedlaethol i gynnal yr iaith a'i llenyddiaeth wedi cael ei leisio a'i
bwysleisio. Yn ychwanegol at hynny, cafwyd ymateb calonogol iawn gan
y Gwyneddigion i'r galw am gynhyrchu gweithiau ysgolheigaidd, er bod
rhaid derbyn mai ffuglen hanesyddol yw darnau ohonynt. Diolch i
haelioni a chrebwyll busnes Owain Myfyr, Llywydd cyntaf y Gymdeithas
a chwrier cefnog, bu modd cyhoeddi *Barddoniaeth Dafydd ap Gwilym*

[143] Gwyn A. Williams, 'Druids and Democrats: organic intellectuals and the first Welsh
    nation' yn *The Welsh in their History* (London, 1982), tt. 31–64; idem, 'Romanticism in
    Wales' yn Roy Porter and Mikuláš Teich (goln.), *Romanticism in National Context*
    (Cambridge, 1988), tt. 9–36.
[144] Hywel Teifi Edwards, *Yr Eisteddfod* (Llys yr Eisteddfod Genedlaethol, 1976), t. 39.
[145] G. J. Williams, 'Llythyrau ynglŷn ag Eisteddfodau'r Gwyneddigion', *LlC*, 1, rhifyn 1
    (1950), 30; idem, 'Eisteddfodau'r Gwyneddigion', *Y Llenor*, XIV–XV (1935–6), 11–12,
    88–96.
[146] LlGC Llsgr. 1806E, f. 777.
[147] G. J. Williams, *Iolo Morganwg*, tt. 70–2; LlGC Llsgr. 168C, f. 292; LlGC Llsgr. 1806E,
    f. 783.

(1789), gwaith, fel y gwelsom, ac ôl dylanwad ysgolheictod cyfeiliornus Iolo Morganwg yn drwm arno.[148] Hyd yn oed yn fwy arloesol oedd cyhoeddi *The Myvyrian Archaiology* (3 cyfrol, 1801–7) a olygwyd gan Iolo Morganwg, Owain Myfyr a William Owen Pughe, casgliad amhrisiadwy o weithiau hanesyddol a llenyddol Cymreig o'r chweched ganrif hyd at y bedwaredd ganrif ar ddeg. Er bod diffygion sylfaenol i'r *Myvyrian* oherwydd ffugiadau Iolo, daeth â llawer o destunau pwysig i sylw'r cyhoedd am y tro cyntaf.

Yn olaf, yr oedd myth-grëwyr rhamantaidd a gwladgarwyr y 1790au yr un mor benderfynol o hyrwyddo iaith radicaliaeth wleidyddol a chenedlaetholdeb drwy'r famiaith. Bathwyd gan John Walters y gair 'gwladgarwch' ym mlwyddyn llunio Datganiad Annibyniaeth America, ac erbyn 1798 yr oedd y gair 'cenedligrwydd' hefyd yn rhan o'r eirfa.[149] Erbyn yr adeg honno yr oedd iaith radicaliaeth wleidyddol yn cael ei phregethu gan Undodiaid, Bedyddwyr a grwpiau anuniongred eraill a sylweddolai rym chwyldroadol y gair printiedig. Cyn 1789 llyfrau hollol anwleidyddol eu nod a'u cynnwys oedd y mwyafrif o lyfrau Cymraeg, ond gyda chwymp y Bastille gwelwyd llunio ieithwedd wleidyddol newydd yn yr iaith Gymraeg a oedd yn radicalaidd ac yn wladgarol ei natur. Ymddangosodd pamffledi a chyfnodolion dirifedi, wedi eu hysgrifennu ag arddeliad ac afiaith enllibus, yn gwaredu at effeithiau andwyol llywodraeth frenhinol, ystrywiau gwleidyddol, y degwm a rhenti afresymol, landlordiaid absennol, efengyliaeth, a'r Seisnigeiddio a oedd ar gynnydd. Fel y gwnâi Tom Paine a Horne Tooke,[150] credai radicaliaid Cymreig fod Saesneg y Brenin wedi cael ei defnyddio i amddiffyn hawliau a monopolïau traddodiadol y dosbarth llywodraethol. Drwy fawrygu delfrydau a llwyddiannau'r Jacobiniaid, y *sans-culottes* a dilynwyr Tom Paine drwy gyfrwng yr iaith Gymraeg, yr oeddynt yn cadarnhau hunaniaeth arbennig y Cymro rhydd.

Yn achos Iolo Morganwg, nid ymgorffori gweledigaeth ddiwylliannol yn unig a wnâi'r Orsedd. Credai fod yr hen Dderwyddon wedi pleidio achos 'Rhyddid'[151] ac nid oedd unrhyw reswm dros gredu na allai'r beirdd modern danio dychymyg gwleidyddol y Cymry yn yr un modd. Fel y gweddai i ŵr a honnai ei fod yn ddisgynnydd i Oliver Cromwell, aeth Iolo ati yn ddyfal i feithrin delwedd 'Bardd Rhyddid' a defnyddiodd lawer Gorsedd er mwyn hybu ideoleg y Jacobiniaid. Yn union fel y canodd Thomas Gray yn 'The Bard' am wrthsafiad arwrol y Cymry i ormes y Sais, felly hefyd yr ymgofforai Iolo, 'Bardd Morgannwg', ddelfrydau

[148] G. J. Williams, 'Owain Myfyr', *LlC*, 8, rhifyn 1 a 2 (1964), 42–7.
[149] *GPC*, s.v. 'gwladgarwch', 'cenedligrwydd'.
[150] Barrell, *English Literature*, t. 174.
[151] LlGC Llsgr. 21401E, f. 14.

gweriniaethol Cymru yn ystod 'Teyrnasiad Braw' William Pitt. Yn ei gerdd 'Breiniau Dyn', datgelodd mai ystyr 'peraidd iaith' iddo ef oedd rhyddid, brawdgarwch a heddwch,[152] a gellid ei glywed yn canu 'God save Great Thomas Paine' pryd bynnag yr âi i Lundain. Ym mis Mai 1795 gwahoddodd William Owen Pughe i ymuno ag ef i drafod 'Politics, republicanism, Jacobinisms, Carmagnolism, Sanculololisms [sic], and a number of other wicked and trayterous isms against the peace of the Lords Kingism and Parsonism, their Crowns and dignities',[153] ac er bod ysbïwyr y llywodraeth yn ei wylio'n fanwl addunedodd y byddai'n cefnogi Jacobiniaeth 'oni chanwyf yn iach i'r byd hwn'.[154]

Nid ymhlith aelodau'r orsedd a'r eisteddfod yn unig y clywid y fath siarad gwrthryfelgar yn y 1790au; yr oedd democratiaid eraill hefyd yn dechrau bwrw eu llach ar yr hen drefn wleidyddol mewn cyhoeddiadau Cymraeg eu hiaith. Gwelwyd cynnydd aruthrol yn nifer y llyfrau Cymraeg a gyhoeddwyd yn negawd olaf y ddeunawfed ganrif, a bu eu pleidgarwch a'u rhagfarn agored yn fodd i ymestyn yr eirfa Gymraeg ym maes gwleidyddiaeth. Cynhyrchwyd gan radicaliaid poblogaidd, llawer ohonynt o dras ddigon cyffredin, weithiau a oedd yn llai haniaethol a dyrys nag ysgrifau athronyddol (Saesneg eu hiaith) gan Gymry megis Richard Price a David Williams. Yn ei ymosodiad grymus ar yr Hen Lygredigaeth, yr iau Eingl-Normanaidd, esgobion Seisnig ac offeiriaid barus a hawliai bob dimai goch o'r degwm, galwodd Thomas Roberts, Llwyn'rhudol, ar ei gyd-wladwyr i sefyll dros eu hawliau:

> Yn lle amddiffynu yn wrol, ac yn galonog eu breintiau, hefyd freintiau eu plant a'u hwyrion, maent mewn math o hunglwyf yn goddef yn rhy fynych yr hyn oll y mae eu Gorthrymwyr annhrugarog yn ei osod arnynt, heb unwaith feddwl, nad yw pob peth yn ei le.[155]

Cyhoeddodd John Jones (Jac Glan-y-gors), gweriniaethwr a heddychwr selog, fersiynau Cymraeg diflewyn-ar-dafod o gyfrol lwyddiannus Tom Paine *The Rights of Man*,[156] a bu hefyd yn un o sylfaenwyr y Cymreig-yddion ym 1795, sef cymdeithas a ffurfiwyd yn Llundain a chanddi dueddiadau radicalaidd cryf yn ogystal ag awydd ysol i hyrwyddo'r iaith Gymraeg. Dyma gytgan arwyddgan y Gymdeithas:

---

[152] Millward, *Blodeugerdd Barddas o Gerddi Rhydd*, tt. 242–7. Gw. hefyd LlGC Llsgr. 13148A, f. 300.
[153] LlGC Llsgr. 13221E, f. 49. Gw. hefyd LlGC Llsgr. 21396E, ff. 3, 11, 13, 20, 34.
[154] Edward Williams, *Salmau yr Eglwys yn yr Anialwch* (ail arg., Merthyr, 1827), t. v.
[155] Thomas Roberts, *Cwyn yn erbyn Gorthrymder* (Llundain, 1798), tt. 42–3.
[156] John Jones, *Seren tan Gwmmwl* (Llundain, 1795) a *Toriad y Dydd* (Llundain, 1797). Gw. hefyd Albert E. Jones, 'Jac Glan y Gors, 1766–1821', *TCHSDd*, 16 (1967), 62–81.

A d'wedwn i gyd, hardd frodyr un fryd,
Ein hiaith a barhao a llwyddiant ai cadwo,
Heb loes, trwy bob oes, tra bo byd![157]

Yn *Y Cylch-grawn Cynmraeg* (1793), y cyfnodolyn gwleidyddol Cymraeg cyntaf, ceisiodd Morgan John Rhys ysbarduno gwleidyddiaeth farwaidd Cymru drwy fawrygu rhyddid a chydraddoldeb,[158] ac yng nghanolbarth Cymru cyfansoddwyd gan William Jones Llangadfan, Voltaire o Gymro a lwyddodd i dramgwyddo trigolion lleol â'i barabl cableddus a'i sylwadau deifiol am orthrymwyr, gormeswyr ac ysbeilwyr, anthem genedlaethol Gymraeg rymus – y gyntaf o'i bath – mewn gwrthgyferbyniad i Seisnigrwydd milwriaethus 'God Save the King' a 'The Roast Beef of Old England'.[159] Fe'i disgrifiwyd gan ei gyfaill, Thomas Jones yr ecseismon, fel y Cymro 'mwya' tin-boeth a'r welais I erioed'.[160] Yr oedd yr Undodwr Thomas Evans (Tomos Glyn Cothi) yr un mor llym ei dafod ac fe'i carcharwyd yng ngharchar Caerfyrddin am iddo, yn ôl y cyhuddiad, ganu cân wrthryfelgar Gymraeg ar dôn y 'Marseillaise' mewn cwrw bach ym Mrechfa.[161] Cynddeiriogwyd yr awdurdodau gan y fath hyfdra a bradwriaeth, a hynny ar goedd yn yr iaith Gymraeg, ac fel adwaith i ymosodiad truenus y Ffrancod ym 1797 cafodd nifer o radicaliaid eu herlid yn ddidostur. Er hynny, yr oedd y traddodiad o drafod pynciau radicalaidd drwy gyfrwng y Gymraeg wedi hen ennill ei blwyf.[162]

I grynhoi. Er i hyrwyddwyr selog yr iaith a'r diwylliant Cymraeg megis Edward Lhuyd, Lewis Morris ac Iolo Morganwg fethu gwireddu eu breuddwydion (am resymau y tu hwnt i'w rheolaeth hwy yn bennaf), cyflawnwyd llawer yn ystod y ddeunawfed ganrif. Nid oedd y diwylliant Cymraeg mwyach wedi ei glymu'n annatod wrth ffordd o fyw a oedd yn prysur ddarfod. Achubwyd hen lawysgrifau coll neu anghofiedig, a'u

---

[157] LlGC Llsgr. 13221E, f. 167.
[158] Gwyn A. Williams, *The Search for Beulah Land. The Welsh and the Atlantic Revolution* (London, 1980), tt. 60–1; Hywel M. Davies, '"Very Different Springs of Uneasiness": Emigration from Wales to the United States of America during the 1790s', *CHC*, 15, rhifyn 3 (1991), 368–98.
[159] LlGC Llsgr. 13221E, f. 369.
[160] LlGC Llsgr. 13221E, f. 256; soniai Jones yn aml am ei gariad angerddol at ei 'heniaith friglwyd' (LlGC Llsgr. 170C, f. 11).
[161] G. J. Williams, 'Carchariad Tomos Glyn Cothi', *LlC*, 3, rhifyn 2 (1954), 120–2: G. Dyfnallt Owen, *Tomos Glyn Cothi* (Darlith Goffa Dyfnallt, 1963), t. 32. Gw. 'Cân Rhyddid' yn Millward, *Blodeugerdd Barddas o Gerddi Rhydd*, tt. 265–6.
[162] Am drafodaethau cyffelyb yn Saesneg, gw. Hugh Cunningham, 'The Language of Patriotism, 1750–1914', *History Workshop*, 12 (1981), 8–33; Jeannine Surel, 'John Bull' yn Raphael Samuel (gol.), *Patriotism: The Making and Unmaking of British National Identity, vol. III, National Fictions* (London, 1989), tt. 3–25; Linda Colley, 'Whose nation? Class and national consciousness in Britain, 1750–1830', *PP*, 113 (1986), 97–117.

copïo, eu cadw a'u cyhoeddi gan weisg argraffu nad oeddynt wedi profi'r fath ffyniant erioed o'r blaen. Yn sgil y cnwd toreithiog o ramadegau a geiriaduron a gyhoeddwyd, profwyd bod modd defnyddio'r iaith Gymraeg at nifer o ddibenion llenyddol, gwyddonol a thechnolegol. Llwyddodd William Williams i foliannu'r ffydd Gristnogol ag athrylith na welwyd mo'i thebyg ymhlith ei gyfoedion, a gwelwyd carfanau bychain o ysgrifenwyr radicalaidd yn mentro i faes newydd llenyddiaeth wleidyddol a dadleuol. Er bod rhai yn parhau i goleddu gau ddamcaniaethau Pezron, yr oedd Celtigiaeth, fel pwnc astudiaeth, mewn bri mawr drwy gydol y cyfnod hwn a bu'n fodd i hyrwyddo statws yr ieithoedd brodorol. Yn bwysicaf oll, yr oedd gwladgarwyr a myth-grëwyr rhamantaidd wedi ymateb i syrthni'r cyfnod drwy greu o'r newydd neu atgyfodi sefydliadau a fu'n fodd, yn y pen draw, i gryfhau ffydd y bobl yn yr iaith Gymraeg a'i llenyddiaeth.

12

Ieithoedd Celtaidd Prydain

BRYNLEY F. ROBERTS

O'R ADEG gyntaf y daw tystiolaeth bendant i'r golwg, ieithoedd Celtaidd oedd ieithoedd brodorol ynysoedd Prydain.[1] Ofer dyfalu pa ieithoedd a fu o'u blaen hwy gan nad oes ar gael odid ddim ffurfiau y gellir eu harchwilio. Y mae'n wir fod yng ngogledd-ddwyrain yr Alban ychydig o arysgrifau hollol annealladwy a allai gynrychioli un o ieithoedd y Pictiaid, ond ymddengys mai i'r teulu Celtaidd y perthynai eu hiaith (neu ieithoedd) eraill hwy. Ar lwyfan hanes, Celtaidd yw ieithoedd cynharaf Prydain. Ymrannent yn ddwy gangen a gwahaniaethau eglur rhyngddynt – dosbarthiad hwylus yw sylwi bod *c/k* (*q* gynt) y naill gangen yn cyfateb i *p* y llall, er bod, wrth reswm, fwy o wahaniaethau seinegol na hynny – a chyda threigl amser datblygodd y ddwy gangen mewn ffyrdd ac ar raddfa dra gwahanol fel na feddent ar yr wyneb nac i'r glust fawr ddim yn gyffredin. O'r gangen *c/k*, Goedeleg, y datblygodd yr Aeleg Gyffredin yn Iwerddon a'i chludo oddi yno yn y bumed a'r chweched ganrif AD i'r Alban ac Ynys Manaw, ac yn wir i rannau o ogledd a de-orllewin Cymru lle na wreiddiodd yn barhaol. O'r gangen arall, Brythoneg, y tyfodd ieithoedd Celtaidd yr ynys gyfan o afonydd Clud a Forth i'r de, ac mae'n bur debyg i'r gogledd, er mai bratiog yw'r dystiolaeth am iaith/ieithoedd y Pictiaid hynny. Gyda dyfodiad y llwythau Germanaidd o'r Cyfandir yng nghanol y bumed ganrif a'r ymledu a fu ar ôl hynny y dechreuodd cyfnod maith crebachu'r ieithoedd Celtaidd cynhwynol.

Enwau lleoedd yw'r unig dystiolaeth i iaith Geltaidd y rhan fwyaf o Loegr heddiw, ond arhosodd teyrnasoedd Brythonig Gododdin, Ystrad Clud a Rheged yn neheudir yr Alban a Northumbria gyda'u penceyrydd yn Nineidyn, Dumbarton ('dinas y Brython') ac efallai Caerliwelydd yn ddigon hir i ysbrydoli barddoniaeth hynaf y Gymraeg ac i frwydrau'r

---

[1] Ceir disgrifiadau hanesyddol ac ieithyddol o'r ieithoedd hyn yn Glanville Price, *The Languages of Britain* (London, 1984); Donald Macaulay (gol.), *The Celtic Languages* (Cambridge, 1992); Glanville Price (gol.), *The Celtic Connection* (Gerrards Cross, 1992); Martin J. Ball (gol.) gyda James Fife, *The Celtic Languages* (London, 1993); Paul Russell, *An Introduction to the Celtic Languages* (London, 1995).

bobloedd hyn yn erbyn y Saeson ac ymhlith ei gilydd i dyfu'n oes aur
arwrol yn ymwybyddiaeth Gymreig yr Oesoedd Canol. Syrthiodd
Dineidyn yn 638 ac ymddengys fod de-ddwyrain yr Alban ym meddiant
yr Eingl erbyn canol y ganrif. Erbyn tua 650–70 yr oedd tiroedd y de-
orllewin hwythau wedi eu meddiannu gan Eingl Northumbria, ond yn
Ystrad Clud bu adfywiad fel y parhaodd yn deyrnas Frythonig hyd 1092
pan ddaeth yn rhan o deyrnas yr Alban ac y sefydlwyd y ffin bresennol.[2]
Dichon fod yr iaith Frythonig hithau wedi byw hyd tua diwedd yr unfed
ganrif ar ddeg neu ddechrau'r ddeuddegfed. Y mae'n bosibl fod Cwmbreg
Ystrad Clud yn dafodiaith ogleddol o Frythoneg Prydain – rhy brin yw'r
dystiolaeth i'w disgrifio'n fanwl – ond cynrychiolir tafodiaith y gorllewin
gan y Gymraeg a'r Gernyweg a ddechreuodd ymbellhau oddi wrth ei
gilydd tua 600 AD, o bosibl yn sgil brwydr Dyrham yn 577 a dorrodd y
cyswllt rhwng Brythoniaid y gorllewin a'u cymrodyr yn y de-orllewin.

Lledodd Saeson Wessex tua'r gorllewin yn gyflym ac erbyn tua diwedd
y seithfed ganrif yr oedd y llifeiriant wedi goddiweddyd Dyfnaint. Y mae
afon Tamar erioed wedi bod yn ffin naturiol ac ymddengys iddi lwyddo i
atal, neu o leiaf i rwystro, ymledu pellach ar raddfa eang ar ôl 710. Y mae
cofnodion cronicl yr Eingl-Sacsoniaid a'r *Annales Cambriae* yn tystio i
lawer o ymladd rhwng y Sacsoniaid a'r 'Wæst Wealas' o gwmpas y ffin
ddwyreiniol hon trwy gydol yr wythfed ganrif fel y gellir tybio bod yr
ardal hon yn nwyrain Cernyw yn diriogaeth i'r hen frodorion ac i
niferoedd cynyddol o fewnfudwyr. Cafwyd ymchwydd pellach yn yr
ymosodiadau dan Egbert (802–39) o 815 ymlaen, buddugoliaethau a'i
galluogodd ef i estyn rhoddion o dir yng Nghernyw i'r gorllewin o afon
Tamar i esgobaeth Sherborne. Cwblhawyd y goresgyniad gan Athelstan,
yr 'imperator' hwnnw yn y ddegfed ganrif a hawliai ei fod yn
llywodraethwr Prydain oll, 'yn gyntaf o'r Saeson a wisgwys coron ynys
Prydein', yng ngeiriau cyfieithydd Brut Sieffre o Fynwy. Gwrthwynebiad
i'w oruwchlywodraeth rymus a symbylodd y cynghreirio cydgenedlaethol
y mae'r gerdd *Armes Prydein Vawr* yn anogaeth gyfoes iddo.[3] Athelstan a
osododd afon Tamar yn ffin ac a ddaeth â'r 'deyrnas' Geltaidd a'i hen
ranbarthau i mewn i batrwm sirol a chantrefol teyrnas Wessex. Daeth
llinach brenhinoedd brodorol Cernyw i ben tua'r adeg hon a gosodwyd
Cernyw dan awdurdod yr esgob Ealdred yn 994.

Nid oes tystiolaeth ddogfennol sy'n dangos effaith y goresgyniad Seisnig
hwn ar iaith Cernyw, ond gellid tybio mai graddol a chynyddol fyddai'r
ymledu Saesneg wedi'r ymsefydlu o gwmpas glannau Tamar. Dyna a
ddisgwylid, a chofio mor anhygyrch oedd gorllewin Cernyw yr adeg

[2] Kenneth Jackson, *Language and History in Early Britain* (Edinburgh, 1953), tt. 218–19;
Price, *The Languages of Britain*, t. 146.
[3] Ifor Williams, *Armes Prydein* (Caerdydd, 1955), tt. xiv–xv.

honno; a dyna a awgrymir gan batrwm ffurfiau'r enwau lleoedd. Yn y gogledd-ddwyrain y mae enwau Saesneg yn y mwyafrif ac yn disodli'r rhai cysefin brodorol hyd yn oed yn yr wythfed a'r nawfed ganrif. Yno hefyd, fel y disgwylid, y ceir y ffurfiau Cernyweg hynaf (*quite, nant*, 'coed', 'nant'). Yn y canolbarth y mae'r enwau lleoedd Saesneg a Chernyweg fwy neu lai yn gyfartal eu nifer, ond yn y gorllewin ffurfiau Cernyweg yw'r mwyafrif llethol, a'r rheini'n arddangos datblygiadau seinegol yn yr iaith (*coos, cos, nance, nans*, 'coed', 'nant').[4] Y mae'r enwau lleoedd yn ategu'r hyn a ddisgwylid gan batrwm y goresgyniad a'r mewnfudo, a phrin y gellir derbyn haeriad ysgubol Jago[5] fod Cernyweg yn wybyddus ac yn cael ei harfer o afon Tamar hyd at Land's End ym 1547.

Canlyniad goresgyniad Athelstan oedd gwneud Cernyw yn rhan o Loegr, pa faint bynnag o wahaniaethau hiliol a diwylliannol a fodolai rhyngddi a gweddill y wlad honno. Ym mhob ystyr wleidyddol a gweinyddol, sir Seisnig ydoedd ac ni all na hwylusai hynny ymlediad Saesneg, a hynny efallai mewn ystyr cymdeithasol-ieithyddol yn fwy na daearyddol. Pan wnaed arolwg Llyfr Domesday ym 1086 tri manor, yn y gorllewin, a ddelid gan ddynion a chanddynt enwau Cernywaidd. Eingl-Sacsoniaid oedd y nifer helaethaf o ddeiliaid tir, hynny yw, o'r rhai a feddai rym ac awdurdod yn y gymdeithas, ac nid rhyfedd, felly, sylwi yn y cofnodion rhyddfreinio sydd yn Efengylau Bodmin (Llsgr. BL Add 9381) rhwng 940 a 1040 fod enwau Cernywaidd gan 98 o'r 122 o daeogion a ryddheir, enwau Eingl-Sacsonaidd gan ddeuddeg, a rhai Lladin neu feiblaidd gan ddeuddeg, a bod pedwar ar hugain o'r 33 rhyddhawr a enwir yn dwyn enwau Eingl-Sacsonaidd a dim ond pump yn dwyn enwau Cernywaidd.[6]

Ni fu ymlediad Saesneg mor rymus nac yn gyfuniad mor nerthol o elfennau gweinyddol-wleidyddol, economaidd a chymdeithasol yn yr un o'r gwledydd Celtaidd eraill ag ydoedd yng Nghernyw hyd at yr ail ganrif ar bymtheg a'r ddeunawfed. Yn wir, bu amrywiaeth ieithyddol yn un o nodweddion bywyd cymdeithasol gwledydd a rhanbarthau Prydain trwy gydol yr Oesoedd Canol. Lladin oedd cyfrwng rhyngwladol dysg llyfr a'r grefydd Gristnogol yng ngorllewin Ewrop, ac am y rheswm hwnnw ni hawliai'r un wlad mohoni yn iaith gysefin ei byw beunyddiol (er mor araf fu Eidaleg yn cydnabod nad Lladin mohoni). Iaith ysgol ydoedd yr oedd rhaid ei dysgu trwy ddygn ymdrech ac addysg, gyda graddau gwahanol

---

[4] P. A. S. Pool, *An Introduction to Cornish Place-names* (Penzance, 1971); Martyn F. Wakelin, *Language and History in Cornwall* (Leicester, 1975), tt. 74–6; O. J. Padel, *Cornish Place-name Elements* (Nottingham, 1985); idem, *A Popular Dictionary of Cornish Place-names* (Penzance, 1988), tt. 7–10.

[5] F. W. P. Jago, *An English-Cornish Dictionary* (London, 1887), t. ii.

[6] Wakelin, *Language and History in Cornwall*, t. 67.

iawn o lwyddiant, i'r naill genhedlaeth ar ôl y llall o ddisgyblion y byddai angen Lladin arnynt yn eu dyletswyddau beunyddiol. Nid oedd yn gyfrwng naturiol y gellid ei drosglwyddo o'r naill do i'r llall yn y gymdeithas. Ond yn y cymunedau ehangach hynny eu hunain gallai fod cryn amrywiaeth ieithoedd, a pheth dieithr i'r Oesoedd Canol fyddai'r syniad o unffurfiaeth ieithyddol o fewn tiriogaeth brenin neu arglwydd. Gallai iaith sefyll yn arwydd hiliol ac arferai carfanau gwahanol eu hieithoedd eu hunain at eu dibenion eu hunain, ond cydfodolent ag ieithoedd carfanau neu swyddogaethau eraill fel bod amlieithrwydd cymdeithas, ac i raddau llai, unigolion, yn nodwedd gyffredin mewn llawer ardal a rhanbarth. Y mae'n debyg i gymunedau Llychlynaidd godi yng Nghymru, er mai prin yw'r dystiolaeth ieithyddol ar wahân i rai enwau lleoedd ac ychydig o fenthyciadau, ond yn Iwerddon tyfodd y presenoldeb Sgandinafaidd yn elfen gref mewn rhai ardaloedd o gwmpas Dulyn ac arfordir y de o'r nawfed ganrif hyd at frwydr Clontarf ym 1014. Yr oedd Anglo-Normaneg yn iaith gysefin un dosbarth yn y gymdeithas yng Nghymru ac Iwerddon, a chan mai dosbarth llywodraethol oedd hwnnw treiddiai'r iaith trwy gyfrwng cyfraith a gweinyddiaeth, a difyrrwch hefyd ond odid, i lawer cylch yn y gymdeithas frodorol. Yn ddiweddarach byddai Saesneg, iaith masnach a chyfathrach o bob math, yn tyfu'n fwyfwy cyffredin, yn enwedig yn y trefi a'r bywyd a ffynnai ynddynt a thrwyddynt fel na allai siaradwyr ieithoedd Celtaidd Cymru nac Iwerddon, na Chernyw na'r Alban, osgoi dod i gyswllt â hi, hyd yn oed pe dymunent, yn y rhannau hynny o'u bywyd a oedd yn cyffwrdd â'i swyddogaethau.

Er hynny, nid oedd amlieithrwydd cymdeithas yn arwain at ansefydlogrwydd ieithyddol. Elfen gref yn y cydbwysedd ieithyddol oedd niferoedd siaradwyr yr ieithoedd brodorol o'u cymharu â niferoedd siaradwyr yr ieithoedd mewnfudol neu arbennig. Gwir fod ymgyfathrachu ac ymgymysgu wedi digwydd yn Iwerddon rhwng y Gwyddyl a'r Llychlynwyr a bod sôn mor gynnar â 856 am y Gall-Gaídil, pobl nad oeddynt yn perthyn i'r naill genedl na'r llall ond yn gyfuniad o'r ddwy, ond nifer bychan iawn oeddynt yn y boblogaeth gyfan.[7] Ac nid mater niferoedd yn unig ydoedd oherwydd llawn cyn bwysiced oedd rhychwant yr agweddau cymdeithasol a drafodid yn yr ieithoedd brodorol – o lywodraeth a chyfraith i lenyddiaeth a diwylliant a holl helynt byw beunyddiol – a'r ffaith eu bod yn rhan hanfodol o wead unoliaethol cymdeithas. Yr oeddynt yn ieithoedd cyflawn heb gyfyngu ar eu meysydd, ac eithrio yn achos y Gernyweg: i'r gwrthwyneb, defnydd yr

---

[7] Kenneth H. Jackson, 'The Celtic Languages during the Viking period' yn Brian Ó Cuív (gol.), *The Impact of the Scandinavian Invasions on the Celtic-speaking Peoples, c.800–1100 A.D.* (Baile Atha Cliath, 1975), t. 4.

ieithoedd eraill a oedd yn derfynedig a chyfyng. Yr ieithoedd cysefin brodorol a oedd yn y sefyllfa gryfaf yn eu gwledydd eu hunain yn yr Oesoedd Canol a phan sonnid am fygythiad ieithyddol y mae'n ddiddorol sylwi mai'r iaith leiafrifol yn ei chyd-destun mewnfudol, Anglo-Normaneg neu Saesneg, a deimlai dan warchae, nid yr iaith Geltaidd. Trwy gydol hanes Iwerddon ar ôl yr ymosodiad Anglo- (neu Cambro-) Normanaidd a ddechreuodd ym 1170, gwelid angen deddfau yn gwahardd defnyddio Gwyddeleg yn y llysoedd a'r bwrdeistrefi ac yn gorchymyn defnyddio Saesneg yn ei thiriogaeth hi ei hun – Statudau Kilkenny ym 1366 yw'r rhai mwyaf cynhwysfawr – ond buont yn gyson aneffeithiol, gan gryfed yr Wyddeleg a chan fod teuluoedd pwerus y goresgynwyr cyntaf wedi troi yn Wyddelod a llawer ohonynt heb fedru Ffrangeg na Saesneg. Ond er hyn oll, erbyn dechrau'r cyfnod modern cynnar yr oedd tueddiadau ar waith yn yr holl wledydd Celtaidd a fyddai'n newid y sefyllfa hon yn gyfan gwbl. Yr oedd y tueddiadau hyn yn rhai amrywiol a chymysg, ond y newid allweddol yn yr amgylchiadau oedd uchelgais llywodraeth y Tuduriaid a choron Lloegr byth ar ôl hynny i greu gwladwriaeth unedig yn byw dan yr un deddfau, crefydd ac iaith. Lluniwyd cysyniad o iaith a gwladwriaeth a esgorodd ar bolisïau canoli ac unffurfiaeth a newidiodd amodau'r cydbwysedd ieithyddol a fodolai gynt, gyda'r canlyniad fod yr holl ieithoedd Celtaidd yn yr ail ganrif ar bymtheg a'r ddeunawfed yn wynebu bygythiadau i'w bodolaeth fel ieithoedd cyflawn a chymunedol. Yr oedd hyn eisoes yn digwydd yn yr Alban yn ei chyd-destun ei hun a dwysawyd y newid yng nghyd-destun Prydeinig yr ail ganrif ar bymtheg. Yng Nghernyw yr oedd y datblygiadau wedi cerdded ymhell iawn cyn yr ail ganrif ar bymtheg fel nad yw'n syndod fod y Gernyweg wedi darfod cyn diwedd y ddeunawfed ganrif; yn wir, y syndod yw iddi barhau cyhyd. Y mae hanes dihoeni'r Gernyweg yn rhagolwg ar raddfa fechan o'r amgylchiadau a fyddai'n gwasgu ar y gweddill cyn hir ac yn llywio eu dirywiad hwythau.

Cernyweg[8]

Ymddengys fod y wlad o gwmpas Truro, a'i mynegi'n anfanwl, wedi datblygu yn ffin ieithyddol erbyn y bymthegfed ganrif, y rhan ddwyreiniol o'r sir yn Saesneg ei hiaith ond dau gantref y gorllewin, Penwith a Kerrier, yn Gernyweg neu yn ddwyieithog. Dengys llythyrau a chofrestr John de

[8] Yn ogystal â'r llyfrau a nodir uchod yn n. 1, gw. yn arbennig P. Berresford Ellis, *The Cornish Language and its Literature* (London, 1974); P. A. S. Pool, *The Death of Cornish* (Penzance, 1975); Wakelin, *Language and History in Cornwall;* Brian Murdoch, *Cornish Literature* (Cambridge, 1993); D. Simon Evans, 'The Story of Cornish', *Studies*, LVIII (1969), 292–307.

Grandisson, esgob Caer-wysg yn hanner cyntaf y ganrif, mai 'in extremis Cornubiae', hynny yw, yn y gorllewin eithaf, y ceid yr iaith ym 1328–9, a thystiolaeth fod nifer sylweddol o'r trigolion yn uniaith Gernyweg oedd y rheidrwydd ar offeiriaid mewn rhai plwyfi i allu pregethu a chlywed cyffes mewn Cernyweg. Tebyg oedd y sefyllfa ymhen dwy ganrif ym 1547 pan gyhoeddwyd *The Fyrst Boke of the Introduction of Knowledge* gan Andrew Borde. Wedi nodi amrywiol ieithoedd Lloegr 'and vnder the dominion of England', megis Ffrangeg, Cymraeg a Gwyddeleg, meddai:

> In Cornwall is two speches: the one is naughty Englyshe, and the other is Cornyshe. And there be many men and women the which cannot speake one worde of Englyshe, but all Cornyshe.[9]

Ategir hyn gan alwad John Veysey, esgob Caer-wysg, ym 1538 ar i'w offeiriaid sicrhau bod plwyfolion yn y plwyfi lle na siaredid Saesneg yn cael hyfforddiant yn y Deg Gorchymyn, y Credo, y Pader, a'r *Ave Maria* mewn Cernyweg a bod plant yn cael dysgu Saith Weithred y Drugaredd yn yr iaith honno. Ond ychydig o rym effeithiol a oedd i'r alwad hon gan na wnaed dim i baratoi cyfieithiadau o'r deunydd, a gadawyd y cyfan, hyd y gellir barnu, i gydwybod, brwdfrydedd a gallu offeiriaid unigol. Yr oedd clerigwyr a allai bregethu mewn Cernyweg, ond rhaid amau a oedd hynny yn ddigon o gymhwyster i gyfieithu bannau'r ffydd ac yn enwedig rannau o'r Efengyl neu Epistol y dydd, fel yr argymhellai Veysey hefyd. Ychydig o lenyddiaeth Cernyweg Canol sydd wedi ei gadw, sy'n awgrymu bod y traddodiad llenyddol wedi dihoeni a darfod amdano erbyn y bedwaredd ganrif ar ddeg a'r bymthegfed yn niffyg unrhyw sefydliad a allai ei feithrin a sicrhau'r math o barhad tros gyfnod hir a fyddai wedi gwarchod safon yr iaith a natur y deunydd. Perthynai Hen Gernyweg i'r un byd diwylliannol eglwysig a seciwlar â Hen Gymraeg, a thra parhaodd y gyfundrefn lywodraethu a'r gymdeithas gysefin gellid disgwyl yr un math o gynhaliaeth i ddiwylliant Cernyw ag a gafwyd yng Nghymru. Un o ganlyniadau'r ymdoddi i ffrwd bywyd gweinyddol Lloegr oedd colli'r gynhaliaeth hon fel na chafwyd na'r parhad na'r datblygiad sy'n anadl einioes i ddiwylliant byw. Y mae'n arwyddocaol mai llenyddiaeth boblogaidd yw'r ychydig destunau a gadwyd, a'r rheini'n gerddi a dramâu crefyddol: *Pascon agan Arluth* ('Dioddefaint ein Harglwydd'), yr *Ordinalia* mewn tair rhan, a *Beunans Meriasek* ('Buchedd Meriadog') mewn dwy ran. Y rhain, ac efallai ddramâu miragl eraill nad ydynt wedi goroesi, a fyddai'n gyfrwng addysgu'r bobl ym mhynciau'r

---

[9] Dyfynnir yn Wakelin, *Language and History in Cornwall*, t. 89. Gw. hefyd Maria Palermo Concolato (gol.), *Andrew Borde: Gli itinerari d'Europa* (Napoli, 1992), tt. 20–7.

grefydd Gristnogol i fwy graddau na chyfieithiadau o'r Ysgrythur neu brif
fannau'r ffydd, fel y tystia'r *plenys an gwary,*[10] y chwaraefâu, sy'n nodwedd
mewn nifer o bentrefi yng ngorllewin Cernyw ac a oedd yn atynfa
boblogaidd yn yr unfed ganrif ar bymtheg, yn ôl disgrifiad Richard Carew
ym 1602:

> The guary miracle (in English, a miracle play) is a kind of interlude compiled in
> Cornish out of some scripture history with that grossness which accompanied
> the old Roman comedy. For representing it, they raise an earthen amphitheatre
> in some open field, having the diameter of it enclosed plain some 40 or 50 foot.
> The country people flock from all sides, many miles off, to hear and see it; for
> they have therein devils and devices to delight as well the eye and the ear.[11]

Achlysuron cymdeithasol 'gwerinol', y mae'n ymddangos, oedd y rhain a
ddefnyddid i ddifyrru ac addysgu'r bobl gyffredin, er bod y llenyddiaeth ei
hun yn tarddu, yn ôl pob tebyg, o ganolfannau eglwysig megis Coleg
Glasney ger Penryn.[12] Nid oes modd gwybod erbyn hyn i ba raddau y
ffynnai traddodiad llenyddol llafar. Rhaid bod peth deunydd ar
dafodleferydd, ond y mae natur iaith y dramâu hyn yn ddadlennol.
Defnyddir Saesneg, Ffrangeg a Chernyweg ynddynt a hynny mewn dull
ymwybodol. Cernyweg yw iaith y cymeriadau dwyfol a rhinweddol,
neu'r rhai drwg pan fônt am wneud argraff dda, a defnyddir llawer mwy o
Saesneg gan y cythreuliaid. Dyfais ddramatig yw hyn yn y cyd-destun ond
pe na bai'n arwydd dealladwy o ymagweddau ieithyddol ni fyddai diben
iddi. Awgrymir bod y gynulleidfa yn ymwybodol o statws anghyfartal y
ddwy iaith yn eu plith, ond bod rhyw radd o ymlyniad at Gernyweg yn
wyneb ymledu'r Saesneg estron neu fonheddig yn parhau, er bod hynny'n
cael ei fynegi mewn modd cellweirus. Y mae anterliwtiau'r Gymraeg yn y
ddeunawfed ganrif yn amlygu ymagwedd ymwybodol gyffelyb at y
Gymraeg a'r Saesneg. Ond pwysicach na'r defnydd dramatig hwn o iaith
yw natur iaith discwrs y dramâu yn gyffredinol, oherwydd yma nid yw'r
gymhariaeth â'r anterliwtiau Cymraeg yn dal ei thir cystal. Iaith rugl,
gyfoethog sy'n tynnu ar arferion a chywair llenyddol yw cyfrwng yr
anterliwtiau, ond y mae Cernyweg y dramâu yn frith o fenthyciadau
Saesneg amrwd, yn eiriau ac yn ymadroddion. Nid oes yma ymdeimlad â
thraddodiad llenyddol ac os ydyw'r cywair yn adlewyrchu iaith y
gynulleidfa, yr oedd Cernyweg, er cadw ei gramadeg, eisoes yn colli ei

---

[10] Gw. Sydney Higgins, 'Medieval Theatre in the Round', rhifyn arbennig o *Laboratorio degli studi linguistici* (1994), yn enwedig tt. 23–40.

[11] Dyfynnir yn Ellis, *The Cornish Language and its Literature*, t. 36, ond gwrthgyferbynier Murdoch, *Cornish Literature*, t. 43.

[12] James Whetter, *The History of Glasney College* (Padstow, 1988), tt. 102–14.

geirfa. Erbyn llunio *Gwreans an Bys* ('Creu'r Byd') gan William Jordan
(1611 yw dyddiad yr unig gopi, ond tybir mai *c.*1530–50 y'i cyfansodd-
wyd), yr oedd y nodweddion macaronig yn amlycach fyth. Dichon nad
oedd y gynulleidfa yn dechnegol ddwyieithog, ond yr oedd ymyrraeth
geirfa'r Saesneg yn ormesol. Ni ellir osgoi'r casgliad fod iaith siaradwyr
'uniaith' mewn gwirionedd yn cynnwys dogn helaeth o Saesneg ac yn
niffyg disgyblaeth traddodiad llenyddol y mae'n bur annhebyg y gallasai'r
iaith fod wedi wynebu yn effeithiol her cyfieithu testunau defosiwn ac
addoliad cyhoeddus ar raddfa eang.

Yn y meddwl poblogaidd dichon fod yr iaith a chrefydd yn cydblethu a
bod hyn yn rhan o'r gymysgfa o gymhellion a oedd wrth wraidd
'gwrthryfel y Llyfr Gweddi Gyffredin' ym 1549. Ond gwrthryfel yn erbyn
trefn gwasanaeth newydd, a'r cyfan a arwyddai hynny, oedd y brotest:
emblem oedd yr iaith. Nid ymgyrch o blaid Cernyweg ydoedd yn
gymaint â thystiolaeth i geidwadaeth grefyddol:

> We will not receive the new service because it is but like a Christmas game.
> We will have our old service of matins, Mass, evensong and procession as it was
> before.

Un elfen yn y ddadl oedd yr honiad:

> we Cornishmen, whereof certain of us understand no English, utterly refuse the
> new English.[13]

Ateb coeglyd yr archesgob, nodweddiadol o lywodraeth na allai amgyffred
swyddogaeth gymdeithasol iaith, oedd holi ai mwy dealladwy yr hen
Ladin na'r Saesneg newydd i bobl Cernyw, a phan drechwyd y gwrthryfel
ailgadarnhawyd gofynion Deddf Unffurfiaeth 1549. Yr hyn a ddengys yr
helynt yw nad oedd yr eglwys yng Nghernyw na'r esgob yng Nghaer-
wysg yn ymwybod ag unrhŷw angen i gyfieithu'r Beibl na'r Llyfr Gweddi
Gyffredin: nid oedd yng Nghernyw ymdeimlad â thras a thraddodiad
diwylliannol. Nid ymddengys fod gelyniaeth tuag at Gernyweg gan
ddiwygwyr na gwrth-ddiwygwyr oherwydd bu peth ymateb i'r gwrth-
ryfel. Ym 1560 yr oedd esgob Caer-wysg yn gorchymyn dysgu'r Catecism
mewn Cernyweg i'r rheini na fedrent Saesneg, a'r un adeg bu John
Tregear wrthi'n trosi deuddeg o homil̈iau o lyfr Edmund Bonner, *A
Profitable and Necessary Doctrine and Certain Homilies Adjoined thereto* (1555),
ond rhaid amau faint o ddylanwad a gawsai'r cyfieithiadau (Catholig)

---

[13] Dyfynnir yn Julian Cornwall, *Revolt of the Peasantry 1549* (London, 1977), t. 115; a
chymh. Wakelin, *Language and History in Cornwall*, t. 98 ac Ellis, *The Cornish Language
and its Literature*, t. 61.

anystwyth a Seisnigaidd hyn, a bwrw iddynt gael eu defnyddio yn y gynulleidfa, pe baent wedi eu cylchredeg yn eang. Er bod Richard Carew wedi honni ym 1602 fod Gweddi'r Arglwydd, Credo'r Apostolion a'r Deg Gorchymyn 'much used in Cornish beyond all remembrance', rhaid mai sôn yr oedd am ymdrechion lleol diweddar. Ni phwysodd neb am ddeddf cyfieithu'r Beibl a'r Llyfr Gweddi i'r Gernyweg fel y gwnaed yng Nghymru, a hynny am nad oedd neb o blith y boneddigion na'r gwŷr eglwysig yn ymglywed â'r delfryd na'r angen. Y canlyniad oedd i'r Diwygiad Protestannaidd, trwy'r ffurfwasanaeth newydd, ddod yn un o brif gyfryngau lledaeniad Saesneg.

Cyhoeddwyd arolwg Richard Carew, *The Survey of Cornwall*, ym 1602 ar sail gwaith a wnaed erbyn tua 1594. Nododd ef fel yr oedd Saesneg yn ymledu yn barhaus, gan yrru'r Gernyweg 'into the uttermost skirts of the shire':

Most of the inhabitants can speak no word of Cornish; but very few are ignorant of the English: and yet some so affect their owne, as to a stranger they will not speake it: for if meeting them by chance, you inquire the way or any such matter, your answere shalbe, *Meea nauid[n]a cowzasawzneck*, I can speake no Saxonage.[14]

A bod yn fanwl, 'ni fynnaf siarad Saesneg' oedd yr ateb a gafodd Carew, ond er bod hyn yn arwydd o ymagwedd ieithyddol (neu ymateb personol i'r holwr), nid yw'n effeithio ar ei dystiolaeth sy'n cyd-fynd â datganiadau John Norden yn ei arolwg yntau, *Speculi Britanniae Pars: A Topographical and Historical Description of Cornwall* (1610), cyfrol a luniwyd ar sail ymweliad a wnaed ym 1584. Arferid Cernyweg, meddai ef, yn iaith gymunedol yn Penwith a Kerrier yn unig, ond hyd yn oed yno yr oedd pawb yn medru'r Saesneg, 'vnless it be some obscure people, that seldome conferr with the better sorte', ac ychwanega: 'But it seemeth that in few yeares the Cornishe Language wilbe by litle and litle abandonèd.'[15] Nid oes dim yn y cyfeiriadau achlysurol a geir yn yr ail ganrif ar bymtheg sy'n groes i'r darlun hwn o iaith wedi ei chyfyngu i'r ddau gantref mwyaf gorllewinol ac anghysbell ac o ddwyieithrwydd cynyddol. Ddiwedd y ganrif, cofnododd Edmund Gibson, yn ei nodiadau ar Gernyw yn ei argraffiad Saesneg newydd o *Britannia* William Camden (1695), fel a ganlyn:

The old Cornish is almost quite driven out of the Country, being spoken only

---

[14] Richard Carew, *The Survey of Cornwall* (London, 1602), f. 56r.
[15] Wakelin, *Language and History in Cornwall*, tt. 90–1; John Norden, *Speculi Britanniae Pars. A Topographical and Historical Description of Cornwall* (adarg. Newcastle upon Tyne, 1966), t. 21.

by the vulgar in two or three Parishes at the Lands-end; and they too understand the English.[16]

Manylodd Nicholas Boson, *Nebbaz Gerriau dro tho Carnoack* (tua 1700) ar hyn,[17] ond gan Edward Lhuyd, a dreuliodd bedwar mis yng Nghernyw ym 1701, y cafwyd y disgrifiad manylaf o sefyllfa'r iaith. Siaredid Cernyweg yn iaith y gymuned ym mhlwyfi St Just, St Paul, Sennen, St Levan, Madron, Sancreed, Morvah, Towednack, St Ives, Lelant, Ludgvan, Gulval, ac ar hyd yr arfordir o Land's End i St Keverne ger y Lizard.[18] Yr oedd llawer, er hynny, heb fedru'r iaith a phawb yn medru'r Saesneg. Pentrefi de-orllewin Cernyw megis St Buryan a Mousehole oedd cartref olaf Cernyweg fel iaith cymdeithas, y mae'n ymddangos. Ofer yw chwilio am y siaradwr olaf un, ond yn ôl pob golwg siaradwyr megis Dolly Pentreath (siaradwr brodorol a fu farw ym 1777), William Bodinar (a fu farw ym 1789; dysgodd ef yr iaith pan oedd yn blentyn) ac ychydig o rai eraill dienw oedd y rhai olaf i ddefnyddio Cernyweg yn iaith cyfathrach naturiol rhwng dau neu dri. Bu cryn weithgarwch hynafiaethol ar ddiwedd yr ail ganrif ar bymtheg ac yn y ddeunawfed ganrif, ond er mor werthfawr yr ymdrechion hyn i gofnodi'r iaith ac i gyfansoddi ynddi, yr oedd y boneddigion hyn yn llawn sylweddoli mai trafod iaith ar farw yr oeddynt, a honno'n iaith y dosbarth is. Llythyr enghreifftiol William Bodinar ym 1776 yw'r dernyn olaf o Gernyweg Diweddar ysgrifenedig; yn ei fersiwn Saesneg, dywedodd:

There is not more than four or five in our town can talk Cornish now, old people four score years old. Cornish is all forgot with young people.[19]

Er mor dameidiog ac anfanwl yw'r dystiolaeth, y mae'n ddadlennol oherwydd ni ellir peidio ag adnabod y darlun a gyflwynir gan yr arolygon sirol a sylwadau teithwyr. Erbyn tua 1600 yr oedd Cernyweg wedi ei chyfyngu i'r ddau gantref i'r gorllewin o Truro a chrebachu'n raddol at lannau'r môr a wnaeth wedyn. Dirywiodd ei sefyllfa yn gyflym yn ystod y ganrif. Collwyd y siaradwyr uniaith bron yn llwyr a daeth dwyieithrwydd yn norm. Ni fu erlid ar yr iaith: nid oedd angen hynny gan fod cynifer o

---

[16] Wakelin, *Language and History in Cornwall*, t. 92. Edward Lhuyd a ddarparodd y nodiadau ychwanegol.

[17] Gw. O. J. Padel (gol.), *The Cornish Writings of the Boson Family* (Redruth, 1975), tt. 24–37.

[18] Edward Lhuyd, *Archaeologia Britannica* (Oxford, 1707), t. 253. Gw. hefyd Derek R. Williams, *Prying into every hole and corner: Edward Lhuyd in Cornwall in 1700* (Redruth, 1993), yn enwedig tt. 11–23.

[19] P. A. S. Pool ac O. J. Padel, 'William Bodinar's Letter, 1776', *Journal of the Royal Institution of Cornwall*, VII, 3 (1975–6), 234.

elfennau yn arwain at ei diflaniad. Nodwyd amryw o'r elfennau hyn gan sylwedyddion yr ail ganrif ar bymtheg: sylwodd Norden fod Cernyweg yn iaith yr aelwyd ond nododd hefyd mai hi oedd iaith 'Master and Servantes', awgrym efallai mai'r gweision a oedd yn gartrefol ynddi. Yr oedd mwyafrif y boneddigion wedi hen droi cefn ar yr iaith fel cyfrwng cyfathrach rhyngddynt a'i gilydd, fel yr awgrymir gan gyflwyniadau a wnaed gan blwyfolion St Buryan ym 1336, y tri ar ddeg o brif blwyfolion yn Saesneg neu Ffrangeg, y gweddill mewn Cernyweg;[20] ac y mae cyd-destun neu natur cofnodion eraill am yr iaith yn tystio mai iaith gweithwyr a thyddynwyr ydoedd. Cyfeiria Gibson ati fel iaith y 'vulgar' a sylwodd Lhuyd mai ychydig o'r boneddigion, ar wahân i'r ysgolheigion gwlatgar a'i cynorthwyodd, a allai siarad Cernyweg. Yr oedd y siaradwyr brodorol, at ei gilydd, yn anllythrennog yn eu hiaith. Yn ôl John Ray ym 1662, un gŵr yn unig a allai ysgrifennu Cernyweg, a dywedodd Gibson: ''Tis a good while since, that only two men could write it, and one of them no Scholar or Grammarian, and then blind with age.'[21] A chaniatáu mai tystiolaeth anecdotaidd yw hyn, y mae'n cyd-fynd ag arwyddocâd diffyg llenyddiaeth Gernyweg ac mai ychydig os dim llên a arbedwyd gan ysgolheigion troad yr ail ganrif ar bymtheg. Nid oedd y siaradwyr brodorol hyn yn trosglwyddo'r iaith i'w plant. John Ray a sylwodd mai ychydig o blant a siaradai'r iaith, a'r un oedd tystiolaeth Nicholas Boson: 'We find the young Men to speak it less and less, and worse & worse.'[22] Y mae'r holl arwyddion hyn yn gyfarwydd i ieithegwyr heddiw ac yn ategu'r farn mai elfennau yn y gymdeithas ei hun, nid deddfwriaeth nac erlid, a arweiniodd at dranc y Gernyweg. Nid oes ar gael ystadegau cyfoes a fyddai'n darlunio'r dirywiad ond, yn ôl amcangyfrifon Ken George,[23] yr oedd 61 y cant o'r boblogaeth yn siaradwyr Cernyweg ym 1400, 54 y cant ym 1450, 48 y cant ym 1500, 40 y cant ym 1550, 26 y cant ym 1600, 15 y cant ym 1650, 5 y cant ym 1700 a'r niferoedd yn rhy fach erbyn 1750 i fod yn ganran.

Y mae'n bosibl mai'r Diwygiad Protestannaidd oedd y catalyst a gyflymodd y proses, ond yn ei *Observations on an Ancient Manuscript entitled Passio Christi, written in the Cornish Language* (1777, ond a gyfansoddwyd tua 1680), cynigiodd William Scawen un ar bymtheg o resymau dros ddirywiad y Gernyweg, gan osod ei fys ar yr elfennau allweddol.[24] Cwynai na ddangosai'r gwŷr bonheddig ddim cefnogaeth i'r iaith a bod hyn yn

---

[20] Wakelin, *Language and History in Cornwall*, t. 88.

[21] Dyfynnir yn Wakelin, *Language and History in Cornwall*, t. 92.

[22] Dyfynnir yn Padel, *The Cornish Writings of the Boson Family*, t. 24.

[23] Crynodeb yw hyn o ddadl helaethach: gw. Ken George, 'Cornish' yn Ball, *The Celtic Languages*, tt. 410–15.

[24] Ar dystiolaeth a thrafodaeth Scawen, gw. Wakelin, *Language and History in Cornwall*, tt. 91–2, Ellis, *The Cornish Language and its Literature*, tt. 82–5, Pool, *The Death of Cornish*, tt. 14–16.

peri i'r werin eu hefelychu hwy rhag cael eu dilorni am arfer yr iaith. Gwelodd fod y werin hon wedi colli ei phrif ddifyrrwch Cernyweg pan ataliwyd y dramâu ar ôl 1600, ond nad oedd ganddi odid ddim llenyddiaeth grefyddol na seciwlar, ac nad oedd traddodiad llenyddol safonol. Ymddengys mai gwan oedd y traddodiad llafar hefyd erbyn hynny. Yn ei oes ef ei hun, gwelai Scawen nifer cynyddol o fewnfudwyr, yn grefftwyr a masnachwyr na ddysgwyd Cernyweg ganddynt, 'so they were more apt and ready to let loose their own tongues to be commixed with ours, and such for the novelty sake thereof, people were more ready to receive, than to communicate ours to any improvement to them'. Nid oes amheuaeth na chwblhawyd y proses o gymathu Cernyw â bywyd llywodraeth a gweinyddiaeth Lloegr yn oes y Tuduriaid a bod hyn wedi arwain at ehangu masnach a diwydiant ac at hwyluso trafnidiaeth ar fôr a thir. Bu'r 'grefydd newydd' hithau yn gyfrwng Seisnigeiddio grymus, ond cafodd ganlyniad arall a effeithiodd yn anuniongyrchol ar safle Cernyweg. Buasai cryn drafnidiaeth rhwng Cernyw a Llydaw ers y bumed neu'r chweched ganrif – o dde-orllewin Prydain y cludwyd ffurf ar y Frythoneg yn ôl i Armorica, 'Prydain Fechan' – fel mai cyfarwydd iawn oedd porthladdoedd y wlad hon â physgotwyr a masnachwyr Llydewig a dderbynnid yn gefndryd a siaradai iaith debyg i'r eiddynt hwy. Torrwyd y cyswllt hwn yn sgil y Diwygiad Protestannaidd ac y mae'n ddiddorol fod Scawen yn nodi hyn yn un o brif achosion dirywiad y Gernyweg: 'The great loss of Armorica, near unto us, by friendship, by cognation, by interest, by correspondence . . . We can understand words of one another, but have not the benefit of conferences with one another in our ancient tongue.'[25] Deuai Cernyweg fwyfwy yn iaith ynysig, unigryw yn perthyn i nifer a leihâi'n gyson, a hawdd fyddai i'r dosbarthiadau is a'i harferai deimlo yn llai a llai hyderus o'i buddioldeb a'i statws. A hithau'n iaith israddol dosbarth anllythrennog, yn iaith heb ymwybod â thraddodiad dysg na llên, ac yn iaith na ellid canfod diben iddi yn wyneb hen arfer o ddwyieithrwydd, yr oedd y diwedd yn anorfod. Term Scawen am hyn oedd 'general stupidity', sef diffyg ffydd pobl Cernyw ynddi a'u dihidrwydd tuag ati. Nid yw'r elfennau a greodd y sefyllfa hon yn arbennig i'r Gernyweg. A siarad yn gyffredinol, yr oedd hi'n cwblhau ei rhawd tua'r adeg yr oedd yr ieithoedd Celtaidd eraill yn dechrau wynebu'r un math o bwysau yn eu hamgylchiadau hwythau.

Fel y mae Cymraeg a Chernyweg yn ddisgynyddion, neu'n cynrychioli, dwy hen dafodiaith o Frythoneg Prydain, cangen *p* Celteg, ac felly yn chwaerieithoedd i'w gilydd, disgynyddion Goedeleg Iwerddon, cangen *q*

---

[25] [William] Scawen, *Observations on An Ancient manuscript, entitled, PASSIO CHRISTI, Written in the Cornish Language, and now preserved in the Bodleian Library. With an account of The Language, Manners, and Customs of the People of Cornwall* ([London], 1777), t. 14.

Celteg, yw Gwyddeleg ar y naill law a Gaeleg yr Alban a Manaweg ar y llaw arall. Y gwahaniaeth mawr yn natblygiad y ddwy gangen yw mai cymharol ddiweddar yw'r ymwahanu yn achos Goedeleg.[26] Tua diwedd y bumed ganrif AD sefydlwyd yn Argyll (*Airer Gáidel*, 'arfordir y Gael') deyrnas Wyddelig gan ymfudwyr o Dál Ríada (Antrim) yng ngogledd-ddwyrain Iwerddon. O'r dechreuadau hyn goresgynnwyd yr Alban i'r gogledd o afonydd Clud a Forth a ffurfiwyd teyrnas unedig, Wyddeleg ei hiaith, erbyn diwedd y nawfed ganrif. Yn ddiweddarach ymledodd yr iaith i'r de a disodli ieithoedd Brythonig a Seisnig y parthau hynny, o leiaf fel iaith haen uchaf cymdeithas. Yr un iaith, gydag amrywiaeth tafod-ieithol, oedd iaith Iwerddon ac un y rhan fwyaf o'r Alban ac Ynys Manaw hyd y drydedd ganrif ar ddeg: lledodd bwlch rhwng Gaeleg yr Alban a Manaweg erbyn y bymthegfed ganrif. Ond parhaodd yn iaith lenyddol Iwerddon a'r Alban (nid oes ar gael lenyddiaeth Fanaweg cyn yr ail ganrif ar bymtheg) ar gyfer barddoniaeth glasurol a rhyddiaith hyd yr ail ganrif ar bymtheg a'r ddeunawfed, gan mai un 'dalaith ddiwylliant' oedd y gwledydd hyn. Arwydd o undod mwy sylfaenol oedd yr iaith gyffredin oherwydd rhannai'r ddwy wlad yr un traddodiad o nawdd pendefigaidd i ddysg frodorol yn ei hamrywiol weddau. Yr un oedd y beirdd a ymwelai â'r teuluoedd bonheddig a'r un oedd eu harferion, eu safonau a'u traddodiadau. Ymbriodai'r teuluoedd bonheddig, gan arddel perthynas â'i gilydd, a'r un math o gymdeithas a oedd yn gefn i'r diwylliant Gwyddelig hwn. Yn hanes y ddwy wlad, colli ymwneud y boneddigion ag ef, wrth iddynt golli grym yn yr ail ganrif ar bymtheg, oedd un o brif achosion y newid yn statws y diwylliant brodorol hwn, a'r dirywiad yn ffawd a ffurf yr ieithoedd a ddilynodd chwalu'r drefn wleidyddol a chymdeithasol.

Gwyddeleg[27]

Y mae hynt hanes yr Wyddeleg ar y pegwn eithaf i hanes Cernyweg. Trwy gydol y cyfnod hanesyddol, o'r nawfed ganrif ymlaen, iaith dan warchae fu'r Gernyweg heb nawdd boneddigion na statws swyddogol, iaith y lleiafrif mewn sefyllfa ddwyieithog. Nid gormes ond dihidrwydd a'i lladdodd. Iaith mwyafrif llethol trigolion y wlad fu Gwyddeleg, yn brif iaith cymdeithas a llywodraeth, am y rhan fwyaf o'i hanes. Yn y

[26] Kenneth Jackson, 'Common Gaelic', *PBA*, XXXVII (1951), 74, 92–3.

[27] Yn ogystal â'r llyfrau a restrir yn n. 1, gw. yn arbennig Brian Ó Cuív, *Irish Dialects and Irish-speaking Districts* (Dublin, 1951); Daniel Corkery, *The Fortunes of the Irish Language* (Dublin, 1954); Seán de Fréine, *The Great Silence* (Dublin, 1965); Brian Ó Cuív (gol.), *A View of the Irish Language* (Dublin, 1969); ibid., 'The Irish Language in the Early Modern Period' yn T. W. Moody, F. X. Martin, F. J. Byrne (goln.), *A New History of Ireland, III, Early Modern Ireland 1534–1691* (Oxford, 1976), tt. 509–45; Reg Hindley, *The Death of the Irish Language* (London, 1990).

bedwaredd ganrif ar bymtheg y gwelwyd y dirywiad trychinebus yn ei sefyllfa, ond yr oedd y pwysau wedi eu hamlygu eu hunain ers yr unfed ganrif ar bymtheg a'r rheini, fynychaf, yn elfennau bwriadus-elyniaethus.

Fel y gwelwyd eisoes, bu'r Wyddeleg yn cystadlu ag ieithoedd eraill ar dir Iwerddon ers canrifoedd. Dechreuodd ymosodiadau'r Llychlynwyr tua diwedd yr wythfed ganrif (795 yw'r cofnod cyntaf), yn ymgyrchoedd ysbeilio ar y cychwyn, ond yn raddol treiddiwyd ymhellach o'r arfordir a throes eu gwersylloedd yn sefydliadau parhaol ac yn drefedigaethau a theyrnasoedd.[28] Yn y de yr oedd y sefydliadau pwysicaf – Dulyn, Waterford, Wexford, Limerick – a'r rhain a ddatblygodd yn drefi a chanolfannau masnach pwysig ymhen amser. Ond er pwysiced yr ymgyrchoedd a'r teyrnasoedd Sgandinafaidd fel rhan o broses hanes Iwerddon ac yn arbennig fel thema lenyddol, cyfyng a therfynedig iawn oedd y sefydliadau a heb fod yn llywodraethol yng nghyd-destun Iwerddon gyfan. Fwy na hynny, bu cryn ymgymysgu ac ymgyfathrachu, ac ymddengys mai graddol golli grym fu hanes y teyrnasoedd hyn hyd yn oed cyn brwydr Clontarf ym 1014 pan seliwyd goruchafiaeth y Gwyddyl yn Iwerddon. Dylanwadodd y Llychlynwyr ar ffurf y gymdeithas frodorol, ond cael eu Gwyddeleiddio fu eu tynged ac, ar wahân i'w heffaith ar eirfa'r Wyddeleg, ni fuont yn fygythiad uniongyrchol iddi.

Daeth y bygythiad hwnnw ym 1169 gyda dyfodiad yr Anglo-Normaniaid yn elfen newydd yng ngwleidyddiaeth Iwerddon. Erbyn 1172, yn sgil ymyrraeth Richard FitzGilbert de Clare, 'Strongbow', yn gyntaf, ac yna'r brenin Harri II, yr oedd y Normaniaid yn feistri dwyrain a de-ddwyrain y wlad ac yn amlwg yn arglwyddi parhaol newydd, nid yn ymsefydlwyr ymosodol. Cryfhaodd gafael y Normaniaid ar y wlad dros y can mlynedd dilynol wrth i ddilynwyr Harri II a John dderbyn grantiau o arglwyddiaethau a thiroedd a gadarnhawyd wrth iddynt godi eu cestyll a sefydlu eu trefi ar draws Iwerddon, nes bod tua dwy ran o dair ohoni dan eu harglwyddiaeth erbyn tua 1250. Erbyn hynny yr oedd Saesneg yn disodli Ffrangeg neu Anglo-Normaneg yn iaith y llywodraethwyr a'r teuluoedd Anglo-Normanaidd hyn (ar wahân i'w defnydd yng nghyd-destun cyfraith) a gellid tybio y byddai Saesneg yn tyfu'n brif iaith y wlad mewn byr amser.

Nid felly y bu. Gwelwyd atgyfnerthu rhyfeddol yng ngrym yr iaith a'r diwylliant Gwyddeleg yn y drydedd ganrif ar ddeg a'r bedwaredd ar ddeg nes i'r bywyd brodorol adennill ei safle bron yn llwyr. Dichon yn wir mai digon ysgafn oedd dylanwad ieithyddol y sefydliadau Anglo-Normanaidd (neu'n well erbyn hyn, Anglo-Wyddelig). Cyfyngid y defnydd o'r

---

[28] D. Simon Evans, *Historia Gruffudd vab Kenan* (Caerdydd, 1977), t. lxx; Jackson, 'The Celtic Languages during the Viking period', t. 4.

Saesneg i'r cestyll a'r trefi, gan adael cefn gwlad, ac felly fwyafrif mawr y boblogaeth, yn Wyddeleg eu hiaith. Ymbriododd y teuluoedd 'newydd' â theuluoedd bonheddig yr hen gymdeithas, gyda'r canlyniad fod llawer ohonynt wedi troi yn 'Wyddelod' o ran eu hiaith a'u diwylliant. Cadwasant eu nerth gwleidyddol a chymdeithasol, ond yn ddiwylliannol bu iddynt ymdoddi mor llwyr i'r gymdeithas frodorol nes colli eu hiaith a thyfu yn noddwyr ac, yn wir, yn gyfranogion yn y diwylliant Gwyddeleg. O'r tu allan, dros y môr yn Lloegr, ni ellid eu gwahaniaethu oddi wrth y boneddigion cynhwynol, ac yn Iwerddon bu rhaid bathu term disgrifiadol newydd – 'y teuluoedd hen Seisnig' – i'w diffinio. Cyfyngwyd Saesneg fel iaith gymdeithasol un haen yn y gymdeithas i stribyn cul o dir tua 60 milltir wrth 30 milltir yn y dwyrain. Bu llawer ymgais yn y drydedd ganrif ar ddeg a'r bedwaredd ar ddeg i orfodi Saesneg yn y 'Pale' ac i rwystro integreiddio, ond y mae'n amlwg mai pur aneffeithiol oedd y ddeddfwriaeth achlysurol hon a bod Gwyddeleg wedi adennill ei safle yn brif iaith y wlad gyfan, hyd yn oed i raddau helaeth yn y trefi lle'r arhosai elfen ddwyieithog arwyddocaol. Y mae disgrifiad Edmund Curtis o'r sefyllfa yn enwog, ond yn werth ei ddyfynnu eto:

> In 1250 it was only one of the several languages of the country; by 1500 it was almost without a rival in literary cultivation, in the extent over which it was spoken, in the attraction it had even for the colonists. It had swallowed up French, and seemed about to make a final conquest of English.[29]

Ceir syniad o drylwyredd y 'Gwyddeleiddio' (gair y cofnodion swyddogol am y Pale yw ei fod yn 'Irelandized') mewn arolwg a wnaed o'r wlad ym 1515 yn sylfaen ymgyrch i'w diwygio. Rhestrwyd y naw deg prif deulu, trigain ohonynt yn benaethiaid Gwyddelig nad oeddynt dan reolaeth brenin Lloegr a deg ar hugain 'of thEnglyshe noble folke, that folowyth the same Iryshe ordre'. Mewn tair sir ar ddeg ni chydnabyddid awdurdod y brenin ac 'All thEnglyshe folke of the said countyes ben of Iryshe habyt, of Iryshe langage, and of Iryshe condytions, except the cyties and the wallyd tounes'. Yr unig siroedd lle y rhedai cyfraith Loegr oedd hanner swyddi Uryell, Meath, Dulyn, Kildare a Wexford, a hyd yn oed yn y rhannau dwyreiniol hyn yr oedd mwyafrif y bobl gyffredin 'of Iryshe byrthe, of Iryshe habyte, and of Iryshe langage'.[30] Cafwyd amryw orchmynion a statudau trwy deyrnasiad Harri VIII sy'n dangos

---

[29] Edmund Curtis, 'The spoken languages of medieval Ireland', *Studies*, VIII (1919), 250; cymh. Tomás Ó Fiaich, 'The language and political history' yn Ó Cuív, *A View of the Irish Language*, t. 103, a Corkery, *The Fortunes of the Irish Language*, t. 65.

[30] Ó Cuív, *Irish Dialects and Irish-speaking Districts*, tt. 10–11; cymh. Corkery, *The Fortunes of the Irish Language*, tt. 64–5.

penderfyniad newydd i ddifodi'r Wyddeleg a'i diwylliant fel rhan o bolisi i sefydlu cyfraith Loegr yn drefn effeithlon drwy'r wlad ac i gadarnhau awdurdod y brenin ynddi. Gyda chwymp teulu grymus Kildare a dienyddio'r penaethiaid oll ym 1537, cafodd y brenin safle nerthol i estyn ei afael ar y wlad. Cyhoeddwyd ef yn Frenin Iwerddon yn senedd Dulyn ym 1541 a dilynwyd hyn nid gan bolisïau difodiant ffyrnig eithr gan ystryw cyfreithiol 'surrender and re-grant' a fyddai'n caniatáu i'r arglwyddi Gwyddelig a Hen Seisnig barhau i ddal eu tiroedd ond ar ffurf grant, ac felly trwy hawl cyfreithiol, oddi wrth y brenin. Yr un pryd datganai'r polisi fod coron Iwerddon 'united, annexed, and knit for ever to the Imperial crown of the realm of England'. Estynnai awdurdod y Goron *de jure* a *de facto* fwyfwy dros dir Iwerddon – yn uniongyrchol lle y disodlwyd arglwyddi cynhwynol, neu trwy gytundebau ag arglwyddi a thrwy gyfrwng llywodraeth rhaglawiaid. Atyniad pellach oedd darbwyllo'r arglwyddi i anfon eu meibion i'r llys i'w hyfforddi a'u meithrin, ond polisi mwy penodol oedd deddfu yn erbyn pob mynegiant o'r iaith Wyddeleg a'i diwylliant er mwyn gorseddu yn eu lle Saesneg a'i 'civility' yn iaith a moes yr undeb newydd. Yng ngeiriau Curtis, 'Ireland was to be made if possible a second England through the compleasant bishops and nobility, and no provision was made for the recognition of Irish and Gaelic tradition.'[31]

Nid ildiwyd y dydd ar unwaith. Yr oedd natur traddodiad arglwyddiaeth Wyddelig (a Cheltaidd) mor sylfaenol wahanol i'r cysyniad Tuduraidd o frenhiniaeth fel nad ar chwarae bach y trawsnewidid teyrngarwch pobl i'w harweinwyr, ac nid ar unwaith ychwaith y disodlid cyfraith draddodiadol gan drefn newydd. Cyrhaeddodd y gwrthryfeloedd Gaelig eu penllanw ym mrwydr Kinsale fis Rhagfyr 1601 pan drechwyd byddinoedd O'Neill ac O'Donnell gan luoedd rhaglawiaid Elisabeth, Syr George Carew a'r Arglwydd Mountjoy, un o'r digwyddiadau hanesyddol hynny y gellir yn briodol ei ystyried yn dyngedfennol ei effeithiau. Pe bai O'Neill ac O'Donnell wedi ennill y dydd byddai'r gogwydd Seisnig wedi troi a Gwyddeleg wedi para'n iaith gwleidyddiaeth a chymdeithas o leiaf am gyfnod eto. Canlyniad buddugoliaeth Carew a Mountjoy oedd sicrhau mai gwlad unedig dan goron Lloegr a'i threfn weinyddol ac ieithyddol fyddai Iwerddon; ond o safbwynt hynt yr iaith a'i diwylliant yr oedd 'ffôedigaeth yr ieirll' ym 1607 yn fwy tyngedfennol fyth. Yr oedd colli'r arweinwyr Gwyddelig hyn a'r nifer cynyddol a'u dilynodd yn ddechrau'r diwedd ar y strwythur cymdeithasol a oedd wedi bod yn cynnal diwylliant erioed. Y cyfnod rhwng 1200 a 1650, cyfnod adfywiad a lledu tiriogaeth yr iaith, yw cyfnod Gwyddeleg Glasurol, iaith y canu llys barddol, llenyddiaeth

---

[31] Edmund Curtis, *A History of Ireland* (6ed arg., London, 1950), t. 170.

fawl, marwnad a chyfarch arglwyddi gan eu beirdd swyddogol. Megis yng Nghymru'r tywysogion, y gyfundrefn ddysg a barddol hon a oedd yn gwarantu safon iaith lenyddol ar draws teyrnasoedd Gaeleg Iwerddon a'r Alban, ac ynghlwm wrthi yr oedd ysgolheictod iaith a sylfaen ei statws. Llwyddwyd yng Nghymru'r bedwaredd ganrif ar ddeg i gymhwyso'r traddodiad nawdd a'i drosglwyddo i genhedlaeth newydd o arweinwyr uchelgeisiol a chraff a oedd yn dal yn Gymry, pa faint bynnag eu hawch am safle a swydd dan y Goron. Yr oedd cymaint o angen y beirdd arnynt hwy ag a oedd angen eu nawdd hwythau ar y beirdd. Trawsnewid trawmatig a gafwyd yn Iwerddon yn yr ail ganrif ar bymtheg ac ni fu trosglwyddo graddol (a bwriadus) yn bosibl, gan fod yr iaith a'i diwylliant yn elfennau, neu o leiaf yn symbolau, yn y cythrwfl gwleidyddol a milwrol.

Canrif stormus rhyfel a gwrthryfel oedd yr ail ganrif ar bymtheg. Dilynwyd ffoi'r ieirll gan bolisïau plannu trefedigaethau estron a gosod ymsefydlwyr newydd yn nhiroedd Iwerddon – yn Wlster, Antrim a Down i ddechrau, ond yna dan bolisïau atafaelu 1653 cliriwyd Leinster a Munster i dalu dyledion rhyfeloedd Oliver Cromwell a chryfhau ymsefydlu Seisnig y dinasoedd a'r trefi. Dim ond yn Clare a Connacht, lle y trawsblannwyd llawer, y caniateid i foneddigion Gwyddelig ddal tir. Ddechrau'r ganrif yr oedd 90 y cant o dir Iwerddon ym meddiant Pabyddion; yn sgil effeithlonrwydd plannu Wlster yr oedd y ffigur wedi gostwng i 59 y cant, ac erbyn 1685 yr oedd yn 22 y cant. Bu mwy nag un gwrthryfel rhwng 1641 a 1650 ond hwnnw ym 1689, pan laniodd Iago II yn Iwerddon i geisio adennill ei goron, oedd fwyaf pellgyrhaeddol ei effeithiau. Trechwyd ei luoedd Pabyddol gan William o Orange ym mrwydr Boyne ym 1690 ac Aughrim ym 1691, a chyda llofnodi Cytundeb Limerick ym 1691 dwysawyd y polisïau gwrth-Wyddeleg a oedd eisoes mewn grym. Atafaelwyd miliwn rhagor o erwau nes gostwng tirddaliadaeth Babyddol i 14 y cant a gweithredwyd Deddfau Penyd gwrth-Babyddol yn llym. Pan ddechreuwyd eu lleddfu yn y 1770au, dim ond 5 y cant o dir a arhosai mewn dwylo Pabyddol.[32] Os brwydrau am dir a daear Iwerddon oedd ymladdfeydd yr ail ganrif ar bymtheg, ni all na fyddai hynny'n cael ei fynegi yn nhermau ymlyniad wrth ieithoedd a diwylliannau gwahanol a theyrngarwch crefyddol gwahanol, fel y daeth cymdeithas fwyfwy yn ddwy garfan anghyfartal eu niferoedd a'u nerth, y naill yn garfan lywodraethol, dirfeddiannol a threfol Saesneg a Phrotestannaidd, a'r llall yn wledig Wyddeleg a Phabyddol. Sylweddolodd y beirdd beth a oedd yn digwydd a chwynent am ddiflaniad yr hen gymdeithas. Fel yr amddifadwyd cymdeithas o'i phrif arweinyddion yn 'fföedigaeth yr ieirll' ar ddechrau'r ganrif, felly hefyd, yn sgil goruchafiaeth

---

[32] Ruth Dudley Edwards, *An Atlas of Irish History* (London, 1973), tt. 165–6.

William yn y Boyne a Limerick a methiant achos y Stiwartiaid, yr ymadawodd miloedd ar filoedd o foneddigion a milwyr, 'y gwyddau gwylltion', i chwilio gwell ffortiwn ar y Cyfandir, gan roi'r ergyd olaf i'r gymdeithas frodorol draddodiadol yr oedd Gwyddeleg yn elfen hanfodol yn ei diwylliant cyflawn. Erbyn dechrau'r ddeunawfed ganrif yr oedd y naill uchelwriaeth wedi ildio ei lle i'r uchelwriaeth Saesneg newydd.

Nid ar unwaith y gwelwyd effeithiau'r planfeydd a cholli'r boneddigion ar safle'r Wyddeleg. Wedi'r cwbl, yr oedd trwch y boblogaeth yn dal yn eu hen ardaloedd. Ond pan gollwyd y gyfundrefn ddiwylliant, dinistriwyd y cysyniad o iaith safonol gyffredinol, a chydag amser adnabyddiaeth ohoni. Daw'r tafodieithoedd i fwy o amlygrwydd yn y llenyddiaeth,[33] fel y disgwylid mewn cymdeithas lle'r oedd y diwylliant brodorol yn rhan o'r 'Iwerddon gudd',[34] heb statws nac addysg swyddogol. Y mae'n wir fod rhai ysgolion (a 'llysoedd') barddol ac ysgolion perth wedi parhau, ond yr oedd yn anorfod y byddai'r traddodiad llenyddol yn gwanhau ac y byddai dulliau cyfansoddi ac arddull newydd yn eu hamlygu eu hunain. Lleol yn hytrach na chenedlaethol fyddai llenydda bellach, a difyrrwch gobeithiol gwerin dan hyfforddiant offeiriaid ac ysgolfeistri fyddai llunio cerddi am adfer y brenin a'r hen drefn.[35]

Ganrif ynghynt gallasai 'crefydd newydd' Protestaniaeth a gwaith llenyddol y Gwrthddiwygiad fod wedi cyfrannu at barhad yr iaith lenyddol. Cyhoeddwyd nifer o weithiau Pabyddol ar y Cyfandir yn hanner cyntaf yr ail ganrif ar bymtheg – llyfrau defosiwn ac athrawiaeth ond, yn ogystal, rai gweithiau hanesyddol. Yr oedd Gwyddeleg mor gadarn ar ddechrau'r ganrif honno ac awydd Elisabeth i hybu Protestan-iaeth mor gryf fel y penodwyd nifer o offeiriaid i blwyfi ar gyfrif eu medr yn yr iaith a darparwyd gwasg a theip ar gyfer argraffu'r Beibl yr oedd hi wedi gorchymyn ei gyfieithu. Cyhoeddwyd y Testament Newydd ym 1603 a'r Llyfr Gweddi Gyffredin ym 1608 a pharhawyd i bleidio defnyddioldeb yr iaith i'r diwygwyr.[36] Er hynny, poenus o araf oedd unrhyw ddatblygiad ac nid ymddangosodd yr Hen Destament hyd 1685 na'r Beibl cyfan tan 1690.[37] Yn wahanol i Gymru, ni fu fawr o lwyddiant i ymdrechion y diwygwyr. Claear oedd y gefnogaeth swyddogol i le'r

---

[33] Ó Cuív, *Irish Dialects and Irish-speaking Districts*, t. 44.

[34] Gw., yn gyffredinol, Daniel Corkery, *The Hidden Ireland: A Study of Gaelic Munster in the Eighteenth Century* (Dublin, 1924, ailarg. 1967); P. J. Dowling, *The Hedge Schools of Ireland* (Dublin, [1935]).

[35] Ar addysg a llenyddiaeth y cyfnod hwn, gw. J. E. Caerwyn Williams, *Traddodiad Llenyddol Iwerddon* (Caerdydd, 1958), pennod 5.

[36] V. E. Durkacz, *The Decline of the Celtic Languages* (Edinburgh, 1983), tt. 31–3.

[37] Ar hanes cyfieithu'r Ysgrythurau, gw. J. E. Caerwyn Williams, 'Y Beibl yn yr Ieithoedd Celtaidd' yn Owen E. Evans (gol.), *Gwarchod y Gair: Cyfrol Goffa Y Parchedig Griffith Thomas Roberts* (Dinbych, 1993), tt. 98–122; a Durkacz, *The Decline of the Celtic Languages*, passim.

famiaith ac ni fu'r cyfieithu a'r defnydd o'r iaith yn ddigon i ddileu'r cysyniad o Babyddiaeth/Gwyddeleg – Protestaniaeth/Saesneg a ddeuai'n eglurach, hyd yn oed heb ei borthi gan elfennau eraill, o flwyddyn i flwyddyn. Pan ailgydiwyd yn y genhadaeth Babyddol o'r Cyfandir yn y ddeunawfed ganrif, Saesneg oedd yr iaith.

Ni fu angen deddfu yn erbyn yr iaith ddiwedd yr ail ganrif ar bymtheg. Ni fu newid sydyn ar ôl Cytundeb Limerick a 'ffôedigaeth y gwyddau gwylltion', ac ni ellir nodi unrhyw un digwyddiad a esboniai drychineb ieithyddol y bedwaredd ganrif ar bymtheg, ond yr oedd nifer o amodau'r dirywiad yn eu lle erbyn 1700. Gwyddeleg oedd iaith mwyafrif trigolion y wlad y tu allan i Leinster a dwyrain Wlster o hyd, ond gwelir yn awr fod polisïau'r planfeydd, yr atafaelu a'r clirio tiroedd wedi profi'n fwy effeithiol na'r ddeddfwriaeth wrth-ieithyddol, am eu bod yn ymwneud â phatrwm cymdeithas a'i hunoliaeth ddiwylliannol ac ieithyddol. Ni ellir olrhain camau'r dirywiad yn fanwl yn niffyg ystadegau, ond trwy gyfrwng y plannu a'r gyfundrefn ysgolion gosodwyd trefedigaeth Saesneg ym mhob rhan o'r wlad. Canlyniad hynny oedd rhoi statws uchel ac awdurdod cyffredinol i'r Saesneg a fyddai'n sicr o effeithio ar iaith tenant a meistr tir ac o ledu'r bwlch rhwng gŵr bonheddig a gwas. Ond ymestynnai o'r cysylltiadau hyn i rai eraill, gan y byddai pwysau arbennig ar y tirfeddianwyr Gwyddelig a oedd ar ôl, yn fwy fyth ar y dosbarth masnachol a'r crefftwyr mewn gwlad a thref, i arfer Saesneg os oeddynt am ennill bywoliaeth resymol. Lledai dwyieithrwydd yn raddol o'r trefi yn y dwyrain i weddill y wlad.

Dichon mai yn ail hanner y ddeunawfed ganrif y dechreuodd graddfa dwyieithrwydd gyflymu. Agorwyd cyfleoedd newydd i Babyddion i ennill safle yn y gymdeithas yn sgil lleddfu'r Deddfau Penyd yn y 1770au, ac wrth i'r wlad fwynhau seibiant o dawelwch daeth yn fwy ffyniannus fel y datblygodd gwell cyfleusterau trafnidiaeth a masnachu na allent ond cynnig gwell marchnad i lafur a chrefft. Iaith y tlodion a'r anllythrennog oedd Gwyddeleg yng ngolwg llawer o'r boblogaeth, iaith y rhai nad oeddynt yn llwyddo yn y byd newydd cyfoes. Ym 1731 dywedir bod tua deuparth y boblogaeth yn arfer Gwyddeleg; ym 1799 amcangyfrifir bod tua 2,400,000 yn siarad Gwyddeleg, 800,000 ohonynt yn uniaith a 1,600,000 yn ddwyieithog, sef tua hanner y boblogaeth. Erbyn 1800 tybir bod unieithrwydd Gwyddeleg yn anghyffredin yn nwyrain y wlad, ac nad oedd rhieni'n dewis trosglwyddo'r iaith i'w plant yn Leinster ac Wlster: yr oedd yr ysgolion perth a fwriedid i gynnig addysg yn y famiaith eisoes yn dysgu Saesneg.[38] Ym 1810 gallai adroddiad Comisiynwyr y Bwrdd

---

[38] Maureen Wall, 'The decline of the Irish language' yn Ó Cuív, *A View of the Irish Language*, t. 82.

Addysg faentumio bod yr ysgolion plwyf a sefydlwyd 'for . . . the introduction and diffusion of the English Language in Ireland' eisoes wedi llwyddo yn eu hamcan. Yng ngeiriau Reg Hindley:

> The Union of 1800 was probably irrelevant to language, for it made no difference to the role of English in the state, but it nevertheless broadly coincided in date with the time when the majority decided that collectively it needed English for its own utilitarian purposes.[39]

Yn y ganrif newydd y deuai'r gweddnewidiad yn y sefyllfa ieithyddol yn sgil system addysg drahaus a gwleidyddiaeth genedlaethol newydd ond Saesneg ei mynegiant, ond yn bennaf o ganlyniad i'r cyfnodau o newyn trychinebus a'r ymfudo a fu'n agos i waedu cymdeithas i farwolaeth.

Gaeleg yr Alban[40]

Fel y gwelwyd uchod, sefydlu teyrnas Wyddelig Dál Ríada yn Argyll a ddaeth â Gaeleg Gyffredin o Iwerddon i'r Alban, a hynny tua diwedd y bumed ganrif AD. Lledodd y Gwyddelod (*Scotti*) hyn i'r gogledd a'r de-orllewin o Kintyre ar hyd yr arfordir a'r ynysoedd ac ar draws yr ucheldiroedd tua'r dwyrain. Trechwyd y brodorion, y Pictiaid, a'u tynnu i mewn i oruwchlywodraeth y *Scotti* trwy rym milwrol, ond hefyd trwy gyd-briodas dan Kenneth MacAlpin, gyda'r canlyniad fod y wlad oll i'r gogledd o afonydd Clud a Forth yn deyrnas Aeleg ei hiaith, o leiaf ymhlith y llywodraethwyr, erbyn 844. (Fel y soniwyd uchod, Gwyddeleg oedd iaith yr ymfudwyr, ond rhag tywyllu cyngor cyfeirir at Wyddeleg yr Alban o hyn ymlaen fel Gaeleg.) Parhaodd goruchafiaeth ac ymledu'r Scotiaid. Yr oeddynt wedi cipio Dineidyn erbyn canol y ddegfed ganrif, a thiroedd helaeth yn Lothian oddi ar yr Eingl erbyn 973. Brythoniaid Ystrad Clud a oedd yn y de-orllewin a llwyddasant hwy i ddal eu gafael yn eu tiriogaeth yn wyneb cryn ymgyrchu gan y naill genedl a'r llall a llawer llanw a thrai yn eu hanes hyd ddechrau'r unfed ganrif ar ddeg. Trechodd Malcolm II Eingl Lothian ym mrwydr Carham ym 1018, gan sefydlu teyrnas Aeleg hyd Solway a Tweed a chadarnhau'r ffin bresennol. Yr un flwyddyn bu farw brenin Ystrad Clud a ddilynwyd gan Duncan, ŵyr Malcolm, a oedd â hawl ar y goron gan fod y ddau linach brenhinol wedi

---

[39] Hindley, *The Death of the Irish Language*, t. 12.

[40] Yn ogystal â'r llyfrau a restrir yn n. 1, gw. yn enwedig Durkacz, *The Decline of the Celtic Languages;* Charles W. J. Withers, *Gaelic in Scotland 1698–1981: The Geographical History of a Language* (Edinburgh, 1984); Kenneth MacKinnon, *The Lion's Tongue: the story of the original and continuing language of the Scottish people* (Inbhirnis, 1974).

eu cysylltu trwy briodasau dynastig. Pan ddaeth Duncan i orsedd yr Alban ym 1034 estynnwyd ffiniau ei deyrnas ymhellach fyth.

Ymsefydlwyr eraill yr Alban oedd y Norsmyn (Llychlynwyr). Bu llawer o ymosodiadau lleol ers yr ymgyrchoedd cyntaf yng ngorllewin Prydain a dwyrain Iwerddon yn yr wythfed a'r nawfed ganrif, ond yng ngogledd-ddwyrain yr Alban – Caithness, Sutherland – ac yn ynysoedd y gogledd a'r gorllewin ymsefydlodd y Norsmyn yn bresenoldeb cryf a barhaodd dros rai canrifoedd. Arhosodd ynysoedd y gogledd – Orkney a Shetland – yn drefedigaethau Llychlynaidd hyd y bymthegfed ganrif ac ni threiddiodd Gaeleg yn ôl iddynt. Adenillwyd ynysoedd y gorllewin – Hebrides – i'r Aeleg, fel y digwyddodd hefyd yn y drefedigaeth gymysg yn y deheudir, Gall-Ghoídhil, a roes ei henw i Galloway. Ond gyda'r eithriadau Llych-lynaidd hyn, gellir dweud mai Gaeleg, erbyn yr unfed ganrif ar ddeg, oedd iaith lywodraethol yr Alban gyfan o'r ffin (a thu hwnt) hyd y gogledd a'i bod yn iaith llys a llywodraeth, dysg a diwylliant. Ni ddisodlwyd yr ieithoedd lleol a rhaid bod llawer mewn ardaloedd amrywiol wedi parhau i arfer eu Saesneg a'u Cwmbreg am gyfnod eto, ond rhesymol yw tybied bod Gaeleg i'w chlywed ac yn ddealladwy ar hyd y deyrnas.

Cyfnod o gythrwfl oedd teyrnasiad Duncan a laddwyd gan Macbeth a gipiodd y goron ym 1040. Yn ei dro lladdwyd yntau gan fab Duncan, Malcolm III, ym 1057 ac ailsefydlwyd teulu disgynyddion Kenneth MacAlpin yn frenhinoedd yr Alban. Yn Lloegr y cawsai Malcolm ei fagu, yn alltud, ac ym 1069 priododd Margaret, a oedd wedi ffoi i'r Alban gyda'i brawd Edgar Atheling, yr hawliwr Seisnig o Wessex y chwalwyd ei obeithion gan oresgyniad y Normaniaid ym 1066. Yr oedd Malcolm, a oedd wedi ennill ei goron gyda chymorth byddinoedd Northumbria, wedi ei addysgu yn Lloegr a thebyg ei fod yn rhannu ymagwedd ei wraig at foesau ac arferion anghyfarwydd llys yr Alban, gan eu gweld yn wladaidd ac anwar. Dan oruchwyliaeth y frenhines Margaret, aethpwyd ati i ddiwygio trefn eglwysig a hierarchaeth glerigol y wlad ac i ddwyn diwylliant mwy 'gwareiddiedig' yr Anglo-Normaniaid i'r llys a symudwyd i'r de i Lothian. Daeth canolbwynt bywyd llywodraeth a diwylliant yn nes, yn ddaearyddol a syniadol, at fywyd Lloegr, er mai ychydig fyddai nifer yr Anglo-Normaniaid a ddeuai i swyddi yn y llys a'r Eglwys ac mai prin y gwelid canlyniadau ymagwedd Margaret a Malcolm ar unwaith. Ond er bod peth gwrthwynebiad brodorol i'r polisïau hyn wedi marw Malcolm ym 1093, cynyddu'n ddirfawr a wnaeth y dylanwadau estron dan deyrnasiad ei fab David rhwng 1124 a 1153. Yn Lloegr y cawsai yntau ei fagu a'i addysgu ac yr oedd ganddo trwy briodas safle ym marwniaeth y wlad honno. Creodd system weinyddol a chymdeithasol wedi ei chanoli ar y llys; trwy ei grantiau o diroedd, sefydlodd drefn led-ffiwdalaidd yn y deheudir a chododd nifer o esgobaethau newydd. Sefydlwyd yn y deheudir uchelwriaeth Anglo-Normanaidd, Ffrangeg ei hiaith a ymbriododd â'r uchelwriaeth frodorol, gan ei gweddnewid i'w moesau a'i dulliau hi ei hun. Datblygwyd masnach o fewn y wlad a thros y ffin, a rhoddwyd statws a breintiau *burgh* i nifer o drefi yn ganolfannau marchnata. Pan fu farw David yr oedd y drefn gymdeithasol 'Geltaidd' wedi ei dileu a'i disodli gan batrwm a sefydliadau Anglo-Normanaidd.

Yr oedd canlyniadau ymagwedd Margaret a pholisïau Malcolm ac yn enwedig David yn drobwynt nid yn unig yn hanes Gaeleg ond yn natblygiad y cysyniad o Scotland, a hwnnw yn ei dro yn un o'r arfau syniadol cryfaf yn yr erlid a fu ar Aeleg. O fewn dwy neu dair cenhedlaeth yn niwedd yr unfed ganrif ar ddeg a'r ddeuddegfed ganrif agorwyd drws llydan i ddylanwadau Anglo-Normanaidd lifo i strwythurau cymdeithasol ac eglwysig y wlad ac, yn sgil y newid trefn a'r datblygiadau masnachol a threfol, cynyddodd nifer y mewnfudwyr nes i ddiwylliant deheudir yr Alban, a chymryd diwylliant yn ei ystyr ehangaf, newid ei gymeriad yn llwyr. Diflannodd y cysyniad o deyrngarwch i bennaeth a charennydd a sugnwyd yr uchelwriaeth frodorol i mewn i'r un newydd. Collodd dysg frodorol ei bri wyneb yn wyneb â grym y ffasiynau llenyddol newydd, a disodlwyd Gaeleg fel iaith llys a bonedd gan Ffrangeg, ac yn ddiweddarach gan Saesneg y parthau hyn, a'i hamddifadu o'i safle fel iaith uchel statws ac offeryn diwylliant cyflawn. Er na fu farw Gaeleg yn y deheudir dros nos – y mae peth tystiolaeth iddi fyw mewn ambell ardal yn hir – yr oedd y nychu sy'n ganlyniad gwasgu iaith a diwylliant i haenau isaf, neu leiaf dylanwadol, cymdeithas wedi dechrau. Un o ryfeddodau hanes diwylliant yr Alban yw'r modd y collwyd mor fuan ac mor llwyr bob amgyffrediad o le'r iaith Aeleg yn y deheudir.

Tua'r un adeg cafwyd newid arall ym mhatrwm gwleidyddol yr Alban a oedd yn atgyfnerthiad i'r Aeleg, ond a oedd hefyd yn dwysáu'r gwahaniaeth rhwng y ddau ddiwylliant a oedd yn tyfu'n amlycach yn y drydedd ganrif ar ddeg. Yr oedd penaethiaid yr ucheldiroedd wedi codi sawl gwrthryfel yn erbyn brenhinoedd yr Alban ac arglwyddi'r ynysoedd wedi arfer eu hystyried eu hunain yn annibynnol ar awdurdod y Goron, gan roi eu teyrngarwch i frenin Norwy. Nid cyn y drydedd ganrif ar ddeg, a'r Alban a Lloegr yn mwynhau cyfnod o heddwch â'i gilydd, y cafodd brenhinoedd yr Alban gyfle i fynd at y bygythiad parhaus hwn. Ym 1263 trechwyd Hakon brenin Norwy gan Alexander III ac yn ôl cytundeb a wnaed â'i olynydd Magnus gadawyd Orkney a Shetland i Norwy, ond trosglwyddwyd Arglwyddiaeth yr Ynysoedd – Hebrides, Manaw a gogledd-orllewin y tir mawr – i goron yr Alban, arglwyddiaeth nerthol a fu i bob pwrpas yn deyrnas annibynnol hyd 1493. Yr oedd ailwyddel-eiddio'r diriogaeth hon yn atgyfnerthiad pwysig a dylanwadol i'r diwylliant Gaelig. Rhoddwyd iddo, ac i'r iaith a oedd yn fynegiant iddo, rym gwleidyddol, yn lleol a chydwladol, ynghyd â statws cymdeithasol. Yn yr ynysoedd a'r ucheldiroedd diogelwyd diwylliant unol a chyfan a ymwnâi â phob haen yn y gymdeithas, ac yr oedd y cyswllt ag urddau dysgedig a chyfundrefn farddol Iwerddon drwy'r dalaith hon yn sicrhau safon a pharhad yr iaith lenyddol ffurfiol, sef Gaeleg Glasurol. Ond er mor bwysig, hanfodol yn wir, i hanes parhad Gaeleg oedd sefydlu Arglwydd-iaeth yr Ynysoedd a chreu gwladwriaeth Aeleg, y canlyniad oedd pegynu fwyfwy ddiwylliannau'r Alban gyfan. Yn raddol lledodd 'Inglis', sef iaith y deheudir i'r de o afonydd Clud a Forth, o Lothian i'r gogledd-ddwyrain ac ar hyd yr arfordir. Er mai anodd yw nodi'r ffin ieithyddol, awgrymir ei bod wedi disodli Gaeleg yn Dunkeld, llawer o Fife, Kinross a Clackmannan erbyn tua 1350, ac mewn rhai plwyfi yn unig yn ne swydd Perth ac yn Angus y ceid Gaeleg.[41] Yr oedd dwy Alban wedi datblygu, y naill a'r llall yn hawlio eu hieithoedd yn emblemau hunaniaeth genedlaethol. Yn yr Iseldiroedd (a gellir dechrau arfer priflythyren i'w dynodi, gan nad term daearyddol pur ydyw bellach) ac arfordir y gogledd-ddwyrain Inglis a orfu; yn yr Ucheldir a'r Ynysoedd daliodd Gaeleg ei thir. Ond yn ddiwylliannol yr oedd y ddeuoliaeth yn eglurach ac yn fwy cymhleth. Gellid mynegi'r gwahaniaeth mewn termau daearyddol a gweld godreon dwyreiniol mynyddoedd Grampian yn llinell derfyn yr Ucheldir-oedd, a'r ddeuoliaeth iaith yn ddeuoliaeth Ucheldiroedd/Iseldiroedd, Gaeleg/Inglis. Eithr Inglis oedd iaith y llys, y Goron, a'r weinyddiaeth; hi oedd iaith gwareiddiad a moesau da ac iddi hi y perthynai braint a statws. Hi, felly, a elwid yn Scots, Scottish, yn iaith genedlaethol, gan wthio Gaeleg i ffiniau'r bywyd cenedlaethol. Yn sgil hyn datblygai ymagweddau at Aeleg nid yn unig fel iaith israddol ond fel iaith farbaraidd. John Fordun yn y 1380au oedd y cyntaf i roi ystyr gwerthusol i'r ddeuoliaeth (er nad oedd Gaeleg eto wedi colli ei statws fel iaith 'Scottish'):

> The people of the coast are of domestic and civilised habits, trusty, patient, and urbane, decent in their attire, affable, and peaceful, devout in Divine worship . . . the Highlanders and people of the Islands, on the other hand, are a savage and untamed nation, rude and independent, given to rapine, ease-loving, of a docile and warm disposition, comely in person, but unsightly in dress, hostile to the English people and language, and owing to diversity of speech, even to their own nation, and exceedingly cruel.[42]

Ni all na châi ymagweddau fel y rhain effaith ddofn ar statws Gaeleg yn ei gwlad ei hun oherwydd y mae geiriau Fordun yn fynegiant perffaith o

---

[41] Withers, *Gaelic in Scotland*, t. 25.
[42] Dyfynnir yn Withers, *Gaelic in Scotland*, t. 22: cymh. Price, *The Celtic Connection*, t. 109.

olwg estron imperialaidd ar ddiwylliant brodorol, geiriau y ceir adlais ohonynt dros y canrifoedd o lyfrau Gerallt Gymro hyd at deithwyr ac ymwelwyr oes Victoria ac ar ôl hynny. Cysyniad y barbariad dros y ffin yw'r ymagwedd hon, gyda hyn o wahaniaeth, mai edrych ar ran o boblogaeth ei wlad ei hun yr oedd Fordun, gan fethu, neu ddewis peidio, ymuniaethu â hi. Peidiodd Gaeleg â bod yn iaith genedlaethol ac yr oedd ei pharhad yn fygythiad i'r genedl lywodraethol yn y deheudir. Y mae'n arwyddocaol fod yr arfer o alw Gaeleg yn 'Yrish', 'Ersch', ac yna 'Irish', wedi parhau hyd y cyfnod modern.

Gellid disgwyl y byddai'r ymagweddau gwrthwynebus hyn tuag at yr Ucheldiroedd yn cael eu cryfhau pan sefydlwyd trefn eglwysig Brotestannaidd ym 1560. Yn yr Alban, fel yng ngwledydd eraill Prydain, galwai Protestaniaeth am sefydlu un grefydd, ac yn sgil hynny mynegi un system werthoedd yn yr un iaith a diwylliant. Gorchmynnai deddfau 1561 a 1562 sefydlu system addysg gydag ysgolion elfennol ym mhob plwyf, ac ysgolion gramadeg yn y trefi a phrifysgolion. Nid oedd y rhain yn benodol wrth-Aeleg ac ni chafodd y rhai a sefydlwyd fawr ddim effaith ar yr iaith, ond yr oedd yr unig sefydliad 'diwylliannol' a oedd yn gyffredin i ddwy ran y wlad dan warchae. Troes yr Iseldiroedd yn Brotestannaidd eu crefydd, ond gadawyd yr Ucheldiroedd yn Babyddol, neu'n ddigrefydd, a thra parhaent felly byddai eu diwylliant 'barbaraidd' a'u crefydd yn fygythiad deublyg i'r drefn wleidyddol, megis ag yr oedd yn Iwerddon. Y rhain fyddai themâu cyson yr ymwneud â diwylliant yr Ucheldiroedd yn ystod y tair canrif ddilynol – yr angen i'w hachub a'u gwareiddio, ac ystyr hynny yn y ddau achos fyddai eu Seisnigeiddio. Gydag uno'r ddwy goron a dyfodiad Iago VI i orsedd Lloegr ym 1603 y gwelir caledu'r ymagwedd-au gwrth-Aeleg ac ymosod deddfwriaethol ar ddiwylliant yr Ucheldiroedd wrth iddo ef geisio llunio polisïau a fyddai'n cryfhau safle canolog y Goron yn Llundain ac yn symud y perygl a welai ar derfynau ei deyrnasoedd. Yr oedd eisoes wedi rhoi rhagflas o'i ymagwedd yn ei draethawd o gynghorion i'w fab Harri, *Basilikon Doron,* ym 1598–9. Gwelai mai yn yr Ynysoedd yr oedd cadarnle'r Aeleg ac mai trwy ddilyn polisi plannu trefedigaethol y gellid ei dileu.[43] Daeth ei gyfle ar ei esgyniad i'r orsedd, a hynny wedi i frwydr Kinsale (1601) a 'ffoedigaeth yr ieirll' (1607) ddechrau diddymu nerth y diwylliant Gwyddelig yn Iwerddon a thrwy hynny ddileu'r byd-olwg unol a gysylltai orllewin a dwyrain y dalaith Wyddelig. Gwir fod dwy iaith yn datblygu ers y drydedd ganrif ar ddeg, ond parhâi'r iaith glasurol fel y gallai siaradwyr Gaeleg ymwybod â diwylliant a oedd yn lletach na'u tiriogaeth eu hun ac a oedd â'i gryfder a'i dynfa i'r gorllewin. O hynny ymlaen, yn ddiwylliannol megis yn

---

[43] MacKinnon, *The Lion's Tongue,* t. 33.

economaidd a chrefyddol, i gyfeiriad canolbwynt nerth ac awdurdod yr Alban yn y deheudir y câi'r Gaidhealtachd ei dynnu, gan beri bod yr ail ganrif ar bymtheg yn gyfnod tyngedfennol i'r iaith.

Yn y ganrif honno y gwelir gyntaf ddeddfwriaeth ieithyddol gwlad ac eglwys sy'n fwriadus wrth-Aeleg. Yr oedd y ddeddfwriaeth flaenorol wedi anwybyddu bodolaeth yr iaith, ac ychydig iawn o ymdrech a wnaed i ddarparu llyfrau crefyddol ynddi: cafwyd cyfieithiad o *Book of Common Order* Knox ym 1567, ond dim wedyn hyd 1631 pan gafwyd *Catechism* a Salmau Synod Argyll (1659) a'r Sallwyr (1684). O Lundain y llywodraethai Iago VI trwy ei orchmynion i'r Cyfrin Gyngor yn Nineidyn; ond ni thyciai hynny yn yr Ucheldiroedd lle y parhâi penaethiaid i anwybyddu awdurdod y brenin ac i geisio bob un fel ei gilydd ennill safle goruwchlywodraethol yn yr anhrefn wedi diddymu Arglwyddiaeth yr Ynysoedd. Defnyddiodd Iago sefyllfa'r ymgiprys am bŵer yn gyfrwys er ei les ei hun, gan osod y naill lwyth yn erbyn y llall. Ym 1608 aeth ati'n fwy bwriadus i fynnu ei awdurdod. Gwahoddwyd deuddeg pennaeth o'r Ucheldiroedd a'r Ynysoedd i un o longau'r brenin i wrando pregeth, meddid. Carcharwyd hwy am flwyddyn a'u rhyddhau ym 1609 wedi iddynt gytuno i lofnodi Statudau Icolmkill (Iona) yn ernes o'u hymarweddiad mwy teyrngar yn y dyfodol. Symbolaidd oedd rhai o'r statudau, megis lleihau nifer eu gosgorddion ('teuluoedd' mewn Cymraeg Canol) a chyfyngu ar yr arfer o gludo arfau, ond yr oedd arwyddocâd eraill ohonynt yn ddyfnach. Gwaharddwyd derbyn gwasanaeth beirdd a chynheiliaid eraill y traddodiad mawl a gwaharddwyd hefyd gardota a lletygarwch traddodiadol. Fel hyn trowyd beirdd ac urddau dysg yn gardotwyr a chrwydriaid, sef dau ddosbarth a waherddid dan y statudau, a thrywanwyd calon y bywyd cymdeithasol traddodiadol ac felly'r iaith trwy ladd dwy elfen hanfodol yn y diwylliant llafar – uchelwriaeth letygar hael a sylfaen y traddodiad mawl. Aeth y chweched statud at graidd cymhelliad y polisi pan orchmynnwyd bod pob un a oedd yn werth trigain pen o wartheg i anfon o leiaf ei fab neu ei ferch hynaf i'r Iseldiroedd i'w dysgu i siarad, darllen ac ysgrifennu Saesneg:

> . . . it being undirstand that the ignorance and incivilitie of the saidis Iles hes daylie incressit be the negligence of guid educatioun and instructioun of the youth in the knowledge of God and good letters . . .[44]

Galwyd hefyd am ddarparu gweinidogion ym mhlwyfi'r Ucheldiroedd. Cryfhawyd y statudau trwy eu cyffredinoli mewn Act o'r Cyfrin Gyngor ym 1616 sy'n agor fel a ganlyn:

---

[44] Withers, *Gaelic in Scotland*, t. 29; MacKinnon, *The Lion's Tongue*, tt. 34–6.

Forsameikle as the Kingis Majestie having a speciall care and regaird that the
trew religioun be advanceit and establisheit in all the pairtis of this kingdome,
and that all his Majesties subjectis, especiallie the youth, be exercised and
trayned up in civilitie, godliness, knawledge, and learning, that the vulgar
Inglishe toung be universallie plantit, and the Irische language, whilk is one of
the cheif and principall causes of the continewance of barbaritie and incivilitie
amongis the inhabitantis of the Ilis and Heylandis, may be abolisheit and
removeit.[45]

Y mae'r ymagwedd a leisiwyd gan John Fordun ar ddiwedd y bedwaredd
ganrif ar ddeg bellach wedi prifio'n gysyniad sy'n cyplysu duwioldeb, dysg
a gwarineb â'r Saesneg ac felly pennaf angen barbariaid yr Ucheldiroedd,
megis eu cymrodyr yn Iwerddon yn yr un cyfnod, oedd ysgolion i'w
dysgu i ddarllen ac i'w hyfforddi yn y grefydd Gristnogol. Addysg yn enw
crefydd oedd i fod yn brif gyfrwng Seisnigeiddio'r Ucheldiroedd, fel y
gwneir yn amlwg yn Neddf 1695, 'for rooting out the Irish language, and
other pious uses'.[46]

Cafwyd llawer o ddeddfwriaeth trwy gydol yr ail ganrif ar bymtheg a
fwriadwyd i weithredu'r polisïau o sefydlu ysgolion Saesneg ym mhob
plwyf, ond rhannol fu'r llwyddiant yn yr Ucheldiroedd. Go brin hefyd fod
statudau addysg Icolmkill wedi eu gweithredu'n effeithiol (fel yr
awgryma'r galw parhaus am ddeddfwriaeth). Er hynny, nid yn ôl eu
heffeithlonrwydd uniongyrchol y mae mesur y polisïau hyn, ond yn
hytrach yn ôl yr hyn a feithrinwyd trwyddynt. Gwreiddiwyd ymagwedd-
au at Aeleg a'i diwylliant yn ymwybyddiaeth yr Ucheldirwyr eu hunain a
dyfnhawyd y gred mai Saesneg oedd iaith dderbyniol cymdeithas, barn a
lywiodd bolisïau addysg y dyfodol. Ymagweddau yw'r rhain na ellir eu
mesur yn ystadegol, ond nid gormod yw tybio eu bod wedi paratoi'r tir
erbyn yr adegau y deuai dylanwadau mwy uniongyrchol i rym.

Yr oedd ambell un, megis James Kirkwood, yn y 1680au a'r 1690au
wedi pwysleisio ffolineb polisi dysgu crefydd mewn iaith nas deellid gan
ddisgyblion yr ysgolion ac yr oedd ef wedi galw am ddefnyddio Gaeleg yn
gyfrwng darllen. Yr oedd Robert Kirk ac yntau wedi ceisio cyflenwad o
Feiblau Gwyddeleg i'w defnyddio yn yr Ucheldiroedd ac wedi eu
hailgysodi mewn llythrennau Rhufeinig erbyn 1690, ond methodd y
cynllun am nifer o resymau – diffyg gweinidogion i'w defnyddio,
dieithrwch yr iaith, a hwyrfrydigrwydd awdurdodau'r deheudir i'w
dosbarthu,[47] ac ni lwyddwyd i greu siaradwyr Gaeleg llythrennog. Yr
oedd perygl mai â Saesneg yn unig y cysylltid llythrennedd. Erbyn diwedd
y ganrif daethai Cymanfa Gyffredinol Eglwys yr Alban yn fwyfwy ym-

---

[45] Withers, *Gaelic in Scotland*, t. 29; Macaulay, *The Celtic Languages*, t. 144.
[46] Withers, *Gaelic in Scotland*, t. 30.
[47] Ibid., tt. 43–5.

wybodol o'r rheidrwydd i ddefnyddio gweinidogion a 'catechists' a fedrai Aeleg i wasanaethu yn yr Ucheldiroedd. Deddfwyd i'r perwyl yn Neddf 1699 'anent Planting of the Highlands' a chafwyd Deddfau atgyfnerthol i sicrhau ac addysgu gweinidogion Gaeleg eu hiaith ar ddechrau'r ddeunawfed ganrif. Ar y llaw arall, ni newidiodd yr Eglwys ei barn mai Saesneg fyddai iaith ysgolion y plwyfi ac felly yr un adeg ag yr oedd yn ymegnïo i ennill gweinidogaeth Aeleg yr oedd hefyd yn sicrhau mai Saesneg fyddai'r cyfrwng addysg.

Yr esboniad ar y gwrth-ddweud paradocsaidd hwn yw mai fel iaith i genhadu ynddi yr ystyrid Gaeleg. Dros dro y byddai ei hangen, ond yn y cyfnod hwn o drawsnewid, cyn bod Saesneg yn gyffredinol arferedig, rhaid fyddai defnyddio Gaeleg i achub enaid. Fe gofir i William Morgan fynegi safbwynt digon tebyg i gyfiawnhau cyfieithu'r Ysgrythur i'r Gymraeg yn y rhagymadrodd i'w Feibl ym 1588. Nid achlesu'r Aeleg oedd diben rhoi lle iddi yn yr eglwys. Hyn hefyd sy'n esbonio'r newid agwedd yn ysgolion y Society in Scotland for Propagating Christian Knowledge (SSPCK) a sefydlwyd ym 1709 gyda'r bwriad o wneud trigolion yr Ucheldiroedd yn 'usefull to the Commonwealth' trwy eu haddysgu yn eu dyletswydd at Dduw, y brenin a'r wlad a 'rooting out their Irish language'.[48] Er na fu newid yn y bwriadau hyn, fel y datblygai gwaith yr ysgolion gwelwyd nad oedd modd dysgu darllen Saesneg heb ddefnyddio Gaeleg i egluro'r ystyr. Yn raddol dechreuwyd caniatáu trosi'r darllen Saesneg i Aeleg (1723), ac yna ym 1766 penderfynwyd y dylid dysgu darllen y ddwy iaith er na chodwyd y gwaharddiad ar siarad Gaeleg a'i defnyddio'n gyfrwng addysgu ac ymgomio yn yr ysgolion.[49] Ym 1766 hefyd y cyhoeddwyd y Testament Newydd Gaeleg; ymddangosodd yr Hen Destament ym 1801. Er mai Gaeleg Glasurol yw iaith y fersiynau hyn ac felly heb fod yn gwbl ddealladwy (neu mewn cywair anghyfarwydd) i'r rhan fwyaf o siaradwyr, yr oedd y cyfieithiadau neu'r addasiadau hyn yn bwysig oherwydd eu bod am y tro cyntaf yn fodd i hybu llythrennedd Gaeleg ac i feithrin ysgrifennu a chyhoeddi yn yr iaith.[50] Ni ellid gwrth-bwyso dylanwad yr ysgolion, ond rhoddwyd maes neilltuol i'r Aeleg ei feddiannu, fel iaith pregethu a gweddïo llafar a chyfrwng addoli a defosiwn. Cyfyng oedd y maes a'i lenyddiaeth, ond yr oedd bodolaeth yr Ysgrythurau a datblygiad corpws llenyddol yn fodd i ddiogelu ac atgyfnerthu'r iaith lafar a'i llenyddiaeth. Datblygodd cwlwm mor glòs rhwng crefydd ac iaith fel y cadwyd gwasanaethau Gaeleg mewn llawer

[48] Ibid., t. 122; Price, *The Languages of Britain*, t. 53.
[49] Withers, *Gaelic in Scotland*, tt. 127–8.
[50] Gw. Williams, 'Y Beibl yn yr Ieithoedd Celtaidd'; Durkacz, *The Decline of the Celtic Languages*, tt. 61–8, 112–18.

ardal pan oedd yr iaith wedi cilio o bob cyswllt arall a phawb yn rhugl eu Saesneg.

Lladdwyd ysbryd trigolion yr Ucheldiroedd a difodwyd eu ffordd o fyw yn sgil y polisïau a ddaeth wedi gwrthryfel 1745. Dilewyd arwyddion allanol y drefn gymdeithasol a dinistriwyd y system lwythol. Ym 1782 dechreuwyd ar bolisïau 'clirio' a diboblogi rhannau helaeth o diroedd yr Ucheldiroedd er mwyn sefydlu system amaethu wahanol. Gwanhawyd yr iaith yn ei chadarnleoedd a gwasgarwyd llawer o'i siaradwyr i rannau eraill o'r wlad ac i wledydd tramor. Yr oedd llawer o elfennau wedi arwain at ddirywiad sefyllfa Gaeleg ers dechrau'r ail ganrif ar bymtheg. Yr oedd y cyfuniad o wleidyddiaeth llywodraeth a chenhadaeth grefyddol yn un o'r cryfaf o'r elfennau hyn, a'r ysgolion, dros dymor hir, yn un o'r cyfryngau mwyaf effeithiol. Yr oedd amodau economaidd – ffyrdd, marchnadoedd, trefi *burgh,* ymfudo tymhorol – a'r dynfa at y de ac economi Prydeinig hwythau'n tanseilio safle Gaeleg. Ar un olwg ni newidiodd ffin dde-ddwyreiniol y Gaidhealtachd fawr ddim rhwng 1698 a 1806: gellir ei hadnabod o hyd yn derfyn yr Ucheldiroedd daearyddol. Ciliai'n gyson i'r gorllewin – ym 1698 rhedai i bob pwrpas o Nairn i Dumbarton gyda godreon mynyddoedd Grampian; ym 1745 rhedai o Nairn i Dumbarton, trwy Carron, Dunkeld a Crieff; yn y 1790au ciliai Gaeleg yn Speyside, Avonside, Deeside a Tay.[51] Ddechrau'r ail ganrif ar bymtheg dywedwyd bod 230 o blwyfi yn Aeleg eu hiaith; ym 1690 y ffigur oedd 180, a 162 erbyn 1765.[52] Ond yr hyn sy'n anos ei ddarlunio yw graddfa dwyieithrwydd ac effeithiau hynny ar ddwyster y defnydd o Aeleg yn yr Ucheldiroedd. Nid ffin ieithyddol oedd plwyfi'r de-ddwyrain ond ardaloedd cymysg eu hiaith a'r hyn a welir yn yr ystadegau sydd ar gael yw swyddogaeth y rhain fel sianelau i ragor o ymdreiddio. Dichon fod peth gwybodaeth o'r Saesneg yn lled gyffredin yn yr Ucheldiroedd erbyn y ddeunawfed ganrif. Wedi 1745 cyflymodd y prosesau hyn wrth i'r Ucheldiroedd golli'r pellenigrwydd a fu'n amddiffynfa i'r iaith a chael eu hagor i fasnach a thwristiaeth a holl ddylanwadau'r de. Ond er pwysiced yr amodau gwleidyddol ac economaidd hyn, ymddengys mai'r un elfen ganolog yn hanes Gaeleg yw na fu'n iaith dderbyniol gan gymdeithas lywodraethol yr Alban oddi ar y bedwaredd ganrif ar ddeg. Yn ddiweddarach lawer y cafwyd yr hollt hwn yn yr ymagwedd at Wyddeleg yn Iwerddon. Yn yr ail ganrif ar bymtheg a'r ddeunawfed, arwydd o arwahanrwydd cenedlaethol rhag y llywodraethwyr Saesneg oedd yr iaith. Ymdrech i ddwyn yr Ucheldiroedd i mewn i ffrwd bywyd y wlad ac i gymathu eu diwylliant yw hanes yr iaith hon na roddwyd iddi fri na statws

---

[51] Price, *The Languages of Britain,* t. 56; Durkacz, *The Decline of the Celtic Languages,* tt. 215–16; Withers, *Gaelic in Scotland,* mapiau 6–15 am grynodeb hwylus.
[52] Gw. Withers, *Gaelic in Scotland,* pennod 4.

gan rai y tu allan iddi ac y tanseiliwyd hyder ei siaradwyr ynddi gan system addysg a chan eglwys na roes ond cefnogaeth glaear iddi. Yr oedd gwŷr bonheddig yr Ucheldiroedd eisoes wedi troi cefn ar yr iaith, fel y dengys ambell sylw mai dim ond pan fyddai boneddigion yn bresennol y ceid gwasanaeth Saesneg mewn rhai plwyfi neu mai gan y dosbarth is y siaredid Gaeleg. Ond yn ail hanner y ddeunawfed ganrif daeth pwysau newydd ar ddiwylliant yr Alban wrth i'r boneddigion yn yr Iseldiroedd a'r Ucheldiroedd fel ei gilydd gael eu tynnu i mewn i'r gyfundrefn Brydeinig a cheisio mabwysiadu 'dull Seisnig o fyw'. Disodlwyd Scots gan Saesneg yn iaith a chanddi statws ac ni allai hynny lai nag effeithio'n ddwys ar safle Gaeleg.

Yr oedd Gaeleg yn iaith ffiniol yn ddaearyddol, ar gyrion eithaf ei gwlad, ond ffiniol ydoedd hefyd yn ymwybyddiaeth y rhan fwyaf o'r boblogaeth. Collasai ei swyddogaeth fel iaith genedlaethol, ac i'r rhan fwyaf iaith barbareiddiwch, neu ar y gorau 'incivility', ydoedd. Gwerin ansicr ohoni ei hun a'i siaradai, gwerin a oedd wedi ei chyflyru gan ei haddysg i'w hystyried yn ddiwerth ac yn rhwystr ac a oedd yn arddel crefydd yn unig faes iddi. Amcangyfrifir bod tua hanner poblogaeth yr Alban yn siarad Gaeleg tua 1500; gostyngodd y cyfartaledd dros y ddwy ganrif nesaf nes ei fod cyn lleied â thua 26 y cant ym 1700 a 22 y cant ym 1800, a gostwng cyson fu ei hanes ar ôl hynny i tua 8 y cant ym 1900.[53]

Manaweg[54]

Y mae'n debyg mai'r un ymledu o Iwerddon ag a ddaeth â Gwyddeleg Gyffredin i'r Alban yn y bumed ganrif a gludodd yr un iaith i Ynys Manaw tua'r un adeg. Dichon mai ffurf ar Frythoneg gogledd Prydain oedd iaith gysefin yr ynys. Dyna a ddisgwylid, gan agosed Manaw i dir mawr yr Alban, a dyna a awgrymir efallai gan dystiolaeth ansicr arysgrif ogam o tua 500 AD sy'n dangos nodweddion Brythonig mewn enwau personol. Os felly, parhaodd cysylltiadau gwleidyddol Manaw a Gwynedd dros y canrifoedd, gan fod 'Merfyn Frych o dir Manaw' wedi ennill brenhiniaeth Môn ac yna Wynedd yn 825 a sefydlu llinach grymus Rhodri Mawr. Y mae'n bosibl mai Gwriad, tad Merfyn, a goffeir yn CRUX GVRIAT, arysgrif o'r nawfed ganrif o Port y Vullen.[55] Ond os

[53] Ibid., t. 253.

[54] Yn ogystal â'r llyfrau a restrir yn n. 1, gw. yn enwedig R. L. Thomson, 'The study of Manx Gaelic', PBA, LV (1969), 177–210; J. J. Kneen, A Grammar of the Manx Language (Oxford, 1931); Reg Hindley, 'The decline of the Manx language: a study in linguistic geography', Bradford Occasional Papers (School of Modern Languages, University of Bradford), 6 (1984), 15–39.

[55] Bedwyr Lewis Jones, 'Gwriad's Heritage: links between Wales and the Isle of Man in the early Middle Ages', THSC (1990), 29–44.

rhyw ffurf ar Frythoneg oedd iaith Manaw ac os teulu Brythonig/
Cymreig oedd hynafiaid Gwriad, prin y gellir credu bod sefydliadau
Brythonig mewn safle llywodraethol na chryf ar yr ynys, gan nad oes
tystiolaeth i'w hiaith mewn enwau lleoedd nac yn yr eirfa Fanaweg.
Tystiolaeth yr arysgrifau ogam, ac eithrio honno y cyfeiriwyd ati uchod,
yw mai Goedelig oedd iaith amlycaf yr ynys o'r bumed ganrif ymlaen a
chadarnheir mai Gwyddelig oedd y dylanwadau diwylliannol gan enwau'r
saint a geir ar yr eglwysi, megis Columba, Brendan, Ninian, Padrig a
Ffraid. Rhan o'r un dalaith ddiwylliant a ymestynnai dros fôr Iwerddon o
Iwerddon at yr Ynysoedd a'r Ucheldiroedd oedd Ynys Manaw.

Megis y tiroedd eraill hyn, yr oedd ar lwybr yr ymgyrchoedd ysbeiliol
Llychlynaidd yn yr wythfed ganrif, ymgyrchoedd a arweiniodd at
ymsefydlu parhaol a chreu teyrnasoedd ym Manaw fel yn Iwerddon a'r
Ynysoedd. Daeth Ynys Manaw dan lywodraeth y Norsmyn yn y nawfed
ganrif a sefydlwyd teyrnas Manaw a'r Ynysoedd a enillodd gryn
sefydlogrwydd yn nheyrnasiad Godred Crovan ym 1079. Wedi ei farw ef
ym 1095 bu 150 o flynyddoedd o gythrwfl a Manaw yn gocyn hitio yn yr
ymgiprys am rym a safle rhwng Lloegr a Norwy. Yna, wrth i nerth a
dylanwad Norwy wanhau a safle'r Alban ymgryfhau, gwelwyd uchod sut
y llwyddodd Alexander III i docio gallu arglwyddi anystywallt yr
Ynysoedd a'u dwyn hwy a Manaw dan goron yr Alban ym 1266 yn
Arglwyddiaeth yr Ynysoedd. Byr fu llywodraeth coron yr Alban ar yr ynys
oherwydd parhâi Manaw i fod yn elfen strategol yn ymgiprys yr Alban a
Lloegr. Y diwedd fu i arglwyddiaeth Manaw gael ei chaniatáu gan goron
Lloegr i foneddigion Seisnig amrywiol o 1334 nes ei hestyn i Syr John
Stanley ym 1405. O hynny hyd 1765, pan werthwyd yr arglwyddiaeth i
goron Lloegr, teulu Stanley (ieirll Derby yn nes ymlaen) a dugiaid Atholl
oedd llywodraethwyr Ynys Manaw.

Yn ystod teyrnasiad y Norsmyn datblygodd masnach a sefydlwyd trefi ar
yr ynys, a rhaid bod y ddwy iaith, Norseg a Manaweg, wedi cyd-fyw
drwy gydol y canrifoedd hyn. Gadawodd Norseg ei hôl yn drwm ar
enwau lleoedd ac enwau personol yr ynys ac ar eirfa'r Fanaweg mewn
geiriau yn ymwneud â marchnata a mordwyo, ond er hynny ymddengys
mai dwyieithrwydd cyfyng at ddibenion arbennig oedd hyn ac ni
ddisodlwyd yr iaith Aeleg nac effeithio arni yn sylfaenol. Rhaid mai
Manaweg (a oedd wedi datblygu dros y cyfnod o'r drydedd ganrif ar ddeg
hyd y bymthegfed, fel y gwelwyd eisoes) a fuasai'n brif iaith yr ynys, efallai
am ei bod yn cael ei hatgyfnerthu o bryd i'w gilydd gan ymfudwyr o
Galloway, ac nid oes amheuaeth nad hi oedd yr iaith lywodraethol wedi
1266. Pe bai'r ynys wedi aros yn dalaith Albanaidd, dichon y byddai wedi
cael ei thynnu'n nes at fywyd yr Iseldiroedd a oedd mor agos ati yn
ddaearyddol, ac y byddai'r cyswllt â diwylliant yr Ucheldiroedd wedi ei

wanhau. Y mae'n bosibl y byddai wedi dod yn estyniad o'r Iseldiroedd ac y byddai dylanwad Seisnig llys yr Alban a diwylliant ac iaith y deheudir wedi boddi'r Fanaweg. Wedi'r trosglwyddo i goron Lloegr a'r arglwyddi Seisnig ym 1334, trwy raglawiaid y rheolid yr ynys, ac er bod hyn yn elfen Seisnigaidd dichon fod y dylanwad ieithyddol a diwylliannol yn llai grymus dan yr amgylchiadau hyn na phe bai wedi aros yn Albanaidd. Bid a fo am hynny, nid oes amheuaeth nad arhosodd Ynys Manaw yn rhan o ddiwylliant Gwyddelig yr Ynysoedd a'r Ucheldiroedd, eithr heb fod yn wleidyddol yn rhan ohono.

Nid oes tystiolaeth uniongyrchol i hynt yr iaith yn y cyfnodau hyn. Os oedd y weinyddiaeth wladol ac eglwysig yn defnyddio Manaweg ar lafar, yn Saesneg a Lladin y cedwid y cofnodion: y mae'n debyg mai Saesneg fyddai iaith llywodraeth ar ôl 1334. Daw mwy o wybodaeth i'r golwg yn yr ail ganrif ar bymtheg wrth i sylwedyddion ddechrau cofnodi eu hargraffiadau a ffrwyth eu hymweliadau a'u harolygon. Nododd James Challoner yn *A Short Treatise of the Isle of Mann* (1656) mai ychydig a siaradai Saesneg a cheir gwell syniad o safleoedd Saesneg a Manaweg mewn perthynas â'i gilydd yn sylw John Speed yn *Theatre of the Empire of Great Britaine* (1611): 'The wealthier sort, and such as hold the fairest possessions do imitate the people of Lancashire, . . . howbeit the commoner sort of people, both in language and manners, come nighest unto the Irish.' Yr oedd gwahaniaeth statws y ddwy iaith yn dechrau ei amlygu ei hun ac nid anodd canfod arwyddocâd geiriau Edmund Gibson yn ei nodiadau i *Britannia* Camden ym 1695 – 'Their gentry are very courteous and affable, and are more willing to discourse with one in English than in their own language' – y mae'n debyg am mai honno oedd eu hiaith arferol ymhlith ei gilydd. Yr oedd dwyieithrwydd hefyd yn gyffredin, hyd yn oed os nad oedd yn golygu mwy na'r gallu i brynu a gwerthu yn Saesneg: 'Not only the gentry, but likewise such of the peasants as live in the towns, or frequent the town markets, do both understand and speak the English language.'[56]

Cyfieithodd John Phillips, esgob Sodor a Manaw, y Llyfr Gweddi Gyffredin i Fanaweg tua 1625, sy'n arwydd fod angen yr iaith yng ngwasanaethau'r eglwys, ond gan na chafodd ei gyhoeddi (hyd 1895) y mae'n anodd gwybod pa ddefnydd a wnaed ohono. Er gwaethaf ymgais yr Esgob Isaac Barlow (1663–71) i sefydlu ysgolion plwyf i ddysgu Saesneg, nid oeddynt wedi effeithio ar y patrwm ieithyddol a daliai safle'r Fanaweg yn gadarn ymhlith pobl gyffredin ar ddiwedd y ganrif. Prif symbylydd defnyddio'r iaith yn yr eglwys oedd yr Esgob Thomas Wilson (1698– 1755),

---

[56] Kneen, *A Grammar of the Manx Language*, t. 7; cymh. Price, *The Languages of Britain*, t. 73.

gŵr a sylweddolodd hefyd na ellid cyrraedd mwyafrif plwyfolion yr ynys ond trwy Fanaweg, 'for English is not understood by two-thirds at least of the Island, though there is an English school in every parish, so hard is it to change the language of a whole country'.[57] Tan ei anogaeth ef ac esgobion eraill, yn ogystal â'r SPCK, cyhoeddwyd nifer o gyfieithiadau o lyfrau defosiynol a phregethau mewn Manaweg yn ystod y ddeunawfed ganrif.[58] Ymddangosodd y Llyfr Gweddi Gyffredin ym 1765 a'r Beibl mewn rhannau o 1763 hyd 1773, o bosibl yn rhan o'r un ymagwedd ymarferol ag a welwyd gan yr SSPCK yr un adeg. Y mae'n arwyddocaol fod digon o wasanaethau, beth bynnag am ddarllenwyr, i gyfiawnhau pum argraffiad arall o'r Llyfr Gweddi erbyn 1842 a thri o'r Beibl erbyn 1819. Angen a buddioldeb a oedd yn ysgogi'r gweithgarwch hwn ac nid pawb a oedd yn barod i'w gefnogi. Cyfeiriwyd at yr Esgob Hildesley yn ei sêl dros yr Ysgrythurau Manaweg ym 1763 fel '[a] poor wrong-headed bishop' a llym iawn oedd ymagwedd John Wesley ym 1789 a oedd yn gwrthwynebu'n chwyrn unrhyw ymgais i ddefnyddio Manaweg – 'On the contrary, we should do everything in our power to abolish it from the earth' – ac yn daer o blaid hyrwyddo Saesneg.[59] (Cyhoeddwyd trosiadau Manaweg o emynau Wesley ym 1795 a 1799, a Rheolau'r Seiadau ym 1800.)

Nid oes rheswm dros dybio bod ymagwedd fwy cefnogol at Fanaweg nag at yr ieithoedd Celtaidd eraill yn y cyfnod hwn, dim ond i'r graddau nad oedd yn fygythiad i'r drefn ac nad oedd iddi gynodiadau negyddol, ond yr hyn a ddengys y gweithgarwch crefyddol yw fod siaradwyr Manaweg uniaith (i bob pwrpas) yn ddigon niferus ac yn fwyafrif digonol i hawlio sylw. Ond mewn gwirionedd, tebyg i sefyllfa'r Gernyweg yn Penwith a Kerrier rai canrifoedd ynghynt oedd y Fanaweg. Gwir ei bod yn iaith y mwyafrif uniaith (yn wahanol i Gernyweg yn yr unfed ganrif ar bymtheg) a bod ei siaradwyr, megis y Cernywiaid, yn ymwybodol eu bod yn perthyn i gymuned ieithyddol ehangach, Llydaweg yn achos Cernyw, Gaeleg yr Alban yn achos Ynys Manaw (honnai pysgotwyr wrth Syr John Rhŷs ar ddiwedd y bedwaredd ganrif ar bymtheg eu bod yn deall Gaeleg yr Ynysoedd yn well na Gwyddeleg ac na feiddient siarad cyfrinachau mewn Manaweg pan lanient ar yr Ynysoedd). Ond ni fuasai'r naill na'r llall yn iaith gweinyddiaeth ers canrifoedd ac yr oedd Cernyw yn sir yn Lloegr a Manaw yn arglwyddiaeth dan goron Lloegr. Yr oedd y teuluoedd bonheddig yn troi cefn ar yr iaith ac yn arddel dwyieithrwydd dim ond er mwyn trafod materion â'u gweision; tyfai'r trefi marchnad, a thwristiaeth

---

[57] Kneen, *A Grammar of the Manx Language*, t. 8.
[58] Ceir rhestr o gyhoeddiadau Manaweg yn Kneen, *A Grammar of the Manx Language*, tt. 10–14; ar yr Ysgrythurau, gw. Williams, 'Y Beibl yn yr Ieithoedd Celtaidd'.
[59] Price, *The Languages of Britain*, tt. 75–6.

yn nes ymlaen, yn gyfryngau Seisnigeiddio. Rhaid bod gan werin Ynys Manaw ei llenyddiaeth lafar, ond nid oedd unrhyw lenyddiaeth ysgrifenedig ac nid oes enghreifftiau o Fanaweg ysgrifenedig cyn Llyfr Gweddi'r Esgob Phillips. Erys rhai baledi ond diflannodd yr hen ddysg a diwylliant Gaeleg (fel y diflanasai'r hen ddiwylliant brodorol yng Nghernyw), efallai tua'r un adeg ag y chwalodd y drefn gymdeithasol yn Iwerddon a'r Ucheldiroedd. Y canlyniad oedd mai iaith lafar tyddynwyr a physgotwyr oedd Manaweg ar drothwy'r cyfnod modern; ac er ei bod yn dechrau ymddangos mewn print yn y ddeunawfed ganrif, cyfyng eithriadol oedd y llenyddiaeth honno. Yn yr Ucheldiroedd a'r Ynysoedd ceid diwylliant llafar bywiog y gallai cyfieithu'r Beibl a'r bywyd crefyddol ei atgyfnerthu yn ieithyddol, a thyfai'r diwylliant llafar hwnnw yn hoff faes rhamantwyr a hynafiaethwyr y ddeunawfed ganrif a'r un ddilynol, ond nid oedd y manteision hyn gan y Fanaweg na fagodd gorff o siaradwyr llythrennog. Lledodd dwyieithrwydd ac ymddengys fod yr iaith wedi dirywio'n gyflym o ganol y bedwaredd ganrif ar bymtheg ymlaen. Pan ymwelodd Syr John Rhŷs â'r ynys yn ysbeidiol o 1886 hyd 1891 er mwyn dysgu'r iaith a'i dadansoddi, dim ond siaradwyr canol-oed neu hŷn a ddarganfu ('in prime of life or past it'). Saesneg oedd iaith pob aelwyd ac un ferch yn unig y daeth ar ei thraws a allai siarad yr iaith, ac yr oedd honno'n byw gyda'i nain neu ei thaid. Llwyddodd y Fanaweg i lusgo byw yn hwy nag y daroganai Rhŷs: bu farw'r siaradwr brodorol olaf ym 1974.[60]

Gan nad yr un yw hanes gwledydd Celtaidd ynysoedd Prydain ac nad unffurf yw hynt eu hieithoedd, anodd, os nad di-fudd, yw ceisio eu gwasgu i un ffrâm syniadol. Er hynny, gellir canfod elfennau tebyg yn y patrwm a daw rhai themâu cyffredin i'r golwg yn eu hanes.[61]

O gyfnod blynyddoedd olaf y ddeunawfed ganrif ymlaen y gwelir dirywiad cyflym ac amlwg yn yr ieithoedd hyn, ond y mae achosion y nychu i'w canfod lawer cynharach na hynny, ac er bod yr achosion hynny weithiau yn drawmatig ac unigryw, weithiau yn gudd a llechwraidd, digon tebyg ydynt yn eu hanfod. Cymathu'r diwylliannau 'rhanbarthol' a'u hamsugno i ddiwylliant 'cenedlaethol' (Seisnig) fu prif gymhelliad ymwneud pob llywodraeth ac awdurdod canolog â'r ieithoedd Celtaidd yn y cyfnod dan sylw. Nid annisgwyl, gan hynny, mai yn yr unfed ganrif ar bymtheg y gwelir dechreuadau'r proses hwn wrth i'r holl wledydd hyn

[60] John Rhŷs, *The Outlines of the Phonology of Manx Gaelic* (Oxford, 1894), t. 163; Price, *The Languages of Britain*, tt. 81–2.
[61] Gw. eto Durkacz, *The Decline of the Celtic Languages*, tt. 214–26; Hindley, *The Death of the Irish Language*, tt. 3–12.

wynebu bygythiadau i'w diwylliannau a'u cymdeithas draddodiadol yn enw unffurfiaeth a'r ymgais i greu gwladwriaeth unoliaethol. Yr oedd y bygythiadau i iaith a'i diwylliant weithiau yn ymhlyg yn y polisi, dro arall byddai deddfwriaeth yn ymwybodol ieithyddol neu wrth-ddiwylliannol, ond gan mai unffurfiaeth oedd y nod yr un fyddai'r effaith, boed yn y maes gwleidyddol, milwrol, cymdeithasol, economaidd, addysgol neu grefyddol. Yn fynych, wrth reswm, deuai'r elfennau hyn, neu gyfuniad o rai ohonynt, at ei gilydd yn yr un ddeddfwriaeth.

Yn achos y Gernyweg yr oedd y cymathu wedi datblygu ers canrifoedd fel na fu angen deddfwriaeth na grym milwrol. Yr oedd yr iaith yn rhy amherthnasol i sylwi arni gan na byd nac eglwys; ac er i 'wrthryfel y Llyfr Gweddi' atgoffa'r diwygwyr am ei bodolaeth, nid oedd mewn sefyllfa i fynnu cael yr Ysgrythurau ynddi. Gellid ei hanwybyddu gan nad oedd yn fygythiad. Yn Iwerddon, ar y llaw arall, buan iawn y daeth yr iaith yn emblem wleidyddol ac yn yr Ucheldiroedd yn arwydd o arwahanrwydd diwylliannol, a'r hyn a ddynodid ganddynt – Pabyddiaeth fradwrus ac anwarineb ethnig (ynghyd â Phabyddiaeth wrthryfelgar ar adegau) – yn fygythiadau gwirioneddol i drefn ac awdurdod llywodraeth. Yn y ddwy wlad gwelwyd yr ymgyrchoedd milwrol yn cael eu cadarnhau gan bolisïau gwrth-ddiwylliannol a chymdeithasol a fwriedid i ddifa cynheiliaid y diwylliant hwnnw, yn urddau dysgedig, beirdd a cherddorion, a phob arwydd allanol ohono. Yr oedd yr ymosod yn ddeublyg, ar y penaethiaid, arweinwyr gwleidyddol a gynhaliai'r drefn economaidd ac a oedd yn wrthrychau ac yn noddwyr diwylliant, ac ar y 'cyfarwyddiaid' a drosglwyddai'r diwylliant ac a'i hachlesai. Chwalwyd cymdeithas yr oedd Gwyddeleg a Gaeleg yn fynegiant o drefn ei bywyd cyflawn erbyn diwedd yr ail ganrif ar bymtheg ac ar ôl 1745. Yr oedd tyndra yn dal i fodoli yn y ddwy wlad rhwng unffurfiaeth wleidyddol a chrefyddol a chenhadu effeithiol yn y famiaith. Ond hyd yn oed lle y cydnabyddid swyddogaeth yr iaith, cydnabyddiaeth dros dro ydoedd nad oedd yn newid polisïau iaith yr ysgolion.

Llifai llawer o ganlyniadau yn sgil goruchafiaeth filwrol a chymdeithas-ol. Gyda sefydlogrwydd deuai ffyrdd newydd yn llwybrau diwydiant a masnach, ehangai cyfleoedd marchnata a datblygai swyddogaethau trefi a phentrefi marchnad, cynyddai'r galw am lafur a chrefftwyr a gweithwyr tymhorol. Peidiodd pellter plwyfi glannau môr gorllewin Cernyw a llinell derfyn yr Ucheldiroedd â bod yn amddiffynfa ieithyddol ac agorwyd drws i fewnfudwyr (ac ymfudwyr) ac ymwelwyr. Ni fuasai gradd o ddwyieith-rwydd yn anarferol yn yr ail ganrif ar bymtheg, ond yn y ganrif ddilynol rhaid bod y raddfa wedi codi a bod llawer mwy o bobl â gafael fwy na digonol ar Saesneg, gan ystyried hynny yn un o amodau byw yn llwyddiannus.

Gallesid bod wedi dygymod â rhai o'r cyfnewidiadau hyn trwy godi strwythur cymdeithasol newydd i'r diwylliant, fel y llwyddwyd i'w wneud yng Nghymru ar ôl 1282, yn yr unfed ganrif ar bymtheg ac, yn fwy radical, yn y ddeunawfed ganrif, pe buasai'r ewyllys yn ddigon hyderus. Yn Iwerddon a'r Ucheldiroedd y gwelir gliriaf y rhagfarn hiliol sy'n nodwedd gyfarwydd pan ddaw diwylliant goresgynwyr i gyfarfod â diwylliant goresgynedig. Nod angen y diwylliant Gaelig yn Iwerddon a'r Ucheldiroedd oedd anwarineb, a mater o amser ydoedd cyn i'r gymdeithas frodorol dderbyn y farn honno, a borthid gan y system addysg, amdani ei hun. Ym mhob un o'r gwledydd Celtaidd, y boneddigion a blygodd gyntaf i bwysau mabwysiadu 'dull Seisnig o fyw' a chael eu derbyn i uchelwriaeth Lloegr. Gallai hynny fod yn ganlyniad i bolisi llywodraeth neu'n ddewis gwirfoddol, ond y canlyniad oedd i'r ieithoedd hynny golli eu statws cymdeithasol, gan ddod yn iaith israddol ac yn rhwystr i gynnydd cymdeithasol. Collent eu defnyddioldeb ymarferol a chael eu hystyried yn arwydd o dlodi a methiant ymhlith haenau mwyaf darostyngedig cymdeithas. Rhodder at yr ymagweddau hyn ddiffyg llenyddiaeth (megis yng Nghernyw ac Ynys Manaw) neu lenyddiaeth wâr a derbyniol gan haenau uchaf y gymdeithas Seisnig a brodorol Seisnigedig (megis yn Iwerddon a'r Ucheldiroedd) a buan y cyll cymdeithas ffydd yng ngwerth ei diwylliant ac amau addasrwydd ei hiaith yn y byd cyfoes. Cyfryngau hir-dymor oedd ysgolion Saesneg ac efallai na fuont yn llwyr effeithiol hyd nes i rieni a phlant ddymuno medru Saesneg, ond trwy fynnu mai llythrennedd Saesneg oedd yr unig lythrennedd priodol bwrid rhagor o amheuaeth ar ddilysrwydd y diwylliant brodorol. Yr oedd dwyieithrwydd cynyddol eisoes yn cyfyngu ar feysydd y mamieithoedd: yr un fyddai canlyniadau'r addysg a rhannu cymdeithasol. Mewn llawer ardal peidiodd yr iaith â bod yn iaith diwylliant cyflawn, a'r cam nesaf fyddai iddi beidio â bod yn iaith gymunedol.

Ar drothwy'r bedwaredd ganrif ar bymtheg, yr oedd sefyllfa'r Gymraeg lawer cryfach nag eiddo ei chwaerieithoedd Celtaidd. Gwir na fu rhaid iddi ddioddef ffoedigaeth ei harweinwyr cymdeithasol, hyd yn oed ar ôl 1282, ac ni fu yn ei hanes erioed erlid i'w gymharu â'r hyn a gafwyd yn Iwerddon a'r Ucheldiroedd, ond dichon mai'r hyn a'i cadwodd yn fyw oedd iddi lwyddo i greu ac addasu dosbarthiadau newydd i gynnal a noddi diwylliant ym mhob cyfnod wrth i batrwm y gymdeithas newid. Sicrhaodd lenyddiaeth a oedd bob amser yn ddatblygiad o'r hyn a fu o'r blaen, gan sicrhau felly fod parhad yn natur ei hiaith yn ogystal. Cydiodd Protestaniaeth mewn gwlad lle nad oedd yr iaith yn arwydd gwleidyddol i bleidiau gwrthwynebus i'r Goron a lle y gallai cyfieithu'r Ysgrythurau a'r Llyfr Gweddi Gyffredin fod yn weithred fwy neu lai ddidramgwydd. Yn wahanol i bob un o'r diwylliannau Celtaidd eraill yng ngwledydd Prydain, llwyddodd y Gymraeg i gyfuno dysg y Dadeni a delfrydau'r diwygwyr. Rhoddwyd iddi sylfaen i lythrennedd poblogaidd trwy gyfrwng ysgolion, capel ac eglwys, a sail i statws poblogaidd yn ei chymdeithas ei hun.

Mynegai